2e édition

FONDEMENTS DE LA
COMPTABILITÉ FINANCIÈRE
Une approche dynamique

ROBERT LIBBY
Cornell University

PATRICIA A. LIBBY
Ithaca College

DANIEL G. SHORT
Miami University

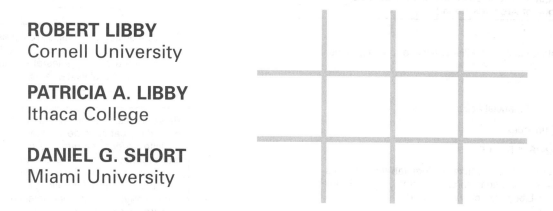

CAROLE LAFOND-LAVALLÉE, M.A., CA
École des sciences de la gestion, UQAM

DENISE LANTHIER, MBA, CA
École des sciences de la gestion, UQAM

**Chenelière
McGraw-Hill**

CHENELIÈRE ÉDUCATION

Fondements de la comptabilité financière
Une approche dynamique, 2e édition

Traduction de la 5e éd. de : *Financial Accounting* de Robert Libby,
Patricia A. Libby et Daniel G. Short © 2007 The McGraw-Hill
Companies, Inc. (978-0-07-2931117-4)

© 2007, 2003 Les Éditions de la Chenelière inc.

Édition : Pierre Frigon et Mélanie Bergeron
Coordination : Martine Brunet
Révision linguistique : Ginette Laliberté
Correction d'épreuves : Zérofôte
Conception graphique et infographie : Interscript
Conception de la couverture : Sophie Lambert
Impression : Imprimeries Transcontinental

**Catalogage avant publication
de Bibliothèque et Archives nationales du Québec
et Bibliothèque et Archives Canada**

Libby, Robert

    Fondements de la comptabilité financière : une approche
dynamique

    2e éd.

    Traduction de : Financial accounting, 5th ed.

    Comprend un index.

    ISBN 978-2-7651-0473-5

    1. Comptabilité.   2. Entreprises – Comptabilité.   3. États
financiers.   4. Analyse financière.   5. Comptabilité – Problèmes
et exercices.   I. Libby, Patricia A.   II. Short, Daniel G.   III. Titre.

HF5635.L6214 2007   657   C2007-940289-5

CHENELIÈRE ÉDUCATION

7001, boul. Saint-Laurent
Montréal (Québec)
Canada H2S 3E3
Téléphone : 514 273-1066
Télécopieur : 514 276-0324
info@cheneliere.ca

ISBN 978-2-7651-0473-5

Dépôt légal : 2e trimestre 2007
Bibliothèque et Archives nationales du Québec
Bibliothèque et Archives Canada

Imprimé au Canada

2 3 4 5 ITG 11 10 09 08

Nous reconnaissons l'aide financière du gouvernement du Canada
par l'entremise du Programme d'aide au développement de l'industrie de l'édition (PADIÉ) pour nos activités d'édition.

Gouvernement du Québec – Programme de crédit d'impôt pour
l'édition de livres – Gestion SODEC.

Sources des photographies

page couverture : Mikael Damkier/Shutterstock ;
chapitre 1 : p. 1, Mark Gibson/Index Stock
Imagery ; **p. 9**, Jeff Metzger/Istockphoto ;
p. 49, Olga Krasavina/Istockphoto ; **p. 52**,
Isockphoto ; **p. 52**, Junaid Khalid/Istockphoto ;
p. 53, Alex Bramwell/Istockphoto ; **chapitres 2,
3 et 4 :** gracieuseté de Van Houtte inc. ;
chapitre 5 : gracieuseté d'Axan Pharma inc. ;
chapitre 6 : Shaun Lowe/Istockphoto ;
chapitre 7 : Nigel Silcock/Istockphoto ;
chapitre 8 : gracieuseté Transat A.T. ;
chapitre 9 : gracieuseté de Cascade inc. ;
chapitre 10 : gracieuseté d'Alcan inc. ;
chapitre 12 : gracieuseté des compagnies
Loblaw limitée ; **chapitre 13 :** gracieuseté de
Zenon enviromental inc. ; **annexe B :** gracieuseté Le Château inc. ; annexe C : gracieuseté
de Reitmans ; **annexe B :** gracieuseté
Le Château inc. ; **annexe C :** gracieuseté
Reitmans.

DANGER

LE
PHOTOCOPILLAGE
TUE LE LIVRE

Avant-propos

Une approche dynamique

Bien comprendre l'information financière est d'une importance majeure pour tous les étudiants qui se destinent à une carrière en marketing, en finance, en comptabilité ou dans tout autre domaine de la gestion. Les gestionnaires et les comptables doivent savoir comment utiliser les états financiers pour prendre des décisions pertinentes et atteindre leur objectif de réussite. Les crises et les bouleversements que connaît le milieu financier ont soulevé l'importance des normes comptables et la nécessité de bien les comprendre et les analyser. Cet ouvrage se veut avant tout un outil pratique qui saura susciter l'intérêt des étudiants en les plongeant dès le début dans le monde stimulant des affaires.

Dans cette deuxième édition française, nous avons mis en évidence des entreprises établies au Québec et au Canada. Chaque chapitre s'articule autour d'une société ouverte, bien connue des étudiants, qui évolue dans un secteur d'activité économique précis. Les états financiers et les rapports de gestion des dirigeants de ces sociétés servent de base à l'étude des concepts abordés. Ils permettent aux étudiants d'exercer leur jugement dans un contexte pratique et actuel où l'information est continuellement mise à jour. Cette approche intégrée au monde réel montre comment les décisions ne relèvent pas seulement d'un concept en particulier, mais qu'elles doivent tenir compte d'un ensemble de facteurs. C'est pourquoi chaque chapitre intègre des questions d'analyse financière, les ratios financiers et les flux monétaires. Toutefois, les questions éthiques et internationales sont aussi relevées. Ainsi, les étudiants sont invités à adopter une approche globale des problématiques financières. Des problèmes et des cas, à la fin de chaque chapitre, portent sur plusieurs entreprises canadiennes et états-uniennes, et permettent aux étudiants d'accroître leurs habiletés. De plus, le recours à Internet donne la possibilité d'accentuer le réalisme des notions abordées. On trouve aussi du matériel qui favorise le travail en équipe, puisque cette approche moderne simule efficacement le monde réel des affaires.

Nous croyons sincèrement que cette deuxième édition conserve le caractère original et dynamique qui a fait le succès du volume des professeurs Robert Libby, Patricia A. Libby et Daniel G. Short. En adaptant leur ouvrage, nous avons voulu lui donner une couleur locale qui reflète la culture financière québécoise et canadienne.

Présentation du volume

Fondements de la comptabilité financière est un manuel qui offre une foule d'outils pédagogiques. Ces derniers permettront d'enrichir l'enseignement de la comptabilité financière et le travail des étudiants. Certains outils présentent de l'information et donnent des conseils qui aideront les enseignants à aborder des questions complexes ; d'autres soulignent des questions qui sont présentes dans l'actualité et que les étudiants lisent dans les journaux ou voient à la télévision.

Analyse financière

Cette rubrique établit le lien entre les concepts couverts dans le chapitre et des exemples de prises de décision tirés du milieu des affaires. On y met aussi en évidence d'autres approches tout en soulignant l'importance d'une analyse critique et éthique.

Test d'autoévaluation

Les recherches en éducation montrent que les étudiants apprennent mieux lorsqu'ils sont engagés activement dans leur processus d'apprentissage. Cette rubrique incite l'étudiant à s'engager dans son processus d'apprentissage et à vérifier ses connaissances avant de poursuivre plus avant son étude. Insérés en des points stratégiques du chapitre, les *Tests d'autoévaluation* renforcent la compréhension des notions apprises.

Perspective internationale

En raison de la mondialisation de l'économie et des affaires, les étudiants doivent être conscients des différences qui existent entre les méthodes comptables utilisées à travers le monde.

Coup d'œil sur

Van Houtte

RAPPORT ANNUEL

Dans l'actualité

Banque Royale

Coup d'œil sur...
Dans l'actualité

Ces extraits sont insérés dans le texte et présentent de l'information tirée de rapports annuels d'entreprises québécoises et canadiennes, d'articles de journaux ou de communiqués de presse. Grâce à leur pertinence, les étudiants réalisent à quel point les questions financières sont bien ancrées dans l'actualité.

Analysons les ratios

Chaque chapitre comporte une rubrique *Analysons les ratios*. Celle-ci vise à rendre les étudiants plus aptes à utiliser l'information financière. En effet, nous croyons que les étudiants ont avantage à analyser les éléments de la performance financière au moment où ils apprennent à les mesurer et à les présenter aux états financiers. Chaque ratio clé est appliqué à la société présentée sous la rubrique *Point de mire* du chapitre ainsi qu'à ses compétiteurs. Quelques judicieux conseils sont aussi donnés pour aider les étudiants à comprendre les limites de l'utilisation des ratios.

Question d'éthique

Pour souligner l'importance d'adopter un comportement exemplaire en affaires, des questions relatives à l'éthique en comptabilité sont soulevées tout au long du manuel. Les étudiants apprennent ainsi à connaître le genre de dilemmes auxquels les décideurs font face en entreprise.

Incidence sur les flux de trésorerie

Chacun des 12 premiers chapitres inclut une analyse des changements survenus dans les flux de trésorerie de l'entreprise présentée sous la rubrique *Point de mire* et des décisions qui ont provoqué ces changements. Grâce à la couverture systématique des flux de trésorerie dès les premiers chapitres, les étudiants se familiarisent avec les types de décisions qu'ils devront prendre à titre de gestionnaires, puis avec les conséquences de ces décisions sur les flux de trésorerie.

Structure du chapitre

Un schéma visuel de la structure du chapitre amène les étudiants à trouver facilement les concepts qui y sont étudiés.

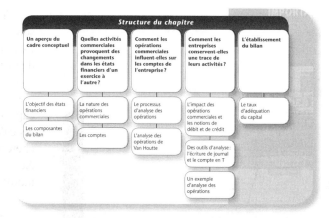

Équation comptable – écriture de journal

Les effets des opérations sur l'équation comptable sont présentés parallèlement aux effets sur l'écriture de journal. Les écritures sont désignées par des lettres : A (actif), Pa (passif), CP (capitaux propres), Pr (produit), C (charges) ou X (compte de sens contraire). En outre, dans les premiers chapitres, l'ajout d'un signe + ou – aide les étudiants à mieux saisir les opérations. Les enseignants qui choisissent de ne pas aborder les écritures de journal dans un cours d'introduction pourront se concentrer sur l'équation comptable.

b) Le coût des grains, du processus de torréfaction et de l'emballage du café vendu en a) s'élevait à 10 000 $. Le coût des fournitures vendues en a) était de 20 000 $.

ÉQUATION COMPTABLE

Actif	=	Passif	+	Capitaux propres	
Stocks −30 000				Coût des marchandises vendues	−30 000

ÉCRITURE DE JOURNAL

Coût des marchandises vendues (+C, −CP)	30 000	
Stocks (−A)		30 000

Vérifications : 1. L'équation comptable est en équilibre ;
2. Débits 30 000 $ = Crédits 30 000 $.

Internet

Dans chacun des chapitres, les étudiants sont encouragés à explorer des sites Web. Les étudiants apprennent ainsi à intégrer cette ressource incontournable dans leur pratique quotidienne.

Voici brièvement le contenu des autres rubriques :

- **Ratios clés** ◊ présente le résumé des ratios étudiés dans le chapitre ;
- **Pour trouver l'information financière** ◊ dresse la liste des différents éléments des états financiers étudiés dans le chapitre ;
- **Mots clés** ◊ dresse la liste de tous les termes définis dans le chapitre ;
- **Points saillants du chapitre** ◊ reprend les éléments importants du chapitre pour chacun des objectifs d'apprentissage présentés en début de chapitre.

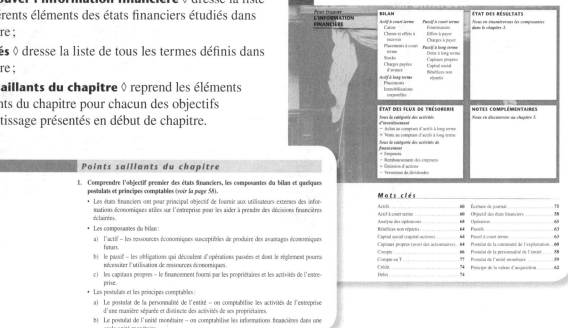

Chaque chapitre se termine par une sélection de travaux où sont abordés un ou plusieurs concepts présentés dans le chapitre. Ces travaux sont conçus de manière graduelle en fonction du degré de difficulté et des objectifs d'apprentissage (OA). Ces travaux ont souvent pour sujet de véritables sociétés (nationales ou internationales). Ils favorisent donc l'exercice des habiletés (notamment la capacité d'analyse, la compréhension des concepts fondamentaux, les calculs, la communication écrite, le travail en équipe et la recherche dans Internet). Certaines questions font appel au tableau électronique EXCEL, un outil fort utile dans le milieu de la comptabilité et de la finance.

– **Questions;**
– **Questions à choix multiples;**
– **Mini-exercices;**
– **Exercices;**
– **Problèmes;**
– **Problèmes supplémentaires;**
– **Cas et projets** ◊ comprend l'analyse de rapports annuels, des analyses critiques, des dilemmes éthiques et des projets en équipe.

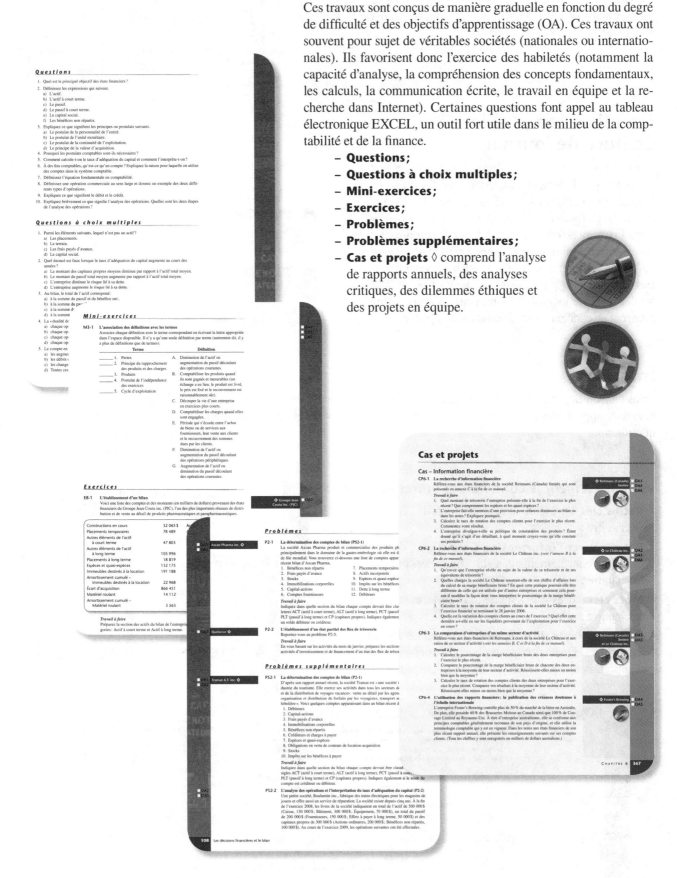

Remerciements

La parution de cette deuxième édition a été possible grâce au travail et aux efforts de nombreuses personnes. Leur contribution nous permet à nouveau d'offrir aux étudiants un outil d'apprentissage de pointe et bien adapté à leurs besoins.

Nous tenons à remercier en premier lieu les auteurs du volume états-unien, Robert Libby, Patricia A. Libby et Daniel G. Short. Leur approche dynamique et stimulante de la comptabilité nous a permis de travailler à partir d'un ouvrage dont nous espérons avoir conservé la qualité et l'originalité.

Nous tenons également à exprimer notre reconnaissance à nos collaborateurs qui ont travaillé sur le matériel pédagogique qui l'accompagne. Merci à Mme Isabelle Rochon, chargée de cours à l'École des sciences de la gestion de l'UQAM ; à Mmes Mélanie Hébert et Julie Bélanger, étudiantes au baccalauréat en sciences comptables à l'École des sciences de la gestion.

La publication de cet ouvrage n'aurait pu être réalisée sans le travail constant et minutieux de l'équipe de la maison d'édition Chenelière Éducation. Nous les remercions tous, et particulièrement Mmes Ginette Laliberté et Michèle Levert pour leur minutieux travail à titre de réviseure linguistique et de correctrice d'épreuve, et Mmes Mélanie Bergeron et Martine Brunet qui, tout au long du processus, nous ont apporté soutien et encouragement.

Par ailleurs, dans ce volume, nous avons utilisé de nombreux extraits de rapports annuels de sociétés canadiennes. Les textes et les images contribuent au dynamisme de cet ouvrage et servent à créer des liens entre la théorie et le monde des affaires. Nous remercions les sociétés présentées dans les sections *Point de mire*. Ces sociétés ont ainsi mis à la disposition de nos étudiants une somme d'information qui contribue grandement à leur formation.

Enfin, nous ne pouvons passer sous silence les encouragements et l'appui que nos conjoints, Alain et François, nous ont accordés durant tous ces mois de travail.

Nous espérons sincèrement que cet ouvrage permettra aux étudiants francophones d'apprécier la comptabilité et d'en découvrir tout le potentiel.

Carole Lafond-Lavallée
Denise Lanthier

Table des matières

CHAPITRE 6

Les produits d'exploitation, les comptes clients et la trésorerie

CHAPITRE 7

Les stocks

CHAPITRE *8*

Les immobilisations corporelles et les actifs incorporels

CHAPITRE *9*

Le passif

CHAPITRE 10

Les capitaux propres ... 595

CHAPITRE 11

Les placements ... 653

CHAPITRE 12

L'état des flux de trésorerie 711

Les états financiers et les décisions économiques

Objectifs d'apprentissage

Au terme de ce chapitre, l'étudiant sera en mesure :

1. de comprendre l'information présentée dans chacun des principaux états financiers et son utilité pour différents décideurs, soit les investisseurs, les créanciers et les gestionnaires (*voir la page 6*) ;

2. de définir le rôle des principes comptables généralement reconnus (PCGR) dans la préparation et la présentation des états financiers (*voir la page 22*) ;

3. de distinguer le rôle des gestionnaires de celui des vérificateurs dans le processus de communication de l'information comptable (*voir la page 24*) ;

4. de réaliser l'importance de l'éthique en comptabilité, de l'intégrité ainsi que de la responsabilité professionnelle de l'expert-comptable (*voir la page 27*).

DISCUS INC.

Discus inc.

L'évaluation d'une acquisition
L'utilisation de l'information figurant
aux états financiers*

Au mois de janvier, le Groupe Alpha inc. a fait l'acquisition de Discus inc., un fabricant d'unités de disques pour ordinateurs personnels. Cette acquisition leur a coûté plus de 30 millions de dollars. Discus est une entreprise à croissance rapide. Le Groupe Alpha a déterminé le prix d'achat en tenant compte des éléments suivants : la valeur des ressources économiques de la société Discus ; ses dettes ainsi que sa capacité à vendre des biens à un prix supérieur aux coûts engagés pour les produire ; sa capacité de générer l'argent nécessaire pour régler ses factures courantes. Une bonne part de cette évaluation a été basée sur l'information financière que Discus a fournie. Cette information était présentée sous forme d'états financiers. Au mois de juillet, le Groupe Alpha a découvert plusieurs problèmes tant dans les activités d'exploitation de Discus que dans ses états financiers. Le Groupe Alpha s'est ainsi rendu compte que Discus ne valait que la moitié du prix payé. De plus, Discus ne disposait pas de suffisamment de liquidités pour rembourser ses dettes à la Banque d'Investissement. En réaction, le Groupe Alpha a engagé une poursuite judiciaire contre les anciens propriétaires et les autres personnes responsables de la préparation des états financiers de Discus pour recouvrer le paiement excédentaire.

Parlons affaires

Les joueurs en présence

Discus a été fondée par deux ingénieurs qui avaient auparavant travaillé pour Technologie inc., un fabricant de gros ordinateurs. Prévoyant la hausse de la demande pour des ordinateurs personnels avec unités de disques, ces deux ingénieurs ont formé Discus, une société spécialisée dans la fabrication de cette composante essentielle d'ordinateurs. Pour créer l'entreprise, les fondateurs ont investi une part importante de leurs épargnes, devenant ainsi les propriétaires exclusifs de Discus. Comme c'est le cas généralement dans les nouvelles entreprises, les fondateurs en étaient aussi les gestionnaires (ils étaient les propriétaires exploitants).

Les fondateurs ont rapidement réalisé qu'ils avaient besoin de fonds supplémentaires pour développer la société. Écoutant la recommandation d'un ami proche, ils se sont tournés vers la Banque d'Investissement pour emprunter de l'argent.
Au fil des ans, Discus a emprunté auprès de nombreux bailleurs de fonds, mais la Banque d'Investissement a continué à lui prêter les sommes nécessaires à son exploitation, devenant ainsi son principal prêteur ou créancier. Au début de l'an dernier, un des fondateurs de l'entreprise a été très malade. Cet événement, combiné au stress lié à l'exploitation de l'entreprise dans ce secteur d'activité très concurrentiel, les a amenés à vouloir vendre leur entreprise. En janvier dernier, les fondateurs ont conclu un contrat de vente de la société avec le Groupe Alpha inc., un petit groupe privé de riches

---

*   Le cas de Discus inc. est une représentation réaliste d'un véritable cas de fraude. Aucun des noms mentionnés dans ce cas n'est réel. Nous discuterons de la fraude véritablement commise dans la conclusion du présent chapitre.

investisseurs. Les deux fondateurs ont pris leur retraite, et un nouveau gestionnaire a été embauché pour diriger Discus au nom des nouveaux propriétaires. Le nouveau gestionnaire avait déjà travaillé pour une société qui appartenait au Groupe Alpha, mais il n'était pas propriétaire de la société.

Les propriétaires sont souvent appelés les « investisseurs » ou les « actionnaires ». Il peut s'agir de groupes comme Alpha (qui a récemment acquis Discus) ou de personnes qui achètent de faibles pourcentages de participation dans de grandes sociétés. Ils effectuent leurs investissements en espérant en tirer profit de deux manières. Ils souhaitent soit revendre leurs investissements à un prix plus élevé que celui qu'ils ont payé, soit recevoir une portion de ce que gagne la société sous forme de paiements en espèces, appelés les « dividendes ». Comme le suggère le cas de Discus, ce ne sont pas toutes les sociétés qui prennent de la valeur avec le temps ou qui disposent de suffisamment de liquidités pour verser des dividendes. Les créanciers (qu'il s'agisse de personnes, d'entreprises commerciales ou d'établissements financiers comme les banques) prêtent de l'argent à une société pour une période de temps précise. Ils espèrent tirer des gains en demandant des intérêts sur les sommes prêtées. Comme la Banque d'Investissement, principal créancier de Discus, l'a appris, certains emprunteurs sont incapables par la suite de rembourser leurs dettes. Les opérations de Discus avec ses créanciers ou ses propriétaires sont des *activités de financement*. Par contre, lorsque Discus vend ou achète des biens tels des équipements pour produire ses unités de disques, ces opérations sont des *activités d'investissement*.

Les activités commerciales de l'entreprise

Pour comprendre les états financiers d'une société, il faut d'abord connaître ses *activités d'exploitation*. Comme nous l'avons mentionné plus haut, Discus conçoit et fabrique des unités de disques pour ordinateurs personnels. Les principaux composants de ces unités incluent les disques sur lesquels les données sont stockées, les moteurs qui font tourner les disques, les têtes qui lisent et qui écrivent sur les disques ainsi que les puces d'ordinateurs qui commandent les opérations de l'unité. Discus achète les disques et les moteurs auprès d'autres sociétés, qu'on appelle des « fournisseurs ». La société conçoit et fabrique les têtes, de même que les puces, puis elle assemble les unités. Discus ne vend pas les unités de disques directement au grand public. Ses clients sont plutôt des fabricants d'ordinateurs, comme Hewlett-Packard et Apple Computer, qui installent les unités de disques dans les ordinateurs qu'ils vendent aux détaillants (les entreprises qui vendent aux consommateurs) comme Bureau en gros ou Future Shop. Ainsi, Discus est un fournisseur d'Hewlett-Packard et d'Apple Computer.

Le secteur des unités de disques est très compétitif. Discus concurrence des sociétés de fabrication d'unités de disques beaucoup plus grandes en investissant de fortes sommes d'argent dans le développement d'unités de disques novatrices et plus performantes. Elle utilise des robots dans l'usine pour réduire les coûts de main-d'œuvre et s'assurer de la qualité du produit. Parmi les employés de Discus, on peut mentionner 36 ingénieurs et techniciens qui travaillent en recherche et développement pour créer de nouvelles unités de disques.

Comme toutes les entreprises, Discus dispose d'un système de **comptabilité** qui rassemble et traite (analyse, mesure et enregistre) les données financières sur l'entreprise et communique ces informations aux décideurs. Les gestionnaires de Discus (souvent appelés les « décideurs internes ») et les parties externes à l'entreprise comme les investisseurs, tels que les gestionnaires du Groupe Alpha et les agents de prêts de la Banque d'Investissement (souvent appelés les « décideurs externes »), utilisent les rapports produits par ce système. Le tableau 1.1 à la page suivante présente deux composantes du système comptable. En général, les gestionnaires internes ont besoin d'une information

La **comptabilité** est un système d'information permettant de rassembler et de communiquer des informations à caractère essentiellement financier, le plus souvent chiffrées en unités monétaires, concernant l'activité économique des entreprises et des organismes. Ces informations sont destinées à aider les personnes intéressées à prendre des décisions économiques, notamment en matière de répartition des ressources[1].

---

1. Louis MÉNARD, et collab. (2004), *Dictionnaire de la comptabilité et de la gestion financière*, 2e éd., Toronto, ICCA, p. 10.

détaillée de manière continue, car ils doivent planifier les activités d'exploitation quotidiennes de l'entreprise et prendre des décisions rapidement. Le développement d'un système d'information comptable pour les décideurs internes relève de la comptabilité de gestion ou comptabilité de management. Ce sujet fait l'objet de cours de comptabilité distincts. Dans ce manuel, nous nous attarderons sur le système d'information comptable destiné aux décideurs externes, appelé la «comptabilité financière», ainsi que sur les principaux états financiers qui constituent le produit de ce système.

Nous commençons notre étude par un bref aperçu des principaux états financiers ainsi que des personnes et des entreprises qui participent à leur élaboration ou qui utilisent l'information fournie dans ces états. Cet aperçu présente le contexte général qui sera par la suite repris de façon plus détaillée dans les chapitres suivants. En particulier, nous nous concentrons sur la manière dont les principaux utilisateurs des états financiers, soit les investisseurs (les propriétaires) et les créanciers (les prêteurs), se sont fiés à chacun des états financiers de Discus pour prendre leur malheureuse décision de l'acheter et de lui prêter de l'argent.

Ensuite, nous tenterons de corriger les erreurs commises dans chacun des états financiers et discuterons des conséquences des erreurs concernant la valeur de Discus. Finalement, nous aborderons les enjeux éthiques soulevés par ce cas et les responsabilités légales des diverses parties concernées dans ce dossier.

Pour comprendre comment le Groupe Alpha a utilisé l'information présentée dans les états financiers pour prendre sa décision et comment il a été induit en erreur, il faut d'abord connaître quelles sont les informations qu'on trouve dans les principaux états financiers d'une société comme Discus. Pour ce faire, il est essentiel de comprendre le sens des mots clés utilisés en comptabilité et dans le monde des affaires et qu'on trouvera tout au long de ce volume. Comme dans bon nombre de professions, la terminologie comptable est technique. Dans ce chapitre, nous présenterons les définitions générales de ces mots clés.

TABLEAU 1.1 | Système comptable et décideurs

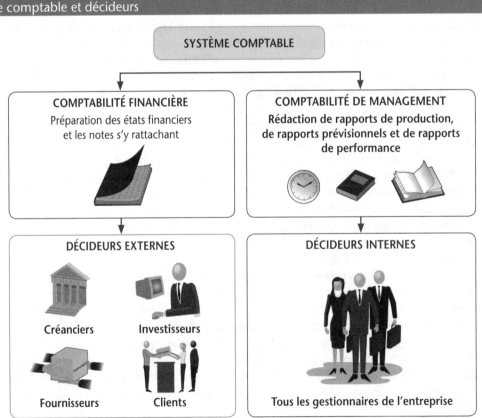

SYSTÈME COMPTABLE

COMPTABILITÉ FINANCIÈRE
Préparation des états financiers et les notes s'y rattachant

COMPTABILITÉ DE MANAGEMENT
Rédaction de rapports de production, de rapports prévisionnels et de rapports de performance

DÉCIDEURS EXTERNES

Créanciers

Investisseurs

Fournisseurs

Clients

DÉCIDEURS INTERNES

Tous les gestionnaires de l'entreprise

Pour certains termes comptables, nous ajouterons plus de détails aux définitions dans des chapitres ultérieurs. Il faut toutefois prendre note que plusieurs termes peuvent être utilisés pour désigner une même réalité et que les entreprises adaptent parfois la terminologie à leur propre réalité. Plus précisément, nous nous attarderons sur les questions suivantes :

1. Quelles sont les principales composantes (souvent appelées les « rubriques ») de chacun des états financiers ? Ces mentions indiqueront le type d'information présentée dans les états financiers. Ainsi, vous apprendrez, en tant que lecteur d'états financiers, où trouver chaque type d'information.

2. Quelles sont les relations entre les différentes composantes des états financiers ? Ces relations sont habituellement décrites sous la forme d'une équation qui indique le lien entre les composantes.

3. En quoi chacune des composantes est-elle importante dans la prise de décision d'un propriétaire ou d'un créancier ? La réponse à cette question donnera une idée générale de l'importance, pour les décideurs, de l'information financière présentée dans les états financiers.

Des tests d'autoévaluation vous aideront à connaître votre niveau de compréhension des thèmes abordés. Puisque ce chapitre ne constitue qu'un aperçu, chacune des notions présentées sera abordée plus en détail dans les chapitres 2 à 5.

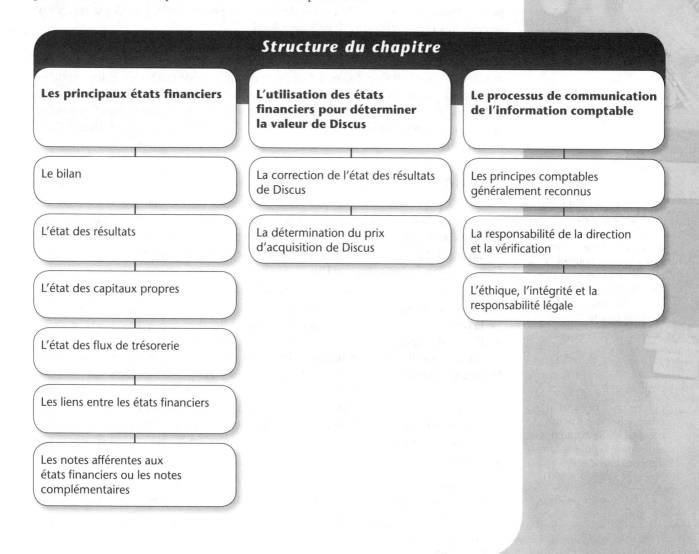

Structure du chapitre

Les principaux états financiers	**L'utilisation des états financiers pour déterminer la valeur de Discus**	**Le processus de communication de l'information comptable**
Le bilan	La correction de l'état des résultats de Discus	Les principes comptables généralement reconnus
L'état des résultats	La détermination du prix d'acquisition de Discus	La responsabilité de la direction et la vérification
L'état des capitaux propres		L'éthique, l'intégrité et la responsabilité légale
L'état des flux de trésorerie		
Les liens entre les états financiers		
Les notes afférentes aux états financiers ou les notes complémentaires		

Les principaux états financiers[2]

OBJECTIF D'APPRENTISSAGE **1**

Comprendre l'information présentée dans chacun des principaux états financiers et son utilité pour différents décideurs, soit les investisseurs, les créanciers et les gestionnaires.

Le Groupe Alpha (les nouveaux propriétaires de Discus) et la Banque d'Investissement (le principal créancier de Discus) ont tous deux utilisé les états financiers de Discus pour en apprendre davantage sur celle-ci avant de prendre leur décision d'achat pour l'un et de prêt pour l'autre. Ce faisant, le Groupe Alpha et la Banque d'Investissement ont supposé que les états financiers représentaient fidèlement la situation financière de Discus. Cependant, comme ils ont tôt fait de l'apprendre, les états financiers étaient erronés.

1. Au bilan, Discus avait surévalué les ressources économiques qu'elle possédait et sous-évalué ses obligations envers les tierces parties.
2. À l'état des résultats, Discus avait surévalué le montant des ventes et, par conséquent, sa capacité de vendre des biens à un prix supérieur aux coûts qu'elle devait payer pour les produire et les vendre.
3. À l'état des capitaux propres, Discus avait surévalué le montant du bénéfice disponible pour une croissance future.
4. À l'état des flux de trésorerie, Discus avait surestimé sa capacité de générer, à même ses ventes, les sommes nécessaires pour honorer ses dettes.

Les organisations à but lucratif établissent normalement ces quatre états financiers pour diffuser l'information financière destinée aux propriétaires, aux investisseurs potentiels, aux créanciers et aux autres décideurs.

Ces états financiers résument les activités financières de l'entreprise. On peut les dresser à n'importe quel moment (par exemple à la fin de l'exercice, du trimestre ou du mois), et ils peuvent s'appliquer à n'importe quelle période (un an, un trimestre ou un mois, par exemple). Comme la plupart des sociétés ouvertes[3], Discus dresse ses états financiers pour les investisseurs et les créanciers à la fin de chaque trimestre (ce qu'on appelle des « rapports trimestriels ») et à la fin de l'exercice (ce qu'on appelle des « rapports annuels »).

Le bilan

Un **bilan** est un état financier exposant à une date donnée la situation financière et le patrimoine d'une entité, et dans lequel figurent la liste des actifs et des passifs ainsi que la différence qui correspond aux capitaux propres[4].

Le **bilan** a pour objectif de présenter la situation financière (l'actif, le passif et les capitaux propres) d'une entité comptable à un moment donné. Il est possible d'apprendre plusieurs informations sur le bilan uniquement en lisant l'intitulé ou l'en-tête du bilan. Le tableau 1.2 présente le bilan de Discus que ses anciens propriétaires ont soumis au Groupe Alpha. Il faut noter que l'intitulé permet de préciser quatre éléments :

1) la raison sociale de l'entité :   Discus inc. ;
2) le nom de l'état :   Bilan ;
3) la date :   au 31 décembre 2006 ;
4) l'unité de mesure :   (en milliers de dollars).

Une **entité comptable** est une unité comptable ou un ensemble d'unités comptables formant un tout aux fins de la publication des états financiers[6].

En comptabilité, il faut donner une définition précise de l'organisation pour laquelle les données financières sont rassemblées. Une fois l'entreprise bien identifiée, on parle alors d'une « **entité comptable** ». Les ressources, les dettes et les activités de l'entité sont conservées séparément de celles des propriétaires ou de toute autre entité. Ce processus découle du postulat de la personnalité de l'entité[5]. L'entité commerciale elle-même, et non pas le propriétaire de l'entreprise, possède les ressources économiques qu'elle utilise et est responsable des dettes qu'elle contracte.

---

2. À compter du 1er octobre 2007, les entreprises publiques doivent établir un nouvel état financier, l'état des résultats étendus, que nous étudierons plus loin dans ce volume.
3. Une société ouverte est une société de capitaux dont les actions sont inscrites à une Bourse de valeurs mobilières, c'est-à-dire une société qui fait des appels publics à l'épargne.
4. *Ibid.*, p. 109.
5. Le postulat de la personnalité de l'entité s'applique à tous les types d'entreprises commerciales (les sociétés de capitaux ou sociétés par actions, ainsi que les entreprises individuelles et les sociétés de personnes, dont nous discuterons plus loin dans ce chapitre).
6. *Ibid.*, p. 444.

L'intitulé de chaque état indique la dimension temporelle du rapport. Le bilan ressemble à un aperçu financier révélant la situation financière de l'entité à un moment dans le temps, en l'occurrence le 31 décembre 2006, moment qui est clairement énoncé au bilan.

Les entreprises établissent normalement des rapports libellés dans la devise du pays où elles ont leur siège social, dans le cas de Discus, en dollars canadiens. De même, les sociétés états-uniennes présentent leurs états financiers en dollars US et les sociétés mexicaines, en pesos. Les sociétés de taille moyenne comme Discus et des entreprises beaucoup plus grandes comme Cascades inscrivent souvent les informations financières en milliers ou en millions de dollars. Autrement dit, les trois derniers chiffres sont arrondis au millier ou au million de dollars près. Conséquemment, dans le bilan de Discus, le poste Caisse 4 895 $ signifie véritablement 4 895 000 $.

TABLEAU 1.2	Bilan

Raison sociale de l'entité
Nom de l'état financier
Date précise de l'état financier
Unité de mesure

Sommes d'argent dans les comptes bancaires de la société
Sommes dues par les clients pour les ventes antérieures
Pièces et unités de disques non vendues
Usine et outillage de production
Terrain sur lequel l'usine est construite

Sommes dues aux fournisseurs pour les achats antérieurs
Montants à payer à la suite des engagements signés par l'entreprise

Montants investis dans l'entreprise par les actionnaires
Bénéfices antérieurs non distribués aux actionnaires

Discus inc.
Bilan
au 31 décembre 2006
(en milliers de dollars)

ACTIF	
Caisse	4 895 $
Clients	5 714
Stocks	8 517
Usine et matériel	7 154
Terrain	981
Total de l'actif	27 261 $
PASSIF	
Fournisseurs	7 156 $
Effets à payer	9 000
Total du passif	16 156 $
CAPITAUX PROPRES	
Actions ordinaires	2 000 $
Bénéfices non répartis	9 105
Total des capitaux propres	11 105
Total du passif et des capitaux propres	27 261 $

Les notes afférentes, ou les notes complémentaires, font partie intégrante des états financiers.

Le bilan de Discus présente en premier lieu les actifs de l'entreprise. Les actifs sont les ressources économiques qui appartiennent à l'entité. Le bilan de Discus détaille ensuite les comptes de passif et les capitaux propres. Ceux-ci représentent les diverses sources de financement des ressources économiques de l'entité. Le financement fourni par les créanciers forme le passif de l'entreprise, alors que le financement apporté par les propriétaires ou généré par l'exploitation constitue les capitaux propres[7]. Comme l'acquisition de chaque actif nécessite une source de financement, l'actif d'une société doit, en tout temps, être égal au passif et aux capitaux propres de la société. Cette **équation comptable**, souvent appelée l'«identité fondamentale» ou l'«égalité fondamentale», s'énonce ainsi:

L'**équation comptable**: Actif = Passif + Capitaux propres.

L'équation comptable:

Actif	=	Passif	+	Capitaux propres

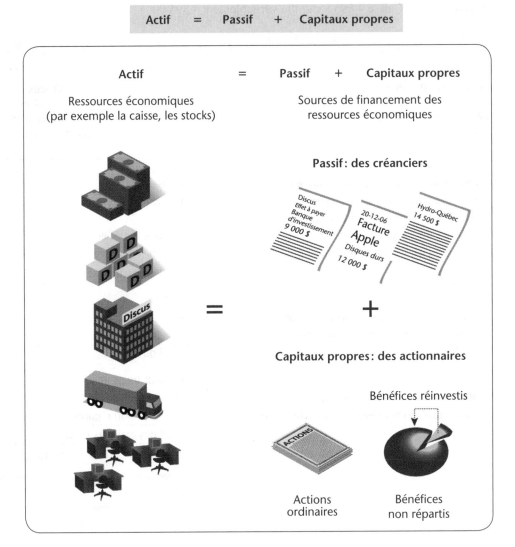

L'équation comptable montre ce qu'on entend par la situation financière d'une entreprise, soit les ressources économiques que possède une entreprise et les sources de financement de ces ressources.

---

7. Discus est une société de capitaux. Une société de capitaux est une société constituée en vertu des lois canadiennes fédérales ou provinciales. Les propriétaires s'appellent les «actionnaires». La propriété est représentée par des actions qu'on peut acheter et vendre sur le marché financier. La société de capitaux est exploitée à titre d'entité juridique, séparément et indépendamment de ses actionnaires, qui jouissent d'une responsabilité limitée. Les actionnaires ne sont responsables des dettes de la société que jusqu'à concurrence du capital investi. Nous discuterons des formes de propriété plus en détail à l'annexe 1-A en fin de chapitre.

ANALYSE FINANCIÈRE

L'interprétation des actifs figurant au bilan

L'évaluation des actifs de Discus était une information importante pour son créancier, la Banque d'Investissement, et ses investisseurs potentiels, le Groupe Alpha. En effet, la valeur des actifs permet de juger si l'entreprise dispose de ressources suffisantes pour régler ses dettes. La valeur des actifs est également importante, car ceux-ci pourraient être vendus en contrepartie d'espèces si Discus faisait faillite. Cependant, si les actifs sont vendus, rien ne garantit que le montant inscrit au bilan sera égal au montant tiré de la vente.

Les composantes du bilan

Les actifs représentent les ressources économiques qui appartiennent à l'entité. Discus décrit cinq éléments sous cette rubrique ou composante. Les éléments qui sont présentés à titre d'actif dans le bilan d'une entreprise dépendent de la nature de ses activités d'exploitation. Les cinq éléments mentionnés par Discus sont les ressources économiques nécessaires pour fabriquer les unités de disques et les vendre à des sociétés comme Hewlett-Packard. Chacune de ces ressources doit produire des avantages économiques futurs pour l'entreprise. Pour se préparer à fabriquer les unités de disques, Discus avait d'abord besoin d'argent, ou de liquidités, pour acheter le terrain sur lequel construire son usine et installer l'outillage de production (les immobilisations). Discus a ensuite acheté des pièces et produit des unités de disques, ce qui a entraîné la création du compte Stocks. Quand Discus vend ses unités de disques à Hewlett-Parckard et à d'autres sociétés, elle les vend à crédit et reçoit en contrepartie une promesse de paiement qui est présentée dans le compte Clients (ou Comptes clients, Débiteurs), cette somme étant recouvrée en espèces à une date ultérieure. Discus inscrit dans le compte Caisse le montant d'argent qui se trouve dans ses comptes bancaires à la date du bilan, montant qu'elle utilisera pour payer ses propres factures.

Tous les actifs sont évalués en fonction du total des frais engagés pour les acquérir. Par exemple, le bilan de Discus montre un compte Terrain, 981 $; il s'agit du montant versé (en milliers de dollars) pour le terrain au moment où il a été acquis. Même si la valeur marchande du terrain augmente, le bilan présentera le terrain à son coût d'acquisition initial (le principe de la valeur d'acquisition).

Les passifs sont les dettes et les obligations d'une entité qui découlent des opérations effectuées antérieurement. Sous la composante Passif, Discus présente deux éléments qui proviennent principalement des achats de biens ou de services à crédit et des emprunts d'argent en vue de financer l'entreprise.

Bon nombre d'entreprises achètent à crédit des biens et des services auprès de leurs fournisseurs, sans signer de contrat écrit officiel. Par exemple, pour les unités de disques qu'elle produit, Discus achète des moteurs électriques de Magnalite inc. Cette opération crée un passif qu'on appelle «Fournisseurs» (ou «Comptes fournisseurs», ou «Créditeurs»).

Les entités commerciales empruntent souvent de l'argent, principalement des établissements de prêt comme les banques, en concluant des engagements officiels écrits. Dans ce cas, un passif appelé «Effets à payer» est créé. Les effets à payer précisent le montant à rembourser, une date d'échéance ou de paiement prédéterminé ainsi que le taux d'intérêt demandé par le prêteur.

Les capitaux propres (ou l'avoir des actionnaires) indiquent le montant de financement provenant des propriétaires de l'entreprise ou de l'exploitation de celle-ci. Les capitaux propres proviennent principalement de deux sources : 1) les actions, soit la valeur des investissements apportés dans l'entreprise par les propriétaires ; 2) les bénéfices non répartis, soit le montant des bénéfices réalisés et réinvestis dans l'entreprise (et qui n'ont pas été distribués aux actionnaires sous forme de dividendes).

Dans le tableau 1.2 (*voir la page 7*), la section des capitaux propres de Discus présente deux éléments. L'apport des deux fondateurs de Discus pour un montant de 2 000 000 $ constitue le compte Actions ordinaires. La somme totale des bénéfices (ou des pertes subies) déduite de tous les dividendes versés aux actionnaires depuis la constitution de la société de capitaux est inscrite à titre de bénéfices non répartis au montant de 9 105 000 $.

TEST D'AUTOÉVALUATION

1. Les actifs de Discus sont énumérés dans une section et ses passifs ainsi que ses capitaux propres dans une autre. Il faut noter que les deux sections s'équilibrent, conformément à l'équation comptable. Dans les chapitres suivants, on apprendra que l'équation comptable constitue le fondement de tout le processus comptable. Votre tâche consiste maintenant à vérifier si le montant des actifs de 27 261 000 $ est juste en utilisant le total du passif et des capitaux propres présentés dans le tableau 1.2 (*voir la page 7*). Rappelez-vous l'équation comptable fondamentale :

Actif = Passif + Capitaux propres

2. Il est important d'apprendre quels postes appartiennent à chacune des composantes du bilan pour comprendre leur signification. Précisez si chacun des postes du bilan dans la liste suivante est un actif (A), un passif (Pa) ou des capitaux propres (CP), sans consulter le tableau 1.2 :

a) _____ Clients

b) _____ Fournisseurs

c) _____ Caisse

d) _____ Actions ordinaires

e) _____ Usine et matériel

f) _____ Stocks

g) _____ Terrain

h) _____ Effets à payer

i) _____ Bénéfices non répartis

Vérifiez vos réponses à l'aide des solutions présentées en bas de page*.

---

* 1. Actif (27 261 000 $) = Passif (16 156 000 $) + Capitaux propres (11 105 000 $).
   2. a) A ; b) Pa ; c) A ; d) CP ; e) A ; f) A ; g) A ; h) Pa ; i) CP.

L'état des résultats

L'état des résultats (ou **Résultats**) présente la principale mesure comptable du rendement d'une entreprise, soit les produits déduits des charges de l'exercice. Le mot « profit » est largement utilisé dans le langage courant pour exprimer cette mesure du rendement. Toutefois, les comptables préfèrent employer les expressions techniques « bénéfice net » ou « résultat net ». Le bénéfice net de Discus mesure son efficacité à vendre des unités de disques à un prix supérieur aux coûts qu'elle a engagés pour générer ces ventes.

Une lecture rapide de l'état des résultats de Discus (*voir le tableau 1.3*) révèle une grande quantité d'informations concernant son objectif et son contenu. L'intitulé de l'état des résultats précise de nouveau la raison sociale de l'entité, le nom de l'état financier ainsi que l'unité de mesure utilisée. Toutefois, contrairement au bilan, lequel présente des informations financières à une date donnée, l'état des résultats couvre une période précise (pour l'exercice terminé le 31 décembre 2006). La période couverte par les états financiers (dans ce cas un an) s'appelle l'« **exercice financier** ».

Il faut noter que l'état des résultats de Discus comporte trois principales rubriques : les produits, les charges et le bénéfice net[9]. L'équation qui décrit cette relation est la suivante :

$$\text{Bénéfice net} \ = \ \text{Produits} \ - \ \text{Charges}$$

L'**état des résultats** (ou **Résultats**) est l'état financier où figurent les produits et les profits ainsi que les charges et les pertes d'une période ; il fait ressortir, par différence, le résultat net (le bénéfice ou la perte) de la période[8].

L'**exercice financier** correspond à une période, généralement d'une durée d'un an, au terme de laquelle l'entité procède à la clôture de ses comptes et à l'établissement de ses états financiers[10].

TABLEAU 1.3 | État des résultats

Discus inc. État des résultats pour l'exercice terminé le 31 décembre 2006 (en milliers de dollars)			Description
			Raison sociale de l'entité
			Nom de l'état financier
			Période couverte par l'état financier
			Unité de mesure
PRODUITS			
Ventes	37 436 $		
Total des produits		37 436 $	Produits tirés de la vente des unités de disques
CHARGES D'EXPLOITATION			
Coût des marchandises vendues	26 980		Coûts engagés pour produire les unités de disques vendues
Frais de vente, frais généraux et frais d'administration	3 624		Frais d'exploitation non directement liés à la production
Frais de recherche et développement	1 982		Charges engagées pour créer de nouveaux produits
Charge d'intérêts	450		Frais rattachés à l'utilisation des fonds empruntés
Total des charges		33 036	
Bénéfice avant impôts		4 400	
Impôts sur les bénéfices		1 100	Impôts sur les bénéfices pour la période couverte[11]
Bénéfice net		3 300 $	

Les notes afférentes, ou les notes complémentaires, font partie intégrante des états financiers.

---

8. *Ibid.*, p. 602.
9. Nous discuterons d'autres éléments de l'état des résultats dans des chapitres ultérieurs.
10. *Ibid.*, p. 506.
11. Au moment où ce volume était publié, le taux d'imposition pour les sociétés de capitaux publics était de 22 % au fédéral et il variait entre 8,9 % et 17 % selon la province où le revenu était gagné. Dans cet ouvrage, nous utiliserons un taux combiné de 25 % pour illustrer nos exemples.

L'analyse de l'état des résultats — le bénéfice net

Les investisseurs (par exemple le Groupe Alpha) et les créanciers (par exemple la Banque d'Investissement) surveillent étroitement le bénéfice net de l'entreprise. En effet, le bénéfice net indique la capacité d'une société à vendre des biens et des services à un prix supérieur aux coûts qu'elle a engagés pour les produire et les livrer. Les détails figurant à l'état des résultats sont également importants. Par exemple, Discus devait vendre plus de 37 millions de dollars en unités de disques pour générer un peu plus de 3 millions de dollars de bénéfice. Le secteur de la fabrication des unités de disques est très concurrentiel. Si Discus est obligée de vendre ses unités aux mêmes prix qu'un compétiteur qui baisse les siens de 10 % seulement ou si elle doit tripler ses frais de recherche et développement afin de rattraper un compétiteur qui offre de nouveaux produits innovateurs, son bénéfice net pourrait facilement se transformer en perte nette. Cette analyse permet aux investisseurs et aux créanciers d'évaluer la capacité de l'entreprise à générer des bénéfices futurs.

Les produits

Les produits sont gagnés à la suite de la vente de biens ou de services à des clients (dans le cas de Discus, la vente d'unités de disques). Les produits sont normalement comptabilisés à l'état des résultats au moment où les biens ou les services sont vendus aux clients qui les ont payés en espèces ou qui ont promis de les payer dans un avenir rapproché. Lorsqu'une entreprise vend des biens ou rend des services, elle peut obtenir de l'argent immédiatement. Il s'agit d'une vente au comptant. Toutefois, ce cas est plutôt rare, à l'exception des magasins de vente au détail comme La Senza ou Metro. Dans la plupart des entreprises, les biens ou les services sont normalement vendus à crédit. Quand Discus vend ses unités de disques à Hewlett-Packard et à Apple Computer, elle reçoit une promesse de paiement futur, qui est par la suite recouvrée en espèces. Dans l'un ou l'autre cas, l'entreprise constate le total des ventes (l'argent et le crédit) à titre de produits de l'exercice. On utilise plusieurs termes dans les états financiers pour décrire les diverses sources de produits (par exemple les prestations de services, la vente de biens et la location de propriétés). Discus en précise uniquement un, Ventes, pour les unités de disques livrées aux clients.

Les charges

Les charges représentent les ressources que l'entité a utilisées pour gagner des produits au cours d'une période. Les charges comptabilisées durant un exercice peuvent être payées durant un autre exercice. Les charges peuvent entraîner le versement immédiat d'argent, un paiement en espèces à une date ultérieure ou le recours à certaines ressources comme un article du stock qui a été payé au cours d'un exercice précédent. Discus inscrit cinq éléments à titre de charges à l'état des résultats.

Le bénéfice net

Le bénéfice net ou résultat net représente l'excédent du total des produits sur le total des charges. Si le total des charges excède le total des produits, on comptabilise une perte nette. (Les pertes nettes sont normalement présentées entre parenthèses.) Quand les produits d'exploitation sont égaux aux charges d'exploitation de l'exercice, cela signifie que l'entreprise a atteint le seuil de rentabilité. Nous discuterons d'autres formats de présentation de l'état des résultats dans le chapitre 5.

Nous avons mentionné plus haut que les produits n'étaient pas nécessairement les mêmes que les encaissements enregistrés auprès des clients et que les charges n'étaient pas nécessairement les mêmes que les paiements faits aux fournisseurs. Par conséquent, le bénéfice net **n'est pas, en général, égal** aux flux de trésorerie provenant de l'exploitation. Ce dernier montant est inscrit à l'état des flux de trésorerie, que nous aborderons plus loin dans ce chapitre.

TEST D'AUTOÉVALUATION

1. Il est important d'apprendre quels éléments appartiennent à chacune des catégories de l'état des résultats afin de comprendre leur signification. Précisez si chacun des éléments de l'état des résultats, dans la liste suivante, est un produit (Pr) ou une charge (C), sans consulter le tableau 1.3.

   a) _____ Coût des marchandises vendues

   b) _____ Frais de recherche et développement

   c) _____ Ventes

   d) _____ Frais de vente, frais généraux et frais d'administration

2. Durant l'exercice 2006, Discus a livré au total 37 436 000 $ d'unités de disques à des clients qui les ont payées ou qui ont promis de les payer dans le futur. Durant le même exercice, elle a recouvré 33 563 000 $ en espèces auprès de ses clients. Sans consulter le tableau 1.3, indiquez lequel des deux montants apparaîtra à l'état des résultats de Discus à titre de ventes pour l'exercice 2006. Expliquez votre réponse.

3. Durant l'exercice 2006, Discus a produit des unités de disques dont le coût de production s'est élevé à 27 130 000 $. Au cours du même exercice, elle a livré à ses clients des unités de disques qui lui avaient coûté un total de 26 980 000 $. Sans consulter le tableau 1.3, précisez lequel des deux montants figurera à l'état des résultats de Discus comme coût des marchandises vendues pour l'exercice 2006. Expliquez votre réponse.

Vérifiez vos réponses à l'aide des solutions présentées en bas de page*.

L'état des capitaux propres

Discus dresse un **état des capitaux propres** (*voir le tableau 1.4 à la page 14*). L'intitulé de l'état des capitaux propres précise de nouveau la raison sociale de l'entreprise, le nom de l'état financier ainsi que l'unité de mesure utilisée. Comme l'état des résultats, l'état des capitaux propres présente des informations financières pour une période donnée (l'exercice), dans ce cas-ci un an. L'état des capitaux propres révèle comment le bénéfice net et la distribution des dividendes influent sur la situation financière de la société au cours de l'exercice[12]. Comme nous en avons discuté au cours de l'examen du bilan, deux facteurs principaux provoquent des changements dans les bénéfices non répartis. Le bénéfice net enregistré durant l'exercice fait augmenter le solde des bénéfices non répartis, ce qui illustre la relation existant entre l'état des résultats et le bilan. La déclaration des dividendes aux actionnaires vient diminuer les bénéfices non répartis[13].

L'état des capitaux propres résume les changements survenus dans chacun des éléments des capitaux propres de la société au cours de la période.

---

* 1. a) C; b) C; c) Pr; d) C.

2. Des ventes de 37 436 000 $ sont constatées, car les produits tirés des ventes sont normalement inscrits à l'état des résultats lorsque les biens ou les services ont été livrés au client, peu importe si celui-ci les a déjà payés ou s'il a promis de les payer dans l'avenir.

3. Le coût des marchandises vendues est de 26 980 000 $, car les charges représentent les ressources utilisées pour gagner des produits durant l'exercice. Seules les unités de disques livrées au client sont utilisées. Les unités de disques toujours en magasin font partie du stock de marchandises dans l'actif de Discus.

---

12. Les entreprises canadiennes cotées en bourse doivent publier un état des capitaux propres pour tous les exercices financiers qui ont débuté le 1er octobre 2006. Avant cette date, la grande majorité des entreprises canadiennes présentait un état des bénéfices non répartis où seuls les changements survenus dans les bénéfices non répartis au cours de la période étaient détaillés. Dans ce chapitre, nous étudions une seule composante de l'état des capitaux, soit les bénéfices non répartis.

13. Les pertes nettes sont aussi déduites. Nous discuterons du processus complet de la déclaration et du versement des dividendes dans un chapitre ultérieur.

L'équation qui décrit cette relation est la suivante :

Bénéfices non répartis à la fin de l'exercice	=	Bénéfices non répartis au début de l'exercice	+	Bénéfice net de l'exercice	−	Dividendes déclarés au cours de l'exercice

L'état commence avec les bénéfices non répartis au début de l'exercice de Discus inc. Le bénéfice net de l'exercice en cours inscrit à l'état des résultats est ajouté, et les dividendes déclarés de l'exercice sont soustraits de ce montant.

Durant l'exercice 2006, Discus a réalisé un bénéfice net de 3 300 000 $, comme le montre l'état des résultats (*voir le tableau 1.3 à la page 11*). Ce montant a été ajouté aux bénéfices non répartis du début de l'exercice. Durant l'exercice 2006, Discus a déclaré et versé 1 million de dollars en dividendes à ses deux actionnaires fondateurs. Ce montant a été déduit du calcul des bénéfices non répartis à la fin de l'exercice. Le montant des bénéfices non répartis à la fin de l'exercice est le même que celui qui est au bilan de Discus (*voir le tableau 1.2 à la page 7*). Ainsi, l'état des capitaux propres indique la relation qui existe entre l'état des résultats et le bilan.

TABLEAU 1.4 | État des capitaux propres

Raison sociale de l'entité
Nom de l'état financier
Période couverte par l'état financier
Unité de mesure

Bénéfices non répartis à la fin du dernier exercice financier
Bénéfice net inscrit à l'état des résultats
Dividendes déclarés durant l'exercice
Bénéfices non répartis à la fin de l'exercice reportés au bilan

Discus inc.
État des capitaux propres
pour l'exercice terminé le 31 décembre 2006
(en milliers de dollars)

Bénéfices non répartis, au 1er janvier 2006	6 805 $
Bénéfices net de l'exercice	3 300
Dividendes	(1 000)
Bénéfices non répartis, au 31 décembre 2006	9 105 $

Les notes afférentes, ou les notes complémentaires, font partie intégrante des états financiers.

ANALYSE FINANCIÈRE

L'interprétation des bénéfices non répartis

Le réinvestissement des bénéfices constitue une importante source de financement pour Discus. Les bénéfices non répartis représentent plus du tiers de son financement. Les créanciers comme la Banque d'Investissement surveillent étroitement les bénéfices non répartis d'une entreprise, car ces bénéfices indiquent la politique de l'entreprise concernant le versement des dividendes aux actionnaires. Ce facteur est important pour la Banque d'Investissement puisque, dans ce cas, chaque dollar que Discus verse à ses actionnaires à titre de dividendes n'est plus disponible pour rembourser sa dette ou des intérêts sur cette dette. Les investisseurs surveillent également les bénéfices non répartis pour s'assurer que l'entreprise réinvestit une partie suffisante de ses bénéfices pour soutenir sa croissance future.

TEST D'AUTOÉVALUATION

L'état des capitaux propres de Discus montre comment le bénéfice net et la distribution de dividendes influent sur la situation financière de l'entreprise durant un exercice financier. Dans un exercice précédent, les états financiers de Discus présentaient les montants suivants : Bénéfices non répartis (BNR) au début, 5 510 $; total de l'actif, 20 450 $; dividendes, 900 $; coût des marchandises vendues, 19 475 $; bénéfice net, 1 780 $. Sans consulter le tableau 1.4, calculez les BNR à la fin de cet exercice.

Vérifiez vos réponses à l'aide des solutions présentées en bas de page*.

L'état des flux de trésorerie

Le tableau 1.5 présente l'**état des flux de trésorerie** de Discus. Dans cet état financier, les encaissements et les décaissements de Discus (les rentrées et les sorties de fonds) se divisent en trois principales catégories : les flux de trésorerie liés aux activités d'exploitation, d'investissement et de financement. L'intitulé précise la raison sociale de l'entreprise, le nom de l'état financier ainsi que l'unité de mesure utilisée. À l'instar

L'**état des flux de trésorerie** présente les encaissements et les décaissements survenus au cours de l'exercice qui sont attribuables aux activités d'exploitation, d'investissement et de financement.

TABLEAU 1.5 | État des flux de trésorerie

Discus inc. **État des flux de trésorerie** **pour l'exercice terminé le 31 décembre 2006** (en milliers de dollars)		
		Raison sociale de l'entité
		Nom de l'état financier
		Période couverte par l'état financier
		Unité de mesure
ACTIVITÉS D'EXPLOITATION		
Sommes reçues des clients	33 563 $	Directement liés au bénéfice gagné
Sommes payées aux fournisseurs et aux employés	(30 854)	
Intérêts payés	(450)	
Impôts payés	(1 190)	
Flux de trésorerie nets liés aux activités d'exploitation	1 069 $	
ACTIVITÉS D'INVESTISSEMENT		
Achat d'outillage de production	(1 625) $	Vente − achat des actifs productifs
Flux de trésorerie nets liés aux activités d'investissement	(1 625) $	
ACTIVITÉS DE FINANCEMENT		
Emprunt bancaire	1 400 $	Des investisseurs et des créanciers
Dividendes versés	(1 000)	
Flux de trésorerie nets liés aux activités de financement	400	
Variation nette de la trésorerie	(156) $	
Caisse au début de l'exercice	5 051 $	Variation de la trésorerie durant l'exercice
Caisse à la fin de l'exercice	4 895 $	Solde du compte Caisse à la fin de l'exercice précédent
Les notes afférentes, ou les notes complémentaires, font partie intégrante des états financiers.		Caisse figurant au bilan au 31 décembre 2006

---

* 1. BNR au début + Bénéfice net − Dividendes = BNR à la fin ;
   5 510 $ + 1 780 $ − 900 $ = 6 390 $.

de l'état des résultats, l'état des flux de trésorerie présente des informations financières pour une période donnée (l'exercice), dans ce cas-ci un an. Comme on l'a vu précédemment dans ce chapitre, les produits comptabilisés ne sont pas toujours égaux aux sommes recouvrées auprès des clients, car certaines ventes se font à crédit. De plus, les charges déclarées à l'état des résultats ne sont pas nécessairement égales aux sommes versées en espèces au cours de l'exercice, car les charges peuvent être engagées au cours d'un exercice et réglées durant un autre. En conséquence, le bénéfice net (les produits déduits des charges) ne correspond pas aux recettes moins les sommes déboursées au cours de l'exercice. Puisque l'état des résultats ne contient pas d'informations concernant les rentrées et les sorties de fonds, les comptables dressent l'état des flux de trésorerie afin de présenter les encaissements et les décaissements survenus à la suite des activités d'exploitation, d'investissement et de financement de l'entreprise.

L'équation qui décrit les variations survenues dans les liquidités de l'entreprise telles qu'elles sont présentées au bilan depuis la fin du dernier exercice jusqu'à la fin de l'exercice en cours :

$$\text{Variation de la trésorerie} = \begin{array}{l} \text{+/− Flux de trésorerie liés aux activités d'exploitation (E)} \\ \text{+/− Flux de trésorerie liés aux activités d'investissement (I)} \\ \text{+/− Flux de trésorerie liés aux activités de financement (F)} \end{array}$$

Notons que chacune des trois sources de liquidités peut être positive ou négative.

Les composantes de l'état des flux de trésorerie

Les flux de trésorerie liés aux activités d'exploitation sont les flux de trésorerie directement rattachés aux résultats de l'entreprise (les activités commerciales normales incluant les intérêts versés et les impôts payés). Par exemple, lorsque Hewlett-Packard, Apple Computer et les autres clients paient Discus pour les unités de disques qui leur ont été livrées, les montants recouvrés se retrouvent dans l'élément « Sommes reçues des clients ». Lorsque Discus paie les salaires à ses 36 employés travaillant dans la recherche et développement ou qu'elle paie les factures provenant des fournisseurs de pièces, les montants sont inclus dans l'élément « Sommes payées aux fournisseurs et aux employés »[14].

Les flux de trésorerie liés aux activités d'investissement comprennent les rentrées et les sorties de fonds rattachées à l'acquisition ou à la vente des actifs liés à la production. Cette année, Discus ne présente qu'un décaissement dans cette catégorie, soit l'achat d'outillage de production, afin de répondre à la demande croissante pour ses unités de disques.

Les flux de trésorerie liés aux activités de financement sont directement liés au financement de l'entreprise elle-même. Ils rendent compte des rentrées de fonds ou des sorties de fonds réalisées avec les investisseurs et les créanciers (à l'exception des fournisseurs). Cette année, Discus a emprunté 1 400 000 $ à la banque pour acheter le matériel de fabrication. Discus a également versé 1 000 000 $ en dividendes aux actionnaires fondateurs avant que la société ne soit vendue.

« L'entreprise qui ne fait pas de profits se meurt lentement, mais l'entreprise qui n'a pas de liquidités disparaît rapidement. »

Source : *RBC BANQUE ROYALE*, « Expansion de l'entreprise », [en ligne], www.rbcbanqueroyale.com, (page consultée le 7 février 2006).

---

14. Nous aborderons les autres manières de présenter les flux de trésorerie liés aux activités d'exploitation dans le chapitre 5 et plus en profondeur au chapitre 12.

L'interprétation de l'état des flux de trésorerie

Plusieurs analystes estiment que l'état des flux de trésorerie est particulièrement utile pour prédire les rentrées nettes de fonds futurs disponibles pour le paiement des dettes aux créanciers et le versement des dividendes aux investisseurs. Chaque section procure aux analystes des informations importantes. Les banquiers considèrent souvent la section des activités d'exploitation comme la plus importante, car elle indique la capacité de l'entreprise de générer des liquidités à partir de ses ventes afin de répondre à ses besoins de trésorerie. Tout excédent de trésorerie peut servir à rembourser la dette bancaire ou contribuer à l'expansion de l'entreprise.

Les actionnaires investiront uniquement dans une société s'ils croient qu'elle finira par produire plus de liquidités provenant de son exploitation qu'elle n'en utilise, car seules ces sommes sont disponibles au versement de dividendes éventuels. La section des activités d'investissement indique que Discus effectue d'importants investissements pour augmenter sa capacité de production afin de répondre à la demande croissante pour ses produits. Il s'agit d'un signe positif si la demande continue de s'accroître. Cependant, comme l'indique la section des activités de financement, si Discus n'est pas en mesure de vendre un plus grand nombre d'unités de disques, elle pourrait avoir de la difficulté à effectuer les paiements exigés à cause de la nouvelle dette bancaire.

TEST D'AUTOÉVALUATION

1. Durant l'exercice 2006, Discus a livré 37 436 000 $ en unités de disques aux clients qui les ont payées ou ont promis de le faire. Au cours du même exercice, elle a recouvré 33 563 000 $ en espèces auprès de ses clients. Sans consulter le tableau 1.5, indiquez lequel des deux montants figurera à l'état des flux de trésorerie de Discus pour l'exercice 2006.

2. Il est important d'apprendre quels éléments appartiennent à chacune des sections de l'état des flux de trésorerie afin de comprendre leur signification. Précisez si chacun des éléments suivants est un flux de trésorerie lié aux activités d'exploitation (E), d'investissement (I) ou de financement (F), sans consulter le tableau 1.5. De plus, placez la lettre entre parenthèses uniquement s'il s'agit d'un décaissement.

   a) _____ Dividendes versés
   b) _____ Intérêts payés
   c) _____ Emprunt bancaire
   d) _____ Impôts payés
   e) _____ Achat d'outillage de production

   f) _____ Sommes payées aux fournisseurs et aux employés
   g) _____ Sommes reçues des clients

Vérifiez vos réponses à l'aide des solutions présentées en bas de page*.

---

* 1. On a présenté 33 563 000 $ à l'état des flux de trésorerie, car ce montant représente l'argent effectivement recouvré auprès des clients sur les ventes de l'exercice en cours et de l'exercice précédent.
   2. a) (F); b) (E); c) F; d) (E); e) (I); f) (E); g) E.

TABLEAU 1.6 Liens entre les états financiers de Discus

État des résultats

Produits	37 436 $
− Charges	34 136
Bénéfice net	3 300 $

1

États des capitaux propres

Bénéfices non répartis, 1er janvier 2006	6 805 $
+ Bénéfices net	3 300
− Dividendes	(1 000)
Bénéfices non répartis, au 31 décembre 2006	9 105 $

2

État des flux de trésorerie

+/− Flux de trésorerie liés aux activités d'exploitation	1 069 $
+/− Flux de trésorerie liés aux activités d'investissement	(1 625)
+/− Flux de trésorerie liés aux activités de financement	(400)
Variation de la trésorerie	(156) $
Caisse au début de l'exercice	5 051
Caisse à la fin de l'exercice	4 895 $

3

Bilan

Caisse	4 895 $
Autres actifs	22 366
Total de l'actif	27 261 $
Total du passif	16 156 $
Actions ordinaires	2 000
Bénéfices non répartis	9 105
Total du passif et des capitaux propres	27 261 $

Les liens entre les états financiers

L'étude des états financiers a permis de déterminer les éléments qui sont inclus dans chaque état financier, la façon dont ces éléments s'inscrivent dans l'équation propre à chaque état et, finalement, l'importance de ces éléments dans le processus de décision des investisseurs et des créanciers. Nous avons aussi découvert comment les états, chacun étant issu du même système comptable, sont interreliés. En particulier, nous avons acquis les connaissances suivantes :

1. Le bénéfice net calculé à l'état des résultats augmente les bénéfices non répartis calculés à l'état des capitaux propres.
2. Les bénéfices non répartis à la fin de la période présentés à l'état des capitaux propres est un des éléments des capitaux propres au bilan.
3. Si on ajoute la variation de la trésorerie calculée à l'état des flux de trésorerie au solde de la caisse au début de l'exercice, on obtient le montant de caisse au bilan.

En somme, on peut dire que l'état des résultats explique, au moyen de l'état des capitaux propres, comment les opérations de l'entreprise ont amélioré ou détérioré la situation financière de l'entreprise au cours de l'année. L'état des flux de trésorerie explique comment les activités d'exploitation, d'investissement et de financement de l'entreprise ont influé (durant l'année) sur les liquidités présentées au bilan. Ces liens sont illustrés dans le tableau 1.6 avec les états financiers de Discus.

Les notes afférentes aux états financiers ou les notes complémentaires

Les **notes afférentes aux états financiers** (ou les **notes complémentaires**) contiennent des informations supplémentaires sur la situation financière d'une société. Sans ces notes, il ne serait pas possible de comprendre entièrement les états financiers.

L'énoncé suivant est inscrit au bas de chacun des états financiers de Discus : « Les notes afférentes, ou les notes complémentaires, font partie intégrante des états financiers. » Il s'agit de l'équivalent comptable de l'avertissement inscrit sur les paquets de cigarettes par Santé Canada. Il prévient les utilisateurs du fait que s'ils ne lisent pas les **notes afférentes aux états financiers** (ou les **notes complémentaires**), ils n'auront pas une idée

L'utilisation des états financiers par la direction

Sous la rubrique Analyse financière, nous nous sommes attardés jusqu'à maintenant sur l'analyse du point de vue des investisseurs et des créanciers. Toutefois, les gestionnaires d'une société utilisent souvent les états financiers. Par exemple, la direction du marketing de Discus ainsi que la direction du crédit recourent aux états financiers de leurs clients pour décider s'ils doivent ou non leur accorder un prêt pour acheter des unités de disques. La direction des achats de Discus doit aussi analyser certaines parties des états financiers des fournisseurs. Cela leur permet de juger si les fournisseurs disposent de suffisamment de ressources pour répondre à la demande actuelle de pièces de Discus et pour investir dans la production de nouvelles pièces dans l'avenir. Le syndicat des employés ainsi que les gestionnaires des ressources humaines de Discus utilisent aussi les états financiers de la société afin de négocier leurs contrats et de déterminer les taux de rémunération que la société est en mesure d'offrir. Le montant du bénéfice net sert même de base au versement de primes non seulement aux dirigeants, mais aussi aux employés dans le cadre des régimes de participation aux bénéfices. Peu importe le secteur fonctionnel dans lequel vous serez employé, vous utiliserez les données des états financiers. Vous serez également évalué en fonction des conséquences de vos décisions sur les résultats de la société pour laquelle vous travaillerez.

claire de la santé financière de la société. Les notes complémentaires contiennent des informations supplémentaires sur la situation financière d'une société, sans lesquelles les états financiers seraient incomplets.

Il existe trois principaux types de notes complémentaires. Le premier décrit les règles comptables appliquées aux états financiers d'une société. Le deuxième présente des détails supplémentaires concernant un élément particulier figurant aux états financiers. Par exemple, la note sur les stocks de Discus indique la valeur des pièces, des unités de disques en voie de fabrication et des unités de disques terminées qui est incluse dans le montant total du stock de marchandises figurant au bilan. Le troisième type de notes complémentaires contient des informations financières supplémentaires concernant des éléments non divulgués dans les états financiers. Par exemple, Discus

TABLEAU 1.7 | Sommaire des états financiers

ÉTATS FINANCIERS	OBJECTIF	STRUCTURE	EXEMPLES
Bilan	Présenter la situation financière d'une entité à un moment donné.	Actif = Passif + Capitaux propres	Caisse, Clients, Usine et équipement, Actions ordinaires
État des résultats	Présenter la principale mesure comptable de rendement d'une entreprise pour une période donnée.	Produits – Charges Bénéfice net	Ventes, Coût des marchandises vendues, Frais de vente, Charge d'intérêts
État des capitaux propres	Expliquer comment les différents éléments des capitaux propres influent sur la situation financière de l'entreprise pour une période donnée.	BNR au début + Bénéfice net – Dividendes BNR à la fin	Bénéfice net, Dividendes versés aux actionnaires
État des flux de trésorerie	Présenter les rentrées et les sorties de fonds pour une période donnée.	+/– Activités d'exploitation +/– Activités d'investissement +/– Activités de financement Variation de la trésorerie	Sommes reçues des clients, Sommes versées aux fournisseurs

loue une de ses installations de production. Les modalités du bail sont divulguées dans cette note complémentaire. Nous discuterons de plusieurs de ces informations figurant dans les notes complémentaires ici et là dans ce volume, car leur contenu est essentiel pour comprendre le fonctionnement d'une entreprise.

L'utilisation des états financiers pour déterminer la valeur de Discus

La correction de l'état des résultats de Discus

Nous examinerons maintenant les erreurs que le Groupe Alpha a relevées dans les états financiers de Discus.

Parmi les revendications du Groupe Alpha, mentionnons les faits suivants :

1) les unités de disques disponibles à la vente (le stock de marchandises) englobaient 1 million de dollars d'unités de disques désuets qui ne pourront être vendues et qui doivent être mises au rebut ;
2) le montant des ventes (et les comptes clients) pour le dernier exercice était surévalué pour une valeur de 1 200 000 $. Discus avait réduit le prix d'un certain type d'unités de disques de 40 %. Cependant, le personnel de Discus avait créé de fausses factures sur lesquelles les anciens prix plus élevés étaient inscrits et enregistrés dans les livres comptables.

Ces deux facteurs combinés surévaluent nettement les ressources économiques présentées au bilan de Discus (ses actifs) et surestiment à l'état des résultats le bénéfice net ou la capacité de la société de vendre des biens à un prix supérieur aux coûts de production.

Aux fins de notre discussion, nous nous concentrerons sur l'effet de ces deux facteurs sur l'état des résultats, compte tenu de leur importance pour l'évaluation de Discus par le Groupe Alpha. La méthode la plus simple pour déterminer les effets de ces deux erreurs sur l'état des résultats consiste à utiliser l'équation relative à l'état des résultats qu'on a déjà examinée dans ce chapitre. Comme on l'a mentionné précédemment, une des clés permettant de comprendre les états financiers consiste à connaître les éléments présentés dans chacun des états financiers ainsi que les relations entre eux. La première ligne du tableau 1.8 présente l'équation relative à l'état des résultats, suivie des montants inscrits à l'état des résultats de Discus pour l'exercice 2006. Les lignes suivantes montrent les deux erreurs qui ont été découvertes et les corrections apportées pour éliminer l'effet de chacune d'elles.

TABLEAU 1.8 | Correction des montants figurant à l'état des résultats (en milliers de dollars)

	Produits −	Charges =	Bénéfice avant impôts
Montants présentés à l'état des résultats de Discus inc. pour l'exercice 2006	37 436$	33 036$	4 400$
Correction des charges pour la mise au rebut du stock désuet		1 000	(1 000)
Correction des produits pour le montant de la surévaluation	(1 200)		(1 200)
Après la correction des erreurs	36 236$	34 036$	2 200$

Première erreur : Puisque les articles désuets du stock de marchandises n'ont plus aucune valeur, il faut ajouter leur coût aux charges de l'exercice. Par conséquent, les charges doivent augmenter de 1 000 000 $.
Deuxième erreur : L'inscription du prix de vente d'un certain type d'unités de disques à un montant trop élevé a surévalué le total des produits tirés des ventes. Cette correction exige une réduction de 1 200 000 $ au chiffre d'affaires.

La correction des deux erreurs réduit le bénéfice avant impôts à 2 200 000 $. Après avoir soustrait la charge d'impôts (au taux de 25 %), on obtient un bénéfice net corrigé équivalant à 1 650 000 $, soit la moitié du montant de 3 300 000 $ que Discus avait initialement inscrit.

La détermination du prix d'acquisition de Discus

Même à cette première étape de vos études en comptabilité, vous êtes en mesure de comprendre une partie du processus que le Groupe Alpha a suivi pour déterminer le prix qu'il était prêt à payer pour acquérir la société Discus. Le prix qu'avait payé le Groupe Alpha a été déterminé en considérant une variété de facteurs, notamment la valeur des ressources économiques que possédait Discus, ses dettes envers des tierces parties, sa capacité de vendre des biens à un prix supérieur à ses coûts de production et sa capacité de générer les liquidités nécessaires pour régler ses factures. Comme on l'a vu, ces facteurs font l'objet des états financiers : le bilan, l'état des résultats et l'état des flux de trésorerie.

L'état des résultats de l'exercice actuel et les états des résultats des exercices précédents de Discus ont joué un rôle particulièrement important dans l'évaluation du Groupe Alpha. À l'examen des résultats des exercices précédents (qui n'ont pas été présentés), on s'aperçoit que la société avait réalisé des bénéfices chaque année depuis sa formation, sauf pour la première année d'exploitation. De plus, le chiffre d'affaires ainsi que le bénéfice net augmentaient rapidement chaque année.

En général, les investisseurs utilisent les états financiers des années antérieures pour évaluer les perspectives futures de l'entreprise. Ils seront prêts à payer davantage pour une firme qui a réalisé des profits élevés dans le passé s'ils jugent que le rendement futur sera supérieur. Pour calculer la valeur d'une entreprise, les investisseurs utilisent le ratio cours-bénéfice.

Le ratio cours-bénéfice mesure le montant des résultats de l'exercice que les investisseurs sont prêts à payer pour acheter les actions de la société. Toutes choses étant égales par ailleurs, un ratio cours-bénéfice élevé signifie que les investisseurs ont confiance en la capacité de la société d'obtenir des résultats plus élevés dans les exercices à venir.

Comme dans le cas de Discus, les ratios cours-bénéfice des compétiteurs servent souvent de point de départ à l'analyse du prix qu'on doit payer pour acquérir une société ou ses actions. D'autres sociétés évoluant dans le même secteur d'activité et ayant des rendements et des croissances antérieurs similaires se vendaient 12 fois le montant des bénéfices de l'exercice en cours. Cette information a été un élément majeur dans la décision du Groupe Alpha d'acheter Discus. Puisque le Groupe Alpha pouvait acquérir Discus pour 10 fois le montant des bénéfices de l'exercice, il s'agissait donc d'une occasion d'affaires particulièrement intéressante. De plus, les prévisions économiques laissaient entendre que, au cours des cinq prochaines années, les fabricants d'unités de disques connaîtraient une croissance et une rentabilité continues. L'élément clé qui a permis au Groupe Alpha d'établir le prix qu'il payerait était fonction de calculs faits à l'aide du ratio cours-bénéfice :

$$\text{Ratio cours-bénéfice}^* = \frac{\text{Valeur marchande}}{\text{Bénéfice net}}$$

$$\text{Valeur marchande (prix d'achat)} = \text{Ratio cours-bénéfice} \times \text{Bénéfice net}$$

$$\text{Valeur marchande (prix d'achat)} = 10 \times \text{Bénéfice net}$$

$$33\ 000\ 000\ \$ = 10 \times 3\ 300\ 000\ \$$$

----

* Il faut noter qu'on peut calculer ce ratio en fonction de la valeur marchande des actions et obtenir le même résultat :

$$\text{Ratio cours-bénéfice} = \frac{\text{Valeur au marché moyenne de l'action}}{\text{Résultat net par action}}$$

En utilisant la même formule, le montant corrigé du bénéfice net suggère un prix beaucoup moins élevé pour Discus :

$$16\ 500\ 000\ \$ = 10 \times 1\ 650\ 000\ \$$$

Le ratio cours-bénéfice fournit une première approximation très réelle de la perte du Groupe Alpha, soit un versement excédentaire de 16,5 millions de dollars (33 millions de dollars versés déduits de 16,5 millions de dollars pour la valeur estimative en utilisant le bénéfice corrigé). Il s'agit du montant que le Groupe Alpha espère récupérer auprès des personnes responsables des états financiers frauduleux sur lesquels il s'est fié pour effectuer son analyse. (Le rôle du bénéfice net relativement à la détermination de la valeur d'une société est abordé dans les cours de finance.)

Le processus de communication de l'information comptable

OBJECTIF
D'APPRENTISSAGE **2**

Définir le rôle des principes comptables généralement reconnus (PCGR) dans la préparation et la présentation des états financiers.

Une communication efficace signifie que la personne qui reçoit l'information comprend ce que l'émetteur tente de lui transmettre. Pour que les décideurs du Groupe Alpha utilisent efficacement l'information dans les états financiers de Discus, ils devaient comprendre les informations contenues dans chacun des états. C'est d'ailleurs la raison pour laquelle cette discussion a été entreprise sur le contenu des états financiers. Cependant, la fraude commise laisse entendre que cette compréhension n'est pas suffisante. Le Groupe Alpha devait également être en droit de croire que les montants inscrits dans les états financiers étaient fiables. Les montants qui ne reflètent pas la réalité économique de l'entreprise sont sans signification. Par exemple, si le bilan présente 2 000 000 $ pour une usine inexistante, cette partie de l'état financier ne transmet pas une information utile.

Les décideurs doivent également comprendre les normes et les règles appliquées dans le calcul des montants figurant aux états financiers, et ils doivent être sûrs que ces montants représentent fidèlement la situation financière de l'entreprise. Un entraîneur en natation ne tenterait jamais d'évaluer le temps d'un nageur dans une course de style libre sans d'abord se demander si le temps s'applique à une course de 100 ou de 200 mètres. De même, un décideur ne doit jamais tenter d'utiliser l'information comptable sans d'abord comprendre les normes utilisées pour élaborer cette information. Ces normes s'appellent les **principes comptables généralement reconnus** ou **PCGR**.

Les principes comptables généralement reconnus

Les **principes comptables généralement reconnus (PCGR)** sont les normes et les règles qu'on utilise pour élaborer les informations qui figurent aux états financiers.

Comment détermine-t-on les principes comptables généralement reconnus ?

Comme le suggère la discussion précédente, il faut comprendre les normes et les règles qu'on utilise pour dresser les états financiers afin de bien saisir la signification des montants qui y apparaissent. Le système de comptabilité en usage à l'heure actuelle a une longue histoire.

Dès l'âge de bronze, vers 3 500 avant Jésus-Christ, les habitants de la Vallée du Nil (Égypte) et de la Mésopotamie (Moyen-Orient) vivaient en communauté dans des villes et des villages où le commerce florissait et où l'État avait une grande importance.

Pour bien gérer cet environnement économique, les habitants ont peu à peu élaboré des outils ou des instruments qui leur permettaient d'obtenir une information utile pour répertorier leurs biens et leurs dettes, et déterminer les impôts.

Au fil du temps, la comptabilité s'est développée selon les besoins des utilisateurs, mais aussi selon l'environnement économique, social et politique. Un fait marquant dans l'histoire de la comptabilité concerne les travaux d'un moine italien, un mathématicien du nom de Fr. Luca Pacioli. En 1494, il a rédigé le premier livre sur la comptabilité en partie double qui décrit l'approche des commerçants italiens pour rendre compte de leurs activités à titre de propriétaires exploitant des entreprises commerciales. Malgré le fait que bien d'autres aient écrit des ouvrages sur la comptabilité après Pacioli, il faudra attendre le XXe siècle pour voir s'instaurer un peu d'uniformité dans les pratiques comptables des différentes entreprises.

Aux États-Unis, le krach boursier de 1929 a été l'événement qui a déclenché une série de mesures visant à réglementer l'information financière présentée par les entreprises faisant un appel public à l'épargne. On a ainsi créé la Securities and Exchange Commission (SEC), agence gouvernementale états-unienne responsable d'établir les principes et les pratiques comptables de ces entreprises ainsi que de déterminer quelles informations et quels rapports les entreprises publiques doivent publier. Depuis sa création, la SEC a toujours travaillé en étroite collaboration avec les organismes comptables. Depuis plusieurs années, le Financial Accounting Standards Board (FASB) est l'organisme du secteur privé à qui on a confié la responsabilité d'élaborer les normes et les règles comptables qui deviennent les principes comptables généralement reconnus.

Au Canada, l'Institut canadien des comptables agréés (ICCA), créé en 1902 sous le nom de Dominion Association of Chartered Accountants, est l'organisme privé chargé de définir les normes comptables canadiennes. Ces normes sont publiées dans le *Manuel de l'ICCA* et représentent les principes comptables généralement reconnus au Canada. Les organismes juridiques confèrent à ces normes force de loi. En effet, on trouve dans la Loi canadienne sur les sociétés par actions (ou la Loi sur les compagnies au Québec) un article promulguant expressément que les états financiers des entreprises canadiennes doivent être dressés selon les normes contenues dans le *Manuel de l'ICCA*.

Le Conseil de surveillance de la normalisation comptable, un organisme indépendant créé en septembre 2000 par l'ICCA, a pour tâche de superviser les activités des différents organismes responsables de l'établissement des normes de comptabilité canadiennes. Le Conseil des normes comptables (CNC), le Conseil sur la comptabilité dans le secteur public (CCSP) et le Comité sur les problèmes nouveaux (CPN), sont responsables de formuler des avis et des recommandations dans leurs domaines respectifs. Les PCGR évoluent au fil des ans. Toutefois, avant qu'une nouvelle norme soit adoptée, tout un processus de recherche et de consultation est mis en branle afin de s'assurer de la pertinence et de l'acceptation générale de celle-ci.

Par exemple, le Conseil des normes comptables relève les problèmes comptables particuliers, il fait une analyse de la situation et propose des solutions dans un document appelé «exposé-sondage». Ce dernier est alors envoyé à différents groupes, organismes et individus, à travers le pays, afin de recueillir leurs commentaires sur la problématique soulevée. Après la période de consultation, le Conseil prépare les nouvelles normes comptables, qui seront publiées dans le *Manuel de l'ICCA,* en tenant compte des commentaires recueillis. Dans certains cas, il peut arriver qu'un deuxième exposé-sondage soit nécessaire de façon à obtenir un plus large consensus du monde des affaires.

Au niveau international, l'International Accounting Standars Board (IASB) est responsable de l'établissement des normes comptables internationales. Leur but est d'harmoniser les normes comptables utilisées dans le monde.

La plupart des gestionnaires n'ont pas besoin de connaître de façon approfondie les normes comptables. L'approche présentée ici consiste à s'attarder sur les aspects qui ont le plus d'incidence sur les montants présentés dans les états financiers et qui sont appropriés pour un cours d'introduction aux sciences comptables.

Pourquoi les gestionnaires, les comptables et les utilisateurs se soucient-ils des principes comptables généralement reconnus?

Les principes comptables généralement reconnus (PCGR) ont beaucoup d'importance pour les sociétés qui doivent dresser des états financiers, les vérificateurs et les lecteurs d'états financiers. Les sociétés et leurs gestionnaires sont directement concernés par les informations présentées dans les états financiers. Les sociétés engagent les coûts liés à l'établissement des états financiers et sont responsables des principales conséquences économiques de leur publication. Ces conséquences économiques incluent notamment:

1) les effets potentiels sur le prix de vente des actions d'une société ;
2) les conséquences potentielles sur le montant des primes obtenues par la direction et les employés ;
3) la perte potentielle d'un avantage concurrentiel sur d'autres entreprises.

Le Groupe Alpha était prêt à payer un certain montant pour acquérir Discus. Toutefois, il ne faut pas oublier que ce montant avait été déterminé en partie à cause du bénéfice net calculé en vertu des principes comptables généralement reconnus. Il est donc possible que des changements survenant dans les PCGR puissent influer sur le prix que les acheteurs sont prêts à payer pour acheter des entreprises, soit à l'avantage ou au détriment des propriétaires actuels. Les journaux d'affaires discutent souvent de cette possibilité.

Les gestionnaires et les autres employés reçoivent souvent une partie de leur rémunération en fonction de l'atteinte d'objectifs prédéterminés en ce qui concerne le bénéfice net. Par conséquent, ils se préoccupent des changements dans les PCGR qui influent sur le calcul du bénéfice net. Les gestionnaires et les propriétaires s'inquiètent également de publier trop d'informations dans les états financiers et ainsi de révéler les détails de leurs succès ou de leurs échecs qui pourraient aider des sociétés concurrentes. Par conséquent, toute modification des PCGR est largement débattue dans le milieu économique et même politique.

L'importance des PCGR est également soulevée avec tous les scandales financiers qui ont été dévoilés au cours des dernières années et qui ont perturbé l'économie nord-américaine. Pensons à Enron, Worldcom, Nortel et Norbourg.

PERSPECTIVE INTERNATIONALE

Les normes internationales

Dans son plan stratégique adopté en janvier 2006, le Conseil des normes comptables (CNC) du Canada propose de «réaliser la convergence des PCGR canadiens avec les International Financial Reporting Standards (IFRS) sur une période de transition de cinq ans, dans le but d'avoir un ensemble unique de normes de haut niveau reconnues à l'échelle internationale. À la fin de cette période, les PCGR canadiens cesseront d'exister en tant qu'ensemble distinct de règles d'information financière pour les sociétés ouvertes. Les sociétés ouvertes canadiennes (inscrites auprès de la SEC) qui souhaitent communiquer l'information financière selon les PCGR américains conserveront cette possibilité. Des pays tels que l'Australie, la Nouvelle-Zélande et les pays membres de l'Union européenne ont déjà adopé les IFRS».

Selon le président du CNC, «lorsqu'on a posé la question de savoir si nous devrions nous aligner davantage sur les PCGR américains ou sur les normes internationales, il est vite apparu évident que les PCGR américains ne présentaient guère d'intérêt pour la grande majorité de nos sociétés et de leurs investisseurs».

Source: *ICCA*, [en ligne], www.icca.ca, (page consultée le 7 février 2006).

La responsabilité de la direction et la vérification

OBJECTIF D'APPRENTISSAGE 3

Distinguer le rôle des gestionnaires de celui des vérificateurs dans le processus de communication de l'information comptable.

Les propriétaires et les gestionnaires du Groupe Alpha étaient bien informés relativement aux PCGR, mais ils ont tout de même été trompés. Malgré le fait que les règles utilisées par Discus pour produire ses états financiers concordaient avec les PCGR, les montants sous-jacents du système de comptabilité étaient fictifs. Autrement dit, ils ne représentaient pas fidèlement la réalité. Qui est responsable de la précision des montants figurant aux états financiers de Discus? Deux documents tirés du rapport annuel de la société permettent de répondre partiellement à cette question.

Le **rapport de la direction** (*voir le tableau 1.9*) souligne deux aspects importants. D'abord, la responsabilité première au regard des informations apparaissant dans les états financiers appartient à la direction de la société, laquelle est représentée par le président du conseil d'administration et le directeur des finances. Ensuite, l'entreprise doit aussi adopter trois mesures importantes pour s'assurer de l'exactitude des livres de la société : 1) elle doit appliquer un système de contrôle sur les livres et les actifs de la société ; 2) elle doit embaucher des vérificateurs externes pour vérifier la fidélité des informations présentées dans les états ; 3) elle doit se référer à un comité de vérification qui a pour tâche d'examiner ces mesures de contrôle. Ces trois mesures et le rapport de la direction sont obligatoires pour toute entreprise publique. Dans le cas de Discus, ces mesures semblent avoir été inefficaces. Les gestionnaires qui publient des états financiers frauduleux sont passibles de poursuites judiciaires.

Le deuxième rapport (*voir le tableau 1.10 à la page 26*), le **rapport du vérificateur**, décrit de façon plus explicite le rôle des vérificateurs externes. Ce rapport contient essentiellement l'opinion des vérificateurs quant à la fidélité de l'image que les états financiers donnent de la situation financière de l'entreprise et une description du travail effectué pour soutenir cette opinion. Au Québec, les comptables agréés (CA) détiennent le droit exclusif de certifier les états financiers des sociétés commerciales. Partout ailleurs au Canada, les comptables en management accrédités (CMA) et les comptables généraux licenciés (CGA) peuvent vérifier les états financiers. L'Office des professions étudie actuellement cette problématique à la demande des CGA et des CMA qui contestent cette exclusivité au Québec.

> Le **rapport de la direction** fait état de la responsabilité première de la direction à l'égard des états financiers et des autres informations financières contenues dans le rapport annuel, ainsi que du processus pour assurer la fiabilité de ces informations.

> Le **rapport du vérificateur** contient essentiellement l'opinion du vérificateur quant à la fidélité des déclarations figurant aux états financiers et une description sommaire du travail effectué pour soutenir cette opinion.

TABLEAU 1.9	Rapport de la direction

La direction de Discus inc. a dressé les états financiers ci-joints, et le conseil d'administration de la société les a approuvés. La direction est responsable de la préparation et de la présentation des données et des déclarations contenues dans les états financiers et sous les autres rubriques du présent rapport annuel. Les états financiers ont été dressés selon les principes comptables généralement reconnus au Canada.

Pour s'acquitter de ses responsabilités, la société maintient un système de contrôle interne. Celui-ci fournit à la direction un degré raisonnable de certitude selon lequel les données financières sont fiables. C'est l'équipe de vérification interne qui surveille ce système de contrôle interne.

Le conseil d'administration, par l'intermédiaire d'un comité de vérification composé entièrement d'administrateurs externes, s'assure que la direction assume ses responsabilités quant à la présentation de l'information financière et au contrôle interne. Ce comité rencontre les vérificateurs indépendants et le vérificateur interne (qui sont tous libres de rencontrer directement le comité de vérification, composé de membres indépendants de la direction) et la direction afin de s'assurer que chaque groupe s'acquitte dûment de ses responsabilités. De plus, le comité passe en revue les états financiers et le rapport de gestion. Le comité de vérification transmet ses observations au conseil qui en tient compte dans son approbation des états financiers devant être remis aux actionnaires.

Les vérificateurs indépendants de la société, Bélanger et associés, dont le rapport figure ci-dessous, sont nommés par les actionnaires pour exprimer leur opinion professionnelle quant à la présentation fidèle des états financiers.

Le chef des opérations financières,
Patrick Béliveau

Le 7 février 2007

Le président du conseil
et chef de la direction,
Robert Melbourne

Dans ce rôle, le comptable agréé est considéré comme un vérificateur externe indépendant, puisqu'il doit assumer certaines responsabilités vis-à-vis du grand public en plus des responsabilités directement liées à l'entreprise qui paie pour obtenir ses services. Les vérificateurs externes, bien qu'ils soient payés par leurs clients, ne sont pas leurs employés. Ils sont nommés par les actionnaires de l'entreprise et doivent leur soumettre le résultat de leur travail.

Une **vérification** comporte l'examen des rapports financiers (établis par la direction de l'entité) pour s'assurer qu'ils représentent fidèlement la situation financière et les résultats de l'entreprise et qu'ils sont conformes aux principes comptables généralement reconnus (PCGR). En effectuant une vérification, le vérificateur externe analyse les opérations sous-jacentes, notamment la collecte, le classement et la préparation des données financières intégrées aux rapports financiers. Pour apprécier l'ampleur de ces responsabilités, il faut considérer la multitude d'opérations conclues dans une grande entreprise comme Bombardier, qui comptabilise des milliards de dollars chaque année. Le vérificateur n'analyse pas chacune de ces opérations. Il utilise plutôt des techniques

> Une mission de **vérification** comporte l'examen des rapports financiers pour s'assurer qu'ils reflètent fidèlement la situation financière de l'entreprise et ses résultats et qu'ils sont conformes aux principes comptables généralement reconnus.

Trois mesures pour s'assurer de la fidélité des livres comptables

Contrôle · Vérificateurs · Conseil d'administration

TABLEAU 1.10 | Rapport du vérificateur

Aux actionnaires de Discus inc.

Nous avons vérifié le bilan de Discus inc. au 31 décembre 2006 et les états des résultats, des capitaux propres et des flux de trésorerie pour l'exercice terminé à cette date. La responsabilité de ces états financiers incombe à la direction de la société. Notre responsabilité consiste à exprimer une opinion sur ces états financiers en nous fondant sur nos vérifications.

Nos vérifications ont été effectuées conformément aux normes de vérification généralement reconnues au Canada. Ces normes exigent que la vérification soit planifiée et exécutée de manière à fournir l'assurance raisonnable que les états financiers sont exempts d'inexactitudes importantes. La vérification comprend le contrôle par sondages des éléments probants à l'appui des montants et des autres éléments d'information fournis dans les états financiers. Elle comprend également l'évaluation des principes comptables suivis et des estimations importantes faites par la direction, ainsi qu'une appréciation de la présentation d'ensemble des états financiers.

À notre avis, ces états financiers donnent, à tous les égards importants, une image fidèle de la situation financière de la société au 31 décembre 2006 ainsi que des résultats de son exploitation et de ses flux de trésorerie pour l'exercice terminé à cette date selon les principes comptables généralement reconnus au Canada.

Bélanger et associés
Comptables agréés
Québec, Canada
Le 7 février 2007

de vérification qui lui permettent d'obtenir l'assurance que les opérations ont été mesurées et présentées de manière appropriée. Il existe un grand nombre d'occasions non intentionnelles (ou intentionnelles, comme on l'a appris dans le cas de Discus) pour dresser des rapports financiers trompeurs. La fonction de vérification effectuée par un vérificateur externe constitue la meilleure protection offerte au grand public. Lorsque cette protection est inefficace, le vérificateur externe est souvent tenu responsable des pertes subies par ceux qui se sont fiés aux états financiers.

L'éthique, l'intégrité et la responsabilité légale

Les utilisateurs doivent avoir l'assurance que les informations qui figurent dans les états financiers sont fiables. Leur confiance sera d'autant plus grande s'ils savent que les experts-comptables responsables de la vérification des états financiers respectent les normes professionnelles d'éthique et de compétence adoptées par la profession.

Les ordres comptables provinciaux exigent de tous leurs membres l'adhésion à un code de déontologie professionnel. De plus, les vérificateurs doivent se conformer aux normes de vérification et de certification établies par le Conseil des normes de vérification et de certification (CNVC) de l'ICCA. Le non-respect de ces règles peut entraîner des sanctions professionnelles sérieuses. Pire encore, la négligence professionnelle a des conséquences économiques très importantes pour les vérificateurs, et malheureusement aussi pour les investisseurs.

L'intégrité de l'expert-comptable, sa compétence et son objectivité constituent ses principaux actifs. Si le cabinet Bélanger et associés a été jugé négligent ou malhonnête au cours de la vérification de Discus, la Banque d'Investissement et les autres créanciers refuseront de faire confiance aux états financiers vérifiés par ce cabinet. En outre, les autres clients du cabinet choisiront rapidement de nouveaux vérificateurs. Des états financiers frauduleux constituent un événement relativement rare, en partie grâce aux efforts déployés par les experts-comptables. En fait, bon nombre de ces fraudes sont d'abord mises en évidence dans le cours de la vérification annuelle. Cependant, même les vérifications les plus soignées peuvent ne pas immédiatement dévoiler les résultats d'une fraude comportant la collusion des principaux directeurs d'une société, comme dans le cas de Discus.

Même si le cabinet d'experts-comptables Bélanger et associés ignorait que le Groupe Alpha utilisait les états financiers de Discus pour déterminer si elle devait ou non l'acheter, si le manquement du vérificateur à détecter les erreurs dans les états financiers découle d'une négligence professionnelle, le cabinet pourrait être déclaré responsable des pertes du Groupe Alpha.

Par suite de la fraude, Discus a déclaré faillite et a été vendue pour rembourser les créanciers. Le Groupe Alpha et la Banque d'Investissement ont intenté des poursuites civiles d'une valeur respective de 15 et de 9 millions de dollars. Les deux entreprises prétendent que les directeurs de Discus ont «commis une fraude considérable» et que les vérificateurs ont «fermé les yeux sur les erreurs»[15]. Le Groupe Alpha et la Banque d'Investissement ont également demandé des dommages et intérêts punitifs pour négligence grave. Le président et le directeur financier de Discus doivent aussi répondre à ces trois chefs d'accusation de fraude, pour lesquels ils risquent d'être frappés d'amendes et d'être condamnés à purger une peine d'emprisonnement.

OBJECTIF D'APPRENTISSAGE 4

Réaliser l'importance de l'éthique en comptabilité, de l'intégrité ainsi que de la responsabilité professionnelle de l'expert-comptable.

---

15. Le chapitre 5135 du *Manuel de l'ICCA* traite de la responsabilité du vérificateur relativement à la prise en compte des fraudes, des erreurs et des inexactitudes qui peuvent en découler dans une vérification d'états financiers et d'autres informations financières. Ce chapitre rappelle qu'une vérification ne garantit pas que toutes les inexactitudes importantes seront détectées, mais plutôt que le vérificateur utilise toutes les mesures et tous les procédés nécessaires en vue de détecter les inexactitudes importantes et qu'il fait preuve d'un scepticisme professionnel tout au long de son mandat.

Un autre cas, bien réel celui-ci, concerne la firme Norbourg.

Dans l'actualité

Norbourg

Retour sur les faits – La fraude appréhendée à Norbourg Gestion d'actifs s'élève à 130 M$, selon la firme comptable Ernst & Young, mandatée par Québec pour administrer la firme pendant l'enquête. C'est entre autres ce qu'a dévoilé l'Autorité des marchés financiers (AMF) à l'occasion d'une conférence de presse tenue le 30 septembre.

L'enquête de l'AMF et de la Gendarmerie royale du Canada permet de croire que cette somme aurait entre autres été détournée pour faire des acquisitions et aboutir dans les comptes personnels du président-directeur général et de sa conjointe.

L'AMF a fait cesser les activités de Norbourg en août dernier. Selon les enquêteurs, la valeur des 29 fonds de placement gérés par Norbourg s'élève à 75 M$ alors que la société, dans ses déclarations comptables, avait indiqué que la valeur de ces fonds s'élevait à 205 M$. Au total, 9 200 épargnants auraient été floués.

Source : Jean GAGNON, *Les Affaires*, 8 octobre 2005, p. 12.

Conclusion

Bien que les cas de fraude dans les états financiers soient un événement relativement rare, l'interprétation erronée des états financiers de Discus illustre avec justesse l'importance de la présentation fidèle des états financiers pour les investisseurs et les créanciers. Cet exemple illustre également l'importance cruciale de la profession d'expert-comptable pour assurer l'intégrité du système de présentation des informations financières.

Comme nous l'avons noté au début de ce chapitre, Discus n'est pas une société réelle, mais les informations sont basées sur le cas d'une véritable société qui a commis une fraude similaire. (Les exemples de sociétés présentées dans les autres chapitres sont des entreprises réelles.)

Le cas de Discus est basé essentiellement sur la fraude commise par MiniScribe, une entreprise états-unienne. Toutefois, la véritable fraude était 10 fois plus importante que celle du cas fictif, tout comme les pertes subies et les montants exigés dans les poursuites qui ont suivi. (Bon nombre des montants figurant aux états financiers représentent simplement le dixième des montants contenus dans les états financiers frauduleux de MiniScribe.) La nature de la fraude était aussi très similaire. Dans le cas de MiniScribe, on a surévalué le chiffre d'affaires en transférant des marchandises fictives entre deux divisions de MiniScribe et en créant de faux documents pour faire croire que les marchandises avaient été remises aux clients. MiniScribe avait même emballé des briques, les avait livrées aux distributeurs et les avait inscrites comme ventes. On avait sous-estimé le coût des marchandises vendues en tenant compte des pièces inutilisables et des unités de disques endommagées dans le stock de marchandises. De plus, certains membres de la direction avaient même forcé les coffres-forts des vérificateurs pour modifier les montants contenus dans les documents de la vérification.

En conséquence, MiniScribe a pu comptabiliser un bénéfice net de 31 millions de dollars, qu'on a par la suite corrigé à 9 millions de dollars. Les investisseurs et les créanciers de MiniScribe ont intenté des poursuites supérieures à 1 milliard de dollars en dommages. En réalité, on a versé des dédommagements qui se sont élevés à des centaines de millions de dollars. Le président et le directeur financier de MiniScribe ont été reconnus coupables de fraudes et ont été condamnés à l'emprisonnement. Bien que la plupart des directeurs et des propriétaires agissent de manière honnête et responsable, cet exemple nous rappelle clairement les conséquences économiques désastreuses qui peuvent découler d'une information intentionnellement erronée dans les états financiers.

Bon nombre d'entreprises ont été menées à la faillite lorsque leurs pratiques comptables frauduleuses ont été dévoilées. La plus importante fraude comptable de l'histoire des États-Unis, 11 milliards de dollars US, est l'œuvre de dirigeants de la société de télécommunications Worldcom dont le président a été condamné en 2005 à 25 ans de prison. La société d'experts comptables, Arthur Andersen, a également été impliquée dans les fraudes comptables de Worldcom et dans celles d'Enron, autre scandale financier spectaculaire. Elle a aussi été menée à la faillite pour avoir fermé les yeux et détruit des documents comptables.

ANALYSONS UN CAS

À la fin de la plupart des chapitres, nous vous présentons un ou plusieurs cas. Ces derniers contiennent un aperçu des principaux sujets qui ont été abordés dans le chapitre. Chacun des cas est suivi d'une solution recommandée. Vous devriez lire l'exemple attentivement et trouver ensuite votre propre solution avant d'étudier la solution suggérée. Cette forme d'autoévaluation est fortement recommandée.

Le cas présenté ici vous aidera à revoir les différents éléments contenus dans l'état des résultats et le bilan.

La Senza est un détaillant spécialisé qui offre de la lingerie et des vêtements de nuit. La société exploite 296 boutiques au Canada et 231 à l'extérieur du pays. Une liste non ordonnée de comptes tirés des états financiers de l'entreprise au 29 janvier 2005 est présentée ci-dessous. Pour respecter les objectifs du chapitre, nous avons simplifié la présentation en faisant des regroupements et en modifiant certains noms de comptes. Tous les chiffres sont en milliers de dollars.

◇ La Senza

Autres actifs	67 719 $
Autres charges	22 192
Autres passifs	49 598
Autres produits	824
Bénéfice net	81
Bénéfices non répartis et surplus d'apport	96 467
Caisse	18 347
Capital social	31 781
Coût des produits vendus et charges générales et d'administration	315 077
Chiffre d'affaires	354 910
Clients et divers montants à recevoir	7 063
Dette à long terme	2 711
Fournisseurs et autres charges à payer	35 169
Immobilisations	82 844
Impôts sur les bénéfices	1 955
Pertes diverses	16 429
Stocks	39 753
Total de l'actif	215 726

Travail à faire

1. Établissez le bilan et l'état des résultats selon le modèle présenté dans les tableaux 1.2 et 1.3 (*voir les pages 7 et 11*).
2. Précisez les objectifs de chacun de ces états financiers.
3. Indiquez deux autres états financiers qu'on trouve dans un rapport annuel.
4. Donnez les raisons pour lesquelles la société soumet ses états financiers à un vérificateur externe.

Solution suggérée

1.

La Senza
État des résultats
pour l'exercice terminé le 29 janvier 2005
(en milliers de dollars)

PRODUITS	
Chiffre d'affaires	354 910 $
Autres produits	824
	355 734 $
CHARGES	
Coût des produits vendus et charges générales et d'administration	315 077 $
Autres charges	22 192
Pertes diverses	16 429
Total des charges et des pertes	353 698 $
Bénéfice avant impôts	2 036 $
Impôts sur les bénéfices	1 955
Bénéfice net	81 $

La Senza
Bilan
au 29 janvier 2005
(en milliers de dollars)

ACTIF	
Caisse	18 347 $
Clients et divers montants à recevoir	7 063
Stocks	39 753
Immobilisations	82 844
Autres actifs	67 719
Total de l'actif	215 726 $
PASSIF	
Fournisseurs et autres charges à payer	35 169 $
Dette à long terme	2 711
Autres passifs	49 598
Total du passif	87 478 $
CAPITAUX PROPRES	
Capital social	31 781 $
Bénéfices non répartis et surplus d'apport	96 467
Total des capitaux propres	128 248 $
Total du passif et des capitaux propres	215 726 $

2. Le bilan présente la situation financière d'une entité à une date donnée. L'état des résultats présente la principale mesure de rendement comptable d'une entité pour une période donnée.

3. L'état des capitaux propres et l'état des flux de trésorerie.

4. Les utilisateurs auront davantage confiance aux informations contenues dans les états financiers s'ils savent qu'ils ont été vérifiés par des experts comptables indépendants. Ceux-ci doivent respecter des normes de compétence et sont soumis à un code d'éthique.

Les formes juridiques de l'entreprise

Dans cet ouvrage, nous mettons l'accent sur la comptabilisation des entreprises à but lucratif. Les trois principaux types d'entreprises sont les entreprises individuelles, les sociétés de personnes et les sociétés de capitaux. Une entreprise individuelle ou entreprise à propriétaire unique est une société appartenant à une seule personne qui en retire tous les avantages. Le propriétaire a le contrôle total de son entreprise et prend seul toutes les décisions relatives à son exploitation. On trouve les entreprises individuelles principalement chez les travailleurs autonomes ou les entrepreneurs qui n'ont pas d'employé. Légalement, l'entreprise et le propriétaire ne sont pas des entités distinctes. Toutefois, du point de vue comptable, l'entreprise est une entité distincte de son propriétaire. Il faut donc comptabiliser les ressources, les dettes et les activités de l'entreprise dans des livres comptables séparés de ceux de son propriétaire.

Une société de personnes est une « entreprise dans laquelle plusieurs personnes (les associés) conviennent de mettre en commun des biens, leur crédit ou leur industrie en vue de partager les bénéfices qui pourront en résulter[16] ». Les associés mettent ainsi des ressources en commun en vue d'exploiter ensemble une entreprise. Les associés sont généralement liés entre eux par un contrat de société. Ce contrat contient un certain nombre de clauses traitant entre autres du mode de partage des bénéfices, de la gestion des affaires de la société et des règles à suivre en cas de dissolution ou de liquidation de la société. Il existe deux types de sociétés : la société en nom collectif et la société en commandite. Vous apprendrez à les distinguer dans vos cours sur le droit des affaires et nous y reviendrons brièvement au chapitre 10. Certaines sociétés sont particulièrement importantes. Il suffit de penser aux grands cabinets d'experts-comptables ou aux cabinets d'avocats internationaux. Une société n'est pas légalement distincte de ses propriétaires. En effet, chaque associé est personnellement responsable des dettes de l'entreprise (sauf les commanditaires dans une société en commandite). Cependant, en vertu du postulat de la personnalité de l'entité, la société est une entité distincte de son propriétaire, et ses opérations doivent être comptabilisées séparément de celles de ses multiples propriétaires.

La société de capitaux (ou société par actions ou compagnie) est une société constituée en vertu de la législation fédérale (Loi canadienne sur les sociétés par actions) ou provinciale (Loi sur les compagnies du Québec). Les propriétaires s'appellent des « actionnaires ». La mise de fonds des actionnaires est représentée par un titre de propriété qu'on appelle « actions », qui sont regroupées dans les capitaux propres de la société. Lorsqu'une demande d'incorporation en société de capitaux est déposée par les fondateurs, et qu'elle est acceptée par le législateur, ce dernier émet alors un certificat de constitution. L'entreprise existe officiellement à partir de la date inscrite sur le certificat de constitution. La société de capitaux est une entité juridique distincte de ses actionnaires ; c'est une personne « morale ». Les actionnaires jouissent d'une responsabilité limitée en ce sens qu'ils sont responsables des dettes de la société jusqu'à concurrence du capital investi. Le certificat de constitution précise les diverses catégories d'actions que l'entreprise pourra émettre.

Au Québec, une société de capitaux peut être constituée par un seul ou plusieurs actionnaires. Au départ, les actionnaires élisent les administrateurs permanents de l'entreprise qui, à leur tour, nomment les gestionnaires. Tout comme l'entreprise à propriétaire unique et la société de personnes, et selon le postulat de la personnalité de l'entité, la société de capitaux est une entité commerciale distincte de ses actionnaires et possède ses propres livres comptables.

La société de capitaux est la forme juridique la plus connue et, sur le plan économique, la plus importante. Cette prédominance provient des nombreux avantages de

---

16. Louis MÉNARD, *op. cit.*, p. 856.

cette forme d'entreprise : 1) la responsabilité limitée des actionnaires ; 2) la continuité de l'exploitation ; 3) la facilité de transfert de la propriété (des actions) ; 4) les occasions d'amasser d'importantes sommes d'argent en vendant des actions à un grand nombre de personnes. La société de capitaux a pour principal désavantage le fait que son bénéfice peut être soumis à une double imposition (il est imposé quand il est gagné et de nouveau quand il est distribué aux actionnaires sous forme de dividendes). Dans ce manuel, nous mettons l'accent sur les sociétés de capitaux. Néanmoins, les concepts et les procédures comptables dont nous discuterons s'appliquent également aux autres types d'entreprises.

La profession comptable au Canada

Au Canada, trois associations professionnelles se partagent les membres exerçant la profession comptable.

L'Ordre des comptables agréés du Québec, membre de l'ICCA, décerne le titre de comptable agréé (CA) aux candidats ayant achevé un programme de formation universitaire de premier cycle et un diplôme d'études supérieures spécialisées (DESS, deuxième cycle), puis ayant réussi l'Évaluation uniforme (EFU) et achevé un stage pratique professionnel de 24 mois. On compte plus de 68 000 CA au Canada.

Au Québec, le titre de CA donne à ses membres le mandat exclusif d'émettre une opinion sur les états financiers des entreprises. Les comptables agréés exercent leurs activités soit dans un cabinet d'experts-comptables, soit en entreprise, dans la fonction publique ou l'enseignement. Comme nous l'avons vu précédemment, l'Ordre des CMA et l'Ordre des CGA contestent cette exclusivité.

L'Ordre des comptables en management accrédités du Québec, qui est partenaire de la Société des comptables en management du Canada, décerne le titre de CMA aux candidats ayant obtenu un diplôme de premier cycle en sciences comptables, réussi l'examen national d'admission, achevé un stage en entreprise de deux ans et le Programme de leadership stratégique. L'expertise du comptable en management lui permet d'intervenir efficacement au point de vue de la gestion stratégique et financière de l'entreprise. Fondé en 1920, CMA Canada représente aujourd'hui plus de 47 000 comptables en management. Enfin, CMA Canada définit les pratiques utilisées en comptabilité de management.

L'Ordre des comptables généraux accrédités du Québec, affilié à l'Association des comptables généraux accrédités du Canada, décerne le titre de CGA aux candidats ayant terminé un programme universitaire de premier cycle, réussi deux examens nationaux, achevé un stage d'expérience pratique de 24 mois et un programme professionnel postbaccalauréat.

Les CGA acquièrent ainsi une expertise professionnelle qui leur permet de travailler principalement dans le secteur du commerce et de la finance, dans le secteur public ou en cabinet privé. CGA Canada compte 64 000 CGA et étudiants à l'échelle nationale.

La pratique de l'expertise comptable

Bien qu'une personne seule puisse pratiquer l'expertise comptable, habituellement deux ou plusieurs personnes constituent un cabinet d'expertise comptable sous forme de société de personnes. Les cabinets d'expertise comptable varient sur le plan de la taille, allant d'un cabinet à un seul comptable à des cabinets régionaux jusqu'aux « quatre grands » (Deloitte & Touche, Ernst & Young, KPMG et PricewaterhouseCoopers), qui comptent des centaines de bureaux partout dans le monde. Les cabinets d'expertise comptable offrent généralement trois types de services : les services de certification, les services de conseil de gestion et les services fiscaux.

Les services de certification

Les services de certification sont des services professionnels indépendants qui visent à assurer la qualité des informations financières dont les utilisateurs ont besoin pour prendre des décisions. Le principal service de certification effectué par les CA dans la pratique de l'expertise comptable est la vérification des états financiers. La vérification a pour objectif d'établir la crédibilité des rapports financiers, autrement dit de s'assurer qu'ils représentent fidèlement la situation financière et les résultats de l'entreprise. Une vérification comporte l'examen des rapports financiers (établis par la direction de l'entité) pour s'assurer qu'ils se conforment aux PCGR. Parmi les autres services de certification, certains s'intéressent particulièrement à la sécurité du commerce électronique, à la fiabilité des systèmes d'information et aux acquisitions d'entreprises.

Les services de conseil de gestion

Bon nombre de cabinets d'expertise comptable offrent des services de conseil de gestion. Ces services sont habituellement axés sur la comptabilité, et ils englobent des activités telles que: 1) la conception et l'installation de système d'information comptable, ainsi que le processus de traitement des données; 2) la planification et le contrôle budgétaire; 3) les conseils financiers; 4) les prévisions financières; 5) le contrôle du stock; 6) les études de rentabilité; 7) les analyses opérationnelles. Les services de conseil de gestion ont pris beaucoup d'expansion ces dernières années.

Les services fiscaux

Les experts-comptables offrent habituellement des services fiscaux à leurs clients. Ces services incluent la planification fiscale tant dans le cadre du processus de prise de décisions que de la détermination des impôts sur les bénéfices à payer (inscrits sur la déclaration annuelle). En raison de la complexité croissante des lois fiscales fédérales et provinciales et de leur évolution rapide, un niveau élevé de compétences est exigé de la part des experts-comptables, car leur participation dans la planification fiscale est souvent très significative. La plupart des décisions d'affaires importantes ont des conséquences fiscales considérables.

L'emploi au sein des organisations

Plusieurs comptables, y compris les comptables agréés (CA), les comptables en management accrédités (CMA) et les comptables généraux licenciés (CGA), sont engagés par des entreprises à but lucratif ou sans but lucratif. Une entreprise, selon sa taille et sa complexité, peut embaucher quelques centaines d'experts-comptables. Dans une entreprise commerciale, le directeur financier (habituellement un vice-président ou un contrôleur de gestion) est membre de l'équipe de gestion. Cette responsabilité comporte en général une vaste gamme de tâches en gestion, en finances et en comptabilité.

Dans une entité commerciale, les comptables pratiquent normalement une grande variété d'activités telles que la gestion générale, la comptabilité générale, la comptabilité de management, la planification budgétaire et le contrôle des coûts, la vérification interne ainsi que le traitement informatisé des données. Les comptables travaillant au sein des entreprises ont pour principale fonction de fournir des données utiles à la prise de décisions pour la gestion courante ainsi que pour le contrôle des activités d'exploitation. Les tâches telles que la présentation de l'information financière externe, la planification fiscale, le contrôle des actifs et une multitude de responsabilités connexes sont aussi effectuées par des comptables travaillant dans l'industrie.

Les emplois dans le secteur public et les organismes sans but lucratif

Les opérations vastes et complexes des autorités gouvernementales, que ce soit au niveau régional ou national, créent un besoin pour les services des experts-comptables. La même chose s'applique pour les organismes sans but lucratif comme les hôpitaux et les universités. Les comptables engagés dans le secteur public et le secteur des organismes sans but lucratif exécutent des tâches similaires à celles de leurs collègues engagés par des entreprises privées.

1. **Comprendre l'information présentée dans chacun des principaux états financiers et son utilité pour différents décideurs, soit les investisseurs, les créanciers et les gestionnaires** (*voir la page 6*).

   - Le bilan est un état financier qui décrit la situation financière d'une entreprise en présentant la valeur de l'actif, du passif et des capitaux propres à un moment précis.

   - L'état des résultats est un état financier qui résume les activités d'exploitation de l'entreprise en présentant les produits, les charges et le bénéfice net pour une période donnée.

   - L'état des capitaux propres explique les changements survenus dans les différents éléments des capitaux propres au cours de l'exercice.

   - L'état des flux de trésorerie présente les encaissements et les décaissements pour une période précise.

   - Les états financiers sont utilisés par les investisseurs et les créanciers pour évaluer différents aspects de la situation financière d'une entreprise ainsi que son rendement.

2. **Définir le rôle des principes comptables généralement reconnus (PCGR) dans la préparation et la présentation des états financiers** (*voir la page 22*).

   Les PCGR sont les normes et les règles qu'on utilise pour élaborer les informations figurant aux états financiers. Il est nécessaire de connaître les PCGR pour interpréter avec justesse les montants apparaissant dans les états financiers.

3. **Distinguer le rôle des gestionnaires de celui des vérificateurs dans le processus de communication de l'information comptable** (*voir la page 24*).

   La direction de l'entreprise est la principale responsable de l'information présentée dans les états financiers. D'un autre côté, les vérificateurs doivent exprimer une opinion sur la fidélité des informations contenues dans les états financiers en fonction de leur analyse des rapports et des livres de la société. Les vérificateurs sont responsables du jugement qu'ils portent.

4. **Réaliser l'importance de l'éthique en comptabilité, de l'intégrité ainsi que de la responsabilité professionnelle de l'expert-comptable** (*voir la page 27*).

   Les utilisateurs auront confiance aux états financiers uniquement si les personnes responsables de la préparation et de la vérification de ces états ont la réputation d'avoir un comportement conforme à l'éthique et d'être compétentes. La direction et les vérificateurs peuvent être légalement déclarés responsables d'états financiers frauduleux et de négligence professionnelle.

Dans ce chapitre, nous avons étudié les principaux états financiers qui servent à communiquer des informations financières aux utilisateurs externes. Dans les chapitres 2, 3 et 4, nous examinerons plus en détail les états financiers et comment la comptabilité transforme les faits financiers et les opérations commerciales pour pouvoir les communiquer de façon compréhensible et utile dans les états financiers. En comprenant comment une opération commerciale se retrouve dans les états financiers, et inversement quelles sont les opérations commerciales décrites par les états financiers, vous pourrez mieux utiliser cette information afin de prendre des décisions justes et éclairées. Nous entamons le chapitre 2 par une discussion sur la manière dont le système comptable recueille des données sur les opérations commerciales et les traite pour dresser des états financiers périodiques, tout en mettant l'accent sur le bilan. Nous discuterons des principaux principes et postulats comptables, du modèle comptable, de l'analyse des opérations et des outils analytiques. Nous examinerons les activités commerciales typiques d'une véritable société pour illustrer les concepts présentés dans les chapitres 2, 3 et 4.

BILAN

Actif = Passif + Capitaux propres

ÉTAT DES RÉSULTATS

Produits

− Charges

Bénéfice net

ÉTAT DES CAPITAUX PROPRES

Bénéfices non répartis, au début de l'exercice

+ Bénéfice net

− Dividendes

Bénéfices non répartis, à la fin de l'exercice

ÉTAT DES FLUX DE TRÉSORERIE

+/− Flux de trésorerie liés aux activités d'exploitation

+/− Flux de trésorerie liés aux activités d'investissement

+/− Flux de trésorerie liés aux activités de financement

Variation nette de la trésorerie

Mots clés

Questions

1. Définissez la comptabilité.

2. Distinguez brièvement la comptabilité financière de la comptabilité de management.

3. Le processus comptable mène à la production de rapports financiers pour les utilisateurs internes et externes. Nommez certains groupes d'utilisateurs.

4. Distinguez brièvement les investisseurs des créanciers.

5. Qu'est-ce qu'une entité comptable ? Pourquoi traite-t-on une entreprise comme une entité distincte, à des fins comptables ?

6. Nommez quatre états financiers.

7. Quelles informations doit-on inclure dans l'intitulé de chacun des états financiers ?

8. Quels sont les objectifs a) de l'état des résultats, b) du bilan, c) de l'état des flux de trésorerie et d) de l'état des capitaux propres ?

9. Expliquez la raison pour laquelle l'état des résultats ainsi que l'état des flux de trésorerie sont datés ainsi : « pour l'exercice terminé le 31 décembre 2009 » ; tandis que le bilan est daté ainsi : « au 31 décembre 2009 ».

10. Expliquez brièvement l'importance des actifs et des passifs dans le processus de prise de décision des investisseurs et des créanciers.

11. Définissez brièvement les éléments suivants : le bénéfice net, la perte nette et le seuil de rentabilité.

12. Expliquez l'équation liée à l'état des résultats. Quelles sont les trois principales composantes inscrites à l'état des résultats ?

13. Expliquez l'équation liée au bilan. Définissez les trois principales composantes figurant au bilan.

14. Expliquez l'équation liée à l'état des flux de trésorerie. Quelles sont les trois principales composantes figurant dans cet état ?

15. Expliquez l'équation liée à l'état des capitaux propres. Expliquez les quatre principaux éléments apparaissant à l'état des capitaux propres.

16. Les états financiers dont nous avons discuté dans ce chapitre s'adressent aux utilisateurs externes. Expliquez brièvement comment les gestionnaires internes d'une société assumant diverses fonctions (par exemple dans des services de marketing, des achats et des ressources humaines) peuvent recourir aux informations contenues dans les états financiers.

17. Décrivez brièvement comment les normes comptables (les principes comptables générale-ment reconnus) sont déterminées au Canada.

18. Expliquez brièvement la responsabilité de la direction de l'entreprise et des vérificateurs externes dans le processus de communication de l'information comptable.

19. Distinguez brièvement l'entreprise individuelle, la société de personnes et la société de capitaux. (Annexe 1-A)

20. Énumérez et expliquez brièvement les trois principaux services qu'offrent les CA dans la pratique de l'expertise comptable. (Annexe 1-B)

Questions à choix multiples

1. Parmi les états suivants, lequel n'est pas un état financier ?
   a) Le bilan.
   b) Le rapport du vérificateur.
   c) L'état des résultats.
   d) L'état des flux de trésorerie.

2. Comme il est précisé dans le rapport du vérificateur, à qui revient la responsabilité première des états financiers ?
   a) Aux actionnaires de l'entreprise.
   b) Aux analystes financiers indépendants.
   c) Aux vérificateurs indépendants.
   d) À la direction de l'entreprise.

3. Lequel des énoncés suivants est vrai ?
   a) ICCA signifie Institut canadien des comptables agréés.
   b) CNC signifie Conseil national de comptabilité.
   c) CGA signifie comptabilité générale acceptée.
   d) CMA signifie comptabilité de management.

4. Lequel des énoncés suivants est faux ?
   a) Les BNR augmentent avec le bénéfice net et diminuent avec une perte nette.
   b) Les BNR sont un des éléments des capitaux propres au bilan.
   c) Les BNR sont un actif au bilan.
   d) Les BNR représentent les bénéfices réalisés et non distribués aux actionnaires sous forme de dividendes.

5. Parmi les éléments suivants, lequel ne fait pas partie de l'intitulé d'un état financier ?
   a) Le nom du responsable de l'état financier.
   b) Le nom de l'état financier.
   c) L'unité de mesure.
   d) Le nom de l'entité.

6. Parmi les énoncés suivants concernant l'état des flux de trésorerie, combien sont vrais ?
   L'état des flux de trésorerie présente les rentrées et les sorties de fonds selon trois catégo-ries : l'exploitation, l'investissement et le financement.

   Le montant de caisse à la fin de la période inscrit à l'état flux de trésorerie doit corres-pondre au montant de caisse au bilan à la même date.

La variation nette de la trésorerie à l'état des flux de trésorerie doit correspondre au bénéfice net présenté à l'état des résultats.

a) Aucun.
b) Un.
c) Deux.
d) Trois.

7. Parmi les énoncés suivants, lequel n'est pas une note complémentaire aux états financiers ?
   a) Une note qui décrit les règles comptables appliquées aux états financiers.
   b) Une note qui contient des informations supplémentaires concernant des éléments non divulgués dans les états financiers.
   c) Une note qui décrit l'opinion du vérificateur quant aux perspectives futures de l'entreprise.
   d) Une note qui donne des détails supplémentaires sur un élément particulier figurant aux états financiers.

8. Parmi les énoncés suivants concernant l'état des résultats, lequel est vrai ?
   a) L'état des résultats présente uniquement les produits qui ont été encaissés.
   b) L'état des résultats est la mesure comptable du rendement de l'entreprise pour une période donnée.
   c) L'état des résultats présente la situation financière de l'entreprise à une date donnée.
   d) L'état des résultats contient les produits, les charges et les passifs.

9. Parmi les énoncés suivants concernant le bilan, lequel est faux ?
   a) Le bilan présente les actifs, les passifs et les capitaux propres d'une entité à une date précise.
   b) Le bilan présente la variation de certains actifs pour une période donnée.
   c) Les BNR présentés au bilan correspondent aux BNR de la fin à l'état des capitaux propres.
   d) Le bilan est basé sur l'équation fondamentale en comptabilité.

10. Parmi les énoncés suivants, lequel est vrai ?
    a) Les PCGR canadiens sont utilisés partout dans le monde.
    b) Un changement dans les PCGR n'a aucune importance pour les gestionnaires.
    c) PCGR signifie « principes comptables généralement reconnus ».
    d) Les PCGR sont approuvés par les gouvernements fédéral et provinciaux.

Mini-exercices

M1-1   Les différents éléments des états financiers   □OA1

Associez chaque élément avec son état financier en inscrivant la lettre appropriée dans l'espace prévu.

	Élément		État financier
_____ 1.	Charges	A.	Bilan
_____ 2.	Flux de trésorerie liés aux activités d'investissement	B.	État des résultats
_____ 3.	Actif	C.	État des capitaux propres
_____ 4.	Dividendes	D.	État des flux de trésorerie
_____ 5.	Produits		
_____ 6.	Flux de trésorerie liés aux activités d'exploitation		
_____ 7.	Passif		
_____ 8.	Flux de trésorerie liés aux activités de financement		

M1-2 **Les composantes des états financiers**

Dites si chacun des éléments de la liste suivante est un actif (A), un passif (Pa), des capitaux propres (CP), un produit (Pr) ou une charge (C).

_____ 1. Bénéfices non répartis   _____ 6. Stock de marchandises

_____ 2. Clients   _____ 7. Charge d'intérêts

_____ 3. Ventes   _____ 8. Fournisseurs

_____ 4. Usine et équipement   _____ 9. Terrain

_____ 5. Coût des marchandises vendues

M1-3 **La définition des principaux sigles en comptabilité**

Voici une liste des principaux sigles employés dans ce chapitre. On les utilise également dans le monde des affaires. Pour chaque abréviation, donnez la désignation complète. La première est résolue à titre d'exemple.

Sigle	Désignation complète
1. CA	Comptable agréé
2. PCGR	
3. CMA	
4. ICCA	
5. CGA	

Exercices

Alimentation Couche-Tard inc. ◆

E1-1 **Les éléments des états financiers**

Selon son rapport annuel 2005, Alimentation Couche-Tard possède 4 845 magasins qui servent plus de 25 millions de consommateurs en Amérique du Nord. Voici une liste d'éléments tirés du bilan et de l'état des résultats récents de la société. Il faut noter que les entreprises utilisent parfois des dénominations légèrement différentes pour un même poste. Dites si chacun des postes de la liste suivante est un actif (A), un passif (Pa), des capitaux propres (CP), un produit (Pr) ou une charge (C).

_____ 1. Créditeurs et charges à payer (Fournisseurs)

_____ 2. Débiteurs (Clients)

_____ 3. Espèces et quasi-espèces* (Trésorerie)

_____ 4. Coût des marchandises vendues

_____ 5. Immobilisations

_____ 6. Impôts sur les bénéfices

_____ 7. Frais financiers

_____ 8. Stocks

_____ 9. Capital-actions (Capital social)

_____ 10. Frais d'exploitation, de vente, administratifs et généraux

_____ 11. Dette à long terme

_____ 12. Chiffre d'affaires

---

* Les *quasi-espèces* sont les investissements à court terme, facilement monnayables, dont la valeur ne risque pas de changer. Au Canada, l'expression « espèces et quasi-espèces » est très souvent utilisée pour désigner la trésorerie.

E1-2   La définition des termes ou des sigles

Associez chaque définition et chaque terme ou sigle en inscrivant la lettre appropriée dans l'espace prévu.

Terme ou sigle	Définition
_____ 1. Vérification	A. Système qui assemble, traite et communique les informations financières d'une entreprise.
_____ 2. Entreprise individuelle	
_____ 3. Société de capitaux	B. Mesure des informations concernant une entité selon l'unité monétaire appropriée, en dollars canadiens ou dans une autre devise.
_____ 4. Comptabilité	C. Entreprise non constituée en société de capitaux appartenant à deux ou à plusieurs personnes.
_____ 5. Entité distincte	
_____ 6. Rapport du vérificateur	D. Entreprise (séparée et distincte de ses propriétaires) pour laquelle les données financières doivent être recueillies.
_____ 7. CA	
_____ 8. Société de personnes	E. Entité constituée en société de capitaux qui émet des actions comme titre de propriété.
_____ 9. ICCA	F. Comptables agréés.
_____ 10. Unité de mesure	G. Examen des rapports financiers pour s'assurer qu'ils représentent fidèlement la situation financière et les résultats de l'entreprise et qu'ils sont conformes aux principes comptables généralement reconnus.
_____ 11. PCGR	
_____ 12. Négocié sur le marché libre	
	H. Société non constituée en société de capitaux appartenant à une seule personne.
	I. Rapport qui décrit l'opinion des vérificateurs quant à la fidélité de l'information financière présentée dans les états financiers et le travail réalisé pour soutenir cette opinion.
	J. Société que les investisseurs peuvent acheter et vendre sur les Bourses établies.
	K. Principes comptables généralement reconnus.
	L. Institut Canadien des Comptables Agréés.

E1-3   Les éléments des états financiers

Selon son rapport annuel, «TransCanada Pipelines Limited (TCPL) est l'une des plus importantes sociétés énergétiques en Amérique du Nord. TCPL exerce ses activités dans deux secteurs : le transport de gaz et l'électricité». Les postes suivants étaient énumérés dans l'état des résultats ainsi que dans un bilan récent de la société. Dites si chacun des postes est un actif (A), un passif (Pa), des capitaux propres (CP), un produit (Pr) ou une charge (C).

_____ 1. Créditeurs (Fournisseurs)		_____ 6. Dette à long terme
_____ 2. Débiteurs (Clients)		_____ 7. Stocks
_____ 3. Coût des marchandises vendues		_____ 8. Immobilisations corporelles
_____ 4. Charges financières		_____ 9. Impôts sur les bénéfices
_____ 5. Caisse		_____ 10. Effets à payer

E1-4 **La préparation d'un bilan**

Établie il y a moins de 60 ans, Honda Motor Co., Ltd est un des principaux fabricants d'automobiles et le plus grand fabricant de motocyclettes au monde. En tant que société japonaise, Honda Motor Co., Ltd respecte les PCGR japonais et présente ses états financiers en millions de yens (le symbole pour le yen est ¥). Un bilan trimestriel récent contenait les postes suivants (en millions de yens). Dressez un bilan au 31 décembre et déterminez les montants manquants.

Trésorerie	634 836¥
Impôts à payer	103 495
Fournisseurs et autres passifs à court terme	2 792 837
Stocks	1 019 907
Placements	686 174
Dette à long terme	1 827 743
Immobilisations corporelles	1 751 534
Autres actifs	948 480
À recevoir de filiales	4 230 016
Autres passifs	737 458
Capitaux propres	3 818 709
Impôts futurs à recevoir	214 020
Total de l'actif	10 250 380
Effets à payer	970 138
Total du passif et des capitaux propres	?
Clients et autres actifs à court terme	?

E1-5 **La préparation d'un bilan**

T. Leblanc et J. Lopez ont ouvert leur magasin Lecture à volonté, constitué en société de capitaux. Chacun a apporté 50 000$ en espèces pour lancer l'entreprise et a reçu 4 000 actions ordinaires. Le magasin a terminé sa première année d'exploitation le 31 décembre 2008. À cette date, on a déterminé le solde des postes suivants: argent en main et en banque, 48 900$; montants que doivent les clients pour les ventes de livres, 26 000$; portion inutilisée du matériel de magasin et de bureau, 48 000$; montants dus aux éditeurs pour les livres achetés, 8 000$; effets à payer de 2 000$ sur un an à une banque de la région. Aucun dividende n'a été déclaré ou versé aux actionnaires au cours de l'exercice.

Travail à faire

1. Complétez le bilan de Lecture à volonté à la fin de l'exercice 2008.
2. Quel est le montant du bénéfice net pour l'exercice?

_____				
_____				
_____				
Actif		**Passif**		
Caisse	_____ $	Fournisseurs		_____ $
Clients	_____	Effets à payer		_____
Matériel de magasin et de bureau	_____	Intérêts à payer		120 $
		Total du passif		_____ $
		Capitaux propres		
		Actions ordinaires		_____ $
		Bénéfices non répartis		12 780 $
		Total des capitaux propres		_____
Total de l'actif	_____ $	Total du passif et des capitaux propres		_____ $

E1-6 **L'analyse des produits et des charges et la préparation de l'état des résultats**

Supposez que vous êtes propriétaire du magasin Le Collégial, lequel se spécialise dans la vente d'articles pour les étudiants. À la fin de janvier 2008, vous trouvez les informations suivantes (pour le mois de janvier seulement):

a) Des ventes, selon le ruban de la caisse-enregistreuse, de 120 000 $, en plus d'une vente à crédit (une situation particulière) de 1 000 $.

b) Avec l'aide d'un ami (qui s'est spécialisé en comptabilité), vous déterminez que tous les biens vendus en janvier ont coûté 40 000 $ à l'achat.

c) Durant le mois, selon le chéquier, vous avez versé 38 000 $ en salaires, en loyer, en fournitures, en publicité et en d'autres frais. Cependant, vous n'avez pas encore payé les 600 $ en frais d'électricité pour le mois de janvier.

Travail à faire

En fonction des données disponibles, quel est le montant du bénéfice pour le mois de janvier (sans tenir compte des impôts)? Présentez vos calculs. (Conseil: Rappelez-vous l'équation comptable liée à l'état des résultats.)

E1-7 **La préparation d'un état des résultats**

Les magasins Wal-Mart inc. constituent la principale chaîne de magasins de vente au détail au monde qui exploite plus de 3 000 magasins. L'état des résultats de son dernier rapport annuel contenait les postes suivants (en millions de dollars). Trouvez les montants manquants et dressez un état des résultats abrégé pour l'exercice terminé le 31 janvier. (Indice: Placez d'abord les postes tels qu'ils figureraient à l'état des résultats et ensuite, trouvez les valeurs manquantes.)

Coût des marchandises vendues	219 793 $
Charge d'intérêts	986
Bénéfice net	?
Ventes	285 222
Frais d'exploitation, frais de vente, frais généraux et frais d'administration	51 105
Impôts sur les bénéfices	5 589
Autres revenus	2 767
Total des charges	?
Total des produits	?
Bénéfice avant impôts	?

E1-8 **L'analyse des produits et des charges et la préparation d'un état des résultats**

La société Ventes immobilières inc. est exploitée depuis trois ans et appartient à trois investisseurs. J. Leblanc, qui possède 60 % de la totalité des 9 000 actions en circulation, en est l'administrateur délégué. Le 31 décembre 2009, on a déterminé le solde des postes suivants: commissions gagnées et recouvrées en espèces, 150 000 $, plus 16 000 $ non recouvrées; frais de service de location gagnés et recouvrés, 20 000 $; salaires versés, 62 000 $; frais de commissions payés, 35 000 $; charges sociales payées, 2 500 $; loyer payé, 2 200 $ (hormis le loyer de décembre à payer); frais de services publics payés, 1 600 $; promotion et publicité payées, 8 000 $; impôts payés, 18 500 $ et frais divers payés, 500 $. Il n'y avait aucune autre charge impayée au 31 décembre. Ajoutez les éléments manquants de l'état des résultats suivant:

	_____
	_____
	_____
Produits	
Commissions	_____ $
Services de location	_____
Total des produits	_____
Charges	
Salaires	_____
Commissions	_____
Charges sociales	_____
Frais de location	_____
Services publics	_____
Promotion et publicité	_____
Charges diverses	_____
Total des charges	_____
Bénéfice avant impôts	_____
Impôts sur les bénéfices	_____
Bénéfice net	55 500 $

E1-9 L'équation comptable

Révisez les explications données dans le chapitre sur l'équation comptable et l'équation liée à l'état des résultats. Appliquez ces équations à chacun des cas suivants pour calculer les deux montants manquants. Supposez qu'il s'agit de la fin de l'exercice 2008, soit la première année complète d'exploitation pour l'entreprise. (Indice : Organisez les postes énumérés tels qu'ils sont présentés dans l'équation comptable et l'équation liée à l'état des résultats, puis calculez les montants manquants.)

Cas indépendants	Total des produits	Total des charges	Bénéfice net (perte nette)	Total de l'actif	Total du passif	Capitaux propres
A	100 000 $	82 000 $		150 000 $	70 000 $	
B		80 000 $	12 000 $	112 000 $		60 000 $
C	80 000 $	86 000 $		104 000 $	26 000 $	
D	50 000 $		13 000 $		22 000 $	77 000 $
E		81 000 $	(6 000) $		73 000 $	28 000 $

E1-10 La préparation d'un bilan et d'un état des résultats

La société Boisclair a été formée par cinq personnes le 1er janvier 2008. À la fin du mois de janvier, on disposait des données financières mensuelles suivantes :

Total des produits	130 000 $
Total des charges (hormis les impôts)	80 000
Impôts sur les bénéfices (non payés au 31 janvier)	15 000
Solde de la trésorerie, 31 janvier 2008	30 000
Clients (tous considérés comme recouvrables)	15 000
Stock de marchandises (selon un dénombrement effectué, au coût)	42 000
Fournisseurs pour les marchandises achetées (qui seront payées en février 2008)	11 000
Actions ordinaires (2 600 actions)	26 000

Aucun dividende n'a été déclaré ou versé.

Travail à faire

Ajoutez les éléments manquants des deux états financiers suivants :

```
                        Société Boisclair
                       État des résultats
                  pour le mois de janvier 2008

Total des produits                                          $
Total des charges                                       _____
Bénéfice avant impôts                                   _____
Impôts sur les bénéfices                                _____
Bénéfice net                                            _____ $
```

```
                        Société Boisclair
                             Bilan
                       au 31 janvier 2008

Actif
Caisse                                                      $
Clients                                                 _____
Stocks                                                  _____
Total de l'actif                                        _____ $

Passif
Fournisseurs                                               $
Impôts à payer                                          15 000
Total du passif                                         _____ $

Capitaux propres
Actions ordinaires                                        $
Bénéfices non répartis                                  _____
Total des capitaux propres                              _____
Total du passif et des capitaux propres                 _____ $
```

■OA1

E1-11   **La préparation d'un état des capitaux propres**

La société Médiatique a été créée le 1er janvier 2008. Pour ses deux premières années d'exploitation, la société rapporte les données suivantes :

```
Bénéfice net, 2008                             36 000 $
Bénéfice net, 2009                             45 000
Dividendes déclarés et versés en 2008          15 000
Dividendes déclarés et versés en 2009          20 000
Total des actifs au 31 décembre 2008          125 000
Total des actifs au 31 décembre 2009          242 000
```

Travail à faire

Dressez l'état des capitaux propres pour l'exercice 2009.

E1-12 **L'analyse et l'interprétation de l'état des résultats et du ratio cours-bénéfice**

La société Mort aux rats a été formée par trois personnes le 1er janvier 2008 pour fournir des services d'extermination. À la fin de l'exercice 2008, l'état des résultats suivant a été dressé :

Société Mort aux rats **État des résultats** **pour l'exercice terminé le 31 décembre 2008**		
Produits		
Prestation de services (en espèces)	192 000 $	
Prestation de services (à crédit)	24 000	
Total des produits		216 000 $
Charges		
Salaires	76 000 $	
Charges locatives	21 000	
Frais de services	12 000	
Frais de publicité	14 000	
Fournitures	25 000	
Charge d'intérêts	8 000	
Total des charges		156 000 $
Bénéfice avant impôts		60 000 $
Impôts sur les bénéfices		15 000
Bénéfice net		45 000 $

Travail à faire

1. Quel est le montant du bénéfice mensuel moyen ?
2. Quel est le montant du loyer mensuel ?
3. Expliquez la raison pour laquelle les fournitures sont comptabilisées à titre de charges.
4. Expliquez la raison pour laquelle les intérêts sont inscrits à titre de charges.
5. Pouvez-vous déterminer le montant de liquidités dont disposait la société au 31 décembre 2008 ? Expliquez votre réponse.
6. Si la société a une valeur marchande de 450 000 $, quel est son ratio cours-bénéfice ?

E1-13 **L'état des flux de trésorerie**

La société Briseglace est un important concepteur et fabricant de bateaux. Les postes suivants ont été tirés d'un état des flux de trésorerie récent. Sans vous reporter au tableau 1.5, dites si chacun des postes est un flux de trésorerie lié aux activités d'exploitation (E), aux activités d'investissement (I) ou aux activités de financement (F). Mettre les décaissements entre parenthèses.

_____ 1. Sommes versées aux fournisseurs et aux employés

_____ 2. Sommes reçues des clients

_____ 3. Impôts payés

_____ 4. Intérêts et dividendes reçus

_____ 5. Intérêts payés

_____ 6. Encaissements tirés de la vente d'un placement

_____ 7. Achats d'immobilisations

_____ 8. Remboursement des emprunts

E1-14 **La préparation d'un état des flux de trésorerie**

La société CITE dresse ses états financiers annuels pour les actionnaires, notamment un état des flux de trésorerie. La société a recueilli les données suivantes sur les flux de trésorerie pour l'exercice terminé le 31 décembre 2010 : flux de trésorerie provenant des produits d'exploitation, 270 000 $; flux de trésorerie affecté aux frais d'exploitation, 180 000 $; vente au comptant d'actions de CITE, 30 000 $; dividendes en espèces déclarés et versés aux actionnaires au cours de l'exercice, 22 000 $; paiements des effets à payer à long terme, 80 000 $. Durant l'exercice, un terrain a été vendu 15 000 $ au comptant (soit le même prix que la société CITE avait payé pour le terrain en 2009) et 38 000 $ en espèces ont été déboursés pour deux nouvelles machines. Celles-ci ont été utilisées dans l'usine. Le solde de la trésorerie en début d'exercice s'élevait à 63 000 $.

Travail à faire

Dressez l'état des flux de trésorerie pour l'exercice 2010. Respectez le format présenté dans le chapitre.

E1-15 **L'analyse des flux de trésorerie liés aux activités d'exploitation.** (Un défi)

La société Peinture Paul, une entreprise de services, a rédigé le rapport spécial suivant pour le mois de janvier 2008 :

Prestation de services, charges et bénéfice		
Prestation de services		
Services rendus et encaissés (selon le ruban de la caisse enregistreuse)	105 000 $	
Services rendus à crédit (selon les factures des cartes de crédit, sommes non encore recouvrées à la fin de janvier)	30 500	
		135 500 $
Charges		
Salaires (payés par chèque)	50 000 $	
Salaires de janvier non encore payés	3 000	
Fournitures utilisées (achetées au comptant en décembre)	2 000	
Autres charges (payées par chèque)	26 000	81 000 $
Bénéfice avant impôts		54 500 $
Impôts sur les bénéfices (non encore payés)		13 625
Bénéfice net pour le mois de janvier		40 875 $

Travail à faire

1. Le propriétaire (qui est peu familier avec l'aspect financier de l'entreprise) vous demande de calculer le montant d'augmentation de la caisse en janvier 2008 à la suite des activités d'exploitation de l'entreprise. Vous avez décidé de rédiger un rapport détaillé pour le propriétaire à l'aide des dénominations suivantes : Encaissements (recettes), Décaissements (débours) et Variation nette de la trésorerie.
2. Déterminez si vous pouvez concilier la variation nette de la trésorerie que vous avez calculée à la question 1 avec le bénéfice pour le mois de janvier 2008.

■OA1

P1-1 **La préparation d'un bilan et d'un état des résultats (PS1-1)**

Supposez que vous êtes le président de la société Nucléaire. À la fin de la première année d'exploitation (au 31 décembre 2008), vous disposez des données financières suivantes sur l'entreprise :

Caisse	20 000 $
Clients (tous considérés comme recouvrables)	12 000
Stock de marchandises (basé sur le dénombrement et établi au coût)	90 000
Matériel, au coût, déduit de la portion utilisée	45 000
Fournisseurs	49 825
Salaires à payer pour 2008 (Au 31 décembre 2008, ces salaires étaient payables à un employé qui était en congé ; ce dernier sera de retour aux environs du 10 janvier 2009, date à laquelle le paiement sera effectué.)	2 000
Ventes	155 000
Charges, y compris le coût des marchandises vendues (hormis les impôts)	104 100
Impôts sur les bénéfices (25 % × bénéfice avant impôts) payée durant l'exercice 2008	?
Actions ordinaires, 7 000 actions en circulation	87 000
Dividendes déclarés et versés durant l'exercice 2008	10 000

Travail à faire (montrez tous vos calculs)

1. Dressez un état des résultats condensé pour l'exercice 2008.
2. Dressez un état des capitaux propres pour l'exercice 2008.
3. Dressez un bilan au 31 décembre 2008.

■OA1

P1-2 **La préparation d'un état des résultats (PS1-2)**

Durant l'été, au cours de ses années d'études universitaires, Sylvie Marion avait besoin de gagner suffisamment d'argent pour payer ses études. Incapable de se trouver un emploi avec un salaire raisonnable, elle a décidé de se lancer dans l'entretien des pelouses. Après avoir effectué une étude du marché pour déterminer le potentiel de l'entreprise, Sylvie Marion a acheté un camion usagé le 1er juin pour 1 500 $. Sur chaque portière, elle a peint « Service d'entretien des pelouses Marion, 818-471-4487 ». Elle a aussi dépensé 900 $ pour l'achat de tondeuses, de coupe-bordures et d'outils. Afin d'acquérir ces articles, Sylvie Marion a emprunté 2 500 $ en signant un effet à payer où elle promettait de rembourser le plein montant en plus des intérêts de 75 $ à la fin des trois mois (se terminant le 31 août).

À la fin de l'été, Sylvie Marion estimait qu'elle avait accompli beaucoup de travail et que le solde de son compte en banque était satisfaisant. Elle a alors voulu connaître les profits réalisés à ce jour par l'entreprise.

Une analyse des talons de chèque montre ce qui suit : les dépôts bancaires provenant de la prestation de ses services totalisent 12 600 $. Les chèques suivants ont été inscrits : essence, huile et lubrification, 920 $; réparation du camion, 210 $; réparation des tondeuses, 75 $; fournitures diverses utilisées, 80 $; salaires, 4 500 $; charges sociales, 175 $; paiement de l'employé engagé pour rédiger les formulaires des charges sociales, 25 $; assurances, 125 $; téléphone, 110 $; 2 575 $ pour régler l'effet, y compris les intérêts (le 31 août). Un cahier de notes conservé dans le camion, en plus de certaines factures impayées, laisse entendre que certains clients lui doivent toujours 900 $ pour les services d'entretien des pelouses rendus et que Sylvie Marion doit 200 $ pour l'essence et l'huile (montant qu'elle avait porté à sa carte de crédit). Elle estime que les coûts rattachés à l'utilisation du camion et d'autre matériel (appelé « amortissement ») pour les trois mois totalisent 500 $.

Travail à faire

1. Dressez un état des résultats trimestriel pour les Services d'entretien des pelouses Marion pour les mois de juin, juillet et août 2008. Utilisez les dénominations suivantes : Prestation de services, Charges et Bénéfice net. Puisqu'il s'agit d'une entreprise individuelle, celle-ci n'est pas soumise aux règles fiscales.

2. Croyez-vous qu'un ou plusieurs rapports financiers supplémentaires sont nécessaires pour l'exercice 2008 et les années suivantes ? Expliquez votre réponse.

P1-3 **La comparaison entre le bénéfice et les flux de trésorerie (un défi)** ☐OA1

La société Nouvelle livraison a été formée le 1er janvier 2008. À la fin du premier trimestre (trois mois) d'exploitation, le propriétaire a rédigé un résumé de ses activités d'exploitation, comme le montre la première ligne du tableau suivant :

Résumé des opérations	Bénéfice	Caisse
a) Services rendus à des clients, 66 000 $, le sixième demeurait impayé à la fin du trimestre.	+66 000 $	+55 000 $
b) Sommes empruntées à une banque de la région, 30 000 $ (effet à payer sur un an).		
c) Petit camion de service acheté pour l'entreprise : coût, 9 000 $; payé comptant.		
d) Charges, 36 000 $, dont 6 000 $ demeurait impayé à la fin du trimestre.		
e) Fournitures achetées pour l'entreprise, 3 000 $, le quart demeurait impayé (à crédit) à la fin du trimestre. De plus, le cinquième de ces fournitures était inutilisé (toujours en magasin) à la fin du trimestre.		
f) Salaires gagnés par les employés, 21 000 $, la moitié demeurait impayée à la fin du trimestre.		
En fonction des opérations susmentionnées, calculez : Bénéfice (ou perte) Encaissements (ou décaissements)	=====	=====

Travail à faire

1. Pour chacune des opérations présentées dans ce tableau, inscrivez les montants appropriés. Inscrivez « zéro » lorsque c'est nécessaire. La première opération est indiquée.
2. Pour chacune des opérations, expliquez votre réponse.

P1-4 **L'évaluation des informations pour soutenir une demande de prêt (un défi)** ☐OA1

Le 1er janvier 2008, trois personnes ont formé la Société de capitaux Ouest. Chacune de ces personnes a investi 10 000 $ en espèces dans l'entreprise. Le 31 décembre 2008, elles ont dressé une liste des ressources (les actifs) et des dettes (les passifs) pour appuyer une demande de prêt de 70 000 $ soumise à une banque de la région. Aucune des trois personnes n'a étudié la comptabilité. Voici cette liste :

Ressources de l'entreprise	
Caisse	12 000 $
Stock de fournitures (en magasin)	7 000
Camions (quatre, presque neufs)	68 000
Résidences personnelles des fondateurs (trois maisons)	190 000
Matériel utilisé dans l'entreprise (presque neuf)	30 000
Factures dues par les clients (pour les services déjà rendus)	15 000
Total	322 000 $
Dettes de l'entreprise	
Salaires impayés aux employés	19 000 $
Impôts impayés	8 000
Montants à payer aux fournisseurs	10 000
Montants à payer pour les camions et le matériel (à une société de financement)	50 000
Prêt d'un fondateur	10 000
Total	97 000 $

Travail à faire

Rédigez une note brève précisant les informations suivantes.

1. Lequel de ces éléments n'appartient pas au bilan (n'oubliez pas que la société est considérée comme distincte de ses propriétaires) ?
2. Quelles questions supplémentaires poseriez-vous concernant l'évaluation des éléments qui figurent sur la liste ? Expliquez le fondement de chaque question.
3. Si vous conseilliez la banque de la région sur sa décision de prêt, quels montants figurant sur la liste poseraient un problème particulier ? Expliquez votre opinion pour chaque problème soulevé et faites vos recommandations.
4. En fonction de vos réponses aux questions 1 et 2, quel serait le montant des capitaux propres (les actifs déduits des passifs) pour la société ? Montrez vos calculs.

Problèmes supplémentaires

■ OA1

PS1-1   La préparation d'un bilan, d'un état de capitaux propres et d'un état des résultats (P1-1)

Supposez que vous êtes le président de la société Leblanc. À la fin de la première année d'exploitation (au 30 juin 2009), vous disposez des données financières suivantes sur l'entreprise :

Caisse	13 150 $
Clients (tous considérés comme recouvrables)	9 500
Stock de marchandises (basé sur le dénombrement et établi au coût)	27 000
Matériel, au coût, déduit de la portion utilisée	66 000
Fournisseurs	30 025
Salaires à payer pour 2009 (Au 30 juin 2009, ces salaires étaient payables à un employé qui était en congé ; ce dernier sera de retour aux environs du 27 juillet 2009, date à laquelle le paiement sera effectué.)	1 500
Ventes	100 000
Charges, y compris le coût des marchandises vendues (hormis les impôts)	70 500
Charge d'impôts (25 % × Bénéfice avant impôts) payée durant l'exercice 2009	?
Actions ordinaires, 5 000 actions en circulation	62 000
Aucun dividende n'a été déclaré ou versé durant l'exercice 2009.	

Travail à faire (montrez tous vos calculs)

1. Dressez un état des résultats condensé pour l'exercice 2009.
2. Dressez un état des capitaux propres pour l'exercice 2009.
3. Dressez un bilan au 30 juin 2009.

■ OA1

PS1-2   La préparation d'un état des résultats (P1-2)

Après avoir obtenu son diplôme d'études secondaires, Jean Abel a immédiatement accepté un emploi à titre d'électricien adjoint pour une grande société de réparation électrique. Après trois ans de dur labeur, Jean a obtenu son permis d'électricien et a décidé de lancer sa propre entreprise. Il avait épargné 12 000 $, qu'il a investi dans l'entreprise. Premièrement, il a transféré ce montant de son compte d'épargne à un compte commercial pour la société de Réparation électrique Abel inc. Son avocat lui a conseillé de constituer une société de capitaux. Il a ensuite acheté une camionnette usagée pour 9 000 $ au comptant et des outils usagés pour 1 500 $; il a loué un espace dans un petit édifice, publié une annonce dans un journal de la région et a ouvert son entreprise le 1er octobre 2007. Immédiatement, Jean Abel a été très occupé et un mois plus tard, il a engagé un adjoint.

Bien que Jean Abel soit peu familier avec l'aspect financier de l'entreprise, il s'est rendu compte que plusieurs rapports étaient nécessaires et que les coûts ainsi que les recettes devaient être contrôlés attentivement. À la fin de l'exercice, préoccupé par sa situation fiscale (auparavant, il ne devait déclarer que son salaire), Jean Abel a réalisé qu'il avait besoin d'états financiers. Sa femme, Jeanne, a dressé certains des états financiers pour l'entreprise. Le 31 décembre 2007, avec l'aide d'un ami, elle a recueilli les données suivantes pour les trois mois qui venaient de se terminer. Les dépôts des recettes en banque pour les services de réparation électrique totalisaient 32 000 $. Les chèques suivants avaient été libellés : électricien adjoint, 8 500 $; charges sociales, 175 $; fournitures achetées et utilisées pour les travaux, 9 500 $; huile, essence et entretien du camion, 1 200 $; assurances, 700 $; loyer, 500 $; électricité et téléphone, 825 $; frais divers (comprenant la publicité), 600 $. De plus, les factures non recouvrées des clients pour les services de réparation électrique totalisaient 3 000 $. Le loyer de 200 $ pour le mois de décembre n'avait pas été payé. Jean Abel estime que le coût d'utilisation du camion et des outils (l'amortissement) durant les trois mois est de 1 200 $. La charge d'impôt pour la période de trois mois est de 2 900 $.

Travail à faire

1. Dressez un état des résultats trimestriel pour la société Réparation électrique Abel inc. pour les trois mois compris entre octobre et décembre 2007. Utilisez les dénominations suivantes : Prestation de services, Charges, Bénéfice avant impôts et Bénéfice net.
2. Croyez-vous que Jean Abel a besoin d'un ou de plusieurs rapports financiers de plus pour l'exercice 2007 et les exercices suivants ? Expliquez votre réponse.

Cas et projets

Cas – Information financière

CP1-1 **La recherche d'informations financières**

Reportez-vous aux états financiers de la société Reitmans (Canada) limitée (*voir l'annexe C à la fin de ce manuel*).

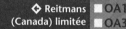

Travail à faire

1. Quel est le montant du bénéfice net pour l'exercice en cours ?
2. Quel est le montant du chiffre d'affaires pour l'exercice en cours ?
3. Quelle est la valeur du stock de marchandises à la fin de l'exercice en cours ?
4. Quel est le montant de la variation nette de la trésorerie durant le dernier exercice ?
5 . Qui sont les vérificateurs de la société ?

CP1-2 **La recherche d'informations financières**

Reportez-vous aux états financiers de la société Le Château inc. (*voir l'annexe B à la fin de ce manuel*).

Travail à faire

Lisez le rapport annuel. Examinez attentivement l'état des résultats, le bilan et l'état des flux de trésorerie, puis tentez de déterminer quel type d'informations ils contiennent. Ensuite, répondez aux questions suivantes en fonction du rapport.

1. Quels types de produits vend cette société ?
2. Le président général croit-il que la société a connu une année prospère ?
3. Quel jour de l'année l'exercice se termine-t-il ?
4. Pour combien d'années présente-t-elle :
   a) un bilan ?
   b) un état des résultats ?
   c) un état des flux de trésorerie ?
5. Ces états financiers sont-ils vérifiés par des vérificateurs externes ? Comment le savez-vous ?
6. Le total de l'actif a-t-il augmenté ou diminué au cours du dernier exercice ?
7. Quel était le solde de clôture des stocks pour le dernier exercice ?
8. Écrivez l'équation comptable (en dollars) en fin d'exercice.

CP1-3 **La comparaison de sociétés évoluant dans le même secteur d'activité**

Reportez-vous aux états financiers de la société Reitmans, aux états financiers de la société Le Château ainsi qu'aux ratios de ce secteur d'activité (*voir les annexes B, C et D à la fin de ce manuel*).

Travail à faire

1. Les deux sociétés présentent le résultat (ou bénéfice) par action dans leur état des résultats. Trouvez la valeur marchande de leurs actions sur le site Internet de la Bourse de Toronto (www.tse.ca). À l'aide du résultat par action et du prix le plus récent par action, calculez le ratio cours-bénéfice. Quelle société a enregistré le ratio cours-bénéfice le plus élevé pour l'exercice en cours ?

2. Selon les investisseurs, quelle société connaîtra la croissance la plus forte sur le plan du bénéfice dans l'avenir ?

3. Examinez les ratios du secteur d'activité (*voir l'annexe D à la fin de ce manuel*). Comparez le ratio cours-bénéfice pour chaque société par rapport à la moyenne industrielle. Expliquez votre réponse.

CP1-4 **L'utilisation des rapports financiers : la correction d'erreurs**

La société Performance a été formée le 1er janvier 2007. À la fin de l'exercice 2007, la société n'avait pas encore engagé de comptable. Cependant, un employé qui avait l'habitude de travailler avec les chiffres a dressé les états financiers suivants à cette date :

Société Performance au 31 décembre 2007	
Ventes de marchandises	175 000 $
Montant total versé pour les marchandises vendues durant l'exercice	(90 000)
Frais de vente	(25 000)
Amortissement (sur les véhicules de service utilisés)	(10 000)
Produits tirés des services rendus	52 000
Salaires et traitements versés	(62 000)

Société Performance au 31 décembre 2007		
Ressources		
Caisse		32 000 $
Stock de marchandises (gardées pour la revente)		42 000
Véhicules de service		50 000
Bénéfices non répartis (gagnés en 2007)		30 000
Total des ressources		154 000 $
Dettes		
Fournisseurs		22 000 $
Effet à payer à la banque		25 000
Montant dû par des clients		13 000
Total des dettes		60 000 $
Fournitures de magasin (à utiliser pour la prestation de services)	15 000 $	
Amortissement cumulé* (sur les véhicules de service)	10 000	
Actions ordinaires, 6 500 actions	65 000	
Total		90 000
Total général		150 000 $

---

* L'*amortissement cumulé* représente la portion utilisée des actifs immobilisés et doit être déduit du solde de l'actif.

Travail à faire

1. Énumérez tous les problèmes que vous pouvez relever dans ces états. Donnez une explication brève de chacun.

2. Dressez un état des résultats (le juste bénéfice net est de 30 000 $ et la charge d'impôts, de 10 000 $) et un bilan appropriés (le juste total de l'actif est de 142 000 $).

CP1-5   L'utilisation des rapports financiers : la liquidation d'une entreprise ■OA1

Le 1er juin 2010, la société Bernard a dressé un bilan avant de déclarer faillite. Les totaux figurant au bilan étaient les suivants :

Actif (pas d'espèces)	90 000 $
Passif	50 000 $
Capitaux propres	40 000 $

Par la suite, tous les actifs ont été vendus au comptant.

Travail à faire

1. Comment apparaîtra le bilan immédiatement après la vente au comptant des actifs dans chacun des cas suivants ? Utilisez le format présenté ci-après.

	Argent reçu pour les actifs	Soldes immédiatement après la vente		
		Actifs	**Passifs**	**Capitaux propres**
Cas A	90 000 $	___ $	___ $	___ $
Cas B	80 000	___ $	___ $	___ $
Cas C	100 000	___ $	___ $	___ $

2. Comment l'argent devrait-il être distribué dans chaque cas ? (Indice : Les créanciers doivent être payés en entier avant que les propriétaires ne reçoivent d'argent.) Utilisez le format présenté ci-après.

	Aux créanciers	Aux actionnaires	Total
Cas A	___ $	___ $	___ $
Cas B	___ $	___ $	___ $
Cas C	___ $	___ $	___ $

Cas – Analyse critique

CP1-6   La prise de décisions à titre de gestionnaire   ■OA1 ■OA3

Lianne Beauregard possède et exploite la Boutique Lianne (une entreprise individuelle). Un de ses employés rédige un rapport financier à la fin de chaque exercice. Ce rapport énumère toutes les ressources (les actifs) que possède Mme Beauregard, notamment ses biens personnels comme la maison qu'elle habite. Le rapport mentionne également la liste des dettes de l'entreprise, mais pas les dettes personnelles de Mme Beauregard.

Travail à faire

1. Du point de vue comptable, de quelle façon êtes-vous en désaccord avec les éléments qui sont inclus et exclus dans le rapport financier de l'entreprise ?

2. Aux questions que vous lui avez posées, Lianne Beauregard a répondu : « Ne vous inquiétez pas, nous utilisons ce rapport uniquement pour obtenir un prêt bancaire. » Comment répondriez-vous à ce commentaire ?

CP1-7   La prise de décisions à titre de propriétaire   ■OA3

Vous êtes un des trois associés qui possèdent et exploitent le Service d'entretien ménager Marie. La société est en exploitation depuis sept ans. Un des associés a toujours dressé les états financiers annuels de l'entreprise. Récemment, vous avez proposé de faire vérifier dorénavant les états financiers, car cela serait avantageux pour les associés et préviendrait des mésententes possibles quant à la division des profits. L'associé qui a toujours dressé les états propose que son oncle, qui a beaucoup d'expérience en finances, effectue la tâche, à un coût peu élevé. L'autre associé demeure silencieux.

Travail à faire

1. Quelle position adopteriez-vous par rapport à cette proposition ? Expliquez votre réponse.

2. Que recommanderiez-vous ? Expliquez votre réponse.

CP1-8 L'éthique et les responsabilités du vérificateur

Une des principales qualités du vérificateur est son indépendance. Le code de déontologie stipule qu'un membre de la pratique de l'expertise comptable doit être indépendant de fait et en apparence lorsqu'il fournit des services de vérification et d'autres services d'attestation.

Travail à faire

Considérez-vous que les circonstances suivantes suggèrent un manque d'indépendance ? Expliquez votre réponse. (Utilisez votre imagination. Les réponses précises ne sont pas données dans ce chapitre.)

1. Christian Jules est un associé dans un important cabinet d'experts-comptables. Il a pour tâche de vérifier la société Quebecor. M. Jules possède 10 actions dans cette entreprise.
2. Josée Talon a investi dans une société de fonds mutuel qui possède 500 000 actions de la société Sears. Elle est la vérificatrice de la société Sears.
3. Robert Franklin est commis et dactylographe ; il travaille sur la vérification d'AT&T. Il vient tout juste d'hériter de 50 000 actions d'AT&T. (Robert Franklin aime son travail et a l'intention de le conserver en dépit de sa nouvelle richesse.)
4. Nancy Sodoma a travaillé à temps partiel comme contrôleur pour l'entreprise d'un ami. Mme Sodoma a quitté cet emploi au milieu de l'année et n'a depuis aucun lien avec l'entreprise. Elle travaille à temps plein pour un grand cabinet d'experts-comptables et a eu pour tâche de vérifier l'entreprise de son ami.
5. Michel Jacob a emprunté 100 000 $ pour un prêt hypothécaire à la Banque Royale. L'hypothèque lui a été accordée selon des modalités de crédit normales. Michel Jacob est l'associé chargé de la vérification de cette banque.

Projets – Information financière

CP1-9 L'amélioration des habiletés de recherche d'informations financières

Procurez-vous le rapport annuel d'une entreprise publique que vous trouvez intéressante. Nous vous suggérons de choisir une entreprise d'intérêt régional ou une entreprise de laquelle vous achetez régulièrement des produits ou des services. Les bases de données à la bibliothèque, le service SEDAR (www.sedar.com) ou le site Web de l'entreprise sont de bonnes sources d'information. L'Annual Reports For Investors (www.annualreports.com) fournit des liens avec les sites Web de sociétés américaines bien connues.

Travail à faire

Lisez le rapport annuel. Examinez attentivement l'état des résultats, l'état des capitaux propres, le bilan ainsi que l'état des flux de trésorerie et tentez de déterminer quel type d'information ils contiennent. Ensuite, répondez aux questions suivantes en vous basant sur ce rapport.

1. Quels types de produits ou de services vend cette entreprise ?
2. Le président ou directeur général croit-il que la société a connu une année prospère ?
3. L'exercice financier se termine à quelle date ?
4. Pour combien d'années présente-t-elle :
   a) un bilan ?
   b) un état des résultats ?
   c) un état des capitaux propres ?
   d) un état des flux de trésorerie ?
5. Ces états financiers sont-ils vérifiés par des vérificateurs externes ? Comment le savez-vous ?
6. Le total de l'actif a-t-il augmenté ou diminué au cours de l'exercice ?
7. Quel est le solde de clôture des stocks ?
8. Écrivez l'équation comptable (en dollars) à la fin de l'exercice.

CP1-10 L'amélioration des habiletés de recherche d'informations financières

Procurez-vous le rapport annuel d'une entreprise publique que vous trouvez intéressante. Nous vous suggérons de choisir une entreprise d'intérêt régional ou une entreprise de laquelle vous achetez régulièrement des produits ou des services. Les bases de données à la bibliothèque, le service SEDAR (www.sedar.com) ou le site Web de l'entreprise sont de bonnes sources d'information. L'Annual Reports For Investors (www.annualreports.com) fournit des liens avec les sites Web de sociétés américaines bien connues.

Travail à faire

1. Quel est le montant du bénéfice net pour l'exercice en cours?
2. Quel est le montant des produits qui ont été gagnés au cours de l'exercice?
3. Quel est le montant de la dette à long terme de la société à la fin de l'exercice en cours?
4. Quel est le montant de la variation de la trésorerie pour l'exercice?
5. Qui sont les vérificateurs de la société?

CP1-11 L'utilisation des rapports financiers: l'état des flux de trésorerie

■ OA1

Procurez-vous le rapport annuel d'une entreprise que vous trouvez intéressante. Nous vous suggérons de choisir une entreprise d'intérêt régional ou une entreprise de laquelle vous achetez régulièrement des produits ou des services. Les bases de données à la bibliothèque, le service SEDAR (www.sedar.com) ou le site Web de l'entreprise sont de bonnes sources d'information.

Travail à faire

Examinez attentivement l'état des flux de trésorerie. Ensuite, répondez aux questions suivantes en vous basant sur le rapport.

1. Les flux de trésorerie liés aux activités d'exploitation sont-il égaux au bénéfice net? Quelles sont les causes de cet écart? (Indice: Considérez la différence entre les encaissements et les décaissements ainsi qu'entre les produits et les charges.)
2. Mentionnez et expliquez deux postes figurant sous la dénomination «Flux de trésorerie liés aux activités d'investissement» et «Flux de trésorerie liés aux activités de financement».

CP1-12 L'éthique: l'analyse d'une irrégularité comptable

■ OA3
■ OA4

Procurez-vous un article de journal récent faisant état d'une irrégularité comptable. Les bases de données à la bibliothèque, les sites Web, les journaux financiers et les revues financières* sont de bonnes sources d'information. Utilisez les mots clés «irrégularités comptables». Rédigez une note brève faisant état des effets des irrégularités sur le bénéfice net comptabilisé, de l'incidence de cette déclaration d'une irrégularité sur le prix des actions de l'entreprise ainsi que de toutes amendes ou sanctions civiles imposées à l'entreprise et à ses directeurs.

* Vous pouvez consulter le site Web de certains journaux et revues financières, par exemple celui du journal *Les Affaires* (www.lesaffaires.com), de la section «Économie» du journal *Le Devoir* (www.ledevoir.com), de la section «Report on Business» du journal *The Globe and Mail* (www.theglobeandmail.com).

CP1-13 Un projet en équipe: l'examen d'un rapport annuel

■ OA1
■ OA3

En équipe, choisissez un secteur d'activité que vous étudierez. Une liste des secteurs est fournie sur le site SEDAR (www.sedar.com). Le journal *Les Affaires* présente aussi un classement des entreprises par secteur.

Chaque membre de l'équipe doit se procurer un rapport annuel d'une société ouverte évoluant dans ce secteur d'activité et doit choisir une entreprise différente. Individuellement, chaque membre doit rédiger un rapport en répondant aux questions suivantes concernant l'entreprise choisie.

1. Quels types de produits vend l'entreprise choisie?
2. À quelle date se termine l'exercice financier?
3. Pour combien d'années présente-t-elle:
   a) un bilan?
   b) un état des résultats?
   c) un état des capitaux propres?
   d) un état des flux de trésorerie?
4. Ces états financiers sont-ils vérifiés par des vérificateurs externes? Le cas échéant, par qui?
5. Le total de l'actif a-t-il augmenté ou diminué au cours de l'exercice?
6. Son bénéfice net a-t-il augmenté ou diminué au cours de l'exercice?

Par la suite, en équipe, rédigez un bref rapport où vous comparez les entreprises en fonction des six questions énumérées plus haut.

2

Les décisions financières et le bilan

Objectifs d'apprentissage

Au terme de ce chapitre, l'étudiant sera en mesure :

1. de comprendre l'objectif premier des états financiers, les composantes du bilan et quelques postulats et principes comptables (*voir la page 58*) ;

2. de reconnaître une opération commerciale et de définir les principaux comptes qui apparaissent dans un bilan (*voir la page 65*) ;

3. d'analyser de simples opérations commerciales en fonction de l'équation comptable : Actif = Passif + Capitaux propres (*voir la page 68*) ;

4. d'apprécier l'incidence des opérations commerciales sur le bilan en utilisant deux outils de base : les écritures de journal et les comptes en T (*voir la page 73*) ;

5. de dresser un bilan simple (*voir la page 81*) ;

6. de calculer et d'interpréter le taux d'adéquation du capital (*voir la page 82*) ;

7. de reconnaître les opérations relatives aux activités d'investissement et aux activités de financement de même que la manière dont elles sont présentées à l'état des flux de trésorerie (*voir la page 84*).

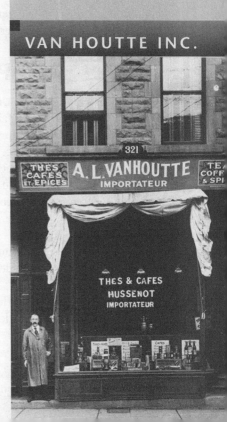

VAN HOUTTE INC.

Van Houtte inc.

Une entreprise en pleine expansion

À la maison, au bureau ou au bistro, plus de deux millions de tasses de café Van Houtte sont bues chaque jour à travers l'Amérique du Nord. « Une tasse à la fois », voilà comment la direction de Van Houtte entend séduire plus de consommateurs.

Fondée en 1919, la société Van Houtte est devenue, au fil des ans, un chef de file nord-américain dans le domaine de la torréfaction, de la commercialisation et de la distribution de cafés fins. Grâce à ses quatre usines de torréfaction, à ses 4 700 points de vente au Canada et aux États-Unis, à ses 61 cafés-bistros, à ses 76 succursales « services de café » et à un vaste réseau d'espaces-café, Van Houtte a connu une progression régulière de son chiffre d'affaires au cours des dernières années. En 1987, Van Houtte est devenue une société publique inscrite à la Bourse de Toronto (symbole : VH). Le bilan de la société au 1er avril 2006, comparé à celui du 31 mars 2000 (en milliers de dollars), met en évidence cette croissance.

	Actif	=	Passif	+	Capitaux propres
1er avril 2006	380 119 $		143 566 $		236 553 $
31 mars 2000	269 288 $		75 577 $		193 711 $
Augmentation	110 831 $		67 989 $		42 842 $

Van Houtte est une société solidement implantée sur le marché québécois. Elle entend poursuivre son expansion, principalement dans le reste du Canada et aux États-Unis, grâce à des partenariats avec d'autres entreprises en synergie avec le réseau actuel.

Parlons affaires

Un bon café commence avec des grains de qualité. Van Houtte a établi des liens d'affaires avec des fournisseurs sélectionnés en fonction de la qualité supérieure de leur produit. Du grain à la tasse, une équipe de recherche et développement améliore sans cesse les procédés de torréfaction afin d'obtenir un café haut de gamme, au goût riche et onctueux. Van Houtte possède également une filiale spécialisée dans la conception, le développement et la fabrication de cafetières d'avant-garde. Cette filiale, VKI, est certifiée ISO 9001, ce qui assure la reconnaissance de la valeur et de la rigueur des processus utilisés par l'entreprise.

Dotée d'une structure organisationnelle bien intégrée, Van Houtte compte sur son image de marque et son personnel compétent pour réaliser le programme d'expansion de son réseau.

Afin de comprendre comment les résultats de la stratégie de croissance de Van Houtte sont transmis dans les états financiers, vous devez pouvoir répondre aux questions suivantes :

• Quelles activités commerciales provoquent des changements dans les états financiers d'un exercice à l'autre ?

- Comment les opérations commerciales influent-elles sur les comptes de l'entreprise ?
- Comment les entreprises conservent-elles une trace de leurs activités ?

Après avoir répondu à ces questions, vous pourrez effectuer deux types d'analyse essentiels :

1) analyser et prédire les effets des décisions d'affaires sur les états financiers d'une entreprise ;

2) utiliser les états financiers d'autres entreprises pour cerner et évaluer les activités que les gestionnaires ont déployées durant un exercice.

Dans ce chapitre, nous nous attarderons sur des activités commerciales particulières telles que les activités d'investissement (l'acquisition de biens) et les activités de financement qui s'ensuivent en distinguant les capitaux empruntés (aux créanciers) et les capitaux propres (provenant des propriétaires). Nous examinerons les activités qui influent uniquement sur les montants figurant au bilan. Nous discuterons des activités d'exploitation qui ont une incidence à la fois sur les montants qui apparaissent à l'état des résultats et au bilan dans les chapitres 3 et 4. Bien que ces activités soient inter-reliées, nous les distinguons au départ pour vous aider à mieux les comprendre.

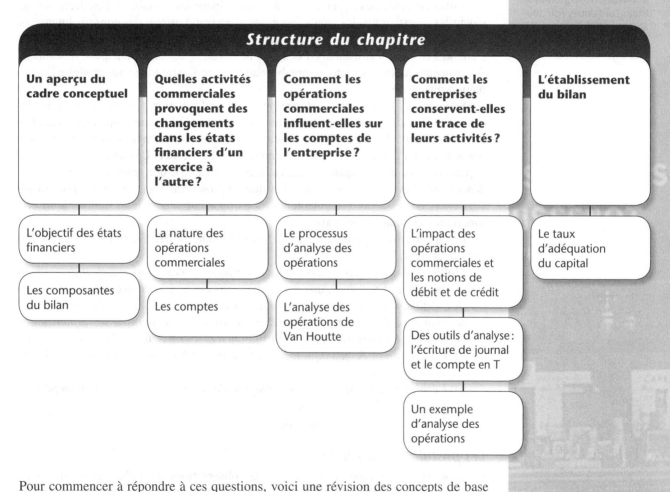

Structure du chapitre

Un aperçu du cadre conceptuel	Quelles activités commerciales provoquent des changements dans les états financiers d'un exercice à l'autre ?	Comment les opérations commerciales influent-elles sur les comptes de l'entreprise ?	Comment les entreprises conservent-elles une trace de leurs activités ?	L'établissement du bilan
L'objectif des états financiers	La nature des opérations commerciales	Le processus d'analyse des opérations	L'impact des opérations commerciales et les notions de débit et de crédit	Le taux d'adéquation du capital
Les composantes du bilan	Les comptes	L'analyse des opérations de Van Houtte	Des outils d'analyse : l'écriture de journal et le compte en T	
			Un exemple d'analyse des opérations	

Pour commencer à répondre à ces questions, voici une révision des concepts de base présentés au chapitre 1.

Un aperçu du cadre conceptuel

OBJECTIF D'APPRENTISSAGE **1**

Comprendre l'objectif premier des états financiers, les composantes du bilan et quelques postulats et principes comptables.

Nous avons défini bon nombre de termes et de concepts comptables dans le chapitre 1. Ceux-ci font partie du cadre conceptuel de la comptabilité, que l'Institut canadien des comptables agréés (ICCA) a élaboré au cours des années et synthétisé dans le chapitre 1000 du *Manuel de l'ICCA*. Le tableau 2.1 présente les fondements conceptuels des états financiers tels que l'ICCA les a définis. Nous discuterons du cadre conceptuel de la comptabilité dans chacun des quatre prochains chapitres (le numéro du chapitre en question est indiqué à côté de chaque mot ou de chaque notion). Il est important de bien connaître ce cadre conceptuel, car vous comprendrez plus facilement le fonctionnement du processus comptable si vous savez pourquoi il fonctionne ainsi. Une compréhension claire vous aidera aussi dans les chapitres ultérieurs alors que nous examinerons des activités commerciales plus complexes.

L'objectif des états financiers

L'objectif des états financiers est de communiquer des informations économiques utiles sur l'entreprise pour aider les utilisateurs externes à prendre des décisions financières éclairées.

Le haut de la pyramide du tableau 2.1 indique l'**objectif des états financiers,** qui oriente tous les autres éléments du cadre conceptuel. La comptabilité générale a pour principal objectif de fournir des informations économiques utiles sur une entreprise pour aider les utilisateurs externes à prendre des décisions financières éclairées. Ces décideurs incluent les investisseurs, les créanciers et les experts qui offrent des conseils financiers, mais aussi d'autres groupes tels que les fournisseurs, les clients ou les employés. On s'attend à ce que les utilisateurs d'états financiers aient une compréhension raisonnable des concepts et des processus comptables utilisés par l'entreprise pour produire l'information financière.

Souvent, les utilisateurs s'intéressent à cette information pour mieux projeter les encaissements et les décaissements futurs d'une entreprise. Par exemple, les créanciers actuels et potentiels veulent évaluer la capacité d'une entité à payer les intérêts au cours des années et à rembourser le capital emprunté à l'échéance. Les investisseurs actuels et potentiels souhaitent, quant à eux, estimer la capacité d'une entité à verser des dividendes dans l'avenir. Ils veulent aussi évaluer la prospérité d'une entreprise pour savoir si le cours de ses actions augmentera et s'ils pourront vendre leurs actions à un prix supérieur à celui qu'ils ont payé.

Le chapitre 1000 (paragraphe 1000.15) du *Manuel de l'ICCA* précise l'objectif des états financiers :

L'objectif des états financiers est de communiquer des informations utiles aux investisseurs, aux membres, aux apporteurs, aux créanciers et aux autres utilisateurs (les « utilisateurs ») qui ont à prendre des décisions en matière d'attribution des ressources ou à apprécier la façon dont la direction s'acquitte de sa responsabilité de gérance. En conséquence, les états financiers fournissent des informations sur :

a) les ressources économiques, les obligations et les capitaux propres (ou l'actif net) de l'entité ;

b) l'évolution des ressources économiques, des obligations et des capitaux propres (ou de l'actif net) de l'entité ;

c) la performance économique de l'entité.

Les postulats comptables

Le **postulat de la personnalité de l'entité** stipule que les activités de l'entreprise sont séparées et distinctes de celles de ses propriétaires.

Les postulats comptables reposent sur des observations du milieu économique où la comptabilité s'applique. Ce sont des hypothèses fondamentales qui établissent certaines balises concernant la présentation de l'information financière. Nous avons abordé trois postulats dans le chapitre 1. En vertu du **postulat de la personnalité de l'entité,** on comptabilise les activités de l'entreprise d'une manière séparée et distincte de celles de ses propriétaires, de toutes autres personnes ou entités économiques.

OBJECTIF DES ÉTATS FINANCIERS (chap. 2)

Fournir des informations économiques utiles aux utilisateurs externes pour les aider à prendre des décisions éclairées

QUALITÉS DE L'INFORMATION FINANCIÈRE (chap. 5)

Pertinence – l'information est pertinente lorsqu'elle peut influer sur les décisions des utilisateurs.
- valeur prédictive (extrapolation dans le futur)
- valeur rétrospective (évaluation des attentes précédentes)
- rapidité de la publication (disponibilité au moment opportun)

Fiabilité – l'information est fiable lorsqu'elle correspond aux opérations.
- image fidèle (substance des opérations)
- vérifiabilité (information vérifiable par des observateurs indépendants)
- neutralité (information non faussée)
- prudence (estimation prudente)

Comparabilité – l'information est comparable lorsque l'entreprise utilise les mêmes conventions comptables d'un exercice à l'autre ou lorsque deux entreprises utilisent les mêmes méthodes comptables.

Compréhensibilité – l'information doit être compréhensible pour les utilisateurs.

COMPOSANTES DES ÉTATS FINANCIERS

Actif – les ressources économiques sont susceptibles de produire des avantages économiques futurs (chap. 2).

Passif – les obligations dont le règlement pourra nécessiter l'utilisation de ressources économiques (chap. 2).

Capitaux propres – le financement qui est fourni par les propriétaires et les activités d'exploitation (chap. 2).

Produits – l'augmentation des ressources économiques qui résulte des activités courantes de l'entreprise (chap. 3).

Charges – la diminution des ressources économiques qui résulte des activités courantes de l'entreprise (chap. 3).

Résultat étendu – la variation des capitaux propres qui résulte d'opérations sans rapport avec les propriétaires (chap. 3).

Gain – l'augmentation des capitaux propres qui résulte des activités périphériques de l'entreprise (chap. 3).

Perte – la diminution des capitaux propres qui résulte des activités périphériques de l'entreprise (chap. 3).

POSTULATS
- **Personnalité de l'entité** – les activités de l'entreprise sont distinctes des activités des propriétaires (chap. 2).
- **Continuité de l'exploitation** – l'entreprise poursuivra ses activités dans un avenir prévisible (chap. 2).
- **Unité monétaire** – les activités commerciales sont mesurées selon une seule unité monétaire (chap. 2).
- **Indépendance des exercices** – l'activité économique d'une entreprise est divisée en périodes égales, appelées « exercices » (chap. 3).

PRINCIPES
- **Valeur d'acquisition** – les états financiers sont dressés sur la base du coût historique (chap. 2).
- **Constatation des produits** – les produits sont inscrits dans les états financiers lorsque les critères de constatation sont satisfaits (chap. 3).
- **Rapprochement des produits et des charges** – les charges sont inscrites dans les états financiers lorsqu'elles sont engagées pour gagner des produits (chap. 3).
- **Bonne information** – toute l'information susceptible d'influer sur les décisions financières est fournie (chap. 5).

CONTRAINTES (chap. 5)
- **Équilibre avantages-coûts** – les avantages reliés à la divulgation d'une information doivent surpasser les coûts de celle-ci.
- **Importance relative** – le caractère significatif d'un élément est évalué.
- **Pratiques dans l'industrie** – les pratiques particulières à certains secteurs d'activité permettent parfois de s'écarter du cadre conceptuel.

Selon le **postulat de l'unité monétaire,** chaque entité commerciale comptabilise et présente ses résultats financiers tout d'abord en fonction de l'unité monétaire nationale (en dollars au Canada, en yens au Japon, en euros en France, etc.). Une entreprise multinationale peut aussi choisir de présenter ses résultats dans une autre monnaie que l'unité monétaire nationale. Par exemple, Bombardier établit ses états financiers en dollars états-uniens.

Le **postulat de l'unité monétaire** stipule qu'il faut mesurer et présenter les informations comptables dans une seule unité monétaire.

Selon le **postulat de la continuité de l'exploitation,** on pose l'hypothèse qu'une entreprise poursuivra ses activités assez longtemps pour satisfaire à ses engagements contractuels et atteindre ses objectifs. La violation de ce postulat signifie qu'on devrait évaluer et inscrire les actifs et les passifs au bilan comme si la société cessait ses activités et était liquidée (autrement dit, on présenterait les actifs et les passifs à leur valeur de réalisation nette). Dans tous les chapitres, à moins d'indication contraire, nous supposerons que les entreprises respectent le postulat de la continuité de l'exploitation.

Comme nous en avons discuté au chapitre 1, l'actif, le passif et les capitaux propres sont les composantes clés du bilan d'une entreprise. Révisons maintenant ces définitions.

Les composantes du bilan

Les **actifs** sont les ressources économiques qu'une entité possède ou sur lesquels elle exerce un contrôle et qu'elle peut utiliser pour poursuivre ses activités dans l'avenir. Autrement dit, les actifs représentent des avantages économiques futurs, en ce sens qu'ils contribuent à générer des flux monétaires. En présentant des informations prudentes aux utilisateurs, les gestionnaires se servent de leur jugement (et des expériences passées) pour déterminer l'avantage futur le plus probable. Par exemple, une société peut avoir une liste de clients qui lui doivent 10 000 $. Cependant, l'histoire de cette société permet de croire que 98 % ou seulement 9 800 $ seront recouvrés. Le montant le plus faible et le plus probable sera présenté aux utilisateurs pour qu'ils puissent prévoir les flux de trésorerie futurs.

Le tableau 2.2 présente le bilan de Van Houtte avec les montants arrondis au millier de dollars près. Il faut noter que l'exercice de la société Van Houtte se termine le 31 mars ou le samedi le plus rapproché de cette date, soit le 1er avril en 2006 et le 2 avril en 2005. Nous discuterons du choix de la date de fin d'exercice au chapitre 4.

Tout au long du volume, nous utiliserons la terminologie proposée dans le Dictionnaire de la comptabilité. Toutefois, il arrive souvent que les entreprises utilisent des termes différents pour décrire la même réalité. Par exemple, Van Houtte utilise Encaisse au lieu de Caisse ; Débiteurs au lieu de Clients ; Capital-actions au lieu de Capital social. Tous ces termes sont aussi acceptables.

On présente habituellement les actifs au bilan par ordre de liquidité décroissante. Il convient de noter que l'on catégorise bon nombre des actifs sous la rubrique de l'**actif à court terme.** Ce dernier représente les ressources que Van Houtte utilisera ou convertira en argent au cours du prochain exercice financier. De plus, les stocks sont toujours considérés comme un actif à court terme, peu importe le temps qu'on met à les produire et à les vendre. Comme l'indique le bilan de Van Houtte au tableau 2.2, l'actif à court terme inclut la caisse, les clients (les débiteurs), les stocks (les matières premières, les produits en cours et les produits finis), les frais payés d'avance et les impôts futurs (dus à des écarts temporaires entre le résultat fiscal et le résultat comptable).

Tous les autres actifs sont considérés comme à long terme, c'est-à-dire qu'ils seront utilisés ou convertis en argent dans plus d'un exercice*. Pour Van Houtte, les actifs à long terme englobent les placements (les actions et les avances que Van Houtte effectue dans des sociétés satellites et les placements de portefeuille), les immobilisations corporelles (au montant net), l'écart d'acquisition, les autres éléments d'actifs et les impôts futurs. Nous étudierons plus en détail chacun de ces éléments d'actif à partir du chapitre 6.

---

* Plutôt que 365 jours, l'exercice financier de plusieurs entreprises comporte un nombre entier de semaines, le plus souvent 52 (364 jours), parfois 53 (pour récupérer la journée manquante chaque année). Ainsi, l'exercice 2004 de Van Houtte comportait 53 semaines, soit une semaine de plus que les exercices 2005 et 2006. Le dernier exercice ayant compté 53 semaines avant 2004 était l'exercice 1999.

TABLEAU 2.2 Bilans consolidés de Van Houtte

Van Houtte inc.
Bilans consolidés
(en milliers de dollars)

	1er avril 2006	2 avril 2005
ACTIF		
Actif à court terme		
Encaisse	5 796 $	5 338 $
Débiteurs	43 036	41 298
Stocks (note 6)	29 972	28 045
Frais payés d'avance	3 553	3 310
Impôts futurs (note 4)	1 804	1 107
	84 161	79 098
Placements (note 7)	20 121	18 939
Immobilisations (note 8)	116 225	115 805
Écart d'acquisition (note 9)	135 734	135 172
Autres éléments d'actif (note 10)	17 724	14 640
Impôts futurs (note 4)	6 154	7 028
	380 119 $	370 682 $
PASSIF ET AVOIR DES ACTIONNAIRES		
Passif à court terme		
Fournisseurs et charges à payer	34 434 $	38 936 $
Impôts exigibles	2 312	1 965
Revenus reportés	372	692
Tranche à court terme de la dette à long terme (note 11)	1 520	28 024
	38 638	69 617
Dette à long terme (note 11)	93 589	60 332
Autres éléments de passif (note 12)	1 799	1 764
Impôts futurs (note 4)	1 498	1 075
Part des actionnaires sans contrôle	8 042	6 517
Avoir des actionnaires		
Capital-actions (note 3)	126 497	128 250
Surplus d'apport (note 1 a) iv) et 13)	2 461	2 043
Bénéfices non répartis	124 766	114 603
Écart de conversion (note 4)	(17 171)	(13 519)
	236 553	231 377
Engagements et garanties (note 15)		
Éventualités (note 16)		
Événements postérieurs à la date du bilan (note 22)		
	380 119 $	370 682 $

Se reporter aux notes afférentes aux états financiers consolidés.

Un principe comptable

Le principe de la valeur d'acquisition exige que les actifs soient enregistrés sur la base du coût historique, qui représente les liquidités versées à la date de l'opération d'échange additionnées de la juste valeur de toute autre contrepartie également comprise dans l'échange.

Le **principe de la valeur d'acquisition** (ou coût d'origine, ou coût historique) stipule qu'il faut utiliser la valeur d'acquisition (le coût historique) pour constater (comptabiliser) tous les éléments figurant aux états financiers. Selon ce principe, on mesure le coût d'un actif à la date de l'opération d'échange sur la base des liquidités versées et de la juste valeur de toute contrepartie autre que des espèces (les actifs, les privilèges ou les droits) également échangée. Par exemple, si vous achetez une nouvelle voiture en versant une somme d'argent et en donnant un ordinateur, le coût de la nouvelle voiture est égal à l'argent versé plus la juste valeur marchande de l'ordinateur. Ainsi, dans la plupart des cas, on peut facilement déterminer le coût d'acquisition. Cette base d'évaluation est à la fois objective et vérifiable. Toutefois, le principe de la valeur d'acquisition ne permet pas, en général, de refléter au bilan les changements survenus dans la valeur marchande de différents actifs sauf dans certaines circonstances que nous étudierons dans les chapitres ultérieurs. Ainsi, au fil des ans, la valeur marchande des actifs peut différer de la valeur d'acquisition inscrite au bilan.

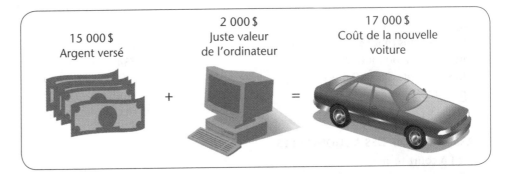

| 15 000 $ | | 2 000 $ | | 17 000 $ |
| Argent versé | + | Juste valeur de l'ordinateur | = | Coût de la nouvelle voiture |

ANALYSE FINANCIÈRE

Les actifs hors bilan

Les gestionnaires et les analystes financiers utilisent le bilan pour prendre des décisions au sujet de la gestion des actifs de l'entreprise ou de l'évaluation de l'entreprise. Parallèlement, ils constatent que la plupart du temps, les actifs les plus précieux d'une entreprise ne sont pas inscrits au bilan, puisqu'ils n'ont pas de «valeur comptable*». Un de ces actifs est la dénomination sociale ou la marque de produit d'une entreprise. Le bilan de la société Bombardier produits récréatifs inc. (BRP) ne révèle aucune composante concernant sa marque de commerce Ski-Doo. Sa valeur comptable est nulle, puisque ce produit a été créé à l'intérieur de l'entreprise dans le passé (grâce à la recherche, au développement et à la publicité) et n'est le résultat d'aucune opération d'échange déterminable (il n'a pas été acheté). Plusieurs actifs incorporels précieux, comme les marques de commerce, les brevets et les droits d'auteurs qui sont mis au point à l'intérieur de l'entreprise, n'ont aucune valeur comptable et ne sont pas, par conséquent, divulgués dans les états financiers**.

---

* La valeur comptable d'un actif est le montant inscrit au bilan, basé sur le principe de la valeur d'acquisition déduit des montants déjà utilisés dans les opérations passées.

** Il peut arriver qu'une entreprise constate un actif incorporel qu'elle a elle-même développé lorsque les avantages futurs sont assurés. Nous reviendrons sur cette question au chapitre 8.

Les **passifs** représentent les dettes ou les obligations d'une entreprise par suite d'opérations ou de faits passés et dont le règlement se fera à l'aide de l'utilisation d'actifs ou de la prestation de services. Ces entités auxquelles la société doit de l'argent s'appellent les «créanciers». Ceux-ci recevront les montants qui leur sont dus plus des intérêts sur ces montants, s'il y a lieu. Le bilan de Van Houtte inclut sept éléments de passif: 1) les fournisseurs et les charges à payer (les obligations vis-à-vis de leurs fournisseurs, de leurs employés et d'autres); 2) les impôts exigibles (impôts sur le revenu à payer); 3) les revenus reportés (revenus encaissés mais non encore gagnés); 4) la dette à long terme (les emprunts bancaires et les autres dettes); 5) les autres éléments de passif (provenant du régime de retraite des employés); 6) les impôts futurs (dus à des écarts entre la valeur comptable et la valeur fiscale de certains actifs); 7) la part des actionnaires sans contrôle (la partie des résultats nets revenant aux actionnaires minoritaires). Nous discuterons notamment de ces passifs dans des chapitres ultérieurs.

Les passifs sont présentés au bilan selon leur ordre d'exigibilité (la date à laquelle une obligation doit être réglée). Les passifs que Van Houtte doit payer (en espèces, en services ou à l'aide d'autres actifs à court terme) au cours de l'exercice à venir sont classés dans le **passif à court terme**. Les informations fournies sur l'actif à court terme et le passif à court terme aident les utilisateurs externes à évaluer les flux de trésorerie futurs. La plupart des entreprises inscrivent séparément les actifs et les passifs à court terme. Pourtant, en examinant le bilan de la société Bombardier, on constate que tous les actifs et passifs sont énumérés les uns à la suite des autres sans distinction entre les éléments à court terme et les éléments à long terme. Dans une note aux états financiers, Bombardier justifie cette présentation en arguant que leurs filiales comportent des cycles d'opérations trop différents les uns des autres.

Les **passifs** sont des obligations qui incombent à l'entité par suite d'opérations ou de faits passés, et dont le règlement pourra nécessiter le transfert ou l'utilisation d'actifs, la prestation de services ou toute autre cession d'avantages économiques[1].

Le **passif à court terme** doit comprendre les sommes à payer au cours de l'année qui suit la date du bilan ou au cours du cycle normal d'exploitation s'il excède un an; ce cycle doit être celui qui sert à déterminer l'actif à court terme[2].

QUESTION D'ÉTHIQUE

La protection de l'environnement

Face aux pressions sociales et aux exigences légales plus nombreuses, les entreprises sont de plus en plus conscientes de leur obligation de rendre compte de l'incidence de leurs activités sur l'environnement et de leur performance dans ce domaine.

De leur côté, les utilisateurs d'états financiers ont besoin d'informations pour évaluer dans quelle mesure les risques et les charges liés à l'environnement peuvent avoir des conséquences sur la santé financière et les résultats de l'entreprise. Ils doivent pouvoir juger jusqu'à quel point la protection de l'environnement fait partie des objectifs de l'entreprise et estimer les coûts et les avantages qui y sont associés. Ils doivent aussi savoir dans quelle mesure l'entreprise respecte les réglementations environnementales, ce qui limite les risques d'éventuelles amendes ou de possibles dédommagements à des tiers.

Même lorsque l'entreprise publie des informations environnementales, l'absence d'un ensemble de règles comptables rend difficile non seulement la comparaison des sociétés entre elles, mais également l'appréciation de la valeur de ces données financières.

Un grand nombre d'entreprises telles que Cascades, Domtar, etc. décrivent, par voie de notes aux états financiers, leur pratique comptable concernant les coûts environnementaux.

1. *Manuel de l'ICCA*, chapitre 1000.32.
2. *Manuel de l'ICCA*, chapitre 1510.03.

Les **capitaux propres** (ou l'**avoir des actionnaires**) désignent les fonds provenant des propriétaires et des activités de l'entreprise.

Le **capital social** (ou **capital-actions**) est le capital investi (l'argent ou les autres actifs) par les actionnaires dans l'entreprise.

Les **bénéfices non répartis** désignent les bénéfices cumulatifs qui ne sont pas distribués aux actionnaires et qui sont réinvestis dans l'entreprise.

Les **capitaux propres** (ou l'**avoir des actionnaires**) désignent le financement fourni par les propriétaires ou provenant des activités de l'entreprise. Le **capital social** (ou **capital-actions**) est la valeur du capital investi (l'argent ou les autres actifs) par les actionnaires dans l'entreprise. Le capital social comprend les actions ordinaires, les actions privilégiées et toute autre catégorie d'actions émises par l'entreprise. Le cas échéant, on dit souvent que les propriétaires investissent dans l'entreprise ou que la société vend ou émet des actions aux propriétaires. Les principaux actionnaires de Van Houtte sont la Famille Pierre Van Houtte inc., qui possède 30 % des droits de vote ; la Société Agro-alimentaire Sogal inc., avec 33 % ; Gestion de portefeuille Natcan, avec 6,8 % ; et la Caisse de dépôt et de placement du Québec, avec 4,2 %. Les employés, les cadres ainsi que le grand public détiennent le reste des actions de l'entreprise, soit 26 %.

Les propriétaires investissent (ou achètent des actions) dans une entreprise avec l'espoir de recevoir deux types de revenus : les dividendes, qui consistent en une distribution des bénéfices de l'entreprise (le rendement du capital investi par les actionnaires) et les gains provenant de la vente de leurs actions à un prix supérieur à celui qu'ils ont payé (les gains en capital).

Les bénéfices qui ne sont pas distribués aux actionnaires et qui sont réinvestis dans l'entreprise s'appellent les **bénéfices non répartis**[3]. Un examen du bilan de Van Houtte (*voir le tableau 2.2 à la page 61*) révèle que sa croissance a été financée par un réinvestissement des bénéfices dans l'entreprise ; 52,7 % des capitaux propres de Van Houtte sont des bénéfices non répartis (bénéfices non répartis de 124 766 000 $ sur un total des capitaux propres de 236 533 000 $). D'autres éléments faisant partie des capitaux propres d'une entreprise seront étudiés au chapitre 10.

ANALYSE FINANCIÈRE

La croissance grâce au franchisage

Une franchise est un contrat légal dans le cadre duquel un franchiseur (le vendeur, dans ce cas-ci Van Houtte) accorde le droit au franchisé (l'acheteur, qui exploite des cafés-bistros) de vendre ou de distribuer une ligne de produits précise ou de fournir des services particuliers à un certain endroit et pour une durée déterminée. En retour, les franchisés versent habituellement un droit de franchise initial en plus des redevances annuelles pour recevoir les services du franchiseur (tel le soutien relativement au marketing, à la formation continue, à la comptabilité et à l'administration, à l'informatique, etc.). Des exemples de franchises bien connues sont les Rôtisseries St-Hubert, la Cage aux sports, Chez Cora, Au Vieux Duluth.

Environ 93 % des cafés-bistros de Van Houtte sont des franchises. La société fournit à ses franchisés une gamme de services tels qu'une formation en gestion continue, un soutien relativement au marketing, la sélection de sites, la négociation de bail, l'analyse de marché, l'aide à la construction, l'assistance au financement ainsi que tous les avantages de la recherche et développement.

Van Houtte n'inclut pas les actifs et les passifs des franchisés dans son bilan au tableau 2.2 (*voir la page 61*). Ceux-ci sont inscrits dans les états financiers des franchisés.

---

3. Les bénéfices non répartis ne peuvent augmenter qu'à la suite d'activités rentables.

TEST D'AUTOÉVALUATION

Voici une liste de comptes tirés d'un bilan récent de la société Saputo. Indiquez si chacun de ces comptes est un élément de l'actif à court terme (ACT), de l'actif à long terme (ALT), du passif à court terme (PCT), du passif à long terme (PLT) ou des capitaux propres (CP).

a) _____ Créditeurs

b) _____ Immobilisations

c) _____ Dette à long terme

d) _____ Emprunts bancaires

e) _____ Stocks

f) _____ Débiteurs

g) _____ Bénéfices non répartis

h) _____ Capital-actions

Vérifiez vos réponses à l'aide des solutions présentées en bas de page*.

Jusqu'à présent, nous avons examiné plusieurs concepts et termes utilisés en comptabilité. Nous pouvons maintenant analyser les activités économiques qui entraînent des changements aux états financiers de l'entreprise et le processus utilisé pour dresser ces états.

Quelles activités commerciales provoquent des changements dans les états financiers d'un exercice à l'autre?

La nature des opérations commerciales

La comptabilité se concentre sur certains événements qui ont une incidence économique sur l'entité. Ces événements, qui sont comptabilisés dans le cadre du processus comptable, s'appellent des **opérations.** La première étape pour traduire les événements commerciaux en montants figurant aux états financiers consiste à déterminer quels événements sont reflétés dans les états. Il faut noter que les définitions des actifs et des passifs indiquent que seules les ressources économiques et les dettes provenant d'opérations passées sont inscrites au bilan. Une définition globale inclut deux types d'opérations :

1. Les événements extérieurs consistent en l'échange d'actifs et de passifs entre l'entreprise et une ou plusieurs parties. L'achat de machinerie, la vente de marchandises, l'emprunt d'argent et l'investissement dans une nouvelle entreprise par les propriétaires en sont des exemples. Dans ce chapitre, nous discuterons de ces opérations à mesure qu'elles influent sur les éléments du bilan ; dans le chapitre 3, nous aborderons les opérations qui ont un effet sur les éléments de l'état des résultats.

2. Les événements internes consistent en des opérations qui ne sont pas le résultat d'échanges entre l'entreprise et d'autres parties, mais qui ont un effet direct et mesurable sur l'entité comptable. Les pertes découlant d'un incendie ou les désastres naturels ainsi que les ajustements comme ceux qui sont effectués pour comptabiliser l'utilisation des immobilisations corporelles et les intérêts sur les sommes empruntées en sont des exemples. Nous aborderons ces questions dans le chapitre 4.

Dans ce volume, nous utiliserons le mot « opération » au sens large afin d'inclure les deux types d'événements décrits précédemment.

OBJECTIF D'APPRENTISSAGE **2**

Reconnaître une opération commerciale et définir les principaux comptes qui apparaissent dans un bilan.

Une **opération** est 1) un échange entre une entreprise et une ou plusieurs tierces parties ou 2) un événement interne mesurable comme l'utilisation des actifs dans les activités d'exploitation.

---

* a) PCT ; b) ALT ; c) PLT ; d) PCT ; e) ACT ; f) ACT ; g) CP ; h) CP.

Par ailleurs, certains événements importants qui ont un effet économique sur la société ne sont pas reflétés dans les états financiers. Le plus souvent, la signature d'un contrat, qui ne comporte aucun échange d'argent, de biens, de services ou de propriétés, n'est pas considérée comme une opération puisqu'elle ne constitue que l'échange d'une promesse et non d'un actif ou d'un passif. Par exemple, si Van Houtte engage un nouveau directeur et signe un contrat de travail, aucune opération n'a lieu du point de vue comptable, car aucun échange d'actifs ou de passifs ne s'est produit. Chacune des parties au contrat a fait une promesse (le directeur convient de travailler, et Van Houtte accepte de payer un salaire en contrepartie du travail du directeur). Cependant, pour chaque journée que le nouveau directeur travaille, l'échange de services par l'employé entraîne une opération que Van Houtte doit inscrire (à titre d'obligation de payer le salaire du directeur). Toutefois, compte tenu de leur importance, certains contrats, baux ou engagements doivent tout de même être divulgués par voie de notes aux états financiers.

Les comptes

Un **compte** est un tableau normalisé que les entreprises utilisent pour accumuler les effets monétaires des opérations sur chacun des éléments figurant aux états financiers. Les soldes qui en découlent servent à établir les états financiers. L'ensemble des comptes d'une entreprise s'appelle le «plan de comptes». Un plan de comptes[4] est une liste codifiée de tous les comptes classés selon les composantes des états financiers. Autrement dit, les comptes de l'actif sont énumérés d'abord et sont suivis des comptes du passif, des comptes des capitaux propres, des comptes des produits et des comptes des charges.

Le plan de comptes prévoit aussi un numéro unique, pour chaque compte qui est utilisé au moment de la saisie des données dans le système comptable. Par exemple, 1-100 pourrait être le numéro du compte Caisse, 1-146 Stock de fournitures, 2-261 Effets à payer à long terme, 3-111 Actions ordinaires, 4-115 Revenus de location et 5-210 Salaires. Le nombre de comptes dépend du degré de précision que les gestionnaires de l'entreprise désirent obtenir. Le tableau 2.3 donne un exemple d'un plan de comptes.

Lorsque vous hésitez sur la façon de classer un compte, aidez-vous des éléments suivants :

1. Un compte avec le terme «à recevoir» dans son titre est toujours un compte d'actif.
2. Un compte avec le terme «à payer» dans son titre est toujours un compte de passif.
3. Un compte «payé d'avance» est un actif, car il représente un montant payé à des tiers en vue d'avantages futurs telle une couverture d'assurance pour une période à venir.
4. Un compte «perçu d'avance» est un passif, car il représente un montant reçu par l'entreprise qui l'engage à fournir des biens ou des services dans le futur.

Au Canada, chaque société a un plan de comptes qui lui est propre, selon la nature de ses activités. Par exemple, un petit service d'entretien de pelouse peut disposer d'un compte d'actif intitulé Matériel de tonte de pelouse, mais il est peu probable que Van Houtte ait besoin de ce compte. Ces différences deviendront plus apparentes au cours de l'examen du bilan de plusieurs entreprises.

Puisque chaque société dispose d'un plan de comptes différent, vous ne devez pas tenter de mémoriser un plan de comptes typique. Dans les problèmes à la fin des chapitres, la dénomination du compte que l'entreprise utilise sera donnée ou vous devrez choisir des dénominations descriptives appropriées. Une fois la dénomination choisie pour un compte, vous devez l'utiliser pour toutes les opérations qui influent sur ce compte.

---

4. En France, le Plan comptable général (PCG) est déterminé par l'État et son utilisation est obligatoire, ce qui n'est aucunement le cas au Canada.

TABLEAU 2.3 Exemple d'un plan de comptes

Société Bidon inc.
Plan de comptes   page 1

Actif
1-100 Caisse
1-111 Petite caisse
1-120 Placements à court terme
1-121 Clients
1-122 Provision pour créances douteuses
1-131 Intérêts à recevoir
1-132 Loyer à recevoir
1-141 Stocks
1-145 Charges payées d'avance
1-146 Stock de fournitures
1-151 Mobilier de bureau
1-152 Amortissement cumulé – mobilier de bureau
1-153 Équipement de bureau
1-154 Amortissement cumulé – équipement de bureau
1-155 Bâtiment
1-156 Amortissement cumulé – bâtiment
1-159 Terrain

Passif
2-211 Emprunt bancaire
2-221 Fournisseurs
2-231 Salaires à payer
2-232 Charges à payer
2-235 Dividendes à payer
2-236 Impôts à payer
2-241 Taxes de vente à payer
2-251 Intérêts à payer
2-261 Effets à payer
2-262 Hypothèques à payer

Capitaux propres
3-111 Actions ordinaires
3-112 Bénéfices non répartis
3-121 Dividendes

Société Bidon inc.
Plan de comptes   page 2

Produits
4-110 Ventes
4-115 Revenus de location
4-120 Rendus et rabais sur ventes
4-130 Escomptes sur ventes
4-140 Revenus d'intérêts

Charges
5-110 Achats
5-120 Rendus et rabais sur achats
5-130 Escomptes sur achats
5-140 Transport à l'achat
5-210 Salaires
5-220 Charges sociales et avantages sociaux
5-320 Publicité
5-330 Assurances
5-340 Fournitures de bureau utilisées
5-345 Frais postaux
5-350 Frais de représentation
5-360 Impôts fonciers
5-370 Taxes, licences et permis
5-380 Honoraires professionnels
5-385 Téléphone
5-390 Électricité
5-420 Frais bancaires
5-440 Charge d'intérêts
5-470 Créances douteuses
5-480 Impôts sur les bénéfices
5-515 Amortissement – mobilier de bureau
5-525 Amortissement – équipement de bureau
5-535 Amortissement – bâtiment

Les comptes que vous voyez dans les états financiers sont en fait des sommations d'une quantité de comptes plus détaillés dans le système de comptabilité d'une entreprise. Par exemple, Van Houtte conserve des comptes de stocks distincts pour les matières premières, les produits en cours et les produits finis mais, dans le bilan, elle les regroupe sous l'élément Stocks. Puisqu'on cherche à comprendre les états financiers, on se concentrera pour l'instant sur les comptes qui sont présentés dans les états financiers.

PERSPECTIVE INTERNATIONALE

La compréhension des dénominations de comptes d'entreprises étrangères

Nous avons vu au chapitre 1 que les différences politiques, culturelles et économiques ont entraîné des variations importantes en ce qui concerne les principes comptables généralement reconnus (PCGR) entre les divers pays. Les pays étrangers utilisent souvent des dénominations de comptes différentes de celles que les entreprises canadiennes emploient. Certains ont également recours à des comptes supplémentaires pour des éléments qui, en général, ne sont pas prévus dans les règles comptables canadiennes. Peugeot Citroën est une société française, grand fabricant d'automobiles. Au cours de l'année 2005, Peugeot Citroën a vendu 3 390 000 véhicules à travers le monde pour un chiffre d'affaires de 56 267 millions d'euros. Bien que les dénominations des comptes de son rapport financier 2005 soient similaires à celles des entreprises canadiennes, on remarque des différences dont voici quelques exemples. Il faut se rappeler qu'en tant que société française, Peugeot doit utiliser le Plan comptable général imposé par l'État.

Comptes français	Équivalents canadiens
Actifs	
Actifs d'exploitation	Actif à court terme
Passifs	
Fournisseurs d'exploitation	Fournisseurs
Passifs financiers non courants	Dette à long terme
Capitaux propres	
Réserves et résultats nets − Part du groupe	Bénéfices non répartis

Comment les opérations commerciales influent-elles sur les comptes de l'entreprise ?

Les gestionnaires prennent des décisions d'affaires déclenchant souvent des opérations qui modifient les états financiers. Les décisions typiques incluent par exemple la modernisation des cafés-bistros, la publicité pour un nouveau produit, une modification des régimes de prestation aux employés ou l'investissement de liquidités. En conservant un suivi de toutes les opérations, les gestionnaires peuvent évaluer l'effet de décisions passées et planifier les activités commerciales futures. Dans le processus de planification, les gestionnaires s'intéressent à la manière dont leurs décisions seront reflétées dans les états financiers. Par exemple, la décision d'acheter comptant des stocks supplémentaires en anticipation de ventes importantes fait augmenter les stocks et diminuer la caisse. Si ces prévisions ne se réalisent pas, une caisse peu élevée réduit la souplesse et la capacité de l'entreprise à faire face à d'autres obligations. Les décisions d'affaires comportent souvent des éléments de risque qu'il faut évaluer. Par conséquent, les gestionnaires doivent comprendre comment les opérations influent sur les comptes figurant aux états financiers. Ce processus s'appelle l'« analyse des opérations ».

Le processus d'analyse des opérations

L'analyse des opérations est l'étude des opérations en vue de déterminer ses effets économiques sur l'entité, particulièrement sur l'équation comptable. Le modèle d'analyse des opérations repose sur l'équation comptable et deux règles fondamentales. Dans le chapitre 1, nous avons vu que l'équation comptable pour une entreprise est la suivante :

L'analyse des opérations est l'étude d'une opération en vue de déterminer son effet économique sur l'entreprise et l'équation comptable.

$$\text{Actif (A)} = \text{Passif (Pa)} + \text{Capitaux propres (CP)}$$

Les deux règles à la base du processus d'analyse des opérations sont les suivantes :

1. Chaque opération a un double effet ; elle influe au moins sur deux comptes (la dualité des effets) ; il est important de déterminer correctement les comptes touchés et l'orientation de l'effet (l'augmentation ou la diminution).

2. L'équation comptable doit demeurer en équilibre après chaque opération.

Le succès de l'analyse des opérations dépend d'une compréhension claire de la manière dont le modèle est conçu. Étudiez bien ce modèle.

La dualité des effets

La première règle fait en sorte que toutes les opérations ont un double effet sur l'équation comptable. Il s'agit de l'effet de dualité. À partir de cette notion de dualité, le système de comptabilité en partie double (*voir « Un peu d'histoire » à la page suivante*) a été créé. La plupart des opérations conclues avec des tierces parties comportent un échange selon lequel les entités commerciales renoncent à quelque chose et reçoivent quelque chose en retour. Par exemple, supposez que Van Houtte achète au comptant des serviettes de papier (stock de fournitures).

Opération	Van Houtte reçoit	Van Houtte donne
Achat au comptant de serviettes de papier	Stock de fournitures (augmentation)	Caisse (diminution)

En analysant cette opération, on a déterminé les comptes qui ont été touchés, soit le stock de fournitures et la caisse. Il importe de déterminer les comptes touchés et le sens du changement. Dans l'échange, Van Houtte a reçu des fournitures (une augmentation de l'actif) et a renoncé à des liquidités en retour (une diminution de l'actif).

Toutefois, comme nous l'avons vu dans le chapitre 1, la plupart des stocks sont achetés à crédit (les sommes à payer aux fournisseurs). Dans ce cas, Van Houtte conclut deux opérations : 1) l'achat d'un actif à crédit et 2) le paiement final. Dans la première opération, la société reçoit des fournitures (une augmentation de l'actif) et, en retour, elle remet une promesse de paiement ultérieur appelée « Fournisseurs » (une augmentation du passif). Dans la deuxième opération, Van Houtte exécute sa promesse de paiement inscrite dans les comptes fournisseurs (une diminution du passif) et renonce à des liquidités (une diminution de l'actif).

Opération	Van Houtte reçoit	Van Houtte donne
1. Achat à crédit de serviettes de papier	Stock de fournitures	Fournisseurs (une promesse de paiement)
2. Paiement de la dette	Fournisseurs (la promesse a été tenue)	Caisse

Comme nous l'avons mentionné précédemment, ce ne sont pas toutes les activités commerciales importantes qui entraînent une opération qui influe sur les états financiers. Tout d'abord, la signature d'un contrat de service n'entraîne pas une inscription immédiate dans les comptes de l'entreprise. Par exemple, si Van Houtte envoie une commande à son fournisseur de café pour en obtenir une plus grande quantité et que le fournisseur accepte la commande, qui sera exécutée la semaine suivante, aucune opération n'a eu lieu à des fins comptables. Seulement deux promesses ont été échangées. Cependant, aussitôt que les biens sont livrés à Van Houtte, le fournisseur a renoncé à des stocks en contrepartie d'une promesse de paiement de Van Houtte; de son côté, Van Houtte a échangé une promesse de paiement contre les biens qu'elle reçoit. Une promesse a été échangée contre des biens, donc une opération a eu lieu et les états financiers de Van Houtte ainsi que ceux de son fournisseur seront modifiés.

UN PEU D'HISTOIRE

La comptabilité en partie double

Bon nombre de chercheurs se sont penchés sur l'histoire de la comptabilité. Ils ont retracé l'évolution de ce système d'information qui a su, au fil du temps, s'adapter au développement économique et répondre aux besoins d'information des gens. Pour en savoir plus, vous pouvez consulter des sources diverses telles que des monographies, des articles ou des revues, notamment l'*Accounting Historians Journal*, une revue consacrée exclusivement à l'histoire de la comptabilité.

Depuis la nuit des temps, le commerce signifie «échange». Que ce soit au temps des Pharaons, de l'Empire grec ou de l'Empire romain, l'État avait besoin de tenir des registres pour établir ses possessions, inscrire les impôts, traiter avec les commerçants. On dressait alors de simples listes: des listes de biens, mais aussi des listes d'obligations liées au commerce. Ces listes sont l'ancêtre du bilan que l'on connaît aujourd'hui. La période du Moyen-Âge et de la Renaissance (du Ve au XVIIe siècle) fut ensuite une période prospère pendant laquelle les villes se développèrent; la découverte de l'Amérique entraîna l'essor de la navigation et du commerce; les grands marchands et la bourgeoisie contribuèrent à la remise en question du système féodal (pensons aux Médicis, une famille italienne de marchands et de banquiers qui joua un rôle de premier plan dans l'histoire de Florence du XVe au XVIIIe siècle), et de nouvelles structures financières et commerciales virent le jour (les lettres de change, les contrats d'assurance rendus nécessaires pour financer les grandes expéditions vers le Nouveau-Monde). Tous ces bouleversements sociaux, politiques et économiques ont nécessité la conception d'un système d'information plus élaboré, dans le but d'inscrire les promesses ou les biens échangés, les marchandises détenues, les dettes et les obligations des intéressés. Ce besoin d'information plus précise a donné naissance à un système de tenue des livres qu'on appelle «en partie double» et qu'on utilise encore aujourd'hui. En 1494, Fra Luca Pacioli publia son ouvrage *Summa de arithmetica, geometria, proportioni et proportionalita*, une sorte d'encyclopédie mathématique considérée comme le premier traité qui expose les fondements de la comptabilité en partie double. Avec ce système, chaque opération commerciale est inscrite deux fois (dualité), d'abord pour enregistrer ce qu'on reçoit et ensuite pour inscrire ce qu'on cède. Ainsi, on établissait désormais un lien entre les listes de biens (les ressources) et les listes des obligations (les engagements). Par la suite, la comptabilité en partie double s'est enrichie du concept des comptes, de la notion de débit et de crédit, de l'équilibre entre les ressources et leur provenance ainsi que des livres comptables.

L'équation comptable en équilibre

L'équation comptable doit demeurer en équilibre après chaque opération. Le total de l'actif doit égaler le total du passif et des capitaux propres. Si tous les comptes et l'orientation de l'effet sur chaque compte ont été bien déterminés, l'équation devrait demeurer en équilibre. Le processus d'analyse des opérations exige d'exécuter les étapes suivantes dans l'ordre présenté ci-après.

1. Les comptes et les effets
   a) Déterminez les comptes touchés. Assurez-vous que le principe de la dualité est satisfait (au moins deux comptes sont touchés). Demandez-vous ce à quoi on renonce et ce qu'on reçoit en échange.
   b) Classez chaque compte à titre d'actif (A), de passif (Pa) ou de capitaux propres (CP).
   c) Déterminez le sens du changement (montant de l'augmentation [+] ou de la diminution [−]) pour chaque compte.
2. L'équilibre de l'équation
   a) Vérifiez si l'équation comptable (A = Pa + CP) demeure en équilibre.

L'analyse des opérations de Van Houtte

Considérons maintenant les opérations typiques de Van Houtte et celles de la plupart des entreprises pour illustrer ce processus. Comme nous l'avons mentionné plus haut, seules les opérations influant sur les comptes du bilan sont étudiées dans ce chapitre. Nous allons supposer que Van Houtte a conclu les opérations suivantes en avril 2006 (*le mois suivant le bilan du tableau 2.2 à la page 61*). Le mois se terminera le dernier dimanche d'avril, soit le 30 avril. N'oubliez pas que les montants sont exprimés en milliers de dollars. (Il est important de rappeler que toutes les opérations qui seront traitées n'ont pas réellement eu lieu à la société Van Houtte.)

a) Van Houtte émet au comptant une valeur de 2 000 $ d'actions ordinaires à de nouveaux investisseurs.

1. Déterminez et classez les comptes touchés.
   Argent reçu, Caisse (A) + 2 000 $. Des certificats d'actions supplémentaires sont remis, Actions ordinaires (CP) + 2 000 $.
2. L'équation comptable est-elle en équilibre ?
   Oui. Il y a une augmentation de 2 000 $ du côté gauche de l'équation et une augmentation de 2 000 $ du côté droit.

ÉQUATION COMPTABLE

	Actif	=	Passif	+	Capitaux propres
	Caisse				Actions ordinaires
a)	+2 000	=			+2 000

b) La société emprunte 6 000 $ d'une banque ; elle signe un effet à payer venant à échéance dans trois ans.

1. Déterminez et classez les comptes touchés.
   Argent reçu, Caisse (A) + 6 000 $. Une promesse écrite de paiement est remise à la banque, Effets à payer (Pa) + 6 000 $.
2. L'équation comptable est-elle en équilibre ?
   Oui. Il y a une augmentation de 6 000 $ du côté gauche de l'équation et une augmentation de 6 000 $ du côté droit.

ÉQUATION COMPTABLE

	Actif	=	Passif	+	Capitaux propres
	Caisse		Effets à payer		
b)	+6 000	=	+ 6 000		

Les opérations a) et b) sont des opérations de financement. Les sociétés qui ont besoin de liquidités à des fins d'investissement (pour acquérir des immobilisations supplémentaires dans le contexte de leurs plans de croissance) cherchent souvent à amasser des fonds en vendant des actions aux investisseurs comme dans l'opération a) ou en empruntant auprès de leurs créanciers, habituellement des banques, comme dans l'opération b).

c) Pour prendre de l'expansion, Van Houtte a ouvert deux nouveaux cafés-bistros. La société a acheté des nouveaux fours, des comptoirs, des réfrigérateurs et d'autre matériel (des immobilisations) pour une somme de 10 000 $, payant 2 000 $ en espèces et signant un effet à payer au fabricant du matériel pour le solde dû, payable dans deux ans.

1. Déterminez et classez les comptes touchés.

   Matériel reçu, Immobilisations (A) + 10 000 $. Argent remis, Caisse (A) − 2 000 $. Une promesse écrite de paiement est aussi donnée au fabricant, Effets à payer (Pa) + 8 000 $.

2. L'équation comptable est-elle en équilibre ?

   Oui. Il y a une augmentation nette de 8 000 $ du côté gauche de l'équation et une augmentation de 8 000 $ du côté droit.

   Il faut noter que plus de deux comptes ont été touchés par cette opération.

ÉQUATION COMPTABLE

	Actif		=	Passif	+	Capitaux propres
	Caisse	Immobilisations corporelles		Effets à payer		
c)	−2 000	+10 000	=	+8 000		

Pour les opérations a), b) et c), les effets sur l'équation comptable se trouvent dans le tableau sommaire à la fin du test d'autoévaluation. Pour les opérations d), e) et f), vous devez remplir les espaces prévus dans le tableau.

TEST D'AUTOÉVALUATION

La manière la plus efficace d'améliorer vos habiletés d'analyse des opérations consiste à vous exercer à analyser plusieurs opérations. Par conséquent, analysez les opérations d), e) et f), puis remplissez le tableau. La clé de l'apprentissage est de répéter ces étapes jusqu'à ce qu'elles fassent naturellement partie de votre processus cognitif.

d) Van Houtte prête 3 000 $ à de nouveaux franchisés qui signent des effets convenant de rembourser le prêt dans cinq ans.

1. Déterminez et classez les comptes touchés.

   L'entité reçoit des promesses écrites de la part des franchisés,
   Effets à recevoir (A) +3 000 $
   Que donne-t-elle en retour ? _____

2. L'équation comptable est-elle en équilibre ?

   Oui. L'équation demeure la même, puisque les actifs augmentent et diminuent du même montant.

e) Van Houtte achète pour 1 000 $ d'actions d'autres entreprises à titre de placements à long terme.

1. Déterminez et classez les comptes touchés.

   Argent remis, Caisse (A) −1 000 $
   Des certificats d'actions d'autres entreprises sont reçus,
   Placements à long terme (A) +1 000 $

2. L'équation comptable est-elle en équilibre ? _____
   Pourquoi ? _____

f) Le conseil d'administration de Van Houtte a déclaré et versé un dividende aux actionnaires d'un montant de 3 000 $ qui sera versé dans un mois.

1. Déterminez et classez les comptes touchés.

   Dans cette opération, les bénéfices non répartis de l'entreprise sont distribués aux investisseurs,
   Bénéfices non répartis (CP) −3 000 $
   Qu'a-t-on donné ? _____

2. L'équation comptable est-elle en équilibre ? _____
   Pourquoi ? _____

Remplissez le tableau suivant.

	ACTIF				=	PASSIF		+	CAPITAUX PROPRES	
	Caisse	Placements	Immobilisations corporelles	Effets à recevoir		Effets à payer	Dividende à payer		Actions ordinaires	Bénéfices non répartis
a)	+2 000								+2 000	
b)	+6 000					+6 000				
c)	−2 000		+10 000			+8 000				
d)	_____			+3 000						
e)	−1 000	+1 000								
f)						_____				−3 000

Vérifiez vos réponses à l'aide des solutions présentées en bas de page*.

Comment les entreprises conservent-elles une trace de leurs activités ?

Pour la plupart des entreprises, la comptabilisation des opérations et le suivi des comptes comme on vient de le faire dans les exemples précédents est impraticable. En effet, pour tenir compte de ses multiples opérations quotidiennes, une entreprise doit établir un système comptable, la plupart du temps informatisé. Le cycle comptable (*voir le tableau 2.4 à la page 74*) présente le processus complet d'analyse, d'enregistrement et de présentation de l'information financière. Dans les chapitres 2 et 3, nous étudions le processus qui se déroule pendant l'exercice financier. Au chapitre 4, nous compléterons l'étude du cycle comptable avec les opérations à la fin de l'exercice pour régulariser les comptes, établir les états financiers et préparer les livres comptables pour l'exercice suivant. Au cours d'un exercice financier, les opérations d'échange entre l'entreprise et les tierces parties sont analysées et enregistrées au journal général par ordre chronologique, et les comptes sont mis à jour dans le grand livre général. Les comptables utilisent deux outils très importants : les écritures de journal et les comptes en T.

OBJECTIF D'APPRENTISSAGE **4**

Apprécier l'incidence des opérations commerciales sur le bilan en utilisant deux outils de base : les écritures de journal et les comptes en T.

---

* d) Argent remis, Caisse (A) −3 000 $.
  e) Oui. L'équation demeure la même puisque les actifs augmentent et diminuent du même montant.
  f) Une promesse de paiement de dividende (Pa) +3 000 $.
  Oui. Il y a une augmentation et une diminution de 3 000 $ du côté droit de l'équation.
  Voici le tableau sommaire pour l'ensemble des opérations :

	ACTIF				=	PASSIF		+	CAPITAUX PROPRES	
	Caisse	Placements	Immobilisations corporelles	Effets à recevoir		Effets à payer	Dividende à payer		Actions ordinaires	Bénéfices non répartis
a)	+2 000								+2 000	
b)	+6 000					+6 000				
c)	−2 000		+10 000			+8 000				
d)	−3 000			+3 000						
e)	−1 000	+1 000								
f)							+3 000			−3 000
	+2 000	+1 000	+10 000	+3 000		+14 000	+3 000		+2 000	−3 000

Si vos réponses ne correspondent pas à celles qui sont fournies, vous avez avantage à revoir chacune des opérations pour vous assurer que vous avez suivi toutes les étapes.

Ces outils d'analyse sont des mécanismes efficaces pour refléter les effets des opérations et déterminer les soldes des comptes nécessaires à l'établissement des états financiers. Ces outils sont aussi importants dans la conception des systèmes comptables. En tant que futurs gestionnaires d'entreprise, vous devrez approfondir votre compréhension et l'utilisation de ces outils dans un contexte d'analyse financière. Pour ceux qui étudient la comptabilité, cette connaissance est fondamentale à la compréhension du système comptable et des futurs cours de comptabilité. Après avoir appris à analyser des opérations à l'aide de ces outils, nous illustrerons leur utilisation.

TABLEAU 2.4 | Cycle comptable

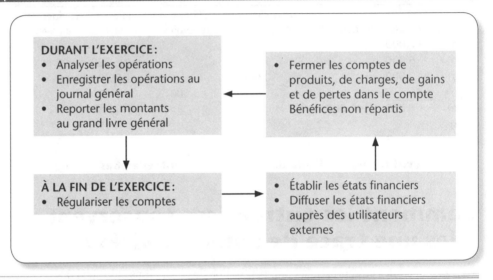

L'impact des opérations commerciales et les notions de débit et de crédit

Comme nous l'avons vu précédemment, les soldes des comptes de l'actif, du passif et des capitaux propres augmentent et diminuent par suite des opérations. Pour apprendre comment refléter ces changements de manière efficace, il faut d'abord structurer le modèle d'analyse des opérations afin de montrer le sens de ces changements. À la lecture du tableau 2.5, on peut noter ce qui suit :

Débit signifie le côté gauche d'un compte.

Crédit signifie le côté droit d'un compte.

- Le symbole de l'augmentation + est inscrit à gauche lorsqu'on se trouve du côté gauche de l'équation comptable et s'inscrit à droite lorsqu'on se trouve du côté droit de l'équation.
- Les notions de débit (dt) et de crédit (ct) sont toujours inscrits respectivement à gauche et à droite de chaque compte. **Débit** signifie le côté gauche d'un compte et **crédit** le côté droit.

TABLEAU 2.5 | Modèle d'analyse des opérations

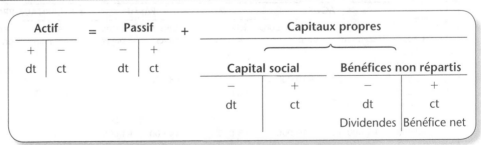

À partir de ce modèle d'analyse des opérations, on observe que :

1) les comptes de l'actif augmentent du côté gauche ; ils ont des soldes débiteurs ;
2) les comptes du passif et des capitaux propres augmentent du côté droit ; ils ont des soldes créditeurs.

Au fur et à mesure que vous apprenez à effectuer une analyse des opérations, vous devriez vous reporter à ce modèle régulièrement jusqu'à ce que vous puissiez le construire de manière autonome, sans recours à aucune aide.

Plusieurs étudiants ont de la difficulté à comprendre la comptabilité, car ils oublient que la seule signification du mot débit est « le côté gauche d'un compte » et la seule signification du mot crédit est « le côté droit d'un compte ».

Pour ne pas oublier quels comptes les débits font augmenter et quels comptes les crédits font augmenter, rappelez-vous qu'un débit (à gauche) fait augmenter les comptes de l'actif, car les actifs se trouvent du côté gauche de l'équation comptable (A = Pa + CP). De même, un crédit (à droite) fait augmenter les comptes du passif et des capitaux propres puisqu'ils se trouvent du côté droit de l'équation comptable.

Si notre analyse a permis de déterminer les bons montants et le juste sens des changements survenus, l'équation comptable demeurera en équilibre. De plus, la valeur monétaire totale de tous les débits est égale à la valeur monétaire totale de tous les crédits dans une opération. Par conséquent, il faut inclure cette vérification (débits = crédits) dans le processus d'analyse des opérations.

Des outils d'analyse : l'écriture de journal et le compte en T

Dans un système de tenue des livres simple, on inscrit d'abord les opérations par ordre chronologique dans un livre comptable qu'on appelle le « journal général ». Après avoir analysé les documents d'affaires (les pièces justificatives) qui décrivent une opération, le commis comptable passe l'écriture comptable pour enregistrer cette opération à l'aide des débits et des crédits. L'**écriture de journal** est une méthode comptable qui permet d'enregistrer une opération dans les comptes de l'entreprise dans un format « débit égale crédit ». L'écriture de journal pour l'opération c) de l'exemple de Van Houtte est la suivante :

L'**écriture de journal** est une méthode comptable qui permet d'enregistrer une opération dans les comptes de l'entreprise sous la forme « débit égale crédit ».

(Date ou référence)	Immobilisations corporelles (+A)	10 000	
	Caisse (−A)		2 000
	Effets à payer (+Pa)		8 000

Voici quelques remarques au sujet de l'écriture de journal :

- Il est nécessaire d'inclure une date ou une forme quelconque de référence pour chaque opération de façon à bien suivre l'ordre chronologique des transactions.
- On présente en premier tous les débits à gauche et ensuite tous les crédits en retrait à droite (le nom des comptes et les montants). L'ordre des débits ou l'ordre des crédits n'a pas d'importance, en autant que les débits se trouvent en premier et les crédits ensuite, en retrait.
- Le total des débits (10 000 $) est égal au total des crédits (2 000 $ + 8 000 $).
- Une écriture de journal peut toucher plus de deux comptes. Dans notre exemple, l'opération influe sur trois comptes. Bien qu'il s'agisse de la seule opération dans l'exemple précédent qui touche plus de deux comptes, bon nombre d'opérations dans les chapitres futurs exigeront ce genre d'écriture de journal.
- Parfois, il peut être utile d'inscrire une courte explication au-dessous de l'écriture pour décrire la nature de l'opération.

Pour vous aider à effectuer une analyse des opérations, utilisez les symboles A, Pa et CP près de la dénomination de chaque compte, comme nous l'avons fait dans l'écriture de journal précédente. L'identification des comptes comme actif (A), passif (Pa) ou capitaux propres (CP) clarifie l'utilisation du modèle d'analyse des opérations et facilite les écritures de journal. Nous inclurons également le sens du changement sur le compte avec le symbole approprié. Par exemple, s'il faut augmenter le compte Caisse, nous écrirons Caisse (+A).

Nous avons constaté que bon nombre d'étudiants tentaient de mémoriser les écritures de journal sans comprendre ou utiliser le modèle d'analyse des opérations. Cette tâche deviendra de plus en plus difficile alors que de nouvelles opérations seront présentées dans les chapitres ultérieurs. Cependant, la mémorisation, la compréhension et l'utilisation du modèle d'analyse des opérations décrit dans ce chapitre est un moyen efficace pour sauver du temps durant votre analyse des transactions qui seront abordées tout au long de ce volume.

En elles-mêmes, les écritures de journal ne nous donnent pas le solde des comptes. De ce fait, après avoir passé les écritures de journal, le commis comptable reporte (transfère) les montants en dollars dans chacun des comptes qui ont été touchés par l'opération pour déterminer le solde des comptes. Dans la plupart des systèmes de comptabilité informatisés, ce processus se fait automatiquement au moment de la passation de l'écriture de journal. L'ensemble des comptes d'une entreprise est regroupé dans le grand livre général. Lorsque de petites entreprises utilisent un système de comptabilité manuel, le grand livre se présente sous forme d'une reliure avec une page distincte pour chaque compte.

Le tableau 2.6 illustre une page du journal général et du compte Caisse au grand livre général.

TABLEAU 2.6

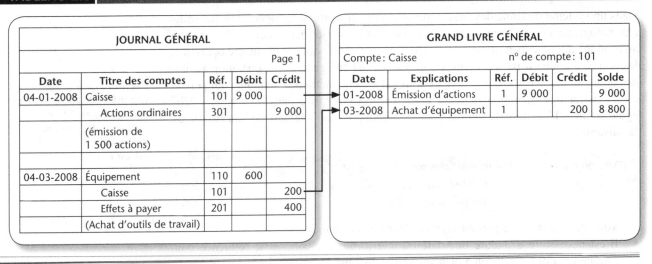

Le grand livre général comprend tous les comptes faisant partie du plan comptable de l'entreprise et sert directement à dresser les états financiers. De plus, la somme des soldes débiteurs doit être égale à la somme des soldes créditeurs pour respecter l'équilibre de l'équation comptable. À des fins d'analyse, les comptables utilisent souvent un outil simple pour représenter les comptes du grand livre, cet outil très utile s'appelle un « compte en T ».

Le tableau 2.7 présente les comptes en T pour les comptes Caisse et Effets à payer de Van Houtte, basés sur les opérations a) à f). Il faut noter que, pour le compte Caisse qui est classé comme actif, les augmentations se font du côté gauche et les diminutions du côté droit du compte en T. Cependant, pour le compte Effets à payer, les augmentations se situent à droite et les diminutions à gauche puisque ce compte est un passif.

TABLEAU 2.7 | Exemple de comptes en T

+	Caisse (A)		–
Solde d'ouverture	5 796		
a)	2 000	2 000	c)
b)	6 000	3 000	d)
		1 000	e)
Solde de clôture	7 796		

–	Effets à payer (Pa)		+
		0	Solde d'ouverture
	6 000		b)
	8 000		c)
	14 000	Solde de clôture	

Les petites entreprises utilisent parfois des comptes écrits à la main ou tenus manuellement dans le format du compte en T. Les systèmes informatisés conservent le concept du compte, mais pas le format du **compte en T.**

Au tableau 2.7, il faut remarquer que le solde de clôture est indiqué du côté positif et qu'il est présenté avec un double soulignement. On peut aussi résumer les comptes en T sous forme d'équations :

> Le **compte en T** est le mode simplifié de présentation d'un compte prenant la forme de la lettre T et comportant l'intitulé du compte au-dessus de la ligne horizontale[5].

	Caisse	Effets à payer
Solde d'ouverture	5 796 $	$
+ côté « + »	8 000	14 000
− côté « − »	6 000	0
Solde de clôture	7 796 $	14 000 $

Un mot sur la terminologie :

Les mots « débit » et « crédit » peuvent être utilisés sous forme de verbes, de noms et d'adjectifs. Par exemple, on peut dire que 1) le compte Caisse de Van Houtte a été débité (verbe) quand les actions ont été émises aux investisseurs ; 2) si on crédite (verbe) un compte, cela signifie qu'on inscrit le montant du côté gauche du compte en T ; 3) un débit (nom) est le côté gauche d'un compte et 4) les Effets à payer sont un compte créditeur (adjectif). Dorénavant, dans cet ouvrage, nous utiliserons ces mots plutôt que « gauche » et « droit ». Dans la section suivante, nous illustrerons les étapes que vous devrez suivre en utilisant le modèle pour analyser les opérations, passer les écritures de journal et déterminer le solde des comptes en utilisant les comptes en T.

Un exemple d'analyse des opérations

Nous utiliserons les opérations présentées précédemment pour illustrer l'analyse des opérations et le recours aux écritures de journal et aux comptes en T. Nous analyserons chacune des opérations en vérifiant si l'équation comptable demeure en équilibre et si les débits égalent les crédits. Dans les comptes en T, les montants du bilan de Van Houtte au 1er avril 2006 ont été indiqués comme solde d'ouverture de chaque compte. Après avoir revu ou rédigé chacune des écritures de journal, faites les reports dans les comptes en T appropriés en utilisant la lettre de l'opération à titre de référence. La première opération a été mise en caractères gras à titre d'exemple.

Vous devriez étudier cet exemple attentivement (y compris les explications de l'analyse des opérations). Une étude attentive de l'exemple est essentielle pour comprendre 1) le modèle comptable, 2) le processus d'analyse des opérations, 3) le double effet de chaque opération et 4) l'équilibre du système comptable. La manière la plus efficace d'apprendre ces concepts critiques qui sont le fondement du système comptable est de vous exercer sans relâche.

---

5. Louis MÉNARD, et collab. (2004). *Dictionnaire de la comptabilité et de la gestion financière*, 2e éd., Toronto, ICCA, p. 1165.

a) **Van Houtte émet au comptant une valeur de 2 000 $ d'actions ordinaires à de nouveaux investisseurs.**

ÉQUATION COMPTABLE					
Actif		=	**Passif**	+	**Capitaux propres**
Caisse	+2 000				Actions ordinaires +2 000

ÉCRITURE DE JOURNAL	
Caisse (+A)..	2 000
Actions ordinaires (+CP).....................................	2 000

Vérifications : 1) l'équation comptable est en équilibre ;
2) débits 2 000 $ = crédits 2 000 $.

Cette écriture est ensuite inscrite dans les comptes en T appropriés que vous trouverez à la fin de l'exemple. Pour faire le report, transférez ou copiez le montant du débit ou du crédit sur chaque ligne du compte en T approprié, ce qui permet d'accumuler le solde de chaque compte. Par exemple, le débit de 2 000 $ est inscrit dans la colonne des débits (augmentation) du compte en T Caisse.

b) **La société emprunte 6 000 $ d'une banque ; elle signe un effet à payer venant à échéance dans trois ans.**

ÉQUATION COMPTABLE					
Actif		=	**Passif**	+	**Capitaux propres**
Caisse	+6 000		Effets à payer +6 000		

ÉCRITURE DE JOURNAL	
Caisse (+A)..	6 000
Effets à payer (+Pa)...	6 000

Vérifications : 1) l'équation comptable est en équilibre ;
2) débits 6 000 $ = crédits 6 000 $.

c) **Pour prendre de l'expansion, Van Houtte a ouvert deux nouveaux cafés-bistros. La société a acheté des nouveaux fours, des comptoirs, des réfrigérateurs et d'autre matériel (des immobilisations) pour une somme de 10 000 $, payant 2 000 $ en espèces et signant un effet à payer au fabricant pour le solde dû, payable dans deux ans.**

ÉQUATION COMPTABLE					
Actif		=	**Passif**	+	**Capitaux propres**
Immobilisations corporelles	+10 000		Effets à payer +8 000		
Caisse	−2 000				

ÉCRITURE DE JOURNAL	
Immobilisations corporelles (+A)...................................	10 000
Caisse (−A)..	2 000
Effets à payer (+Pa)...	8 000

Vérifications : 1) l'équation comptable est en équilibre ;
2) débits 10 000 $ = crédits 10 000 $.

TEST D'AUTOÉVALUATION

Pour les opérations d), e) et f), inscrivez les données manquantes, y compris les inscriptions aux comptes en T.

d) Van Houtte prête 3 000 $ à de nouveaux franchisés qui signent des effets convenant de rembourser le prêt dans cinq ans. Passez l'écriture de journal, reportez les montants dans les comptes en T et vérifiez l'équilibre de l'équation.

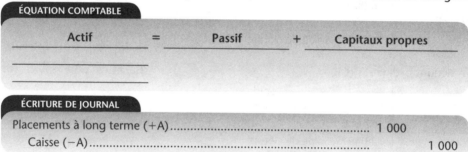

ÉQUATION COMPTABLE

Actif	=	Passif	+	Capitaux propres
Caisse −3 000				
Effets à recevoir +3 000				

ÉCRITURE DE JOURNAL

_____ (   ) .... _____
_____ (   ) .... _____

Vérifications : 1) l'équation comptable est en équilibre ; 2) débits $ _____ = crédits $ _____.

e) Van Houtte achète pour 1 000 $ d'actions d'autres entreprises à titre de placements à long terme. Complétez l'effet sur l'équation comptable en indiquant les comptes touchés, les montants et l'orientation du changement.

ÉQUATION COMPTABLE

Actif	=	Passif	+	Capitaux propres

ÉCRITURE DE JOURNAL

Placements à long terme (+A) 1 000
    Caisse (−A) 1 000

Vérifications : 1) l'équation comptable est en équilibre ; 2) débits 1 000 $ = crédits 1 000 $.

f) Le conseil d'administration de Van Houtte a déclaré un dividende aux actionnaires d'un montant de **3 000 $** qui sera versé dans un mois. Passez l'écriture de journal, reportez les montants dans les comptes en T et vérifiez l'équilibre de l'équation.

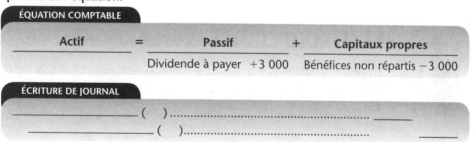

ÉQUATION COMPTABLE

Actif	=	Passif	+	Capitaux propres
		Dividende à payer +3 000		Bénéfices non répartis −3 000

ÉCRITURE DE JOURNAL

_____ (   ) .... _____
_____ (   ) .... _____

Vérifications : 1) l'équation comptable est en équilibre ; 2) débits _____ = crédits _____.

Vérifiez vos réponses à l'aide des solutions présentées en bas de page*.

---

* **d) Écriture de journal :**
Effets à recevoir (+A) 3 000
    Caisse (–A) 3 000
Débits 3 000 $ = Crédits 3 000 $.

e) Équation comptable :

Actif	=	Passif	+	Capitaux propres
Caisse −1 000				
Placements +1 000				

f) Écriture de journal :
Bénéfices non répartis (−CP) 3 000
    Dividendes à payer (+Pa) 3 000
L'équation comptable est en équilibre. Débits 3 000 $ = Crédits 3 000 $.

Voici les comptes en T qui ont changé durant l'exercice par suite de ces opérations. Les soldes de tous les autres comptes demeurent les mêmes. Les soldes du 1er avril 2006 tirés du bilan de Van Houtte ont été inscrits à titre de soldes d'ouverture.

+	Caisse (A)		−
Solde d'ouverture	5 796		
a)	2 000	2 000	c)
b)	6 000	_____	d)
		_____	e)
Solde de clôture	7 796		

+	Placements (A)		−
Solde d'ouverture	20 121		
e)			
Solde de clôture	21 121		

+	Immobilisations corporelles (A)		−
Solde d'ouverture	116 225		
c)	10 000		
Solde de clôture	126 225		

+	Effets à recevoir (A)		−
Solde d'ouverture	0		
d)			
Solde de clôture	3 000		

−	Effets à payer (Pa)		+
		0	Solde d'ouverture
		6 000	b)
		8 000	c)
		14 000	Solde de clôture

−	Dividendes à payer (Pa)		+
		0	Solde d'ouverture
		_____	f)
		3 000	Solde de clôture

−	Actions ordinaires (CP)		+
		126 497	Solde d'ouverture
		2 000	a)
		128 497	Solde de clôture

−	Bénéfices non répartis (CP)		+
		124 766	Solde d'ouverture
f)			
		121 766	Solde de clôture

Vous pouvez vérifier si vous avez bien reporté les écritures en additionnant le côté de l'augmentation et en soustrayant le côté de la diminution. Ensuite, comparez vos réponses au solde de clôture donné dans chacun des comptes en T.

ANALYSE FINANCIÈRE

La détermination des activités commerciales à partir des comptes en T

Les comptes en T sont avant tout utiles à des fins éducatives et aussi à titre d'outils d'analyse financière. Dans plusieurs cas, nous utiliserons le compte en T pour déterminer quelles opérations une entreprise a conclues durant un exercice. Par exemple, les principales opérations touchant le compte Fournisseurs pendant un exercice sont les achats d'actifs à crédit et les paiements en espèces aux fournisseurs. Si on connaît les soldes d'ouverture et de clôture du compte et tous les achats qui ont été faits à crédit durant un exercice, on peut déterminer le montant d'argent versé aux fournisseurs. Le compte en T se présentera comme suit :

−	Fournisseurs (Pa)		+
		600	Solde d'ouverture
Paiements en espèces	?	1 500	Achats à crédit
		300	Solde de clôture

SOLUTION :

Solde d'ouverture	+ Achats	− Paiements	=	Solde de clôture
600 $	+ 1 500	− ?	=	300
	2 100	− ?	=	300
			=	1 800 $

L'établissement du bilan

Il est possible de dresser un bilan à n'importe quel moment de l'année à partir des soldes des comptes du grand livre général. On peut reprendre le bilan de Van Houtte au 1er avril 2006. On ajoute les modifications à l'équation comptable à la suite des opérations déjà analysées et qui sont résumées dans le tableau sommaire à la page 73. Le bilan est présenté dans le tableau 2.8 où les soldes des comptes au 30 avril 2006 sont

OBJECTIF D'APPRENTISSAGE **5**

Dresser un bilan simple.

TABLEAU 2.8 | Bilan (fictif)

Van Houtte inc.
Bilan (fictif)
(en milliers de dollars)

	30 avril 2006	1er avril 2006	Changements en avril
ACTIF			
Actif à court terme :			
Caisse	7 796 $	5 796 $	+2 000 $
Débiteurs	43 036	43 036	
Stocks	29 972	29 972	
Frais payés d'avance	3 553	3 553	
Impôts futurs	1 804	1 804	
	86 161 $	84 161 $	
Placements	21 121	20 121	+1 000
Effets à recevoir	3 000	–	+3 000 $
Immobilisations corporelles	126 225	116 225	+10 000
Écart d'acquisition	135 734	135 734	
Autres éléments d'actif	17 724	17 724	
Impôts futurs	6 154	6 154	
	396 119 $	380 119 $	+16 000 $
PASSIF ET AVOIR DES ACTIONNAIRES			
Passif à court terme :			
Fournisseurs et charges à payer	34 434 $	34 434 $	
Dividendes à payer	3 000	–	+3 000 $
Impôts exigibles	2 312	2 312	
Revenus reportés	372	372	
Tranche à court terme de la dette à long terme	1 520	1 520	
	41 638 $	38 638 $	
Dette à long terme	93 589	93 589	
Effets à payer	14 000	–	+14 000 $
Autres éléments de passif	1 799	1 799	
Impôts futurs	1 498	1 498	
Part des actionnaires sans contrôle	8 042	8 042	
Avoir des actionnaires :			
Capital-actions	128 497	126 497	+2 000 $
Surplus d'apport	2 461	2 461	
Bénéfices non répartis	121 766	124 766	–3 000 $
Écart de conversion	(17 171)	(17 171)	
	235 553	236 553	
	396 119 $	380 119 $	+16 000 $

comparés à ceux du 1er avril 2006. Il faut noter que lorsqu'on présente plusieurs exercices, les montants du bilan le plus récent sont généralement placés à gauche.

Il convient aussi de rappeler que toutes les opérations analysées jusqu'ici étaient fictives et qu'elles ne se sont pas réellement produites chez Van Houtte.

Il faut noter que les montants présentés au bilan au 30 avril 2006 correspondent aux nouveaux soldes présentés dans les comptes en T de l'exemple précédent et aux soldes originaux des comptes qui n'ont pas changé.

Au début du chapitre, les changements dans les bilans de Van Houtte entre les années 2000 et 2006 ont été présentés. On s'est interrogé sur ce qui avait provoqué une modification des comptes et quel était le processus utilisé pour refléter ces changements. On peut maintenant voir que les comptes ont de nouveau changé en un mois par suite des opérations décrites dans ce chapitre :

	Actif	=	Passif	+	Capitaux propres
1er avril 2006	380 119 $		143 566 $		236 553 $
30 avril 2006	396 119 $		160 566 $		235 553 $
Changement	+16 000 $		+17 000 $		−1 000 $

OBJECTIF D'APPRENTISSAGE 6

Calculer et interpréter le taux d'adéquation du capital.

ANALYSONS LES RATIOS

Le taux d'adéquation du capital

Les utilisateurs d'états financiers calculent un certain nombre de ratios pour analyser la performance d'une entreprise et sa condition financière dans le but de prévoir son potentiel futur. Ils analysent comment les ratios ont évolué au cours des dernières années et les comparent à ceux de leurs compétiteurs ou à la moyenne de l'industrie. Ces calculs et comparaisons fournissent une information pertinente sur les stratégies de l'entreprise en matière d'activités d'exploitation, d'investissement et de financement.

Tout au long des prochains chapitres, nous introduirons l'étude des ratios et en ferons une synthèse au chapitre 13. Dans les chapitres 2, 3 et 4, nous présentons trois ratios qui permettent d'analyser l'efficacité de la direction à gérer ses sources de financement (le taux d'adéquation du capital), ses actifs (le rendement de l'actif) et ses produits et charges (la marge bénéficiaire nette). Au chapitre 5, nous discutons de l'effet combiné de ces trois ratios.

Comme nous l'avons vu plus tôt, les entreprises se procurent des fonds pour acheter leurs actifs soit en émettant de nouvelles actions aux investisseurs, soit en empruntant de l'argent auprès de créanciers. Ces actifs sont ensuite utilisés pour gagner des revenus. Toutefois, comme il faudra rembourser la dette, l'augmentation du passif accroît par le fait même les risques financiers. Le taux d'adéquation du capital fournit aux analystes des informations sur la stratégie d'investissement et de financement de l'entreprise.

1. **Question d'analyse**

   Comment la direction a-t-elle recours à la dette pour accroître les actifs qu'elle utilise afin de gagner des revenus pour ses actionnaires ?

2. **Ratio et comparaison**

$$\text{Taux d'adéquation du capital} = \frac{\text{Actif total}}{\text{Capitaux propres}}$$

En 2006, le taux de Van Houtte est le suivant :

$$\frac{380\ 119}{236\ 553} = 1,60$$

a) L'analyse de la tendance dans le temps		
VAN HOUTTE		
2004	2005	2006
1,69	1,60	1,60

b) La comparaison avec les compétiteurs	
ALIMENTATION COUCHE-TARD	**STARBUCKS**
2005	2005
2,45	1,68

Comparons

Taux d'adéquation du capital en 2005

Axcan	1,54
Transat	2,62
Cascades	3,40

3. Interprétation des résultats

EN GÉNÉRAL ◊ Le taux d'adéquation du capital mesure la relation qui existe entre le total de l'actif et le total des capitaux propres qui financent les actifs. Comme on l'a mentionné, les sociétés financent leurs actifs à l'aide des capitaux propres et de la dette. Plus la proportion des actifs financés par la dette est élevée, plus le taux d'adéquation du capital le sera aussi. Inversement, plus la proportion des actifs financés à l'aide des capitaux propres est élevée, plus le ratio sera faible. Un ratio de 1,00 indique que l'entreprise n'a aucune dette. Un ratio de 2,00 signifie que l'entreprise utilise également la dette et les capitaux propres pour acheter ses actifs. Un ratio supérieur suggère une plus grande dépendance face à la dette. Voici un exemple :

	Actifs	**=**	**Passifs**	**+**	**Capitaux propres**	
Si Pa = 0	10	=	0	+	10	le ratio est de 1,00.
Si Pa = CP	20	=	10	+	10	le ratio est de 2,00.
Dans ce cas, deux fois plus d'actifs sont disponibles pour générer des revenus.						
Si Pa > CP	30	=	20	+	10	le ratio est de 3,00.

Dans ce cas, même si plus de revenus peuvent être générés avec ces actifs additionnels, l'entreprise a deux fois plus de dette. Les créanciers vont juger l'entreprise plus risquée et peuvent alors décider de demander un taux d'intérêt plus élevé pour compenser ce risque accru.

L'augmentation de la dette (et du taux d'adéquation du capital) fait augmenter le montant d'actif que la société utilise afin de générer des revenus pour les actionnaires, ce qui fait augmenter les chances d'avoir un chiffre d'affaires plus élevé. Cependant, cela fait aussi augmenter les risques. Le financement par la dette est plus risqué que le financement par les capitaux propres, car les versements d'intérêts sur la dette doivent se faire régulièrement (il s'agit d'obligations légales), tandis que les dividendes sur les actions peuvent être reportés puisqu'il s'agit d'une décision du conseil d'administration. Un ratio qui augmente dans le temps reflète une plus grande dépendance du financement par la dette et donc des risques accrus.

Les créanciers et les analystes en valeurs mobilières utilisent ce ratio pour évaluer le niveau de risque d'une entreprise, tandis que les gestionnaires y recourent pour déterminer s'ils doivent prendre de l'expansion en contractant de nouveaux emprunts ou en émettant de nouvelles actions. Tant et aussi longtemps que les intérêts sur les emprunts sont inférieurs aux produits supplémentaires engendrés par les projets de la direction, le recours au financement par la dette permettra d'améliorer les revenus des actionnaires. Nous reviendrons sur le sujet au chapitre 9.

VAN HOUTTE ◊ Le taux d'adéquation du capital a très légèrement diminué au cours des trois dernières années. D'une part, on remarque que la société Van Houtte ne s'est pas engagée au cours des dernières années dans un programme d'expansion de ses actifs. Par ailleurs, comme les bénéfices non répartis représentent 53 % du total des capitaux propres de Van Houtte au 1er avril 2006, on peut en déduire que la société réinvestit une part très importante de ses résultats d'exploitation. Ainsi, Van Houtte réussit à financer son expansion à même ses activités d'exploitation.

D'un autre côté, lorsque l'on compare Van Houtte à un autre distributeur de café, on s'aperçoit que son ratio moyen des trois dernières années est légèrement inférieur à celui de la société étatsunienne Starbucks qui a connu, en 2005, un chiffre d'affaires record de plus de 6 milliards de dollars. La société canadienne Alimentation Couche-Tard montre un taux d'adéquation du capital plus élevé par rapport à ses compétiteurs. Couche-Tard est une société plus diversifiée que Van Houtte et Starbucks. Elle a connu une forte croissance au cours des dernières années grâce à d'importantes acquisitions d'entreprises.

QUELQUES PRÉCAUTIONS ◊ Un taux d'adéquation du capital de près de 1,00 indique qu'une entreprise choisit de ne pas recourir au financement par la dette pour prendre de l'expansion. Cela laisse entendre que l'entreprise présente des risques plus faibles, mais qu'elle n'améliore pas le rendement pour les actionnaires. Quand on compare le ratio d'une entreprise avec celui de ses compétiteurs, il faut garder à l'esprit que les différences entre les stratégies d'affaires peuvent influer sur le ratio, comme le fait de louer ou d'acheter ses installations.

Bombardier ◆

TEST D'AUTOÉVALUATION

Les soldes suivants figuraient au bilan de la société Bombardier au 31 janvier 2006 (en millions de dollars) :

    Actif — 17 482 $;
    Passif — 15 057 $;
    Capitaux propres — 2 425 $.

Calculez le taux d'adéquation du capital de la société Bombardier.

Que vous révèle-t-il au sujet de la stratégie financière de Bombardier ?

Vérifiez vos réponses à l'aide des solutions présentées en bas de page*.

OBJECTIF D'APPRENTISSAGE **7**

Reconnaître les opérations relatives aux activités d'investissement et aux activités de financement de même que la manière dont elles sont présentées à l'état des flux de trésorerie.

INCIDENCE SUR LES FLUX DE TRÉSORERIE

Les activités d'investissement et de financement

Dans le chapitre 1, nous avons vu que les entreprises inscrivaient les encaissements et les décaissements de l'exercice dans l'état des flux de trésorerie. Les opérations qui entraînent des flux de trésorerie sont divisées en trois catégories : les activités d'exploitation, les activités d'investissement et les activités de financement.

Au début de ce chapitre, nous avons expliqué que les activités d'investissement et de financement sont abordées ici, alors que les activités d'exploitation seront étudiées dans le chapitre 3. Les activités d'investissement incluent l'achat et la vente d'éléments d'actifs à long terme; les activités de financement comprennent l'emprunt et le remboursement de la dette, l'émission et le rachat d'actions ainsi que la distribution des dividendes. Quand une opération implique une rentrée ou une sortie de fonds, celle-ci est inscrite à l'état des flux de trésorerie. Quand aucun encaissement ni décaissement n'est inclus dans une opération (comme l'acquisition d'un bâtiment avec un emprunt hypothécaire à long terme), il n'y a aucun effet sur l'état des flux de trésorerie.

◆

---

* $\dfrac{17\ 482}{2\ 425} = 7,21$

Bombardier applique une stratégie de financement beaucoup plus risquée que Van Houtte ou Starbucks. Toutefois, il faut tenir compte du fait que Bombardier évolue dans un secteur industriel très capitalisé, qui nécessite beaucoup d'actifs pour produire des revenus.

Effet sur l'état des flux de trésorerie
EN GÉNÉRAL

	Effet sur les flux de trésorerie
Flux de trésorerie liés aux activités d'exploitation	
(Aucune opération dans ce chapitre n'était une activité d'exploitation.)	
Flux de trésorerie liés aux activités d'investissement	
Achat d'actifs à long terme	–
Vente d'actifs à long terme	+
Acquisition de placements	–
Prêt à des tiers	–
Vente de placements	+
Flux de trésorerie liés aux activités de financement	
Augmentation de la dette à long terme	+
Diminution de la dette à long terme	–
Émission d'actions	+
Rachat d'actions	–
Versement de dividendes	–

VAN HOUTTE ◊ Le tableau 2.9 présente un état des flux de trésorerie pour le mois d'avril 2006 basé sur les opérations décrites dans ce chapitre. Il montre les rentrées et les sorties de fonds qui ont amené une augmentation de la trésorerie de 2 000 000 $ (le compte Caisse est passé de 5 796 000 $ à 7 796 000 $). N'oubliez pas que seules les opérations touchant le compte Caisse sont présentées dans l'état.

TABLEAU 2.9 État des flux de trésorerie

Van Houtte inc.
État des flux de trésorerie
pour le mois terminé le 30 avril 2006
(en milliers de dollars)

Activités d'exploitation	
(Aucune dans ce chapitre.)	
Activités d'investissement	
Achat d'immobilisations c)	(2 000) $
Achat de placements e)	(1 000)
Prêt aux franchisés d)	(3 000)
Flux de trésorerie liés aux activités d'investissement	(6 000) $
Activités de financement	
Émission d'actions a)	2 000
Emprunt b)	6 000
Flux de trésorerie liés aux activités de financement	8 000 $
Augmentation nette de la trésorerie	2 000 $
Caisse au début du mois	5 796
Caisse à la fin du mois	7 796 $

Chacun des postes concerne une opération illustrée dans le chapitre.

Concorde avec le montant qui figure au bilan (*voir le tableau 2.7 à la page 77*).

La société Balance fabrique et vend des friandises. Voici quelques éléments de l'état des flux de trésorerie de cette société. Pour chacun, indiquez si l'opération a eu un effet sur les flux de trésorerie liés aux activités d'investissement (I) ou aux activités de financement (F) et précisez l'effet sur la caisse (+ signifie que l'opération fait augmenter la caisse; − signifie que l'opération fait diminuer la caisse).

Opérations	Type d'activité (I ou F)	Effet sur les flux de trésorerie (+ ou −)
1. Versement de dividendes		
2. Vente d'une propriété		
3. Vente de titres négociables (placements)		
4. Achat de machines distributrices		
5. Rachat de ses propres actions		

Vérifiez vos réponses à l'aide des solutions présentées en bas de page*.

ANALYSONS UN CAS

Le 1ᵉʳ juin 2008, trois étudiants universitaires dynamiques ont créé la société Efficacité, spécialisée dans l'entretien des pelouses. Voici un résumé des opérations conclues au cours du mois de juin 2008.

a) Émission au comptant de 9 000 $ d'actions ordinaires aux trois fondateurs de l'entreprise. Chaque fondateur reçoit 500 actions (totalisant 1 500 actions émises).

b) Acquisition de râteaux et d'autres outils manuels (du matériel) ayant un prix de détail de 690 $ pour un montant de 600 $; paiement de 200 $ en espèces et signature d'un effet à payer pour le solde.

c) Commande de trois tondeuses et de deux coupe-bordures à l'entreprise Fournitures de pelouse XYZ au prix de 4 000 $.

d) Achat de 4 acres de terrain comme futur emplacement de construction d'un entrepôt; paiement de 5 000 $ en espèces.

e) Réception des tondeuses et des coupe-bordures qui avaient été commandés et signature d'un effet à payer à Fournitures de pelouse XYZ payable en totalité dans 30 jours.

f) Vente de 1 acre de terrain à la Ville au même prix qu'il avait été payé. La Ville a signé un effet à la société Efficacité de 1 250 $ payable à la fin du mois de juin.

g) Un des propriétaires a emprunté 3 000 $ à la banque pour un usage personnel.

Travail à faire

1. Analysez chacune des opérations selon le processus expliqué dans le chapitre. Montrez l'effet de chaque opération sur l'équation comptable.

2. Passez les écritures de journal par ordre chronologique. Reportez les écritures de journal dans les comptes en T appropriés. Établissez les comptes en T pour les comptes Caisse, Effets à recevoir (de la Ville), Matériel (pour les outils manuels et le matériel de tonte), Terrain, Effets à payer (pour le matériel) et Actions ordinaires. Les soldes d'ouverture sont de 0 $; indiquez ces soldes d'ouverture dans les comptes en T.

3. Dressez un bilan en bonne et due forme de la société Efficacité au 30 juin 2008. Utilisez:

a) les changements survenus à l'équation comptable pendant le mois de juin 2008; ou

b) les comptes en T.

---

* 1. F −; 2. I +; 3. I +; 4. I −; 5. F −.

À cette date, le bilan requiert le recours aux soldes des comptes pour tous les actifs, les passifs et les capitaux propres. Le modèle d'analyse des opérations est présenté ci-dessous:

Actif	=	Passif	+	Capitaux propres			
+ | −		− | +			Capital social		Bénéfices non répartis
dt | ct		dt | ct		− | +		− | +	
				dt | ct		dt | ct	
						Dividendes	Bénéfice net

4. Préparez les sections liées aux activités d'investissement et de financement de l'état des flux de trésorerie.

Solution suggérée

1. Équatio es de journal:

ÉQUATION COMPTABLE

a)	Actif	=	Passif	+	Capitaux propres
	Caisse +9 000				Actions ordinaires +9 000

ÉCRITURE DE JOURNAL

Caisse (+A)...	9 000	
Actions ordinaires (+CP)..		9 000

Vérifications: 1) l'équation comptable est en équilibre; 2) débits 9 000 $ = crédits 9 000 $.

ÉQUATION COMPTABLE

b)	Actif	=	Passif	+	Capitaux propres
	Matériel +600		Effets à payer +400		
	Caisse −200				

ÉCRITURE DE JOURNAL

Matériel (+A)	600	
Caisse (−A)...		200
Effets à payer (+Pa)...		400

Vérifications: 1) l'équation comptable est en équilibre; 2) débits 600 $ = crédits 600 $.

Le principe de la valeur d'acquisition établit que les actifs doivent être comptabilisés au montant payé à la date de l'opération. Il s'agit du prix payé de 600 $ et non du prix de détail de 690 $.

c)	Il ne s'agit pas d'une opération comptable; aucun échange n'a eu lieu. Aucun compte n'est modifié.

ÉQUATION COMPTABLE

d)	Actif	=	Passif	+	Capitaux propres
	Terrain +5 000				
	Caisse −5 000				

ÉCRITURE DE JOURNAL

Terrain (+A)...	5 000	
Caisse (−A)...		5 000

Vérifications: 1) l'équation comptable est en équilibre; 2) débits 5 000 $ = crédits 5 000 $.

e)	Actif		=	Passif		+	Capitaux propres
	Matériel	+4 000		Effets à payer	+4 000		

Matériel (+A) 4 000
    Effets à payer (+Pa)... 4 000

Vérifications : 1) l'équation comptable est en équilibre ; 2) débits 4 000 $ = crédits 4 000 $.

f)	Actif		=	Passif	+	Capitaux propres
	Effets à recevoir	+1 250				
	Terrain	−1 250				

Effets à recevoir (+A) 1 250
    Terrain (−A) 1 250

Vérifications : 1) l'équation comptable est en équilibre ; 2) débits 1 250 $ = crédits 1 250 $.

g)   Il n'y a aucune opération pour l'entreprise. Le postulat de la personnalité de l'entité stipule que les activités des propriétaires sont distinctes de celles de l'entreprise.

2.   **Comptes en T**

+	Caisse (A)		−
	+dt	**−ct**	
Solde d'ouverture	0		
a)	9 000	200	b)
		5 000	d)
Solde de clôture	3 800		

+	Effets à recevoir (A)		−
	+dt	**−ct**	
Solde d'ouverture	0		
f)	1 250		
Solde de clôture	1 250		

+	Matériel (A)		−
	+dt	**−ct**	
Solde d'ouverture	0		
b)	600		
e)	4 000		
Solde de clôture	4 600		

+	Terrain (A)		−
	+dt	**−ct**	
Solde d'ouverture	0		
d)	5 000		
		1 250	f)
Solde de clôture	3 750		

−	Effets à payer (Pa)		+
	−dt	**+ct**	
		0	Solde d'ouverture
		400	b)
		4 000	e)
		4 400	Solde de clôture

−	Actions ordinaires (CP)		+
	−dt	**+ct**	
		0	Solde d'ouverture
		9 000	a)
		9 000	Solde de clôture

3. a) Bilan :

Voici le résumé des opérations qui touchent l'équation comptable :

	ACTIF				=	PASSIF	+	CAPITAUX PROPRES
	Caisse	Effets à recevoir	Matériel	Terrain		Effets à payer		Actions ordinaires
a)	+9 000							+9 000
b)	−200		+600			+400		
c)								
d)	−5 000			+5 000				
e)			+4 000			+4 000		
f)		+1 250		−1 250				
	+3 800	+1 250	+4 600	+3 750		+4 400		+9 000

Société Efficacité
Bilan
au 30 juin 2008

ACTIF			PASSIF		
Actif à court terme :			**Passif à court terme :**		
Caisse		3 800 $	Effets à payer		4 400 $
Effets à recevoir		1 250			
Total de l'actif à court terme		5 050 $			
Matériel		4 600			
Terrain		3 750	**CAPITAUX PROPRES**		
			Capital social		9 000 $
			Total du passif et des capitaux propres		**13 400 $**
Total de l'actif		**13 400 $**			

Il faut noter que les bilans présentés plus tôt dans le chapitre énuméraient dans l'ordre les actifs, les passifs et les capitaux propres. Il s'agit de la présentation en liste ou verticale. L'établissement d'un bilan avec les actifs du côté gauche, puis les passifs et les capitaux propres du côté droit, comme celui-ci, est une présentation en compte ou en tableau, ou horizontale. En pratique, on utilise les deux formes de présentation.

3. b) Le même bilan est obtenu en utilisant les soldes des comptes en T.

4. Activités d'investissement et de financement à l'état des flux de trésorerie

Société Efficacité
État des flux de trésorerie
pour le mois terminé le 30 juin 2008

Activités d'exploitation	
(Aucune activité dans ce cas.)	
Activités d'investissement	
Achat d'un terrain d)	(5 000) $
Achat de matériel b)	(200)
Flux de trésorerie liés aux activités d'investissement	(5 200) $
Activités de financement	
Émission d'actions a)	9 000
Flux de trésorerie liés aux activités de financement	9 000 $
Variation de la trésorerie	**3 800 $**
Caisse au début du mois	**0**
Caisse à la fin du mois	**3 800 $**

1. **Comprendre l'objectif premier des états financiers, les composantes du bilan et quelques postulats et principes comptables (*voir la page 58*).**

   - Les états financiers ont pour principal objectif de fournir aux utilisateurs externes des informations économiques utiles sur l'entreprise pour les aider à prendre des décisions financières éclairées.

   - Les composantes du bilan :

     a) l'actif – les ressources économiques susceptibles de produire des avantages économiques futurs.

     b) le passif – les obligations qui découlent d'opérations passées et dont le règlement pourra nécessiter l'utilisation de ressources économiques.

     c) les capitaux propres – le financement fourni par les propriétaires et les activités de l'entreprise.

   - Les postulats et les principes comptables :

     a) Le postulat de la personnalité de l'entité – on comptabilise les activités de l'entreprise d'une manière séparée et distincte des activités de ses propriétaires.

     b) Le postulat de l'unité monétaire – on comptabilise les informations financières dans une seule unité monétaire.

     c) Le postulat de la continuité de l'exploitation – l'entité poursuivra ses activités dans un avenir prévisible.

     d) Le principe de la valeur d'acquisition – il faut comptabiliser les éléments des états financiers au coût historique déterminé à la date d'acquisition.

2. **Reconnaître une opération commerciale et définir les principaux comptes qui apparaissent dans un bilan (*voir la page 65*).**

   Une opération inclut :

   - Un échange entre une entreprise et une ou plusieurs tierces parties.

     ou

   - Un événement interne mesurable comme l'utilisation des actifs au cours des activités d'exploitation.

   Le compte est un tableau normalisé que les entreprises utilisent pour accumuler les effets monétaires des opérations sur chacun des éléments des états financiers. Les dénominations de comptes du bilan typiques englobent :

   - L'actif : Caisse, Clients, Stocks, Charges payées d'avance, Placements et Immobilisations.

   - Le passif : Fournisseurs, Effets à payer, Charges à payer et Impôts à payer.

   - Les capitaux propres : Capital social et Bénéfices non répartis.

3. **Analyser de simples opérations commerciales en fonction de l'équation comptable : Actif = Passif + Capitaux propres (*voir la page 68*).**

   Pour déterminer l'effet économique d'une opération sur l'entité, il faut déterminer quels comptes (au moins deux) sont touchés. Dans un échange, l'entreprise reçoit quelque chose et renonce à quelque chose. Si l'analyse des transactions est faite correctement, l'équation comptable demeurera en équilibre. Le modèle d'analyse des opérations est le suivant :

Actif		=	Passif		+	Capitaux propres			
+	−		−	+		Capital social		Bénéfices non répartis	
dt	ct		dt	ct		−	+	+	−
						dt	ct	dt	ct
								Dividendes	Bénéfice net

4. **Apprécier l'incidence des opérations commerciales sur le bilan en utilisant deux outils de base : les écritures de journal et les comptes en T** (*voir la page 73*).

- Les écritures de journal permettent d'enregistrer une opération dans les comptes de l'entreprise dans un format « débit égale crédit ». Les comptes et les montants à débiter sont énumérés en premier. Ensuite, les comptes et les montants à créditer sont énumérés au-dessous des débits et mis en retrait, ce qui fait en sorte que les débits se trouvent à gauche et les crédits à droite.

> (la date ou référence)   Compte   xxx
> Compte   xxx

- Le compte en T est un outil simplifié de présentation d'un compte prenant la forme de la lettre T. On peut utiliser cet outil pour déterminer le solde des comptes.

+	Actif	−
Solde d'ouverture		
Augmentations	Diminutions	
Solde de clôture		

−	Passif et Capitaux propres	+
		Solde d'ouverture
	Diminutions	Augmentations
		Solde de clôture

5. **Dresser un bilan simple** (*voir la page 81*).

Un bilan est structuré de la façon suivante :

- L'actif à court terme (comprenant les actifs qui seront utilisés ou convertis en espèces à l'intérieur d'un exercice financier et les stocks) et l'actif à long terme comme les placements, les immobilisations corporelles et les actifs incorporels.

- Le passif à court terme (comprenant les passifs qui seront payés au moyen de l'actif à court terme), le passif à long terme et les capitaux propres.

6. **Calculer et interpréter le taux d'adéquation du capital** (*voir la page 82*).

Le taux d'adéquation du capital (Actif total ÷ Capitaux propres) mesure la relation qui existe entre le total de l'actif et les capitaux propres qui financent les actifs. Plus le ratio est élevé, plus l'entreprise contracte des dettes pour financer ses actifs. À mesure que le ratio augmente (et donc les dettes), les risques augmentent également.

7. **Reconnaître les opérations relatives aux activités d'investissement et aux activités de financement de même que la manière dont elles sont présentées à l'état des flux de trésorerie** (*voir la page 84*).

L'état des flux de trésorerie présente les rentrées et les sorties de fonds pour l'exercice selon trois catégories d'activités : l'exploitation, l'investissement et le financement. Les activités d'investissement englobent l'achat et la vente d'actifs à long terme, l'octroi de prêts et la réception des paiements liés aux prêts consentis à des tiers. Les activités de financement incluent l'emprunt et le remboursement de la dette à long terme, ainsi que l'émission et le rachat des actions de même que le versement de dividendes.

Dans ce chapitre, nous avons étudié l'équation fondamentale en comptabilité et l'analyse des opérations. Nous avons utilisé les écritures de journal et les comptes en T pour enregistrer des opérations d'investissement et de financement qui influent sur les comptes du bilan. Dans le chapitre 3, nous continuerons à examiner en détail les états financiers et plus particulièrement l'état des résultats. De plus, nous chercherons à élargir vos connaissances en discutant des concepts relatifs à la mesure des produits et des charges et en illustrant l'analyse des opérations relatives à l'exploitation.

Le taux d'adéquation du capital mesure la relation existant entre le total de l'actif et le total des capitaux propres qui financent les actifs. Plus le ratio est élevé, plus la société contracte des emprunts pour financer ses actifs. On le calcule comme suit (*voir la page 82*):

$$\text{Taux d'adéquation du capital} = \frac{\text{Actif total}}{\text{Capitaux propres}}$$

Pour trouver
L'INFORMATION FINANCIÈRE

BILAN

Actif à court terme
Caisse
Clients et effets à recevoir
Placements à court terme
Stocks
Charges payées d'avance

Actif à long terme
Placements
Immobilisations corporelles

Passif à court terme
Fournisseurs
Effets à payer
Charges à payer

Passif à long terme
Dette à long terme

Capitaux propres
Capital social
Bénéfices non répartis

ÉTAT DES RÉSULTATS

Nous en énumérerons les composantes dans le chapitre 3.

ÉTAT DES FLUX DE TRÉSORERIE

Sous la catégorie des activités d'investissement
− Achat au comptant d'actifs à long terme
+ Vente au comptant d'actifs à long terme

Sous la catégorie des activités de financement
+ Emprunts
− Remboursement des emprunts
+ Émission d'actions
− Versement de dividendes

NOTES COMPLÉMENTAIRES

Nous en discuterons au chapitre 5.

Mots clés

Questions

1. Quel est le principal objectif des états financiers ?

2. Définissez les expressions qui suivent.
   a) L'actif.
   b) L'actif à court terme.
   c) Le passif.
   d) Le passif à court terme.
   e) Le capital social.
   f) Les bénéfices non répartis.

3. Expliquez ce que signifient les principes ou postulats suivants.
   a) Le postulat de la personnalité de l'entité.
   b) Le postulat de l'unité monétaire.
   c) Le postulat de la continuité de l'exploitation.
   d) Le principe de la valeur d'acquisition.

4. Pourquoi les postulats comptables sont-ils nécessaires ?

5. Comment calcule-t-on le taux d'adéquation du capital et comment l'interprète-t-on ?

6. À des fins comptables, qu'est-ce qu'un compte ? Expliquez la raison pour laquelle on utilise des comptes dans le système comptable.

7. Définissez l'équation fondamentale en comptabilité.

8. Définissez une opération commerciale au sens large et donnez un exemple des deux différents types d'opérations.

9. Expliquez ce que signifient le débit et le crédit.

10. Expliquez brièvement ce que signifie l'analyse des opérations. Quelles sont les deux étapes de l'analyse des opérations ?

Questions à choix multiples

1. Parmi les éléments suivants, lequel n'est pas un actif ?
   a) Les placements.
   b) Le terrain.
   c) Les frais payés d'avance.
   d) Le capital social.

2. Quel énoncé est faux lorsque le taux d'adéquation du capital augmente au cours des années ?
   a) Le montant des capitaux propres moyens diminue par rapport à l'actif total moyen.
   b) Le montant du passif total moyen augmente par rapport à l'actif total moyen.
   c) L'entreprise diminue le risque lié à sa dette.
   d) L'entreprise augmente le risque lié à sa dette.

3. Au bilan, le total de l'actif correspond :
   a) à la somme du passif et du bénéfice net ;
   b) à la somme du passif et du capital social ;
   c) à la somme du passif et des bénéfices non répartis ;
   d) à la somme du passif et des capitaux propres.

4. La « dualité des effets » signifie que :
   a) chaque opération a un double effet sur l'équation comptable ;
   b) chaque opération doit être enregistrée par les deux parties concernées dans l'échange ;
   c) chaque opération influe sur le bilan et l'état des résultats ;
   d) chaque opération implique qu'un compte augmente et qu'un autre diminue.

5. Le compte en T est un outil utilisé pour analyser :
   a) les augmentations et les diminutions de chaque compte du système comptable ;
   b) les débits et les crédits enregistrés dans chaque compte du système comptable ;
   c) les changements dans le solde des comptes ;
   d) Toutes ces réponses correspondent à l'utilisation des comptes en T.

6. Comment sont énumérés les actifs au bilan ?
    a) Par ordre alphabétique.
    b) Par ordre numérique, du plus petit montant au plus élevé.
    c) Par ordre de liquidité décroissante (du plus liquide au moins liquide).
    d) Par ordre de liquidité croissante (du moins liquide au plus liquide).

7. Quelle opération n'est pas une activité de financement à l'état des flux de trésorerie ?
    a) Quand l'entreprise achète au comptant un actif à long terme.
    b) Quand l'entreprise emprunte de l'argent.
    c) Quand l'entreprise verse un dividende.
    d) Quand l'entreprise émet de nouvelles actions.

8. Combien d'énoncés ci-dessous sont vrais ?
    – Dans toute opération, le total des débits est égal au total des crédits.
    – Les débits augmentent certains comptes, et les crédits diminuent certains comptes.
    – Le passif et les capitaux propres ont normalement des soldes créditeurs, alors que les actifs ont normalement des soldes débiteurs.
    a) Un.
    b) Deux.
    c) Trois.
    d) Aucun.

9. Combien d'énoncés ci-dessous sont vrais ?
    – On ne peut déterminer la juste valeur d'une entreprise en regardant son bilan.
    – Le bilan montre le solde d'un certain nombre de comptes à une date donnée.
    – Le bilan sert à déterminer le bénéfice net de l'exercice.
    a) Un.
    b) Deux.
    c) Trois.
    d) Aucun.

10. Lorsqu'une entreprise achète un terrain au comptant, l'équation comptable est modifiée comme suit :
    a) Il n'y a aucun changement au total de l'actif.
    b) L'actif augmente, et le passif diminue.
    c) L'actif augmente, et le passif augmente.
    d) L'actif ne change pas, et le passif diminue.

Mini-exercices

■ OA1

M2-1   L'association de définitions et de termes

Faites correspondre chacune des définitions avec le terme approprié en inscrivant la lettre correspondante dans l'espace prévu à cet effet. Il ne doit y avoir qu'une définition par terme (autrement dit, il y a davantage de définitions que de termes).

Terme	Définition
_____ 1. Postulat de la personnalité de l'entité	a) = Passif + Capitaux propres.
	b) Présente l'actif, le passif et les capitaux propres.
_____ 2. Principe de la valeur d'acquisition	c) Les activités d'une entreprise sont distinctes de celles de ses propriétaires.
	d) Augmentation des actifs et diminution des passifs et des capitaux propres.
_____ 3. Crédit	e) Un échange entre une entité et d'autres parties.
_____ 4. Actif	f) La notion selon laquelle les entreprises seront toujours exploitées dans un avenir prévisible.
_____ 5. Compte en T	g) Diminution des actifs et une augmentation des passifs et des capitaux propres.
	h) La notion selon laquelle un actif doit être comptabilisé au coût d'acquisition.
	i) Mode simplifié de présentation d'un compte.

M2-2 L'association de définitions et de termes

Faites correspondre chacune des définitions avec le terme approprié en inscrivant la lettre correspondante dans l'espace prévu à cet effet. Il ne doit y avoir qu'une définition par terme (autrement dit, il y a davantage de définitions que de termes).

Terme	Définition
_____ 1. Écriture de journal	a) Équation comptable.
_____ 2. A = Pa + CP et Débits = Crédits	b) Quatre états financiers.
_____ 3. Actif = Passif + Capitaux propres	c) Les deux égalités de la comptabilité qui aident à vérifier l'enregistrement des opérations.
_____ 4. Passif	d) Les résultats de l'analyse des opérations dans un format comptable.
_____ 5. État des résultats, bilan, état des capitaux propres et état des flux de trésorerie	e) Le compte qui est crédité lorsqu'on emprunte de l'argent à la banque.
	f) Les ressources économiques sur lesquelles l'entreprise exerce un contrôle.
	g) Total des bénéfices d'une entreprise non distribués aux actionnaires.
	h) Toutes les opérations ont un double effet.
	i) Les dettes ou les obligations de l'entité dont le règlement nécessitera l'utilisation d'actifs ou la prestation des services.

M2-3 L'analyse des opérations

Pour chacun des événements suivants, précisez s'il s'agit d'une opération d'échange pour la société Tremblay (O pour oui et N pour non).

_____ 1. La société Tremblay a acheté une machine qu'elle a payée en signant un effet à payer.

_____ 2. Six investisseurs de la société Tremblay ont vendu leurs actions à un autre investisseur.

_____ 3. La société a prêté 150 000 $ à un membre du conseil d'administration.

_____ 4. La société a commandé des fournitures de bureau qui seront livrées la semaine prochaine.

_____ 5. Le propriétaire fondateur, Georges Tremblay, a acquis des actions supplémentaires dans une autre entreprise.

_____ 6. La société a emprunté 1 000 000 $ à la banque.

M2-4 Le classement des comptes au bilan

Voici quelques-uns des comptes de la société Gomez-Sanchez.

_____ 1. Fournisseurs

_____ 2. Clients

_____ 3. Bâtiments

_____ 4. Caisse

_____ 5. Capital social

_____ 6. Terrain

_____ 7. Stocks

_____ 8. Impôts à payer

_____ 9. Placements à long terme

_____ 10. Effets à payer (dans trois ans)

_____ 11. Effets à recevoir (dans six mois)

_____ 12. Loyer payé d'avance

_____ 13. Bénéfices non répartis

_____ 14. Fournitures non utilisées

_____ 15. Services publics à payer

_____ 16. Salaires à payer

Dans l'espace prévu à cet effet, classez chacun des comptes au bilan. Utilisez les codes suivants.

ACT = actif à court terme   PCT = passif à court terme   CP = capitaux propres
ALT = actif à long terme   PLT = passif à long terme

M2-5 **L'effet de plusieurs opérations sur les états financiers**

Pour chacune des opérations suivantes conclues par Nardozzi inc. pour le mois de janvier 2008, indiquez les comptes touchés, les montants et l'effet sur l'équation comptable. Un exemple est présenté.

a) (Exemple) Emprunt de 1 000 $ à une banque de la région.

b) Vente au comptant pour 3 000 $ d'actions ordinaires à des investisseurs.

c) Achat de 500 $ de matériel, paiement de 100 $ au comptant et signature d'un effet à payer venant à échéance dans un an.

d) Déclaration et versement d'un dividende de 100 $ aux actionnaires.

e) Paiement de 200 $ sur un effet à payer.

	Actif	=	Passif	+ Capitaux propres
a) (Exemple)	Caisse +1 000		Emprunt bancaire +1 000	

M2-6 **Les notions de débit et de crédit**

Remplissez le tableau suivant en inscrivant «augmentation» ou «diminution» dans chacune des colonnes.

	Débit	Crédit
Actif		
Passif		
Capitaux propres		

M2-7 **Les notions de débit et de crédit**

Remplissez le tableau suivant en indiquant «débit» ou «crédit» dans chaque colonne.

	Augmentation	Diminution
Actif		
Passif		
Capitaux propres		

M2-8 **L'inscription d'opérations simples**

Pour chacune des opérations effectuées à l'exercice M2-5 (y compris l'exemple), passez l'écriture de journal nécessaire.

M2-9 **Les comptes en T**

Pour chacune des opérations enregistrées à l'exercice M2-8, reportez les écritures dans les comptes en T appropriés et déterminez le solde de clôture des comptes. Les soldes d'ouverture sont indiqués.

+ Caisse −		+ Matériel −
Solde d'ouverture 2 000		Solde d'ouverture 16 300

− Effets à payer +		− Emprunt bancaire +
Solde 3 000 d'ouverture		Solde d'ouverture 0

− Actions ordinaires +		− Bénéfices non répartis +
Solde 5 500 d'ouverture		Solde 9 800 d'ouverture

M2-10 L'établissement d'un bilan

En vous basant sur les comptes en T de l'exercice M2-9, dressez un bilan pour la société Nardozzi inc. au 31 janvier 2008.

OA5
OA6

M2-11 Le calcul et l'interprétation du taux d'adéquation du capital

1. Calculez le taux d'adéquation du capital de la société Tanguay à partir des données suivantes.

	Actif	Passif	Capitaux propres
Fin de 2007	245 600 $	90 300 $	155 300 $

2. Quels renseignements les résultats vous fournissent-ils au sujet de cette entreprise ? Comment pouvez-vous qualifier le ratio de la société Tanguay si vous le comparez à celui de la société Van Houtte en 2006 ?

M2-12 L'état des flux de trésorerie

Pour chacune des opérations de l'exercice M2-5, indiquez s'il s'agit d'une activité d'investissement (I) ou de financement (F) à l'état des flux de trésorerie.

OA7

Exercices

E2-1 L'association de définitions et de termes

Trouvez la définition qui correspond à chaque terme. Une seule définition correspond à chaque terme (il y a donc plus de définitions que de termes).

OA1
OA2
OA3
OA4

Terme

_____ 1. Opération

_____ 2. Postulat de la continuité de l'exploitation

_____ 3. Bilan

_____ 4. Passif

_____ 5. Actif = Passif + Capitaux propres

_____ 6. Actif à court terme

_____ 7. Effets à payer

_____ 8. Dualité

_____ 9. Bénéfices non répartis

_____ 10. Débit

Définition

a) Ressources économiques devant être utilisées ou converties en espèces à l'intérieur d'un exercice financier.

b) Présente l'actif, le passif et les capitaux propres.

c) Comptabilise les opérations de l'entreprise distinctement de celles de ses propriétaires.

d) Augmentation de l'actif et diminution du passif et des capitaux propres.

e) Échange entre une entité et d'autres parties.

f) Concept selon lequel une entreprise poursuivra ses activités dans un avenir prévisible.

g) Diminution de l'actif et augmentation du passif et des capitaux propres.

h) Concept selon lequel l'actif doit être comptabilité au coût d'acquisition.

i) Mode simplifié de présentation d'un compte.

j) Équation comptable.

k) Deux égalités en comptabilité qui permettent de vérifier l'enregistrement des opérations.

l) Compte crédité lorsqu'une entité s'engage par écrit à payer une certaine somme d'argent.

m) Total des bénéfices d'une entreprise non distribués aux actionnaires.

n) Toute opération a au moins deux effets.

o) Dettes ou obligations devant être payées au moyen d'actifs ou de services.

E2-2   La détermination des comptes

Les situations suivantes sont indépendantes les unes des autres.

a) Une société commande et reçoit 10 ordinateurs personnels destinés à ses bureaux pour lesquels elle signe une promesse de paiement de 25 000 $ échéant dans trois mois.

b) Une société achète au comptant un nouveau camion de livraison au prix de 51 000 $ au lieu des 54 000 $ indiqués sur l'étiquette.

c) Un détaillant de vêtements pour dames commande 30 nouveaux présentoirs au prix de 3 000 $ chacun, pour livraison future.

d) Une nouvelle société est constituée et vend à des investisseurs 100 actions ordinaires au prix de 12 $ l'action.

e) Une société signe un contrat de 500 000 $ pour la construction d'un nouvel entrepôt. Lors de la signature, la société émet un chèque de 50 000 $ comme dépôt de construction.

f) Une maison d'édition achète pour 40 000 $ comptant les droits d'auteur (des actifs incorporels) du manuscrit d'un manuel d'introduction à la comptabilité.

g) Une société achète au comptant 500 actions de la société Bombardier pour 2 000 $.

h) Une société paie un terrain 150 000 $ comptant. Un expert avait évalué le terrain à 152 500 $.

i) Un fabricant achète un nouveau système satellite numérique de réception télévisée. Il paie 100 000 $ au comptant et porte le solde de 400 000 $ sur un effet à payer échéant dans un an avec un taux d'intérêt de 6 %.

j) Le propriétaire d'une entreprise individuelle de la région (un propriétaire unique) achète pour son usage personnel une voiture qu'il paie 30 000 $. Répondez selon le point de vue de l'entreprise.

k) Le 30 juin 2008, une entreprise emprunte à la banque 100 000 $ qu'elle s'engage à rembourser dans six mois.

l) Une entreprise verse 1 500 $ en remboursement d'un emprunt bancaire.

Travail à faire

1. Indiquez, le cas échéant, le ou les comptes touchés par chacun des événements précédents. Considérez ce qu'on donne et ce qu'on reçoit.

2. À quel montant comptabiliseriez-vous le camion de l'événement b) et le terrain de l'événement h) ? Quels sont les principes que vous appliqueriez ?

3. Quels principes ou postulats comptables avez-vous appliqués pour les événements c) et j) ?

E2-3   Le classement des comptes

Comme elle l'explique dans son rapport annuel, la société Polaroid dessine, produit et distribue dans le monde entier une large gamme de produits, essentiellement dans le domaine de l'image. Elle produit notamment des appareils photo et des films à développement instantané, des appareils d'enregistrement d'images électroniques, des films conventionnels et des filtres et objectifs polarisants.

Travail à faire

Pour chacun des comptes suivants du bilan de Polaroid, remplissez le tableau en indiquant s'il s'agit d'un actif à court terme (ACT), d'un actif à long terme (ALT), d'un passif à court terme (PCT), d'un passif à long terme (PLT) ou de capitaux propres (CP) et si le compte a un solde débiteur ou créditeur.

Compte	Catégorie au bilan	Solde débiteur ou créditeur
1. Terrain	_____	_____
2. Bénéfices non répartis	_____	_____
3. Effets à payer (dans trois ans)	_____	_____
4. Charges payées d'avance	_____	_____
5. Placements à long terme	_____	_____
6. Capital social	_____	_____
7. Matériel et outillage	_____	_____
8. Fournisseurs	_____	_____
9. Clients	_____	_____
10. Impôts à payer	_____	_____

E2-4 **L'analyse des opérations**

OA3

Les événements suivants concernent la société Fatava.

a) Vente d'actions ordinaires pour 200 000 $ comptant à de nouveaux actionnaires.

b) Emprunt bancaire de 60 000 $.

c) Achat d'un terrain de 120 000 $, versement de 10 000 $ comptant ; le solde est porté sur un prêt hypothécaire de 15 ans avec une banque de la région.

d) Prêt de 3 000 $ à un employé, payable dans trois mois.

e) Remboursement de 60 000 $ à la banque pour le montant emprunté en b).

f) Achat de 80 000 $ de matériel, paiement de 10 000 $ comptant au fabricant ; le solde est porté sur un effet à payer.

Travail à faire

Pour chacun des événements a) à f), effectuez une analyse des opérations et indiquez le compte, le montant et l'effet (+ signifie une augmentation et – une diminution) sur l'équation comptable. Assurez-vous que l'équation demeure en équilibre après chaque opération. Utilisez les dénominations suivantes.

Événement   **Actif**   =   **Passif**   + **Capitaux propres**

E2-5 **L'analyse des opérations**

◈ Nike, inc.   OA3

Nike, qui a son siège social en Oregon aux États-Unis, est un des principaux fabricants de chaussures et de vêtements de sport. Les opérations suivantes se sont produites dernièrement. Les montants sont arrondis en millions de dollars.

a) Achat pour 203,9 $ d'immobilisations corporelles dont 182,0 $ en bâtiment et 21,9 $ en équipement ; 48,1 $ ont été payés en espèces, et le reste a été emprunté à long terme.

b) Émission de 253,6 $ d'actions ordinaires au comptant.

c) Déclaration de 179,2 $ de dividendes devant être payés dans un mois.

d) Achat au comptant de 400,8 $ de placements à long terme.

e) Plusieurs investisseurs de Nike ont vendu leurs propres actions à d'autres investisseurs à la Bourse pour 36 $.

f) Encaissement d'un effet à recevoir au montant de 1,4 $.

Travail à faire

1. Pour chaque événement, effectuez une analyse des opérations et indiquez le compte, le montant et l'effet sur l'équation comptable. Assurez-vous que l'équation demeure en équilibre après chaque opération. Utilisez les dénominations suivantes.

Événement   **Actif**   =   **Passif**   + **Capitaux propres**

2. Expliquez votre réponse pour l'opération e).

E2-6 **La comptabilisation des opérations**

OA4

Reportez-vous à l'exercice E2-4.

Travail à faire

Passez les écritures de journal pour chacune des opérations de l'exercice E2-4 en vous assurant que les débits égalent les crédits.

E2-7 **La comptabilisation des opérations**

OA4

Reportez-vous à l'exercice E2-5.

Travail à faire

1. Passez les écritures de journal pour chacune des opérations de l'exercice E2-5 en vous assurant que les débits égalent les crédits.

2. Expliquez votre réponse pour l'opération e).

E2-8 **L'analyse des opérations et les comptes en T**

OA4

La société Leblanc et frères a été créée par Édouard Leblanc et cinq autres investisseurs. Cette année, les activités suivantes ont eu lieu.

a) Encaissement de 60 000 $ provenant des investisseurs – chacun a reçu 1 000 actions ordinaires.

b) Achat de matériel au prix de 12 000 $ – un quart a été payé au comptant, et le solde devra être remboursé dans six mois (la société a signé un effet à payer).

c) Signature d'un accord avec une société de nettoyage qui recevra 120 $ par semaine pour nettoyer les bureaux de la société.

d) Prêt de 2 000 $ à un investisseur qui a signé un effet venant à échéance dans six mois.

e) Émission d'actions à de nouveaux investisseurs qui ont apporté 4 000 $ au comptant et un terrain évalué à 10 000 $ en échange d'actions de la société.

f) Édouard Leblanc a emprunté 10 000 $ à une banque de la région à des fins personnelles. Il a signé un effet payable dans un an.

Travail à faire

1. Établissez des comptes en T pour les comptes suivants : Caisse, Effets à recevoir, Matériel, Terrain, Effets à payer et Actions ordinaires. Les soldes d'ouverture sont à zéro. Enregistrez chaque opération dans le compte en T correspondant.

2. En utilisant les soldes des comptes en T, inscrivez les montants suivants pour l'équation comptable.

   Actif _____ $ = Passif _____ $ + Capitaux propres _____ $

3. Expliquez vos réponses pour les opérations c) et f).

E2-9 L'analyse des opérations et l'établissement d'un bilan

Pendant sa première semaine d'exploitation, du 1er au 7 janvier 2008, la société de fabrication de meubles Lito a effectué six opérations dont les effets monétaires sont présentés dans le tableau ci-dessous.

COMPTE	EFFET MONÉTAIRE DE CHACUNE DES OPÉRATIONS						SOLDE DE CLÔTURE
	1	2	3	4	5	6	
Caisse	12 000 $	(4 000 $)	50 000 $		(7 000 $)	(3 000 $)	
Effets à recevoir à court terme						3 000	
Agencement du magasin					7 000		
Terrain		12 000		3 000 $			
Effets à payer à court terme		8 000	50 000	3 000			
Actions ordinaires	12 000						

Travail à faire

1. Décrivez brièvement chacune des opérations présentées ci-dessus. Expliquez les hypothèses que vous avez formulées.

2. Pour chaque compte, calculez le solde de clôture et dressez un bilan en date du 7 janvier 2008 pour la société de fabrication de meubles Lito.

E2-10 L'analyse des opérations et l'établissement d'un bilan

Pendant son premier mois d'exploitation, en mars 2009, la société Bébé mode a effectué six opérations dont les effets monétaires sont présentés dans le tableau ci-dessous.

COMPTE	EFFET MONÉTAIRE DE CHACUNE DES OPÉRATIONS						SOLDE DE CLÔTURE
	1	2	3	4	5	6	
Caisse	50 000 $	(4 000 $)	(4 000 $)	(6 000 $)	2 000 $		
Placements à court terme				6 000	(2 000)		
Effets à recevoir à court terme			4 000				
Matériel informatique						4 000 $	
Camion de livraison		25 000					
Effets à payer à long terme		21 000					
Actions ordinaires	50 000					4 000	

Travail à faire

1. Décrivez brièvement chacune des opérations présentées ci-dessus. Expliquez les hypothèses que vous avez formulées.

2. Pour chaque compte, calculez le solde de clôture et dressez un bilan en date du 31 mars 2009 pour la société Bébé mode.

E2-11 **La passation d'écritures de journal**

La société Poulain a été créée le 1er mai 2008. Les opérations suivantes ont été effectuées au cours de son premier mois d'activité.

a) Encaissement de 160 000 $ à la suite de l'émission de nouvelles actions ordinaires aux fondateurs de la société Poulain.

b) Emprunt de 80 000 $ et signature d'un effet à payer de 5 % payable dans deux ans.

c) Achat de matériel au montant de 40 000 $, paiement de 10 000 $ au comptant et signature d'un effet à payer échéant dans 6 mois.

d) Commande d'outillage au montant de 26 000 $.

e) Prêt de 4 000 $ à un employé qui a signé un effet remboursable dans trois mois.

f) Réception et paiement d'outillage commandé en d).

Travail à faire

Passez les écritures de journal requises pour enregistrer chaque opération. (N'oubliez pas que les débits se trouvent en haut et les crédits en bas, en retrait.) Assurez-vous d'utiliser de bonnes références et classez chaque compte comme actif (A), passif (Pa) ou capitaux propres (CP). Si vous ne passez pas d'écriture de journal pour une opération, expliquez pourquoi.

E2-12 **L'analyse des opérations à l'aide de comptes en T et l'interprétation du taux d'adéquation du capital**

La société Drago existe depuis un an (1er janvier 2007). Vous êtes membre de la direction et avez étudié divers projets d'expansion exigeant tous des emprunts bancaires. Au début de l'exercice 2008, les soldes des comptes en T de la société Drago se présentent comme suit.

Actif

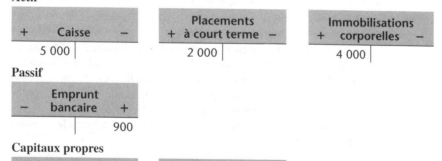

Passif

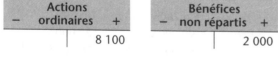

Capitaux propres

Actions ordinaires	Bénéfices non répartis
− +	− +
8 100	2 000

Travail à faire

1. À l'aide des données qui figurent dans les comptes en T, déterminez les montants suivants au 1er janvier 2008.

   Actif _____ $ = Passif _____ $ + Capitaux propres _____ $

2. Ajoutez les opérations suivantes pour l'exercice 2008 dans les comptes en T.

   a) Vente au comptant d'actions pour un montant de 1 500 $.

   b) Vente au comptant du quart des immobilisations corporelles pour un montant de 1 000 $.

   c) Emprunt bancaire de 2 600 $ à 5 %. Le capital et les intérêts devront être remboursés dans trois ans.

   d) Versement d'un dividende de 600 $ aux actionnaires.

3. Calculez les soldes de clôture des comptes en T pour déterminer les montants suivants au 31 décembre 2008.

   Actif _____ $ = Passif _____ $ + Capitaux propres _____ $

4. Calculez le taux d'adéquation du capital au 31 décembre 2008. En admettant que la moyenne industrielle de ce ratio est de 2,00, que pouvez-vous dire au sujet de la société Drago ? Est-ce que vous suggérez à Drago de se lancer dans des projets d'expansion en augmentant sa dette ? Expliquez votre réponse.

OA5

E2-13 **L'établissement d'un bilan**

Reportez-vous à l'exercice E2-12.

Travail à faire

En vous basant sur les soldes de clôture des comptes en T de l'exercice E2-12, dressez un bilan au 31 décembre 2008.

OA4
OA5
OA6

E2-14 **L'analyse des opérations à l'aide de comptes en T, l'établissement d'un bilan et l'évaluation du taux d'adéquation du capital**

En début d'année 2008, la société Legault, créée en 2005, a sollicité auprès de votre banque un prêt de 100 000 $ pour réaliser ses projets d'expansion. Le sous-directeur de la banque vous a demandé d'analyser la situation et de faire une recommandation quant au prêt demandé par la société Legault. Les opérations suivantes ont été effectuées en 2005 (première année d'exploitation) :

a) Investissement par les fondateurs de la société d'une somme de 40 000 $ en échange d'actions de la société.

b) Achat d'un terrain de 12 000 $ et signature d'un effet à payer de 6 % échéant dans un an.

c) Achat de deux camions de livraison usagés au prix de 10 000 $ chacun – 2 000 $ ont été payés au comptant, et un billet payable dans trois ans (à un taux d'intérêt annuel de 6 %) a été signé pour le solde.

d) Vente du quart du terrain pour 3 000 $ à Déménagements Légaré, qui a signé un effet remboursable dans six mois.

e) Versement au garagiste d'une somme de 2 000 $ pour l'achat d'un nouveau moteur de camion. (Indice : Augmentez le compte utilisé pour comptabiliser l'achat du camion, puisque celui-ci a été amélioré.)

f) L'actionnaire Raymond Legault a payé 22 000 $ pour l'achat personnel d'un terrain.

Travail à faire

1. Établissez des comptes en T avec des soldes d'ouverture de 0 $ pour les comptes suivants : Caisse, Effets à recevoir, Terrain, Matériel roulant, Effets à payer à court terme, Effets à payer à long terme et Actions ordinaires. Inscrivez dans les comptes en T les opérations effectuées par la société Legault.

2. Dressez le bilan de la société Legault au 31 décembre 2005.

3. À la fin des deux années suivantes, la société Legault a inscrit les montants suivants dans son bilan.

	Fin 2006	Fin 2007
Actif	90 000 $	120 000 $
Passif	40 000 $	70 000 $
Capitaux propres	50 000 $	50 000 $

Calculez le taux d'adéquation du capital de la société pour les exercices 2006 et 2007. Quelle tendance constatez-vous et quelles conclusions pouvez-vous tirer concernant la société ?

4. Quelles recommandations feriez-vous au sous-directeur de la banque relativement au prêt sollicité par la société Legault ?

E2-15 **L'analyse des opérations à partir des comptes en T**

La société Les Services de réparation de meubles Mondoux comprend deux action-naires. Elle a commencé ses activités le 1er juin 2008. Les comptes en T suivants indi-quent les activités du mois de juin.

+	Caisse (A)	–
a) 17 000	10 000	b)
d) 500	1 500	c)
f) 800	1 000	e)

+	Effets à recevoir (A)	–
c) 1 500	500	d)

+	Outillage et matériel (A)	–
a) 3 000	800	f)

+	Bâtiment (A)	–
b) 50 000		

–	Effets à payer (Pa)	+
e) 1 000	40 000	b)

–	Actions ordinaires (CP)	+
	20 000	a)

Travail à faire

Décrivez les opérations a) à f) qui ont entraîné l'enregistrement dans les comptes en T. Autrement dit, quelles activités ont fait augmenter et diminuer les comptes de bilan?

E2-16 **L'analyse des opérations à partir des comptes en T**

Les comptes en T suivants reflètent des opérations commerciales types.

+	Matériel	–
01-01 400		
250	____	
31-12 450		

+	Effets à recevoir	–
01-01 75		
____	190	
31-12 50		

–	Effets à payer	+
	130	01-01
____	270	
	180	31-12

Travail à faire

1. Décrivez quelles opérations portant sur les investissements et le financement ont été enregistrées dans chaque compte en T. Autrement dit, expliquez quels événe-ments économiques ont fait augmenter ou diminuer ces comptes.
2. Calculez les montants manquants pour chaque compte en T.

E2-17 **L'état des flux de trésorerie**

Dans son rapport annuel 2005, ACE Aviation décrit ses services de transport ainsi: « Air Canada est le plus important transporteur aérien du Canada à assurer des services intérieurs et internationaux complets et le plus grand fournisseur de services passagers réguliers sur le marché intérieur, sur le marché transfrontalier [...] En 2005, Air Ca-nada et JAZZ ont assuré, en moyenne, 1 200 vols réguliers par jour et transporté plus de 30 millions de passagers. »

Voici quelques-unes des activités d'investissement et de financement réalisées par ACE Aviation qui ont été inscrites dans son dernier état des flux de trésorerie.

a) Diminution de la dette à long terme.
b) Achat de placements à court terme.
c) Émission d'actions.
d) Nouvelles immobilisations corporelles.
e) Emprunts liés aux appareils.
f) Produit de la vente d'actifs.
g) Participation dans US Airways.

Travail à faire

Pour chaque opération, indiquez s'il s'agit d'une activité d'investissement (I) ou d'une activité de financement (F) et l'effet sur les flux de trésorerie (+ signifie une augmen-tation des liquidités et – une diminution des liquidités).

E2-18 L'établissement de l'état des flux de trésorerie

La société Hôtel Paris construit, exploite et franchise des hôtels et des casinos partout dans le monde. Des données tirées d'un récent état des flux de trésorerie indiquent que les activités d'investissement et de financement suivantes (simplifiées) ont été réalisées au cours de la dernière année.

Emprunts bancaires	992 $
Achat de placements	139
Produits de la vente d'immobilisations	230
Émission d'actions	6
Achat d'immobilisations corporelles	370
Remboursement de la dette à long terme	24
Encaissement d'une partie des effets à recevoir	125

Travail à faire

Préparez les sections «Activités d'investissement» et «Activités de financement» de l'état des flux de trésorerie de l'Hôtel Paris. Supposez que l'exercice se termine le 31 décembre 2008.

E2-19 La recherche d'informations financières

Vous envisagez d'investir l'argent dont vous venez d'hériter de votre grand-père dans différentes actions. Vous avez à votre disposition les rapports annuels de quelques sociétés importantes.

Travail à faire

Indiquez où se trouve chacun des éléments suivants dans le rapport annuel. (Indice : L'information se trouve parfois à différents endroits.)
1. Total de l'actif à court terme.
2. Montant de la dette à long terme remboursé au cours de l'exercice.
3. Résumé des principales conventions comptables.
4. Liquidités reçues pour la vente d'actifs à long terme.
5. Dividendes payés durant l'exercice.
6. Fournisseurs.
7. Date du bilan.

Problèmes

 Axcan Pharma inc. ◇

P2-1 La détermination des comptes de bilan (PS2-1)

La société Axcan Pharma produit et commercialise des produits pharmaceutiques, principalement dans le domaine de la gastro-entérologie où elle est devenue un chef de file mondial. Vous trouverez ci-dessous une liste de comptes apparaissant dans un récent bilan d'Axcan Pharma.

1. Bénéfices non répartis
2. Frais payés d'avance
3. Stocks
4. Immobilisations corporelles
5. Capital-actions
6. Comptes fournisseurs
7. Placements temporaires
8. Actifs incorporels
9. Espèces et quasi-espèces
10. Impôts sur les bénéfices à payer
11. Dette à long terme
12. Débiteurs

Travail à faire

Indiquez dans quelle section du bilan chaque compte devrait être classé. Utilisez les lettres ACT (actif à court terme), ALT (actif à long terme), PCT (passif à court terme), PLT (passif à long terme) et CP (capitaux propres). Indiquez également si le compte a un solde débiteur ou créditeur.

P2-2   L'analyse des opérations (PS2-2)

□ OA2
□ OA3
□ OA6

Quatre amis ont créé la société Santé Paré le 1ᵉʳ janvier 2007. Chacun a investi 10 000 $ dans la société et a reçu 8 000 actions en contrepartie. Actuellement, ce sont les seuls actionnaires. À la fin du dernier exercice, les livres comptables indiquaient des actifs totaux de 400 000 $ (Caisse, 30 000 $; Terrain, 80 000 $; Matériel, 90 000 $; Bâtiment, 200 000 $), des passifs totaux de 210 000 $ (composés exclusivement d'emprunts à long terme) et des capitaux propres de 190 000 $ (Capital social, 120 000 $; Bénéfices non répartis, 70 000 $). Durant l'exercice 2009, la société a effectué les opérations suivantes:

a) Vente de 10 000 actions aux actionnaires fondateurs de la société pour un montant de 100 000 $ payé comptant.

b) Achat d'un immeuble pour la somme de 65 000 $, de matériel au prix de 16 000 $ et d'un terrain de trois acres pour 12 000 $. La société a versé 10 000 $ au comptant et a obtenu un emprunt hypothécaire de 15 ans à 5 % pour le solde dû. (Indice: Cinq comptes différents sont touchés.)

c) Un actionnaire informe la société qu'il a vendu 500 actions à un autre actionnaire pour une somme de 5 000 $.

d) Achat au comptant de placements à court terme pour une valeur de 3 000 $.

e) Vente de un acre de terrain contre un chèque de 4 000 $.

f) Prêt à un actionnaire de 5 000 $ pour ses frais de déménagement – ce dernier a signé un effet remboursable dans un an.

Travail à faire

1. Est-ce que la société Santé Paré est une entreprise individuelle, une société de personnes ou une société de capitaux? Expliquez sur quoi vous basez votre réponse.

2. Durant l'exercice 2009, les livres de la société étaient incorrects. On vous a demandé de rédiger un résumé des opérations précédentes. Pour être capable d'évaluer rapidement leurs effets économiques sur la société, vous décidez d'effectuer le calcul ci-dessous en indiquant, pour chaque compte, le signe approprié (+ signifie une augmentation et – une diminution). La première opération est présentée à titre d'exemple.

Actif						=	Passif	+	Capitaux propres	
Caisse	Placements temporaires	Effets à recevoir	Terrain	Bâtiment	Matériel		Hypothèque à payer		Capital social	Bénéfices non répartis
a) +100 000									+100 000	

3. Avez-vous inclus l'opération conclue entre les deux actionnaires [l'opération c)] dans votre calcul? Expliquez votre réponse.

4. En vous basant sur votre analyse, fournissez les montants suivants (présentez vos calculs).

a) Total de l'actif à la fin de l'exercice 2009.

b) Total du passif à la fin de l'exercice 2009.

c) Total des capitaux propres à la fin de l'exercice 2009.

d) Solde de la caisse à la fin de l'exercice 2009.

e) Total de l'actif à court terme à la fin de l'exercice 2009.

5. Calculez le taux d'adéquation du capital. Quelle conclusion pouvez-vous en tirer?

P2-3   L'utilisation des comptes en T, l'établissement d'un bilan et l'évaluation du taux d'adéquation du capital (PS2-3)

□ OA4
□ OA5
□ OA6

La société Plastiques Lévesque existe depuis trois ans. Voici ce qu'on pouvait trouver dans ses comptes au 31 décembre 2008.

Caisse	35 000 $	Effets à payer à court terme	12 000 $
Actifs incorporels	5 000	Effets à recevoir à long terme	2 000
Placements à court terme	3 000	Effets à payer à long terme	80 000
Fournisseurs	25 000	Matériel	80 000
Clients	5 000	Actions ordinaires	150 000
Charges à payer	3 000	Usine	150 000
Stocks	40 000	Bénéfices non répartis	50 000

Au cours de l'exercice 2009, les opérations suivantes ont été effectuées.

a) Achat de matériel d'une valeur de 30 000 $ contre un versement comptant de 10 000 $ et la signature d'un billet payable dans un an.

b) Émission de 2 000 actions pour une somme de 20 000 $ au comptant.

c) Prêt de 10 000 $ à un fournisseur qui, en retour, signe un effet payable dans deux ans.

d) Achat au comptant de placements à court terme pour une somme de 15 000 $.

e) Le 31 décembre 2009, emprunt bancaire de 20 000 $. Cet emprunt est remboursable le 30 juin 2010 et porte un taux d'intérêt de 6 %.

f) Achat au comptant d'un brevet (un actif incorporel) au prix de 6 000 $.

g) Construction d'un ajout à l'usine au prix de 42 000 $ contre un versement comptant de 15 000 $ et la signature d'un billet à long terme.

h) À la fin de l'année, la société embauche un nouveau président. Le contrat stipule que ce dernier recevra un salaire annuel de 85 000 $ et qu'il bénéficiera d'un régime d'option d'achat d'actions de la société à un prix variant selon le rendement de l'entreprise.

i) La société retourne à un fournisseur du matériel qu'elle juge défectueux et reçoit un remboursement de 2 000 $.

Travail à faire

1. Établissez des comptes en T pour chacun des comptes figurant au bilan et indiquez les soldes de clôture de 2008.

2. Comptabilisez toutes les opérations de 2009 dans des comptes en T (donnez les références) et calculez les soldes de clôture.

3. Expliquez votre traitement de l'opération h).

4. Dressez un bilan au 31 décembre 2009.

5. Calculez le taux d'adéquation du capital pour l'exercice 2009. Que vous suggère ce ratio concernant la société Plastiques Lévesque ?

■ OA7   **P2-4**   **Les incidences sur l'état des flux de trésorerie (PS2-4)**
Reportez-vous au problème P2-3.

Travail à faire

En vous basant sur les opérations a) à i) du problème P2-3, indiquez, pour chaque opération, s'il s'agit d'une activité d'investissement (I) ou de financement (F) pour l'exercice et si cette activité entraîne une augmentation (+) ou une diminution (−) des flux de trésorerie. Si elle n'a aucun effet sur les flux de trésorerie, indiquez AE.

■ OA4 Quebecor inc. ◆   **P2-5**   **La passation des écritures de journal, le report dans les comptes en T, l'établissement d'un bilan et l'évaluation du taux d'adéquation du capital**
■ OA5
■ OA6
Premier imprimeur commercial au monde, Quebecor est une société active dans tous les domaines de la communication, notamment la câblodistribution, l'édition de journaux et la télédiffusion. Vous trouverez ci-après le bilan de Quebecor au 31 décembre 2005.

Quebecor inc.
Bilan consolidé
au 31 décembre 2005
(en millions de dollars canadiens)

	2005
ACTIF	
Actif à court terme :	
Espèces et quasi-espèces	96,5 $
Espèces et quasi-espèces et placements temporaires en fiducie (notes 10 et 17) (valeur du marché de 49,3 millions de dollars)	49,3
Placements temporaires (valeur du marché de 40,6 millions de dollars)	40,6
Débiteurs (note 11)	916,0
Impôts sur le bénéfice	12,8
Stocks et investissements dans des produits télévisuels et des films (note 12)	579,3
Frais payés d'avance	45,0
Impôts futurs (note 6)	138,7
	1 878,2 $
Placements à long terme, (valeur du marché de 223,4 millions de dollars)	332,5
Immobilisations (note 13)	4 318,0
Impôts futurs (note 6)	57,6
Autres éléments d'actif	492,3
Écart d'acquisition (note 14)	6 598,4
	13 677,0 $
PASSIF ET AVOIR DES ACTIONNAIRES	
Passif à court terme :	
Emprunts bancaires	13,6 $
Créditeurs, charges à payer et revenus reportés	1 804,0
Impôts sur les bénéfices	90,2
Dividendes à payer aux actionnaires minoritaires	27,2
Impôts futurs (note 6)	2,0
Montant additionnel à payer (note 15)	111,5
Tranche à court terme de la dette à long terme (note 16)	17,6
	2 066,1 $
Dette à long terme (note 16)	4 687,7
Débentures échangeables (note 17)	405,4
Billets convertibles (note 18)	134,3
Autres éléments de passif (note 19)	1 070,4
Impôts futurs (note 6)	723,4
Part des actionnaires sans contrôle (note 20)	3 138,0
Avoir des actionnaires :	
Capital-actions (note 21)	346,6
Bénéfices non répartis	1 285,5
Écart de conversion (note 23)	(180,4)
	13 677,0 $

Supposez que les opérations suivantes ont été effectuées en janvier 2006 (toutes les transactions sont fictives et sont exprimées en millions de dollars).

a) Versement aux actionnaires d'un dividende de 34 $.

b) Émission de nouvelles actions pour une somme de 200 $ au comptant.

c) Acquisition au comptant de placements d'une valeur de 10 $; le cinquième est un placement à long terme, et le reste est à court terme.

d) Acquisition d'immobilisations moyennant le versement d'une somme de 61 $ et d'une dette à long terme de 79 $.

e) Prêt de 25 $ à une filiale, qui signe un billet remboursable dans six mois.

f) Emprunt bancaire de 30 $, payable dans deux ans.

Travail à faire

1. Indiquez l'effet de chaque opération sur l'équation comptable.

2. Passez une écriture de journal pour chaque opération.

3. Établissez des comptes en T pour chaque compte touché en n'oubliant pas d'y inscrire les soldes au 31 décembre 2005. Reportez chaque écriture de journal dans le compte en T correspondant.

4. En vous basant sur ces opérations, dressez un bilan fictif de la société Quebecor au 31 janvier 2006. Utilisez un format identique à celui de Quebecor.

5. Calculez le taux d'adéquation du capital de la société Quebecor à la fin du mois de janvier. Interprétez ce résultat.

P2-6   L'établissement d'un état partiel des flux de trésorerie

Reportez-vous au problème P2-5.

Travail à faire

En vous basant sur les activités du mois de janvier, préparez les sections concernant les activités d'investissement et de financement d'un état des flux de trésorerie.

Problèmes supplémentaires

PS2-1   La détermination des comptes de bilan (P2-1)

D'après son rapport annuel récent, la société Transat est « une société intégrée de l'industrie du tourisme. Elle exerce ses activités dans tous les secteurs de l'organisation et de la distribution de voyages vacances : vente au détail par les agences de voyages, organisation et distribution de forfaits par les voyagistes, transport aérien et gestion hôtelière ». Voici quelques comptes apparaissant dans un bilan récent de l'entreprise.

 1. Débiteurs
 2. Capital-actions
 3. Frais payés d'avance
 4. Immobilisations corporelles
 5. Bénéfices non répartis
 6. Créditeurs et charges à payer
 7. Espèces et quasi-espèces
 8. Obligations en vertu de contrats de location-acquisition
 9. Stocks
10. Impôts sur les bénéfices à payer

Travail à faire

Indiquez dans quelle section du bilan chaque compte devrait être classé. Utilisez les sigles ACT (actif à court terme), ALT (actif à long terme), PCT (passif à court terme), PLT (passif à long terme) et CP (capitaux propres). Indiquez également si le solde du compte est créditeur ou débiteur.

PS2-2   L'analyse des opérations et l'interprétation du taux d'adéquation du capital (P2-2)

Une petite société, Boulamite inc., fabrique des trains électriques pour les magasins de jouets et offre aussi un service de réparation. La société existe depuis cinq ans. À la fin de l'exercice 2008, les livres de la société indiquaient un total de l'actif de 500 000 $ (Caisse, 130 000 $; Bâtiment, 300 000 $; Équipement, 70 000 $), un total du passif de 200 000 $ (Fournisseurs, 150 000 $; Effets à payer à long terme, 50 000 $) et des capitaux propres de 300 000 $ (Actions ordinaires, 200 000 $; Bénéfices non répartis, 100 000 $). Au cours de l'exercice 2009, les opérations suivantes ont été effectuées.

a) Émission de 10 000 actions pour une somme de 100 000 $ au comptant.

b) Emprunt bancaire de 120 000 $ comportant un taux d'intérêt annuel de 6 % et venant à échéance dans 10 ans.

c) Construction d'un ajout à l'usine pour une valeur de 200 000 $, somme qui est versée immédiatement à l'entrepreneur.

d) Achat de matériel pour le nouvel ajout au prix de 30 000 $ contre un versement comptant de 3 000 $ et la signature d'un billet remboursable dans six mois.

e) Achat au comptant de placements à long terme pour une valeur de 85 000 $.

f) La société retourne une pièce du matériel achetée en d) d'une valeur de 3 000 $ pour défaut de fabrication, ce qui vient réduire le solde dû.

g) Achat d'un camion de livraison (du matériel) au prix de 10 000 $ contre un versement comptant de 5 000 $ et la signature d'un effet à court terme.

h) Prêt à la présidente de la société, Julie Aubin, de 2 000 $. Cette dernière a signé un billet dont les modalités prévoient un taux d'intérêt de 5 % et le remboursement dans un an.

i) Un actionnaire a vendu des actions au montant de 5 000 $ à une voisine.

Travail à faire

1. Est-ce que la société Boulamite est une entreprise individuelle, une société de personnes ou une société de capitaux ? Expliquez votre réponse.

2. On vous demande de rédiger un résumé des opérations précédentes. Pour être capable d'évaluer rapidement les effets économiques des opérations de la société Boulamite inc., vous avez décidé d'effectuer les calculs ci-dessous en indiquant, pour chaque compte, un signe (+) en cas d'augmentation et (−) en cas de diminution. La première opération est présentée à titre d'exemple.

Actif					=	Passif		+	Capitaux propres	
Caisse	Effets à recevoir	Placements à long terme	Matériel	Bâtiment		Effets à payer à court terme	Effets à payer à long terme		Actions ordinaires	Bénéfices non répartis
a) +100 000									+100 000	

3. Avez-vous inclus l'opération i) dans votre calcul ? Expliquez votre réponse.

4. En vous basant sur les soldes d'ouverture et les opérations précédentes, calculez les montants suivants (présentez tous vos calculs).
   a) Total de l'actif à la fin de l'exercice 2009.
   b) Total du passif à la fin de l'exercice 2009.
   c) Total des capitaux propres à la fin de l'exercice 2009.
   d) Solde de la caisse à la fin de l'exercice 2009.

5. Calculez le taux d'adéquation de capital de la société. Quelles conclusions pouvez-vous tirer concernant Boulamite inc. ?

PS2-3 **L'utilisation des comptes en T, l'établissement d'un bilan et l'évaluation du taux d'adéquation du capital (P2-3)**

◆ Industries Lassonde inc. ☐ OA4 ☐ OA5 ☐ OA6

Industries Lassonde est un important fabricant canadien de jus purs et de boissons aux fruits et le plus important fabricant et distributeur de jus de pomme de l'est du Canada. Les comptes suivants ont été adaptés selon un bilan récent de la société (1er avril 2006). Les montants sont exprimés en milliers de dollars.

Placements à court terme	1 984 $	Découvert bancaire	2 143 $
Débiteurs	31 378	Créditeurs et charges à payer	35 369
Impôts sur les bénéfices (à recevoir)	73	Autres passifs à court terme	4 686
Stocks	69 954	Dette à long terme	32 446
Frais payés d'avance	1 095	Impôts futurs (PLT)	13 436
Impôts futurs (ACT)	186	Capital-actions	19 778
Placements (ALT)	23	Surplus d'apport	1 419
Immobilisations	87 792	Bénéfices non répartis	99 825
Autres actifs à long terme	16 617		

Supposez que les opérations suivantes ont été effectuées au deuxième trimestre qui s'est terminé le 30 juin 2006 (toutes les opérations sont fictives et sont exprimées en milliers de dollars).

a) Acquisition d'une marque de commerce (actif incorporel) au prix de 400 $ versés au comptant.

b) Vente au comptant de matériel pour une valeur de 20 $ correspondant au coût d'acquisition.

c) Achat à crédit de marchandises pour une somme de 980 $.

d) Émission au comptant d'actions de la société pour une valeur de 520 $.

e) Acquisition d'immobilisations contre un versement comptant de 200 $ et la prise en charge d'une hypothèque de 800 $.

f) Déclaration et paiement d'un dividende de 300 $.

g) Commande de contenants pour la production de jus d'une valeur de 500 $.

Travail à faire

1. Établissez des comptes en T pour chaque compte figurant au bilan et indiquez les soldes au 1er avril 2006.

2. Inscrivez toutes les opérations effectuées au cours du deuxième trimestre qui s'est terminé le 30 juin 2006 dans les comptes en T (y compris les références) et calculez les soldes de clôture.

3. Dressez en bonne et due forme un bilan au 30 juin 2006.

4. Calculez le taux d'adéquation du capital pour le deuxième trimestre se terminant le 30 juin 2006. Que vous apprend ce ratio au sujet des Industries Lassonde ?

OA7   **PS2-4   Les incidences sur l'état des flux de trésorerie (P2-4)**

Reportez-vous au problème PS2-3.

Travail à faire

En vous basant sur les opérations a) à g) du problème PS2-3, indiquez, pour chaque opération, s'il s'agit d'une activité d'investissement (I) ou de financement (F). Précisez aussi si l'opération entraîne une augmentation (+) ou une diminution (−) des flux de trésorerie. Si elle n'a aucun effet sur les flux de trésorerie, indiquez AE.

Cas et projets

Cas – Information financière

OA1
OA2   Reitmans (Canada) ◆
OA3   limitée
OA6
OA7

CP2-1   La recherche d'information financière

Reportez-vous aux états financiers et aux notes complémentaires de Reitmans (*voir l'annexe C à la fin de ce volume*).

Travail à faire

1. La société Reitmans est-elle une entreprise individuelle, une société de personnes ou une société de capitaux ? Expliquez sur quoi vous basez votre réponse.

2. Utilisez le bilan de la société pour résoudre l'équation comptable : A = Pa + CP.

3. Dans son bilan, la société Reitmans mentionne que ses stocks valent 66 445 000 $. Cette somme équivaut-elle au prix de vente attendu ? Expliquez votre réponse.

4. Quand se termine l'exercice de la société Reitmans ? Où avez-vous trouvé la date exacte ?

5. Quelles sont les obligations à long terme de la société Reitmans ?

6. Calculez le taux d'adéquation du capital de la société et expliquez ce qu'il signifie.

7. Combien d'argent la société a-t-elle consacré annuellement à l'achat d'immobilisations ? Où avez-vous trouvé cette information ?

CP2-2 La recherche d'information financière

Reportez-vous aux états financiers et aux notes complémentaires de la société Le Château (*voir l'annexe B à la fin de ce volume*).

Travail à faire

1. La société Le Château est-elle une entreprise individuelle, une société de personnes ou une société de capitaux ? Expliquez sur quoi vous basez votre réponse.
2. Utilisez le bilan de la société pour résoudre l'équation comptable : A = Pa + CP.
3. Dans son bilan, la société Le Château mentionne que ses stocks valent 35 444 000 $. Cette somme équivaut-elle au prix de vente attendu ? Expliquez votre réponse.
4. Quand se termine l'exercice de la société Le Château ? Où avez-vous trouvé la date exacte ?
5. Quelles sont les obligations à long terme de la société Le Château ?
6. Calculez le taux d'adéquation du capital de la société et expliquez ce qu'il signifie.
7. Quelle somme d'argent la société a-t-elle consacré annuellement à l'achat d'immobilisations ? Où avez-vous trouvé cette information ?

◆ Le Château inc.   OA1 OA2 OA3 OA6 OA7

CP2-3 La comparaison de différentes sociétés évoluant dans le même secteur

Reportez-vous aux états financiers et aux notes complémentaires des sociétés Reitmans et Le Château, ainsi qu'au rapport sur les ratios industriels (*voir les annexes B, C et D à la fin de ce volume*).

Travail à faire

1. Quelle société montre l'actif le plus élevé ?
2. Calculez le taux d'adéquation du capital des deux sociétés. Quelle société prend le plus de risques ? Expliquez votre réponse.
3. Comparez le taux d'adéquation du capital des deux sociétés à la moyenne industrielle que vous trouverez dans le rapport sur les ratios industriels. Ces deux sociétés financent-elles leurs actifs au moyen de la dette à un rythme supérieur ou inférieur à la moyenne industrielle ?
4. Au cours du plus récent exercice, déterminez les flux de trésorerie qui ont servi au remboursement de la dette à long terme pour chacune des sociétés.
5. Quel montant de dividendes chaque société a-t-elle payé au cours de l'exercice le plus récent ?
6. Dans quel compte chaque société inscrit-elle ses terrains, ses bâtiments et son matériel ?

◆ Reitmans (Canada) limitée et Le Château inc.   OA2 OA6 OA7

CP2-4 La recherche d'informations financières dans la base de données SEDAR

L'Autorité des marchés financiers de chaque province réglemente les sociétés qui émettent des actions en Bourse. Elle reçoit les rapports financiers des sociétés faisant appel à l'épargne publique sous forme de fichiers électroniques dans le système SEDAR. Dans Internet, tout le monde peut consulter les rapports qui ont été déposés. À l'aide de votre navigateur Web, accédez à la base de données SEDAR (www.sedar.com). Cliquez sur « recherche » dans la base de données, puis cliquez sur « sociétés ouvertes ». Inscrivez « Van Houtte », puis cliquez sur « Rechercher » (vous pouvez aussi préciser une date). Lorsque les documents de Van Houtte apparaissent, recherchez les états financiers les plus récents et cliquez pour les afficher.

◆ Van Houtte inc   OA5 OA6

Travail à faire

1. Dans les états financiers, reportez-vous au bilan pour répondre aux questions suivantes.
a) À combien se chiffre le total de l'actif de Van Houtte au dernier exercice ou trimestre ?
b) La dette à long terme a-t-elle augmenté ou diminué pour ce dernier exercice ou trimestre ?
c) Calculez le taux d'adéquation du capital. Comparez-le avec le ratio déjà calculé dans le chapitre pour Van Houtte. Comment interprétez-vous ces résultats ?

2. Reportez-vous maintenant à l'état des flux de trésorerie.
   a) Combien de liquidités Van Houtte a-t-elle investies en immobilisations au cours du dernier exercice ou trimestre ?
   b) Quel est le montant total des flux de trésorerie liés aux activités de financement ?

■ OA1

CP2-5 L'utilisation de rapports financiers – l'évaluation de la fiabilité d'un bilan

Michel Lussier a sollicité un emprunt bancaire de 50 000 $ pour donner de l'expansion à sa petite entreprise. La banque a demandé à Michel Lussier de lui fournir un état financier de l'entreprise pour mieux évaluer la possibilité d'un prêt. Michel Lussier a présenté le bilan suivant.

Travail à faire

Ce bilan comporte plusieurs anomalies et au moins une erreur importante. Trouvez cette erreur et expliquez son effet sur le bilan.

Bilan	
30 juin 2009	
ACTIF	
Caisse	9 000 $
Stocks	30 000
Matériel	46 000
Résidence personnelle (paiement mensuels de 2 800 $)	300 000
Autres actifs	20 000
Total de l'actif	**405 000 $**
PASSIF	
Dette à court terme due à des fournisseurs	62 000 $
Dette à long terme sur le matériel	38 000
Total de la dette	100 000 .
CAPITAUX PROPRES	305 000
Total du passif et des capitaux propres	**405 000 $**

■ OA4
■ OA5
■ OA6

Le Devoir inc. ◆

CP2-6 L'utilisation de rapports financiers – l'analyse d'un bilan

Un bilan récent de la société Le Devoir inc. (qui édite le journal *Le Devoir*) est présenté ci-après.

Travail à faire

1. La société Le Devoir est-elle une entreprise individuelle, une société de personnes ou une société de capitaux ? Expliquez votre réponse.
2. À l'aide du bilan de la société, déterminez les montants de l'équation comptable (A = Pa + CP) pour l'exercice 2005.
3. Calculez et interprétez le taux d'adéquation du capital de la société. Quelles autres informations pourraient faciliter votre interprétation ?
4. Cette entreprise a-t-elle enregistré des profits pendant ses années d'activité ? Sur quels comptes vous basez-vous pour répondre à la question précédente ? Si on suppose qu'aucun dividende n'a été distribué, à combien s'élevait le bénéfice ou la perte nette en 2005 ? S'il vous est impossible de le déterminer sans un état des résultats, mentionnez-le.

Le Devoir inc.
Bilan
au 31 décembre 2005

	2005	2004
ACTIF		
Actif à court terme		
Encaisse	454 881 $	647 760 $
Placement temporaires, 3,5 %, échéant en décembre 2006	604 640	3 800
Comptes clients et autres	1 097 534	1 093 393
Frais payés d'avance	57 313	53 732
	2 214 368	1 798 685
Immobilisations (note 5)	177 590	152 764
Écart d'acquisition	983 185	983 185
	3 375 143 $	2 934 634 $
PASSIF		
Passif à court terme		
Comptes fournisseurs et charges à payer	1 111 049 $	1 259 352 $
Provision pour vacances	474 708	370 094
Revenus perçus par anticipation	1 448 424	1 464 854
Versements sur la dette à long terme	33 053	11 111
123 744 actions de catégorie « E », série 1 (note 8)	123 744	
488 128 actions de catégorie « E », série 2 (note 8)	1 000	
	3 191 978	3 105 411
Dette à long terme (note 7)	140 699	174 494
	3 332 677	3 279 905
CAPITAUX PROPRES (NÉGATIFS)		
Capital-actions (note 8)	4 397 869	4 522 613
Surplus d'apport	300 000	300 000
Déficit	(4 655 403)	(5 167 884)
	42 466	(345 271)
	3 375 143 $	2 934 634 $

Les notes complémentaires font partie intégrante des états financiers.

McDonald's Corporation ◆

CP2-7 **L'utilisation de rapports financiers – l'établissement d'un bilan et l'analyse du taux d'adéquation du capital**

Vous trouverez ci-dessous, classés par ordre alphabétique, les comptes adaptés d'un bilan récent de McDonald's (les montants sont exprimés en millions de dollars).

	Exercice courant	Exercice précédent
Actifs incorporels	973,1 $	827,5 $
Autres actifs à long terme	538,3	608,5
Autres passifs à long terme	1 574,5	1 491,0
Bénéfices non répartis	8 458,9	8 144,1
Capital social	1 065,3	787,8
Charges à payer	783,3	503,5
Charges payées d'avance et autres actifs à court terme	323,5	246,9
Fournisseurs	621,3	650,6
Clients et effets à recevoir	609,4	483,5
Dette à long terme	6 188,6	4 834,1
Effet à payer (à court terme)	686,8	1 293,8
Effet à recevoir (à long terme)	67,9	67,0
Immobilisations corporelles	16 041,6	14 961,4
Impôts sur les bénéfices à payer	237,7	201,0
Placements et avances aux sociétés affiliées (à long terme)	854,1	634,8
Stocks	77,3	70,5
Tranche à court terme de la dette à long terme	168,0	335,6
Trésorerie	299,2	341,4

Travail à faire

1. Dressez un bilan pour chaque exercice de la société McDonald's. Supposez que les exercices se terminent le 31 décembre.
2. Calculez le taux d'adéquation du capital de la société pour l'exercice en cours.
3. Comment interprétez-vous ce ratio lorsque vous le comparez aux ratios de Van Houtte et de ses compétiteurs?

Cas – Analyse critique

CP2-8 **La prise de décision à titre d'analyste financier**

Votre meilleure amie vous écrit une lettre où elle décrit une occasion d'investissement qui lui a été offerte. Une société recueille de l'argent en émettant des actions et souhaite qu'elle investisse 20 000 $ (la somme qu'elle vient d'hériter de son oncle). Votre amie n'a jamais investi d'argent dans une société auparavant et, sachant que vous êtes analyste financière, elle vous demande de jeter un coup d'œil sur le bilan et de lui donner votre avis. Elle vous fournit le bilan non vérifié ci-après.

Le document comprend seulement une note de bas de page mentionnant que le bâtiment a été acheté au coût de 65 000 $, qu'il a été amorti pour une valeur de 5 000 $ dans les livres et qu'il fait toujours l'objet d'une hypothèque (présentée dans la section du passif). La note en bas de page précise aussi que l'immeuble vaut « au moins 98 000 $ » selon le président de la société.

Travail à faire

1. Dressez un nouveau bilan pour votre amie en corrigeant toutes les erreurs que vous relevez. (Attention, si vous apportez une correction aux soldes des comptes, vous devrez peut-être corriger le solde des bénéfices non répartis en conséquence.) S'il n'y a pas d'erreur ou d'omission, mentionnez-le.

Archambault, Benoît et Lévesque Bilan pour l'exercice terminé le 31 décembre 2007	
Clients	8 000 $
Caisse	1 000
Stocks	8 000
Mobilier et agencements	52 000
Camion de livraison	12 000
Bâtiments (valeur marchande estimative)	98 000
Total de l'actif	**179 000 $**
Fournisseurs	16 000 $
Charges à payer	13 000
Effets à payer à long terme	15 000
Hypothèque à payer	50 000
Total du passif	**94 000 $**
Actions ordinaires	80 000 $
Bénéfices non répartis	5 000
Total des capitaux propres	**85 000 $**

2. Écrivez à votre amie une lettre où vous expliquez les changements, le cas échéant, que vous avez apportés au bilan. En vous basant sur ces informations, donnez votre avis sur la situation financière de la société. Mentionnez à votre amie toute autre information qu'elle pourrait demander avant de prendre une décision finale relativement à un éventuel investissement dans ce projet.

CP2-9 L'évaluation d'un problème d'éthique

 ■OA2

En 2007, l'entreprise Balivernes inc., un fabricant de vêtements pour femmes, a demandé la protection de la Loi sur la faillite après qu'un scandale a été dévoilé concernant des informations financières frauduleuses. Dans le rapport du comité de vérification de la société, on pouvait lire « qu'il aurait été difficile pour la direction de ne pas remarquer l'importante fraude commise concernant les stocks et les ventes ».

Selon ce rapport, la société Balivernes a utilisé de multiples moyens pour accroître ses ventes et réduire ses coûts. Les cadres de l'entreprise ont forgé des étiquettes de stocks, ont ignoré les pertes normales prévues sur les stocks, ont multiplié la valeur des articles en stock, ont gonflé artificiellement le chiffre des ventes et ont créé des stocks fictifs. Ces cadres ont aussi constamment modifié les livres comptables pour respecter leurs prévisions de ventes. En mars 2009, les vérificateurs externes de Balivernes, Chaloux et associés, ont intenté des poursuites contre la direction de Balivernes, soutenant qu'une des causes des activités frauduleuses était l'adoption par la direction de budgets irréalistes : « La direction a créé un environnement qui encourageait et récompensait le « tripatouillage » des livres et des dossiers de Balivernes. »

Travail à faire

1. Décrivez les parties qui ont été lésées ou avantagées par cette fraude.
2. Expliquez comment l'adoption de budgets irréalistes pourrait avoir contribué à soutenir cette fraude.

Projets – Information financière

OA2

CP2-10 La comparaison d'entreprises d'un même secteur d'activité

À l'aide de votre navigateur Web, consultez les sites de trois sociétés évoluant dans le même secteur d'activité. Procurez-vous les rapports annuels de ces sociétés et examinez principalement leur bilan. Certaines entreprises ne partagent pas leurs informations financières dans Internet. Vous pouvez alors trouver ces informations sur le site de SEDAR (www.sedar.com).

Travail à faire

Rédigez un bref rapport indiquant les similarités et les différences, le cas échéant, entre les éléments d'actif et de passif des trois entreprises et leur présentation au bilan.

OA2

CP2-11 L'évolution du taux d'adéquation du capital dans le temps

À l'aide de votre navigateur Web, consultez le site de Van Houtte. Examinez les bilans les plus récents. Vous pouvez également trouver ces données sur le site de SEDAR (www.sedar.com).

Travail à faire

Rédigez un bref rapport comparant le taux d'adéquation du capital de l'entreprise sur trois ans. Examinez la section du rapport annuel intitulée «Analyse par la direction» pour déterminer les activités ou les stratégies qui, selon Van Houtte, ont entraîné des variations dans le ratio.

OA7

CP2-12 L'analyse de l'état flux de trésorerie

À l'aide de votre navigateur Web, consultez le site d'une entreprise évoluant dans le secteur de la restauration rapide.

Travail à faire

Rédigez un bref rapport décrivant chacune des activités d'investissement et de financement pour chacun des exercices présentés.

OA2
OA6
OA7

CP2-13 Un projet d'équipe – l'analyse des bilans et des ratios

Chaque équipe doit choisir un secteur d'activité qui sera analysé. À l'aide de votre navigateur Web, vous devez vous procurer le rapport annuel d'une société faisant appel à l'épargne publique dans le secteur choisi. Chaque membre de l'équipe doit choisir une entreprise différente.

Travail à faire

1. Sur une base individuelle, chaque membre de l'équipe doit rédiger un rapport qui répond aux questions suivantes.
   a) Pour l'exercice le plus récent, déterminez les trois actifs les plus importants. Quel pourcentage chacun de ces actifs représente-t-il par rapport au total des actifs?
   b) Précisez la principale activité d'investissement et de financement de l'exercice le plus récent.
   c) En ce qui concerne les ratios:
      1. Déterminez le taux d'adéquation du capital pour les trois dernières années.
      2. Quelles conclusions pouvez-vous tirer de ces chiffres?
      3. Comparez ces résultats et discutez-en. Tenez compte de la moyenne de leur secteur économique.
2. En équipe, rédigez un bref rapport comparant les entreprises en fonction des caractéristiques trouvées en 1. Discutez entre vous des similitudes que vous avez observées et donnez des explications possibles pour les différences relevées.

L'exploitation et l'état des résultats

Objectifs d'apprentissage

Au terme de ce chapitre, l'étudiant sera en mesure :

1. de comprendre le cycle d'exploitation et d'expliquer le postulat de l'indépendance des exercices (*voir la page 119*);

2. d'expliquer comment les opérations de l'entreprise influent sur l'état des résultats (*voir la page 121*);

3. d'expliquer la méthode de la comptabilité d'exercice et d'appliquer le principe du rapprochement des produits et des charges (*voir la page 125*);

4. d'utiliser le modèle d'analyse des opérations pour enregistrer les activités d'exploitation (*voir la page 130*);

5. d'établir les états financiers (*voir la page 138*);

6. de calculer et d'interpréter le taux de rotation de l'actif total (*voir la page 145*).

VAN HOUTTE INC.

Van Houtte inc.

Un chiffre d'affaires en croissance

« Le goût de l'Europe dans votre tasse. » Fidèle à son créateur, Albert-Louis Van Houtte, originaire de Lille en France, la société Van Houtte utilise des méthodes de torréfaction européennes traditionnelles pour produire ses cafés fins. Ses activités commerciales comprennent la torréfaction du café, la distribution de celui-ci dans les réseaux d'alimentation au détail, la fabrication et la distribution de cafetières à infusion à la tasse, le franchisage et l'exploitation de cafés-bistros et, finalement, la vente de café pour consommation sur les lieux de travail ou dans d'autres endroits publics.

Au cours des dernières années, l'Amérique du Nord a connu un engouement croissant pour les cafés fins, qu'ils soient servis à la maison, au travail, au restaurant ou ailleurs. On estime que l'industrie nord-américaine de la pause-café représente un chiffre d'affaires de 5 milliards de dollars.

Dans ce contexte, Van Houtte entend accélérer sa croissance en augmentant ses points de vente grâce à une stratégie de développement appuyée par la promotion efficace de ses produits, l'extension de la gamme de ses produits et le déploiement des espaces-café dans des endroits publics à fort achalandage.

Parlons affaires

Pour devenir le leader nord-américain du café de qualité, Van Houtte se fixe des objectifs, détermine une stratégie et évalue régulièrement sa performance.

Par exemple, pour l'exercice 2006, Van Houtte affichait un bénéfice record de 1,05 $ par action. En dépit de cette croissance, les dirigeants de la société étaient déçus, car le bénéfice réalisé était inférieur à leur objectif. Comme le déclarait le président et chef de la direction de Van Houtte :

« Bien que notre bénéfice par action soit le plus élevé de l'histoire de Van Houtte, il demeure inférieur à notre objectif. Notre début d'exercice a été marqué par l'impact négatif de la hausse de prix coûtant de notre matière première, le café vert. Mais nous avons ajusté nos prix et restauré nos marges[1]. »

Van Houtte doit donc continuellement revoir sa stratégie et prendre des mesures pour ne pas trop s'éloigner de ses objectifs. Au cours des dernières années, la société a suivi une stratégie en trois volets : 1) accélérer la croissance des ventes dans les réseaux actuels de détail et de services de café afin d'en augmenter la rentabilité ; 2) pratiquer une gestion serrée des coûts ; 3) pratiquer une gestion optimale du capital. Le tout en développant la marque Van Houtte en Amérique du Nord[2].

Les analystes financiers élaborent aussi leurs propres prévisions sur le rendement futur de Van Houtte. Les résultats de 2006 étaient aussi légèrement inférieurs aux attentes des analystes qui prévoyaient un résultat par action de 1,06 $ pour l'exercice.

---

1. Van Houtte, Communiqué de presse, 1er juin 2006.
2. Van Houtte, Rapport annuel 2006.

L'état des résultats publié par l'entreprise est l'outil de base permettant de comparer les objectifs et les prévisions de la direction et des analystes aux résultats d'exploitation réellement atteints. Dans ce chapitre, nous discuterons de ces prévisions ainsi que des réactions des marchés boursiers face aux résultats de Van Houtte, et ce, à mesure que nous aborderons la constatation et la mesure des résultats. Pour comprendre comment les objectifs de la direction et les résultats d'exploitation influent sur l'état des résultats, nous devons répondre aux questions suivantes :

1. Quelles activités influent sur l'état des résultats ?
2. Comment peut-on constater et mesurer ces activités ?
3. Comment présente-t-on ces activités à l'état des résultats ?

Nous nous attarderons aux activités d'exploitation de Van Houtte, qui comprennent la vente de café, les services de café et les services aux franchisés. Les résultats de ces activités sont comptabilisés à l'état des résultats.

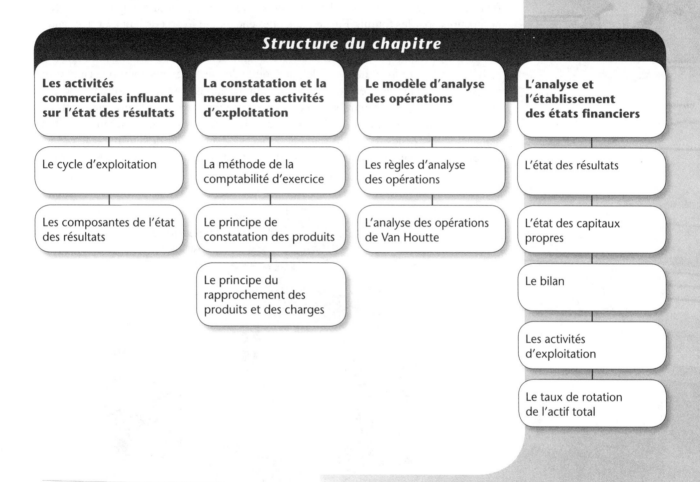

Structure du chapitre

Les activités commerciales influant sur l'état des résultats	La constatation et la mesure des activités d'exploitation	Le modèle d'analyse des opérations	L'analyse et l'établissement des états financiers
Le cycle d'exploitation	La méthode de la comptabilité d'exercice	Les règles d'analyse des opérations	L'état des résultats
Les composantes de l'état des résultats	Le principe de constatation des produits	L'analyse des opérations de Van Houtte	L'état des capitaux propres
	Le principe du rapprochement des produits et des charges		Le bilan
			Les activités d'exploitation
			Le taux de rotation de l'actif total

Les activités commerciales influant sur l'état des résultats

Le cycle d'exploitation

De façon générale, toute entreprise a pour objectif à long terme de faire fructifier ses fonds. Pour qu'une entreprise demeure en affaires, des fonds excédentaires doivent être réalisés à partir de ses activités d'exploitation (autrement dit à partir des activités pour lesquelles l'entreprise a été établie, et non pas avec les emprunts ou la vente d'actifs à long terme). Les gestionnaires savent que, s'ils consacrent le temps nécessaire pour

OBJECTIF D'APPRENTISSAGE **1**

Comprendre le cycle d'exploitation et expliquer le postulat de l'indépendance des exercices.

faire fructifier les liquidités de l'entreprise, ils améliorent les résultats de l'entreprise et facilitent sa croissance. Afin de comprendre les activités d'exploitation et les décisions financières susceptibles d'augmenter les bénéfices, il convient tout d'abord de saisir ce qu'on entend par cycle d'exploitation.

Le **cycle d'exploitation** (ou le **cycle commercial**) est la période qui s'écoule entre l'achat de matières premières ou de marchandises auprès des fournisseurs, la vente de ces biens aux clients et le recouvrement des sommes dues auprès des clients. Un commerçant ou un fabricant 1) achète ou fabrique et entrepose des marchandises, 2) paie ses fournisseurs, 3) vend ses marchandises et, 4) finalement, recouvre les sommes dues de ses clients. Ainsi, l'argent investi au départ lui permet de gagner davantage d'argent par la suite. Et le même cycle se répète ainsi de façon continue.

Pour les entreprises de services, le cycle est similaire. Bien qu'elles n'aient pas à consacrer des sommes à l'achat de stocks, elles engagent d'autres frais pertinents pour fournir des services. Ensuite, elles offrent leurs services à un prix supérieur aux coûts nécessaires pour les fournir. Finalement, elles encaissent le prix de leurs services auprès des clients.

Le temps requis pour boucler un cycle d'exploitation est fonction de la nature des activités de l'entreprise. Le cycle de Van Houtte devrait être plus court que celui d'une société produisant des biens de consommation durables comme des automobiles. Par ailleurs, il arrive qu'une entreprise reçoive ou verse de l'argent à d'autres moments que ceux qui sont mentionnés ici. Par exemple, les entreprises qui vendent des abonnements à des revues reçoivent l'argent de leurs clients avant de leur livrer le produit. Les entreprises paient également leurs primes d'assurance avant d'être couvertes pour

Le **cycle d'exploitation** (ou le **cycle commercial**) est la période qui s'écoule entre l'achat de matières premières ou de marchandises et le recouvrement du prix des produits ou des marchandises vendues[3].

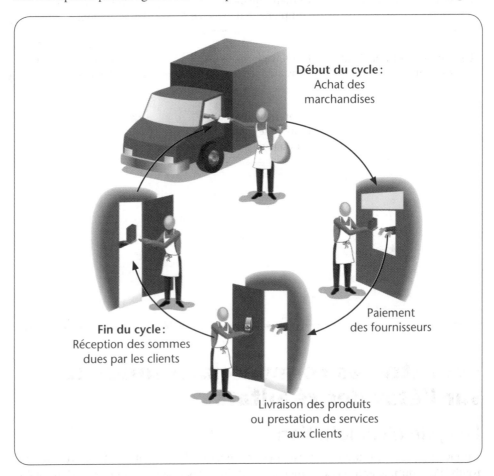

Début du cycle :
Achat des marchandises

Paiement des fournisseurs

Livraison des produits ou prestation de services aux clients

Fin du cycle :
Réception des sommes dues par les clients

---

3. Louis MÉNARD, et collab. (2004), *Dictionnaire de la comptabilité et de la gestion financière*, 2e éd., Toronto, ICCA, p. 824.

ANALYSE FINANCIÈRE

Le financement par emprunt à court terme et le cycle d'exploitation

Dans l'illustration précédente, on constate que bon nombre d'entreprises paient leurs fournisseurs et leurs employés avant d'avoir recouvré leurs comptes auprès des clients, ce qui les incite à rechercher une source de financement à court terme. Ensuite, à la réception des sommes dues par leurs clients, les entreprises règlent leurs dettes. De plus, si une société veut prendre de l'expansion, par exemple pour vendre deux fois plus de marchandises au cours du prochain exercice, elle peut ne pas avoir recouvré suffisamment de liquidités auprès de ses clients pour acheter la quantité de marchandises nécessaires à la réalisation de ses projets. Les sources de financement englobent les fournisseurs et aussi les établissements financiers (les banques et les sociétés de financement). Nous aborderons le financement par emprunt à court terme et à long terme au chapitre 9.

les risques de perte, mais les factures de services publics sont en général transmises après que l'entreprise a consommé, par exemple, l'électricité ou le gaz. De plus, la réduction du cycle d'exploitation occasionnée par des initiatives en vue d'encourager les clients à acheter ou à régler leur facture plus rapidement fait diminuer les coûts et améliore la situation financière d'une entreprise.

Les gestionnaires savent que réduire le délai pour convertir de l'argent en davantage d'argent (c'est-à-dire en réduisant le cycle d'exploitation) signifie des bénéfices accrus et une croissance plus rapide. Car avec les fonds excédentaires gagnés, ils peuvent acheter d'autres actifs (les ressources de l'entreprise), payer les dettes ou verser des dividendes aux actionnaires.

Jusqu'à ce qu'une entreprise mette fin à ses activités, le cycle d'exploitation se répète continuellement. Cependant, les décideurs ont besoin d'information périodique sur la situation financière et le rendement d'une entreprise. Pour mesurer les résultats de l'entreprise pour une période précise, les comptables s'appuient sur le **postulat de l'indépendance des exercices.** Celui-ci suppose que la vie d'une entreprise peut être découpée en périodes plus courtes, habituellement en mois, en trimestres ou en années[4]. Ce postulat implique toutefois l'application de règles dans le but de répondre à deux questions essentielles :

1. Question de constatation : Quand doit-on constater (inscrire) les opérations commerciales ?
2. Question de mesure : Quels montants doit-on constater ?

Avant d'étudier les règles comptables que nous devons appliquer pour répondre à ces deux questions, examinons d'abord les composantes des états financiers qui sont touchées par les activités d'exploitation.

> Le **postulat de l'indépendance des exercices** suppose que l'activité économique d'une entité peut être découpée en périodes égales et arbitraires qu'on appelle « exercices »[5].

Les composantes de l'état des résultats

Le tableau 3.1 à la page suivante présente l'état des résultats de la société Van Houtte pour l'exercice 2006. Aux fins de notre discussion, l'état des résultats est présenté pour un seul exercice. Les sociétés faisant un appel public à l'épargne comme Van Houtte doivent présenter des états financiers comparatifs sur deux exercices pour aider les utilisateurs à évaluer les changements survenus dans le temps.

En étudiant les composantes de l'état des résultats, vous pouvez vous reporter au cadre conceptuel présenté au tableau 2.1 du chapitre 2. Dans le présent chapitre, nous discuterons des notions relatives à l'état des résultats en précisant comment elles s'appliquent à Van Houtte.

> **OBJECTIF D'APPRENTISSAGE 2**
>
> Expliquer comment les opérations de l'entreprise influent sur l'état des résultats.

---

4. En plus des états financiers annuels vérifiés, la plupart des entreprises dressent des états financiers trimestriels (également appelés des « rapports intérimaires », qui couvrent une période de trois mois) pour les utilisateurs externes. L'Autorité des marchés financiers exige que les sociétés publiques publient des rapports trimestriels.
5. Louis MÉNARD, *op. cit.*, p. 875.

Les produits

Les **produits** représentent les augmentations des ressources économiques qui résultent des activités courantes de l'entité et proviennent habituellement de la vente de biens ou de la prestation de services[6].

Les **produits** (revenus ou chiffre d'affaires) proviennent de la vente de biens ou de la prestation de services dans le cadre des activités normales et continues d'une entreprise (autrement dit la raison d'être de l'entreprise). Quand Van Houtte vend du café à ses clients ou rend des services à ses franchisés, elle réalise des produits. Dans ce cas, les actifs (habituellement la caisse ou les comptes clients) augmentent. Il arrive parfois, lorsqu'un client paie d'avance des biens ou des services, qu'un compte de passif soit créé (en général les produits reportés ou les produits perçus d'avance). À ce moment-là, aucun produit n'est gagné. Il y a simplement réception d'espèces (un actif) en contrepartie d'une promesse de fournir des biens ou des services dans l'avenir (un passif). Quand l'entreprise fournit les biens ou les services promis au client, un produit est constaté et le passif est réglé. On peut dire que les produits constituent une augmentation des actifs ou un règlement des passifs à partir des activités courantes de l'entreprise.

TABLEAU 3.1 | État consolidé des résultats

Van Houtte inc.
État consolidé des résultats
Exercice terminé le 1er avril 2006
(en milliers de dollars, sauf pour les montants relatifs au bénéfice par action)

	2006
Revenus (note 2)	377 633 $
Coût des marchandises vendues et frais d'exploitation	308 377
	69 256
Amortissement	33 790
Frais financiers (note 3)	2 382
Bénéfice d'exploitation avant les éléments suivants	33 084
Impôts sur le bénéfice (note 4)	8 665
Bénéfice avant les éléments suivants	24 419
Participation aux résultats des sociétés satellites	31
Part des actionnaires sans contrôle	(1 944)
Bénéfice net	22 506 $
Bénéfice par action (note 5)	
De base	
Bénéfice net	1,05 $
Dilué	
Bénéfice net	1,05 $
Nombre moyen pondéré d'actions en circulation (en milliers)	21 399
Nombre moyen pondéré d'actions en circulation dilué (en milliers)	21 454

Se reporter aux notes afférentes aux états financiers consolidés.

---

6. *Ibid.*, p. 1022.

Comme la plupart des entreprises, Van Houtte génère des revenus en provenance d'une variété de sources, bien que l'état des résultats ne montre qu'un chiffre global. Toutefois, on trouve dans le rapport annuel de la société une analyse sectorielle de ses résultats. C'est ainsi qu'on peut voir que les activités d'exploitation de Van Houtte sont réparties en deux grands secteurs : les activités de fabrication et de commercialisation de café et les activités de « Services de café ».

1. Les activités de fabrication et de commercialisation comprennent la torréfaction et la distribution de café, la fabrication et la distribution de cafetières, ainsi que le franchisage et l'exploitation de cafés-bistros (au 1er avril 2006, 61 cafés-bistros étaient en exploitation dont 57 étaient franchisés). Pour l'exercice 2006, ces activités ont produit des ventes de 172,8 millions de dollars en hausse de 10,8 % par rapport à l'exercice précédent. Ces ventes représentent 39 % des revenus totaux de Van Houtte.

2. Van Houtte exploite le plus important réseau de services de café en Amérique du Nord. Basés sur sa technologie d'infusion à la tasse, les services de café sont implantés non seulement sur les lieux de travail, mais également dans les hôpitaux, les campus universitaires, les hôtels, les dépanneurs ou tout autre endroit achalandé. Les services de café sont offerts dans 76 agglomérations nord-américaines, situées dans la plupart des régions du Canada et des États-Unis (au 1er avril 2006, ce réseau comportait 2 361 espaces-café). En 2006, les activités de services de café ont enregistré des ventes de 268,8* millions de dollars, une hausse de 10,2 % par rapport à l'exercice précédent. Ces ventes représentent 61 % des revenus de Van Houtte.

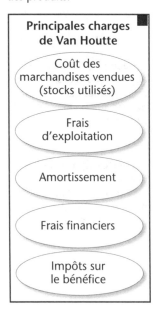

Les charges

Les **charges** sont nécessaires pour engendrer des produits. Certains étudiants confondent les termes « dépenses » et « charges ». Une dépense est toute sortie de fonds, y compris l'achat d'équipement ou le remboursement d'un emprunt bancaire. Une charge a une définition plus étroite. Lorsqu'un actif est utilisé pour générer un produit, le coût ou une partie du coût de cet actif devient une charge qu'on attribue à un exercice particulier. Par conséquent, toutes les dépenses ne sont pas des charges et les charges sont nécessaires pour engendrer des produits. Quand on enregistre une charge, l'actif diminue ou le passif augmente. On peut alors dire que les charges entraînent une diminution de l'actif ou une augmentation du passif en vue d'engendrer des produits durant l'exercice. Par exemple, Van Houtte paie ses employés, elle utilise de l'électricité pour faire fonctionner le matériel et éclairer ses installations, fait de la publicité et utilise des fournitures tel le papier. Si elle n'engageait pas ces coûts, Van Houtte ne pourrait engendrer de produits. Ainsi, ces activités sont des exemples de charges.

Les **charges** représentent les diminutions des ressources économiques (la diminution de l'actif ou l'augmentation du passif) qui résultent des activités courantes de l'entité menées en vue de générer des produits.

Voici les principales charges de Van Houtte :

1. **Le coût des marchandises vendues.** Le principal produit de Van Houtte est le café. Pour vendre son café, la société achète des grains, les transforme au moyen d'un procédé de torréfaction et les emballe sous différentes formes. Tout ce processus entraîne des coûts qui, lorsque le sac de café est vendu, deviennent une charge qu'on appelle le « coût des marchandises vendues ». Van Houtte fabrique et vend également des cafetières. Ainsi, elle achète des matières premières qui entrent dans la fabrication des cafetières et les transforme grâce à une main-d'œuvre et à un équipement spécialisé. Au moment de la vente d'une cafetière, les coûts de fabrication deviennent le coût des marchandises vendues à l'état des résultats. Dans les sociétés axées sur la fabrication ou le commerce, le coût des marchandises vendues représente habituellement la charge la plus importante à l'état des résultats.

---

* On doit toutefois retrancher de ces chiffres un total de 63,9 millions de dollars qui représentent les ventes intersectorielles entre le secteur fabrication et commercialisation et le secteur services de café.

2. **Les frais d'exploitation.** L'état des résultats de Van Houtte ne donne aucun détail sur les éléments faisant partie des frais d'exploitation. On peut toutefois supposer sans peur de se tromper que les salaires et les avantages sociaux représentent une charge très élevée pour une société comme Van Houtte. En effet, la plus grande partie des revenus provient de son service de café. Les autres charges importantes d'une société incluent les frais d'administration tels que les assurances, le chauffage et l'électricité et les frais de vente comme la publicité, les frais de promotion et les commissions aux vendeurs.

3. **L'amortissement.** Pour produire et vendre son café ou offrir des services, Van Houtte utilise des actifs à long terme. Ses immobilisations comprennent des immeubles, des équipements de café, des distributrices automatiques, de la machinerie et de l'équipement, de l'ameublement et du matériel informatique ainsi que des véhicules. Tous ces actifs contribuent à engendrer des produits, et l'amortissement représente le coût d'utilisation de ceux-ci durant un exercice donné. En 2006, Van Houtte a enregistré une charge d'amortissement de 33,8 millions de dollars. Le concept d'amortissement sera étudié au chapitre 8.

4. **Les frais financiers.** Les frais financiers sont constitués principalement des intérêts sur la dette à long terme.

5. **Les impôts** sont les dernières charges considérées dans le calcul du bénéfice d'exploitation. Toutes les sociétés à but lucratif doivent calculer les impôts sur le bénéfice qu'elles doivent verser aux gouvernements fédéral, provinciaux ou étrangers. Cette question sera traitée plus en détail au chapitre 9. Toutefois, nous pouvons préciser que la charge d'impôts se calcule à partir des taux d'imposition fixés par les gouvernements provinciaux et fédéral. Le taux d'imposition effectif de Van Houtte en 2006 était de 26,2 %. Autrement dit, pour chaque dollar de profit réalisé par Van Houtte en 2006, la société a versé 0,26 $ aux autorités fiscales.

Les autres revenus, les gains et les pertes

Toutes les opérations influant sur l'état des résultats ne proviennent pas uniquement des activités courantes de l'entreprise. Faire fructifier ses excès de liquidités dans des placements est une activité d'investissement pour Van Houtte qui lui procure des revenus d'intérêts ou de dividendes. D'un autre côté, emprunter de l'argent est une activité de financement qui occasionne des frais d'intérêt. Pour Van Houtte, ces opérations sont des activités périphériques (normales mais non centrales).

Les **gains** représentent les augmentations des ressources économiques qui résultent des activités périphériques de l'entité.

Dans le même ordre d'idées, les **gains** proviennent des opérations périphériques (autrement dit celles qui se produisent de façon sporadique et qui ne constituent pas la cible d'exploitation principale de l'entreprise). Par exemple, la vente d'un terrain à un prix supérieur à celui que la société a payé n'engendrerait pas de produits pour Van Houtte, puisque la vente d'un terrain ne fait pas partie de ses activités d'exploitation courantes. La société constaterait plutôt un gain sur la vente d'un terrain.

Les **pertes** représentent une diminution de l'actif ou une augmentation du passif découlant des activités périphériques de l'entité.

De même, les **pertes** résultent d'opérations périphériques. Si un terrain ayant un coût de 2 800 $ se vend 2 500 $, l'entreprise constate une perte de 300 $ sur la vente. Van Houtte peut acheter occasionnellement un terrain, mais la vente du terrain ne constitue pas une de ses activités principales. Nous présenterons l'analyse des opérations portant sur les gains et les pertes dans des chapitres ultérieurs qui traitent de l'évaluation d'actifs et de passifs particuliers.

Dans son état des résultats, Van Houtte présente un revenu provenant d'une participation aux résultats des sociétés satellites. Cette notion sera abordée au chapitre 11.

Le résultat par action

Les entreprises sont tenues de dévoiler le résultat par action à l'état des résultats. Ce ratio est largement utilisé pour évaluer la performance et la rentabilité de la compagnie. Pour calculer ce ratio, il s'agit de diviser le bénéfice net par le nombre moyen d'actions ordinaires en circulation. Nous reviendrons sur ce sujet au chapitre 10.

La constatation et la mesure des activités d'exploitation

OBJECTIF D'APPRENTISSAGE **3**

Expliquer la méthode de la comptabilité d'exercice et appliquer le principe du rapprochement des produits et des charges.

Vous déterminez probablement votre situation financière en fonction de votre solde bancaire. Votre situation financière se mesure avec la différence entre votre solde au début de l'année et votre solde à la fin de l'année (en d'autres mots, si vous avez plus ou moins d'argent à la fin de l'année). Si vous obtenez un solde plus élevé, vos encaissements ont excédé vos décaissements durant l'année. Bon nombre de petits détaillants, de cabinets de médecin et d'autres petites entreprises recourent à la **méthode de la comptabilité de caisse.** Selon celle-ci, on comptabilise les produits quand on reçoit l'argent et on inscrit les charges quand on verse l'argent, peu importe le moment où les produits sont gagnés et où les charges sont engagées.

La **méthode de la comptabilité de caisse** consiste à comptabiliser les produits au moment où ces derniers sont encaissés et les charges au moment où celles-ci sont payées.

La méthode de la comptabilité d'exercice

Comme la méthode de la comptabilité de caisse est basée uniquement sur les encaissements et les décaissements, les états financiers qui en découlent ne reflètent pas nécessairement tous les actifs et passifs, produits et charges de l'entreprise à une date donnée. Pour ces raisons, les états financiers basés sur la comptabilité de caisse ne sont pas pertinents pour les utilisateurs externes. Par conséquent, les principes comptables généralement reconnus exigent le recours à la méthode de la comptabilité d'exercice aux fins de la présentation de l'information financière.

Selon la **méthode de la comptabilité d'exercice,** il faut constater les actifs, les passifs, les produits et les charges quand l'opération qui les entraîne se produit et non pas quand un encaissement ou un décaissement a lieu. On constate les produits quand on les gagne et les charges quand on les engage. Les deux principes comptables qui déterminent à quel moment les produits et les charges sont constatés selon la méthode de la comptabilité d'exercice sont le principe de constatation des produits et le principe du rapprochement des produits et des charges.

Mesure du bénéfice selon la comptabilité de caisse

Encaissements
− Décaissements
‾‾‾‾‾‾‾‾‾‾‾‾‾‾‾‾
Bénéfice net

La **méthode de la comptabilité d'exercice** consiste à comptabiliser les produits quand ils sont gagnés et les charges quand elles sont engagées, sans considération du moment où les opérations sont réglées par un encaissement ou un décaissement.

Le principe de constatation des produits

Selon le **principe de constatation des produits** (ou le **principe de réalisation**), quatre conditions doivent être satisfaites pour constater les produits (en d'autres mots pour les comptabiliser et les inclure dans les états financiers). Si une seule des conditions n'est pas respectée, le produit n'est pas gagné et ne peut être constaté.

1. La marchandise a été livrée ou le service a été rendu. Ainsi, les produits provenant de la vente des biens sont constatés au moment de la livraison des marchandises et les produits résultant de la prestation de services sont constatés au moment où les services sont rendus.
2. Une opération d'échange est conclue. En échange des biens ou services le client s'est engagé à verser un certain montant d'argent ou à céder un autre actif.
3. Le prix est fixé. Il n'y a aucune incertitude quant au montant qui sera recouvré.
4. Le recouvrement est raisonnablement assuré. Comme nous le verrons plus en détail au chapitre 6, les sociétés établissent des politiques en matière de crédit pour réduire les risques d'octroi de crédit à des clients peu solvables. À la date de la vente à crédit, si on suppose que les politiques en matière de crédit ont été respectées, le recouvrement est en général considéré comme raisonnablement assuré.

Mesure du bénéfice selon la comptabilité d'exercice

Produits
− Charges
‾‾‾‾‾‾‾‾‾‾‾
Bénéfice net

Selon le **principe de constatation des produits** (ou le **principe de réalisation**), on doit comptabiliser un produit ou un profit lorsqu'il est réalisé, c'est-à-dire dans l'exercice où a été achevée l'exécution du travail nécessaire pour le gagner et lorsque la mesure et le recouvrement de la contrepartie sont raisonnablement sûrs[7].

---

7. Louis MÉNARD, *op. cit.,* p. 973.

En pratique, ces quatre conditions sont satisfaites pour la plupart des entreprises au moment de la livraison des marchandises ou de la prestation des services. Les produits de Van Houtte proviennent en partie de la vente de café dans ses nombreux points de vente. Au moment de la vente, une opération d'échange a lieu (critère 2), le produit est livré (critère 1) et il n'y a pas d'incertitude quant au montant de la transaction (critère 3) et du recouvrement (critère 4).

Van Houtte vend aussi des franchises qui lui permettent d'obtenir des droits dès le départ. Si ces droits de franchise sont versés avant que la société fournisse les services prévus, aucun produit n'est constaté puisque le critère 1 n'est pas respecté. On crée alors un compte de passif Redevances de franchises perçues d'avance. Ce compte de produit reporté ou non gagné représente la valeur des produits ou des services que l'entreprise doit aux franchisés. Par la suite, quand la société fournit les services, elle constate les produits en réduisant le compte du passif.

Les produits sont comptabilisés selon le principe de constatation des produits quand les quatre conditions sont respectées, sans considération du moment où l'argent est reçu. L'argent peut être reçu avant, durant ou après la constatation du produit. Une entrée comptable est faite au moment où le produit est gagné et une autre à la date où l'argent est reçu.

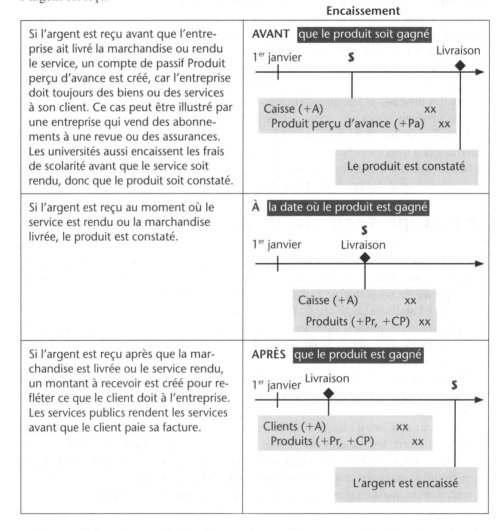

Les sociétés présentent habituellement leur politique en matière de constatation des produits dans une note afférente aux états financiers. L'extrait suivant est tiré de la note 1 des états financiers de Van Houtte.

1. Principales conventions comptables

k) Constatation des revenus :

Les revenus sont reconnus lorsque les biens sont livrés ou lorsque les services sont rendus. Les revenus de location sont facturés sur une base périodique ou mensuelle lorsque les services sont rendus. Au moment où les clients sont facturés, la tranche représentant les revenus non gagnés est enregistrée à titre de revenus reportés.

TEST D'AUTOÉVALUATION

Ce test d'autoévaluation permet de vous exercer à appliquer le principe de constatation des produits selon la méthode de la comptabilité d'exercice. Il est conseillé de vous référer aux quatre critères de constatation des produits déjà présentés pour répondre à chacune de ces questions. Il est important d'effectuer ce test pour vous assurer de bien comprendre ce principe. Pour chaque opération, indiquez le nom du compte de produit qui sera touché et le montant du revenu gagné.

Activité	Comptes touchés	Produits gagnés en janvier OU critère de constatation des produits non satisfait
a) En janvier, les restaurants Vendanges ont servi des repas à leurs clients pour une somme de 32 000 $.		
b) En janvier, Vendanges a encaissé 625 $ pour des contrats de service avec des franchisés, et la société a fourni pour une valeur de 400 $ de services à ces nouveaux franchisés. Les services non rendus auront lieu au cours des trois prochains mois.		
c) En janvier, les franchisés ont versé 2 750 $ à Vendanges à titre de redevances dont 750 $ concernaient les ventes de décembre.		
d) En janvier, Vendanges a vendu des sauces et des pâtes à des restaurants pour un montant de 30 000 $ dont 20 000 $ ont été encaissés et le solde porté aux comptes clients.		
e) En janvier, les franchisés ont versé 1 200 $ à Vendanges (pour les achats de décembre de pâtes et de sauces).		

Vérifiez vos réponses à l'aide des solutions présentées en bas de page*.

*

	Comptes touchés	Produits gagnés en janvier ou critère non satisfait
a)	Ventes	32 000 $
b)	Contrats de services	400 $ 225 $ revenus reportés, car les services ne sont pas encore rendus.
c)	Redevances des franchisés	2 000 $ gagnés en janvier 750 $ gagnés en décembre
d)	Ventes	30 000 $ (10 000 $ ne sont pas encore encaissés)
e)	Aucun compte de produit	Aucun produit gagné en janvier; encaissement lié aux produits réalisés en décembre.

Des dérogations au principe de constatation des produits

Les décisions des investisseurs sur le marché boursier sont liées aux résultats prévus par l'entreprise et annoncés sur le marché financier ainsi qu'aux attentes des investisseurs. Quand les sociétés publient leurs résultats trimestriels et annuels, les investisseurs évaluent à quel point les sociétés ont répondu à leurs attentes et à leurs prévisions et ils adaptent leurs décisions d'investissement en fonction de leur analyse. Les sociétés qui ne satisfont pas aux attentes connaissent souvent un déclin du prix de leurs actions. Dans ce contexte, la direction cherche à produire des résultats qui satisfont à ces attentes ou même les surpassent pour maintenir la valeur boursière de leurs titres. Parfois, cette incitation entraîne les gestionnaires à prendre des décisions contraires à l'éthique. Il arrive même que les gestionnaires falsifient les montants des revenus et des charges. Les scandales financiers d'Enron, de WorldCom et de bien d'autres grandes entreprises ont amené les législateurs à vouloir punir sévèrement ces crimes économiques. De lourdes peines d'emprisonnement ont été prononcées aux États-Unis contre un bon nombre de gestionnaires reconnus coupables de fraude. L'ex-PDG de WorldCom, Bernard Ebbers, a été condamné à 25 ans de prison tout comme l'ex-PDG de Tyco, Dennis Kozlowsky. La palme revient à l'ex-dirigeant d'Enron, Jeff Skilling, passible de 185 ans de prison, qui a été reconnu coupable à 19 chefs d'accusation.

Outre le fait que des personnes se retrouvent en prison, bon nombre d'individus sont touchés. Les actionnaires perdent la valeur de leurs actions, les employés risquent de perdre leur emploi (et leur fonds de pension, comme dans le cas d'Enron) alors que les clients et les fournisseurs deviennent méfiants. À titre de futurs gestionnaires, vous pourriez faire face à un problème d'éthique dans votre milieu de travail. Une décision éthique est celle dont vous serez toujours fier des années plus tard.

Le principe du rapprochement des produits et des charges

Le **principe du rapprochement des produits et des charges** détermine le moment où les coûts doivent être passés en charges et rapprochés des produits qu'ils ont contribué à créer.

Selon le **principe du rapprochement des produits et des charges,** les coûts engagés pour gagner des revenus doivent être enregistrés au cours du même exercice. Par exemple, quand Van Houtte vend du café à ses clients, un produit est constaté. La société doit aussi comptabiliser toutes les charges utilisées pour engendrer les produits. Comme c'est le cas pour les produits et les encaissements, les charges sont enregistrées au moment où elles sont engagées, c'est-à-dire au moment où elles servent à gagner un produit, peu importe le moment du décaissement.

L'argent peut être versé avant, pendant ou après que la charge a été engagée. Une entrée comptable est faite au moment où la charge est engagée et une autre au moment où l'argent est versé.

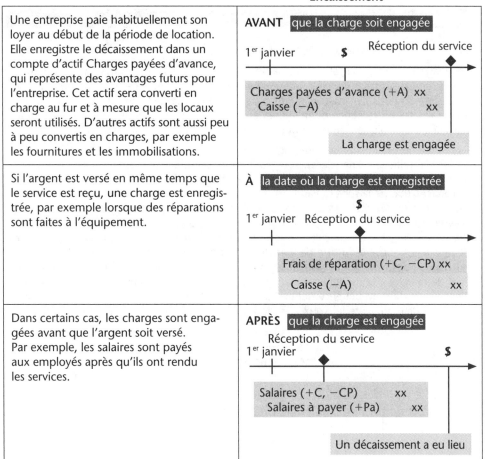

	Encaissement
Une entreprise paie habituellement son loyer au début de la période de location. Elle enregistre le décaissement dans un compte d'actif Charges payées d'avance, qui représente des avantages futurs pour l'entreprise. Cet actif sera converti en charge au fur et à mesure que les locaux seront utilisés. D'autres actifs sont aussi peu à peu convertis en charges, par exemple les fournitures et les immobilisations.	**AVANT** que la charge soit engagée 1er janvier $ Réception du service Charges payées d'avance (+A) xx Caisse (−A) xx La charge est engagée
Si l'argent est versé en même temps que le service est reçu, une charge est enregistrée, par exemple lorsque des réparations sont faites à l'équipement.	**À** la date où la charge est enregistrée $ 1er janvier Réception du service Frais de réparation (+C, −CP) xx Caisse (−A) xx
Dans certains cas, les charges sont engagées avant que l'argent soit versé. Par exemple, les salaires sont payés aux employés après qu'ils ont rendu les services.	**APRÈS** que la charge est engagée Réception du service 1er janvier $ Salaires (+C, −CP) xx Salaires à payer (+Pa) xx Un décaissement a eu lieu

TEST D'AUTOÉVALUATION

Ce test d'autoévaluation permet de vous exercer à appliquer le principe du rapprochement des produits et des charges. Il est important d'effectuer ce test maintenant pour vous assurer de bien comprendre ce principe.

Pour chaque opération, indiquez le nom du compte de charge touché ainsi que le montant.

Activité	Comptes touchés	Charges engagées en janvier
a) Au début de janvier, les restaurants Vendanges ont versé 3 000 $ pour le loyer de janvier, février et mars.		
b) En janvier, Vendanges a versé 10 000 $ en règlement de ses comptes fournisseurs pour des fournitures reçues en décembre.		
c) En janvier, le coût des marchandises vendues s'élevait à 9 500 $.		
d) À la fin janvier, Vendanges a reçu une facture d'électricité de 500 $ qui sera acquittée en février pour l'électricité consommée en janvier.		

Vérifiez vos réponses à l'aide des solutions présentées en bas de page*.

---

*

Comptes touchés	Montant des charges engagées en janvier
a) Loyer	1 000 $ engagés en janvier (3 000 $ ÷ 3)
b) Aucune charge en janvier	Aucune charge, un décaissement. Fournitures imputées au moment où elles sont utilisées ou vendues.
c) Coût des marchandises vendues	9 500 $
d) Électricité	500 $ engagés en janvier et non encore payés

Les informations comptables et la réaction du marché boursier

Les analystes en valeurs mobilières et les investisseurs utilisent les informations comptables pour prendre des décisions en matière d'investissement. Le marché boursier, qui est basé sur les attentes des investisseurs quant au rendement futur de l'entreprise, réagit souvent aux écarts de performance de manière négative (le prix des actions de l'entreprise subit alors une baisse plus ou moins importante selon l'évaluation des analystes).

Il n'est pas nécessaire qu'une entreprise affiche une perte nette pour réaliser qu'elle éprouve parfois des difficultés financières. Tout écart imprévu entre le rendement réalisé et les performances visées, comme des résultats trimestriels plus bas que prévu, doit être justifié. L'exercice 2006 de la société Van Houtte s'est soldé par un bénéfice record, mais légèrement inférieur aux attentes des analystes financiers. Cette performance, plus basse que prévu par la direction elle-même, est due à la hausse du prix du café vert, à la hausse du dollar canadien et à des difficultés avec les fournisseurs de café à Chicago. Sur le graphique de la valeur boursière du titre de Van Houtte, on voit qu'au mois de juin 2006, date de publication des résultats annuels de la société, le titre a connu un plancher à 17,60 $. En effet, le marché a immédiatement réagi négativement aux résultats de Van Houtte, qui affichait pourtant un bénéfice net en hausse de 3,6 % par rapport à l'année précédente, mais tout de même inférieur aux prévisions de la direction et des analystes financiers.

Van Houtte inc.
Symbole boursier : VH
Mars 2006 à février 2007
Prix

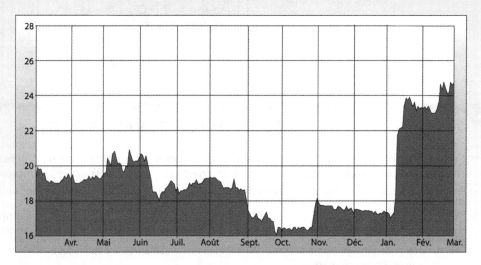

Source : *Canoë*, [en ligne], www.argent.canoe.com, (page consultée le 14 mars 2007).

Le modèle d'analyse des opérations

OBJECTIF
D'APPRENTISSAGE **4**

Utiliser le modèle d'analyse des opérations pour enregistrer les activités d'exploitation.

Nous avons étudié les activités qui avaient une incidence sur l'état des résultats, leur constatation et leur mesure. Nous devons maintenant déterminer comment ces activités sont enregistrées dans les livres comptables de l'entreprise et présentées aux états financiers. Au chapitre 2, nous avons analysé les activités d'investissement et de financement touchant l'actif, le passif ou le capital social. Nous élargissons maintenant le modèle d'analyse des opérations pour inclure les activités d'exploitation.

Les règles d'analyse des opérations

Les règles d'analyse des opérations appliquées à l'équation comptable

Le modèle d'analyse des opérations présenté au tableau 3.2 inclut maintenant cinq éléments : l'actif, le passif, les capitaux propres, les produits et les charges. N'oubliez pas que le compte Bénéfices non répartis représente le total des bénéfices (les produits moins les charges) réalisés par l'entreprise depuis sa constitution moins les dividendes versés aux actionnaires[8]. Lorsque le bénéfice net est positif, les bénéfices non répartis augmentent ; quand l'entreprise réalise plutôt une perte nette, les bénéfices non répartis diminuent.

TABLEAU 3.2	Règles d'analyse des opérations et l'équation comptable

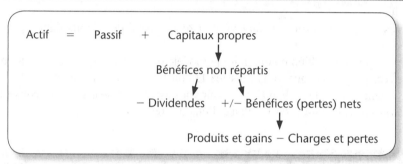

Avant d'illustrer l'utilisation du modèle d'analyse des opérations, il faut insister sur les points suivants :

- Les produits font augmenter les bénéfices non répartis (BNR).
- Les charges font diminuer le bénéfice net, donc les bénéfices non répartis (BNR). En somme, lorsque les charges augmentent, le bénéfice net, les bénéfices non répartis ainsi que le total des capitaux propres diminuent.
- Quand les produits excèdent les charges, la société inscrit un bénéfice net qui fait augmenter les bénéfices non répartis et, par conséquent, les capitaux propres. Cependant, quand les charges dépassent les produits, il y a perte nette, laquelle fait diminuer les bénéfices non répartis et donc les capitaux propres.
- Chaque opération a un double effet, touchant au moins deux comptes (la dualité des effets). Dans l'analyse des opérations, il faut :
  - a) déterminer correctement les comptes touchés et les classer par type de compte, en s'assurant qu'au moins deux comptes sont modifiés. Demandez-vous ce que vous avez reçu et ce que vous avez donné. Classez les comptes comme un actif (A), un passif (Pa), des capitaux propres (CP), un produit (Pr) ou une charge (C).
  - b) déterminer l'effet de l'opération (une augmentation [+] ou une diminution [−]) sur chaque compte.
  - c) vérifier que l'équation comptable (A = Pa + CP) demeure en équilibre après chaque opération.

Puisque les produits sont définis comme une augmentation des ressources économiques de l'entreprise, par définition, pour comptabiliser un produit, il faut habituellement qu'un actif s'accroisse ou qu'un passif diminue. De manière similaire, si une charge est enregistrée, il faut normalement qu'un actif diminue ou qu'un passif s'élève.

---

8. Plutôt que de réduire les Bénéfices non répartis directement quand les dividendes sont déclarés, les entreprises peuvent utiliser le compte Dividendes déclarés.

Les règles d'analyse des opérations appliquées aux écritures comptables

En plus des règles qu'on vient de voir concernant l'équation comptable, on peut ajouter les points suivants qui sont résumés au tableau 3.3 :

- Le symbole de l'augmentation (+) est inscrit à gauche quand on se trouve du côté gauche de l'équation comptable, et il s'inscrit à droite quand on se trouve du côté droit de l'équation comptable.
- Les produits ont un solde créditeur. Autrement dit, pour augmenter un produit, il faut le créditer, et pour diminuer un produit, il faut le débiter.
- Les charges ont un solde débiteur. Pour augmenter une charge, il faut la débiter, et pour diminuer une charge, il faut la créditer.
- Comme les dividendes diminuent les bénéfices non répartis, ils ont un solde débiteur.
- Les débits (dt) sont présentés du côté gauche d'un compte et les crédits (ct), du côté droit.
- Après chaque opération, il faut vérifier que le total des débits égale le total des crédits.

Il est important de bien comprendre le modèle d'analyse des opérations qui est proposé, et ce, jusqu'à ce que vous puissiez le construire vous-même sans aide. Étudiez attentivement l'exemple de Van Houtte pour vous assurer de bien saisir les conséquences des activités d'exploitation sur le bilan et l'état des résultats.

| TABLEAU 3.3 | Modèle d'analyse des opérations |

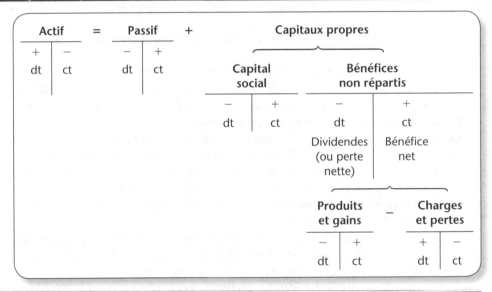

L'analyse des opérations de Van Houtte

Nous reprenons l'exemple de Van Houtte présenté à la fin du chapitre 2. Cet exemple comportait des opérations d'investissement et de financement pouvant se produire au cours d'une période. Nous reprenons le même processus d'analyse, d'enregistrement et de report dans les comptes en T pour les opérations d'exploitation. Au chapitre 4, nous compléterons le cycle comptable avec les régularisations de fin de période. On suppose que toutes les opérations décrites se sont produites au cours du mois d'avril 2006. Tous les montants sont exprimés en milliers de dollars et sont reportés dans les comptes en T à la fin de l'illustration. (Il est important de rappeler que les opérations présentées ci-après sont fictives et n'ont pas réellement eu lieu.)

a) Van Houtte a vendu au comptant pour 36 000 $ de café. Elle a également vendu de la marchandise à ses clients pour une somme de 30 000 $ dont 21 000 $ ont été encaissés, et le solde sera payé dans 30 jours.

ÉQUATION COMPTABLE

Actif		=	Passif	+	Capitaux propres	
Caisse	+57 000				Ventes	+66 000
(36 000 + 21 000)						
Clients*	+9 000					

ÉCRITURE DE JOURNAL

Caisse (+A)...	57 000	
Clients (+A)...	9 000	
Ventes (+Pr, +CP)		66 000

Vérifications : 1. L'équation comptable est en équilibre ;
2. Débits 66 000 $ = Crédits 66 000 $.

b) Le coût des grains, du processus de torréfaction et de l'emballage du café vendu en a) s'élevait à 10 000 $. Le coût des fournitures vendues en a) était de 20 000 $.

ÉQUATION COMPTABLE

Actif		=	Passif	+	Capitaux propres	
Stocks	−30 000				Coût des marchandises vendues	−30 000

ÉCRITURE DE JOURNAL

Coût des marchandises vendues (+C, −CP)	30 000	
Stocks (−A)...		30 000

Vérifications : 1. L'équation comptable est en équilibre ;
2. Débits 30 000 $ = Crédits 30 000 $.

c) Van Houtte a vendu de nouvelles franchises pour 400 $ en espèces. La société a gagné 100 $ immédiatement en rendant des services aux franchisés. Elle gagnera le reste au cours des prochains mois.

ÉQUATION COMPTABLE

Actif		=	Passif		+	Capitaux propres	
Caisse	+400		Produits liés aux franchises perçus d'avance	+300		Produits liés aux franchises	+100

ÉCRITURE DE JOURNAL

Caisse (+A)...	400	
Produits liés aux franchises (+Pr, +CP)............................		100
Produits liés aux franchises perçus d'avance (+Pa)		300

Vérifications : 1. L'équation comptable est en équilibre ;
2. Débits 400 $ = Crédits 400 $.

---

*   Nous privilégions l'emploi du terme Clients plutôt que du terme Débiteurs utilisé par Van Houtte.

d) Van Houtte a payé 7 000 $ pour différentes factures, les services publics, les réparations et l'essence des véhicules de livraison, tous considérés comme des frais d'exploitation.

ÉQUATION COMPTABLE

Actif		=	Passif	+	Capitaux propres	
Caisse	−7 000				Frais d'exploitation	−7 000

ÉCRITURE DE JOURNAL

Frais d'exploitation (+C, −CP)	7 000	
Caisse (−A)..		7 000

Vérifications : 1. L'équation comptable est en équilibre ;
2. Débits 7 000 $ = Crédits 7 000 $.

e) Van Houtte a commandé et reçu 29 000 $ de grains de café. La société a versé 9 000 $ en espèces et le solde est porté aux comptes fournisseurs.

ÉQUATION COMPTABLE

Actif		=	Passif		+	Capitaux propres
Caisse	−9 000		Fournisseurs	+20 000		
Stocks	+29 000					

ÉCRITURE DE JOURNAL

Stocks (+A)	29 000	
Caisse (−A)..		9 000
Fournisseurs (+Pa)		20 000

Vérifications : 1. L'équation comptable est en équilibre $;
2. Débits 29 000 $ = Crédits 29 000 $.

f) Van Houtte verse les salaires du mois d'avril qui s'élèvent à 14 000 $.

ÉQUATION COMPTABLE

Actif		=	Passif	+	Capitaux propres	
Caisse	−14 000				Salaires	−14 000

ÉCRITURE DE JOURNAL

Salaires (+C , −CP)	14 000	
Caisse (−A)..		14 000

Vérifications : 1. L'équation comptable est en équilibre ;
2. Débits 14 000 $ = Crédits 14 000 $.

g) Au début du mois d'avril, Van Houtte a payé 9 000 $ pour certains services qui seront rendus au cours des prochains mois : 2 000 $ en paiement de la prime d'assurances couvrant les quatre prochains mois, 6 000 $ pour la location d'un local pour une période de trois mois et 1 000 $ en frais de publicité pour le mois de mai.

ÉQUATION COMPTABLE

Actif	=	Passif	+	Capitaux propres
Caisse −9 000				
Charges payées d'avance +9 000				

ÉCRITURE DE JOURNAL

Charges payées d'avance (+A)	9 000	
Caisse (−A)		9 000

Vérifications : 1. L'équation comptable est en équilibre ;
2. Débits 9 000 $ = Crédits 9 000 $.

h) Van Houtte a vendu un terrain 4 000 $ comptant. Le coût du terrain était de 1 000 $.

ÉQUATION COMPTABLE

Actif	=	Passif	+	Capitaux propres
Caisse +4 000				Gain sur vente de terrain +3 000
Terrain −1 000				

ÉCRITURE DE JOURNAL

Caisse (+A)..	4 000	
Terrain (A)..		1 000
Gain sur vente de terrain (+Pr, +CP)		3 000

Vérifications : 1. L'équation comptable est en équilibre ;
2. Débits 4 000 $ = Crédits 4 000 $.

TEST D'AUTOÉVALUATION

Pour les opérations i) à k), inscrivez les données manquantes. Vérifiez vos réponses à l'aide des solutions présentées en bas de page*.

i) Van Houtte a reçu 3 500 $ de redevances de la part de ses franchisés ; 800 $ du montant provenaient des ventes de mars des franchisés et 2 700 $ étaient dus pour les ventes d'avril.

Indiquez l'effet sur l'équation comptable ⟶

ÉQUATION COMPTABLE

Actif	=	Passif	+	Capitaux propres

ÉCRITURE DE JOURNAL

Caisse (+A)...	3 500	
Clients (−A)..		800
Produits liés aux franchises (+PR, +CP)...............................		2 700

Vérifications : 1. L'équation comptable est-elle en équilibre ?
2. Débits 3 500 $ = Crédits 3 500 $.

j) Van Houtte a versé 10 000 $ sur les comptes qu'elle devait à ses fournisseurs.

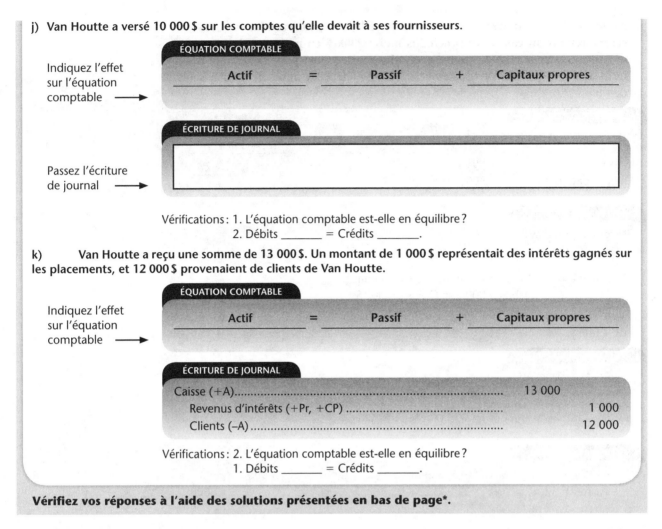

Indiquez l'effet sur l'équation comptable ⟶

ÉQUATION COMPTABLE

Actif	=	Passif	+	Capitaux propres

Passez l'écriture de journal ⟶

ÉCRITURE DE JOURNAL

Vérifications : 1. L'équation comptable est-elle en équilibre ?
2. Débits _____ = Crédits _____.

k) Van Houtte a reçu une somme de 13 000 $. Un montant de 1 000 $ représentait des intérêts gagnés sur les placements, et 12 000 $ provenaient de clients de Van Houtte.

Indiquez l'effet sur l'équation comptable ⟶

ÉQUATION COMPTABLE

Actif	=	Passif	+	Capitaux propres

ÉCRITURE DE JOURNAL

Caisse (+A).. 13 000
    Revenus d'intérêts (+Pr, +CP) 1 000
    Clients (–A) 12 000

Vérifications : 2. L'équation comptable est-elle en équilibre ?
1. Débits _____ = Crédits _____.

Vérifiez vos réponses à l'aide des solutions présentées en bas de page*.

Le tableau 3.4 présente tous les comptes touchés par les opérations a) à k). Il faut toutefois ajouter les chiffres manquants pour les opérations i) et j).

---

* i)

Actif	=	Passif	+	Capitaux propres
Caisse	+3 500			Produits liés aux franchises	+2 700
Clients	−800				

L'équation comptable est en équilibre.

j)

Actif	=	Passif	+	Capitaux propres
Caisse	−10 000	Fournisseurs	−10 000		

Écriture de journal :

Fournisseurs (−Pa)... 10 000
    Caisse (−A) 10 000

Vérifications : 1. L'équation comptable est en équilibre ; 2. Débits 10 000 $ = Crédits 10 000 $.

k)

Actif	=	Passif	+	Capitaux propres
Caisse	+13 000			Revenus d'intérêts	+1 000
Clients	−12 000				

Vérifications : 1. L'équation comptable est en équilibre ; 2. Débits 13 000 $ = Crédits 13 000 $.

TABLEAU 3.4 — Résumé des opérations influant sur l'équation comptable

	a)	b)	c)	d)	e)	f)	g)	h)	i)	j)	k)	Total
ACTIF												
Caisse	57 000		400	(7 000)	(9 000)	(14 000)	(9 000)	4 000			13 000	28 900
Clients	9 000										(12 000)	(3 800)
Stocks		(30 000)			29 000							(1 000)
Charges payées d'avance							9 000					9 000
Immobilisations corporelles									(1 000)			(1 000)
PASSIF												
Fournisseurs					20 000							10 000
Produits perçus d'avance			300									300
CAPITAUX PROPRES												
Ventes	66 000											66 000
Produits liés aux franchises			100									2 800
Coût des marchandises vendues		30 000										30 000
Salaires						14 000						14 000
Frais d'exploitation				7 000								7 000
Gain sur vente de terrain									3 000			3 000
Revenus d'intérêts											1 000	1 000

Le tableau 3.5 présente les comptes en T pour tous les comptes touchés par les opérations a) à k). Il faut toutefois ajouter les chiffres manquants pour l'opération j). On a utilisé le bilan fictif de Van Houtte (*voir le tableau 2.8 à la page 81*) pour déterminer le solde d'ouverture des comptes d'actif et de passif. Au début de chaque exercice, les comptes de l'état des résultats (produits, charges, gains et pertes) ont un solde d'ouverture de zéro. Tous les autres comptes demeurent inchangés.

TABLEAU 3.5 — Comptes en T

Comptes du bilan

+	Caisse (A)		−
Solde (*voir le chapitre 2*)	7 796		
a)	57 000	7 000	d)
c)	400	9 000	e)
h)	4 000	14 000	f)
i)	3 500	9 000	g)
k)	13 000	_____	j)
Solde de clôture	36 696		

+	Clients (A)		−
Solde (*voir le chapitre 2*)	43 036		
a)	9 000	800	i)
		12 000	k)
Solde de clôture	39 236		

+	Stocks (A)		−
Solde (*voir le chapitre 2*)	29 972		
e)	29 000	30 000	b)
Solde de clôture	28 972		

+	Immobilisations corporelles (A)		−
Solde (*voir le chapitre 2*)	126 225		
		1 000	h)
Solde de clôture	125 225		

+	Charges payées d'avance (A)		−
Solde (*voir le chapitre 2*)	3 553		
g)	9 000		
Solde de clôture	12 553		

−	Fournisseurs et charges à payer (Pa)		+
		34 434	Solde (*voir le chapitre 2*)
j)		20 000	e)
		44 434	Solde de clôture

−	Produits liés aux franchises perçue d'avance (Pa)		+
		372	Solde (*voir le chapitre 2*)
		300	c)
		672	Solde de clôture

Comptes de l'état des résutats :

−	Ventes (Pr)		+
		66 000	a)
		66 000	Solde de clôture

−	Produits liés aux franchises (Pr)		+
		100	c)
		2 700	i)
		2 800	Solde de clôture

+	Coût des marchandises vendues (C)		−
b)	30 000		
Solde de clôture	30 000		

+	Salaires (C)		−
f)	14 000		
Solde de clôture	14 000		

+	Frais d'exploitation (C)		−
d)	7 000		
Solde de clôture	7 000		

−	Gain sur vente de terrain (Pr)		+
		3 000	h)
		3 000	Solde de clôture

−	Revenus d'intérêts (Pr)		+
		1 000	k)
		1 000	Solde de clôture

L'analyse et l'établissement des états financiers

OBJECTIF D'APPRENTISSAGE 5

Établir les états financiers.

Faisons un petit rappel de ce que nous avons vu jusqu'à présent sur la composition des états financiers.

État	Formule
État des résultats	Produits − Charges = **Bénéfice net**
État des capitaux propres	BNR au début + **Bénéfice net** − Dividendes = BNR à la fin
Bilan	Actif = Passif + Capitaux propres
État des flux de trésorerie	Variation de la trésorerie = Flux de trésorerie liés aux +/− activités d'exploitation +/− activités d'investissement +/− activités de financement

En tenant compte des opérations comptabilisées en avril, vous pouvez maintenant dresser les états financiers pour le mois d'avril 2006.

Il faut noter que ces états financiers sont qualifiés de non régularisés (avant régularisations). En effet, les comptes ne tiennent pas compte des produits gagnés et des charges engagées en avril sans qu'un encaissement ou un décaissement n'ait eu lieu. Par exemple, bon nombre de charges importantes ne sont pas encore incluses, par exemple l'amortissement des immobilisations utilisées durant le mois. De plus, il faut noter que la charge d'impôts n'a pas encore été calculée. Puisque l'état des résultats n'est pas régularisé, le montant des impôts à payer ne peut être calculé. Ces états ne respectent pas, à cette étape-ci, les principes comptables généralement reconnus et la comptabilité d'exercice. Nous ajusterons les comptes et dresserons des états financiers complets au chapitre 4.

Pour dresser les états financiers à partir du résumé des opérations sur l'équation comptable (*voir le tableau 3.4 à la page 137*), vous devez trouver le solde de départ de chaque compte et ajouter la variation totale influant sur le compte à la suite des opérations :

Solde au début	xxx $
+/− Variation du compte	xxx
Solde à la fin	xxx $

Pour les comptes du bilan, les soldes au début se retrouvent au bilan fictif de Van Houtte (*voir le tableau 2.8 à la page 81*). Pour les comptes de l'état des résultats, tous les soldes d'ouverture sont à zéro au début de chaque exercice. Par exemple, pour déterminer le montant qui sera présenté au bilan pour le compte Caisse, nous ferons le calcul suivant :

Solde au début	7 796 $ (*voir le tableau 2.8*)
Variation totale à la suite des opérations	28 900 (*voir le tableau 3.4*)
Solde à la fin	36 696 $

L'état des résultats

Van Houtte inc.
État des résultats (fictif)
pour le mois terminé le 30 avril 2006
(en milliers de dollars)

PRODUITS	
Ventes	66 000$
Produits liés aux franchises	2 800
Total des produits	68 800
CHARGES	
Coût des marchandises vendues	30 000
Salaires	14 000
Frais d'exploitation	7 000
Total des charges	51 000
Bénéfice d'exploitation avant les éléments suivants	17 800$
Revenus d'intérêts	1 000
Gain sur vente de terrain	3 000
Bénéfice avant les impôts sur le bénéfice	21 800$

Van Houtte a réalisé un bénéfice net (avant impôts) de 21 800 000$ pour le mois d'avril 2006. Le bénéfice net est un élément de l'état des capitaux propres.

L'information sectorielle

Plusieurs entreprises font des affaires dans plus d'un pays. Ces entreprises sont souvent appelées des «multinationales». L'état des résultats de Van Houtte (*voir le tableau 3.1*), qui est basé sur des données globales, peut ne pas s'avérer aussi utile pour les investisseurs cherchant à évaluer les risques et le rendement des entreprises qui évoluent sur les marchés étrangers. Par ailleurs, Van Houtte et bon nombre d'entreprises exercent également leurs activités dans plusieurs secteurs. Là encore, les analystes financiers et les investisseurs veulent une information qui leur permettra de juger du rendement de l'entreprise pour chaque secteur d'activité dans laquelle elle intervient. Dans une note complémentaire aux états financiers, les entreprises publient des informations supplémentaires classées par secteur d'activité et secteur géographique. C'est ce qu'on appelle l'«information sectorielle». Voici un extrait des notes complémentaires de Van Houtte.

Coup d'œil sur

Van Houtte

RAPPORT ANNUEL

---

20. INFORMATION SECTORIELLE

L'information sectorielle comporte deux secteurs significatifs:

a) Le secteur «Fabrication et marketing» regroupe les activités de torréfaction de café et de distribution pour consommation au foyer, essentiellement par l'entremise des réseaux de détail, tels les supermarchés et autres. Il comprend également la fabrication de cafetières et les cafés-bistros.

b) Le secteur «Service de café» est centré sur la vente de café pour consommation hors foyer, notamment sur les lieux de travail et dans d'autres endroits publics. Le réseau des services de café Van Houtte distribue en outre des produits complémentaires tels condiments, collations et boissons diverses. Le secteur Service de café comprend également l'exploitation des distributrices et services alimentaires.

Ces secteurs sont gérés séparément et sont évalués individuellement en se fondant sur le bénéfice d'exploitation avant amortissement et frais financiers pour chacun d'eux.

Les conventions comptables de chacun des secteurs sont identiques à celles utilisées aux fins des états financiers consolidés.

Les revenus de chaque secteur incluent les revenus provenant des ventes à des tiers et des ventes intersectorielles. Ces ventes sont comptabilisées à des prix qui ont cours sur le marché.

	2006	2005
Par secteur d'activité:		
Revenus:		
Fabrication et marketing	172 833 $	155 948 $
Services de café	268 776	243 828
	441 609	399 776
Intersectorielles	(63 976)	(51 021)
	377 633 $	348 755 $
Bénéfice d'exploitation avant amortissement et frais financiers:		
Fabrication et marketing	32 944 $	32 213 $
Services de café	41 748	38 949
	74 692	71 162
Frais relevant de la direction de la Société et autres	(5 436)	(5 489)
	69 256 $	65 673 $
Immobilisations corporelles et éléments de sur-valeur:		
Fabrication et marketing	65 105 $	63 360 $
Services de café	199 065	194 076
	264 170 $	257 436 $

	2006	2005
Acquisition d'immobilisations et d'autres éléments d'actif :		
Fabrication et marketing	9 101 $	9 537 $
Services de café	22 946	20 370
	32 047	29 907
Intersectorielles	2 109	5
	34 156 $	29 912 $
Amortissement des immobilisations et d'autres éléments d'actif :		
Fabrication et marketing	7 834 $	8 165 $
Services de café	25 866	22 697
	33 700	30 862
Frais relevant de la direction de la Société et autres	90	154
	33 790 $	31 016 $

	2006	2005
Par secteur géographique :		
Revenus :		
Canada	253 617 $	232 140 $
États-Unis	121 347	114 622
Autre pays	2 669	1 993
	377 633 $	348 755 $
Immobilisations corporelles et éléments de sur-valeur :		
Canada	162 769 $	161 483 $
États-Unis	101 401	95 953
	264 170 $	257 436 $

L'état des capitaux propres

L'état des capitaux propres permet d'établir le lien entre l'état des résultats et le bilan. Les opérations qui touchent les bénéfices non répartis (principalement le bénéfice net ou la perte nette et la déclaration des dividendes) sont résumées dans cet état. D'autres éléments sont aussi inclus dans l'état des capitaux ; nous les étudierons au chapitre 10. Pour l'instant, nous limitons notre étude de l'état des capitaux aux variations qui surviennent dans le compte Bénéfices non répartis.

Van Houtte inc.
État des capitaux propres (fictif)
pour le mois terminé le 30 avril 2006
(en milliers de dollars)

Solde d'ouverture, 1er avril 2006	124 766 $	En provenance
Bénéfice net	21 800	de l'état des résultats
Dividendes	(3 000)	À partir du chapitre 2
Solde de clôture, 30 avril 2006	143 566 $	Présenté au bilan

Le bilan

Il est maintenant possible de réviser le bilan établi au chapitre 2 pour refléter l'effet des activités d'exploitation qui sont illustrées dans ce chapitre. Il faut noter que le solde de clôture apparaissant à l'état des capitaux propres fait partie des Capitaux propres au bilan. Les montants des produits, des charges ou des dividendes ne sont pas présentés précisément au bilan, mais ils sont plutôt inclus dans les bénéfices non répartis. Les relations qui existent entre chacun des états financiers seront explorées dans le prochain chapitre.

Van Houtte inc.
Bilan (fictif)
au 30 avril 2006
(en milliers de dollars)

ACTIF
Actif à court terme

Caisse	36 696 $
Clients	39 236
Stocks	28 972
Charges payées d'avance	12 553
Impôts futurs	1 804
	119 261
Placements	21 121
Effets à recevoir	3 000
Immobilisations corporelles	125 225
Autres éléments d'actif*	159 612
	428 219 $

PASSIF ET AVOIR DES ACTIONNAIRES
Passif à court terme

Fournisseurs et charges à payer	44 434 $
Dividendes à payer	3 000
Impôts exigibles	2 312
Produits liés aux franchises perçus d'avance	672
Tranche à court terme de la dette à long terme	1 520
	51 938
Dette à long terme	93 589
Effets à payer	14 000
Autres éléments de passif*	11 339
Avoir des actionnaires	
Capital-actions	128 497
Surplus d'apport	2 461
Bénéfices non répartis	143 566
Écart de conversion	(17 171)
	257 353
	428 219 $

En provenance de l'état des capitaux propres ⟶ (Bénéfices non répartis)

* Pour simplifier la présentation, un certain nombre de comptes ont été regroupés.

Les activités d'exploitation

Au chapitre 2, nous avons présenté l'état des flux de trésorerie de Van Houtte pour les activités d'investissement et de financement du mois d'avril 2006. Il ne faut pas oublier que les activités d'investissement concernent principalement les opérations touchant l'actif à long terme, alors que les activités de financement sont celles qui découlent des emprunts bancaires, des émissions d'actions et du versement des dividendes aux actionnaires. Dans ce chapitre, nous avons étudié les activités d'exploitation.

Selon le *Manuel de l'ICCA* (*voir le chapitre 1540*), «le montant des flux de trésorerie liés aux activités d'exploitation est un indicateur clé de la mesure dans laquelle l'entreprise a dégagé par son exploitation suffisamment de flux de trésorerie pour rembourser ses emprunts, maintenir sa capacité d'exploitation, faire de nouveaux investissements et procéder à des distributions aux propriétaires sans recourir à des sources externes de financement».

Les flux de trésorerie liés aux activités d'exploitation sont essentiellement présentés à l'état des résultats. Par exemple, ils comprennent les rentrées de fonds découlant de la vente de biens et de la prestation de services, les sorties de fonds servant au paiement de biens et de services reçus de fournisseurs ou d'employés, les encaissements et les paiements d'intérêts ou d'impôts.

Selon les normes comptables en vigueur au Canada, l'entreprise peut présenter les flux de trésorerie liés aux activités d'exploitation selon deux méthodes: la méthode directe et la méthode indirecte. Bien que l'ICCA encourage les entreprises à utiliser la méthode directe, la plupart des entreprises choisissent la méthode indirecte; ce sujet sera étudié dans un chapitre ultérieur.

Les comptes qu'on peut associer le plus souvent aux activités d'exploitation sont les actifs à court terme tels que les comptes clients, les stocks, les charges payées d'avance et les passifs à court terme, par exemple les comptes fournisseurs, les salaires à payer et les produits perçus d'avance.

Quand une opération met en cause un montant d'argent, elle fait partie de l'état des flux de trésorerie. Quand une opération ne met pas en cause un montant d'argent, comme acheter un bâtiment à l'aide d'un emprunt ou vendre des biens à crédit, elle ne fait pas partie de l'état des flux de trésorerie.

Effet sur les flux de trésorerie

Activités d'exploitation	
Rentrées de fonds	
Sommes reçues des clients	+
Intérêts et dividendes encaissés	+
Sorties de fonds	
Sommes versées aux fournisseurs et aux membres du personnel	−
Intérêts versés sur la dette	−
Impôts payés	−
Activités d'investissement	
(*voir le chapitre 2*)	
Activités de financement	
(*voir le chapitre 2*)	

VAN HOUTTE ◊ Les activités d'exploitation présentées dans l'état des flux de trésorerie ci-dessous proviennent des opérations décrites dans ce chapitre, alors que les activités d'investissement et de financement proviennent des opérations décrites au chapitre 2. L'état illustre les rentrées et les sorties de fonds qui expliquent la variation nette de la caisse d'un montant total de 30 900 $ (qui passe de 5 796 $ à 36 696 $). Il ne faut pas oublier que seules les opérations qui influent sur la caisse sont inscrites dans cet état.

Pour que les sociétés demeurent en affaires, elles doivent engendrer à long terme des flux de trésorerie positifs provenant de leur exploitation. Des liquidités sont nécessaires pour payer les fournisseurs et les employés. Lorsque les liquidités provenant de l'exploitation sont insuffisantes, une entreprise peut obtenir les fonds nécessaires 1) en vendant son actif à long terme (ce qui peut réduire la productivité future de l'entreprise), 2) en emprunant de l'argent à des créanciers (à des taux d'intérêt élevés, ce qui augmente les risques de défaut de paiement) ou 3) en émettant des actions supplémentaires (où les prévisions des investisseurs quant à un faible rendement futur peuvent entraîner une baisse du cours des actions). Toutes ces activités de financement ont leurs limites et peuvent avoir des effets négatifs sur l'entreprise.

Au cours des dernières années, les activités d'exploitation de Van Houtte ont engendré d'importantes liquidités (47,8 millions de dollars en 2006 et 60,7 millions de dollars en 2005) disponibles pour financer la croissance de la société. Van Houtte démontre une gestion rigoureuse de son fonds de roulement propre à rassurer les investisseurs.

Van Houtte inc. État des flux de trésorerie (fictif) pour le mois d'avril 2006 (en milliers de dollars)		
Flux de trésorerie liés aux activités d'exploitation		
Rentrées de fonds :		
Clients	57 000 $	a) 57 000
Franchisés	15 900	c) 400 + i) 3 500 + k) 12 000
Intérêts sur placements	1 000	k) 1 000
Sorties de fonds :		
Fournisseurs	(35 000)	d) 7 000 + e) 9 000 + g) 9 000 + j) 10 000
Employés	(14 000)	f) 14 000
Flux de trésorerie liés aux activités d'exploitation	24 900	
Flux de trésorerie liés aux activités d'investissement		
Vente d'immobilisations corporelles	4 000	h) 4 000 $
Achat d'immobilisations	(2 000)	
Achat de placements	(1 000)	
Prêt aux franchisés	(3 000)	
Flux de trésorerie liés aux activités d'investissement	(2 000)	——— (voir le chapitre 2)
Flux de trésorerie liés aux activités de financement		
Émission d'actions	2 000	
Emprunt	6 000	
Flux de trésorerie liés aux activités de financement	8 000	——— (voir le chapitre 2)
Augmentation nette de la trésorerie	30 900	
Caisse au début du mois	5 796	
Caisse à la fin du mois	36 696 $	——— Concorde avec le montant figurant au bilan

Les opérations décrites dans ce chapitre ont permis de calculer un bénéfice net de 21 800 000 $, alors que le solde du compte Caisse a augmenté de 30 900 000 $. Il s'agit d'un bel exemple de la différence entre la méthode de la comptabilité d'exercice et la méthode de la comptabilité de caisse. Le bénéfice net selon la comptabilité d'exercice n'est pas équivalent à la variation de la caisse.

TEST D'AUTOÉVALUATION

Animalerie Toutou inc. est un important détaillant de nourriture et de fournitures pour animaux domestiques. À partir des éléments tirés d'un état des flux de trésorerie, indiquez si l'opération a un effet sur les flux de trésorerie provenant des activités d'exploitation (E), d'investissement (I) ou de financement (F) et mentionnez l'effet sur la trésorerie (+ pour une augmentation de la caisse; – pour une diminution de la caisse).

Opération	Type d'activité (E, I ou F)	Effet sur les flux de trésorerie (+ ou −)
1. Dividendes versés aux actionnaires		
2. Sommes reçues des clients		
3. Sommes versées pour l'agrandissement du bâtiment		
4. Paiement des impôts		
5. Sommes payées aux fournisseurs		
6. Remboursement de la dette à long terme		
7. Réception des intérêts sur des placements		
8. Augmentation de la dette à long terme		
9. Émission d'actions		
10. Intérêts versés		
11. Sommes payées aux employés		
12. Vente d'un terrain		

Vérifiez vos réponses à l'aide des solutions présentées en bas de page*.

ANALYSONS LES RATIOS

Au chapitre 2, nous avons étudié un premier ratio, le taux d'adéquation du capital. Ce dernier s'est avéré un bon outil pour évaluer l'efficacité de la direction à gérer ses sources de financement dans le but d'accroître ses revenus. Nous allons maintenant étudier un nouveau ratio pour évaluer l'efficacité de la direction à gérer ses actifs dans le but d'accroître ses revenus. D'autres ratios portant sur des actifs particuliers seront abordés dans des chapitres ultérieurs.

OBJECTIF D'APPRENTISSAGE 6

Calculer et interpréter le taux de rotation de l'actif total.

Le taux de rotation de l'actif total

1. Question d'analyse

Quelle est l'efficacité de la direction à générer des ventes à partir de ses actifs (ses ressources)?

2. Ratio et comparaison

$$\text{Taux de rotation de l'actif total} = \frac{\text{Chiffre d'affaires net}}{\text{Actif total moyen}}$$

Le taux de Van Houtte pour l'exercice 2006 est le suivant:

$$\frac{377\,633\,\$}{(370\,682\,\$ + 380\,119\,\$) \div 2} = 1,01$$

a) L'analyse de la tendance dans le temps			b) La comparaison avec les compétiteurs	
VAN HOUTTE			**ALIMENTATION COUCHE-TARD**	**STARBUCKS**
2004	2005	2006	2006	2005
0,90	0,94	1,01	4,65	1,56

* 1. F, −; 2. E, +; 3. I, −; 4. E, −; 5. E, −; 6. F, −; 7. E, +; 8. F, +; 9. F, +; 10. E, −; 11. E, −; 12. I, +.

3. Interprétation des résultats

EN GÉNÉRAL ◊ Le taux de rotation de l'actif total mesure le montant des ventes réalisées pour chaque dollar d'actif détenu. Un taux de rotation élevé signifie que la gestion des actifs est efficace, et un faible taux laisse entendre le contraire. Le type de produits ainsi que la stratégie d'affaires d'une entreprise influent de façon significative sur le ratio. Cependant, la capacité de la direction de contrôler les actifs de l'entreprise est également essentielle dans la détermination de son succès. Le rendement financier s'améliore alors que le ratio augmente.

Les créanciers et les analystes en valeurs mobilières utilisent ce ratio pour évaluer l'efficacité d'une entreprise dans le contrôle de ses actifs tant à court terme qu'à long terme. Lorsqu'une entreprise est bien gérée, les créanciers s'attendent à des fluctuations du ratio dues aux hausses et aux baisses saisonnières. Par exemple, pour accumuler des stocks avant une saison de ventes élevées, les sociétés doivent emprunter des fonds. Le taux de rotation de l'actif déclinera à cause de l'augmentation de l'actif. Ensuite, les ventes en haute saison fournissent les sommes nécessaires pour rembourser les emprunts. Le taux de rotation de l'actif augmente alors avec la hausse des ventes.

VAN HOUTTE ◊ Le taux de rotation de l'actif total de Van Houtte a augmenté au cours des dernières années, ce qui suggère une efficacité accrue dans la gestion des actifs. Ce taux indique que la société réalise 1,01 $ de ventes pour chaque dollar investi dans l'actif, alors que ses concurrents affichent des taux de 4,65 pour Alimentation Couche-Tard et de 1,56 pour Starbucks. La situation de Van Houtte peut probablement s'expliquer par le programme d'expansion qu'elle poursuit depuis quelques années. Ses nombreuses acquisitions ont augmenté sensiblement ses actifs et se répercutent de plus en plus sur son chiffre d'affaires qui augmente d'année en année.

QUELQUES PRÉCAUTIONS ◊ Le taux de rotation de l'actif total peut diminuer à cause des fluctuations saisonnières. Cependant, une baisse du taux peut aussi être provoquée par les changements dans les politiques en matière d'exploitation, par exemple une politique de recouvrement des comptes clients moins stricte, ce qui entraîne une augmentation de l'actif. Une analyse détaillée des variations des composantes clés de l'actif procure des informations supplémentaires sur la nature des variations du taux de rotation de l'actif total et donc sur les décisions de la direction en matière de gestion des ressources.

ANALYSONS UN CAS

Nous reprenons l'exemple de la Société Efficacité que nous avons utilisé au chapitre 2. Cette société, spécialisée dans l'entretien de pelouse, a démarré ses activités à l'aide de liquidités, de matériel et d'un terrain. Le bilan au 30 juin 2008, basé sur les activités d'investissement et de financement (provenant du chapitre 2), se présente comme suit:

Société Efficacité Bilan au 30 juin 2008			
Actif		**Passif**	
Actif à court terme		Passif à court terme	
Caisse	3 800 $	Effets à payer	4 400 $
Effets à recevoir	1 250		
Total de l'actif à court terme	5 050		
Matériel	4 600	**Capitaux propres**	
Terrain	3 750	Capital social	9 000
Total de l'actif	13 400 $	Total du passif et des capitaux propres	13 400 $

Les activités suivantes ont eu lieu au cours du mois de juin 2008:
a) Achat et consommation d'essence pour les tondeuses et les coupe-bordures, paiement de 90 $ en espèces à une station-service de la région.
b) Au début du mois de juin, la société a reçu une somme de 1 600 $ de la Ville pour les services d'entretien des pelouses des mois de juin à septembre (400 $ par mois). À cette date, le montant complet a été comptabilisé dans le compte Produits perçus d'avance.

c) Au début du mois de juin, la société a contracté une assurance au coût de 300 $ pour une période de six mois, soit de juin à novembre. À cette date, le paiement complet a été inscrit à titre de Charges payées d'avance.

d) Tonte de terrains pour des clients résidentiels qui sont facturés toutes les deux semaines. Au total, la société a facturé 5 200 $ pour des services rendus en juin.

e) Les clients résidentiels ont versé une somme de 3 500 $ en paiement de leur compte.

f) La société paie ses employés toutes les deux semaines. En juin, la société a versé au total 3 900 $ à ses employés.

g) Réception d'une facture de 320 $ d'une station-service de la région pour l'essence supplémentaire achetée à crédit et consommée en juin.

h) Versement d'une somme de 740 $ en remboursement partiel de l'effet à payer. Les intérêts s'élèvent à 40 $.

i) Versement d'une somme de 100 $ en règlement de comptes dus aux fournisseurs.

j) Encaissement de l'effet à recevoir de 1 250 $ plus les intérêts gagnés de 12 $.

Travail à faire

1. Analysez chacune des opérations selon le processus expliqué dans les chapitres 2 et 3. Montrez l'effet de chaque opération sur l'équation comptable.

2. Dressez un tableau résumant l'effet des opérations sur l'équation comptable.

3. Passez les écritures de journal par ordre chronologique. Reportez les écritures de journal dans les comptes en T appropriés. Les soldes d'ouverture pour les comptes du bilan doivent être tirés du bilan précédent, alors que les soldes d'ouverture pour les comptes de produits et charges étaient à zéro. Indiquez ces soldes dans les comptes en T.

4. Dressez les états financiers : l'état des résultats, l'état des capitaux propres, le bilan et l'état des flux de trésorerie pour la Société Efficacité au 30 juin 2008 en utilisant :
   a) les changements survenus à l'équation comptable pendant le mois de juin 2008 ; ou
   b) le solde des comptes en T.

Référez-vous à l'état présenté au chapitre 2 en ce qui concerne les activités d'investissement et de financement. (Les régularisations seront inscrites au chapitre 4.)

Solution suggérée

1 et 3. Effets sur l'équation comptable et écritures de journal

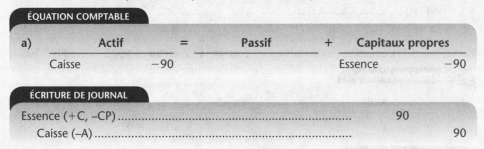

Vérifications : 1. L'équation comptable est en équilibre ; 2. Débits 90 $ = Crédits 90 $.

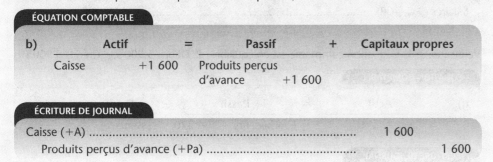

Vérifications : 1. L'équation comptable est en équilibre ; 2. Débits 1 600 $ = Crédits 1 600 $.

c)

	Actif		=		Passif		+		Capitaux propres
Caisse	−300								
Charges payées d'avance	+300								

Charges payées d'avance (+A) 300

    Caisse (−A) 300

Vérifications : 1. L'équation comptable est en équilibre ; 2. Débits 300 $ = Crédits 300 $.

d)

	Actif		=		Passif		+		Capitaux propres
Clients	+5 200							Services d'entretien de pelouse	+5 200

Clients (+A).. 5 200

    Services d'entretien de pelouse (+Pr, +CP)........................... 5 200

Vérifications : 1. L'équation comptable est en équilibre ; 2. Débits 5 200 $ = Crédits 5 200 $.

e)

	Actif		=		Passif		+		Capitaux propres
Caisse	+3 500								
Clients	−3 500								

Caisse (+A).. 3 500

    Clients (−A)... 3 500

Vérifications : 1. L'équation comptable est en équilibre $; 2. Débits 3 500 $ = Crédits 3 500.

f)

	Actif		=		Passif		+		Capitaux propres
Caisse	−3 900							Salaires	−3 900

Salaires (+C, −CP) 3 900

    Caisse (−A) 3 900

Vérifications : 1. L'équation comptable est en équilibre ; 2. Débits 3 900 $ = Crédits 3 900 $.

g)

	Actif		=		Passif		+		Capitaux propres
				Fournisseurs	+320			Essence	−320

Essence (+C, −CP)... 320

    Fournisseurs (+Pa) 320

Vérifications : 1. L'équation comptable est en équilibre ; 2. Débits 320 $ = Crédits 320 $.

h)

Actif		=	Passif		+	Capitaux propres	
Caisse	−740		Effets à payer	−700		Charge d'intérêts	−40

Effets à payer (−Pa)	700	
Charge d'intérêts (+C, −CP)	40	
Caisse (−A)		740

Vérifications : 1. L'équation comptable est en équilibre ; 2. Débits 740 $ = Crédits 740 $.

i)

Actif		=	Passif		+	Capitaux propres
Caisse	−100		Fournisseurs	−100		

Fournisseurs (−Pa)...	100	
Caisse (−A)		100

Vérifications : 1. L'équation comptable est en équilibre ; 2. Débits 100 $ = Crédits 100 $.

j)

Actif		=	Passif	+	Capitaux propres	
Caisse	+1 262				Revenu d'intérêts	+12
Effet à recevoir	−1 250					

Caisse (+A)	1 262	
Effet à recevoir (−A)		1 250
Revenu d'intérêts (+Pr, +CP)............................		12

Vérifications : 1. L'équation comptable est en équilibre ; 2. Débits 1 262 $ = Crédits 1 262 $.

2. Résumé des opérations sur l'équation comptable

	a)	b)	c)	d)	e)	f)	g)	h)	i)	j)	Total
ACTIF											
Caisse	−90	+1 600	−300		+3 500	−3 900		−740	−100	+1 262	+1 232
Effet à recevoir										−1 250	−1 250
Clients				+5 200	−3 500						+1700
Charges payées d'avance			+300								+300
= PASSIF											
Fournisseurs							+320		−100		+220
Effets à payer								−700			−700
Produits perçus d'avance		+1 600									+1 600
+ CAPITAUX PROPRES											
Services d'entretien des pelouses				+5 200							+5 200
Revenu d'intérêts										+12	+12
Salaires						−3 900					−3 900
Essence	−90						−320				−410
Charge d'intérêts								−40			−40

Le total de chaque ligne indique le montant de la variation des comptes pour le mois de juin 2008. Afin de dresser le bilan, on doit alors utiliser les soldes des comptes déjà établis à la suite des opérations du chapitre 2 et les ajuster du montant de la variation. Tous les autres comptes demeurent inchangés.

3. Comptes en T

ACTIF

+	Caisse (A)		−
Solde au début	3 800		
b)	1 600	90	a)
e)	3 500	300	c)
j)	1 262	3 900	f)
		740	h)
		100	i)
Solde à la fin	5 032		

+	Clients (A)		−
Solde au début	0		
d)	5 200	3 500	e)
Solde à la fin	1 700		

+	Effets à recevoir (A)		−
Solde au début	1 250	1 250	j)
Solde à la fin	0		

+	Matériel (A)		−
Solde au début	4 600		
Solde à la fin	4 600		

+	Charges payées d'avance (A)		−
Solde au début	0		
c)	300		
Solde à la fin	300		

+	Terrain (A)		−
Solde au début	3 750		
Solde à la fin	3 750		

PASSIF

−	Fournisseurs (Pa)		+
		0	Solde au début
i)	100	320	g)
		220	Solde à la fin

−	Produits perçus d'avance (Pa)		+
		0	Solde au début
		1 600	b)
		1 600	Solde à la fin

−	Effets à payer (Pa)		+
		4 400	Solde au début
h)	700		
		3 700	Solde à la fin

CAPITAUX PROPRES

−	Capital social (CP)		+
		9 000	Solde au début
		9 000	Solde à la fin

−	Bénéfices non répartis (CP)		+
		0	Solde au début
		0	Solde à la fin

PRODUITS

−	Services d'entretien des pelouses (Pr)		+
		0	Solde au début
		5 200	d)
		5 200	Solde à la fin

−	Revenu d'intérêts (Pr)		+
		0	Solde au début
		12	j)
		12	Solde à la fin

CHARGES

+	Salaires (C)	–		–	Essence (C)	+
Solde au début	0			Solde au début	0	
f)	3 900			a)	90	
Solde à la fin	3 900			g)	320	
				Solde à la fin	410	

+	Charge d'intérêts (C)	–
Solde au début	0	
h)	40	
Solde à la fin	40	

4. États financiers :

Société Efficacité
État des résultats
pour le mois de juin 2008

PRODUITS	
Services d'entretien des pelouses	5 200 $
CHARGES	
Essence	410
Salaires	3 900
Total des charges	4 310
Bénéfice d'exploitation	890
AUTRES ÉLÉMENTS	
Revenu d'intérêts	12
Charge d'intérêts	(40)
Bénéfice net	862 $
Résultat par action	0,57 $

(862 $ divisé par 1 500 actions en circulation)

Société Efficacité
État des capitaux propres
pour le mois de juin 2008

Solde, 1er juin 2008	0 $
Bénéfice net	862
Solde au 30 juin 2008	862 $

Société Efficacité
État des flux de trésorerie
pour le mois de juin 2008

Flux de trésorerie liés aux activités d'exploitation		
Rentrées de fonds : Clients (b, e)	5 100 $	
Intérêts (j)	12	
Sorties de fonds : Fournisseurs (a, c, i)	(490)	
Salaires (f)	(3 900)	
Intérêts (h)	(40)	
Flux de trésorerie liés aux activités d'exploitation	682	
Flux de trésorerie liés aux activités d'investissement		
Achat d'un terrain (*voir le chapitre 2*)	(5 000)	
Achat de matériel (*voir le chapitre 2*)	(200)	
Encaissement d'un effet à recevoir	1 250	
Flux de trésorerie liés aux activités d'investissement	(3 950)	
Flux de trésorerie liés aux activités de financement		
Émission d'actions (*voir le chapitre 2*)	9 000	
Paiement des effets à payer	(700)	
Flux de trésorerie liés aux activités de financement	8 300	
Variation nette de la trésorerie	5 032	
Solde d'ouverture de la caisse	0	
Solde de clôture de la caisse	5 032 $	

Société Efficacité
Bilan
au 30 juin 2008

ACTIF		PASSIF	
Actif à court terme		Passif à court terme	
Caisse	5 032 $	Fournisseurs	220 $
Clients	1 700	Produits perçus d'avance	1 600
Charges payées d'avance	300	Effets à payer	3 700
Total de l'actif à court terme	7 032	Total du passif à court terme	5 520
Matériel	4 600		
Terrain	3 750	**CAPITAUX PROPRES**	
		Capital social	9 000
		Bénéfices non répartis	862
Total de l'actif	15 382 $	**Total du passif et des capitaux propres**	15 382 $

1. **Comprendre le cycle d'exploitation et expliquer le postulat de l'indépendance des exercices** (*voir la page 119*).

   - Le cycle d'exploitation correspond à la période requise pour acheter des biens ou des services des fournisseurs, les vendre aux clients et recouvrer les sommes dues auprès des clients.

   - Le postulat de l'indépendance des exercices – pour être utile, l'information doit être présentée de façon périodique. On suppose alors que la vie de l'entreprise peut être découpée en périodes égales, la plupart du temps d'une durée d'un an.

2. **Expliquer comment les opérations de l'entreprise influent sur l'état des résultats** (*voir la page 121*).

   - Les composantes de l'état des résultats :

   a) les produits représentent les augmentations de l'actif ou les diminutions du passif résultant des activités courantes de l'entreprise ;

   b) les charges représentent les diminutions de l'actif ou les augmentations du passif résultant des activités courantes de l'entreprise ;

   c) les gains représentent les augmentations de l'actif ou les diminutions du passif résultant des activités périphériques de l'entreprise ;

   d) les pertes représentent les diminutions de l'actif ou les augmentations du passif résultant des activités périphériques de l'entreprise.

3. **Expliquer la méthode de la comptabilité d'exercice et appliquer le principe du rapprochement des produits et des charges** (*voir la page 125*).

   Selon la méthode de la comptabilité d'exercice, on constate 1) les produits (on les comptabilise) quand ils sont gagnés et 2) les charges lorsqu'elles sont engagées pour gagner des produits.

   - Selon le principe de la constatation des produits, on constate les produits quand 1) la marchandise est livrée ou le service rendu, 2) un échange a eu lieu, 3) le prix est fixé et 4) le recouvrement est raisonnablement sûr.

   - Le principe du rapprochement des produits et des charges exige que l'on constate les charges quand elles sont engagées pour gagner des produits.

4. **Utiliser le modèle d'analyse des opérations pour enregistrer les activités d'exploitation** (*voir la page 130*).

   Le modèle d'analyse des opérations élargi inclut les produits et les charges.

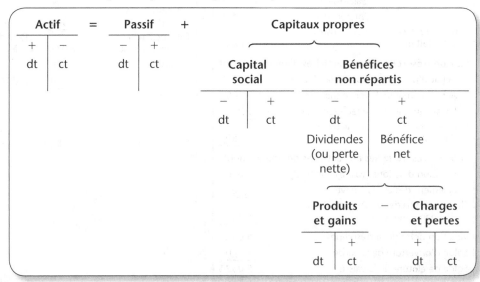

5. **Établir les états financiers** (*voir la page 138*).

Jusqu'à ce que les comptes soient redressés pour tenir compte de tous les produits gagnés et de toutes les charges engagées au cours d'un exercice (peu importe le moment où on reçoit de l'argent et celui où on en verse), on dit que les états financiers sont « non régularisés » :

- l'état des résultats,
- l'état des capitaux propres,
- le bilan,
- l'état des flux de trésorerie.

6. **Calculer et interpréter le taux de rotation de l'actif total** (*voir la page 145*).

Le taux de rotation de l'actif total (Chiffre d'affaires net ÷ Actif total moyen) permet de calculer le montant du chiffre d'affaires réalisé pour chaque dollar d'actif détenu. Plus le taux est élevé, plus l'entreprise gère efficacement ses actifs.

Dans ce chapitre, nous avons discuté du cycle d'exploitation ainsi que des concepts relatifs à la détermination des résultats : le postulat de l'indépendance des exercices, les définitions des composantes de l'état des résultats (les produits, les charges, les gains et les pertes), le principe de constatation des produits ainsi que le principe du rapprochement des produits et des charges. On définit ces principes comptables conformément à la méthode de la comptabilité d'exercice, laquelle exige que les produits soient inscrits quand ils sont gagnés et les charges quand elles sont engagées pour engendrer des produits au cours de l'exercice. Le modèle d'analyse des opérations présenté au chapitre 2 a été élargi, car on y a ajouté les produits et les charges. On a également présenté les états financiers avant régularisations. Dans le chapitre 4, nous approfondirons nos connaissances et discuterons des régularisations nécessaires à la fin de l'exercice : le processus de régularisation des comptes, l'établissement des états financiers régularisés et le processus de clôture des comptes.

RATIOS CLÉS

Le taux de rotation de l'actif total permet de calculer le montant du chiffre d'affaires pour chaque dollar d'actif. Plus le taux est élevé, plus la société utilise efficacement ses actifs (les ressources utilisées pour engendrer des produits). On le calcule comme suit (*voir la page 145*) :

$$\text{Taux de rotation de l'actif total} = \frac{\text{Chiffre d'affaires net}}{\text{Actif total moyen}}$$

Calcul de l'actif total moyen :

(Actif total de l'exercice précédent + Actif total de l'exercice en cours) ÷ 2

BILAN

Actif à court terme
Caisse
Clients et effets à recevoir
Stocks
Charges payées d'avance

Actif à long terme
Placements à long terme
Immobilisations corporelles

Passif à court terme
Fournisseurs
Effets à payer
Charges à payer

Passif à long terme
Dette à long terme

Capitaux propres
Capital social
Bénéfices non répartis

ÉTAT DES RÉSULTATS

Produits
Ventes (provenant des diverses activités d'exploitation)

Charges
Coûts des marchandises vendues (stocks utilisés)
Loyers, salaires, intérêts, amortissement, assurances, etc.

Bénéfice d'exploitation

Autres éléments
Charge d'intérêts
Revenus de placements
Gain sur vente d'actif
Perte sur vente d'actif

Bénéfice avant les impôts sur le bénéfice

Impôts sur le bénéfice

Bénéfice net
Résultat par action

ÉTAT DES FLUX DE TRÉSORERIE

Sous la catégorie des activités d'exploitation
+ Sommes reçues des clients
+ Intérêts et dividendes reçus
− Sommes versées aux fournisseurs
− Sommes versées aux employés
− Intérêts versés
− Impôts payés

NOTES COMPLÉMENTAIRES

Information sectorielle
Sous le Résumé des principales conventions comptables :
Description de la politique de la société en matière de constatation des produits

Mots clés

Questions

1. Expliquez ce qu'est le cycle d'exploitation.

2. Expliquez le postulat de l'indépendance des exercices.

3. Donnez l'équation de l'état des résultats et définissez chacune de ses composantes.

4. Expliquez la différence entre les éléments suivants :
   a) les produits et les gains ;
   b) les charges et les pertes.

5. Définissez la méthode de la comptabilité d'exercice. Comparez cette dernière avec la méthode de la comptabilité de caisse.

6. Quelles sont les quatre conditions qui doivent être satisfaites pour constater les produits selon la méthode de la comptabilité d'exercice ?

7. Expliquez le principe du rapprochement des produits et des charges.

8. Expliquez la raison pour laquelle les capitaux propres augmentent avec les produits et diminuent avec les charges.

9. Expliquez la raison pour laquelle les produits sont des comptes créditeurs et les charges, des comptes débiteurs.

10. Remplissez le tableau suivant en inscrivant « débit » ou « crédit » dans chaque cellule :

Poste	Augmentation	Diminution
Produits		
Pertes		
Gains		
Charges		

11. Remplissez le tableau suivant en inscrivant + pour une augmentation ou – pour une diminution dans chaque cellule :

Poste	Débit	Crédit
Produits		
Pertes		
Gains		
Charges		

12. Déterminez si chacune des opérations suivantes entraîne un flux de trésorerie lié aux activités d'exploitation, d'investissement ou de financement. Ensuite, indiquez l'effet sur la trésorerie (+ pour une augmentation et – pour une diminution). S'il n'y a aucun effet sur les flux de trésorerie, écrivez AE.

Opération	Activités d'exploitation, d'investissement ou de financement	Effet sur la trésorerie
Sommes versées aux fournisseurs		
Vente de biens à crédit		
Sommes reçues des clients		
Achat de placements		
Intérêts payés		
Émission d'actions en contrepartie d'espèces		

13. Comment calcule-t-on le taux de rotation de l'actif total ? Expliquez comment on doit l'interpréter.

Questions à choix multiples

1. Parmi les éléments suivants, lequel n'est pas un compte précis dans le plan de comptes d'une entreprise ?
   a) Les gains.
   b) Le bénéfice net.
   c) Les produits.
   d) Les produits perçus d'avance.

2. Parmi les énoncés suivants, lequel n'est pas une des conditions qu'on doit respecter pour enregistrer un produit selon le principe de constatation des produits ?
   a) Le prix est fixé.
   b) Le service est rendu.
   c) L'argent est encaissé.
   d) Un échange a eu lieu.

3. Le principe du rapprochement des produits et des charges détermine :
   a) comment les charges doivent être présentées à l'état des résultats ;
   b) comment répartir les charges entre le coût des marchandises vendues et les frais généraux d'exploitation ;
   c) l'ordre de présentation de l'actif et du passif à court terme ;
   d) quand les coûts deviennent des charges à l'état des résultats.

4. Vous avez observé que le taux de rotation de l'actif total d'une entreprise de détail a augmenté régulièrement au cours des trois dernières années. Parmi les explications suivantes, laquelle vous semble la meilleure ?
   a) Une campagne de publicité réussie a fait augmenter les ventes de l'entreprise ; aucun nouveau magasin n'a été ouvert au cours des trois dernières années.
   b) Les salaires des hauts dirigeants ont diminué par rapport aux dépenses totales.
   c) De nouveaux magasins ont ouvert leurs portes au cours des trois dernières années, ce qui a entraîné une augmentation des ventes.
   d) L'entreprise a entrepris, il y a trois ans, la construction d'un nouvel édifice administratif. Celui-ci est en service depuis la fin de la deuxième année.

5. Dans quelle section de l'état des flux de trésorerie les sommes versées aux employés sont-elles présentées ?
   a) Activités de financement.
   b) Activités d'exploitation.
   c) Activités d'investissement.
   d) Aucune de ces réponses.

6. Une entreprise a encaissé une somme de 100 $ d'un client pour une vente réalisée durant l'exercice précédent. Quel est l'effet de cet encaissement sur les deux états financiers pour l'exercice courant ?

	État des résultats	État des flux de trésorerie
a)	Produits + 100 $	Rentrée de fonds − investissement
b)	Aucun effet	Rentrée de fonds − financement
c)	Produits − 100 $	Rentrée de fonds − exploitation
d)	Aucun effet	Rentrée de fonds − exploitation

7. Complétez la phrase. Quand les charges sont supérieures aux produits durant une période donnée,
   a) les bénéfices non répartis ne sont pas modifiés ;
   b) les bénéfices non répartis augmentent ;
   c) les bénéfices non répartis diminuent ;
   d) on ne peut déterminer l'effet sur les bénéfices non répartis.

8. Quel compte est le moins susceptible d'être débité quand un produit est enregistré ?
   a) Les comptes fournisseurs.
   b) Les comptes clients.
   c) La caisse.
   d) Les produits perçus d'avance.

9. Quel est l'objectif principal d'une entreprise au regard de son cycle d'exploitation ?
   a) Maintenir la durée de son cycle d'exploitation.
   b) Augmenter la durée de son cycle d'exploitation.
   c) Diminuer la durée de son cycle d'exploitation.
   d) Ignorer la durée de son cycle d'exploitation.

10. Un cabinet d'avocats reçoit une avance à la première rencontre avec un nouveau client. Quel est l'effet de cette avance sur l'équation comptable ?
    a) Les comptes clients augmentent ; les produits augmentent.
    b) Les produits perçus d'avance diminuent ; les produits augmentent.
    c) La caisse augmente ; les produits perçus d'avance augmentent.
    d) Les produits perçus d'avance diminuent ; la caisse diminue.

M3-1   **L'association des définitions avec les termes**

Associez chaque définition avec le terme correspondant en écrivant la lettre appropriée dans l'espace disponible. Il n'y a qu'une seule définition par terme (autrement dit, il y a plus de définitions que de termes).

Terme		Définition
_____ 1. Pertes	A.	Diminution de l'actif ou augmentation du passif découlant des opérations courantes.
_____ 2. Principe du rapprochement des produits et des charges	B.	Comptabiliser les produits quand ils sont gagnés et mesurables (un échange a eu lieu, le produit est livré, le prix est fixé et le recouvrement est raisonnablement sûr).
_____ 3. Produits		
_____ 4. Postulat de l'indépendance des exercices	C.	Découper la vie d'une entreprise en exercices plus courts.
_____ 5. Cycle d'exploitation	D.	Comptabiliser les charges quand elles sont engagées.
	E.	Période qui s'écoule entre l'achat de biens ou de services aux fournisseurs, leur vente aux clients et le recouvrement des sommes dues par les clients.
	F.	Diminution de l'actif ou augmentation du passif découlant des opérations périphériques.
	G.	Augmentation de l'actif ou diminution du passif découlant des opérations courantes.

M3-2   **La comptabilisation des produits selon la méthode de la comptabilité de caisse et la méthode de la comptabilité d'exercice**

La société Arthur Musique a effectué les opérations suivantes au cours du mois de mars :

a)   Vente d'instruments de musique pour une somme de 10 000 $. La société a encaissé 6 000 $, et le solde sera versé dans quelques jours. Le coût des instruments vendus est de 7 000 $.

b)   Achat de nouveaux stocks d'instruments de musique au coût de 4 000 $. La société verse immédiatement 1 000 $, et le solde est porté aux comptes fournisseurs.

c)   Paiement de 600 $ en salaires pour le mois de mars.

d)   Réception d'une facture de 200 $ pour des services publics qui sera payée en avril.

e)   Réception d'un acompte de 1 000 $ pour une commande de nouveaux instruments qui seront livrés aux clients au mois d'avril.

Complétez les états financiers :

État des résultats selon la méthode de la comptabilité de caisse		État des résultats selon la méthode de la comptabilité d'exercice	
Produits		Produits	
Ventes au comptant	_____	Ventes	_____
Acompte des clients	_____		
Charges		Charges	
Achats de stocks	_____	Coût des marchandises vendues	_____
Salaires payés	_____	Salaires	_____
		Frais de services publics	_____
Bénéfice net	_____	Bénéfice net	_____

M3-3   La détermination des produits

Voici une description des activités du mois de juillet 2008 de la société Quilles Robert, qui exploite diverses salles de quilles. Déterminez si vous devez constater des produits en juillet, et précisez le compte touché et le montant. Dans le cas contraire, déterminez quel critère de constatation des produits n'est pas respecté.

Activités	Compte touché	Montant du produit
a) La société Quilles Robert a encaissé une somme de 10 000 $ pour des parties jouées en juillet.		
b) La société a vendu du matériel de jeu de quilles pour une valeur de 5 000 $ dont 3 000 $ au comptant et le solde à crédit. [Le coût de ce matériel vendu est donné à l'exercice M3-4 e).]		
c) La société a reçu un chèque de 1 000 $ en règlement partiel pour des marchandises vendues en juin.		
d) La ligue féminine de quilles a remis à la société Robert un dépôt de 1 500 $ pour la prochaine saison d'automne.		

M3-4   La détermination des charges

Voici une description des activités du mois de juillet 2008 de la société Quilles Robert, qui exploite diverses salles de quilles. Déterminez si vous devez constater des charges en juillet, et précisez le compte touché et le montant. Dans le cas contraire, expliquez pourquoi.

Activités	Compte touché	Montant des charges
e) La société Quilles Robert a vendu des marchandises de jeu de quilles dont le coût était de 2 000 $.		
f) La société a versé 2 000 $ en paiement du compte d'électricité du mois de juin.		
g) La société a versé 4 000 $ à ses employés pour le travail accompli au mois de juillet.		
h) La société a acheté et payé une police d'assurance de 1 200 $ qui couvre la période du 1er juillet au 1er octobre.		
i) La société a payé 1 000 $ aux plombiers pour la réparation d'un tuyau brisé dans les toilettes.		
j) La société a reçu le compte d'électricité du mois de juillet de 2 200 $ qui sera payé en août.		

M3-5   La comptabilisation des produits

Pour chacune des opérations de l'exercice M3-3, inscrivez l'effet sur l'équation comptable et passez l'écriture de journal appropriée.

M3-6   La comptabilisation des charges

Pour chacune des opérations de l'exercice M3-4, inscrivez l'effet sur l'équation comptable et passez l'écriture de journal appropriée.

M3-7   L'effet des produits sur les états financiers

Voici une description des activités du mois de juillet 2008 de la société Quilles Robert qui exploite diverses salles de quilles. Remplissez le tableau en indiquant le montant et l'effet (+ pour une augmentation et − pour une diminution) de chaque opération. (Rappelez-vous que A = Pa + CP, Pr − C = BN et que le BN touche les CP à cause des bénéfices non répartis). Écrivez AE s'il n'y a aucun effet. La première opération est donnée à titre d'exemple.

| | Bilan | | | État des résultats | | |
Opérations	Actif	Passif	Capitaux propres	Produits	Charges	Bénéfice net
a) La société Quilles Robert a encaissé une somme de 10 000 $ pour des parties jouées en juillet.	+10 000	AE	+10 000	+10 000	AE	+10 000
b) La société a vendu du matériel de jeu de quilles pour une valeur de 5 000 $ dont 3 000 $ en espèces et le solde à crédit.						
c) La société a reçu un chèque de 1 000 $ en règlement partiel pour des marchandises vendues en juin.						
d) La ligue féminine de quilles a remis à la société Robert un dépôt de 1 500 $ pour la prochaine saison d'automne.						

M3-8 L'effet des charges sur les états financiers   ☐ OA4

Voici une description des activités du mois de juillet 2008 pour la société Quilles Robert qui exploite diverses salles de quilles. Remplissez le tableau en indiquant le montant et l'effet (+ pour une augmentation et − pour une diminution) de chaque opération. (Rappelez-vous que A = Pa + CP, Pr − C = BN et que le BN touche les CP à cause des bénéfices non répartis). Écrivez AE s'il n'y a aucun effet. La première opération est donnée à titre d'exemple.

| | Bilan | | | État des résultats | | |
Opérations	Actif	Passif	Capitaux propres	Produits	Charges	Bénéfice net
e) La société Quilles Robert a vendu des marchandises de jeu de quilles dont le coût était de 2 000 $.	−2 000	AE	−2 000	AE	+2 000	−2 000
f) La société a versé 2 000 $ en paiement du compte d'électricité du mois de juin.						
g) La société a versé 4 000 $ à ses employés pour le travail accompli au mois de juillet.						
h) La société a acheté et payé une police d'assurance au coût de 1 200 $ qui couvre la période du 1er juillet au 1er octobre.						
i) La société a payé 1 000 $ au plombier pour réparer un tuyau dans les toilettes.						
j) La société a reçu le compte d'électricité du mois de juillet de 2 200 $ qui sera payé en août.						

M3-9 L'état des résultats   ☐ OA5

En vous basant sur les opérations des exercices M3-7 et M3-8 (y compris les exemples), dressez un état des résultats pour la société Quilles Robert pour le mois de juillet 2008.

M3-10 L'état des flux de trésorerie   ☐ OA5

En vous basant sur les opérations des exercices M3-7 et M3-8 (y compris les exemples), préparez la section des activités d'exploitation de l'état des flux de trésorerie de la société Quilles Robert pour le mois de juillet 2008.

M3-11 Le taux de rotation de l'actif total

Les données suivantes sont tirées des rapports annuels de la bijouterie Justin :

	2010	2009	2008
Total de l'actif	60 000 $	50 000 $	40 000 $
Total du passif	12 000	10 000	5 000
Total des capitaux propres	48 000	40 000	35 000
Ventes	154 000	144 000	130 000
Bénéfice net	50 000	38 000	25 000

Calculez le taux de rotation de l'actif total de la bijouterie Justin pour les exercices 2009 et 2010. Comment interprétez-vous ces résultats ?

Exercices

E3-1   L'association des définitions et des termes

Associez chaque définition avec le terme correspondant en écrivant la lettre appropriée dans l'espace disponible. Il n'y a qu'une seule définition par terme (autrement dit, il y a plus de définitions que de termes).

Terme	Définition

Terme

_____ 1. Charges

_____ 2. Gains

_____ 3. Principe de constatation des produits

_____ 4. Comptabilité de caisse

_____ 5. Produit perçu d'avance

_____ 6. Cycle d'exploitation

_____ 7. Comptabilité d'exercice

_____ 8. Charges payées d'avance

_____ 9. Produits − Charges = Bénéfice net

_____ 10. Bénéfices non répartis à la fin de l'exercice = Bénéfices non répartis au début de l'exercice + Bénéfice net − Dividendes

Définition

A. Découper la vie d'une entreprise en périodes plus courtes.

B. Comptabiliser les charges quand elles sont engagées.

C. Période qui s'écoule entre l'achat des biens et des services aux fournisseurs, leur vente aux clients et le recouvrement des sommes dues par les clients.

D. Compte de passif utilisé pour comptabiliser un encaissement avant que le produit n'ait été gagné.

E. Augmentation de l'actif ou diminution du passif provenant des opérations périphériques.

F. Diminution de l'actif ou augmentation du passif provenant des opérations courantes.

G. Comptabiliser les produits quand ils sont gagnés et mesurables (un échange a eu lieu, le produit est livré, le prix est fixé et le recouvrement est raisonnablement sûr).

H. Diminution de l'actif ou augmentation du passif résultant des opérations périphériques.

I. Comptabiliser les produits quand ils sont reçus et les charges quand elles sont payées.

J. Équation de l'état des résultats.

K. Compte de l'actif utilisé pour comptabiliser un décaissement avant que la charge ne soit engagée.

L. Équation des bénéfices non répartis.

M. Comptabiliser les produits quand ils sont gagnés et les charges quand elles sont engagées.

E3-2 **La comptabilisation des produits selon la méthode de la comptabilité de caisse et la méthode de la comptabilité d'exercice**

La société Xavier Sports inc. vend des articles de sport aux consommateurs. Son exercice financier se termine le 31 décembre. La société a effectué les opérations suivantes en 2009 :

a) Paiement de 54 200 $ en salaires pour l'année 2009 ; un montant additionnel de 4 800 $ sera versé en janvier 2010 pour des salaires de 2009.

b) Achat de nouveaux stocks d'équipements de sport au coût de 334 000 $. La société a payé 90 000 $ comptant, et le solde est porté au compte Fournisseurs.

c) Vente d'équipements de sport pour une somme de 410 000 $; la société a encaissé 340 000 $ et le reste est porté au compte Clients. Le coût de l'équipement vendu est de 287 000 $.

d) Paiement de 7 200 $ pour des services publics reçus en 2009.

e) Réception d'un acompte de 21 000 $ pour une commande de nouveaux équipements de sport qui seront livrés aux clients en janvier 2010.

f) Réception d'une facture de 680 $ pour des services reçus en décembre 2009. Cette facture sera payée en janvier 2010.

Travail à faire

1. Complétez les états financiers

État des résultats Comptabilité de caisse		État des résultats Comptabilité d'exercice	
Produits		Produits	
Ventes au comptant		Ventes	
Acompte des clients			
Charges		Charges	
Achats de stocks		Coût des marchandises vendues	
Salaires payés		Salaires	
Services payés		Frais de services	
Bénéfice net		Bénéfice net	

2. Quelle méthode donne davantage d'informations pertinentes aux investisseurs, aux créanciers ou aux autres utilisateurs ? Expliquez votre réponse.

E3-3 **La détermination des produits**

En général, les produits sont constatés quand le service est rendu ou la marchandise livrée, un échange a eu lieu, le prix est fixé et le recouvrement est assuré de façon raisonnable. Le montant inscrit est le prix de vente en dollars. Les opérations suivantes ont eu lieu durant le mois de septembre 2009 :

a) Un client a commandé et reçu 10 ordinateurs personnels de Sony ; le client promet de verser 25 000 $ dans les trois mois suivants. Répondez selon le point de vue de la société Sony.

b) La société Samuel Leblanc Honda vend un camion au prix de catalogue de 24 000 $ pour une somme de 21 000 $ versée au comptant.

c) Le magasin à rayons Hudson commande 1 000 chemises pour homme à la société Tricots verts à 18 $ chacune pour une livraison future. Les modalités exigent un paiement en totalité dans les 30 jours suivant la livraison. Répondez selon le point de vue de la société Tricots verts.

d) La société Tricots verts termine la production des chemises décrite en c) et livre la commande. Répondez selon le point de vue de la société Tricots verts.

e) La société Tricots verts reçoit du magasin Hudson le règlement de la commande décrite en c). Répondez selon le point de vue de la société Tricots verts.

f) Un client achète au comptant un billet de l'entreprise Air Canada d'une valeur de 500 $ pour un voyage qu'il effectuera en janvier prochain. Répondez selon le point de vue de l'entreprise Air Canada.

g) La société Quebecor émet de nouvelles actions pour un montant de 26 millions de dollars.

h) L'Université du Québec reçoit une somme de 2 millions de dollars par rapport à la vente de 80 000 billets pour la saison de cinq matchs de football.

i) Les Citadins jouent le premier match de football mentionné en h).

j) La société Construction Raymond signe un contrat avec un client pour l'édification d'un nouvel entrepôt au prix de 500 000 $. À la signature du contrat, la société Construction Raymond reçoit un chèque de 50 000 $ comme dépôt pour la future construction. Répondez selon le point de vue de la société Construction Raymond.

k) Au 1er septembre 2009, une banque prête 100 000 $ à une entreprise. Le prêt comporte un taux d'intérêt annuel de 5 % ; le capital et les intérêts sont exigibles le 31 août 2010. Répondez selon le point de vue de la banque.

l) L'éditeur d'un populaire magazine de ski reçoit aujourd'hui une somme de 12 800 $ de la part de ses abonnés. Les abonnements commencent au prochain exercice. Répondez selon le point de vue de l'éditeur du magazine.

m) Sears, un magasin de vente au détail, vend une lampe de 100 $ à un client qui porte le coût d'achat sur la carte de crédit du magasin. Répondez selon le point de vue de Sears.

Travail à faire

Pour chaque opération, déterminez si vous devez constater des produits en septembre, précisez le compte de produit touché et le montant du produit. Dans le cas contraire, indiquez quel critère de constatation des produits n'est pas respecté.

E3-4   La détermination des charges

On constate normalement les charges quand les biens et les services ont été fournis, et que le paiement ou la promesse de paiement a été fait. La constatation des charges est liée à la constatation des produits pour un même exercice. Les opérations suivantes se sont produites au mois de janvier 2010 :

a) La société Sony verse à ses techniciens du service informatique 90 000 $ en salaire pour les deux semaines se terminant le 7 janvier. Répondez selon le point de vue de la société Sony.

b) La société Construction Raymond verse 4 500 $ pour un régime d'assurance-indemnité aux travailleurs pour les trois premiers mois de l'exercice.

c) La maison d'édition Chenelière a utilisé 6 000 $ d'électricité et de gaz naturel pour sa maison mère, lesquels n'ont pas encore été facturés.

d) La société Tricots verts termine la production de 500 chemises pour homme commandées par le magasin à rayons Bon Ton au coût de 9 $ chacune et livre la commande. Répondez selon le point de vue de la société Tricots verts.

e) La librairie du campus reçoit 500 manuels de comptabilité au coût de 100 $ chacun. Les modalités indiquent que le paiement est exigible dans les 30 jours suivant la livraison.

f) Durant la dernière semaine de janvier, la librairie du campus vend 450 manuels de comptabilité reçus en e) à un prix de vente de 120 $ chacun.

g) La société Samuel Leblanc Honda verse 13 500 $ en commissions à ses vendeurs pour les ventes de voitures réalisées en décembre. Répondez selon le point de vue de la société Samuel Leblanc Honda.

h) Le 31 janvier, la société Samuel Leblanc Honda détermine qu'elle versera à ses vendeurs 14 200 $ en commissions pour les ventes réalisées en janvier. Le paiement sera fait au début du mois de février. Répondez selon le point de vue de la société Leblanc Honda.

i) On achète et installe un nouveau four au restaurant La Belle Poutine le 31 janvier. Le même jour, on fait un paiement de 32 000 $ en espèces.

j) L'Université Laval commande 60 000 billets de saison de football de son imprimeur et paie 6 000 $ d'avance pour cette impression. Le premier match sera joué en septembre. Répondez selon le point de vue de l'université.

k) La société Carrousel avait en entrepôt des fournitures de conciergerie s'élevant à 4 000 $. Elle a acheté pour 2 600 $ de plus de fournitures en janvier. À la fin de ce mois, il restait 1 800 $ de fournitures de conciergerie en entrepôt.

l) Une employée de l'Université du Québec travaille 8 heures à 15 $ l'heure le 31 janvier ; cependant, le jour de paie est le 3 février. Répondez selon le point de vue de l'université.

m) La société Wang paie 3 600 $ pour une police d'assurance-incendie le 2 janvier. La police couvre le mois courant et les 11 prochains mois. Répondez selon le point de vue de la société Wang.

n) En janvier, la société Ambre a fait réparer son camion de livraison au coût de 280 $. La facture n'a pas encore été payée.

o) La société Zoé, un fournisseur de matériel agricole, reçoit son compte de téléphone à la fin du mois de janvier, qui s'élève à 230 $ pour les appels de janvier. Le compte n'a pas encore été payé.

p) En janvier, la société Spina reçoit et paie une facture de 11 500 $ provenant d'un cabinet de conseillers pour des services reçus en janvier.

q) La société de taxi Diamond paie une facture de 600 $ provenant d'un cabinet de conseillers pour des services reçus et comptabilisés en décembre.

Travail à faire

Pour chaque opération, déterminez si vous devez constater une charge en janvier, précisez le compte de charge touché et le montant de la charge. Dans le cas contraire, expliquez pourquoi.

E3-5   L'effet de diverses opérations sur l'état des résultats   ☐ OA4

Les opérations suivantes se sont produites au cours d'un exercice récent.

a) Émission d'actions en contrepartie d'un paiement en espèces.

b) Achat de matériel à crédit.

c) Emprunt auprès d'une banque.

d) Produits gagnés et encaissés.

e) Charges engagées non payées.

f) Produits gagnés non encaissés.

g) Paiement d'un compte fournisseurs.

h) Charges engagées et payées.

i) Produits gagnés, encaissement des trois quarts, solde à crédit.

j) Dividendes en espèces déclarés et payés.

k) Sommes reçues des clients.

l) Vol de 100 $ en espèces.

m) Charges engagées, paiement des quatre cinquièmes, solde à crédit.

n) Charge d'impôts payée pour l'exercice.

Travail à faire

Remplissez le tableau en indiquant l'effet (+ pour une augmentation et − pour une diminution) de chaque opération. (Rappelez-vous que A = Pa + CP, Pr − C = BN et que le BN influe sur les CP à cause des Bénéfices non répartis). Inscrivez AE s'il n'y a aucun effet. La première opération est donnée à titre d'exemple.

	Bilan			État des résultats		
Opérations	Actif	Passif	Capitaux propres	Produits	Charges	Bénéfice net
a) (exemple)	+	AE	+	AE	AE	AE

E3-6   L'effet de diverses opérations sur les états financiers   ☐ OA4

La société Bon Pied inc. fabrique des chaussures militaires, de travail, de sport et de ville ainsi que des articles en cuir sous une variété de marques commerciales vendues partout dans le monde. Les opérations suivantes se sont déroulées durant un exercice récent. Les montants sont exprimés en milliers de dollars.

a) Émission d'actions aux investisseurs pour un montant en espèces de 7 570 $.

b) Achat à crédit de stocks de matières premières pour une valeur de 561 346 $.

c) Emprunt de 66 194 $ par la signature d'effets à payer à long terme.

d) Vente à crédit de marchandises pour une somme de 888 926 $; le coût des marchandises vendues s'élevait à 562 338 $.

e) Versement des dividendes en espèces pour un total de 8 588 $.

f) Achat au comptant d'immobilisations corporelles au prix de 16 015 $.

g) Frais de vente engagés de 246 652 $ dont les trois quarts ont été payés en espèces, solde à crédit.

h) Revenu de 422 $ en intérêts sur des investissements; 90 % du revenu ont été encaissés.

i) Charges d'intérêts engagées au montant de 5 896 $ qui seront payées au début de la prochaine année.

Travail à faire

Remplissez le tableau en indiquant l'effet (+ pour une augmentation et − pour une diminution) de chaque opération. (Rappelez-vous que A = Pa + CP, Pr − C = BN et que le BN touche les CP à cause des Bénéfices non répartis). Inscrivez AE s'il n'y a aucun effet. La première opération est donnée à titre d'exemple.

Opérations	Bilan			État des résultats		
	Actif	Passif	Capitaux propres	Produits	Charges	Bénéfice net
a) (exemple)	+7 570	AE	+7 570	AE	AE	AE

E3-7 **L'équation comptable et les écritures de journal**

La société Bisco est un distributeur de produits de services alimentaires pour des restaurants, des hôtels, des écoles, des hôpitaux et d'autres établissements. Les opérations décrites ci-après sont typiques de celles qui se produisent régulièrement dans ce genre d'entreprise pour un exercice donné.

a) Emprunt bancaire de 185 000 000 $ et signature d'un effet à payer à court terme.
b) Prestation de services pour un montant de 29 335 000 $ durant l'exercice, dont 21 300 000 $ à crédit et le solde au comptant.
c) Achat au comptant d'une usine au coût de 530 000 000 $.
d) Achat à crédit de marchandises au coût de 23 836 000 $.
e) Versement des salaires durant l'exercice pour un montant total de 3 102 000 $.
f) Encaissement de comptes clients pour une somme de 21 120 000 $.
g) Achat et consommation de carburant au prix de 730 000 $ pour les véhicules de livraison durant l'exercice (payé en espèces).
h) Déclaration et paiement d'un dividende d'une valeur de 310 000 $.
i) Paiement des comptes fournisseurs pour un montant total de 4 035 000 $.
j) Charges liées à l'utilisation des services publics pour l'exercice s'élevant à 61 000 $, dont 53 000 $ ont été payés comptant, solde à crédit.

Travail à faire

1. Pour chaque opération, indiquez l'effet sur l'équation comptable. Vérifiez si l'équation comptable demeure en équilibre.
2. Pour chaque opération, passez l'écriture de journal en vérifiant si les débits sont égaux aux crédits.

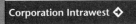

E3-8 **L'équation comptable et les écritures de journal**

La société Intrawest possède la station de ski Tremblant au Québec. Elle vend des billets de remonte-pentes, des leçons de ski et de l'équipement de ski. De plus, elle exploite divers restaurants et loue des condos aux skieurs. Les opérations hypothétiques suivantes pour le mois de décembre sont typiques de celles qui se produisent à la station de ski :

a) Le 1er décembre, la société emprunte 500 000 $ auprès d'une banque et signe un effet de 6 mois à un taux d'intérêt annuel de 6 % pour financer le début de la nouvelle saison. Le capital et les intérêts sont payables à la date d'échéance.
b) Le 31 décembre, la société achète au comptant une nouvelle charrue à neige au coût de 90 000 $.
c) La société achète à crédit de l'équipement de ski qui sera mis en vente dans sa boutique. Le coût de l'équipement est de 40 000 $, et ce dernier est livré le jour même de la commande.
d) La société paie les frais d'entretien normaux des remonte-pentes au montant de 62 000 $.
e) La société vend au comptant des laissez-passer pour la saison totalisant un montant de 372 000 $.
f) La société vend également au comptant des laissez-passer quotidiens pour un total de 270 000 $.
g) La boutique vend à crédit une paire de skis d'une valeur de 750 $. (Le coût d'une paire de skis est de 450 $.)
h) La société encaisse un montant de 3 200 $ qui représente un dépôt d'une location de condo pour 15 jours en janvier.
i) La société paie la moitié des comptes fournisseurs enregistrés en c).

j) La boutique reçoit un chèque de 200 $ en règlement partiel du compte client enregistré en g).

k) La société verse à ses employés 258 000 $ en salaires pour le mois de décembre.

Travail à faire

1. Pour chaque opération, indiquez l'effet sur l'équation comptable.

2. Passez les écritures de journal pour chaque opération. (Vérifiez que les débits égalent les crédits.)

3. Supposez que Tremblant avait un solde de 1 200 $ dans ses comptes clients au début de l'exercice. Déterminez le solde de clôture du compte Clients.

E3-9 **L'équation comptable et les écritures de journal**

□OA4

La société Occident Air inc. est en exploitation depuis trois ans. Les opérations suivantes se sont produites au cours du mois de février :

01-02 Paiement d'une somme de 200 $ pour la location d'un espace de hangar pour le mois de février.

02-02 Achat à crédit de carburant au coût de 450 $ pour le prochain vol vers Val-d'Or.

04-02 Réception d'un chèque de 800 $ en règlement d'une livraison à Baie-Comeau le mois prochain.

07-02 Envoi d'une cargaison de Québec à Toronto ; le client a payé 900 $ pour le transport aérien.

10-02 Paiement du salaire de 1 200 $ au pilote pour les vols effectués en janvier.

14-02 Paiement d'une publicité dans un journal local qui sera publiée le 19 février au montant de 60 $.

18-02 Expédition d'une cargaison à deux clients de Toronto à la Baie-James pour une somme de 1 700 $; un client a payé 500 $ en espèces et l'autre a demandé à être facturé.

25-02 Achat à crédit de pièces de rechange pour les avions au coût de 1 350 $.

27-02 Déclaration d'un dividende en espèces payable en mars pour une valeur de 200 $.

Travail à faire

1. Pour chaque opération, indiquez l'effet sur l'équation comptable.

2. Passez les écritures de journal pour chaque opération. Assurez-vous de classer chaque compte comme un actif (A), un passif (Pa), des capitaux propres (CP), un produit (Pr) ou une charge (C).

E3-10 **L'équation comptable, les comptes en T et le calcul du bénéfice net**

□OA3
□OA4

La société Piano Bernard est en exploitation depuis un an (2008). Au début de l'exercice 2009, ses comptes de l'état des résultats avaient des soldes nuls, et les soldes des comptes du bilan étaient les suivants :

Caisse	6 000 $
Clients	25 000
Fournitures	1 200
Matériel	8 000
Terrain	6 000
Bâtisse	22 000
Fournisseurs et charges à payer	8 000
Produits perçus d'avance	3 200
Effets à payer à long terme	40 000
Actions ordinaires	8 000
Bénéfices non répartis	9 000

Les opérations suivantes sont survenues au mois de janvier 2009 :

a) Réception d'un dépôt de 500 $ d'un client qui veut faire rénover son piano.

b) Location d'une partie de la bâtisse à un atelier de réparation de bicyclettes ; encaissement du loyer du mois de janvier au prix de 300 $.

c) Livraison de 10 pianos rénovés à des clients qui ont payé 14 500 $ en espèces.

d) Encaissement de chèques d'un montant total de 6 000 $ en règlement de comptes dus par les clients.

e) Réception des comptes d'électricité et de gaz. Les frais de 350 $ seront payés en février.

f) Commande de fournitures au coût de 800 $.

g) Paiement d'un compte fournisseur de 1 700 $.

h) Le principal actionnaire apporte à la société un outil d'une valeur de 600 $ (du matériel) qui sera très utile à l'entreprise en échange de nouvelles actions de la société.

i) Paiement des salaires du mois de janvier s'élevant à 10 000 $.

j) Déclaration et paiement d'un dividende de 3 000 $.

k) Réception des fournitures commandées en f) et règlement de la facture.

Travail à faire

1. Pour chaque opération, indiquez l'effet sur l'équation comptable.

2. Présentez des comptes en T pour les comptes du bilan et les comptes suivants : Produits tirés de rénovations, Revenus de location, Salaires et Services publics. Entrez les soldes d'ouverture.

3. Inscrivez les opérations du mois de janvier 2009 dans les comptes en T en utilisant la lettre de chaque opération comme référence. Calculez les soldes de clôture.

4. En utilisant les données des comptes en T, déterminez les montants manquants.
   Produits _____ $ − Charges _____ $ = Bénéfice net _____ $
   Actif _____ $ = Passif _____ $ + Capitaux propres _____ $

5. Quel serait le bénéfice net si Piano Bernard avait utilisé la méthode de la comptabilité de caisse ?

OA5 **E3-11** **L'établissement d'un état des résultats, d'un état des capitaux propres et d'un bilan**
Reportez-vous à l'exercice E3-10.

Travail à faire

Utilisez les soldes de clôture des comptes en T de l'exercice E3-10 ou le tableau résumant l'effet des opérations sur l'équation comptable pour dresser les états financiers suivants :

1. Un état des résultats pour le mois de janvier 2009.

2. Un état des capitaux propres pour le mois de janvier 2009.

3. Un bilan au 31 janvier 2009.

OA5 **E3-12** **L'établissement de l'état des flux de trésorerie**
Reportez-vous à l'exercice E3-10.

Travail à faire

Utilisez les opérations de l'exercice E3-10 pour dresser un état des flux de trésorerie.

OA4 **E3-13** **L'équation comptable et les comptes en T**
Sylvie Burelle et Patrice Bergeron exploitent le service de traiteur Bon Appétit depuis plusieurs années. En mars 2009, les associés ont planifié de prendre de l'expansion en ouvrant une boutique de vente au détail. De plus, ils ont décidé de transformer l'entreprise en une société de capitaux appelée Gourmet Express inc. Les opérations suivantes se sont produites au cours du mois de mars 2009 :

a) Réception d'une somme de 20 000 $ de chacun des actionnaires pour former la société de capitaux. Les actionnaires apportent également à la nouvelle société des comptes clients de 2 000 $, du matériel d'une valeur de 5 300 $, une fourgonnette évaluée à une juste valeur de 13 000 $ et des fournitures s'élevant à 1 200 $.

b) Achat d'une bâtisse bien située au prix de 160 000 $ avec une mise de fonds de 20 000 $ et une hypothèque pour le solde.

c) Emprunt bancaire de 75 000 $ et signature d'un effet de 5 % payable dans un an.

d) Achat au comptant de fournitures au coût de 8 830 $. Toutes ces fournitures ont été utilisées au cours du mois de mars.

e) Préparation et vente au comptant de nourriture pour une somme de 11 900 $.

f) Prestation de services de traiteur pour quatre fêtes. La facture s'élevait à 3 200 $ dont 1 700 $ ont été encaissés et le reste a été facturé.

g) Réception du compte de téléphone de 320 $ pour le mois de mars qui sera payé en avril.

h) Paiement d'une facture de 63 $ en essence pour la fourgonnette au mois de mars.

i) Paiement des salaires du mois de mars s'élevant à 5 080 $.

j) Paiement d'un dividende de 300 $ à chaque actionnaire.

k) Achat de matériel (des comptoirs de présentation réfrigérés, des comptoirs, des tables et des chaises) au prix de 35 000 $. Rénovation du nouveau magasin pour un montant de 20 000 $ (ajouté au coût de la bâtisse). Le tout a été payé comptant.

Travail à faire

1. Pour chaque opération, indiquez l'effet sur l'équation comptable.
2. Présentez des comptes en T pour les comptes suivants : Caisse, Clients, Stock de fournitures, Matériel, Véhicule, Bâtisse, Charges à payer, Effets à payer, Hypothèque à payer, Actions ordinaires, Bénéfices non répartis, Vente de nourriture, Services de traiteur, Fournitures utilisées, Téléphone, Salaires et Frais d'essence.
3. Inscrivez dans les comptes en T les opérations de Gourmet Express pour le mois de mars en utilisant la lettre de chaque opération comme référence.

E3-14 L'établissement d'un état des résultats, d'un état des capitaux propres et d'un bilan

□ OA5

Reportez-vous à l'exercice E3-13.

Travail à faire

Utilisez les soldes des comptes en T établis à l'exercice E3-13 ou le tableau indiquant l'effet des opérations sur l'équation comptable pour répondre aux demandes suivantes :

1. Dressez un état des résultats en bonne et due forme pour le mois de mars 2009.
2. Dressez un état des capitaux propres pour le mois de mars 2009.
3. Dressez un bilan en bonne et due forme au 31 mars 2009.
4. Que pensez-vous du succès de cette entreprise en vous basant sur les résultats du premier mois d'exploitation ?

E3-15 L'établissement d'un état des flux de trésorerie

□ OA5

Reportez-vous à l'exercice E3-13.

Travail à faire

Utilisez les opérations décrites à l'exercice E3-13 pour dresser un état des flux de trésorerie.

E3-16 L'établissement d'un état des résultats et d'un bilan

□ OA2
□ OA3
□ OA4
□ OA5

La société Cerfs-Volants asiatiques (une société de capitaux) vend et répare des cerfs-volants pour des fabricants du monde entier. Ses magasins sont situés dans des locaux loués dans les centres commerciaux. Durant son premier mois d'exploitation se terminant le 30 avril 2009, la société Cerfs-Volants asiatiques a effectué huit opérations présentées dans le tableau suivant :

Comptes	Opérations								Solde de clôture
	a)	b)	c)	d)	e)	f)	g)	h)	
Caisse	50 000 $	(10 000) $	(5 000) $	7 000 $	(2 000) $	(1 000) $		3 000 $	
Clients				3 000					
Stocks			20 000	(3 000)					
Charges payées d'avance					1 500				
Matériel de magasin		10 000							
Fournisseurs			15 000				1 200		
Produits perçus d'avance								2 000	
Actions ordinaires	50 000								
Ventes				10 000				1 000	
Coût des marchandises vendues				3 000					
Salaires						1 000			
Frais de location					500				
Frais de services publics							1 200		

Travail à faire

1. Rédigez une brève explication des opérations a) à h). Expliquez toutes vos hypothèses.
2. Calculez le solde de clôture de chaque compte et dressez un état des résultats ainsi qu'un bilan pour la société Cerfs-Volants asiatiques au 30 avril 2009.

E3-17 **L'utilisation des comptes en T et l'interprétation du taux de rotation de l'actif total**

La société Derfel, en exploitation depuis trois ans, offre des services de consultation en marketing pour les entreprises du secteur technologique. Vous êtes un analyste financier chargé de faire un rapport sur l'efficacité de l'équipe de direction dans la gestion de ses actifs. Au début de l'exercice 2010 (son quatrième exercice), les soldes des comptes en T de la société Derfel étaient les suivants. Les montants sont exprimés en milliers de dollars.

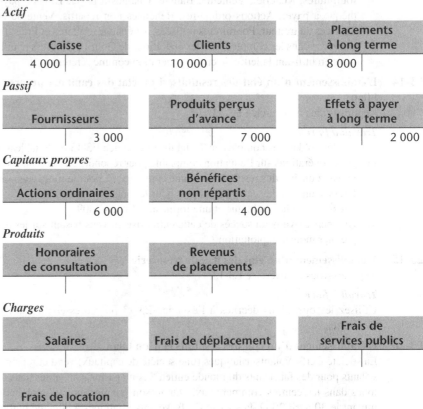

Actif

Caisse		Clients		Placements à long terme
4 000		10 000		8 000

Passif

Fournisseurs		Produits perçus d'avance		Effets à payer à long terme
	3 000		7 000		2 000

Capitaux propres

Actions ordinaires		Bénéfices non répartis
	6 000		4 000

Produits

Honoraires de consultation		Revenus de placements

Charges

Salaires		Frais de déplacement		Frais de services publics

Frais de location

Travail à faire

1. En utilisant les données de ces comptes en T, complétez l'équation ci-dessous au 1er janvier 2010 :
   Actif _____ $ = Passif _____ $ + Capitaux propres _____ $.

2. Présentez les opérations suivantes de l'exercice 2010 dans les comptes en T :
   a) Réception d'une somme de 7 000 $ en règlement de comptes clients.
   b) Prestation de services à des clients pour une valeur de 70 000 $, dont 60 000 $ ont été encaissés et le solde a été porté aux comptes des clients.
   c) Réception d'un chèque de 500 $ représentant les revenus sur les placements à long terme.
   d) Paiement de certaines factures : frais de déplacements, 20 000 $; loyer, 12 000 $; comptes fournisseurs, 2 000 $; salaires pour un montant de 20 000 $.
   e) Réception d'une facture de 1 000 $ représentant le coût d'utilisation des services publics en 2010.
   f) Paiement d'un dividende aux actionnaires d'un montant de 600 $.
   g) Réception d'un acompte de 2 000 $ pour des services que la société Derfel fournira l'an prochain.

3. Calculez les soldes de clôture des comptes en T et complétez l'équation au 31 décembre 2010.
   Actif _____ $ = Passif _____ $ + Capitaux propres _____ $
   Produits _____ $ − Charges _____ $ = Bénéfice net _____ $

4. Calculez le taux de rotation de l'actif total pour l'exercice 2010. Si le taux de rotation de la société était de 2,00 en 2009 et de 1,80 en 2008, que vous indiquent vos calculs au sujet de la société Derfel ?

E3-18 L'utilisation des comptes en T

Un rapport annuel récent de la société Dow Jones & Company, le chef de file mondial en information financière (et l'éditeur du *Wall Street Journal*), comprenait les comptes suivants. Les montants sont exprimés en millions de dollars.

Clients			Charges payées d'avance			Produits perçus d'avance		
01-01	313		01-01	25			240	01-01
	2 573	?		43	?	?	328	
31-12	295		31-12	26			253	31-12

Travail à faire

1. Pour chaque compte en T, décrivez les opérations typiques qui touchent chaque compte (autrement dit, quels événements économiques se produisent pour augmenter ou diminuer ces comptes).
2. Pour chaque compte en T, calculez les montants manquants.

E3-19 La recherche d'information financière

À titre d'investisseur, vous évaluez votre portefeuille de placements actuel pour déterminer ceux qui n'affichent pas la performance attendue. Vous avez entre les mains tous les rapports annuels les plus récents des sociétés.

Travail à faire

Pour chaque élément suivant, indiquez où vous trouveriez l'information dans un rapport annuel. (Conseil : L'information peut se trouver à plus d'un endroit.)

1. Description de la mission de l'entreprise.
2. Impôts payés.
3. Comptes clients.
4. Flux de trésorerie liés aux activités d'exploitation.
5. Description de la politique de constatation des produits d'une entreprise.
6. Stocks vendus durant l'exercice.
7. Données nécessaires pour calculer le taux de rotation de l'actif.

Problèmes

P3-1 Les comptes (PS3-1)

La liste ci-dessous comprend une série de comptes de la société Maya, qui est en exploitation depuis trois ans. À la suite des comptes, vous trouverez une série d'opérations. Pour chaque opération, indiquez le ou les comptes qui doivent être augmentés ou diminués et/ou débités et crédités en inscrivant le numéro de compte approprié à la droite de chaque opération. La première opération est donnée à titre d'exemple.

Numéro de compte	Nom du compte	Numéro de compte	Nom du compte
1	Caisse	9	Salaires à payer
2	Clients	10	Impôts à payer
3	Stock de fournitures	11	Actions ordinaires
4	Charges payées d'avance	12	Bénéfices non répartis
5	Matériel	13	Prestation de services
6	Brevets	14	Frais d'exploitation
7	Fournisseurs	15	Charge d'impôts
8	Effets à payer	16	Charge d'intérêts

Opérations	Augmentation	Diminution	Débit	Crédit
a) Exemple : Achat de matériel dont le tiers est payé comptant et le solde fait l'objet d'un effet à payer.	5,8	1	5	1,8
b) Émission au comptant d'actions ordinaires aux nouveaux investisseurs.				
c) Paiement en espèces des salaires.				
d) Encaissement pour les services rendus durant l'exercice.				
e) Encaissement de comptes clients pour des services rendus durant l'exercice précédent.				
f) Services rendus au cours de l'exercice, portés aux comptes clients.				
g) Paiement des frais d'exploitation engagés au cours de l'exercice.				
h) Paiement de comptes fournisseurs pour des charges engagées durant l'exercice précédent.				
i) Frais d'exploitation engagés au cours de cet exercice et qui seront payés durant l'exercice suivant.				
j) Achat au comptant de fournitures.				
k) Utilisation de fournitures pour l'exploitation.				
l) Achat au comptant d'un brevet d'invention (un actif incorporel).				
m) Paiement de l'effet à payer pour le matériel acheté en a); le paiement comprenait le capital et les intérêts.				
n) Paiement d'une partie de la charge d'impôts de l'exercice; le solde sera payé l'an prochain.				
o) Achat au comptant d'une police d'assurance couvrant les deux prochaines années, contractée le dernier jour de l'exercice en cours.				

☐ OA4

P3-2 L'équation comptable et les écritures de journal (PS3-2)

Sylvie Quintal a mis sur pied une nouvelle entreprise, Unitête inc. L'entreprise exploite un petit magasin situé dans un centre commercial. Elle est spécialisée dans la vente de casquettes de base-ball assorties de logo. Sylvie, qui ne sort jamais sans casquette, croit que son marché cible est constitué par les étudiants universitaires. On vous a engagé pour comptabiliser les opérations qui se sont produites au cours des deux premières semaines d'exploitation.

01-05   Émission de 1 000 actions ordinaires à 30 $ l'action.

01-05   Emprunt bancaire de 50 000 $ pour lancer les activités d'exploitation. Le taux d'intérêt annuel est de 7 %; le capital et les intérêts sont exigibles dans 24 mois.

01-05   Paiement de 4 400 $ représentant le loyer des mois de mai et juin.

01-05   Paiement de la police d'assurance couvrant une période d'un an au coût de 2 400 $ (comptabilisé dans le compte Charges payées d'avance).

03-05   Achat à crédit de fournitures pour le magasin au prix de 25 000 $. Le montant est payable dans les 30 jours.

04-05   Achat au comptant de casquettes de base-ball avec les logos des universités Laval, McGill et UQAM pour un montant de 2 800 $.

05-05   Achat d'un espace publicitaire dans les journaux universitaires au coût de 450 $, montant versé comptant.

09-05   Vente de casquettes pour une valeur de 1 400 $ dont la moitié est encaissée au comptant. Le coût des casquettes vendues était de 400 $.

10-05   Paiement des fournitures achetées à crédit le 3 mai.

14-05   Encaissement d'un chèque de 250 $ reçu d'une cliente.

Travail à faire

1. Indiquez l'effet sur l'équation comptable pour chaque opération.
2. Passez les écritures de journal pour enregistrer les opérations du mois de mai. Assurez-vous de classer chaque compte comme actif (A), passif (Pa), capitaux propres (CP), produits (Pr) ou charges (C).

P3-3 **L'analyse de diverses opérations (PS3-3)**

◆ Wendy's International inc. ■OA4

Selon son rapport annuel, les restaurants Wendy's servent «les meilleurs hamburgers sur le marché» et d'autres aliments frais comme des salades, des sandwichs au poulet et des pommes de terre au four dans plus de 6 400 restaurants dans le monde. Les activités suivantes ont été déduites à partir d'un récent rapport annuel.

a) Achat au comptant de placements à court terme.
b) Vente au comptant de repas.
c) Utilisation de nourriture et de produits d'emballage.
d) Paiement de dividendes en espèces.
e) Frais d'exploitation du restaurant engagés durant l'exercice. Une partie de ces frais ont été payés en espèces, et le solde est inscrit dans le compte Fournisseurs.
f) Vente de franchises dont une partie est payée en espèces, et le solde fait l'objet d'un effet dû par les franchisés.
g) Paiement des intérêts sur la dette.
h) Achat de nourriture et de produits d'emballage. Paiement d'une partie en espèces et le reste à crédit.

Travail à faire

1. Remplissez le tableau en indiquant l'effet (+ pour une augmentation et − pour une diminution) de chaque opération. (Rappelez-vous que A = Pa + CP, Pr − C = BN et que le BN touche les CP à cause des Bénéfices non répartis). Inscrivez AE s'il n'y a aucun effet. La première opération est donnée à titre d'exemple.

| | **Bilan** | | | **État des résultats** | | |
Opérations	Actif	Passif	Capitaux propres	Produits	Charges	Bénéfice net
a) (exemple)	+/−	AE	AE	AE	AE	AE

2. Pour chaque opération, indiquez à quel endroit, le cas échéant, celle-ci serait présentée à l'état des flux de trésorerie. Utilisez E pour les activités d'exploitation, I pour les activités d'investissement, F pour les activités de financement et AE (pour aucun effet) si l'opération n'est pas présentée à l'état des flux de trésorerie.

P3-4 **L'équation comptable, l'utilisation des comptes en T, l'établissement des états financiers et l'analyse du taux de rotation de l'actif total (PS3-4)**

■OA4 ■OA5 ■OA6

Paul Michaud, un amateur de chocolat fin, a ouvert une boutique le 1er février 2008, Les Passions de Nathalie. Cette société de capitaux, située à Saint-Césaire, est spécialisée dans la vente de chocolats et de crèmes glacées de luxe. On vous a engagée comme gérante, et vos tâches comprennent la tenue des livres de la boutique. Les opérations suivantes se sont produites au cours du mois de février 2008 :

a) Encaissement de 16 000 $ représentant la mise de fonds des quatre actionnaires pour démarrer l'entreprise.
b) Paiement de trois mois de loyer à 1 800 $ par mois (comptabilisés dans le compte Charges payées d'avance).
c) Achat au comptant de fournitures au prix de 900 $.
d) Achat à crédit et réception de friandises pour un montant de 5 000 $, exigible dans 60 jours.
e) Négociation d'un prêt bancaire de 20 000 $, à un taux d'intérêt annuel de 6 %. Le capital et les intérêts sont exigibles dans deux ans.
f) Cet emprunt, décrit en e), sert à acheter un ordinateur de 3 500 $ (pour la tenue des livres et le suivi des stocks), et le solde pour acheter du mobilier et des frais d'agencements de la boutique.

g) Achat au comptant d'un espace publicitaire pour annoncer la grande ouverture de la boutique dans un journal de la région au prix de 625 $.

h) Ventes totalisant 5 800 $ pour la Saint-Valentin ; 4 925 $ ont été encaissés, et la balance a été versée aux comptes des clients. Le coût des friandises vendues était de 3 000 $.

i) Paiement de 500 $ en règlement de comptes fournisseurs.

j) Paiement des salaires au montant de 1 420 $.

k) Sommes reçues des clients pour un montant de 250 $.

l) Paiement des frais de réparation d'un des présentoirs au coût de 315 $.

m) Ventes au comptant de 3 000 $. Le coût des marchandises vendues s'élevait à 1 700 $.

Travail à faire

1. Dressez un tableau montrant l'effet de chaque opération sur l'équation comptable.

2. Présentez les comptes en T suivants : Caisse, Clients, Fournitures, Stock de marchandises, Charges payées d'avance, Matériel, Mobilier et agencements, Fournisseurs, Effets à payer, Actions ordinaires, Ventes, Coût des marchandises vendues, Frais de publicité, Salaires et Frais de réparation. Tous les comptes ont au départ des soldes nuls. Présentez les opérations du mois de février dans les comptes en T. Calculez le solde de clôture de tous les comptes en T.

3. Dressez les états financiers à la fin du mois de février (l'état des résultats, l'état des capitaux propres et le bilan).

4. Rédigez une note brève à Paul qui exprime votre opinion sur les résultats du premier mois d'exploitation.

5. Après trois ans d'exploitation, on vous évalue pour une promotion. Un des critères d'évaluation est l'efficacité de votre gestion des actifs de l'entreprise. Les données suivantes sont disponibles :

	2010*	2009	2008
Total de l'actif	80 000 $	45 000 $	35 000 $
Total du passif	45 000	20 000	15 000
Total des capitaux propres	35 000	25 000	20 000
Total des ventes	85 000	75 000	50 000
Bénéfice net	20 000	10 000	4 000

* À la fin de l'exercice 2010, Paul a décidé d'ouvrir une deuxième boutique, et il avait besoin de fonds pour acheter des stocks avant l'ouverture au début de 2011.

Calculez le taux de rotation de l'actif pour les exercices 2009 et 2010. Croyez-vous mériter une promotion ? Expliquez votre réponse.

P3-5 **L'établissement d'un état des flux de trésorerie (PS3-5)**

Reportez-vous au problème P3-4.

Travail à faire

À partir des opérations décrites au problème P3-4, dressez un état des flux de trésorerie pour le mois de février 2008.

P3-6 **L'utilisation des comptes en T, l'établissement des états financiers et l'analyse du taux de rotation de l'actif (PS3-6)**

Voici les soldes des comptes au 30 juin 2007 (en millions de dollars) provenant d'un récent rapport annuel d'une société spécialisée dans le transport du courrier, suivis de diverses opérations types de cette entreprise.

Compte	Solde	Compte	Solde
Équipement de transport aérien et de transport au sol	3 476 $	Caisse	155 $
		Charges payées d'avance	64
Capital social	702	Pièces de rechange,	
Clients	923	fournitures et carburant	164
Bénéfices non répartis	970	Charges à payer	761
Autres actifs	1 011	Effets à payer à long terme	2 016
Fournisseurs	554	Autres passifs à long terme	790

Ces comptes ne sont pas nécessairement dans le bon ordre, et ils ont des soldes créditeurs ou débiteurs normaux. Les opérations suivantes (en millions de dollars) se sont produites au cours de l'exercice suivant finissant le 30 juin 2008 :

a) Prestation de services de livraison pour une somme de 7 800 $, dont 600 $ ont été encaissés.

b) Achat d'un nouvel équipement au coût de 816 $. Signature d'un effet à payer à long terme.

c) Paiement de 744 $ pour la location de matériel et d'avion, dont un montant de 648 $ concerne le présent exercice et le solde l'exercice prochain.

d) Décaissement de 396 $ pour l'entretien et la réparation des locaux et du matériel au cours de l'exercice.

e) Recouvrement d'un montant de 6 524 $ provenant des comptes clients.

f) Emprunt d'une somme de 900 $ et signature d'un effet à long terme.

g) Émission au comptant d'actions pour une valeur de 240 $.

h) Paiement des salaires des employés d'un montant total de 3 804 $ pour l'exercice.

i) Achat au comptant et utilisation de carburant pour les avions et le matériel au coût de 492 $.

j) Paiement de 384 $ sur les comptes fournisseurs.

k) Commande de 72 $ en pièces de rechange et en fournitures.

Travail à faire

1. Présentez les comptes en T en vous servant de la liste des comptes donnée plus haut ; inscrivez les soldes respectifs. Vous aurez besoin de comptes en T additionnels pour les comptes de l'état des résultats.

2. Inscrivez chaque opération dans les comptes en T. Précisez la nature de chaque opération en utilisant la lettre de référence. Calculez le solde de clôture de chaque compte.

3. Dressez en bonne et due forme un état des résultats, un état des capitaux propres, un bilan et un état des flux de trésorerie.

4. Calculez le taux de rotation de l'actif total. Que vous révèle-t-il au sujet de cette société ?

P3-7 **L'équation comptable, les écritures de journal et les flux de trésorerie**

Tornade inc. possède et exploite quatre parcs d'amusement saisonniers. Voici quelques opérations qui se sont produites au cours de l'exercice 2009 :

a) Les clients des parcs ont payé 89 664 000 $ en frais d'admission.

b) Les frais d'exploitation de base (comme le salaire des employés, les installations, les réparations et l'entretien) pour l'exercice 2009 étaient de 66 347 000 $, dont 60 200 000 $ ont été réglés au comptant.

c) Les intérêts versés sur la dette à long terme s'élevaient à 6 601 000 $.

d) Les parcs vendent de la nourriture et des produits, et ils exploitent des jeux. L'argent reçu en 2009 pour ces activités combinées totalisaient 77 934 000 $. Le coût des produits vendus durant l'exercice était de 19 525 000 $.

e) Tornade a acheté et construit des bâtisses additionnelles, des manèges et du matériel durant l'exercice 2009, payant 23 813 000 $ au comptant.

f) Les clients peuvent séjourner dans les chambres situées à l'intérieur des parcs qui appartiennent à l'entreprise. En 2009, les produits tirés de la location de chambres étaient de 11 345 000 $; 11 010 000 $ ont été encaissés, et la balance portée aux comptes des clients.

g) Tornade a versé 2 900 000 $ en règlement partiel des effets à payer.

h) L'entreprise a acheté 19 100 000 $ en nourriture et en stock de marchandises pour l'exercice, dont 18 000 000 $ ont été payés au comptant.

i) Les frais de vente, généraux et administratifs (comme le salaire du président et la publicité pour les parcs, non classés comme frais d'exploitation) pour l'exercice 2009, totalisaient 21 118 000 $; 19 500 000 $ ont été versés au comptant et le solde reste à payer.

j) Tornade a payé 8 600 000 $ sur les comptes fournisseurs durant l'exercice.

Travail à faire

1. Montrez l'effet de chaque opération sur l'équation comptable.
2. Passez les écritures de journal requises pour enregistrer les opérations.
3. Utilisez le tableau suivant pour déterminer si chaque opération produit un effet sur les flux de trésorerie liés aux activités d'exploitation (E), d'investissement (I) ou de financement (F). De plus, indiquez l'effet sur la caisse (+ pour une augmentation et − pour une diminution). S'il n'y a aucun effet sur le flux de trésorerie, écrivez AE. La première opération est donnée à titre d'exemple.

Opération	Activités d'exploitation, d'investissement ou de financement	
a)	E	+89 664 000 $

Problèmes supplémentaires

■ OA4

PS3-1 Les comptes (P3-1)

La liste ci-dessous comprend une série de comptes de la société Otis inc., qui est en exploitation depuis deux ans. À la suite des comptes, vous trouverez une série d'opérations.

Pour chaque opération, indiquez le ou les comptes qui doivent être augmentés et diminués et/ou débités et crédités en inscrivant le numéro de compte approprié à la droite de chaque opération. La première opération est donnée à titre d'exemple.

Numéro de compte	Intitulé du compte	Numéro de compte	Intitulé du compte
1	Caisse	9	Salaires à payer
2	Clients	10	Impôts à payer
3	Stock de fournitures	11	Actions ordinaires
4	Charges payées d'avance	12	Bénéfices non répartis
5	Bâtiments	13	Prestation de services
6	Terrain	14	Frais d'exploitation
7	Fournisseurs	15	Charge d'impôts
8	Hypothèque à payer		

Opérations	Augmentation	Diminution	Débit	Crédit
a) Exemple : Émission au comptant d'actions ordinaires aux nouveaux investisseurs.	1,11	–	1	11
b) Services rendus à crédit au cours de cet exercice.				
c) Achat à crédit de fournitures.				
d) Paiement d'avance d'une police d'assurance contre l'incendie couvrant les 12 prochains mois.				
e) Achat d'une bâtisse avec une mise de fonds de 20 % et l'obtention d'un prêt hypothécaire.				
f) Encaissement de comptes clients se rapportant à des services rendus au cours de l'exercice précédent.				
g) Paiement des salaires gagnés et comptabilisés au cours de l'exercice précédent.				
h) Paiement des frais d'exploitation engagés et comptabilisés au cours de l'exercice précédent.				
i) Paiement des frais d'exploitation engagés et comptabilisés au cours de l'exercice en cours.				
j) Comptabilisation des frais d'exploitation engagés et qui seront payés durant le prochain exercice.				
k) Services rendus au comptant.				
l) Utilisation de fournitures pour nettoyer les bureaux.				
m) Comptabilisation de la charge d'impôts à payer pour l'exercice en cours.				
n) Déclaration et paiement d'un dividende en espèces.				
o) Versement sur l'hypothèque à payer, comprenant le capital et les intérêts.				
p) Au cours de l'exercice, une actionnaire a vendu des actions à une autre personne pour un montant inférieur au prix d'émission initial.				

PS3-2 L'équation comptable et les écritures de journal (P3-2) ☐OA4

Alexandre Lesbros est président de ServicePro inc., une entreprise qui offre du personnel temporaire aux entreprises sans but lucratif. ServicePro est en exploitation depuis cinq ans. Ses revenus augmentent chaque année. On vous a engagé pour aider Alexandre à analyser les opérations qui se sont produites au cours des deux premières semaines du mois d'avril.

02-04 Achat à crédit de fournitures de bureau au prix de 1 500 $.

05-04 Facturation de la société Belair au montant de 13 950 $ pour services rendus.

07-04 Paiement d'un compte fournisseur de 1 250 $.

08-04 Achat d'un espace publicitaire dans le journal local au coût de 600 $ payé comptant.

09-04 Achat au comptant d'un nouvel ordinateur pour le bureau au coût de 4 300 $.

10-04 Paiement des salaires des employés au montant de 8 200 $. De ce montant, 1 200 $ ont été constatés au cours de l'exercice précédent.

11-04 Réception de 10 000 $ de la société Belair en règlement partiel de son compte.

12-04 Achat d'un terrain pour le futur emplacement d'un nouvel édifice au prix de 10 000 $. Mise de fonds de 2 000 $ et signature d'un effet à payer pour la balance.

13-04 Émission au comptant de 2 000 actions ordinaires au prix de 40 $ l'action en anticipation de la construction de nouveaux bureaux.

14-04 Facturation de Services Famille au montant de 12 000 $ pour la prestation de services.

15-04 Réception de la facture de téléphone au montant de 1 245 $.

Travail à faire

1. Pour chaque opération, indiquez l'effet sur l'équation comptable.
2. Passez les écritures de journal pour enregistrer les opérations du mois d'avril. Assurez-vous de classer chaque compte comme actif (A), passif (Pa), capitaux propres (CP), produits (Pr) ou charges (C).

OA4 **PS3-3   L'analyse de diverses opérations (P3-3)**

La société Écover est une entreprise qui fabrique des produits biologiques pour le jardin. Voici quelques opérations susceptibles de se produire au cours d'un exercice :

a) Charges administratives engagées dont une partie a été réglée en espèces, et la balance sera versée ultérieurement.

b) Vente à crédit de marchandises. (Conseil : Réduisez aussi les stocks pour les quantités vendues.)

c) Vente au comptant de placements à court terme pour une valeur supérieure à leur coût.

d) Encaissement de comptes clients.

e) Frais de publicité engagés pour l'exercice en cours. Le montant sera payé au cours du prochain exercice.

f) Remboursement d'une partie de la dette à long terme et des intérêts.

g) Achat à crédit de matériel informatique.

h) Paiement de comptes fournisseurs.

i) Émission d'actions au comptant.

j) Paiement des salaires aux employés.

k) Encaissement de dividendes et d'intérêts sur des placements à court terme.

Travail à faire

1. Remplissez le tableau en indiquant l'effet (+ pour une augmentation et − pour une diminution) de chaque opération. (Rappelez-vous que A = Pa + CP, Pr − C = BN et que le BN influe sur les CP à cause des Bénéfices non répartis.) Inscrivez AE s'il n'y a aucun effet. La première opération est donnée à titre d'exemple.

Opérations	Bilan			État des résultats		
	Actif	Passif	Capitaux propres	Produits	Charges	Bénéfice net
a) (exemple)	−	+	−	AE	+	−

2. Pour chaque opération, indiquez à quel endroit, le cas échéant, celle-ci sera présentée à l'état des flux de trésorerie. Indiquez E pour les activités d'exploitation, I pour les activités d'investissement, F pour les activités de financement et AE (pour aucun effet) si l'opération n'est pas présentée à l'état des flux de trésorerie.

OA4
OA5
OA6 **PS3-4   L'équation comptable, l'utilisation des comptes en T, l'établissement des états financiers et l'analyse du taux de rotation de l'actif total (P3-4)**

La société Les Granges vertes inc. a été fondée à Trois-Rivières le 1er avril 2008. La société fournit des écuries, des soins vétérinaires et des terrains pour monter et présenter les chevaux. On vous a engagé comme contrôleur adjoint. Les opérations suivantes ont eu lieu au mois d'avril 2008 :

a) Les cinq fondateurs de la société investissent les actifs suivants : 50 000 $ en espèces (10 000 $ chacun), une écurie évaluée à 100 000 $, un terrain évalué à 60 000 $ et des fournitures évaluées à 2 000 $. Chaque investisseur a reçu 3 000 actions.

b) Construction d'une petite écurie au montant de 42 000 $. La société a payé la moitié de cette somme en espèces et a signé un effet à payer de trois ans pour le solde en date du 1er avril 2008.

c) La société a fourni à crédit des services de soins aux animaux pour une valeur de 15 260 $.

d) Location d'écuries aux clients qui prennent soin eux-mêmes de leurs animaux et réception d'un paiement en espèces de 13 200 $.

e) Encaissement d'une somme de 1 500 $ pour loger un cheval en avril, mai et juin (comptabilisée comme produits perçus d'avance).

f) Achat à crédit de paille (un stock de fournitures) au prix de 3 210 $.

g) Émission d'un chèque de 840 $ pour les services publics d'eau utilisés durant le mois.

h) Paiement de 1 700 $ de comptes fournisseurs concernant des achats déjà effectués.

i) Réception de chèques d'une valeur de 1 000 $ en règlement de comptes clients.

j) Paiement des salaires aux employés qui ont travaillé au cours du mois, au montant de 4 000 $.

k) À la fin du mois, achat d'une police d'assurance pour une période de deux ans au coût de 3 600 $.

l) Réception d'un compte d'électricité de 1 200 $ pour le mois d'avril ; la facture sera payée au mois de mai.

m) Paiement d'un dividende de 100 $ à chaque actionnaire.

Travail à faire

1. Dressez un tableau montrant l'effet de chaque opération sur l'équation comptable.

2. Présentez les comptes en T nécessaires. Tous les comptes commencent par un solde nul. Inscrivez dans les comptes en T les opérations du mois d'avril. Calculez le solde de clôture de tous les comptes en T.

3. Dressez les états financiers à la fin du mois d'avril (l'état des résultats, l'état des capitaux propres et le bilan).

4. Rédigez une note brève aux propriétaires donnant votre opinion sur les résultats d'exploitation durant le premier mois d'exploitation.

5. Après trois années en affaires, on vous évalue pour vous offrir une promotion comme directrice des finances. Un des critères d'évaluation est votre efficacité à gérer les actifs de l'entreprise. Voici les données disponibles.

	2010*	2009	2008
Total de l'actif	480 000 $	320 000 $	300 000 $
Total du passif	125 000	28 000	30 000
Total des capitaux propres	355 000	292 000	270 000
Total des ventes	450 000	400 000	360 000
Bénéfice net	50 000	30 000	(10 000)

* À la fin de l'exercice 2010, Les Granges vertes décident de construire un manège intérieur pour donner des leçons d'équitation durant toute l'année. La société contracte un emprunt auprès d'une banque de la région pour financer la construction. On a ouvert le manège au début de l'exercice 2011.

Calculez et interprétez le taux de rotation de l'actif total. Pensez-vous mériter cette promotion ? Expliquez votre réponse.

PS3-5   L'établissement d'un état des flux de trésorerie (P3-5)   ☐ OA5
Reportez-vous au problème PS3-4.

Travail à faire

À partir des opérations décrites dans le problème PS3-4, dressez un état des flux de trésorerie pour le mois d'avril 2008.

PS3-6   L'utilisation des comptes en T, l'établissement des états financiers et l'analyse du taux de rotation de l'actif total (P3-6)

◆ Esso – L'Impériale   ☐ OA4
☐ OA5
☐ OA6

Voici le résumé des soldes de comptes tirés d'un récent bilan de la Compagnie Pétrolière Impériale ltée. Les comptes sont accompagnés d'une liste d'opérations hypothétiques pour le mois de janvier 2008. Les comptes suivants sont exprimés en millions de dollars :

Compte	Solde	Compte	Solde
Caisse	1 157 $	Capitaux propres	37 415 $
Effet à payer à court terme	3 858	Fournisseurs	13 391
Clients	8 073	Impôts à payer	2 244
Stocks	5 541	Charges payées d'avance	1 071
Dette à long terme	30 954	Placements à court terme	618
Immobilisations corporelles	63 425	Placements à long terme	5 394
Autres actifs incorporels	2 583		

Les comptes ont des soldes débiteurs ou créditeurs normaux, mais ils ne sont pas nécessairement énumérés dans le bon ordre. Le compte Capitaux propres comprend à la fois les actions ordinaires et les bénéfices non répartis.

a) Achat à crédit de nouveau matériel au coût de 150 millions de dollars.

b) Encaissement de 500 millions de dollars sur les comptes clients.

c) Réception et paiement des comptes de téléphone au montant de 1 million de dollars.

d) Ventes à crédit de 5 millions de dollars ; le coût des marchandises vendues s'élevait à 1 million de dollars.

e) Paiement aux employés des salaires gagnés en janvier au montant total de 1 million de dollars.

f) Paiement de la moitié des impôts à payer.

g) Achat à crédit d'un stock de marchandises au prix de 23 millions de dollars.

h) Loyer de février payé d'avance pour un entrepôt au montant de 12 millions de dollars.

i) Remboursement d'un effet à payer à court terme de 10 millions de dollars et des intérêts sur cette dette de 1 million de dollars.

j) Achat au comptant d'un brevet d'invention (un actif incorporel) au coût de 8 millions de dollars.

Travail à faire

1. Présentez les comptes en T au 31 janvier 2008 à partir de la liste précédente. Inscrivez les soldes respectifs. Vous aurez besoin de comptes en T additionnels pour les comptes de l'état des résultats. Inscrivez les soldes de 0 $.

2. Enregistrez les opérations dans les comptes en T. Calculez les soldes de clôture.

3. Dressez en bonne et due forme un état des résultats, un état des capitaux propres, un bilan et un état des flux de trésorerie.

4. Calculez le taux de rotation de l'actif total. Que vous révèle-t-il au sujet de l'Impériale ?

Cas et projets

Cas – Information financière

OA2
OA4
OA6

Reitmans (Canada) ◆ limitée

CP3-1 La recherche d'informations financières

Reportez-vous aux états financiers et aux notes afférentes de la société Reitmans (*voir l'annexe C à la fin de ce manuel*).

Travail à faire

1. Quelle est la charge la plus importante de l'état des résultats du dernier exercice ? Que comprend ce montant ?

2. En supposant que toutes les ventes nettes sont des ventes à crédit, calculez le montant recouvré des clients pour l'exercice se terminant le 28 janvier 2006.

3. Expliquez pourquoi le bénéfice net (ou la perte nette) de l'exercice à l'état des résultats ne correspond pas à la variation de la caisse à l'état des flux de trésorerie.

4. Décrivez et comparez l'objectif d'un état des résultats par rapport au bilan.

5. Calculez le taux de rotation de l'actif total de la société pour le dernier exercice. Expliquez sa signification.

OA2
OA4
OA6

Le Château inc. ◆

CP3-2 La recherche d'informations financières

Reportez-vous aux états financiers et aux notes afférentes de la société Le Château (*voir l'annexe B à la fin de ce manuel*).

Travail à faire

1. Quelle est la politique de la société en matière de constatation des produits ? (Conseil : Consultez les notes aux états financiers.)

2. En supposant que le coût des marchandises vendues est de 168 millions de dollars, calculez le montant d'achat de stocks au cours du dernier exercice.

3. Calculez le pourcentage des ventes que représentent le coût des ventes et des charges de vente et d'administration pour l'exercice se terminant le 28 janvier 2006 et le 29 janvier 2005.

4. Calculez le taux de rotation de l'actif total de la société pour le dernier exercice. Expliquez sa signification.

CP3-3 **La comparaison d'entreprises au sein d'un même secteur d'activité**

Reitmans (Canada)
limitée
et Le Château inc.

■ OA2
■ OA3
■ OA5

Reportez-vous aux états financiers de la société Reitmans et de la société Le Château ainsi qu'aux ratios de ce secteur d'activité (*voir les annexes B, C et D à la fin de ce manuel*).

Travail à faire

1. Quelle dénomination chaque société donne-t-elle à son état des résultats ? Expliquez ce que signifie le mot «consolidé».
2. Quelle société a le bénéfice net le plus élevé ?
3. Calculez le taux de rotation de l'actif total des deux sociétés pour l'exercice le plus récent. Quelle société utilise plus efficacement ses actifs pour obtenir des ventes ? Expliquez votre réponse.
4. Comparez le taux de rotation de l'actif total des deux sociétés à la moyenne de l'industrie. En général, ces deux sociétés utilisent-elles leurs actifs pour obtenir des ventes de manière plus ou moins efficace que leurs concurrents ?
5. À combien s'élèvent les liquidités provenant des activités d'exploitation pour l'exercice qui se termine le 28 janvier 2006 pour chacune des sociétés ? Quel est le pourcentage de changement dans les flux de trésorerie provenant de l'exploitation de 2005 à 2006 pour chacune des sociétés ? (Conseil : [Montant de l'exercice en cours – Montant de l'exercice précédent] ÷ Exercice précédent.)

CP3-4 **L'analyse d'une société dans le temps**

Le Château inc.

■ OA7

Reportez-vous au rapport annuel de la société Le Château (*voir l'annexe B à la fin de ce manuel*).

Travail à faire

1. À la page 1 de son rapport annuel, la société Le Château fournit des données financières pour les cinq derniers exercices. Calculez le taux de rotation de l'actif total pour les exercices se terminant en 2003, en 2004, en 2005 et en 2006.
2. Au chapitre 2, nous avons discuté du taux d'adéquation du capital. Calculez ce ratio pour les exercices se terminant en 2003, en 2004, en 2005 et en 2006.
3. Que vous suggèrent vos résultats sur les tendances de ces deux ratios ?

CP3-5 **L'utilisation des rapports financiers : l'analyse des changements dans les comptes et l'établissement des états financiers**

■ OA4
■ OA5

La société Service de peinture Beauchemin a été mise sur pied par trois personnes au cours du mois de janvier 2009. Le 20 janvier 2009, la société a émis 5 000 actions ordinaires à chacun des fondateurs. Voici un tableau du solde des comptes de la société immédiatement après chacune des 10 premières opérations se terminant le 31 janvier 2009.

Comptes	Soldes cumulatifs									
	a)	b)	c)	d)	e)	f)	g)	h)	i)	j)
Caisse	75 000 $	70 000 $	85 000 $	71 000 $	61 000 $	61 000 $	57 000 $	46 000 $	41 000 $	57 000 $
Clients			12 000	12 000	12 000	26 000	26 000	26 000	26 000	10 000
Agencements de bureau		20 000	20 000	20 000	20 000	20 000	20 000	20 000	20 000	20 000
Terrain				18 000	18 000	18 000	18 000	18 000	18 000	18 000
Fournisseurs					3 000	3 000	3 000	10 000	5 000	5 000
Effets à payer		15 000	15 000	19 000	19 000	19 000	19 000	19 000	19 000	19 000
Actions ordinaires	75 000	75 000	75 000	75 000	75 000	75 000	75 000	75 000	75 000	75 000
Bénéfices non répartis							(4 000)	(4 000)	(4 000)	(4 000)
Produits tirés des travaux de peinture			27 000	27 000	27 000	41 000	41 000	41 000	41 000	41 000
Frais de fournitures					5 000	5 000	5 000	8 000	8 000	8 000
Salaires					8 000	8 000	8 000	23 000	23 000	23 000

Travail à faire

1. Analysez les changements survenus dans ce tableau relativement à chacune des opérations. Ensuite, expliquez chaque opération. Les opérations a) et b) sont présentées à titre d'exemples.
   a) La caisse a augmenté de 75 000 $, et les actions ordinaires (les capitaux propres) se sont accrus de 75 000 $. Par conséquent, l'opération a) était une émission d'actions ordinaires de la société pour 75 000 $ en espèces.

b) La caisse a diminué de 5 000 $, les agencements du bureau (un actif) ont augmenté de 20 000 $ et les effets à payer (un passif) se sont accrus de 15 000 $. Par conséquent, l'opération b) était un achat d'agencements de bureau qui a coûté 20 000 $. Le paiement a été effectué comme suit : comptant, 5 000 $; signature d'un effet à payer de 15 000 $.

2. En vous basant sur le tableau précédent, dressez un état des résultats, un état des capitaux propres et un bilan.

3. Pour chaque opération, indiquez l'effet sur les flux de trésorerie : E pour exploitation, I pour investissement, F pour financement ou AE s'il n'y a aucun effet sur les flux de trésorerie et l'orientation (+ pour une augmentation et − pour une diminution) et le montant de l'effet. La première opération est donnée à titre d'exemple.

Opération	Exploitation, Investissement ou Financement	Orientation et montant de l'effet
a)	F	+ 75 000

Cas – Analyse critique

OA3
OA4
OA5

CP3-6   L'analyse et le redressement des états financiers

Laura Martinez a fondé et exploité une petite entreprise de réparation de bateaux au cours de l'exercice 2009. Elle aimerait obtenir un prêt de 100 000 $ de votre banque pour construire une cale sèche afin d'entreposer des bateaux pour ses clients durant l'hiver. À la fin de l'exercice, elle a dressé les états financiers suivants en se basant sur l'information conservée dans un grand classeur :

Société Martinez		
PROFIT POUR 2009		
Recouvrement d'honoraires durant 2009		55 000 $
Encaissement de dividendes		10 000
Total		65 000 $
Frais d'exploitation payés en 2009	22 000 $	
Argent volé	500	
Achat de nouveaux outils durant 2009 (payé au comptant)	1 000	
Achat de fournitures pour les réparations (payé au comptant)	3 200	
Total		26 700
Profit		38 300 $
ACTIFS DÉTENUS À LA FIN DE 2009		
Solde dans le compte bancaire		29 300 $
Garage de service (à la valeur marchande actuelle)		32 000
Outils et matériel		18 000
Terrain (à la valeur marchande actuelle)		30 000
Actions dans ABC Industrielle		130 000
Total		239 300 $

Voici un résumé des opérations effectuées durant l'exercice 2009.

a) Contributions de la propriétaire au moment de la fondation de l'entreprise en échange de 1 000 actions.

Bâtiment	21 000 $	Terrain	20 000 $
Outils et matériel	17 000	Caisse	1 000

b) Les honoraires gagnés durant l'exercice 2009 sont de 87 000 $. Parmi les sommes encaissées, un montant de 20 000 $ représentait des dépôts de clients pour des services que la société Martinez effectuera au cours du prochain exercice.

c) Encaissement de dividendes sur les actions d'ABC Industrielle achetées par Laura Martinez six ans plus tôt.

d) Frais d'exploitation engagés durant l'exercice 2009, 61 000 $.

e) Stock de fournitures non utilisées à la fin de l'exercice 2009, 700 $.

Travail à faire

1. L'état des résultats a-t-il été dressé selon la méthode de la comptabilité de caisse ou la méthode de la comptabilité d'exercice? Expliquez comment vous en êtes arrivé à cette conclusion. Quelle méthode devrait-elle utiliser? Expliquez votre réponse.

2. Dressez un état des résultats, un bilan et un état des flux de trésorerie selon la méthode de la comptabilité d'exercice. Expliquez (en utilisant les notes de bas de page) la raison de chaque changement que vous avez effectué à l'état des résultats.

3. Quelles informations supplémentaires vous aideraient à prendre votre décision en ce qui concerne le prêt de Laura Martinez?

4. En vous basant sur les états financiers révisés et les informations additionnelles nécessaires, rédigez une lettre à Laura Martinez pour expliquer votre décision en ce qui concerne le prêt.

CP3-7   Une question d'éthique

■ OA3

Michel Proulx est le directeur du bureau régional de Montréal d'une compagnie d'assurances. À titre de directeur régional, sa rémunération comprend un salaire de base, des commissions et une prime quand la région vend un nombre de nouvelles polices supérieur à son quota. Depuis quelque temps, Michel travaille sous pression en raison de deux facteurs. Premièrement, il voit une dette personnelle grandir à cause de problèmes familiaux. Deuxièmement, pour ajouter à ses inquiétudes, les ventes de nouvelles polices dans la région ont chuté au-dessous du quota normal pour la première fois depuis des années.

Vous travaillez pour Michel depuis deux ans et, comme tout le monde au bureau, vous vous considérez chanceuse de travailler pour un patron aussi encourageant. Vous compatissez aussi aux problèmes personnels qu'il connaît depuis quelques mois. À titre de comptable du bureau régional, vous êtes au courant de la dégringolade des ventes de nouvelles polices et des conséquences que cette situation aura sur la prime de votre patron.

Alors que vous travaillez tard en fin d'exercice, Michel passe à votre bureau. Ce dernier vous demande de changer la manière dont vous avez comptabilisé une nouvelle police d'assurance pour un important commerce de la région. Un chèque d'un montant considérable est arrivé par la poste le 31 décembre, le dernier jour de l'exercice financier. Ce chèque représente la prime de la police pour une période débutant le 5 janvier. Vous avez déposé le chèque et correctement augmenté la caisse, puis vous avez créé un compte de produits perçus d'avance. Michel vous explique: «Nous avons l'argent cette année, alors pourquoi ne pas comptabiliser les produits maintenant? De toute façon, je n'ai jamais compris pour quelle raison les comptables sont si méticuleux à ce sujet. J'aimerais que vous changiez votre manière de comptabiliser l'opération et que vous constatiez le produit pour l'exercice. Et de toute manière, je vous ai déjà rendu des services dans le passé et je vous demande très peu en retour.» Ensuite, il quitte le bureau pour la journée.

Travail à faire

Comment devriez-vous régler cette situation? Quelles sont les conséquences sur le plan éthique de la demande de Michel? Quelles parties seraient avantagées ou désavantagées si vous satisfaisiez à sa demande? Si vous refusez d'acquiescer à sa demande, comment allez-vous justifier votre refus le lendemain matin?

Projets – Information financière

CP3-8   Le perfectionnement des habiletés en recherche financière: l'observation de la réaction des marchés boursiers aux nouvelles d'une entreprise

■ OA2
■ OA3
■ OA6

Dans le présent chapitre, nous avons vu comment les investisseurs réagissent aux événements qui touchent directement une entreprise et qui modifient leurs attentes quant au rendement futur de la société. Leurs décisions influent sur le prix des actions de la société.

Travail à faire

1. À l'aide de votre navigateur Web, consultez le site d'une entreprise qui vous intéresse, les services de nouvelles financières pour trouver un article portant sur cette entreprise ou des annonces faites par l'entreprise.

2. À l'aide du journal *Les Affaires* ou *La Presse,* ou de toute autre source (par exemple le site de Telenium), obtenez le prix de clôture des actions de cette entreprise cinq jours ouvrables avant la date de parution de l'article ou de l'annonce de l'entreprise, la journée même et cinq jours ouvrables après la date.

3. Tracez le graphe des données du cours des actions et rédigez un bref rapport sur la nature de l'article ou de l'annonce (autrement dit le sujet traité) et comment les investisseurs ont réagi à ces nouvelles.

OA2
OA3
OA6

CP3-9   Un projet d'équipe

En équipe, choisissez un secteur que vous analyserez. À l'aide d'un navigateur Web, chaque membre de l'équipe doit trouver le rapport annuel d'une société publique de ce secteur. Chaque membre doit choisir une société différente.

Travail à faire

De façon individuelle, chaque membre de l'équipe doit rédiger un court rapport qui énumère les informations suivantes concernant son entreprise. Ensuite, en équipe, vous rédigez un rapport où vous comparez les entreprises choisies. Vous devez donner des explications possibles pour toutes les différences observées.

1. Pour l'année la plus récente, déterminez le ou les principaux comptes de produits. Quel pourcentage représente chacun de ces comptes par rapport au chiffre d'affaires total ?

2. Pour l'année la plus récente, déterminez le ou les principaux comptes de charges. Quel pourcentage représente chacun de ces comptes par rapport aux charges totales ?

3. Analyse des ratios :

   a) De façon générale, que mesure le taux de rotation de l'actif total ?

   b) Calculez le taux de rotation de l'actif total pour les trois dernières années.

   c) Que suggèrent ces résultats ?

   d) Trouvez le taux moyen de l'industrie que vous avez choisie et comparez-le avec vos résultats. Amorcez une discussion à ce sujet.

4. Décrivez la politique de vos sociétés en matière de constatation des produits.

5. Le pourcentage des flux de trésorerie liés aux activités d'exploitation par rapport au bénéfice net permet d'évaluer à quel point la gestion d'une entreprise est laxiste (autrement dit, accélérer la constatation des produits ou ralentir la constatation des charges) ou conservatrice (ne pas comptabiliser les produits trop tôt ou les charges trop tard) en choisissant parmi diverses politiques en matière de constatation des produits et des charges. Un ratio supérieur à 1,0 suggère des politiques plus conservatrices, et un ratio inférieur à 1,0 suggère des politiques moins strictes. Calculez ce pourcentage pour les trois dernières années. Que suggèrent vos résultats ?

CHAPITRE 4

Le processus de régularisation des comptes

Objectifs d'apprentissage

Au terme de ce chapitre, l'étudiant sera en mesure:

1. de reconnaître l'utilité de la balance de vérification (*voir la page 187*);

2. de régulariser les comptes du bilan et de l'état des résultats à la fin de l'exercice (*voir la page 190*);

3. de présenter l'état des résultats, l'état des capitaux propres et le bilan (*voir la page 199*);

4. de calculer et d'interpréter le pourcentage de la marge bénéficiaire nette (*voir la page 204*);

5. d'expliquer le processus de clôture des comptes (*voir la page 205*).

VAN HOUTTE INC.

Van Houtte inc.

Une date importante :
le 31 mars, fin de l'exercice financier

L'exercice financier de Van Houtte se termine le samedi le plus rapproché du 31 mars de chaque année. L'exercice financier 2006 s'est terminé le samedi 1er avril 2006 et celui de l'exercice 2005, le samedi 2 avril 2005. L'exercice financier de Van Houtte est donc basé sur un nombre entier de semaines, la plupart du temps 52, plutôt que sur 365 jours. Il arrive ainsi qu'un exercice doive comporter 53 semaines, ce qui a été le cas en 2004 et en 1999. Comme cette société permet de l'illustrer, l'exercice financier d'une entreprise ne doit pas nécessairement se conformer à l'année civile. Pourtant, dans un sondage récemment effectué auprès de 200 entreprises canadiennes[1], 133 d'entre elles (66 %) adoptent un exercice financier se terminant le 31 décembre, alors que 34 % des entreprises analysées choisissent des exercices financiers se terminant à d'autres moments, les mois de mars, d'août et d'octobre étant les plus fréquents. De plus, 18 de ces entreprises ont opté pour un exercice financier de 52 ou de 53 semaines se terminant, par exemple, « le dernier dimanche du mois de septembre ».

À titre d'exemple, voici une liste d'entreprises avec la date de leur fin d'exercice financier.

Société	Secteur d'activité	Fin d'exercice
Transat A.T. inc.	Tourisme	31 octobre
Bombardier inc.	Aéronautique et transport	31 janvier
Molson inc.	Entreprise brassicole	Le dernier dimanche de décembre
Le Groupe Jean Coutu (PJC) inc.	Services et produits pharmaceutiques	31 mai
Alcan inc.	Industrie de l'aluminium	31 décembre
Corporation La Senza	Vente au détail	Le samedi le plus près du 31 janvier
Quebecor inc.	Imprimerie et média	31 décembre
Lassonde Industrie inc.	Fabrication de jus de fruits et de boissons aux fruits	31 décembre
Saputo inc.	Production fromagère	31 mars
Métro inc.	Détaillant et distributeur alimentaire	Le dernier samedi de septembre

---

1. Clarence BYRD, Ida CHEN et Joshua SMITH (2005), *Financial Reporting in Canada*, Toronto, ICCA, p. 6.

Pour toute entreprise, peu importe la fin d'exercice choisie, cette période est la plus occupée et la plus critique du point de vue comptable. Bien que la fin de l'exercice financier de Van Houtte ait lieu le samedi le plus rapproché du 31 mars, les états financiers ne sont pas publiés pour les utilisateurs externes tant que la direction et les vérificateurs externes n'ont pas terminé leur travail de vérification.

- La direction doit s'assurer que les bons montants sont reportés au bilan et à l'état des résultats. Ainsi, la direction s'appuie souvent sur des estimations et sur son jugement pour évaluer la valeur des actifs et des passifs, mais aussi pour déterminer le moment de constater les produits et les charges.
- Les vérificateurs doivent, de leur côté : 1) déterminer la valeur des contrôles que l'entreprise met en place pour sauvegarder les actifs et garantir la fiabilité de l'information financière ; 2) évaluer la pertinence des principes comptables suivis et des estimations que fait la direction.

Les gestionnaires comprennent la nécessité de présenter une information fiable et fidèle pour ne pas tromper les utilisateurs externes. Par contre, comme les régularisations de fin d'exercice constituent la portion la plus complexe du processus de comptabilisation, elles tendent à contenir davantage d'erreurs. Les vérificateurs externes examinent les livres de la société à l'aide de tests et de sondages statistiques. Pour accroître au maximum les chances de détecter des erreurs suffisamment importantes pour influer sur les décisions des utilisateurs, les vérificateurs portent une attention particulière aux opérations plus susceptibles de contenir des erreurs. Plusieurs recherches en comptabilité ont relevé les opérations qui ont tendance à contenir le plus d'erreurs dans les entreprises de fabrication de taille moyenne. Les erreurs dans les comptes de régularisation de fin d'exercice, comme le fait de ne pas présenter un passif pour garantie de produit suffisamment élevé, de ne pas inclure des postes qui devraient être régularisés ou de comptabiliser des opérations dans le mauvais exercice (ce qu'on appelle des « erreurs de démarcation ») se situent dans la principale catégorie d'erreurs et reçoivent donc beaucoup d'attention de la part des vérificateurs.

En 2006, le processus de vérification des états financiers de Van Houtte s'est terminé le 19 mai 2006, date où les vérificateurs ont signé leur rapport dans lequel ils ont émis leur opinion sur ces états financiers. À partir de cette date, les états financiers deviennent disponibles à la publication.

Parlons affaires

La responsabilité des états financiers incombe à la direction de l'entreprise. L'information financière est plus utile pour analyser le passé et prédire le futur quand les investisseurs, les créanciers ou les autres utilisateurs la jugent de haute qualité. Une telle information doit être pertinente (c'est-à-dire qu'elle permet d'améliorer la prise de décision et qu'elle est disponible au moment opportun) et fiable (c'est-à-dire qu'elle est vérifiable, neutre et qu'elle présente une image fidèle de la situation financière de la société).

Les utilisateurs s'attendent à ce que les produits et les charges soient constatés dans la bonne période en fonction du principe de constatation des produits et du principe du rapprochement des produits et des charges (*voir le chapitre 3*). Les produits doivent être constatés quand ils sont gagnés, et les charges quand elles sont engagées, peu importe le moment de l'encaissement ou du décaissement. Plusieurs activités d'exploitation peuvent chevaucher plus d'une période, par exemple une police d'assurance payée d'avance ou des salaires versés quelques jours après le travail accompli. La plupart des entreprises attendent la fin de la période[2] pour ajuster leurs comptes. Ces ajustements permettent de mettre les livres comptables à jour.

---

2. Une période peut correspondre à un mois, à un trimestre ou à un exercice financier. Dès que l'entreprise décide de dresser ses états financiers, elle doit ajuster ses comptes pour respecter les principes comptables.

Les analystes évaluent la qualité de l'information financière en déterminant le degré de prudence des gestionnaires dans leurs évaluations de fin de période. La prudence demande de ne pas surévaluer les actifs et les produits et de ne pas sous-évaluer les passifs et les charges. Les analystes considèrent l'information financière basée sur des estimations ou un jugement prudent comme étant de plus haute qualité.

Dans ce chapitre, nous insisterons sur l'utilisation des mêmes outils d'analyse qui ont été employés dans les chapitres 2 et 3 (l'effet sur l'équation comptable, les comptes en T et les écritures de journal) pour analyser et inscrire les régularisations. Après cette étape de régularisation, il est possible de dresser les états financiers. De plus, il faut préparer certains comptes, comme les produits et les charges, pour le début du prochain exercice. Cette étape s'appelle la « clôture des comptes ».

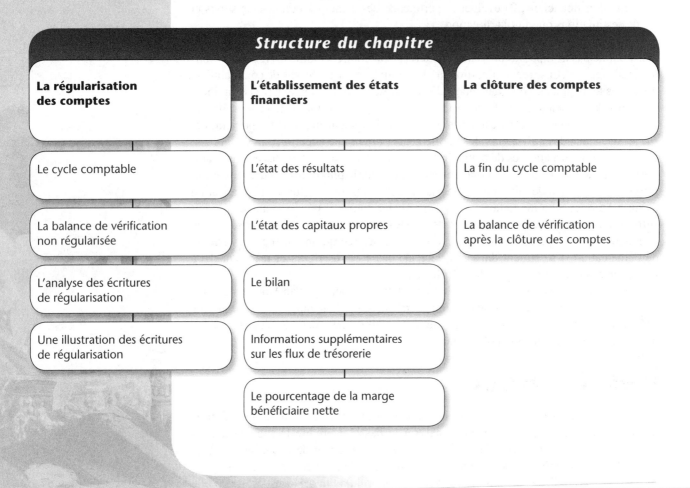

Structure du chapitre

La régularisation des comptes
- Le cycle comptable
- La balance de vérification non régularisée
- L'analyse des écritures de régularisation
- Une illustration des écritures de régularisation

L'établissement des états financiers
- L'état des résultats
- L'état des capitaux propres
- Le bilan
- Informations supplémentaires sur les flux de trésorerie
- Le pourcentage de la marge bénéficiaire nette

La clôture des comptes
- La fin du cycle comptable
- La balance de vérification après la clôture des comptes

La régularisation des comptes

Le cycle comptable

Le tableau 4.1 présente les différentes étapes du **cycle comptable.** Comme nous l'avons déjà étudié au chapitre 2, le cycle comptable est le processus que suivent les entreprises pour analyser et enregistrer les opérations, régulariser les comptes en fin de période, dresser les états financiers et préparer les comptes pour la prochaine période. Au cours de l'exercice, les opérations qui résultent d'échanges entre l'entreprise et d'autres parties externes sont analysées et enregistrées par ordre chronologique au journal général (les écritures de journal), et les comptes sont mis à jour au grand livre général (les comptes en T), processus que nous avons étudiés aux chapitres 2 et 3. Dans ce chapitre, nous examinons les différentes étapes du cycle comptable qui se situent à la fin de l'exercice financier. Ces étapes sont principalement axées sur l'enregistrement des produits et des charges dans la bonne période ainsi que sur la mise à jour des comptes du bilan aux fins de présentation de l'information financière.

OBJECTIF D'APPRENTISSAGE 1

Reconnaître l'utilité de la balance de vérification.

Le **cycle comptable** est le processus que l'entreprise suit pour analyser et comptabiliser les opérations, régulariser les comptes en fin de période, dresser les états financiers et préparer les comptes pour la prochaine période.

TABLEAU 4.1	Cycle comptable

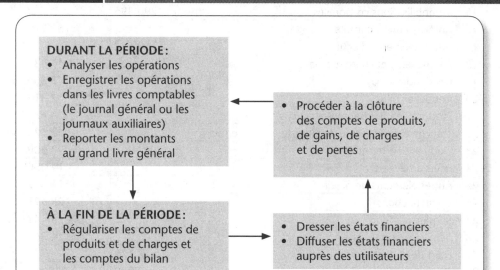

La balance de vérification non régularisée

La première étape qu'on effectue normalement à la fin de l'exercice consiste à créer une balance de vérification, aussi appelée la « balance de vérification non régularisée ». Une **balance de vérification** est une liste des comptes du grand livre, habituellement présentés dans l'ordre où ils figurent aux états financiers, accompagnés de leur solde débiteur ou créditeur. Dans un format en deux colonnes, on indique les soldes débiteurs dans la colonne de gauche et les soldes créditeurs dans celle de droite. Ensuite, on fait le total des colonnes pour vérifier l'égalité des débits et des crédits. En fait, cette balance de vérification sert uniquement à vérifier l'exactitude arithmétique des écritures comptables. Toutefois, même s'il y a égalité entre les débits et les crédits, des erreurs

Une **balance de vérification** est la liste de tous les comptes du grand livre avec leur solde débiteur ou créditeur. Elle permet de vérifier l'égalité des débits et des crédits.

TABLEAU 4.2 Balance de vérification

	A	B	C	D	E
1			Van Houtte inc.		
2			Balance de vérification		
3			au 30 avril 2006		
4					
5				Non régularisée	
6				Débit	Crédit
7	Caisse			36 696	
8	Clients			39 236	
9	Intérêts à recevoir			0	
10	Stocks			28 972	
11	Charges payées d'avance			12 553	
12	Impôts futurs			1 804	
13	Placements			21 121	
14	Effets à recevoir			3 000	
15	Immobilisations corporelles			290 395	
16	Amortissement cumulé				165 170
17	Autres éléments d'actif			159 612	
18	Fournisseurs et charges à payer				44 434
19	Dividendes à payer				3 000
20	Impôts exigibles				2 312
21	Produits liés aux franchises perçus d'avance				672
22	Tranche à court terme de la dette à long terme				1 520
23	Dette à long terme				93 589
24	Effets à payer				14 000
25	Autres éléments de passif				11 339
26	Capital-actions				128 497
27	Surplus d'apport				2 461
28	Bénéfices non répartis				124 766
29	Écart de conversion			17 171	
30	Dividendes			3 000	
31	Ventes				66 000
32	Produits liés aux franchises				2 800
33	Revenus d'intérêts				1 000
34	Gain sur vente de terrain				3 000
35	Coût des marchandises vendues			30 000	
36	Frais d'exploitation			7 000	
37	Salaires			14 000	
38	Frais de location			0	
39	Fournitures			0	
40	Assurances			0	
41	Services publics			0	
42	Amortissement			0	
43	Charge d'intérêts			0	
44	Impôts sur les bénéfices			0	
45	Total			664 560	664 560

Groupes indiqués à gauche du tableau :
- Actif : lignes 7 à 17
- Passif : lignes 18 à 25
- Capitaux propres : lignes 26 à 30
- Produits : lignes 31 à 34
- Charges : lignes 36 à 44

peuvent toujours subsister. Même si les systèmes de comptabilité informatisés réduisent certaines de ces erreurs potentielles, l'utilisation de comptes inappropriés ou de montants égaux mais incorrects risque tout de même de se produire[3].

Les soldes des comptes en T de Van Houtte (*voir le chapitre 3*) sont énumérés dans la balance de vérification non régularisée présentée au tableau 4.2. Une balance de vérification est un tableau construit à des fins internes uniquement. C'est un outil très utile pour l'établissement des états financiers.

La balance de vérification, telle qu'elle est présentée, exige quelques commentaires :

1. La balance de vérification est établie à partir des soldes des comptes du grand livre. Dans notre exemple, les montants sont exprimés en milliers de dollars, ce qui n'est jamais le cas dans la réalité. Le chiffre exact, y compris les sous, est plutôt utilisée.

2. Le plan de comptes de Van Houtte est beaucoup plus détaillé que celui qui est présenté ici. De fait, plusieurs comptes sont regroupés lors de l'établissement des états financiers. Dans notre exemple, seuls les comptes apparaissant dans les états financiers ont été utilisés.

3. Le compte Immobilisations présente un montant de 290 395 $ dans la balance de vérification, alors qu'il était inscrit à 125 225 $ dans les comptes en T (*voir les chapitres précédents*). La différence de 165 170 $ s'explique par l'amortissement cumulé.

Les actifs immobilisés augmentent lors d'une acquisition et diminuent lors d'une vente. Ces actifs sont aussi utilisés dans les activités d'exploitation.

+ Immobilisations (A) −		− Amortissement cumulé (XA) +	
Solde au début			Solde au début
Achats	Ventes		Utilisation des actifs
Solde à la fin		−	Solde à la fin

= **Valeur comptable nette (reportée au bilan)**

Afin de refléter la portion utilisée du coût de l'actif, on crée alors un compte de sens contraire. Tout **compte de sens contraire** est rattaché directement à un autre compte et affiche un solde opposé. Lorsqu'un compte de sens contraire augmente, la valeur comptable nette de l'actif diminue. La **valeur comptable nette** est la différence entre la valeur d'acquisition de l'actif et le compte de sens contraire. Par exemple, pour les immobilisations, le compte de sens contraire s'appelle Amortissement cumulé et il a un solde créditeur. Pour Van Houtte, la valeur d'acquisition des immobilisations est de 290 395 $, et l'amortissement cumulé a un solde créditeur de 165 170 $. La valeur comptable nette est donc de 125 225 $.

Nous discuterons de plusieurs comptes de sens contraire dans les prochains chapitres. Nous les désignerons à l'aide d'un X placé devant le type de compte auquel il correspond (par exemple, Amortissement cumulé [XA] signifie qu'il s'agit d'un compte de sens contraire d'un actif).

Un **compte de sens contraire** est un compte dans lequel on inscrit les sommes à défalquer (ou à soustraire) du solde d'un compte[4].

La **valeur comptable nette** représente la partie du coût d'acquisition d'un bien non encore passée en charges à titre d'amortissement ou de perte[5].

---

3. Plusieurs types d'erreurs peuvent subsister :
   - l'enregistrement d'une opération dans un mauvais compte ;
   - l'enregistrement de montants erronés mais égaux ;
   - le report incorrect d'une écriture de journal ;
   - un oubli concernant le report d'une écriture de journal ou même l'enregistrement d'une opération.
   De plus, si les deux colonnes ne sont pas égales, dans un système de comptabilité manuelle, d'autres erreurs ont pu se produire au moment :
   - de la passation des écritures de journal, alors que les débits ne sont pas égaux aux crédits ;
   - du report des écritures de journal au grand livre ;
   - du calcul du solde des comptes ;
   - de l'inscription du solde des comptes du grand livre dans la balance de vérification.
   Ces erreurs doivent être repérées et corrigées avant de procéder à la régularisation des comptes.
4. Louis MÉNARD et collab. (2004), *Dictionnaire de la comptabilité et de la gestion financière*, Toronto, ICCA, p. 275.
5. *Ibid.*, p. 780.

L'analyse des écritures de régularisation

OBJECTIF D'APPRENTISSAGE 2

Régulariser les comptes du bilan et de l'état des résultats à la fin de l'exercice.

Selon la méthode de la comptabilité d'exercice, il faut :
- comptabiliser les produits quand ils sont gagnés (le principe de constatation des produits) ;
- rapprocher les charges engagées pour générer des produits au cours du même exercice (le principe du rapprochement des produits et des charges).

Au chapitre 3, nous avons appris que les produits et les charges sont faciles à mesurer lorsqu'un encaissement ou un décaissement survient en même temps que les biens sont livrés, que les services sont rendus ou qu'une charge est engagée. Cependant, il arrive que l'encaissement survienne avant que l'entreprise ait rempli ses obligations et ait gagné le revenu. De plus, il arrive que l'encaissement survienne après que l'entreprise a rempli ses obligations et gagné le revenu. Les mêmes situations peuvent aussi s'appliquer dans le cas des charges.

Le délai de temps entre l'enregistrement de l'encaissement ou du décaissement et la constatation des produits et des charges exige des ajustements. L'enregistrement des produits et des charges au fur et à mesure qu'ils sont gagnés ou engagés serait trop coûteux en temps et en travail. Les entreprises attendent à la fin de la période pour régulariser les comptes. Les **écritures de régularisation** sont nécessaires afin de présenter les bons montants de produits, de charges, d'actifs, de passifs et de capitaux propres. Un bon outil pour nous aider à comprendre ce processus est une ligne du temps, comme nous l'illustrons dans notre prochaine discussion.

Les **écritures de régularisation** sont les écritures qu'il faut passer à la fin de l'exercice pour bien mesurer tous les produits et les charges de la période.

La constatation des produits dans la bonne période

Quand un encaissement survient avant que le produit soit gagné du fait que la marchandise n'est pas encore livrée ou que le service n'est pas encore rendu, l'entreprise passe une écriture de journal [❶ sur la ligne de temps]. Elle débite le compte Caisse et crédite un compte de passif Produit perçu d'avance pour enregistrer son obligation de livrer des marchandises ou de rendre des services dans le futur. Un produit perçu d'avance est considéré comme un **produit reporté** jusqu'au moment où l'entreprise remplit ses obligations. À la fin de l'exercice, les produits reportés diminuent, et les produits gagnés augmentent du montant gagné [❷ une écriture de régularisation sur la ligne du temps].

Les produits gagnés, mais qui n'ont pas encore été inscrits à la fin de l'exercice parce que l'argent sera encaissé après que le service sera rendu ou la marchandise livrée, sont des **produits constatés par régularisation.** On peut citer, par exemple, les intérêts gagnés mais non encore recouvrés sur des placements. Comme aucune écriture n'a été faite durant l'exercice, une écriture de régularisation [❶ sur la ligne du temps] est nécessaire pour comptabiliser le montant à recevoir et le revenu gagné dans la bonne période. Quand l'argent sera reçu dans le futur, le montant à recevoir diminuera [❷ sur la ligne du temps].

Les **produits reportés** sont des produits encaissés qui figurent au passif et qui doivent être régularisés à la fin de l'exercice pour refléter les produits gagnés.

Exemples :
- Ventes de billets perçus d'avance
- Abonnements perçus d'avance

Écriture de régularisation :
↓ Passif et ↑ Produits

Les **produits constatés par régularisation** sont les produits qui ont été gagnés avant la fin de l'exercice en cours, mais qui seront recouvrés dans un exercice futur.

Exemples :
- Intérêts à recevoir
- Loyer à recevoir

Écriture de régularisation :
↑ Actif et ↑ Produits

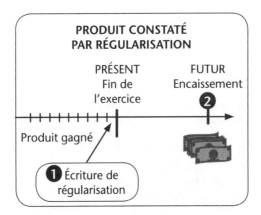

PRODUIT REPORTÉ

PASSÉ
Produit encaissé avant d'être gagné
❶

PRÉSENT
Fin de l'exercice

Produit gagné

❷ Écriture de régularisation

PRODUIT CONSTATÉ PAR RÉGULARISATION

PRÉSENT
Fin de l'exercice

FUTUR
Encaissement
❷

Produit gagné

❶ Écriture de régularisation

Le tableau 4.3 résume le processus de régularisation des produits avec un exemple d'honoraires perçus d'avance et un exemple de revenu d'intérêts. Dans le tableau, ER signifie «écriture de régularisation». Il faut noter que dans les deux cas, l'objectif est le même, c'est-à-dire constater le produit dans la bonne période. De plus, vous remarquerez que les écritures de régularisation touchent un compte de bilan et un compte de l'état des résultats, mais jamais le compte Caisse. L'argent a été enregistré s'il a été reçu avant la fin de la période ou le sera au moment de l'encaissement dans la prochaine période.

TABLEAU 4.3 | Produits reportés et produits constatés par régularisation

			Produits reportés	Produits constatés par régularisation
La constatation des produits dans la bonne période →	Durant l'exercice	Écriture lors de **l'encaissement avant** que l'entreprise ait rempli ses obligations	Caisse (+A) Honoraires perçus d'avance (+Pa)	
	À la fin de l'exercice	**ER** pour enregistrer les produits gagnés	Honoraires perçus d'avance (−Pa) Honoraires gagnés (+Pr, +CP)	Intérêts à recevoir (+A) Revenu d'intérêts (+Pr, +CP)
	Prochain exercice	Écriture lors de **l'encaissement après** que l'entreprise a rempli ses obligations		Caisse (+A) Intérêts à recevoir (−A)

La constatation des charges dans la bonne période

Quand l'argent est versé avant que l'entreprise en tire un avantage, une écriture de journal est enregistrée en débitant un compte d'actif et en créditant le compte Caisse [❶ sur la ligne du temps]. Les primes d'assurances, les loyers, la publicité ou les fournitures diverses sont des exemples de **charges reportées.** Au fur et à mesure que l'entreprise retire des avantages de l'actif ainsi créé, une charge doit être constatée par une écriture de régularisation qui diminue l'actif et augmente la charge correspondante [❷ sur la ligne du temps].

D'autres charges sont engagées dans une période, mais elles ne seront réglées que dans la prochaine période. On peut penser, à titre d'exemple, aux intérêts sur la dette, aux salaires dus aux employés, aux services publics (l'électricité, le téléphone) utilisés durant une période mais pour lesquels l'entreprise n'a pas encore été facturée. Ces **charges** seront **constatées par régularisation,** et nécessitent donc une écriture de régularisation [❶ sur la ligne du temps] pour enregistrer le passif et la charge correspondante. Quand l'argent sera versé dans la prochaine période, le passif sera réduit [❷ sur la ligne du temps].

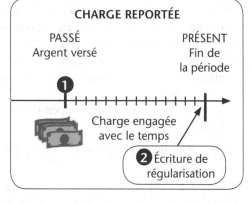

CHARGE REPORTÉE

PASSÉ
Argent versé

PRÉSENT
Fin de la période

❶

Charge engagée avec le temps

❷ Écriture de régularisation

Les **charges reportées** sont les sommes versées et comptabilisées dans un compte d'actif à titre d'avantages futurs pour l'entreprise jusqu'à ce qu'elles soient utilisées.

Exemples:
- Fournitures
- Charges payées d'avance (publicité, assurances, loyer, etc.)

Écriture de régularisation:
↑ Charge et ↓ Actif

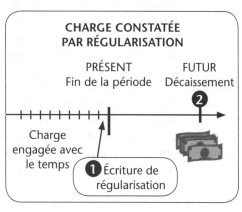

CHARGE CONSTATÉE PAR RÉGULARISATION

PRÉSENT
Fin de la période

FUTUR
Décaissement

❷

Charge engagée avec le temps

❶ Écriture de régularisation

Les **charges constatées par régularisation** font l'objet d'une écriture de régularisation en fin de période pour constater la charge engagée et le décaissement futur.

Exemples:
- Intérêts à payer
- Salaires à payer

Écriture de régularisation:
↑ Charge et ↑ Passif

Le tableau 4.4 résume le processus de régularisation des charges avec un exemple d'assurances payées d'avance et de salaires. ER signifie «écriture de régularisation». Dans les deux exemples, l'objectif est le même, c'est-à-dire enregistrer la charge dans la bonne période. De plus, vous remarquerez que les écritures de régularisation touchent un compte de bilan et un compte de l'état des résultats, mais jamais le compte Caisse. Le compte Caisse est touché seulement au moment du décaissement.

TABLEAU 4.4 Charges reportées et charges constatées par régularisation

			Charges reportées	Charges constatées par régularisation
La constatation des charges dans la bonne période →	Durant l'exercice	Écriture lors du **décaissement avant** que l'entreprise en retire des avantages	Charges payées d'avance (+A) Caisse (−A)	
	À la fin de l'exercice	**ER pour comptabiliser** la charge engagée	Assuranàces (+C, −CP) Charges payées d'avance (−A)	Salaires (+C, −CP) Salaires à payer (+Pa)
	Prochain exercice	Écriture lors du **décaissement après** que l'entreprise a retiré des avantages		Salaires à payer (−Pa) Caisse (−A)

Le processus de régularisation

Tout au long du volume, vous découvrirez que presque tous les comptes du bilan, sauf le compte Caisse, ont besoin d'être ajustés à la fin de l'exercice et nécessitent que les gestionnaires fassent appel à des estimations et à leur jugement pour en établir la juste valeur. Dans ce chapitre, nous nous attardons uniquement sur les écritures de régularisation les plus courantes. Pour vous aider à bien déterminer l'écriture de régularisation requise :

- Rappelez-vous quel type d'opération fait augmenter ou diminuer les comptes du bilan. Par exemple,

+ Fournitures (A) −		− Charges à payer (Pa) +		(par exemple les salaires,
Solde au début			Solde au début	les intérêts,
Achats	Utilisation	Décaissement	Charge engagée ←	les impôts)
Solde à la fin			Solde à la fin	

- Ensuite, suivez les trois étapes suivantes :

Étape 1: Déterminer si l'écriture de régularisation s'applique à un produit ou à une charge reporté ou s'il s'agit d'un produit ou d'une charge non encore enregistré. (Demandez-vous si l'argent a été reçu ou versé avant la fin de la période, ou si l'argent sera encaissé ou décaissé dans le futur). S'il s'agit de régulariser un compte de produit ou de charge reporté, vérifiez le solde du compte dans les comptes en T.

Étape 2: Calculer le produit gagné ou la charge engagée pendant l'exercice.

Étape 3: Passer l'écriture de régularisation. Si vous avez de la difficulté à déterminer quels comptes sont touchés, nommez le compte de produit ou la charge avec ce qu'il représente, par exemple Charge d'intérêts, Revenu de location. Les noms des comptes d'actif et de passif sont similaires, tels que Intérêts à payer et Loyer payé d'avance.

Une illustration des écritures de régularisation

Lorsqu'on examine la balance de vérification de Van Houtte au tableau 4.2 (*voir la page 188*), on peut déterminer plusieurs comptes de régularisation qu'il faudra analyser et régulariser.

Compte	Encaissement ou décaissement durant la période		Produit gagné ou charge engagée (durant le mois)		Encaissement ou décaissement dans le futur
Stocks	Charge reportée d)	→	Une portion de la marchandise a été utilisée au cours du mois.		
Charges payées d'avance	Charge reportée e), f)	→	La totalité ou une portion du loyer, de l'assurance payée d'avance a été utilisée avant la fin du mois.		
Clients			Les franchisés peuvent devoir certaines redevances à Van Houtte pour les ventes de la dernière semaine.	→	Produit constaté par régularisation b)
Effets à recevoir			Les franchisés peuvent devoir des intérêts sur les sommes empruntées à Van Houtte.	→	Produit constaté par régularisation c)
Immobilisations	Charge reportée g)	→	Les immobilisations ont été utilisées durant le mois pour produire des revenus. Une portion du coût d'acquisition devient une charge de l'exercice.		
Charges à payer			Tous les salaires à payer aux employés pour le travail accompli la dernière semaine et les montants à payer pour les services publics utilisés durant le mois, mais non encore facturés à Van Houtte, doivent être comptabilisés à titre de charges pour le mois.	→	Charge constatée par régularisation h), i)
Produits liés aux franchises perçus d'avance	Produit reporté a)	→	La totalité ou une portion peut avoir été gagnée avant la fin du mois.		
Effets à payer			Van Houtte doit des intérêts sur les fonds empruntés.	→	Charge constatée par régularisation j)
Impôts exigibles			Les impôts doivent être comptabilisés pour la période couverte.	→	Charge constatée par régularisation k)

Nous illustrerons les écritures de régularisation courantes en mettant à jour les comptes de Van Houtte à la fin du mois d'avril 2006. La référence pour chaque écriture est inscrite dans le tableau ci-dessus. Utilisez les exemples des tableaux 4.3 (*voir la page 191*) et 4.4 à la page précédente pour déterminer les écritures de régularisation qu'il faut comptabiliser.

Produit reporté

a) **Produits liés aux franchises perçus d'avance :** Van Houtte a fourni 100 $ de services supplémentaires à de nouveaux franchisés qui avaient déjà payé les redevances initiales (les produits perçus d'avance).

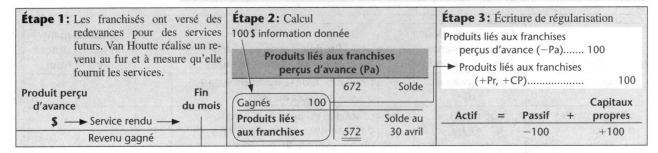

Étape 1 : Les franchisés ont versé des redevances pour des services futurs. Van Houtte réalise un revenu au fur et à mesure qu'elle fournit les services.

Produit perçu   Fin
d'avance   du mois
$ → Service rendu →
Revenu gagné

Étape 2 : Calcul
100 $ information donnée

Produits liés aux franchises perçus d'avance (Pa)	
	672 Solde
Gagnés 100	
Produits liés aux franchises	Solde au 572 30 avril

Étape 3 : Écriture de régularisation

Produits liés aux franchises
perçus d'avance (−Pa)....... 100
→ Produits liés aux franchises
(+Pr, +CP).................. 100

Actif	=	Passif	+	Capitaux propres
		−100		+100

Produits constatés par régularisation

b) **Comptes clients :** Les franchisés ont déclaré qu'ils devaient 830 $ à Van Houtte en redevances additionnelles pour les ventes effectuées au cours de la dernière semaine du mois d'avril.

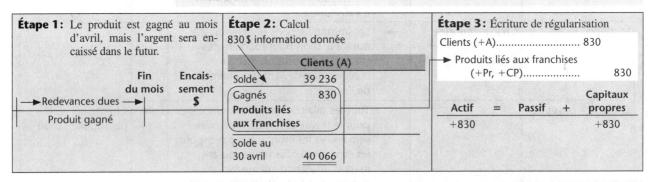

Étape 1 : Le produit est gagné au mois d'avril, mais l'argent sera encaissé dans le futur.

Fin   Encais-
du mois   sement
→ Redevances dues → $
Produit gagné

Étape 2 : Calcul
830 $ information donnée

Clients (A)	
Solde 39 236	
Gagnés 830	
Produits liés aux franchises	
Solde au 30 avril 40 066	

Étape 3 : Écriture de régularisation

Clients (+A)........................... 830
→ Produits liés aux franchises
(+Pr, +CP).................. 830

Actif	=	Passif	+	Capitaux propres
+830				+830

c) **Effets à recevoir (intérêts) :** Van Houtte a prêté 3 000 $ à ses franchisés à un taux d'intérêt de 6 % payables à la fin de chaque exercice. Le revenu d'intérêts est gagné en fonction du temps écoulé. Il faut noter que le taux d'intérêt est toujours un pourcentage annuel.

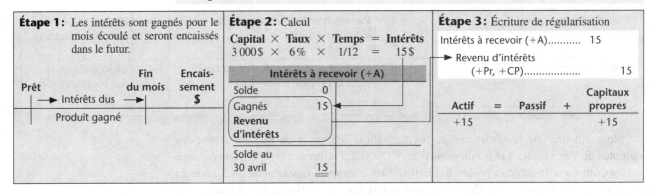

Étape 1 : Les intérêts sont gagnés pour le mois écoulé et seront encaissés dans le futur.

Fin   Encais-
Prêt   du mois   sement
→ Intérêts dus → $
Produit gagné

Étape 2 : Calcul

Capital × **Taux** × **Temps** = **Intérêts**
3 000 $ × 6 % × 1/12 = 15 $

Intérêts à recevoir (+A)	
Solde 0	
Gagnés 15	
Revenu d'intérêts	
Solde au 30 avril 15	

Étape 3 : Écriture de régularisation

Intérêts à recevoir (+A)........... 15
→ Revenu d'intérêts
(+Pr, +CP).................. 15

Actif	=	Passif	+	Capitaux propres
+15				+15

Charges reportées

d) **Stocks**: Les stocks incluent entre autres les grains de café et les cafetières offerts en vente aux franchisés, et aussi des fournitures dont Van Houtte se sert pour son exploitation. Le solde du compte Stocks avant régularisations est de 28 972 $. Pourtant, à la fin du mois, Van Houtte a dénombré 26 872 $ de stocks en magasin. La différence (2 100 $) constitue les fournitures utilisées durant le mois par l'entreprise.

e) **Charges payées d'avance (assurances)**: Les charges payées d'avance comprennent un montant de 2 000 $ pour la prime d'assurances couvrant les mois d'avril à juillet. Un mois est passé et il reste trois mois de couverture d'assurances.

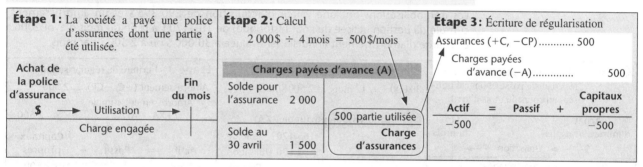

TEST D'AUTOÉVALUATION

Pour l'opération f), inscrivez les données manquantes.

f) **Charges payées d'avance (loyer)**: Les charges payées d'avance comprennent aussi un montant de 6 000 $ pour la location d'un local pour une période de trois mois, d'avril à juin. Un mois est passé, et il reste deux mois de location déjà payée.

Étape 1: La société a payé d'avance le loyer (Charges _____), et un mois est écoulé.	**Étape 2**: Calcul _____ $ ÷ _____ = _____ $/mois	**Étape 3**: Écriture de régularisation _____ (+C, −CP) ..... _____
Loyer payé Fin du mois $ → Utilisation → Charge engagée	**Charges payées d'avance (A)** Solde pour le loyer 6 000 Utilisation Solde au 30 avril 4 000 Frais de location	Charges payées d'avance (−A)....... _____ Actif = Passif + Capitaux propres

Vérifiez vos réponses à l'aide des solutions présentées en bas de page*.

---

* f) **Étape 1**: Charges payées d'avance
     Étape 2: Calcul: 6 000 $ ÷ 3 mois = 2 000 $/mois
     Étape 3: Frais de location (+C, −CP)   2 000
                Charges payées d'avance (−A)   2 000

Actif	=	Passif	+	Capitaux propres
−2 000				−2 000

g) Immobilisations

Comme les entreprises utilisent leurs immobilisations corporelles pour mener à bien leurs activités, une partie de leur coût doit être imputée à chaque exercice durant lequel elles servent à engendrer des produits. La charge d'amortissement reflète le coût d'utilisation d'un bien. Le processus comptable de l'amortissement comporte la ventilation systématique du coût d'un actif immobilisé sur sa durée de vie utile, soit sur plusieurs exercices.

Les étudiants et d'autres personnes peu familières avec la terminologie comptable ont tendance à croire que l'amortissement reflète le déclin de la valeur marchande de l'actif. Cette notion de l'amortissement dans un contexte comptable ne concorde pas nécessairement avec la variation de la valeur marchande de l'actif. Ainsi, cette notion diffère de l'emploi qu'en fait le profane lorsque celui-ci déclare qu'une nouvelle voiture se « déprécie » dès le moment où elle quitte le parc du concessionnaire. En comptabilité, l'amortissement est une notion de ventilation d'un coût et non pas d'évaluation. Comme on l'a expliqué précédemment, on utilise un compte de sens contraire, Amortissement cumulé, pour calculer le montant du coût historique ventilé sur les exercices précédents. Il est directement lié au compte Immobilisations, mais il affiche un solde opposé (un solde créditeur). Nous étudierons l'amortissement plus en détail au chapitre 8. Nous illustrerons l'amortissement avec les comptes de Van Houtte.

> Les immobilisations ont une valeur d'acquisition de 290 395 $ et un amortissement cumulé (la portion utilisée du coût historique) de 165 170 $ à la fin du mois d'avril 2006. La charge d'amortissement annuelle est évaluée à 30 000 $ ou à 2 500 $ par mois.

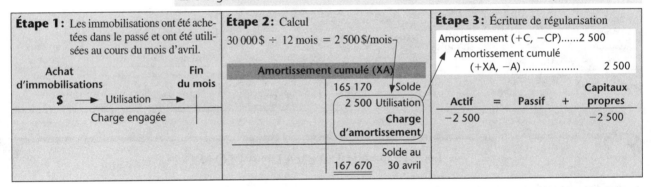

Charges constatées par régularisation

> h) **Charges à payer (salaires):** Van Houtte devait les salaires à ses employés pour les quatre derniers jours du mois d'avril, soit 2 000 $. Les salaires seront payés au cours de la première semaine du mois de mai.

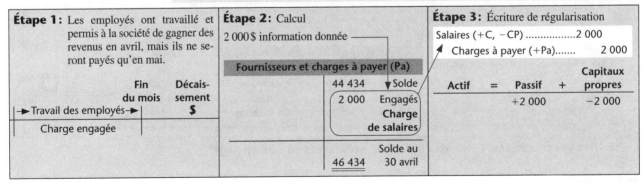

TEST D'AUTOÉVALUATION

Pour l'opération i), inscrivez les données manquantes.

i) **Charge constatée par régularisation (services publics):** Van Houtte estime à 600$ le gaz naturel et l'électricité consommés à son siège social durant le mois d'avril. La facture, qu'on n'a pas encore reçue, sera payée en mai.

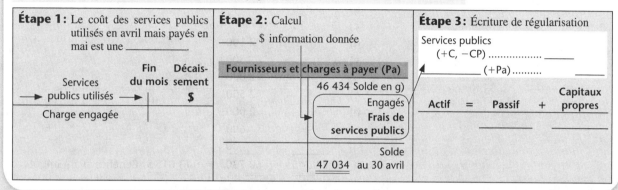

Vérifiez vos réponses à l'aide des solutions présentées en bas de page*.

j) **Effets à payer (intérêts):** La société a emprunté 6 000$ au début du mois d'avril; elle a signé un effet à payer au taux de 6%, payable à la fin de chaque exercice.

Étape 1: La charge d'intérêts est engagée au fur et à mesure que la société utilise l'argent.	**Étape 2:** Calcul	**Étape 3:** Écriture de régularisation

Étape 2: Calcul

Emprunt	×	**Taux**	×	**Durée**	=	**Intérêts**
6 000$	×	6%	×	1/12	=	30$

Fournisseurs et charges à payer (Pa)

	47 034 Solde en i)
30	Engagés
	Charge d'intérêts
	Solde au
47 064	30 avril

Étape 1: La charge d'intérêts est engagée au fur et à mesure que la société utilise l'argent.

Emprunt
→ Intérêts engagés → | Fin du mois | Décaissement
        $
Charge engagée

Étape 3: Écriture de régularisation

Charge d'intérêts
→ (+C, −CP) 30
   Charges à payer (+Pa)....... 30

Actif	=	Passif	+	Capitaux propres
		+30		−30

---

* i) **Étape 1:** Charge constatée par régularisation

    Étape 2: Calcul: 600$

    Étape 3: Services publics (+C, −CP)   600
            Charges à payer (+Pa)   600

Actif	=	Passif	+	Capitaux propres
		+600		−600

k) L'écriture de régularisation finale consiste à comptabiliser les impôts à payer. Pour ce faire, vous devez calculer le bénéfice avant impôts en fonction des soldes après régularisations.

	Produits	Charges	
Totaux non régularisés	72 800 $	51 000 $	*(voir le tableau 4.2 à la page 188)*
a)	100		
b)	830		
c)	15		
d)		2 100	
e)		500	
f)		2 000	
g)		2 500	
h)		2 000	
i)		600	
j)		30	
	73 745	− 60 730	= 13 015 $ Bénéfice avant impôts

Le taux d'imposition effectif de Van Houtte est de 26 %.

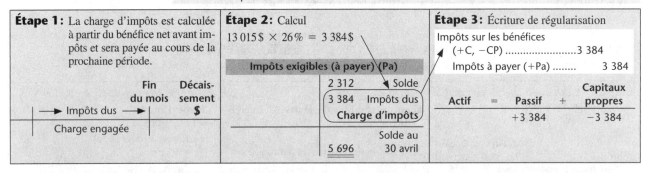

Étape 1: La charge d'impôts est calculée à partir du bénéfice net avant impôts et sera payée au cours de la prochaine période.

Fin du mois — Décaissement $

→ Impôts dus →

Charge engagée

Étape 2: Calcul

13 015 $ × 26 % = 3 384 $

Impôts exigibles (à payer) (Pa)

2 312	Solde
3 384	Impôts dus
	Charge d'impôts
	Solde au
5 696	30 avril

Étape 3: Écriture de régularisation

Impôts sur les bénéfices
(+C, −CP) 3 384
    Impôts à payer (+Pa) 3 384

Actif	=	Passif	+	Capitaux propres
		+3 384		−3 384

Les régularisations et l'éthique

Au chapitre 1, nous avons précisé que les gestionnaires et les propriétaires des entreprises sont directement touchés par les données présentées dans les états financiers. Si le rendement financier et la situation de l'entreprise semblent solides, le cours des actions de l'entreprise augmentera. Les actionnaires reçoivent également des dividendes, ce qui fait croître la valeur de leurs placements.

Les gestionnaires obtiennent souvent des primes en fonction de la solidité du rendement de l'entreprise, et bon nombre de cadres supérieurs sont rémunérés au moyen d'options d'achat d'actions de l'entreprise. Ces options leur permettent d'acheter des actions à des prix inférieurs à leur valeur marchande. Plus la valeur marchande des actions est élevée, plus leur rémunération l'est également. Lorsque le rendement réel de l'entreprise est inférieur aux attentes, les gestionnaires et les propriétaires sont parfois tentés de manipuler le processus de régularisation pour compenser cet écart. Par exemple, les gestionnaires peuvent comptabiliser l'argent reçu avant de l'avoir gagné, à titre de produits de l'exercice en cours. Ils peuvent aussi ne pas inscrire certaines charges à la fin de l'exercice de façon à augmenter le bénéfice net.

Aux États-Unis, des études effectuées sur un grand nombre d'entreprises indiquent que certaines entreprises adoptent ce comportement. Cette recherche a vu le jour à la suite des poursuites qu'a entamées la Securities and Exchange Commission (SEC) contre des entreprises et parfois contre leurs vérificateurs. Ces poursuites de la SEC concernent généralement l'inscription de produits et de comptes débiteurs qui devraient être reportés à des exercices futurs. Dans bon nombre de ces cas, les entreprises impliquées, leurs gestionnaires et leurs vérificateurs sont pénalisés pour ces actions. De plus, les propriétaires en souffrent puisque le cours des actions de l'entreprise est touché (à la baisse) à la suite de l'annonce d'une enquête menée par la SEC.

«Xerox Corp., le plus important fabricant de copieurs au monde, a gonflé ses revenus de 1,9 milliard de dollars américains au cours des cinq dernières années en déclarant de manière inexacte le moment et la composition de ses ventes d'équipement et des contrats d'entretien.

Le déplacement du moment des transactions et de leur classement a permis à Xerox d'atteindre ses prévisions de profits. Le gendarme des Bourses américaines, la Securities and Exchange Commission (SEC), a imposé à l'entreprise une amende record de 10 millions de dollars américains en avril (2002) pour avoir faussement déclaré des ventes d'environ 3 milliards de dollars américains. »

La Presse, 29 juin 2002, p. E-1.

L'établissement des états financiers

Avant de préparer les états financiers, il faut mettre à jour la balance de vérification afin d'y inclure les régularisations et de déterminer les soldes régularisés des comptes. Au tableau 4.6 à la page suivante, nous avons ajouté quatre nouvelles colonnes. Deux colonnes sont utilisées pour inscrire les régularisations à chacun des comptes touchés. Les deux autres colonnes présentent le solde régularisé de chaque compte, calculé en additionnant (ou en soustrayant) les montants sur chaque ligne. Nous pouvons alors vérifier à nouveau que le total des débits égale le total des crédits. C'est à partir de cette balance de vérification régularisée que nous pouvons préparer l'état des résultats, l'état des capitaux propres et le bilan. Ce tableau nous donne également des informations supplémentaires qui sont utiles pour l'état des flux de trésorerie.

OBJECTIF D'APPRENTISSAGE 3

Présenter l'état des résultats, l'état des capitaux propres et le bilan.

L'état des résultats

Les états financiers sont interreliés, c'est-à-dire que certains montants d'un état financier se retrouvent dans un autre état financier. Le tableau 4.5 illustre la manière dont l'information circule entre les états financiers. En partant de la droite, nous voyons que le bénéfice net est une composante des bénéfices non répartis, que les bénéfices non répartis sont une composante des capitaux propres et que les capitaux propres font partie du bilan.

TABLEAU 4.5 | Relations entre les états financiers

TABLEAU 4.6 | Balance de vérification régularisée pour Van Houtte

	A	B	C	D	E	F	G	H	I	J
1						Van Houtte inc.				
2						Balance de vérification				
3						au 30 avril 2006				
4										
5					Non régularisée		Régularisations		Régularisée	
6					Débit	Crédit	Débit	Crédit	Débit	Crédit
7	Caisse				36 696				36 696	
8	Clients				39 236		b) 830		40 066	
9	Intérêts à recevoir				0		c) 15		15	
10	Stocks				28 972			d) 2 100	26 872	
11	Charges payées d'avance				12 553			e) 500	10 053	
12								f) 2 000		
13	Impôts futurs				1 804				1 804	
14	Placements				21 121				21 121	
15	Effets à recevoir				3 000				3 000	
16	Immobilisations corporelles				290 395				290 395	
17	Amortissement cumulé					165 170		g) 2 500		167 670
18	Autres éléments d'actif				159 612				159 612	
19	Fournisseurs et charges à payer					44 434		h) 2 000		47 064
20								i) 600		
21								j) 30		
22	Dividendes à payer					3 000				3 000
23	Impôts exigibles					2 312		k) 3 384		5 696
24	Produits liés aux franchises perçus d'avance					672	a) 100			572
25	Tranche à court terme de la dette à long terme					1 520				1 520
26	Effets à payer					14 000				14 000
27	Dette à long terme					93 589				93 589
28	Autres éléments de passif					11 339				11 339
29	Capital-actions					128 497				128 497
30	Surplus d'apport					2 461				2 461
31	Bénéfices non répartis					124 766				124 766
32	Écart de conversion				17 171				17 171	
33	Dividendes				3 000				3 000	
34	Ventes					66 000				66 000
35	Produits liés aux franchises					2 800		a) 100		3 730
36								b) 830		
37	Revenus d'intérêts					1 000		c) 15		1 015
38	Gain sur vente de terrain					3 000				3 000
39	Coût des marchandises vendues				30 000				30 000	
40	Frais d'exploitation				7 000				7 000	
41	Salaires				14 000		h) 2 000		16 000	
42	Frais de location						f) 2 000		2 000	
43	Fournitures						d) 2 100		2 100	
44	Assurances						e) 500		500	
45	Services publics						i) 600		600	
46	Amortissement						g) 2 500		2 500	
47	Charge d'intérêts						j) 30		30	
48	Impôt sur les bénéfices						k) 3 384		3 384	
49										
50	Total				664 560	664 560	14 059	14 059	673 919	673 919

On peut aussi expliquer d'une autre manière les relations entre les états financiers. Si un montant de l'état des résultats change, cette modification aura un effet sur les autres états financiers.

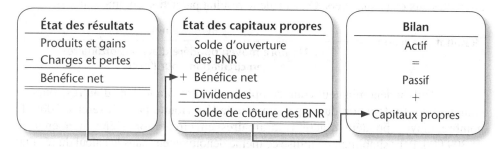

On prépare en tout premier lieu l'état des résultats, car le bénéfice net est une composante des bénéfices non répartis. L'état des résultats de Van Houtte, pour le mois d'avril 2006, tient compte des opérations (*voir les chapitres 2 et 3*) et des régularisations (*voir le présent chapitre*). Nous avons regroupé les frais d'exploitation dans le but de simplifier la présentation.

Van Houtte inc.
État consolidé des résultats
pour le mois terminé le 30 avril 2006
(en milliers de dollars)

PRODUITS	
Ventes	66 000 $
Produits liés aux franchises	3 730
Total des produits	69 730
CHARGES D'EXPLOITATION	
Coût des marchandises vendues	30 000
Salaires	16 000
Frais d'exploitation	12 200
Amortissement	2 500
Total des charges d'exploitation	60 700
Bénéfice avant les éléments suivants	9 030
Revenus de placement	1 015
Gain sur vente de terrain	3 000
Frais financiers	(30)
Bénéfice avant les impôts sur les bénéfices	13 015
Impôts sur les bénéfices	3 384
Bénéfice net	9 631 $
Résultat par action	0,45 $

Il faut noter que le résultat par action est inscrit à l'état des résultats. Il est largement utilisé pour évaluer le rendement et la rentabilité d'une entreprise. De plus, il constitue le seul ratio qu'on doit obligatoirement divulguer dans les états financiers ou les notes afférentes aux états financiers. On calcule le résultat par action comme suit :

$$\text{Résultat par action} = \frac{\text{Bénéfice net}}{\text{Nombre moyen pondéré d'actions ordinaires en circulation pour l'exercice}}$$

Le calcul du dénominateur étant complexe, il est expliqué dans d'autres cours de comptabilité. En fonction du rapport annuel de Van Houtte pour l'exercice 2006, le nombre moyen pondéré d'actions ordinaires en circulation s'élevait à environ 21 399 000. Pour simplifier, on utilise ce même dénominateur dans le calcul du résultat par action présenté à l'état des résultats. Quant au numérateur, nous devrions calculer le bénéfice net disponible pour les détenteurs d'actions ordinaires. Cette notion sera abordée au chapitre 10. Pour l'instant, nous utiliserons le bénéfice net tiré de l'état des résultats, soit 9 631 000 $.

Calcul du résultat par action :

$$9\ 631\ 000\ \$ \text{ de bénéfice net} \div 21\ 399\ 000 \text{ actions} = 0,45\ \$$$

L'état des capitaux propres

Le solde final de l'état des résultats, le bénéfice net, est reporté à l'état des capitaux propres. La déclaration du dividende enregistrée au chapitre 2 est également incluse dans l'état. Nous avons jusqu'à présent limité notre étude de l'état des capitaux à la variation survenue dans le compte Bénéfices non répartis. Le chapitre 10 abordera les autres éléments inclus dans cet état.

Van Houtte inc.
État des capitaux propres
pour le mois terminé le 30 avril 2006
(en milliers de dollars)

Solde au début	124 766 $
Bénéfice net	9 631
	134 397
Dividende	3 000
Solde à la fin	131 397 $

Le bilan

Le solde à la fin des bénéfices non répartis se retrouve au bilan. On remarque aussi que le compte de sens contraire, Amortissement cumulé, a été déduit du compte Immobilisations corporelles pour refléter la valeur comptable nette à la fin du mois. Il faut se rappeler que les actifs sont présentés par ordre de liquidités décroissantes et les passifs par ordre d'exigibilité. Les actifs à court terme sont transformés en liquidités au cours du prochain exercice, alors que les passifs à court terme seront payés au cours du prochain exercice.

Van Houtte inc.
Bilan
au 30 avril 2006
(en milliers de dollars)

ACTIF

Actif à court terme

Caisse	36 696 $
Clients	40 066
Stocks	26 872
Charges payées d'avance	10 053
Autres actifs à court terme	15
Impôts futurs	1 804
Total de l'actif à court terme	115 506
Placements	21 121
Effets à recevoir	3 000
Immobilisations corporelles	122 725
Autres éléments d'actif	159 612
Total de l'actif	**421 964 $**

PASSIF ET AVOIR DES ACTIONNAIRES

Passif à court terme

Fournisseurs et charges à payer	47 064 $
Dividendes à payer	3 000
Impôts exigibles	5 696
Produits liés aux franchises perçus d'avance	572
Tranche à court terme de la dette à long terme	1 520
Total du passif à court terme	57 852
Effets à payer	14 000
Dette à long terme	93 589
Autres éléments de passif	11 339
Total du passif	**176 780**
Avoir des actionnaires	
Capital-actions	128 497
Surplus d'apport	2 461
Bénéfices non répartis	131 397
Écart de conversion	(17 171)
Total de l'avoir des actionnaires	**245 184**
Total du passif et de l'avoir des actionnaires	**421 964 $**

INCIDENCE SUR LES FLUX DE TRÉSORERIE

Informations supplémentaires sur les flux de trésorerie

Comme on en a discuté dans les chapitres précédents, l'état des flux de trésorerie explique la différence qui existe entre les soldes d'ouverture et de clôture au bilan du compte Caisse au cours d'un exercice. Plus simplement, l'état des flux de trésorerie est une liste ordonnée de toutes les opérations conclues au cours de l'exercice qui ont influé sur le compte Caisse. Les trois composantes de l'état des flux de trésorerie sont les activités d'exploitation, d'investissement et de financement. Comme aucune régularisation faite dans ce chapitre n'a modifié le compte Caisse, l'état des flux de trésorerie dressé au chapitre 3 n'a pas changé. Toutefois, l'entreprise doit fournir des informations supplémentaires relatives aux flux de trésorerie.

EN GÉNÉRAL ◊ L'entreprise doit divulguer, dans l'état des flux de trésorerie ou par voie de notes aux états financiers, 1) les intérêts payés, 2) les impôts payés et 3) la nature et le montant d'opérations non monétaires significatives (par exemple l'acquisition d'immobilisations financées par la dette).

VAN HOUTTE ◊ Durant le mois d'avril, aucun montant significatif d'impôts ou d'intérêts n'a été versé, et aucune opération non monétaire n'a eu lieu. Dans la note 17 des états financiers de Van Houtte pour l'exercice se terminant le 1er avril 2006, la société divulgue le montant d'impôts et d'intérêts payés ainsi que des acquisitions d'immobilisations sans décaissement pour une valeur de 1,8 million de dollars.

ANALYSE FINANCIÈRE

Les flux de trésorerie provenant de l'exploitation et le bénéfice net

Plusieurs manuels traitant d'analyse financière expliquent aux analystes qu'ils doivent rechercher les comptes de régularisation inhabituels lorsqu'ils tentent de prédire les bénéfices des exercices futurs. Ils suggèrent également que d'importantes disparités entre le bénéfice net et les flux de trésorerie liés aux activités d'exploitation représentent en général un avertissement. Par exemple, Wild et collab. précisent ceci :

> « Les flux de trésorerie font moins souvent l'objet d'erreurs que le bénéfice net. Les comptes de régularisation qui déterminent le bénéfice net dépendent des estimations, des reports, des ventilations et des évaluations. Ces considérations admettent généralement plus de subjectivité que les facteurs qui déterminent les flux de trésorerie. Pour cette raison, nous établissons régulièrement un lien entre les flux de trésorerie et le bénéfice net lorsque nous évaluons sa qualité. Certains utilisateurs considèrent que les bénéfices sont de qualité supérieure quand le ratio des flux de trésorerie liés aux activités d'exploitation divisé par le bénéfice net est élevé. Cela provient du fait que l'entreprise pourrait utiliser des critères de constatation des produits ou des charges produisant un bénéfice net élevé, mais des flux de trésorerie faibles.* »

* J. WILD, et collab. (2004), *Financial Statement Analysis*, New York, McGraw-Hill/Irwin, p. 394. (Traduction libre.)

ANALYSONS LES RATIOS

Le pourcentage de la marge bénéficiaire nette

1. **Question d'analyse**

   Quelle est l'efficacité de la direction à engendrer un bénéfice pour chaque dollar de ventes ?

2. **Ratio et comparaison**

$$\text{Pourcentage de la marge bénéficiaire nette} = \frac{\text{Bénéfice net}}{\text{Chiffre d'affaires net}}$$

Le pourcentage de Van Houtte pour l'exercice 2006 est le suivant :

$$\frac{22\ 506\ \$}{377\ 633\ \$} = 0,059\ (5,9\%)$$

Comparons	
Pourcentage de la marge bénéficiaire nette	
Axcan Pharma	10,5 %
Bombardier	1,6 %
Metro	2,8 %

a) L'analyse de la tendance dans le temps			b) La comparaison avec les compétiteurs	
VAN HOUTTE			COUCHE-TARD	STARBUCKS
2004	2005	2006	2006	2005
5,6 %	6,2 %	5,9 %	1,9 %	7,7 %

3. Interprétation des résultats

EN GÉNÉRAL ◊ La marge bénéficiaire nette mesure combien rapporte chaque dollar de ventes. Une marge bénéficiaire nette qui augmente révèle une gestion plus efficace des ventes et des charges, et une marge bénéficiaire nette qui diminue laisse entendre une gestion moins efficace. Les différences qu'on peut observer entre les secteurs proviennent de la nature des produits ou des services fournis et de l'intensité de la concurrence. Par ailleurs, les différences entre des entreprises d'un même secteur reflètent la manière dont chaque entreprise réagit aux changements en ce qui concerne la demande de produits ou de services et les changements dans la gestion du volume des ventes, du prix de vente et des coûts. Les analystes financiers s'attendent à ce que les entreprises bien gérées maintiennent ou améliorent leur marge bénéficiaire nette dans le temps.

VAN HOUTTE ◊ La marge bénéficiaire nette de Van Houtte a diminué en 2006, ce qui suggère des difficultés liées au contrôle des ventes et des coûts. Dans son rapport de gestion, la direction de Van Houtte explique cette situation par la hausse marquée du prix coûtant des grains de café et une performance décevante du secteur Services de café aux États-Unis.

Starbucks, un important concurrent de Van Houtte dans le secteur des cafés-bistros, a une marge bénéficiaire nette plus élevée (7,7 %). Cette différence suppose une plus grande efficacité dans les activités de gestion. Par contre, Van Houtte a une marge bénéficiaire nette plus élevée que Couche-Tard, une entreprise dont les activités sont beaucoup plus étendues que Van Houtte dans le domaine de l'alimentation, où les marges bénéficiaires sont traditionnellement plus faibles. Ces écarts s'expliquent également en raison de stratégies d'affaires différentes adoptées par chacune des entreprises.

QUELQUES PRÉCAUTIONS ◊ Les décisions que prend la direction pour maintenir la marge bénéficiaire nette de l'entreprise peuvent avoir des conséquences négatives à long terme. Les analystes doivent effectuer des analyses supplémentaires du ratio pour cerner les tendances dans chacune des composantes des produits et des charges, en divisant chaque élément de l'état des résultats par les ventes nettes. Les changements dans le pourcentage des composantes individuelles du bénéfice net procurent de l'information additionnelle sur les stratégies de la direction.

La clôture des comptes

La fin du cycle comptable

Le solde de clôture de chaque **compte de bilan** (l'actif, le passif et les capitaux propres) devient le solde d'ouverture de l'exercice suivant. Ces comptes ne sont pas soldés (mis à zéro) à la fin du cycle comptable. Par exemple, le solde de clôture du compte Caisse d'un exercice doit être égal au solde d'ouverture du compte Caisse de l'exercice suivant. La seule fois où un compte de bilan a un solde nul est quand celui-ci ne représente plus une dette ou une ressource. Les comptes de bilan sont considérés comme des comptes permanents.

D'un autre côté, les comptes de produits, de charges, de gains et de pertes sont souvent appelés des « **comptes de résultats** » ou des « **comptes temporaires** », puisqu'on les utilise afin d'accumuler des données pour l'exercice en cours seulement. À la fin de chaque exercice, leurs soldes sont virés (ou clôturés) dans le compte **Sommaire des résultats.** Ce virement périodique des soldes des comptes de résultats dans le compte Sommaire des résultats et, de là, dans le compte Bénéfices non répartis s'effectue à l'aide des écritures de clôture.

OBJECTIF D'APPRENTISSAGE 5

Expliquer le processus de clôture des comptes.

Les **comptes de bilan** sont les comptes d'actif, de passif et de capitaux propres. Leur solde est reporté d'un exercice à l'autre.

Les **comptes de résultats** (ou **comptes temporaires**) sont les comptes servant à l'enregistrement des produits, des charges, des pertes et des gains d'un exercice. Ces comptes sont soldés à la fin de chaque exercice.

Le **sommaire des résultats** est un compte du grand livre où sont virés les soldes des comptes de produits, de gains, de charges et de pertes à la fin d'un exercice en vue de déterminer le résultat net de l'exercice[6].

6. *Ibid.*, p. 602.

Les **écritures de clôture**
sont journalisées (enregistrer
une opération dans un
journal) à la fin de l'exercice
afin de virer les soldes
des comptes de produits
et de charges au compte
Sommaire des résultats et,
de là, au compte Bénéfices
non répartis ou Capital[7].

Les **écritures de clôture** ont deux objectifs :

1) transférer le bénéfice net ou la perte nette dans le compte Sommaire des résultats et, de là, dans le compte Bénéfices non répartis ;
2) établir un solde nul dans chacun des comptes temporaires.

Ainsi, les comptes de l'état des résultats sont de nouveau prêts pour enregistrer les opérations de l'exercice suivant. Les écritures de clôture se font en date du dernier jour de l'exercice au journal général, et elles sont immédiatement reportées au grand livre (ou dans les comptes en T). Les comptes temporaires avec un solde créditeur sont clôturés en les débitant ; les comptes temporaires ayant un solde débiteur sont clôturés en les créditant. La différence entre le total des soldes créditeurs et le total des soldes débiteurs représente le bénéfice net ou la perte nette de l'exercice.

Ce processus de clôture des comptes comporte quatre étapes :

1) la clôture de chacun des comptes de produits et de gains (les comptes de l'état des résultats ayant un solde créditeur) ;
2) la clôture de chacun des comptes de charges et de pertes (les comptes de l'état des résultats ayant un solde débiteur) ;
3) la clôture du compte Sommaire des résultats ;
4) la clôture du compte Dividendes.

Pour illustrer le processus de clôture, nous passerons les écritures de clôture pour Van Houtte au 30 avril 2006, bien que les entreprises ne procèdent à la fermeture des comptes qu'à la fin de l'exercice financier et non chaque mois. Tous les montants proviennent de la balance de vérification régularisée (*voir le tableau 4.6 à la page 200*).

1. La clôture de chacun des comptes de produits et de gains

Ventes..	66 000	
Produits liés aux franchises	3 730	
Revenus d'intérêts	1 015	
Gain sur vente de terrain	3 000	
Sommaire des résultats		73 745

2. La clôture de chacun des comptes de charges et de pertes

Sommaire des résultats.............................	64 114	
Coût des marchandises vendues		30 000
Frais d'exploitation		7 000
Salaires...		16 000
Frais de location		2 000
Fournitures.....................................		2 100
Assurances......................................		500
Amortissement		2 500
Services publics		600
Charge d'intérêts...............................		30
Impôts sur les bénéfices........................		3 384

3. La clôture du compte Sommaire des résultats

Sommaire des résultats............................	9 631*	
Bénéfices non répartis..........................		9 631

* 73 745 $ − 64 114 $ = 9 631 $

4. La clôture du compte Dividendes

Bénéfices non répartis	3 000	
Dividendes		3 000

Le compte Dividendes (pour les sociétés par actions) ou Retraits (pour les autres sociétés) sont également des comptes temporaires qu'il faut fermer dans le compte Bénéfices non répartis ou Capital des propriétaires à la fin de l'exercice.

---

7. *Ibid.*, p. 228.

Voici une balance de vérification régularisée d'une société de jouets. Tous les montants sont en millions de dollars. Inscrivez les écritures de clôture à la fin du cycle comptable.

	Débit	Crédit	Écriture de clôture
Caisse	2 003		
Clients	146		
Bâtiment	6 719		
Amortissement cumulé		1 984	
Autres actifs	3 334		
Fournisseurs		991	
Effets à payer		1 349	
Autres passifs		2 656	
Actions ordinaires		437	
Bénéfices non répartis		3 698	
Ventes		11 565	
Revenus d'intérêts		15	
Gain sur vente d'actif		3	
Coût des marchandises vendues	7 849		
Frais de vente et d'administration	3 022		
Amortissement	348		
Autres frais d'exploitation	85		
Charge d'intérêts	142		
Impôts sur les bénéfices	50		
Total	23 698	23 698	

Vérifiez vos réponses à l'aide des solutions présentées en bas de page*.

La balance de vérification après la clôture des comptes

Après avoir achevé le processus de clôture, tous les comptes de résultats ont un solde nul. Ces comptes sont ainsi prêts pour l'inscription des produits et des charges du nouvel exercice. Le solde de clôture du compte Bénéfices non répartis est maintenant à jour ; il correspond au montant apparaissant au bilan et il devient le solde d'ouverture de l'exercice suivant. Comme dernière étape du cycle comptable, il faut dresser une **balance de vérification après clôture** (*voir le tableau 4.7 à la page 208*) pour vérifier l'égalité des débits et des crédits et la clôture de tous les comptes temporaires.

Une **balance de vérification après clôture** est établie après avoir procédé à la clôture des comptes afin de vérifier que les crédits sont égaux aux débits et que tous les comptes temporaires ont un solde à zéro.

* Ventes	11 565	
Revenus d'intérêts	15	
Gain sur vente d'actif	3	
Sommaire des résultats		11 583
Sommaire des résultats	11 496	
Coût des marchandises vendues		7 849
Frais de vente et d'administration		3 022
Amortissement		348
Autres frais d'exploitation		85
Charge d'intérêts		142
Impôts sur les bénéfices		50
Sommaire des résultats	87**	
Bénéfices non répartis		87

** 11 583 $ − 11 496 $ = 87 $

TABLEAU 4.7 | Balance de vérification

	A	B	C	D	E	F
1		Van Houtte inc.				
2		Balance de vérification				
3		au 30 avril 2006				
4						
5				Régularisée	Après clôture	
6			Débit	Crédit	Débit	Crédit
7	Caisse		36 696		36 696	
8	Clients		40 066		40 066	
9	Intérêts à recevoir		15		15	
10	Stocks		26 872		26 872	
11	Charges payées d'avance		10 053		10 053	
12	Impôts futurs		1 804		1 804	
13	Placements		21 121		21 121	
14	Effets à recevoir		3 000		3 000	
15	Immobilisations corporelles		290 395		290 395	
16	Amortissement cumulé			167 670		167 670
17	Autres éléments d'actif		159 612		159 612	
18	Fournisseurs et charges à payer			47 064		47 064
19	Dividendes à payer			3 000		3 000
20	Impôts exigibles			5 696		5 696
21	Produits liés aux franchises perçus d'avance			572		572
22	Effets à payer			14 000		14 000
23	Tranche à court terme de la dette à long terme			1 520		1 520
24	Dette à long terme			93 589		93 589
25	Autres éléments de passif			11 339		11 339
26	Capital-actions			128 497		128 497
27	Surplus d'apport			2 461		2 461
28	Bénéfices non répartis			124 766		131 397
29	Écart de conversion		17 171		17 171	
30	Dividendes		3 000		0	
31	Ventes			66 000		0
32	Produits liés aux franchises			3 730		0
33	Revenus d'intérêts			1 015		0
34	Gain sur vente de terrain			3 000		0
35	Coût des marchandises vendues		30 000		0	
36	Frais d'exploitation		7 000		0	
37	Salaires		16 000		0	
38	Frais de location		2 000		0	
39	Fournitures		2 100		0	
40	Assurances		500		0	
41	Services publics		600		0	
42	Amortissement		2 500		0	
43	Charge d'intérêts		30		0	
44	Impôts sur les bénéfices		3 384		0	
45	Total		673 919	673 919	606 805	606 805

Actif

Passif

Capitaux propres

Produits

Charges

Le bénéfice net de 9 631 $ et le dividende sont fermés dans le compte Bénéfices non répartis.

Les produits et les charges reportés ou constatés par régularisation : la stratégie de présentation de l'information financière

La plupart des produits et des charges reportés ou constatés par régularisation que nous avons étudiés dans ce chapitre (par exemple la ventilation des assurances payées d'avance ou la détermination des revenus d'intérêts) comportent des calculs directs et exigent peu de jugement de la part des comptables de l'entreprise. Dans des chapitres ultérieurs, nous aborderons de nombreuses autres régularisations qui demandent des estimations difficiles et complexes concernant le futur. Elles incluent notamment l'évaluation de la capacité des clients à rembourser leurs créances, la vie utile des nouvelles machines ainsi que les montants futurs qu'une entreprise peut devoir sur les garanties des marchandises qu'elle a vendues. Chacune de ces estimations et de plusieurs autres peuvent avoir des effets importants sur le bénéfice net que les entreprises présentent.

Quand les analystes tentent d'évaluer les entreprises en fonction des données du bilan et de l'état des résultats, ils jugent la valeur des estimations utilisées pour évaluer les produits et les charges reportés ou constatés par régularisation. Les entreprises qui formulent des estimations relativement pessimistes ayant pour effet de réduire le bénéfice net actuel respectent des stratégies prudentes de présentation de l'information financière. Les analystes chevronnés accordent plus de crédibilité à leur rapport sur le rendement. Les montants des bénéfices que ces entreprises inscrivent sont souvent dits « de qualité supérieure », car ils subissent moins l'influence de l'optimisme naturel de la direction. On estime que les entreprises qui formulent régulièrement des estimations optimistes entraînant la présentation d'un bénéfice net plus élevé sont plus agressives. Les analystes considèrent que la mesure des résultats de ces entreprises est moins fiable.

ANALYSONS UN CAS

On examine pour la dernière fois les activités de la société Efficacité à la fin du cycle comptable : le processus de régularisation des comptes, l'établissement des états financiers et le processus de clôture des comptes. Aucune régularisation n'a été apportée aux comptes pour refléter tous les produits gagnés et les charges engagées au cours du mois de juin. La balance de vérification de la société Efficacité au 30 juin 2008, basée sur les soldes avant régularisations (*voir le chapitre 3*), est la suivante :

Les informations suivantes sont établies à la fin du cycle comptable :

a) Un montant de 1 600 $ reçu de la Ville au début du mois de juin (inscrit à titre de Produits perçus d'avance) pour quatre mois de services (de juin à septembre) est partiellement gagné à la fin du mois de juin.

b) Une assurance coûtant 300 $ et couvrant une période de six mois (de juin à novembre) payée par la société Efficacité au début du mois de juin (Charges payées d'avance) a été partiellement utilisée en juin.

c) Les tondeuses, les coupe-bordures, les râteaux et les outils manuels (le Matériel) ont été utilisés et doivent être amortis. La société évalue à 300 $ la charge d'amortissement annuel.

d) Les salaires ont été payés jusqu'au 28 juin inclusivement. Les salaires gagnés en juin par les employés, mais que la société n'a pas encore payés, s'élèvent à 200 $ la journée.

e) Une ligne téléphonique supplémentaire a été installée au mois de juin. La facture de téléphone de 52 $ (y compris le raccordement et les frais d'utilisation) a été reçue et payée en juillet.

f) Les intérêts se sont accumulés sur l'effet à payer à un taux annuel de 6 %. Le capital emprunté de 3 700 $ est demeuré inchangé durant tout le mois.

g) Le taux d'imposition estimatif pour la société Efficacité est de 22 % pour les impôts fédéraux et provinciaux combinés.

Travail à faire

1. Pour chaque information fournie de a) à g), déterminez et expliquez les produits reportés, les produits constatés par régularisation, les charges reportées et les charges constatées par régularisation.

2. Analysez chacun des faits rapportés et enregistrez les écritures de régularisation pour le mois de juin.

3. Préparez une balance de vérification régularisée.
4. Utilisez les montants régularisés pour dresser l'état des résultats, l'état des capitaux propres et le bilan. Présentez le résultat par action. La société a 1 500 actions ordinaires en circulation.
5. Passez les écritures de clôture au 30 juin 2008.
6. Calculez le pourcentage de la marge bénéficiaire nette de l'entreprise pour le mois de juin.

	A	B	C
	Société Efficacité		
1			
2	**Balance de vérification**		
3	**au 30 juin 2008**		
4		**Non régularisée**	
5		**Débit**	**Crédit**
6	Caisse	5 032	
7	Clients	1 700	
8	Effets à recevoir	0	
9	Charges payées d'avance	300	
10	Terrain	3 750	
11	Matériel	4 600	
12	Amortissement cumulé		0
13	Fournisseurs		220
14	Charges à payer		0
15	Effets à payer		3 700
16	Impôts à payer		0
17	Produits perçus d'avance		1 600
18	Capital social		9 000
19	Bénéfices non répartis		0
20	Services d'entretien des pelouses		5 200
21	Revenu d'intérêts		12
22	Salaires	3 900	
23	Essence	410	
24	Assurances	0	
25	Services publics	0	
26	Amortissement	0	
27	Charge d'intérêts	40	
28	Impôts sur les bénéfices	0	
29			
30	Total	19 732	19 732

Solution suggérée

	Opération	Comptes touchés	Type de régularisation	Explications
1.	a)	Produits perçus d'avance	Produits reportés	L'argent a été reçu avant que le service soit rendu.
	b)	Charges payées d'avance	Charge reportée	L'argent a été versé avant que le service ait été reçu.
	c)	Amortissement	Charge reportée	Les immobilisations sont utilisées pendant plusieurs exercices.
	d)	Charges à payer	Charge constatée par régularisation	L'argent devra être versé aux employés dans le futur.
	e)	Charges à payer	Charge constatée par régularisation	L'argent devra être versé pour les services reçus.
	f)	Charges à payer	Charge constatée par régularisation	L'argent devra être versé pour les intérêts engagés.
	g)	Impôts à payer	Charge constatée par régularisation	Les impôts devront être payés dans le futur.

2. La passation des écritures de régularisation

a) Un montant de 1 600 $ reçu de la Ville au début du mois de juin (inscrit à titre de Produits perçus d'avance) pour quatre mois de services (de juin à septembre) est partiellement gagné à la fin du mois de juin.

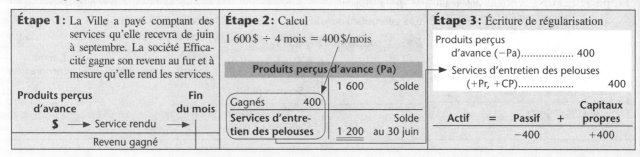

b) Une assurance coûtant 300 $ et couvrant une période de six mois (de juin à novembre) payée par la société Efficacité au début du mois de juin (Charges payées d'avance) a été partiellement utilisée en juin.

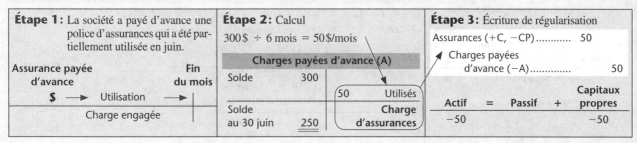

c) Les tondeuses, les coupe-bordures, les râteaux et les outils manuels (le Matériel) ont été utilisés et doivent être amortis. La société évalue à 300 $ la charge d'amortissement annuelle.

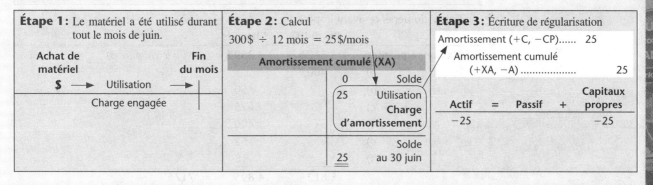

d) Les salaires ont été payés jusqu'au 28 juin inclusivement. Les salaires gagnés en juin par les employés, mais que la société n'a pas encore payés, s'élèvent à 200 $ la journée.

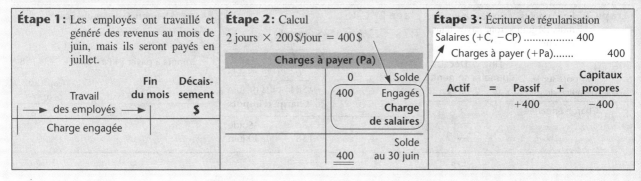

e) Une ligne téléphonique supplémentaire a été installée au mois de juin. La facture de téléphone de 52 $ (y compris le raccordement et les frais d'utilisation) a été reçue et payée en juillet.

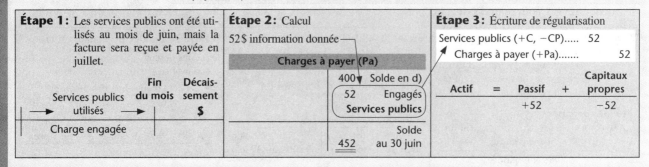

f) Les intérêts se sont accumulés sur l'effet à payer à un taux annuel de 6 %. Le capital emprunté de 3 700 $ est demeuré inchangé durant tout le mois.

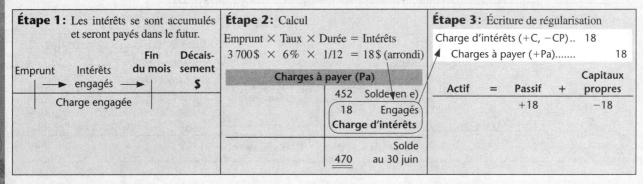

g) Le taux d'imposition estimatif pour la société Efficacité est de 22 % pour les impôts fédéraux et provinciaux combinés.

Calcul du bénéfice avant impôts :

	Produits	Charges	
Totaux non régularisés	5 212 $	4 350 $	(voir le chapitre 3)
a)	400		
b)		50	
c)		25	
d)		400	
e)		52	
f)		18	
	5 612	− 4 895	= **717 $**

Le taux d'imposition effectif de Van Houtte est de 26 %.

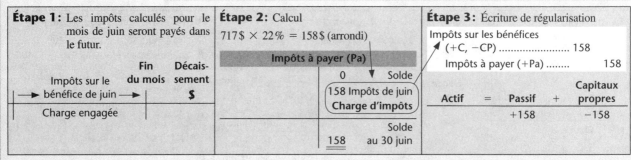

3. La balance de vérification régularisée

	A	B	C	D	E	F	G
1		Société Efficacité					
2		Balance de vérification					
3		au 30 juin 2008					
4		Non régularisée		Régularisations		Régularisée	
5		Débit	Crédit	Débit	Crédit	Débit	Crédit
6	Caisse	5 032				5 032	
7	Clients	1 700				1 700	
8	Charges payées d'avance	300			b) 50	250	
9	Terrain	3 750				3 750	
10	Matériel	4 600				4 600	
11	Amortissement cumulé		0		c) 25		25
12	Fournisseurs		220				220
13	Charges à payer		0		d) 400		470
14					e) 52		
15					f) 18		
16	Effets à payer		3 700				3 700
17	Impôts à payer		0		g) 158		158
18	Produits perçus d'avance		1 600	a) 400			1 200
19	Capital social		9 000				9 000
20	Bénéfices non répartis		0				0
21	Services d'entretien des pelouses		5 200		a) 400		5 600
22	Revenus d'intérêts		12				12
23	Salaires	3 900		d) 400		4 300	
24	Essence	410				410	
25	Assurances	0		b) 50		50	
26	Services publics	0		e) 52		52	
27	Amortissement	0		c) 25		25	
28	Charge d'intérêts	40		f) 18		58	
29	Impôts sur les bénéfices	0		g) 158		158	
30							
31	Total	19 732	19 732	1 103	1 103	20 385	20 385

4. Les états financiers

Société Efficacité
État des résultats
pour le mois terminé le 30 juin 2008

PRODUITS	
Services d'entretien des pelouses	5 600 $
CHARGES	
Salaires	4 300
Essence	410
Assurances	50
Services publics	52
Amortissement	25
	4 837
Bénéfice avant les éléments suivants	763
Revenus d'intérêts	12
Charge d'intérêts	(58)
Bénéfice avant impôts	717 $
Impôts sur les bénéfices	158
Bénéfice net	559
Résultat par action (559 $ ÷ 1 500 actions)	0,37 $

Société Efficacité
État des capitaux propres
pour le mois terminé le 30 juin 2008

Solde d'ouverture	0 $
Bénéfice net	559
Solde de clôture	559 $

Société Efficacité
Bilan
au 30 juin 2008

ACTIF		PASSIF	
Actif à court terme		Passif à court terme	
Caisse	5 032 $	Fournisseurs	220 $
Clients	1 700	Charges à payer	470
Charges payées d'avance	250	Effets à payer	3 700
		Impôts à payer	158
		Produits perçus d'avance	1 200
Total de l'actif à court terme	6 982	Total du passif à court terme	5 748
Terrain	3 750		
Matériel, net	4 575	**CAPITAUX PROPRES**	
		Capital social	9 000
		Bénéfices non répartis	559
		Total des capitaux propres	9 559
Total de l'actif	15 307 $	**Total du passif et des capitaux propres**	15 307 $

5. Les écritures de clôture

a) La clôture des comptes de produits

Services d'entretien des pelouses (−Pr)	5 600	
Revenus d'intérêts (−Pr)	12	
Sommaire des résultats (+CP)		5 612

b) La clôture des comptes de charges

Sommaire des résultats (−CP)	5 053	
Essence (−C)		410
Salaires (−C)		4 300
Assurances (−C)		50
Services publics (−C)		52
Amortissement (−C)		25
Charge d'intérêts (−C)		58
Impôts sur les bénéfices (−C)		158

c) La clôture du compte Sommaire des résultats

Sommaire des résultats 559

    Bénéfices non répartis (5 612 $ − 5 053 $) 559

Quand ces écritures sont reportées au grand livre, tous les comptes temporaires ont un solde nul et sont prêts pour l'enregistrement de la période suivante. Il faut toutefois se rappeler que le processus de clôture des comptes survient à la fin de l'exercice financier seulement et non chaque mois.

6. **Le pourcentage de la marge bénéficiaire nette**

$$\frac{\text{Bénéfice net}}{\text{Chiffre d'affaires net}} = 559\,\$ \div 5\,600\,\$ = 10{,}0\,\%\ \text{pour le mois de juin}$$

Points saillants du chapitre

1. **Reconnaître l'utilité de la balance de vérification** (*voir la page 187*).

    Une balance de vérification est une liste de tous les comptes du grand livre ainsi que de leur solde créditeur ou débiteur dans un format de deux colonnes. Elle permet de vérifier l'égalité des débits et des crédits. La balance de vérification peut être donnée :

    - avant régularisations (avant que les régularisations soient apportées) ;

    - après régularisations (après que les régularisations sont effectuées) ;

    - après clôture (après que les comptes temporaires sont soldés).

2. **Régulariser les comptes du bilan et de l'état des résultats à la fin de l'exercice** (*voir la page 190*).

    - Il faut passer des écritures de régularisation à la fin de l'exercice pour bien mesurer le bénéfice, corriger les erreurs et assurer une évaluation appropriée des comptes figurant au bilan. L'analyse comporte :

        1) la ventilation des produits et des charges sur plus d'un exercice et la comptabilisation des charges et des produits constatés par régularisation ;

        2) l'élaboration d'une ligne du temps et l'établissement des comptes en T avec les dates, les montants et les calculs pertinents ;

        3) la passation des écritures de régularisation nécessaires pour obtenir les soldes de clôture appropriés dans les comptes.

    - La passation des écritures de régularisation n'a aucun effet sur le compte Caisse.

> **PRODUITS ET CHARGES REPORTÉS**
> ↓ Passif et ↑ Produits
> ↑ Charge et ↓ Actif
>
> **PRODUITS ET CHARGES CONSTATÉS PAR RÉGULARISATION**
> ↑ Charge et ↑ Passif
> ↑ Actif et ↑ Produits

3. **Présenter l'état des résultats, l'état des capitaux propres et le bilan** (*voir la page 199*).

    On utilise les soldes des comptes après régularisations pour dresser les états financiers suivants :

    - État des résultats : Produits − Charges = Bénéfice net (y compris le résultat par action calculé à titre de bénéfice net divisé par le nombre moyen pondéré d'actions ordinaires en circulation durant l'exercice).

    - État des capitaux propres : Bénéfices non répartis d'ouverture + Bénéfice net − Dividendes = Bénéfices non répartis de clôture.

    - Bilan : Actif = Passif + Capitaux propres.

    - Informations sur les flux de trésorerie : intérêts payés, impôts payés et opérations non monétaires importantes.

4. **Calculer et interpréter le pourcentage de la marge bénéficiaire nette** (*voir la page 204*).

    Le pourcentage de la marge bénéficiaire nette (Bénéfice net ÷ Chiffre d'affaires net) permet de mesurer l'efficacité de la direction à produire un bénéfice pour chaque dollar de vente. Un pourcentage de la marge bénéficiaire nette à la hausse révèle une gestion plus efficace des ventes et des charges.

5. Expliquer le processus de clôture des comptes *(voir la page 205).*

Les comptes temporaires (les produits, les charges, les gains et les pertes) sont clôturés à la fin de l'exercice pour mettre leur solde à zéro. Ainsi, ils deviennent disponibles pour enregistrer les opérations de l'exercice suivant. Pour clôturer ces comptes, il faut :

- débiter chacun des comptes de produits et de gains, et créditer le compte Sommaire des résultats ;
- créditer chacun des comptes de charges et de pertes, et débiter le compte Sommaire des résultats ;
- verser le solde du compte Sommaire des résultats au compte Bénéfices non répartis.

Dans ce chapitre, nous avons discuté des principales étapes du cycle comptable qui se déroulent à la fin de chaque exercice. Ces étapes incluent le processus de régularisation des comptes, l'établissement des états financiers et le processus de clôture des comptes, lequel permet de préparer les livres pour le prochain exercice. Cette fin du processus comptable interne marque le début du processus de communication des informations comptables aux utilisateurs externes. Au chapitre 5, nous préciserons les principaux intervenants de ce processus de communication, les formes de présentation des états financiers, les informations supplémentaires requises pour les sociétés ainsi que le processus et le moment de la transmission de ces informations aux utilisateurs. Ces discussions vous aideront à consolider une bonne part des connaissances que vous avez acquises sur le processus de présentation de l'information financière dans les chapitres précédents.

RATIOS CLÉS

Le pourcentage de la marge bénéficiaire nette permet de mesurer l'efficacité de la direction à produire un bénéfice pour chaque dollar de vente. Un pourcentage en hausse ou élevé révèle que l'entreprise gère ses ventes et ses charges efficacement. On le calcule ainsi *(voir la page 204)* :

$$\text{Pourcentage de la marge bénéficiaire nette} = \frac{\text{Bénéfice net}}{\text{Chiffre d'affaires net}}$$

Pour trouver
L'INFORMATION FINANCIÈRE

BILAN

Actif à court terme
  Intérêts à recevoir
  Loyer à recevoir
  Stocks
  Charges payées d'avance

Actif à long terme
  Immobilisations corporelles
  Actifs incorporels

Passif à court terme
  Intérêts à payer
  Salaires à payer
  Services publics à payer
  Impôts à payer
  Produits perçus d'avance

ÉTAT DES RÉSULTATS

Produits
  Augmentés par les écritures de régularisation

Charges
  Augmentées par les écritures de régularisation

Bénéfice avant impôts
  Impôts sur les bénéfices

Bénéfice net

ÉTAT DES FLUX DE TRÉSORERIE

Les écritures de régularisation n'ont pas d'effet sur la caisse.
  Informations supplémentaires sur les flux de trésorerie : intérêts payés, impôts payés, opérations non monétaires importantes

NOTES COMPLÉMENTAIRES

Informations supplémentaires sur les flux de trésorerie

Mots clés

Questions

1. Qu'est-ce qu'une balance de vérification ? Quel est son objectif ?

2. Expliquez brièvement ce que sont les écritures de régularisation. Décrivez quatre types d'écritures de régularisation et donnez un exemple de chacun.

3. Qu'est-ce qu'un compte de sens contraire ? Donnez un exemple.

4. Décrivez la relation des états financiers entre eux.

5. Quelle est l'équation correspondant à chacun des états suivants : a) l'état des résultats, b) le bilan, c) l'état des flux de trésorerie et d) l'état des capitaux propres ?

6. Expliquez l'effet des écritures de régularisation sur la caisse.

7. Comment calcule-t-on le résultat par action et comment l'interprète-t-on ?

8. Comment calcule-t-on le pourcentage de la marge bénéficiaire nette et comment l'interprète-t-on ?

9. Comparez une balance de vérification non régularisée et une balance de vérification régularisée. Quel est l'objectif de chacune ?

10. Quel est l'objectif des écritures de clôture ?

11. Établissez la différence entre les comptes de bilan et les comptes temporaires.

12. Pourquoi les comptes de l'état des résultats sont-ils clôturés, mais non ceux du bilan ?

13. Qu'est-ce qu'une balance de vérification après clôture ? Constitue-t-elle une partie utile du cycle comptable ? Expliquez votre réponse.

Questions à choix multiples

1. Parmi les comptes suivants, lequel n'apparaîtra pas dans une écriture de clôture ?
   a) Revenu d'intérêts.
   b) Amortissement cumulé.
   c) Bénéfices non répartis.
   d) Salaires.

2. Parmi les comptes suivants, lequel est le moins susceptible d'apparaître dans une écriture de régularisation ?
   a) Caisse.
   b) Intérêts à recevoir.
   c) Charges payées d'avance.
   d) Salaires à payer.

3. Quand un promoteur vend des billets deux mois avant la date du spectacle, quel compte sera touché ?
   a) Charges payées d'avance.
   b) Revenus à recevoir.
   c) Charges à payer.
   d) Produits perçus d'avance.

4. À la fin de l'exercice financier, une écriture de régularisation est enregistrée pour convertir une partie des produits perçus d'avance en produits gagnés. Combien de comptes du bilan seront touchés par cette écriture ?
   a) Aucun.
   b) Un.
   c) Deux.
   d) Trois.

5. Quel effet aura l'absence d'une écriture de régularisation pour enregistrer la charge salariale engagée à la fin de l'exercice ?
   a) Une surévaluation de l'actif et des capitaux propres.
   b) Une surévaluation de l'actif et du passif.
   c) Une sous-évaluation des charges, du passif et des capitaux propres.
   d) Une sous-évaluation des charges, du passif et une surévaluation des capitaux propres.

6. Complétez l'énoncé. Une balance de vérification régularisée :
   a) montre les soldes débiteurs et créditeurs des comptes avant l'enregistrement des écritures de régularisation.
   b) est préparée après l'enregistrement des écritures de clôture.
   c) est un outil qu'utilisent les analystes financiers pour évaluer la performance des entreprises publiques.
   d) montre les soldes débiteurs et créditeurs des comptes après l'enregistrement des écritures de régularisation.

7. Parmi les énoncés suivants au sujet de l'amortissement, lequel est faux ?
   a) Puisque la valeur d'un bâtiment diminue avec le temps, il faut le déprécier.
   b) L'amortissement est une charge estimative pour répartir le coût d'un bâtiment sur sa durée de vie utile.
   c) L'amortissement réduit les capitaux propres.
   d) L'amortissement réduit la valeur comptable nette de l'actif.

8. Dans une balance de vérification, de quelles colonnes se sert-on pour dresser l'état des résultats ?
   a) La balance de vérification non régularisée.
   b) Les écritures de régularisation.
   c) La balance de vérification régularisée.
   d) La balance de vérification après la clôture des comptes.

9. Quel ratio les entreprises doivent obligatoirement divulguer dans les états financiers ?
   a) Le taux d'adéquation du capital.
   b) Le pourcentage de la marge bénéficiaire nette.
   c) Le taux de rotation de l'actif total.
   d) Le résultat par action.

10. Si une entreprise réussit à réduire ses frais d'exploitation tout en maintenant son chiffre d'affaires, quel sera l'effet sur le pourcentage de la marge bénéficiaire nette ?
    a) Le pourcentage ne changera pas.
    b) Le pourcentage augmentera.
    c) Le pourcentage diminuera.
    d) a) ou c)

M4-1   L'établissement d'une balance de vérification   ■ OA1

Le grand livre de la société Leblanc présentait les comptes régularisés suivants au 30 juin 2008 :

Fournisseurs	200	Amortissement	110	Dette à long terme	1 300
Clients	350	Impôts sur les bénéfices	110	Charges payées d'avance	40
Charges à payer	150	Impôts à payer	30	Salaires	660
Amortissement cumulé	250	Charge d'intérêts	80	Ventes	2 400
Bâtiments et matériel	1 400	Revenus d'intérêts	50	Frais de location	400
Caisse	120	Stocks	610	Bénéfices non répartis	120
Capital social	300	Terrain	200	Produits perçus d'avance	100
Coût des marchandises vendues	820				

Travail à faire

Établissez une balance de vérification régularisée selon le format approprié pour la société Leblanc au 30 juin 2008.

M4-2   L'association de définitions et de termes   ■ OA2

Associez chacune des définitions avec le terme correspondant. Inscrivez la lettre appropriée dans l'espace prévu.

	Définition		Terme
_____ 1.	Produits non encore gagnés mais déjà encaissés	A.	Charge à payer
		B.	Charge payée d'avance
_____ 2.	Fournitures de bureau en magasin à utiliser au cours du prochain exercice	C.	Produit à recevoir
		D.	Produit perçu d'avance
_____ 3.	Revenus de location encaissés, non encore gagnés		
_____ 4.	Loyer non encore recouvré, déjà gagné		
_____ 5.	Charge engagée, non encore payée		
_____ 6.	Charge non encore engagée mais déjà payée		
_____ 7.	Impôts fonciers engagés, non encore payés		
_____ 8.	Produit gagné, non encore encaissé		

M4-3   L'association de définitions et de termes   ■ OA2

Associez chacune des définitions avec le terme correspondant. Inscrivez la lettre appropriée dans l'espace prévu.

	Définition		Terme
_____ 1.	À la fin de l'exercice, des salaires gagnés par les employés au montant de 3 600 $ n'avaient pas encore été comptabilisés et payés.	A.	Charge à payer
		B.	Charge payée d'avance
		C.	Produit à recevoir
		D.	Produit perçu d'avance
_____ 2.	Des fournitures de bureau d'une valeur de 500 $ avaient été achetées durant l'exercice. À la fin de l'exercice, des fournitures d'une valeur de 100 $ n'avaient pas encore été utilisées.		
_____ 3.	Des intérêts de 250 $ sur un effet à recevoir étaient gagnés à la fin de l'exercice, bien que le recouvrement des intérêts ne soit pas exigible avant le prochain exercice.		
_____ 4.	À la fin de l'exercice, une somme de 2 000 $ avait été encaissée pour des services non encore rendus.		

M4-4 La passation d'écritures de régularisation

Pour chacune des opérations suivantes de la société Linéaire, passez l'écriture de régularisation nécessaire pour l'exercice terminé le 31 décembre 2008 en utilisant la marche à suivre décrite dans le chapitre.

a) Encaissement d'un loyer de 900 $ pour la période allant du 1er décembre 2008 au 1er mars 2009, qui a été crédité au compte Produits perçus d'avance le 1er décembre 2008.

b) Paiement d'un montant de 3 600 $ pour une prime d'assurance de deux ans à partir du 1er juillet 2008 ; le compte Charges payées d'avance a été débité de ce montant.

c) Achat au comptant d'une machine d'une valeur de 32 000 $ le 1er janvier 2006. La société évalue la charge annuelle d'amortissement à 3 000 $.

M4-5 L'effet des écritures de régularisation sur les états financiers

Pour chacune des opérations de l'exercice M4-4, indiquez le montant et l'effet des écritures de régularisation sur les postes du bilan et de l'état des résultats. (Inscrivez + pour une augmentation et − pour une diminution. S'il n'y a aucun effet, écrivez AE.)

Opérations	Bilan			État des résultats		
	Actif	Passif	Capitaux propres	Produits	Charges	Bénéfice net
a)						
b)						
c)						

M4-6 La passation d'écritures de régularisation

Pour chacune des opérations suivantes de la société Linéaire, passez l'écriture de régularisation nécessaire pour l'exercice terminé le 31 décembre 2008 en utilisant la marche à suivre décrite dans le chapitre.

a) Réception d'une facture d'un montant de 320 $ pour l'électricité consommée en décembre. Cette facture sera payée en janvier 2009.

b) Salaires à payer à 10 employés qui ont travaillé trois jours pour un montant de 150 $ par jour à la fin du mois de décembre. L'entreprise paiera les employés à la fin de la première semaine de janvier 2009.

c) Le 1er septembre 2008, l'entreprise a prêté 5 000 $ à un cadre qui remboursera ce prêt dans un an avec un taux d'intérêt annuel de 6 %.

M4-7 L'effet des écritures de régularisation sur les états financiers

Pour chacune des opérations de l'exercice M4-6, indiquez le montant et l'effet des écritures de régularisation sur les postes du bilan et de l'état des résultats. (Inscrivez + pour une augmentation et − pour une diminution. S'il n'y a aucun effet, écrivez AE).

Opérations	Bilan			État des résultats		
	Actif	Passif	Capitaux propres	Produits	Charges	Bénéfice net
a)						
b)						
c)						

M4-8 L'établissement d'un état des résultats

La balance de vérification régularisée de la société Verticale au 31 décembre 2008 apparaît ci-dessous. Aucun dividende n'a été déclaré. Cependant, 400 actions supplémentaires ont été émises au cours de l'exercice, et ce, pour un montant de 2 000 $.

	Débit	Crédit
Caisse	1 500 $	
Clients	2 000	
Intérêts à recevoir	120	
Charges payées d'avance	1 800	
Effets à recevoir à long terme	3 000	
Matériel	12 000	
Amortissement cumulé		2 000 $
Fournisseurs		1 600
Charges à payer		3 820
Impôts à payer		2 900
Produits perçus d'avance		600
Actions ordinaires (500 actions)		2 400
Bénéfices non répartis		1 000
Ventes		42 000
Revenus d'intérêts		120
Revenus de location		300
Salaires	21 600	
Amortissement	2 000	
Services publics	220	
Assurances	600	
Loyer	9 000	
Impôts sur les bénéfices	2 900	
TOTAL	56 740 $	56 740 $

Travail à faire

Dressez l'état des résultats pour l'exercice terminé le 31 décembre 2008. Calculez le résultat par action.

M4-9 L'établissement d'un état des capitaux propres

Reportez-vous à l'exercice M4-8. Dressez un état des capitaux propres pour l'exercice terminé le 31 décembre 2008.

M4-10 L'établissement d'un bilan

Reportez-vous à l'exercice M4-8.
1. Dressez un bilan au 31 décembre 2008.
2. Expliquez de quelle manière les régularisations effectuées aux exercices M4-4 et M4-6 influent sur les activités d'exploitation, d'investissement et de financement de l'état des flux de trésorerie.

M4-11 L'analyse du pourcentage de la marge bénéficiaire nette

Calculez le bénéfice net en vous basant sur la balance de vérification de l'exercice M4-8. Calculez le pourcentage de la marge bénéficiaire nette de la société Verticale.

M4-12 La passation des écritures de clôture

Reportez-vous à la balance de vérification régularisée de l'exercice M4-8 et passez les écritures de clôture nécessaires au 31 décembre 2008.

Exercices

E4-1   **L'établissement d'une balance de vérification**

La société Mada Marketing offre des services de recherche en marketing aux entreprises du secteur de la vente au détail. Voici les soldes des comptes avant régularisations de la société en date du 30 septembre 2007.

Amortissement cumulé	Charges à payer
18 100	25 650

Caisse	Frais généraux et d'administration	Stock de fournitures
163 000	320 050	12 200

Salaires	Charges payées d'avance	Charge d'intérêts
1 590 000	10 200	17 200

Clients	Honoraires gagnés	Bénéfices non répartis
225 400	2 564 200	?

Impôts à payer	Frais de déplacement	Bâtiments et matériel
2 030	23 990	323 040

Services publics	Gain sur la vente d'un terrain	Honoraires perçus d'avance
25 230	5 000	32 500

Revenus de placements	Fournisseurs	Terrain
10 800	86 830	60 000

Autres frais d'exploitation	Actions ordinaires	Frais de développement
188 000	223 370	18 600

Effets à payer	Frais de location (pour les ordinateurs)	Placements
160 000	152 080	145 000

Travail à faire

Dressez une balance de vérification non régularisée pour la société Mada Marketing en date du 30 septembre 2007.

Hewlett Packard Company ◆

E4-2   **La balance de vérification non régularisée**

Hewlett Packard est une société qui évolue dans le secteur des technologies de l'information. Elle conçoit et distribue du matériel, des logiciels, des solutions et des services aux consommateurs et aux entreprises. Vous trouverez ci-dessous une balance de vérification où sont énumérés les comptes de la société. Supposez que ces comptes n'ont pas été régularisés à la fin d'un exercice récent qui s'est terminé le 31 octobre.

Hewlett Packard Company
Balance de vérification non régularisée
au 31 octobre
(en millions de dollars)

	Débit	Crédit
Caisse	14 200 $	
Placements à court terme	400	
Clients	11 900	
Stocks	6 000	
Autres actifs à court terme	8 500	
Immobilisations	13 300	
Amortissement cumulé		6 800 $
Actifs incorporels	16 300	
Autres actifs	10 900	
Effets à payer à court terme		1 000
Fournisseurs		9 300
Charges à payer		11 000
Produits perçus d'avance		3 700
Impôts à payer		1 600
Dette à long terme		6 500
Autres passifs		3 800
Capital social		24 600
Bénéfices non répartis		10 700
Ventes de marchandises		58 900
Produits tirés des services		13 700
Revenus d'intérêts		500
Coût des marchandises vendues	43 700	
Coût des services rendus	10 000	
Charge d'intérêts	200	
Frais généraux, de vente et d'administration	11 000	
Frais de recherche et développement	3 700	
Autres frais d'exploitation	1 600	
Perte sur vente de placements	100	
Impôts sur les bénéfices	300	
	152 100 $	152 100 $

Travail à faire

1. En vous basant sur les informations trouvées dans la balance de vérification non régularisée, énumérez les comptes du bilan qui devront possiblement être ajustés au 31 octobre et les comptes correspondant à l'état des résultats (aucun calcul n'est requis).

2. En vous basant sur les informations trouvées dans la balance de vérification non régularisée, énumérez les comptes du bilan qui devront possiblement être constatés par régularisation au 31 octobre et les comptes correspondant à l'état des résultats (aucun calcul n'est requis).

3. Quels comptes devront être clôturés à la fin de l'exercice ? Expliquez votre réponse.

E4-3 **La passation d'écritures de régularisation**

La première année d'exploitation de la société Evans s'est terminée le 31 décembre 2008. Toutes les écritures de l'exercice 2008 ont été passées, sauf les écritures suivantes :

a) À la fin de l'exercice, les employés ont gagné des salaires pour un montant de 6 000 $ qui leur seront versés à la prochaine paie, le 6 janvier 2009.

b) À la fin de l'exercice, l'entreprise a gagné 3 000 $ en intérêts. Elle recevra cet argent le 1er mars 2009.

Travail à faire

1. Quel est l'exercice financier de cette entreprise ?
2. Pour chaque opération, passez l'écriture de régularisation nécessaire. Pour chaque écriture, indiquez les dates et rédigez une brève explication.
3. Pourquoi a-t-on effectué ces régularisations ?

E4-4 **La passation d'écritures de régularisation**

La comptable de la société Chiasson passe des écritures de régularisation pour l'exercice qui s'est terminé le 31 décembre 2008. Lorsqu'elle recueillait des informations à ce sujet, elle a appris ce qui suit.

a) La société a payé une somme de 7 800 $ pour une prime d'assurance de deux ans commençant le 1er septembre 2008.

b) Le 31 décembre 2008, dans les livres et les autres documents de l'entreprise, elle a trouvé les données suivantes relatives aux fournitures :

Fournitures en magasin le 1er janvier 2008	14 000 $
Achat de fournitures au cours de l'exercice 2008	72 000
Fournitures en magasin selon l'inventaire, au 31 décembre 2008	11 000 $

Travail à faire

1. Quels montants devraient apparaître à l'état des résultats de l'exercice 2008 pour les comptes Assurances et Fournitures ?
2. Quels montants devraient être inscrits dans les comptes Charges payées d'avance et Stock de fournitures dans le bilan au 31 décembre 2008 ?
3. En vous basant sur la marche à suivre décrite dans ce chapitre, passez l'écriture de régularisation au 31 décembre 2008 pour ajuster les comptes liés aux assurances. Supposez que la prime a été payée le 1er septembre 2008 et que le commis-comptable a débité la totalité du montant dans le compte Charges payées d'avance.
4. En vous basant sur la marche à suivre décrite dans ce chapitre, passez l'écriture de régularisation au 31 décembre 2008 pour ajuster les comptes liés aux fournitures. Supposez que les achats des fournitures ont été débités au compte Stock de fournitures.

E4-5 **L'effet des écritures de régularisation sur les états financiers**

Reportez-vous aux exercices E4-3 et E4-4.

Travail à faire

Pour chacune des opérations effectuées aux exercices E4-3 et E4-4, indiquez le montant et l'effet des écritures de régularisation sur les postes du bilan et de l'état des résultats. Remplissez le tableau ci-dessous. (Inscrivez + pour une augmentation et − pour une diminution. S'il n'y a aucun effet, écrivez AE.)

	Bilan			État des résultats		
Opérations	Actif	Passif	Capitaux propres	Produits	Charges	Bénéfice net
E4-3 a)						
E4-3 b)						
E4-4 a)						
E4-4 b)						

E4-6 **La passation d'écritures de régularisation**

Le magasin Véronique termine son exercice financier le 31 décembre 2008. Les opérations effectuées au cours de l'exercice 2008 ont été passées dans le journal général et reportées dans les comptes du grand livre. En ce qui concerne les écritures de régularisation, les données suivantes sont disponibles.

a) Le compte Stock de fournitures de bureau au 1er janvier 2008 était de 350 $. Les fournitures de bureau achetées et débitées au compte Stock de fournitures de bureau pendant l'exercice s'élevaient à 800 $. Les fournitures en magasin à la fin de l'exercice s'élevaient à 300 $.

b) Les salaires gagnés au cours du mois de décembre 2008, non payés et non inscrits le 31 décembre 2008, s'élevaient à 3 700 $. La dernière paie a été effectuée le 28 décembre, et la prochaine aura lieu le 6 janvier 2009.

c) Les trois quarts du sous-sol du magasin sont loués à un autre commerçant, Marc Rondeau, pour 1 500 $ par mois. Marc Rondeau vend des produits compatibles avec ceux des magasins Véronique mais non concurrents. Le 1er novembre 2008, le magasin Véronique a reçu de Marc Rondeau une avance de six mois de loyer de 9 000 $. La totalité de la somme a été créditée au compte Produits perçus d'avance.

d) Le reste du sous-sol est loué à la boutique Rita pour 820 $ par mois, payables chaque mois. Le 31 décembre 2008, les loyers de novembre et de décembre 2008 n'avaient été ni perçus ni inscrits. Le paiement est prévu pour le 10 janvier 2009.

e) Le magasin utilise du matériel de livraison d'une valeur de 30 000 $. On estime la charge d'amortissement à 5 000 $ pour l'exercice 2008.

f) Le 1er juillet 2008, une prime d'assurance de deux ans s'élevant à 4 200 $ a été payée au comptant et débitée en totalité au compte Charges payées d'avance. L'assurance en question a pris effet le 1er juillet 2008.

g) Le magasin Véronique dispose d'un atelier de réparation pour ses propres besoins. Cet atelier dépanne également Marc Rondeau. Le 31 décembre 2008, ce dernier devait 750 $ à l'atelier. Cette somme n'a toujours pas été inscrite dans le compte Produits tirés de l'atelier de réparation. Marc Rondeau devrait payer sa dette au cours du mois de janvier 2009.

Travail à faire

1. Pour chaque opération, indiquez s'il s'agit d'un produit reporté ou d'une charge reportée, ou d'un produit constaté par régularisation ou d'une charge constatée par régularisation.

2. En vous basant sur la marche à suivre décrite dans ce chapitre, pour chaque situation, passez l'écriture de régularisation nécessaire au 31 décembre 2008.

E4-7 **La passation d'écritures de régularisation**

La société Au Fil de l'eau termine son exercice financier le 30 novembre 2008. Les opérations effectuées au cours de l'exercice 2008 ont été passées dans le journal général et reportées dans les comptes du grand livre. En ce qui concerne les écritures de régularisation, les données suivantes sont disponibles:

a) La société a rangé pour l'hiver (nettoyé et enveloppé) trois bateaux à la fin du mois de novembre. Toutefois, elle a facturé ses clients pour un montant de 2 100 $ en décembre seulement.

b) La famille Bédard a versé 2 400 $ le 1er novembre 2008 à la société pour entreposer leur voilier jusqu'au 1er mai 2009. La totalité de la somme a été créditée au compte Produits perçus d'avance.

c) Les salaires gagnés au cours du mois de novembre 2008, non payés et non inscrits le 30 novembre 2008, s'élevaient à 2 900 $. La prochaine paie aura lieu le 5 décembre 2008.

d) Le 1er octobre 2008, la société a payé 600 $ pour une publicité dans le journal local pour 12 semaines; elle a débité le compte Charges payées d'avance pour la totalité de la somme. À la fin du mois de novembre, il reste encore trois semaines de parution.

e) La société utilise de l'équipement pour manipuler les bateaux qui a coûté 230 000 $. On estime la charge d'amortissement pour le dernier exercice à 23 000 $.

f) Le compte Stock de fournitures au 1er décembre 2007 était de 15 600 $. Les fournitures achetées et débitées à ce compte pendant l'exercice s'élevaient à 47 500 $. Les fournitures en main à la fin de l'exercice s'élevaient à 12 200 $.

g) Le 1er avril 2008, la société a emprunté une somme de 150 000 $ à un taux d'intérêt annuel de 5 % pour agrandir son entrepôt. La société doit payer les intérêts chaque trimestre. Elle a déjà versé les intérêts le 1er juillet et le 1er octobre.

Travail à faire

1. Pour chaque opération, indiquez s'il s'agit d'un produit reporté ou d'une charge reportée, ou d'un produit constaté par régularisation ou d'une charge constatée par régularisation.

2. En vous basant sur la marche à suivre décrite dans ce chapitre, pour chaque situation, passez l'écriture de régularisation nécessaire au 30 novembre 2008.

OA2

E4-8   L'effet des écritures de régularisation sur les états financiers

Reportez-vous à l'exercice E4-6.

Travail à faire

Pour chacune des opérations effectuées à l'exercice E4-6, indiquez le montant et l'effet des écritures de régularisation sur les postes du bilan et de l'état des résultats. Remplissez le tableau ci-dessous. (Inscrivez + pour une augmentation et − pour une diminution. S'il n'y a aucun effet, écrivez AE.)

	Bilan			État des résultats		
Opérations	Actif	Passif	Capitaux propres	Produits	Charges	Bénéfice net
a)						
b)						
c)						
etc.						

OA2

E4-9   L'effet des écritures de régularisation sur les états financiers

Reportez-vous à l'exercice E4-7.

Travail à faire

Pour chacune des opérations effectuées à l'exercice E4-7, indiquez le montant et l'effet des écritures de régularisation sur les postes du bilan et de l'état des résultats. Remplissez le tableau ci-dessous. (Inscrivez + pour une augmentation et − pour une diminution. S'il n'y a aucun effet, écrivez AE.)

	Bilan			État des résultats		
Opérations	Actif	Passif	Capitaux propres	Produits	Charges	Bénéfice net
a)						
b)						
c)						
etc.						

OA2
OA5

E4-10   La passation d'écritures de régularisation et d'écritures de clôture

La société Cuisine Robert utilise les comptes suivants :

Code	Compte	Code	Compte
A	Caisse	J	Actions ordinaires
B	Stock de fournitures de bureau	K	Bénéfices non répartis
C	Clients	L	Services rendus
D	Matériel de bureau	M	Revenus d'intérêts
E	Amortissement cumulé	N	Salaires
F	Effets à payer	O	Amortissement
G	Salaires à payer	P	Charge d'intérêts
H	Intérêts à payer	Q	Fournitures
I	Produits perçus d'avance	R	Sommaire des résultats

Travail à faire

Pour chacune des neuf situations indépendantes décrites ci-dessous, passez une écriture de journal en utilisant le ou les codes et le ou les montants appropriés.

Situations indépendantes		Débit		Crédit	
		Code	Montant	Code	Montant
a)	Salaires gagnés par les employés, non inscrits et non payés à la fin de l'exercice, 400 $ (exemple).	N	400	G	400
b)	Services encaissés, mais non encore rendus, 800 $.				
c)	Dividendes déclarés et payés pendant l'exercice, 900 $.				
d)	Amortissement de l'exercice, 1 000 $.				
e)	Services gagnés, mais non encore perçus en fin d'exercice, 600 $.				
f)	Stock de fournitures de bureau en début d'exercice, 400 $; stock de fournitures de bureau à la fin de l'exercice, 150 $.				
g)	À la fin de l'exercice, intérêts sur effets à payer non encore inscrits ou payés, 220 $.				
h)	Solde du compte Services rendus à la fin de l'exercice, 62 000 $; passez l'écriture de clôture en fin d'exercice.				
i)	Solde du compte Charge d'intérêts à la fin de l'exercice, 420 $; passez l'écriture de clôture en fin d'exercice.				

E4-11   L'effet des écritures de régularisation sur les états financiers

La société Montréal Cité a commencé ses activités le 1er janvier 2008. Nous sommes aujourd'hui le 31 décembre 2008, c'est-à-dire à la fin de l'exercice. Le commis-comptable qui y travaille à temps partiel a besoin de votre aide pour analyser les trois opérations suivantes :

a) Le 1er janvier 2008, la société a acheté une machine spéciale qu'elle a payée 12 000 $ en espèces. On a estimé la charge d'amortissement à 1 200 $ par année.

b) Au cours de l'exercice 2008, la société a acheté des fournitures de bureau coûtant 1 400 $. En fin d'exercice, il restait pour 400 $ de fournitures de bureau en magasin.

c) Le 1er juillet 2008, la société a payé 400 $ au comptant une prime d'assurance de deux ans pour la machine spéciale. La couverture de l'assurance a pris effet le 1er juillet.

Travail à faire

Remplissez le tableau ci-dessous en inscrivant les montants appropriés.

Comptes de bilan au 31 décembre 2008	Montant à inscrire
Actif	
Matériel	_____ $
Amortissement cumulé	_____
Valeur comptable nette du matériel	_____
Stock de fournitures de bureau	_____
Assurances payées d'avance	_____
Comptes de l'état des résultats pour l'exercice terminé le 31 décembre 2008	
Charges	
Amortissement	_____ $
Fournitures de bureau	_____
Assurances	_____

E4-12 **L'effet des écritures de régularisation sur les états financiers**

Opération 1: Le 1er avril 2008, l'entreprise Brières et Filles a reçu d'un client, en règlement d'une créance, un effet de 20 000$ portant intérêt au taux de 6%. Selon les modalités du contrat, le capital et les intérêts sont payables dans un an. L'exercice de Brières et Filles se termine le 31 décembre 2008.

Opération 2: Le 1er août 2008, pour pallier un découvert de trésorerie, Brières et Filles a obtenu un prêt bancaire de 20 000$ à un taux d'intérêt de 5%. Le capital et les intérêts sont payables dans six mois.

Travail à faire

Pour chaque date mentionnée, indiquez le montant et l'effet des opérations sur les postes du bilan et de l'état des résultats. Remplissez le tableau ci-dessous. (Inscrivez + pour une augmentation et − pour une diminution. S'il n'y a aucun effet, écrivez AE.)

	Bilan			État des résultats		
Date	Actif	Passif	Capitaux propres	Produits	Charges	Bénéfice net
Opération 1: 01-04-2008						
31-12-2008						
31-03-2009						
Opération 2: 01-08-2008						
31-12-2008						
31-01-2009						

E4-13 **La déduction des opérations**

Un de vos amis vous demande de l'aider à bien comprendre les différentes opérations pouvant toucher certains comptes de passif. Il vous communique les informations suivantes:

Impôts à payer				Dividendes à payer				Intérêts à payer			
		71	Solde au début			43	Solde au début			45	Solde au début
a)	?	332	b)	c)	?	176	d)	e)	297	?	f)
		80	Solde à la fin			48	Solde à la fin			51	Solde à la fin

Travail à faire

1. Déterminez la nature de chaque opération de a) à f). En somme, quelles activités font augmenter ou diminuer ces comptes?
2. Calculez les chiffres manquants pour les opérations a), c) et f).

E4-14 **L'effet des erreurs sur les états financiers**

La société Neville publie des livres sur le cinéma et la chanson. Voici la liste des erreurs commises qui ont été retracées lors de la régularisation de ses comptes à la fin de l'exercice (le 31 décembre).

a) On estime l'amortissement du matériel, dont le coût est de 130 000$, à 12 000$. L'amortissement n'a pas été comptabilisé.

b) On a omis de régulariser le compte Produits perçus d'avance pour refléter un montant de 2 000$ gagné à la fin de l'exercice.

c) On a comptabilisé une année complète d'intérêts sur un effet à payer de 15 000$ à un taux d'intérêt de 8%. Ce dernier a été signé le 1er novembre.

d) On a omis de régulariser le compte Assurances payées d'avance pour refléter qu'un montant de 600$ représente la prime d'assurance utilisée en décembre.

e) On n'a pas enregistré le loyer de 850$ dû par la société Boudo, qui loue une partie du bâtiment de la société Neville.

Travail à faire

1. Pour chaque erreur, le cas échéant, rédigez l'écriture de régularisation qui a été passée, s'il y a lieu et qui aurait dû être passée à la fin de l'exercice.

2. Remplissez le tableau ci-dessous en indiquant le montant et l'effet de chaque erreur, c'est-à-dire la différence entre l'écriture qui a été ou non passée et l'écriture qui aurait dû être passée. (Inscrivez SU si l'effet surévalue le poste, SO si l'effet sous-évalue le poste et AE pour aucun effet.)

	Bilan			État des résultats		
Opérations	Actif	Passif	Capitaux propres	Produits	Charges	Bénéfice net
a)						
b)						
c)						
etc.						

E4-15 L'effet des écritures de régularisation sur l'état des résultats et le bilan ☐ OA2

Le 31 décembre 2008, la société Ferland a dressé un état des résultats et un bilan, mais elle a omis quatre écritures de régularisation. Établi à partir de ces données incorrectes, l'état des résultats présentait un bénéfice avant impôts de 40 000 $. Le bilan (avant l'effet des impôts) reflétait un actif total de 80 000 $, un passif de 30 000 $ et des capitaux propres de 50 000 $. Vous trouverez ci-dessous les données relatives aux quatre écritures de régularisation.

a) La charge d'amortissement de 9 000 $ sur le matériel dont le coût est de 85 000 $ n'a pas été enregistrée.

b) Des salaires totalisant 17 000 $ pour les trois derniers jours de décembre 2008 n'ont été ni payés ni inscrits (la prochaine paie sera effectuée le 10 janvier 2009).

c) Des revenus de location de 4 800 $ pour des bureaux loués du 1er décembre 2008 au 28 février 2009 ont été perçus le 1er décembre 2008. La totalité de cette somme, soit 4 800 $, a été créditée au compte Produits perçus d'avance.

d) Les impôts n'ont pas été inscrits. Le taux pour cette société est de 22 %.

Travail à faire

Remplissez le tableau ci-dessous pour corriger les quatre erreurs commises (indiquez les déductions entre parenthèses).

Comptes	Bénéfice net	Total de l'actif	Total du passif	Capitaux propres
Soldes reportés	40 000 $	80 000 $	30 000 $	50 000 $
Effet de l'amortissement	_____	_____	_____	_____
Effet des salaires	_____	_____	_____	_____
Effet des revenus de location	_____	_____	_____	_____
Soldes régularisés	_____	_____	_____	_____
Effet des impôts	_____	_____	_____	_____
Soldes corrigés	_____	_____	_____	_____

E4-16 La passation d'écritures de régularisation et l'établissement d'un état des résultats et d'un bilan ☐ OA2 ☐ OA3

Le 31 décembre 2009, la commis-comptable de la société Médor a dressé l'état des résultats et le bilan suivants, mais elle a négligé de considérer trois écritures de régularisation.

	Montant inscrit	Effet des écritures de régularisation	Montants corrigés
État des résultats			
Revenus	98 000 $	_____	_____
Charges	(72 000)	_____	_____
Impôts sur les bénéfices	_____	_____	_____
Bénéfice net	26 000 $	_____	_____
Bilan			
Actif			
Caisse	20 000 $	_____	_____
Clients	22 000	_____	_____
Loyers à recevoir		_____	_____
Matériel	50 000	_____	_____
Amortissement cumulé	(10 000)	_____	_____
	82 000 $	_____	_____
Passif			
Fournisseurs	10 000	_____	_____
Impôts à payer		_____	_____
Capitaux propres			
Actions ordinaires	40 000	_____	_____
Bénéfices non répartis	32 000	_____	_____
	82 000 $	_____	_____

Voici quelques précisions concernant les trois écritures de régularisation :

a) L'amortissement du matériel de 5 000 $ n'a pas été inscrit pour l'exercice 2009.

b) Les revenus de location de 2 000 $ gagnés en décembre 2009 n'ont été ni perçus ni inscrits.

c) La charge d'impôts pour l'exercice 2009 n'a été ni payée ni inscrite. Elle s'élevait à 6 900 $.

Travail à faire

1. Passez les trois écritures de régularisation omises. Utilisez les comptes apparaissant à l'état des résultats et au bilan.

2. Remplissez les deux colonnes de droite dans le tableau précédent pour présenter les montants justes à l'état des résultats et au bilan.

E4-17 **L'établissement d'un état des résultats, le résultat par action et le pourcentage de la marge bénéficiaire nette**

La société Xéna inc. a terminé sa première année d'exploitation le 31 décembre 2007. Puisqu'il s'agit de la fin de l'exercice, le commis-comptable de l'entreprise a dressé l'état des résultats provisoire suivant :

État des résultats, 2007	
Revenus de location	114 000 $
Charges :	
Salaires	28 500
Frais d'entretien	12 000
Frais de gestion	9 000
Services publics	4 000
Gaz et essence	3 000
Autres charges	1 000
Total des charges	57 500
Bénéfice	56 500 $

OA2
OA3
OA4

Vous êtes une experte-comptable engagée par l'entreprise pour analyser le système comptable de la société et examiner les états financiers. Au cours de votre vérification, vous avez relevé les données suivantes :

a) Les salaires des trois derniers jours du mois de décembre, totalisant 310 $, n'ont été ni inscrits ni payés.

b) La facture de téléphone de 400 $ pour décembre 2007 n'a été ni inscrite ni payée.

c) L'amortissement des voitures de location, totalisant 23 000 $ pour l'exercice 2007, n'a pas été inscrit.

d) Les intérêts sur un effet à payer de 20 000 $ échéant dans un an à un taux d'intérêt de 6 %, daté du 1er octobre 2007, n'ont pas été inscrits. Les intérêts de 6 % doivent être payés à la date d'échéance de l'effet.

e) Le compte Produits perçus d'avance comprend un montant de 4 000 $ représentant les loyers du mois de janvier 2008.

f) Les frais d'entretien ne comprennent pas les fournitures de 1 000 $ utilisées durant l'exercice 2007.

g) La charge d'impôts s'élève à 7 000 $ et sera versée durant l'exercice 2008.

Travail à faire

1. Selon vous, pour chaque élément décrit, quelle écriture de régularisation la société Xéna devrait-elle passer au journal général au 31 décembre 2007 ? Si vous n'en voyez aucune, expliquez votre réponse.

2. Dressez un état des résultats pour l'exercice terminé le 31 décembre 2007 incluant le résultat par action. Supposez que 7 000 actions sont en circulation. Présentez vos calculs.

3. Calculez le pourcentage de la marge bénéficiaire nette en vous basant sur les informations corrigées. Qu'est-ce que ce ratio vous indique ? Si le pourcentage de la marge bénéficiaire nette moyenne de ce secteur est de 18 %, que pouvez-vous conclure à propos de la société Xéna ?

E4-18 **La passation d'écritures de régularisation et la balance de vérification régularisée** □OA1
□OA2

La société Cacouna a dressé la balance de vérification suivante à la fin de sa première année d'exploitation se terminant le 31 décembre 2007. Pour simplifier ce cas, les montants sont exprimés en milliers de dollars.

Comptes	Non régularisée		Régularisations		Régularisée	
	Débit	Crédit	Débit	Crédit	Débit	Crédit
Caisse	38					
Clients	9					
Assurances payées d'avance	6					
Machinerie	80					
Amortissement cumulé						
Fournisseurs		9				
Salaires à payer						
Impôts à payer						
Actions ordinaires (4 000 actions)		76				
Bénéfices non répartis	4					
Produits (non détaillés)		84				
Charges (non détaillées)	32					
Total	169	169				

Voici les données non inscrites au 31 décembre 2007 :

a) Assurance arrivée à échéance au 31 décembre 2007 : 5 $.

b) Amortissement pour l'exercice 2007 : 7 $.

c) Salaires à payer : 5 $.

d) Impôts sur les bénéfices : 9 $.

Travail à faire

1. Passez les écritures de régularisation au 31 décembre 2007.

2. Remplissez le tableau ci-dessus.

E4-19 **L'établissement d'un état des résultats, d'un état des capitaux propres et d'un bilan**

Reportez-vous à l'exercice E4-18.

Travail à faire

À l'aide des soldes régularisés de l'exercice E4-18, dressez l'état des résultats, l'état des capitaux propres et le bilan pour l'exercice 2007.

E4-20 **La passation des écritures de clôture**

Reportez-vous à l'exercice E4-18.

Travail à faire

1. Quelle est l'utilité de la clôture des livres à la fin de l'exercice ?
2. À l'aide des soldes régularisés de l'exercice E4-18, passez les écritures de clôture au 31 décembre 2007.
3. Préparez une balance de vérification après la clôture des comptes.

Problèmes

Dell Computer ◆ Corporation

P4-1 **L'établissement d'une balance de vérification (PS4-1)**

Dell Computer Corporation est le plus grand fabricant au monde de systèmes d'ordinateurs vendus directement aux clients. Ses produits comprennent des ordinateurs de bureau, des ordinateurs portatifs, des postes de travail, des serveurs de réseau, des produits de stockage ainsi que des périphériques et des logiciels. Voici une liste de comptes régularisés de la société et des montants inscrits. Les comptes ont des soldes débiteurs ou créditeurs normaux, et les montants sont arrondis au million de dollars près. Supposez que l'exercice se termine le 31 janvier.

Fournisseurs	2 397 $	Placements à court terme	2 661 $
Clients	2 094	Autres actifs	806
Charges à payer	1 298	Autres charges	38
Amortissement cumulé	252	Autres passifs	349
Caisse	520	Immobilisations corporelles	775
Capital social	1 781	Frais de recherche et développement	272
Coût des marchandises vendues	14 137	Bénéfices non répartis	?
Impôts sur les bénéfices	624	Ventes	18 243
Stocks	273	Frais généraux de vente et d'administration	1 788
Dette à long terme	512		

Travail à faire

Dressez une balance de vérification au 31 janvier. Comment avez-vous déterminé le montant des bénéfices non répartis ?

P4-2 **La passation d'écritures de régularisation (PS4-2)**

L'exercice de la société Médaille inc. se termine le 31 décembre. Au 31 décembre 2009, toutes les écritures de l'exercice 2009 ont été passées sauf les écritures de régularisation suivantes :

a) Le 1er septembre 2009, la société Médaille a encaissé six mois de loyer pour un espace de rangement : 7 200 $. À cette date, la société Médaille a débité le compte Caisse et crédité le compte Produits perçus d'avance de cette somme.

b) Le 31 décembre 2009, le montant des salaires des employés non encore payés s'élevait à 14 300 $. Les employés seront payés le 15 janvier 2010.

c) La société a gagné 2 000 $ pour un travail spécial qui a été terminé le 29 décembre 2009. Le montant sera encaissé au courant du mois de janvier 2010. Aucune écriture n'a été passée.

d) Le 1er octobre 2009, la société a emprunté 20 000 $ auprès d'une banque et signé un effet à un taux d'intérêt de 5 %. Le capital et les intérêts doivent être payés à la date d'échéance, le 30 septembre 2010.

e) Le 1er novembre 2009, la société a payé 6 000 $ pour une prime d'assurance d'un an sur la propriété. La couverture commence immédiatement. Le compte Caisse a été crédité, et le compte Assurances payées d'avance a été débité de cette somme.

f) Un amortissement de 1 500 $ doit être constaté pour un camion qui a été acheté le 1er juillet 2007 au prix de 12 000 $.

g) Un montant de 2 400 $ a été encaissé le 1er novembre 2009 pour des services à rendre tout au long du prochain exercice commençant le 1er novembre (le compte Produits perçus d'avance a été crédité).

h) Le 31 décembre 2009, la société a reçu de la Ville un compte d'impôts fonciers s'élevant à 400 $ pour l'exercice 2009. Cette facture doit être payée au mois de janvier 2010.

Travail à faire

1. Pour chaque opération, indiquez s'il s'agit d'un produit reporté ou d'une charge reportée, ou d'un produit constaté par régularisation ou d'une charge constatée par régularisation.

2. Pour chaque opération, passez les écritures de régularisation nécessaires au 31 décembre 2009.

P4-3   La passation d'écritures de régularisation (PS4-3)　　　　　　　　　　□OA2

La société Julie termine son exercice le 31 décembre 2008. Les données suivantes proviennent des livres et des documents de l'entreprise :

a) Le 1er juillet 2008, une prime d'assurance sur le matériel d'une durée de trois ans a été payée au prix de 1 200 $ et débitée en totalité au compte Assurances payées d'avance. La couverture prenait effet le 1er juillet.

b) Au cours de l'exercice 2008, des fournitures de bureau ont été achetées comptant pour un montant de 800 $ et débitées entièrement au compte Stock de fournitures. À la fin de l'exercice 2007, le dénombrement des fournitures en magasin (non utilisées) indiquait un montant de 200 $. Au 31 décembre 2008, le montant des fournitures en main s'élevait à 300 $.

c) Le 31 décembre 2008, le garage Jocelyn terminait des réparations sur un camion de l'entreprise pour un coût de 800 $. Ce montant n'est pas encore inscrit et sera payé au cours du mois de janvier 2009.

d) En décembre 2008, la Ville a envoyé un compte d'impôts fonciers de 1 600 $ pour l'exercice 2008. Ces impôts à payer n'ont pas encore été inscrits ; ils seront payés le 15 février 2009.

e) Le 31 décembre 2008, la société a rempli un contrat pour une entreprise située dans une autre province. La facture était de 8 000 $ payable dans les 30 jours. Aucune somme d'argent n'a été perçue pour cette opération, et aucune écriture n'a été passée.

f) Le 1er janvier 2008, la société a acheté un nouveau véhicule de remorquage au prix de 23 600 $. L'amortissement estimé à 1 100 $ n'a pas été inscrit pour l'exercice 2008.

g) Le 1er octobre 2008, la société a emprunté 10 000 $ auprès de la banque en signant un effet d'un an à un taux d'intérêt de 8 %. Le capital et les intérêts sont remboursables dans un an.

h) Le bénéfice avant régularisations et impôts était de 30 000 $. Le taux d'imposition de l'entreprise est de 22 %. Pour déterminer la charge d'impôts, calculez le bénéfice régularisé en vous basant sur les opérations a) à g).

Travail à faire

1. Pour chaque opération, indiquez s'il s'agit d'un produit reporté ou d'une charge reportée, ou d'un produit constaté par régularisation ou d'une charge constatée par régularisation.

2. Passez l'écriture de régularisation nécessaire pour tenir compte de chaque opération au 31 décembre 2008.

P4-4 **L'effet des écritures de régularisation sur les états financiers (PS4-4)**
Reportez-vous au problème P4-2.

Travail à faire
Remplissez le tableau ci-après en indiquant le montant et l'effet des écritures de régularisation. (Inscrivez + pour une augmentation et − pour une diminution. S'il n'y a aucun effet, écrivez AE.)

	Bilan			État des résultats		
Opérations	Actif	Passif	Capitaux propres	Produits	Charges	Bénéfice net
a)						
b)						
c)						
etc.						

P4-5 **L'effet des écritures de régularisation sur les états financiers (PS4-5)**
Reportez-vous au problème P4-3.

Travail à faire
Remplissez le tableau ci-après en indiquant le montant et l'effet des écritures de régularisation. (Inscrivez + pour une augmentation et − pour une diminution. S'il n'y a aucun effet, écrivez AE.)

	Bilan			État des résultats		
Opérations	Actif	Passif	Capitaux propres	Produits	Charges	Bénéfice net
a)						
b)						
c)						
etc.						

P4-6 **Le processus de régularisation des comptes**
Les informations ci-après ont été trouvées dans les livres de la société (de capitaux) Appartements de la Côte Sud à la fin de l'exercice, soit le 31 décembre 2008.

Loyers

a) Revenus de location encaissés et gagnés au cours de l'exercice 2008   512 000 $

b) Revenus de location gagnés en décembre 2008, mais non encaissés avant 2009   16 000 $

c) En décembre 2008, revenus de location encaissés mais non gagnés   12 000 $

Salaires

d) Paiement comptant des salaires de décembre 2007 en janvier 2008.   4 000 $

e) Salaires engagés et payés au cours de l'exercice 2008   62 000 $

f) Salaires gagnés par les employés au mois de décembre 2008 et qui seront payés en janvier 2009   3 000 $

g) En décembre 2008, avances en espèces aux employés pour leurs salaires de janvier 2009   1 500 $

Fournitures

h) Stock de fournitures d'entretien le 1er janvier 2008 (solde en magasin)   3 000 $

i) Fournitures d'entretien achetées au cours de l'exercice 2008   8 000 $

j) Stock de fournitures d'entretien au 31 décembre 2008   1 700 $

Travail à faire

Pour chacun des comptes ci-après, calculez le solde à la fin de l'exercice 2008, indiquez dans quel état financier chaque compte est présenté et l'effet (le sens et le montant) sur les flux de trésorerie.

Solde	État financier	Effet sur la trésorerie
1. Revenus de location		
2. Salaires		
3. Fournitures d'entretien		
4. Loyers à recevoir		
5. Sommes à recevoir des employés		
6. Stock de fournitures d'entretien		
7. Produits perçus d'avance		
8. Salaires à payer		

P4-7 **Le processus de régularisation des comptes, le résultat par action, le pourcentage de la marge bénéficiaire nette et la passation des écritures de clôture (PS4-6)**

La société Grenon termine son cycle comptable le 31 décembre 2008. Vous trouverez ci-après les soldes des comptes au 31 décembre 2008 avant et après les écritures de régularisation pour l'exercice 2008.

		Balance de vérification au 31 décembre 2008					
		Avant régularisations		Régularisations		Après régularisations	
	Comptes	Débit	Crédit	Débit	Crédit	Débit	Crédit
a)	Caisse	9 000 $				9 000 $	
b)	Clients					400	
c)	Assurances payées d'avance	600				400	
d)	Matériel	120 200				120 200	
e)	Amortissement cumulé, matériel		31 500 $				40 000 $
f)	Impôts à payer						4 700
g)	Actions ordinaires		80 000				80 000
h)	Bénéfices non répartis au 1er janvier 2008		14 000				14 000
i)	Produits tirés des services		46 400				46 400
j)	Salaires	41 700				41 700	
k)	Amortissement					8 500	
l)	Assurances					200	
m)	Impôts sur les bénéfices					4 700	
		171 500 $	171 500 $			185 100 $	185 100 $

Travail à faire

1. Comparez les chiffres indiqués dans les colonnes avant et après les écritures de régularisation pour reconstituer les écritures de régularisation effectuées au 31 décembre 2008. Expliquez chacune de ces écritures.
2. Calculez le bénéfice en vous basant sur les chiffres : a) avant les écritures de régularisation et b) après les écritures de régularisation. Quel montant du bénéfice est correct ? Expliquez votre réponse.
3. Calculez le résultat par action en supposant que 3 000 actions sont en circulation.
4. Calculez le pourcentage de la marge bénéficiaire nette. Qu'est-ce que cela vous indique au sujet de la société ?
5. Passez les écritures de clôture au 31 décembre 2008.
6. Dressez une balance de vérification après la clôture des comptes en date du 31 décembre 2008.

P4-8 **La passation des écritures de régularisation et des écritures de clôture et l'établissement d'un bilan et d'un état des résultats (PS4-7)**

Gabrielle inc. est une petite société de services. Après un long travail, un comptable externe a dressé la balance de vérification avant régularisations ci-dessous au 31 décembre 2009.

Comptes	Débit	Crédit
Caisse	60 000 $	
Clients	13 000	
Stock de fournitures	800	
Assurances payées d'avance	1 000	
Véhicules de service	20 000	
Amortissement cumulé − véhicules de service		12 000 $
Autres actifs	11 200	
Fournisseurs		3 000
Salaires à payer		
Impôts à payer		
Effets à payer (trois ans; 8 % au 31 décembre de chaque année)		20 000
Actions ordinaires (5 000 actions en circulation)		28 200
Bénéfices non répartis		7 500
Produits tirés des services		77 000
Autres charges (non détaillées, excluant les impôts)	41 700	
Impôts sur les bénéfices		
Total	147 700 $	147 700 $

Voici les données non inscrites au 31 décembre 2009 :

a) Au 31 décembre 2009, le stock de fournitures en magasin s'élevait à 300 $.

b) Le compte Assurances payées d'avance comprend une prime de 500 $ se rapportant à l'exercice 2009.

c) L'amortissement pour l'exercice 2009 est de 4 000 $.

d) Les salaires non encore payés au 31 décembre 2009 s'élèvent à 900 $.

e) La charge d'impôts à payer est de 7 350 $.

Travail à faire

1. Passez les écritures de régularisation au 31 décembre 2009.
2. Préparez un état des résultats et un bilan en tenant compte des cinq opérations décrites ci-dessus.
3. Passez les écritures de clôture au 31 décembre 2009.

P4-9 **Problème de révision : l'enregistrement des opérations (y compris les écritures de régularisation et de clôture), l'établissement des états financiers et une analyse de rendement au moyen de ratios** (*voir les chapitres 2, 3 et 4*) **(PS4-8)**

Le frère et la sœur, Louis et Dominique Jumeaux, ont entrepris leurs activités d'outilleurs-ajusteurs le 1er janvier 2007. La raison sociale de leur société est LD Outils inc. Leur exercice financier se termine le 31 décembre. Au 1er janvier 2008, la balance de vérification se présentait comme suit :

Comptes	Débit	Crédit
Caisse	3 000 $	
Clients	5 000	
Stock de fournitures	12 000	
Terrain		
Matériel	60 000	
Amortissement cumulé (matériel)		6 000 $
Autres actifs (non détaillés)	4 000	
Fournisseurs		5 000 $
Effets à payer à long terme		
Salaires à payer		
Intérêts à payer		
Impôts à payer		
Actions ordinaires (65 000 actions)		65 000
Bénéfices non répartis		8 000
Produits tirés des services		
Amortissement		
Salaires		
Fournitures		
Impôts sur les bénéfices		
Charge d'intérêts		
Autres charges (non détaillées)		
Total	84 000 $	84 000 $

Les opérations réalisées au cours de l'exercice 2008 sont décrites ci-après.
a) Signature d'un effet à payer de 10 000 $ à un taux de 12 %, daté du 1er mars 2008.
b) Achat d'un terrain pour la construction future d'un bâtiment, payé 9 000 $ en espèces.
c) Produits gagnés durant l'exercice 2008 : 160 000 $, dont 40 000 $ à crédit.
d) Émission au comptant de 3 000 actions ordinaires au coût de 1 $ par action le 1er janvier 2008.
e) Autres charges constatées pour l'exercice 2008 : 85 000 $, dont 15 000 $ à crédit.
f) Encaissement des comptes clients : 24 000 $.
g) Achat d'actifs supplémentaires : 10 000 $ en espèces (débit au compte Autres actifs).
h) Paiement des comptes fournisseurs : 13 000 $.
i) Achats à crédit de fournitures : 18 000 $.
j) Signature d'un contrat de service qui doit débuter le 1er février 2009 d'une valeur de 25 000 $.
k) Déclaration et paiement de dividendes : 17 000 $.

Les données concernant les écritures de régularisation sont les suivantes :
l) Stock de fournitures en magasin au 31 décembre 2008 : 14 000 $.
m) Amortissement du matériel : 6 000 $ pour l'exercice 2008.
n) Intérêts à payer sur les effets à payer (à calculer).
o) Salaires gagnés depuis le 24 décembre, mais non encore payés : 12 000 $.
p) Charge d'impôts de 8 000 $ à payer au début de l'exercice 2009.

Travail à faire
1. Créez des comptes en T pour chaque compte de la balance de vérification et indiquez les soldes d'ouverture.
2. Passez les écritures de journal pour enregistrer les opérations a) à k) et reportez-les dans les comptes en T.
3. Passez les écritures de régularisation l) à p) et reportez-les dans les comptes en T.
4. Dressez un état des résultats (y compris le résultat par action), un état des capitaux propres, un bilan et un état des flux de trésorerie.

5. Passez les écritures de clôture et reportez-les dans les comptes en T.
6. Dressez une balance de vérification après la clôture des comptes.
7. Calculez les ratios suivants pour l'exercice 2008 et expliquez ce que les résultats suggèrent :
   a) le taux d'adéquation du capital ;
   b) le taux de rotation de l'actif total ;
   c) le pourcentage de la marge bénéficiaire nette.

Problèmes supplémentaires

■OA1 **Starbucks Corporation ◆**

PS4-1   L'établissement d'une balance de vérification (P4-1)
Starbucks Corporation est une entreprise américaine qui achète, torréfie et vend des grains de café entiers de grande qualité. Elle offre aussi plusieurs variétés de cafés, différentes pâtisseries, des accessoires, du matériel lié au café ainsi qu'une gamme de thés de première qualité. Outre le fait qu'elle vend au détail par l'entremise de ses propres magasins, Starbucks utilise également un vaste réseau de distribution. Voici une liste simplifiée des comptes inscrits dans des états financiers récents de la société. Les comptes ont des soldes débiteurs et créditeurs normaux, et les montants sont arrondis au million de dollars près. Supposez que l'exercice se termine le 30 septembre.

Fournisseurs	56 $	Frais de vente, généraux et d'administration	90 $	Autres actifs à long terme	38 $
Clients	48	Impôts sur les bénéfices	62	Autres frais d'exploitation	51
Charges à payer	131	Charge d'intérêts	1	Charges payées d'avance	19
Amortissement cumulé	321	Revenus d'intérêts	9	Immobilisations corporelles	1 081
Caisse	66	Stocks	181	Bénéfices non répartis	?
Capital social	647	Placements à long terme	68	Dette bancaire à court terme	64
Coût des marchandises vendues	741	Dette à long terme	40	Placements à court terme	51
Amortissement	98	Ventes	1 680	Frais d'exploitation des magasins	544
		Autres actifs à court terme	21		

Travail à faire
Dressez une balance de vérification au 30 septembre. Comment avez-vous déterminé le montant des bénéfices non répartis ?

■OA2

PS4-2   La passation des écritures de régularisation (P4-2)
L'exercice de la société Camille se termine le 30 juin. Nous sommes le 30 juin 2008, et toutes les écritures de l'exercice 2008 ont été passées sauf les écritures de régularisation suivantes :
a) Le 30 mars 2008, la société Camille a payé 3 200 $ une prime d'assurance de six mois pour sa propriété. La couverture commence immédiatement. Le compte Caisse a été crédité, et le compte Assurances payées d'avance a été débité de cette somme.
b) Le 30 juin 2008, les employés avaient gagné 900 $ de salaires, mais ils n'avaient pas encore été payés. Les employés seront payés le 15 juillet 2008.
c) Le 1er juin 2008, la société a encaissé une somme de 450 $ représentant les deux prochains mois d'entretien. À cette date, la société a débité le compte Caisse et crédité le compte Produits perçus d'avance pour 450 $.
d) Un amortissement de 3 000 $ doit être constaté pour un camion de service qui a coûté 15 000 $ le 1er juillet 2007.
e) Une somme de 4 200 $ a été encaissée le 1er mai 2008 pour des services à rendre au cours des 12 prochains mois commençant le 1er mai (le compte Produits perçus d'avance a été crédité).
f) Le 1er février 2008, la société a emprunté 16 000 $ auprès d'une banque et a signé un effet à 7 % pour ce montant. Le capital et les intérêts doivent être payés à la date d'échéance, le 31 janvier 2009.
g) Le 30 juin 2008, la société a reçu de la Ville un compte d'impôts fonciers s'élevant à 500 $ pour le premier semestre de 2008. Cette facture doit être payée au cours du mois de juillet 2008.

h) La société a terminé un contrat de services d'entretien d'une valeur de 2 000 $ le 29 juin 2008. Le montant sera encaissé au mois de juillet 2008. Aucune écriture n'a été passée.

Travail à faire

1. Pour chaque opération, indiquez s'il s'agit d'un produit reporté ou d'une charge reportée, ou d'un produit constaté par régularisation ou d'une charge constatée par régularisation.
2. Pour chaque opération, passez les écritures de régularisation au 30 juin 2008.

PS4-3   La passation des écritures de régularisation (P4-3)

■ OA2

La société Traiteurs Jean-François termine son exercice financier le 31 décembre 2008. Les données suivantes proviennent des livres et des documents de l'entreprise :

a) Au cours de l'exercice 2008, des fournitures de bureau ont été achetées pour un montant de 1 200 $ en espèces et débitées entièrement au compte Stock de fournitures de bureau. Le dénombrement des fournitures encore en magasin (non utilisées) s'élevait à 350 $ au début de l'exercice et à 400 $ au 31 décembre 2008.

b) Le 31 décembre 2008, la société a offert des services de traiteur pour une soirée gala donnée en l'honneur d'une vedette de la région. La facture était de 7 500 $, payable à la fin du mois de janvier 2009. Aucun montant n'a été perçu pour cette opération, et aucune écriture n'a été passée.

c) Le 31 décembre 2008, un garage terminait des réparations sur un camion de l'entreprise pour un coût de 600 $. Ce montant n'est pas encore inscrit et sera payé au début du mois de janvier 2009.

d) Le 1er octobre 2008, une prime d'assurance sur le matériel d'une durée d'un an a été payée 1 200 $ et débitée en totalité au compte Assurances payées d'avance. La couverture prenait effet le 1er novembre.

e) En novembre 2008, la société a signé un bail pour la location d'un nouveau magasin de vente au détail ; elle a remis un acompte de 2 100 $ pour les trois premiers mois de loyer. Le bail prenait effet le 1er décembre 2008.

f) Le 1er juillet 2008, la société a acheté au comptant un nouveau comptoir d'étalage réfrigéré au prix de 18 000 $. L'amortissement de 1 600 $ n'a pas été inscrit pour l'exercice 2008.

g) Le 1er novembre 2008, la société a prêté 4 000 $ à une employée à un taux d'intérêt de 6 %. Le capital et les intérêts sont remboursables dans un an.

h) Le bénéfice avant régularisations et impôts était de 22 400 $. Le taux d'imposition de l'entreprise est de 22 %. Pour déterminer la charge d'impôts, calculez le bénéfice régularisé en vous basant sur les opérations a) à g).

Travail à faire

1. Pour chaque opération, indiquez s'il s'agit d'un produit reporté ou d'une charge reportée, ou d'un produit constaté par régularisation ou d'une charge constatée par régularisation.
2. Passez les écritures de régularisation au 31 décembre 2008.

PS4-4   L'effet des écritures de régularisation sur les états financiers (P4-4)

■ OA2

Reportez-vous au problème PS4-2.

Travail à faire

Remplissez le tableau ci-après en indiquant le montant et l'effet des écritures de régularisation. (Inscrivez + pour une augmentation et − pour une diminution. S'il n'y a aucun effet, écrivez AE.)

	Bilan			État des résultats		
Opérations	Actif	Passif	Capitaux propres	Produits	Charges	Bénéfice net
a)						
b)						
c)						
etc.						

PS4-5 L'effet des écritures de régularisation sur les états financiers (P4-5)

Reportez-vous au problème PS4-3.

Travail à faire

Remplissez le tableau ci-après en indiquant le montant et l'effet des écritures de régularisation. (Inscrivez + pour une augmentation et − pour une diminution. S'il n'y a aucun effet, écrivez AE.)

	Bilan			État des résultats		
Opérations	Actif	Passif	Capitaux propres	Produits	Charges	Bénéfice net
a)						
b)						
c)						
etc.						

PS4-6 Le processus comptable en fin d'exercice (P4-7)

La société Elian termine son cycle comptable le 31 décembre 2008. Vous trouverez ci-après le solde des comptes au 31 décembre 2008 avant et après les écritures de régularisation.

	Balance de vérification au 31 décembre 2008					
	Non régularisée		Régularisations		Régularisée	
Comptes	Débit	Crédit	Débit	Crédit	Débit	Crédit
a) Caisse	18 000 $				18 000 $	
b) Clients					1 500	
c) Loyer payé d'avance	1 200				800	
d) Immobilisations	210 000				210 000	
e) Amortissement cumulé		52 500 $				70 000 $
f) Impôts à payer						6 500
g) Produits perçus d'avance		16 000				8 000
h) Actions ordinaires		110 000				110 000
i) Bénéfices non répartis au 1er janvier 2008		21 700				21 700
j) Produits tirés des services		83 000				92 500
k) Salaires	54 000				54 000	
l) Amortissement					17 500	
m) Loyer					400	
n) Impôts sur les bénéfices					6 500	
	283 200 $	283 200 $			308 700 $	308 700 $

Travail à faire

1. Comparez les chiffres indiqués dans les colonnes avant et après les écritures de régularisation pour reconstituer les écritures de régularisation effectuées au 31 décembre 2008. Donnez une explication pour chacune.
2. Calculez le montant du bénéfice en vous basant sur les chiffres a) avant les écritures de régularisation et b) après les écritures de régularisation. Quel montant du bénéfice est juste ? Expliquez votre réponse.
3. Calculez le résultat par action en supposant que 5 000 actions sont en circulation.
4. Calculez le pourcentage de la marge bénéficiaire nette. Qu'est-ce que cela vous indique au sujet de la société ?
5. Passez les écritures de clôture au 31 décembre 2008.
6. Dressez la balance de vérification après la clôture des comptes.

PS4-7 **La passation des écritures de régularisation et des écritures de clôture et l'établissement d'un bilan et d'un état des résultats (P4-8)**

Vivaldi inc. est une petite société de services de réparation qui s'occupe elle-même de sa comptabilité. Après un long travail, un comptable externe a dressé la balance de vérification avant régularisations ci-après, au 31 décembre 2008.

Comptes	Débit	Crédit
Caisse	19 600 $	
Clients	7 000	
Stock de fournitures	1 300	
Assurances payées d'avance	900	
Véhicules de service	27 000	
Amortissement cumulé		12 000 $
Autres actifs	5 100	
Fournisseurs		2 500
Salaires à payer		
Impôts à payer		
Effets à payer (deux ans; 8% au 31 décembre de chaque année)		5 000
Actions ordinaires (4 000 actions en circulation)		16 000
Bénéfices non répartis au 31 janvier 2008		10 300
Produits tirés des services		48 000
Autres charges (non détaillées, excluant les impôts)	32 900	
Impôts sur les bénéfices		
Total	93 800 $	93 800 $

Voici les données non inscrites au 31 décembre 2008:

a) L'amortissement pour l'exercice 2008 est de 3 000 $.

b) Le compte Assurances payées d'avance comprend une prime de 450 $ se rapportant à l'exercice 2008.

c) Les salaires non encore payés au 31 décembre 2008 s'élèvent à 1 100 $.

d) Au 31 décembre 2008, le compte Stock de fournitures en magasin s'élevait à 600 $.

e) La charge d'impôts à payer est de 2 950 $.

Travail à faire

1. Passez les écritures de régularisation au 31 décembre 2008.
2. Dressez l'état des résultats et le bilan en tenant compte des cinq opérations ci-dessus.
3. Passez les écritures de clôture au 31 décembre 2008.

PS4-8 **Problème de révision: L'enregistrement des opérations (y compris les écritures de régularisation et de clôture), l'établissement des états financiers et une analyse de rendement au moyen de ratios** (*voir les chapitres 2, 3 et 4*) **(P4-9)**

Carole et Alain Plante ont commencé leurs activités de réparation de meubles (Meubles Rumeurs inc.) le 1er janvier 2007. Leur exercice financier se termine le 31 décembre. Au 1er janvier 2008, la balance de vérification se présentait comme suit:

Noms des comptes	Débit	Crédit
Caisse	5 000 $	
Clients	4 000	
Stock de fournitures	2 000	
Stock de petits outils	6 000	
Matériel		
Amortissement cumulé (matériel)		
Autres actifs (non détaillés)	9 000	
Fournisseurs		7 000 $
Effets à payer		
Salaires à payer		
Intérêts à payer		
Impôts à payer		
Produits perçus d'avance		
Actions ordinaires (15 000 actions)		15 000
Bénéfices non répartis		4 000
Produits tirés des services		
Amortissement		
Salaires		
Impôts sur les bénéfices		
Charge d'intérêts		
Autres charges (non détaillées)		
Total	26 000 $	26 000 $

Les opérations réalisées au cours de l'exercice de 2008 sont décrites ci-après.

a) Signature d'un effet à payer de 20 000 $, au taux de 10 %, daté du 1er juillet 2008.

b) Achat au comptant de matériel pour une valeur de 18 000 $, le 1er juillet 2008.

c) Émission au comptant de 5 000 actions supplémentaires au coût de 1 $ par action.

d) Produits gagnés durant l'exercice 2008 : 65 000 $, dont 9 000 $ à crédit.

e) Autres charges constatées pour l'exercice 2008 : 35 000 $, dont 7 000 $ à crédit.

f) Achat au comptant de petits outils supplémentaires : 3 000 $.

g) Encaissement des comptes clients : 8 000 $.

h) Paiement des comptes fournisseurs : 11 000 $.

i) Achat à crédit de fournitures : 10 000 $.

j) Réception d'un acompte d'un montant de 3 000 $ pour des travaux à entreprendre le 15 janvier 2009.

k) Déclaration et paiement de dividendes : 10 000 $.

Les données concernant les écritures de régularisation sont les suivantes :

l) Stock de fournitures en main le 31 décembre 2008 : 4 000 $; stock de petits outils en main au 31 décembre 2008 : 8 000 $.

m) Amortissement du matériel pour l'exercice : 2 000 $.

n) Intérêts à payer sur l'effet à payer (à calculer).

o) Salaires gagnés depuis le 24 décembre, mais non encore payés : 3 000 $.

p) Charge d'impôts de 4 000 $ à payer au début de l'exercice 2009.

Travail à faire

1. Créez des comptes en T pour chaque compte de la balance de vérification et indiquez les soldes d'ouverture.

2. Passez les écritures de journal pour enregistrer les opérations a) à k) et reportez-les dans les comptes en T.

3. Passez les écritures de régularisation l) à p) et reportez-les dans les comptes en T.

4. Dressez un état des résultats (y compris le résultat par action), un état des capitaux propres, un bilan et un état des flux de trésorerie.

5. Passez les écritures de clôture et reportez-les dans les comptes en T.

6. Dressez une balance de vérification après la clôture des comptes.
7. Calculez les ratios suivants pour l'exercice 2008 et expliquez ce que les résultats vous suggèrent :
   a) le taux d'adéquation du capital ;
   b) le taux de rotation de l'actif total ;
   c) le pourcentage de la marge bénéficiaire nette.

Cas et projets

Cas – Information financière

CP4-1 La recherche d'informations financières

Reportez-vous aux états financiers et aux notes complémentaires de la société Reitmans fournis en annexe C à la fin de ce volume.

Travail à faire

1. À combien s'élève le compte Charges payées d'avance au 28 janvier 2006 ?
2. Quelle est la différence entre un loyer payé d'avance et un loyer perçu d'avance ?
3. Est-ce que Reitmans a effectué des opérations sans effet sur la trésorerie au cours des deux derniers exercices ? Où avez-vous trouvé cette information ?
4. Quel est le montant du revenu de placement pour l'exercice 2006 ? Où avez-vous trouvé cette information ?
5. Quels comptes de l'entreprise ne figureraient pas dans une balance de vérification après clôture ?
6. Passez l'écriture de clôture, s'il y a lieu, pour le compte Charges payées d'avance.
7. Quel est le résultat par action de l'entreprise pour les deux années présentées ?
8. Calculez le pourcentage de la marge bénéficiaire nette de l'entreprise pour les deux années présentées. Que vous suggère cette tendance à propos de Reitmans ?

◈ Reitmans (Canada) limitée

☐ OA2
☐ OA3
☐ OA4
☐ OA5

CP4-2 La recherche d'informations financières

Reportez-vous aux états financiers et aux notes complémentaires de la société Le Château (*voir l'annexe B à la fin de ce volume*).

Travail à faire

1. À combien s'élève le compte Charges payées d'avance au 28 janvier 2006 ?
2. Quel est le montant d'amortissement pour le dernier exercice ?
3. Quel est le résultat par action pour les deux derniers exercices ?
4. Passez l'écriture de clôture pour le compte Intérêts créditeurs.
5. Calculez le pourcentage de la marge bénéficiaire nette de l'entreprise pour les deux derniers exercices. Que vous suggèrent ces résultats à propos de la société Le Château ?

◈ Le Château inc.

☐ OA2
☐ OA3
☐ OA4
☐ OA5

CP4-3 La comparaison d'entreprises au sein d'un même secteur d'activité

Reportez-vous aux états financiers de la société Reitmans et de la société Le Château ainsi qu'aux ratios financiers de l'industrie (*voir les annexes B, C et D à la fin de ce volume*).

Travail à faire

1. Calculez le pourcentage de la marge bénéficiaire nette de chacune des sociétés pour les deux exercices présentés. Que vous suggèrent vos résultats concernant chacune des entreprises dans le temps et l'une par rapport à l'autre ?
2. Comparez le pourcentage de la marge bénéficiaire nette des deux sociétés pour l'exercice 2006 à la moyenne de l'industrie. Que constatez-vous ?

◈ Reitmans (Canada) limitée et Le Château inc.

☐ OA2
☐ OA4

CP4-4 L'utilisation des rapports financiers : les écritures de régularisation et les écritures de clôture

Les comptes en T de la société Brigitte à la fin de sa troisième année d'exploitation, au 31 décembre 2009 (avant les écritures de clôture) sont les suivants. Les écritures de régularisation inscrites au 31 décembre 2009 sont précisées par des lettres.

☐ OA1
☐ OA2
☐ OA5

Caisse	
Solde 20 000	

Effets à payer 8 %	
	10 000 Solde

Actions ordinaires (8 000 actions)	
	56 000 Solde

Stock de fournitures d'entretien	
Solde 500	300 a)

Intérêts à payer	
	800 b)

Bénéfices non répartis	
	9 000 Solde

Matériel	
Solde 90 000	

Impôts à payer	
	13 020 f)

Prestation de services	
c) 6 000	220 000 Solde

Amortissement cumulé	
	18 000 Solde
	9 000 d)

Charges	
Solde 160 000	
a) 300	
b) 800	
d) 9 000	
e) 500	
f) 13 020	

Autres actifs	
Solde 42 500	

Produits perçus d'avance	
	6 000 c)

Salaires à payer	
	500 e)

Travail à faire

1. Dressez trois balances de vérification au 31 décembre 2009 pour la société Brigitte en respectant le format suivant :

	Balance de vérification avant régularisations		Balance de vérification après régularisations		Balance de vérification après clôture	
Comptes	Débit	Crédit	Débit	Crédit	Débit	Crédit

2. Rédigez une explication pour chacune des écritures de régularisation.
3. Passez les écritures de clôture.
4. Quel est le taux moyen d'impôts pour l'exercice 2009 ?
5. Quel est le prix d'émission moyen par action ?

■OA2 **CP4-5** **L'utilisation des rapports financiers : l'analyse des régularisations**

La société SANACO, une société de capitaux, investit dans des propriétés locatives commerciales. L'exercice de la société se termine le 31 décembre. À la fin de chacun des exercices, elle doit passer plusieurs écritures de régularisation, car bon nombre des opérations chevauchent plus d'un exercice financier. Supposez que l'exercice en cours est 2008.

Travail à faire

Vous devez analyser les quatre opérations qui sont comprises dans ce cas. Répondez aux questions pour chacune d'elles.

OPÉRATION 1 : Le 1er janvier 2006, la société a acheté du matériel de bureau coûtant 14 000 $ pour ses locaux. La société estime que l'amortissement annuel est de 1 400 $.

1. Sur combien d'exercices cette opération aura-t-elle un effet sur les états financiers de SANACO ? Expliquez votre réponse.
2. Quel est le montant de l'amortissement inscrit à l'état des résultats de l'exercice 2006 et de l'exercice 2007 ?
3. Comment doit-on présenter le matériel de bureau dans le bilan en date du 31 décembre 2008 ?
4. SANACO doit-elle passer une écriture de régularisation à la fin de chaque année durant la vie utile du matériel de bureau ? Expliquez votre réponse.

OPÉRATION 2: Le 1er septembre 2008, la société SANACO a encaissé 24 000$ de loyer pour ses propriétés. Ce montant représente le loyer pour une période de six mois allant du 1er septembre 2008 au 28 février 2009. Les comptes Produits perçus d'avance (crédit) et Caisse (débit) ont augmenté de 24 000$.

1. Sur combien d'exercices cette opération aura-t-elle un effet sur les états financiers de SANACO? Expliquez votre réponse.
2. Quel montant de revenus de location SANACO devrait-elle inscrire à l'état des résultats de l'exercice 2008? Expliquez votre réponse.
3. Cette opération a-t-elle créé un passif pour SANACO au 31 décembre 2008? Expliquez votre réponse. Si oui, quel est le montant du passif?
4. La société doit-t-elle passer une écriture de régularisation le 31 décembre 2008? Expliquez votre réponse. Si votre réponse est oui, passez l'écriture de régularisation en question.

OPÉRATION 3: Le 31 décembre 2008, SANACO devait à ses employés des salaires de 7 500$ puisque les employés ont travaillé les trois derniers jours de décembre 2008. La prochaine date de paie est le 5 janvier 2009.

1. Sur combien d'exercices cette opération aura-t-elle un effet sur les états financiers de SANACO? Expliquez votre réponse.
2. Comment ces 7 500$ influent-ils sur l'état des résultats et le bilan de SANACO pour l'exercice 2008?
3. La société doit-t-elle passer une écriture de régularisation le 31 décembre 2008? Expliquez votre réponse. Si votre réponse est oui, passez l'écriture de régularisation en question.

OPÉRATION 4: Le 1er janvier 2008, SANACO a convenu de superviser la planification et la subdivision d'un important terrain pour un client, J. Raymond. Ce contrat de service effectué par SANACO comporte quatre phases. Le 31 décembre 2008, trois phases avaient été achevées à la satisfaction de J. Raymond. La phase restante sera accomplie durant l'exercice 2009. Le prix total pour les quatre phases (convenu d'avance par les deux parties) est de 60 000$. Chaque phase comporte environ la même quantité de services. Le 31 décembre 2008, SANACO n'avait recouvré aucun argent pour les services déjà exécutés.

1. SANACO devrait-elle inscrire des produits gagnés relativement à ce contrat pour l'exercice 2008? Expliquez votre réponse. Si oui, quel montant devrait-elle inscrire?
2. Si vous répondez oui à la première question, SANACO doit-elle passer une écriture de régularisation le 31 décembre 2008? Si votre réponse est encore oui, passez l'écriture de régularisation en question. Expliquez votre réponse.
3. Quelle écriture SANACO devra-t-elle passer lorsqu'elle achèvera la dernière phase? Supposez que le montant total du contrat est recouvré à la date d'achèvement, le 15 février 2009.

CP4-6 **L'utilisation des rapports financiers: les écritures de régularisation et les écritures de clôture**

La société Rosalie a été constituée le 1er janvier 2007. À la fin de la première année d'exploitation, le 31 décembre 2007, le commis-comptable a dressé les balances de vérification suivantes (les montants sont exprimés en milliers de dollars).

Noms des comptes	Balance de vérification non régularisée		Régularisations		Balance de vérification régularisée	
	Débit	Crédit	Débit	Crédit	Débit	Crédit
Caisse	40 $				40 $	
Clients	17				17	
Assurances payées d'avance	2				1	
Loyer à recevoir					2	
Immobilisations	46				46	
Amortissement cumulé						11 $
Autres actifs	6				6	
Fournisseurs		27 $				27
Salaires à payer						3
Impôts à payer						5
Loyers perçus d'avance		7				4
Effet à payer (6 %, 1er janvier 2007)		20				20
Action ordinaire (1000 actions)		30				30
Bénéfices non répartis	3				3	
Produits (total)		98				103
Charges	68				83	
Impôts sur les bénéfices					5	
Total	182 $	182 $			203 $	203 $

Travail à faire

1. En fonction de l'examen des deux balances de vérification, essayez de reconstituer les écritures de régularisation passées par le commis-comptable au 31 décembre 2007 (donnez de brèves explications pour chacune).

2. En fonction de ces données, passez les écritures de clôture.

3. Répondez aux questions suivantes (présentez tous vos calculs):
   a) Combien d'actions étaient en circulation à la fin de l'exercice ?
   b) Quel était le montant de la charge d'intérêts inclus dans le total des charges ?
   c) Quel est le solde des Bénéfices non répartis au 31 décembre 2007 après la clôture des comptes ?
   d) Comment les deux comptes Loyers à recevoir et Loyers perçus d'avance sont-ils présentés au bilan ?
   e) Expliquez la raison pour laquelle la caisse a augmenté de 40 000 $ durant l'année même si, en comparaison, le bénéfice net était très faible.
   f) Quel est le montant du résultat par action pour l'exercice 2007 ?
   g) Quel est le prix de vente moyen des actions ?
   h) Quand la prime d'assurance a-t-elle été versée et sur quelle période la couverture s'étend-elle ?
   i) Quel est le pourcentage de la marge bénéficiaire nette pour l'exercice ?

■OA2
■OA3 **CP4-7** **L'analyse des informations financières lors de la vente d'une entreprise**

Jeanne Paradis, une massothérapeute, a décidé de vendre sa société et de prendre sa retraite. Elle a discuté avec un collègue d'une autre province, Jean Dumoulin, qui souhaite acheter son entreprise. Les discussions portent maintenant sur la détermination d'un prix. Parmi les facteurs importants, ils ont discuté des états financiers de la société de Jeanne Paradis, Clinique anti-stress Paradis. Ces états sont dressés sous ses directives par la secrétaire de Jeanne Paradis, Joanne. Chaque année, ils ont dressé un état des résultats selon la méthode de la comptabilité de caisse. Aucun bilan n'a été dressé. À sa demande, Jeanne Paradis a remis à son collègue les états suivants pour l'exercice 2010, établis par Joanne.

```
                    Clinique anti-stress Paradis
                        État des résultats
                             2010
─────────────────────────────────────────────────────────────────
Honoraires encaissés                                    1 115 000 $
Charges payées :
   Loyer                                   130 000 $
   Services publics                          43 600
   Frais de téléphone                        12 200
   Salaires du personnel                    522 000
   Fournitures de bureau                     31 900
   Frais divers                              12 400
   Total des charges                                       752 100
─────────────────────────────────────────────────────────────────
Profit pour l'année                                       362 900 $
```

Avec l'accord des deux parties, on vous a demandé d'examiner les montants pour l'exercice 2010. Le futur acheteur vous donne cette explication : « Je doute des montants présentés, car ils semblent basés à 100 % sur la méthode de la comptabilité de caisse. » Votre analyse vous révèle les données supplémentaires suivantes au 31 décembre 2010 :

a) Sur les 1 115 000 $ d'honoraires encaissés en 2010, 132 000 $ provenaient de services rendus avant l'exercice 2010.

b) À la fin de l'exercice 2010, des honoraires de 29 000 $ pour des services rendus durant l'année n'étaient pas encore encaissés.

c) Le matériel de bureau utilisé par la société avait coûté 205 000 $. L'amortissement annuel est estimé à 20 500 $.

d) Le stock de fournitures de bureau au 31 décembre 2010 s'élevait à 5 200 $ provenant d'articles achetés durant l'exercice. De plus, les livres de l'exercice 2009 indiquaient que les fournitures en magasin à la fin de l'exercice s'élevaient à environ 3 125 $.

e) À la fin de l'exercice 2010, la secrétaire, dont le salaire était de 18 000 $ par année, n'avait pas été payée pour le mois de décembre.

f) La facture de téléphone du mois de décembre 2010, d'un montant de 1 400 $, n'a pas été payée avant le 11 janvier 2011.

g) Le loyer de 130 000 $ couvrait une période de 13 mois (il incluait le loyer de janvier 2011).

Travail à faire

1. À partir de ces données, dressez un état des résultats corrigé pour l'exercice 2010. Présentez vos calculs pour tous les montants que vous modifiez. (Le format de solution suggéré comprendrait les titres de colonnes suivants : Comptes ; Comptabilité de caisse, $; Explication des modifications ; Montant corrigé, $.)

2. Rédigez un rapport pour expliquer le tableau dressé en 1. Vous devez tenter d'expliquer les raisons pour lesquelles vous avez effectué des modifications et suggérer d'autres éléments importants à considérer dans la décision relative à la détermination du prix.

Cas – Analyse critique

CP4-8 L'analyse des informations financières

☐ OA2
☐ OA3
☐ OA4

La société Merlin est en exploitation depuis le 1er janvier 2007. Nous sommes maintenant le 31 décembre 2007, la fin de l'exercice. La société n'a pas réalisé de bons résultats financiers durant l'exercice, bien que ses revenus aient été relativement élevés. Les trois actionnaires gèrent l'entreprise, mais ils ne se sont pas attardés sur la tenue des livres. En prévision d'un découvert de trésorerie important, ils font une demande d'emprunt de 20 000 $ à votre banque. Vous avez demandé un ensemble complet d'états financiers. Les états financiers annuels suivants pour l'exercice 2007 ont été dressés par une commis et vous ont ensuite été remis :

Merlin
État des résultats
pour l'exercice
terminé le 31 décembre 2007

Produits de transport	85 000 $
Charges :	
Salaires	17 000
Fournitures	12 000
Autres charges	18 000
Total des charges	47 000
Bénéfice net	38 000 $

Merlin
Bilan
au 31 décembre 2007

Actif	
Caisse	2 000 $
Clients	3 000
Stock de fournitures	6 000
Matériel	40 000
Assurances payées d'avance	4 000
Autres actifs	27 000
Total de l'actif	82 000
Passif	
Fournisseurs	9 000
Capitaux propres	
Actions ordinaires	
(10 000 actions en circulation)	35 000
Bénéfices non répartis	38 000
Total du passif et des capitaux propres	82 000 $

Après avoir examiné brièvement les états financiers et analysé la situation, vous demandez qu'on redresse les résultats en tenant compte de l'amortissement, des montants à recevoir et à payer, des stocks et des impôts. Par suite de l'examen des livres et des pièces justificatives, vous obtenez les données supplémentaires suivantes :

a) Le stock de fournitures de 6 000 $ présenté au bilan n'a pas été ajusté pour les fournitures utilisées durant l'exercice. Un dénombrement des fournitures en magasin (inutilisées), le 31 décembre 2007, révélait une valeur de 1 800 $.

b) La prime d'assurance payée durant l'exercice 2007 couvrait les exercices 2007 et 2008. Le coût de la prime d'assurance a été débité en totalité au compte Assurances payées d'avance lorsqu'elle a été réglée.

c) Le matériel a coûté 40 000 $ quand on l'a acheté le 1er janvier 2007. L'amortissement annuel estimé à 8 000 $ n'a pas été inscrit pour l'exercice 2007.

d) Les salaires impayés (et non inscrits), au 31 décembre 2007, s'élevaient à 2 200 $.

e) Au 31 décembre 2007, les produits encaissés mais non gagnés atteignaient 7 000 $. Ce montant a été crédité en totalité au compte Produits de transport quand l'argent a été reçu plus tôt en 2007.

f) La charge d'impôts est de 3 650 $.

Travail à faire

1. Passez les six écritures de régularisation requises au 31 décembre 2007, en fonction des données supplémentaires précédentes.

2. Dressez de nouveau les états financiers précédents en tenant compte des écritures de régularisation. Voici la forme suggérée pour présenter votre solution.

		Changement		
Élément	**Montant inscrit**	**Plus**	**Moins**	**Montant corrigé**

3. L'omission des écritures de régularisation a causé :

a) une surévaluation ou une sous-évaluation du bénéfice net (choisissez) de _____ $;

b) une surévaluation ou une sous-évaluation du total de l'actif (choisissez) de _____ $.

4. En utilisant les soldes avant et après régularisations, calculez ces ratios pour l'entreprise : a) le résultat par action et b) le pourcentage de la marge bénéficiaire nette. Expliquez les conséquences des régularisations sur ces ratios.

5. Écrivez une lettre à l'entreprise dans laquelle vous expliquez les résultats des régularisations effectuées, votre analyse et la décision concernant le prêt.

CP4-9 L'effet des produits perçus d'avance sur les flux de trésorerie

■OA2

Vous êtes le directeur régional des ventes de la société Nouvelles. Votre entreprise passe actuellement des écritures de régularisation pour la fin de l'exercice, fixée au 31 mars 2009. Le 1er septembre 2008, vous avez encaissé une somme de 18 000 $ pour des abonnements de trois ans à des magazines qui commencent à cette même date (le 1er septembre). Les magazines sont publiés et envoyés aux abonnés une fois par mois. Ces abonnements étaient les seuls de tout l'exercice dans votre région.

Travail à faire

1. Quel montant devez-vous inscrire à titre de flux de trésorerie liés aux activités d'exploitation à l'état des flux de trésorerie ?

2. Quel montant devez-vous inscrire à titre de produits tirés des abonnements à l'état des résultats de l'exercice 2009 ?

3. Quel montant devez-vous inscrire à titre d'abonnements perçus d'avance au bilan au 31 mars 2009 ?

4. Passez l'écriture de régularisation au 31 mars 2009, en supposant que les abonnements reçus le 1er septembre 2008 ont été comptabilisés dans le compte Abonnements perçus d'avance.

5. La société s'attend à ce que les revenus annuels de votre région atteignent 4 000 $.

   a) Évaluez le rendement de votre région, en supposant que cet objectif est basé sur les ventes au comptant.

   b) Évaluez le rendement de votre région, en supposant que cet objectif est basé sur la méthode de la comptabilité d'exercice.

Projets – Information financière

CP4-10 Un projet d'équipe

■OA2
■OA3
■OA4

À l'aide de votre navigateur Web, chaque équipe choisit un secteur d'activité à analyser. Chaque membre de l'équipe doit ensuite, dans Internet, obtenir le rapport annuel d'une société ayant déjà fait un appel public à l'épargne dans ce secteur. Chaque membre de l'équipe doit choisir une entreprise différente.

Travail à faire

De façon individuelle, chaque membre rédige un bref rapport en répondant aux questions ci-dessous. Ensuite, en équipe, rédigez un rapport où vous comparez les entreprises choisies en fonction des trois mêmes questions. Donnez des explications possibles pour les différences observées.

1. Quel est le résultat par action de l'entreprise pour chaque exercice financier présenté ?

2. Les ratios :

   a) De façon générale, que mesure le pourcentage de la marge bénéficiaire nette ?

   b) Calculez le pourcentage de la marge bénéficiaire nette de l'entreprise pour chaque exercice financier présenté.

   c) Que vous suggèrent les résultats obtenus quant à la situation de votre entreprise ? (Vous pouvez consulter le rapport de gestion rédigé par la direction de l'entreprise et publié dans le rapport annuel.)

   d) Si les données sont disponibles, comparez la moyenne de l'industrie avec les résultats de votre entreprise et discutez des différences et des similitudes observées.

La publication de l'information financière

Objectifs d'apprentissage

Au terme de ce chapitre, l'étudiant sera en mesure :

1. de déterminer les principaux intervenants dans le processus de communication de l'information financière, leur rôle dans ce processus, et les normes juridiques et professionnelles à respecter (*voir la page 255*) ;

2. de reconnaître les étapes du processus de diffusion de l'information financière, notamment la publication de communiqués de presse, de rapports annuels et trimestriels, et de prospectus (*voir la page 266*) ;

3. de reconnaître et d'utiliser les différents modes de présentation des états financiers (*voir la page 270*) ;

4. d'analyser la performance d'une entreprise d'après le rendement des capitaux propres (*voir la page 284*).

AXCAN PHARMA INC.

Axcan Pharma inc.

Une stratégie d'affaires intégrée

Axcan Pharma inc. est aujourd'hui la plus importante société biopharmaceutique au Québec et la deuxième au Canada. Pourtant, l'histoire d'Axcan a débuté dans le sous-sol d'une résidence à Mont-Saint-Hilaire. En 1982, Léon F. Gosselin, diplômé en biologie et fort de son expérience dans des entreprises pharmaceutiques, s'associe avec le médecin allemand Herbert Falk et lance une petite entreprise pharmaceutique avec seulement 801 $ en poche. À l'origine, Axcan distribuait des médicaments après avoir obtenu l'approbation gouvernementale canadienne.

Avec les années, Léon F. Gosselin réalise que les fusions que connaissait alors le milieu de l'industrie pharmaceutique entraînaient la création de méga-entreprises trans-nationales engagées dans de multiples spécialités. Il en a déduit qu'il y avait de la place pour une société de taille moindre, capable de réagir plus rapidement et de se concentrer dans un domaine de spécialité médicale. En 1992, Herbert Falk souhaite de son côté que l'entreprise demeure un distributeur de médicaments. Léon F. Gosselin envisage plutôt d'en faire une société pharmaceutique intégrée qui ne se contenterait pas de distribuer des médicaments, mais qui en développerait de nouveaux. Il convainc un puissant partenaire financier, la Caisse de dépôt et de placement du Québec (CDPQ) que son entreprise peut se spécialiser dans les produits pour le traitement des maladies liées au système digestif et en retirer des avantages importants. La CDPQ fournit alors les capitaux nécessaires, et Léon F. Gosselin rachète les parts de son partenaire. Depuis lors, l'histoire d'Axcan est aussi celle d'une longue série d'acquisitions. D'abord au Canada, puis aux États-Unis à partir de 1999 et de plus en plus en Europe avec l'achat des Laboratoires Entéris en 2001 et du Laboratoire du Lactéal en 2002.

Nous voici au cœur de la stratégie de développement d'Axcan. Cette entreprise vise à devenir un chef de file mondial dans le domaine de la gastro-entérologie. Selon le PDG d'Axcan, la stratégie de croissance de la société se concentre autour des priorités suivantes :

1) accroître leur chiffre d'affaires actuel en visant une plus grande pénétration du marché ;
2) développer et commercialiser de nouveaux produits issus de leurs projets de recherche ;
3) continuer de bâtir une infrastructure en Amérique du Nord, en Europe et ailleurs dans le monde grâce à l'acquisition de produits ou d'entreprises dans le domaine de la gastro-entérologie.

En misant davantage sur les produits et les technologies en phase de développement, Axcan diminue les frais et les risques inhérents aux délais de mise au point et d'approbation de ses produits. De plus, en se concentrant dans un domaine spécialisé telle la gastro-entérologie, elle a réussi plus rapidement à se construire une expertise scientifique et de mise en marché. Axcan organise d'ailleurs de façon régulière des congrès scientifiques dans son champ d'expertise afin d'informer les spécialistes de la santé des derniers développements de ses produits.

Ce même souci de transmettre une information juste sur ses produits s'applique aux questions financières de l'entreprise. Après s'être adjoint un important partenaire financier en 1993, Axcan a fait son premier appel public à l'épargne en décembre 1995 avec l'émission de quatre millions d'actions ordinaires. Depuis, Axcan a eu recours à quelques reprises à des émissions publiques, ce qui lui a permis de financer ses acquisitions stratégiques de produits ou d'entreprises.

Axcan se conforme aux réglementations canadienne et états-unienne sur les sociétés ouvertes en publiant régulièrement, à l'intention de ses actionnaires et du milieu financier, toute l'information financière nécessaire à leurs prises de décision. Les titres d'Axcan se transigent sur le NASDAQ* sous le symbole AXCA et à la Bourse de Toronto sous le symbole AXP. Depuis août 2000, le titre d'Axcan fait partie de l'indice composite** S&P/TSX à la Bourse de Toronto et, depuis novembre 2003, du sous-indice NASDAQ-Biotech, ce qui lui confère une certaine notoriété dans les milieux financiers nord-américains.

Parlons affaires

Axcan est engagée dans la recherche, le développement, la production et la commercialisation de produits pharmaceutiques, principalement dans le domaine de la gastro-entérologie. Les quatre principaux produits d'Axcan sont ULTRASE, qui est utilisé entre autres par les patients souffrant de fibrose kystique ; la gamme des produits URSO, un médicament traitant les maladies et les troubles du foie ; CANASA, qui est prescrit pour certaines maladies inflammatoires de l'intestin ; CARAFATE, pour le traitement des ulcères gastriques. Axcan commercialise en tout une vingtaine de produits au Canada, aux États-Unis et en Europe. D'autres produits dont elle a obtenu les licences ou les droits sont à différentes phases de développement en vue d'obtenir l'approbation des organismes de santé des différents gouvernements. La société réalise la majeure partie de son chiffre d'affaires aux États-Unis, en partie grâce à sa filiale Axcan Scandipharm inc.

Les entreprises prospères comme Axcan ont vite appris à conjuguer leur stratégie en matière de communication de l'information financière et leur stratégie d'affaires. Le marketing et les communications constituent des éléments essentiels dans les deux cas, particulièrement lorsqu'une entreprise recourt aux marchés boursiers pour son financement. Axcan doit faire preuve d'un souci d'intégrité dans la publication de ses résultats financiers tout autant que dans ses relations avec les spécialistes de la santé, les fournisseurs et ses employés. Comme toute entreprise qui veut garder la confiance des médias financiers, des analystes et de l'ensemble des investisseurs, Axcan doit présenter des états financiers fiables, qui donnent une image fidèle de ses opérations.

Dans ce but, Axcan a adopté des pratiques de régie d'entreprise conformes aux lignes directrices de la Bourse de Toronto et du NASDAQ, à la loi Sarbanes-Oxley adoptée en 2002 par le congrès états-unien, et aux directives des Autorités canadiennes en valeurs mobilières. Ces lignes directrices visent essentiellement à obliger les entreprises à établir des règles de gouvernance sur lesquelles reposent les informations financières publiées, et ce, afin d'éliminer les fraudes financières telle que celles qui ont été dévoilées ces dernières années. Ces lignes de conduite, le passage d'un financement privé à un financement public et la réussite commerciale de l'entreprise font d'Axcan un excellent exemple pour illustrer le processus de diffusion menant à la publication de l'information financière.

---

* NASDAQ signifie National Association of Securities Dealers Automated Quotation. Le NASDAQ est un système de cotation automatique sans centralisation des échanges. Ce marché regroupe majoritairement des valeurs des nouvelles technologies, des biotechnologies et des entreprises à fort potentiel de croissance. Il est le deuxième marché boursier états-unien derrière le New York Stock Exchange.

** Un indice boursier est le baromètre des titres listés en Bourse. Cet indice est basé sur un ensemble d'entreprises représentatives du marché.

Depuis que les scandales financiers et comptables ont éclaté aux États-Unis, nos voisins ont adopté la loi Sarbanes-Oxley (SOX) qui impose une discipline de fer aux pratiques de gouvernance des entreprises américaines. Et le procureur de l'État de New-York, Elliot Spilzer, a récolté plus d'un milliard de dollars américains en amendes infligées à des entreprises qui n'avaient pas respecté certaines règles comptables et de gouvernance.

La gouvernance est constituée d'une série de règles qui assurent que l'entreprise agit dans la légalité et selon l'éthique. C'est aussi le fer de lance de la responsabilité sociale d'une organisation, car celle-ci couvre les rapports avec les actionnaires, les employés et les fournisseurs de l'entreprise, de même que les relations avec les collectivités dans lesquelles les entreprises sont établies.

Au Canada, la version de Sarbanes-Oxley est la loi 198, entrée en vigueur le 1er janvier 2006 en Ontario et régissant toutes les sociétés inscrites à la Bourse de Toronto.

Source : Gilles des ROBERTS, *Commerce*, vol. 105, n° 9, septembre 2004, p. 49.

Dans les chapitres 2, 3 et 4, nous avons examiné les techniques comptables qui ont permis de dresser l'état des résultats, le bilan, l'état des capitaux propres et l'état des flux de trésorerie. Dans ce chapitre, notre intérêt se portera sur les personnes qui interviennent dans le processus de diffusion et de publication de l'information financière. Nous traiterons également des modes de présentation des états financiers et des informations supplémentaires contenues dans les rapports annuels et les autres documents pour mieux comprendre comment y trouver les renseignements pertinents. Enfin, nous examinerons la façon d'évaluer le rendement d'une entreprise d'après ces documents.

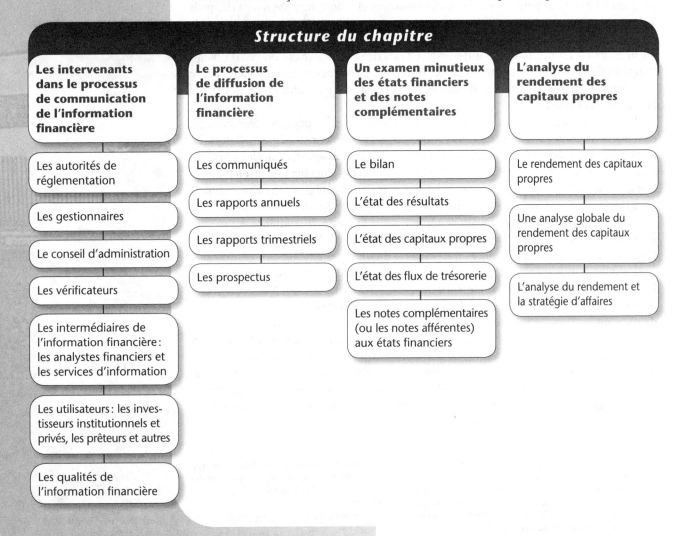

Structure du chapitre

Les intervenants dans le processus de communication de l'information financière	Le processus de diffusion de l'information financière	Un examen minutieux des états financiers et des notes complémentaires	L'analyse du rendement des capitaux propres
Les autorités de réglementation	Les communiqués	Le bilan	Le rendement des capitaux propres
Les gestionnaires	Les rapports annuels	L'état des résultats	Une analyse globale du rendement des capitaux propres
Le conseil d'administration	Les rapports trimestriels	L'état des capitaux propres	L'analyse du rendement et la stratégie d'affaires
Les vérificateurs	Les prospectus	L'état des flux de trésorerie	
Les intermédiaires de l'information financière : les analystes financiers et les services d'information		Les notes complémentaires (ou les notes afférentes) aux états financiers	
Les utilisateurs : les investisseurs institutionnels et privés, les prêteurs et autres			
Les qualités de l'information financière			

Les intervenants dans le processus de communication de l'information financière

Le tableau 5.1 (*voir la page 257*) présente les principaux intervenants qui assurent l'intégrité du système d'information financière.

Les autorités de réglementation

L'Autorité des marchés financiers (AMF) est l'organisme de réglementation et de surveillance du marché des valeurs mobilières au Québec. Chaque province ou territoire canadien possède sa propre Autorité. Les 13 Autorités provinciales se sont associées afin de former les Autorités canadiennes en valeurs mobilières (ACVM) dont le but est d'harmoniser et de coordonner la réglementation des marchés financiers canadiens.

L'AMF a pour mission d'assurer la protection des investisseurs, de veiller à ce que les institutions financières se conforment aux obligations que la loi leur impose, de réglementer et de surveiller l'information produite par les sociétés qui font un appel public à l'épargne et enfin de favoriser le bon fonctionnement des marchés financiers grâce à son encadrement des spécialistes et des organismes qui interviennent sur le marché des valeurs mobilières. Dans ce but, l'AMF édicte des règlements devant être respectés par les émetteurs qui font un appel public à l'épargne, les intermédiaires tels que les courtiers et les conseillers en valeurs mobilières ainsi que les Bourses. L'AMF encadre 5 000 entreprises qui font des appels publics à l'épargne, 300 courtiers et conseillers en valeurs mobilières ainsi que leurs 6 000 représentants et 8 000 dirigeants, sans compter les organismes d'autoréglementation et les Bourses.

L'AMF entreprend régulièrement des enquêtes pour déterminer si des infractions ont été commises et punit les entreprises fautives. Dans son rapport annuel 2004-2005, on peut lire que l'AMF a analysé 717 plaintes provenant de consommateurs de produits financiers, a effectué plus de 500 inspections et 150 enquêtes qui ont abouti à près d'une soixantaine de recours judiciaires ou administratifs.

L'AMF intente une rare poursuite pour délit d'initié.

Pour la deuxième fois seulement depuis sa création en février 2004, l'Autorité des marchés financiers (AMF) poursuit un administrateur pour délit d'initié.

Le chien de garde des marchés vient de déposer une poursuite de 52 163 $ contre Ghislain Morin à la Cour du Québec, dans le district judiciaire de l'Abitibi. L'homme agissait comme administrateur de la société Ressources Allican inc. au moment des faits qui lui sont reprochés.

Le 1er mars 2004, pendant une assemblée du conseil à laquelle assistait M. Morin, il a été décidé de cesser les activités de l'entreprise, rapporte l'AMF. Pendant les deux jours qui ont suivi, profitant de cette information privilégiée[1], M. Morin a vendu une partie de ses actions de la société, pour une valeur de 23 775 $, soutient l'AMF. Un délit d'initié en pleine contravention avec la loi sur les valeurs mobilières.

Source : Maxime BERGERON (2005), *La Presse*, 10 décembre, P. 1 Affaires.

De son côté, comme nous l'avons vu au chapitre 1, l'Institut Canadien des Comptables Agréés (ICCA) est l'organisme privé chargé de définir les principes comptables généralement reconnus (PCGR) qui guident la présentation de l'information financière. Ces PCGR ont force de loi au Canada.

---

1. La règle veut que les gestionnaires ne peuvent utiliser les informations privilégiées avant qu'elles ne soient rendues publiques.

OBJECTIF D'APPRENTISSAGE 1

Déterminer les principaux intervenants dans le processus de communication de l'information financière, leur rôle dans ce processus, et les normes juridiques et professionnelles à respecter.

Dans l'actualité

La Presse

Les gestionnaires

C'est à la direction de l'entreprise qu'incombe principalement la responsabilité des informations contenues dans les états financiers et les notes complémentaires. La direction est représentée par le cadre le plus haut placé dans la hiérarchie de l'entreprise, c'est-à-dire le président et chef de la direction, ainsi que par le responsable de la direction financière, soit le vice-président-finances. Ces deux cadres signent normalement le rapport de la direction (*voir le chapitre 1*) qui accompagne les états financiers. Dans le cas des sociétés ouvertes, ces mêmes cadres ont la responsabilité du contenu des principaux rapports présentés à l'Autorité des marchés financiers. Chez Axcan, le président et chef de la direction, Frank Verwiel, le vice-président exécutif et chef de la direction des opérations, David W. Mims, et le vice-président-finances et chef de la direction financière, Jean Vézina, ont signé le rapport de la direction pour l'exercice 2005. Ils devaient s'assurer que les états financiers et les informations annexées respectent les principes comptables généralement reconnus, que l'entreprise maintient un système de contrôle interne garantissant la fiabilité des informations financières et que le comité de vérification a bien révisé les états financiers soumis. Même si leur responsabilité juridique est moindre, les membres du service de la comptabilité qui recueillent les renseignements pour établir les rapports ont également une responsabilité professionnelle en ce qui a trait à l'exactitude de ces données. Leur carrière professionnelle future dépend grandement de leur réputation en matière d'honnêteté et de compétence. La condamnation des chefs comptables chez Enron et Worlcom aux États-Unis montrent bien que cette responsabilité est partagée.

En fait, dorénavant, les dirigeants d'entreprises canadiennes doivent attester qu'ils ont examiné les états financiers et le rapport de gestion et, qu'à leur connaissance, ceux-ci ne contiennent aucune affirmation ou omission de nature à tromper le public et que l'information financière donne une image fidèle de la condition financière des résultats d'exploitation et des flux financiers. Cette obligation d'attestation au Canada est pratiquement identique aux exigences états-uniennes en vertu de la loi SOX.

Le conseil d'administration

Le conseil d'administration (dont les membres sont élus par l'assemblée générale des actionnaires) est responsable de s'assurer que les systèmes de contrôle en place dans l'entreprise fournissent une certitude raisonnable que les biens de la société sont protégés et que les registres comptables produisent une information financière fiable et une image fidèle de la situation financière. Le comité de vérification issu du Conseil, composé d'administrateurs indépendants, a pour rôle d'aider celui-ci à exercer sa responsabilité de surveillance à l'égard de la qualité et de l'intégrité de l'information financière.

Les vérificateurs

Comme nous l'avons vu au chapitre 1, l'Autorité des marchés financiers exige des sociétés cotées en Bourse que leurs états financiers soient vérifiés par des experts-comptables selon les normes de vérification généralement reconnues.

Un grand nombre de sociétés fermées (ou privées) font également vérifier leurs états financiers. En signant une **opinion** (**certification** ou **attestation**) **sans réserve,** un bureau d'experts-comptables renforce la crédibilité de ces documents et rassure les prêteurs et les investisseurs privés qui ne participent pas de façon active à la gestion des entreprises. Pour ces derniers, lorsqu'une entreprise soumet ses états financiers à une vérification d'experts-comptables indépendants, le risque que la situation financière soit mal représentée dans ces états est considérablement réduit. Au départ, la société Axcan était financée par les investissements de ses fondateurs ainsi que par des prêts provenant d'établissements financiers (par exemple des banques ou d'autres établissements). Au fil des ans, d'autres partenaires financiers se sont associés à l'entreprise

Une **opinion (certification ou attestation) sans réserve** est une déclaration des vérificateurs énonçant, sans aucune restriction, que les états financiers donnent une image fidèle de la situation financière et des résultats de l'entreprise conformément aux principes comptables généralement reconnus.

TABLEAU 5.1 | Intégrité de l'information financière

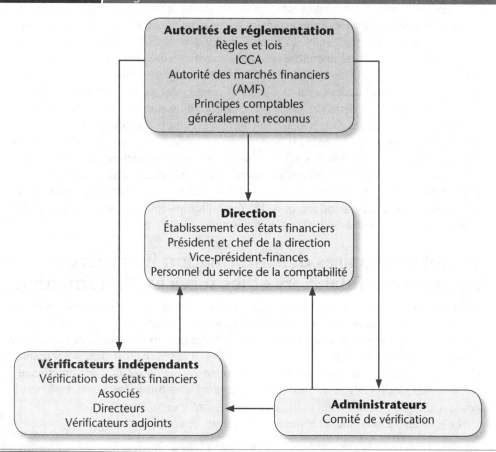

Autorités de réglementation
Règles et lois
ICCA
Autorité des marchés financiers
(AMF)
Principes comptables
généralement reconnus

Direction
Établissement des états financiers
Président et chef de la direction
Vice-président-finances
Personnel du service de la comptabilité

Vérificateurs indépendants
Vérification des états financiers
Associés
Directeurs
Vérificateurs adjoints

Administrateurs
Comité de vérification

et l'ont l'amenée à soumettre ses états financiers à une vérification indépendante pour assurer la fiabilité de leurs résultats aux yeux des milieux financiers.

Raymond Chabot Grant Thornton est le vérificateur externe actuel de la société Axcan. Il s'agit du plus important cabinet d'experts-comptables et de conseillers en administration à contrôle québécois. Raymond Chabot Grant Thornton compte plus de 1 400 personnes réparties dans plus de 75 bureaux au Québec. D'autres cabinets d'experts-comptables vérifient les entreprises québécoises et canadiennes. Les quatre plus importants sont PricewaterhouseCoopers, KPMG, Ernst & Young et Deloitte & Touche. Ces grands cabinets emploient des milliers d'experts-comptables dans des bureaux répartis un peu partout à travers le monde. Ils effectuent la vérification d'un grand nombre de sociétés ouvertes et même de sociétés fermées. Voici une liste d'entreprises bien connues accompagnées du nom du cabinet d'experts-comptables chargé de la vérification de leurs livres au moment de la rédaction de ce volume.

Société	*Industrie*	*Vérificateur*
Bombardier inc.	Aéronautique, transport	Ernst & Young
Quebecor	Communications	KPMG
Domtar inc.	Pâtes et papiers	PricewaterhouseCoopers
Le Groupe Jean Coutu (PJC) inc.	Pharmacie	Deloitte & Touche
Alimentation Couche-Tard inc.	Dépanneurs	Raymond Chabot Grant Thornton

Depuis octobre 2002, le Conseil canadien sur la reddition de comptes (CCRC) est l'organisme chargé d'administrer un système de surveillance des vérificateurs des sociétés cotées au Canada. Ce système prévoit une inspection rigoureuse des vérificateurs de sociétés cotées, des règles strictes en matière d'indépendance des vérificateurs et des procédures de contrôle de la qualité pour les cabinets vérificateurs de sociétés cotées. Voici ce qu'on pouvait lire à la page 2 du troisième rapport public du CCRC sur les inspections de la qualité des cabinets d'experts-comptables, publié en décembre 2005 :

« Au cours des deux dernières années, le CCRC a été l'instigateur d'un certain nombre de changements apportés dans les cabinets d'experts-comptables pour améliorer la qualité des vérifications au Canada. Il a inspecté les cabinets d'experts-comptables qui effectuent la grande majorité des vérifications de sociétés ouvertes au pays et a recommandé à ceux-ci d'apporter les améliorations qui s'imposaient pour assurer de façon plus uniforme des vérifications de haute qualité. Ces améliorations sont en cours de mises en œuvre et devraient accroître la crédibilité des états financiers des sociétés ouvertes et la confiance à l'égard des marchés boursiers du Canada. »

Les intermédiaires de l'information financière : les analystes financiers et les services d'information

Les étudiants s'imaginent souvent que la communication entre les entreprises et les utilisateurs d'états financiers se limite à un processus simple. Celui-ci consisterait à expédier un rapport par la poste à chaque actionnaire qui, après avoir lu ce document, prendrait des décisions en matière d'investissements d'après ce qu'il vient d'apprendre. Cette vision simpliste de la situation ne représente en rien la réalité nord-américaine. De nos jours, les investisseurs font appel à des analystes financiers expérimentés et à des services d'information qui collectent et analysent les informations.

Le tableau 5.2 présente un résumé du processus de communication.

TABLEAU 5.2	Processus de diffusion de l'information

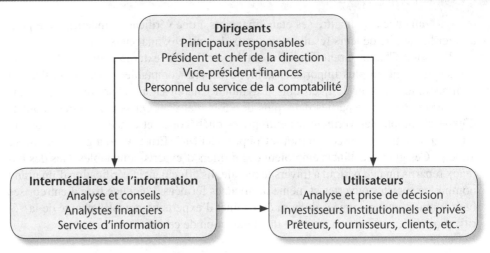

Les **analystes financiers** reçoivent des communiqués et des documents comptables émis par les entreprises ainsi que d'autres renseignements grâce à des services d'information en ligne (dont il sera question plus loin). Ils recueillent aussi des données au cours de conversations téléphoniques avec les dirigeants des entreprises et de visites dans les locaux de celles-ci. Ils combinent ensuite les résultats de leurs analyses avec les informations qu'ils rassemblent sur les sociétés concurrentes, l'économie dans son ensemble et même les tendances observées dans la population afin de faire des prévisions concernant l'évolution du chiffre d'affaires et surtout l'évolution des marges bénéficiaires des entreprises. Ils s'aventurent même à établir un prix cible que devrait atteindre le prix de l'action au cours du trimestre ou de l'année à venir. Cette **prévision de résultats** sert de base à leurs recommandations relativement à l'achat, à la vente ou à la conservation des titres d'une entreprise.

Une **prévision de résultats** est la détermination, par anticipation, des résultats d'exploitation les plus probables pour les exercices futurs[2].

La plupart des grandes maisons de courtage (Disnat-Valeurs mobilières Desjardins, Financière Banque Nationale, RBC Dominion valeurs mobilières, Scotia McLeod, BMO Nesbitt Burns, Merrill Lynch) ont des services de recherche dont les analystes publient régulièrement un bulletin d'information financière à l'intention de leurs clients. Des analystes financiers évoluent aussi au sein des sociétés de gestion de portefeuille et des sociétés de fonds de placement. D'autres analystes vendent leurs recherches à des investisseurs sous la forme de lettres d'information financière écrite ou en ligne. Par exemple, au Québec, la firme Cote 100, qui regroupe plusieurs analystes, publie mensuellement une lettre financière qu'elle vend à ses abonnés.

Les analystes financiers se spécialisent généralement dans un secteur d'activité précis, par exemple les entreprises pharmaceutiques ou le secteur bancaire. Ainsi, André Vézina, chez Financière Banque Nationale, et Christine Charette, de BMO Besbitt Burns (deux sociétés qui sont à la fois des maisons de courtage et des membres d'un groupe bancaire) font partie de ceux qui s'intéressent à Axcan. Avec d'autres analystes faisant partie de leur société, ils rédigent des rapports sur les perspectives d'avenir de différentes entreprises. Dans leurs rapports, les analystes ont l'habitude d'inclure leurs estimations ou leurs prévisions du résultat par action de l'entreprise étudiée ainsi que du cours de l'action pour le prochain trimestre et l'exercice en cours. Les maisons de courtage utilisent directement ces rapports afin d'orienter les achats de titres par leur clientèle.

Ainsi, les analystes transmettent leurs connaissances sur les entreprises ou un secteur d'activité à ceux qui ne possèdent pas leur expertise. Bon nombre de gens croient que les conseils de certains analystes influents de certaines maisons de courtage importantes ont pour effet de faire réagir rapidement le cours de la Bourse à l'annonce de leurs recommandations d'achat sur des titres particuliers. Pourtant, les analystes ne tirent pas nécessairement les mêmes conclusions à la suite de leur analyse, ce qui suggère qu'il y a une bonne part d'incertitude dans le processus de prévision.

Voici un exemple de différentes opinions concernant les prévisions du cours de l'action de la société Axcan. Ces prévisions ont été établies par des analystes de trois établissements financiers le 18 février 2006.

Coup d'œil sur

Axcan Pharma inc.

Firme	Recommandation	Prévision du cours de l'action sur un an
Dundee Securities	Neutre	17 $ US
RBC Marchés des capitaux	Achat	22 $ US
Merryl Lynch	Vente	

Les services d'information dont il sera question dans la prochaine section permettent aux investisseurs d'avoir accès aux recommandations de différents analystes. Il est peu probable que de simples investisseurs puissent trouver plus de renseignements dans des états financiers que ces analystes chevronnés.

---

2. Louis MÉNARD, et collab. (2004), *Dictionnaire de la comptabilité et de la gestion financière*, 2ᵉ éd., Toronto, ICCA, p. 421.

Les investisseurs auraient avantage à être circonspects!

La bulle spéculative des marchés boursiers américains de 1999 à 2001, qui a touché surtout les secteurs des technologies et des télécommunications, a prouvé que les investisseurs avisés doivent être prudents. Non seulement ils doivent se baser sur leurs connaissances en comptabilité, mais ils doivent aussi faire preuve d'une bonne dose de scepticisme lorsqu'ils lisent ou écoutent des conseils en matière d'investissement. Des manquements à l'éthique, des pratiques commerciales douteuses et des activités illégales, le tout commis par des représentants de quelques-unes des maisons de courtage et des banques d'affaires les plus importantes et les plus respectées, ont fait les manchettes aux États-Unis. Par exemple, on note les infractions suivantes: 1) des délits d'initiés; 2) des recommandations d'achat d'un titre de la part des courtiers afin d'en maintenir le cours boursier, alors que les initiés le vendaient ou que la maison de courtage souhaitait faire une émission d'actions; 3) un nombre abusif d'opérations dans des comptes clients dans le but d'augmenter la commission; 4) la vente de titres sans information préalable quant aux risques courus; 5) la conclusion de transactions à des coûts plus avantageux pour certains clients que pour d'autres. La plupart des analystes, des courtiers et des preneurs fermes se comportent de façon honnête et respectent les règles de l'éthique. Toutefois, il faut savoir que les courtiers se font payer une commission pour chaque transaction de titres. Aussi, si les courtiers laissent leur appétit du gain influer sur les conseils qu'ils donnent en matière de placements, leur comportement cesse d'être conforme à l'éthique de leur profession.

Les services d'information

Les analystes financiers obtiennent une grande partie des renseignements qu'ils utilisent à partir d'une multitude de services d'information. Ces services sont généralement disponibles dans Internet ou encore sur cédérom. Certains de ces services communiquent des informations financières spécialisées, d'autres des renseignements plus généraux.

En premier lieu, toutes les sociétés ouvertes canadiennes sont tenues de déposer les documents exigés par les autorités canadiennes en valeurs mobilières dans le Système électronique de données, d'analyse et de recherche (SEDAR). Ce système électronique a aussi été mis au point pour faciliter la diffusion publique de l'information financière sur les entreprises. Les renseignements qui s'y trouvent sont accessibles aux utilisateurs 24 heures après avoir été déposés devant l'AMF et bien avant qu'ils ne soient reçus par la poste sous forme de copie papier. En ce moment, SEDAR est un service gratuit et disponible sur le Web à l'adresse suivante: www.sedar.com.

Pour consulter le site de SEDAR, il suffit de taper l'adresse dans votre navigateur Web, de faire une recherche dans la base de données des sociétés ouvertes et d'entrer le nom de la société recherchée. Ainsi, vous accéderez aux documents les plus récents déposés aux dossiers de l'entreprise. On y trouve les communiqués de presse, les états financiers trimestriels et annuels, le rapport annuel, les prospectus et toute autre déclaration exigée par les organismes de réglementation. Il existe également l'équivalent états-unien de ce service pour les sociétés états-uniennes. Il s'agit de l'Electronic Data Gathering and Retrieval Service (EDGAR), parrainé par la SEC et qu'on peut consulter à l'adresse suivante: www.sec.gov.

La plupart des entreprises permettent au public d'accéder directement à leurs états financiers et à d'autres renseignements les concernant sur le Web. Ainsi, pour communiquer avec Axcan, l'adresse est la suivante: www.axcan.com.

Vous y trouverez une description de la société, de ses projets de recherche et développement, de ses produits et de ses filiales. Une section réservée aux relations avec les investisseurs fournit les communiqués, les rapports financiers trimestriels et annuels, les données boursières ainsi que d'autres informations pertinentes. À l'occasion, Axcan diffuse aussi sur son site Internet des conférences téléphoniques en direct avec des analystes et des investisseurs institutionnels.

Parmi les services d'information plus générale, on peut mentionner le site de la Bourse de Toronto, le site de Telenium et le site du *Globe and Mail*. Ces sites donnent accès à des nouvelles concernant les entreprises, aux cours des actions actuels et historiques et aux communiqués publiés par les entreprises. Ces communiqués comprennent notamment les premières annonces des résultats financiers du trimestre et de l'exercice. Ces sites rassemblent aussi les informations provenant des différents fils de presse des agences de nouvelles (par exemple Reuters et Canada News Wire). Ces informations et ces nouvelles peuvent aussi être accessibles sur le site en ligne de la plupart des maisons de courtage. Pour obtenir plus de détails sur ces services, visitez leur site Web aux adresses suivantes :

- www.tsx.com
- www.telenium.ca
- www.globeinvestor.com
- www.reuters.com
- www.canadanews.com.

D'autres sites tels que Les Affaires, Yahoo ! Finance et Msn Money (le site financier de Microsoft) rendent aussi disponible en ligne l'information bien avant que les actionnaires et d'autres parties reçoivent leur copie papier des rapports financiers. Ils publient aussi les résultats de différentes analyses sur les entreprises répertoriées (certaines analyses sont disponibles moyennant un paiement). Pour obtenir plus de détails sur ces services, visitez leur site aux adresses suivantes :

- www.lesaffaires.com
- www.moneycentral.com
- http://finance.yahoo.com

Le site Argent est aussi une bonne source d'information financière. Non seulement il fournit les cotes boursières et des informations sur les indices en temps réel, mais il présente différentes rubriques, par exemple des résultats financiers, des conseils d'experts, la liste des titres les plus actifs sur le marché canadien ainsi que différentes nouvelles sur les entreprises et les marchés boursiers. De plus, on peut visionner une vidéo quotidienne à l'ouverture et à la clôture des marchés pour connaître les dernières nouvelles de la journée. Le tableau 5.3 montre une page tirée du site Argent portant sur la société Axcan. (www.argent.canoe.com)

TABLEAU 5.3 Informations sur Axcan en provenance du site Argent

À l'occasion, ces services d'information présentent un résumé des recommandations des analystes financiers sur les titres boursiers. On trouve alors soit le nombre d'analystes pour chaque type de recommandation comme dans le tableau ci-dessous, soit le consensus moyen des recommandations des analystes.

Recommandation	Msn Money	Yahoo! Finance (États-Unis)	Yahoo! Finance (Canada)	
	Nombre	Nombre	Nombre	Total
Vente fortement recommandée	1	0	3	4
Vente recommandée	0	1	2	3
Neutre	3	6	8	17
Achat recommandé	0	5	1	6
Achat fortement recommandé	3	2	0	5
Total	7	14	14	35

Sources : *Msn Money,* www.moneycentral.com ; *Yahoo! Finance,* http://yahoo.finance.com, [en ligne], (pages consultées le 3 mars 2006).

Une autre initiative fort intéressante en matière de services d'information est la présentation de renseignements à caractère financier sous forme audio et vidéo. Vous pouvez accéder à des enregistrements de conférences téléphoniques et à des vidéos de réunions entre des analystes financiers et la direction d'une entreprise. L'écoute de ces enregistrements est un excellent moyen de se renseigner sur la stratégie d'ensemble d'une entreprise, ses perspectives d'avenir ainsi que les principaux facteurs considérés par les analystes dans leur évaluation de cette entreprise. Vous pouvez trouver ces documents audio ou vidéo soit sur le site de l'entreprise même, soit sur les sites d'information financière déjà cités.

ANALYSE FINANCIÈRE

Les services d'information utilisés par les analystes en marketing et les étudiants

Une telle abondance de données comptables, financières et autres sur les entreprises cotées en Bourse constitue un ensemble d'outils précieux non seulement pour les analystes financiers, mais aussi pour les analystes en marketing. Ces derniers peuvent consulter ces sites afin de mieux connaître les stratégies, les forces et les faiblesses des entreprises concurrentes. En outre, les représentants en marketing peuvent s'y référer pour analyser des clients potentiels. Ils sont ainsi en mesure de déterminer les clients qui peuvent avoir besoin de leurs produits ou services et ceux qui ont une santé financière permettant de les qualifier de clients solvables.

Ces sites d'information financière peuvent constituer une source importante de renseignements pour les étudiants dans leurs travaux de session tout autant que dans leur recherche d'emploi. Les employeurs potentiels s'attendent à ce que les candidats soient bien informés de tout ce qui concerne leur entreprise avant de se présenter à une entrevue.

Les utilisateurs : les investisseurs institutionnels et privés, les prêteurs et autres

Parmi les **investisseurs institutionnels,** on compte les gestionnaires de caisses de retraite privées, de régimes de retraite universels (pour les employés de l'État), de fonds communs de placements ainsi que des fondations privées ou publiques et des sociétés de gestion de portefeuille. Ces actionnaires institutionnels emploient généralement leurs propres analystes et utilisent les services d'information déjà mentionnés. Ce type d'investisseurs contrôle la majorité des actions émises dans le public par les sociétés canadiennes. Par exemple, à la fin de l'exercice 2005, les investisseurs institutionnels détenaient plus de 29,4 millions d'actions d'Axcan, ce qui représentait plus de 63 % des titres en circulation.

Les **investisseurs privés** sont, entre autres, des investisseurs individuels qui possèdent un capital personnel. Ils investissent directement leur argent soit dans une entreprise avant que celle-ci devienne une société ouverte, soit dans les sociétés cotées. Ce sont parfois de petits investisseurs individuels qui, comme beaucoup de gens, achètent un petit nombre d'actions de sociétés ouvertes par l'intermédiaire de courtiers en valeurs mobilières. Ces petits investisseurs ne possèdent en général ni l'expertise nécessaire pour comprendre les états financiers ni les ressources suffisantes pour recueillir d'autres données importantes de façon efficiente. Il en résulte qu'ils se fient souvent aux conseils des courtiers ou des conseillers en valeurs mobilières ou qu'ils confient leur argent à des gestionnaires de fonds communs de placement (des investisseurs institutionnels).

Dans la catégorie des **prêteurs** (ou des **créanciers**), on inclut les fournisseurs, les établissements bancaires et les autres institutions financières qui prêtent de l'argent aux entreprises. Les responsables du prêt et les analystes financiers de ces organismes utilisent les mêmes sources publiques d'information dans leurs analyses. En outre, lorsqu'une entreprise veut emprunter de l'argent à ces établissements, elle accepte souvent de fournir des renseignements financiers supplémentaires (par exemple des états financiers mensuels) dans son contrat de prêt. Les prêteurs forment fréquemment le principal groupe d'utilisateurs externes des états financiers des sociétés fermées. Des investisseurs individuels et institutionnels deviennent aussi des créanciers lorsqu'ils achètent des obligations garanties ou des « débentures » émises par des sociétés ouvertes[3].

> Les **investisseurs institutionnels** sont des gestionnaires de caisses de retraite, de fonds communs de placements, de fondations privées ou publiques et d'autres sociétés de gestion de portefeuille qui investissent pour le compte d'autres personnes.

> Les **investisseurs privés** sont, entre autres, des personnes qui achètent et vendent des actions de sociétés.

> Parmi les **prêteurs** (ou les **créanciers**), on trouve des fournisseurs et des établissements financiers qui prêtent de l'argent aux entreprises.

QUESTION D'ÉTHIQUE

Les divergences d'intérêts

Les intérêts économiques des dirigeants d'entreprises, des actionnaires et des créanciers peuvent différer. Par exemple, le paiement de dividendes aux actionnaires profite à ces actionnaires, mais il diminue les fonds disponibles pour payer les créanciers. Inversement, les projets de développement des dirigeants diminuent le montant affecté au paiement des dividendes.

Les attentes en matière d'éthique et la confiance mutuelle ont une importance primordiale dans le maintien de l'équilibre entre ces intérêts divergents.

La comptabilité et les états financiers jouent également un rôle de premier plan quand il s'agit de protéger ces relations de confiance*.

---

* La « théorie de la délégation » est un domaine de recherche en comptabilité qui sert à prévoir et à expliquer le comportement des différentes parties intéressées dans l'entreprise.

---

3. Les débentures (ou les obligations non garanties) sont des titres de créance dont le remboursement n'est pas garanti par des biens désignés à cet effet, alors que les obligations sont garanties par des actifs précis. Nous y reviendrons au chapitre 9.

Les états financiers occupent une place importante dans les relations entre les clients et les fournisseurs. Les clients s'en servent pour évaluer la santé financière des fournisseurs et déterminer si ces derniers seront en mesure de constituer une source d'approvisionnement fiable et à la fine pointe du progrès. Les fournisseurs, de leur côté, évaluent leurs clients afin d'estimer leurs besoins futurs et leur capacité à régler leurs dettes.

Toute entreprise peut aussi tenter d'obtenir des renseignements utiles sur ses concurrents à partir des états financiers. La perte potentielle d'un avantage concurrentiel est un des risques inhérents à la présentation publique des informations financières. Les autorités de réglementation prennent ces coûts en considération de même que les coûts directs d'établissement de ces documents lorsqu'ils envisagent de demander des informations supplémentaires. Ils cherchent donc à établir ce qu'on appelle l'« **équilibre avantages-coûts** » selon lequel les avantages de communiquer des informations devraient dépasser les coûts associés à cette opération.

Les qualités de l'information financière

Selon le chapitre 1000 du *Manuel de l'ICCA*, les qualités de l'information sont les caractéristiques de l'information qu'on trouve dans les états financiers et qui font que celle-ci est utile aux utilisateurs. Les quatre principales qualités de l'information sont la compréhensibilité, la pertinence, la fiabilité et la comparabilité.

L'**information** fournie dans les états financiers doit être **compréhensible** pour les utilisateurs qui, de leur côté, doivent avoir une bonne connaissance des activités commerciales et économiques et aussi de la comptabilité.

Une **information pertinente** peut influer sur les décisions économiques parce qu'elle permet aux utilisateurs d'évaluer les activités passées d'une entreprise (la valeur rétrospective) ou de prévoir ses activités futures (la valeur prédictive) et aussi parce qu'elle est disponible en temps opportun. Une **information fiable** doit donner une image fidèle de la situation financière de l'entreprise, neutre et vérifiable (c'est-à-dire que des parties indépendantes peuvent s'entendre sur la nature d'une opération, sa constatation et sa mesure). De plus, dans des situations d'incertitude, la prudence doit guider les jugements portés pour éviter toute surévaluation des ressources (actifs) ou sous-évaluation des engagements (passifs).

Dans nos analyses de ratios, nous soulignons toujours l'importance de pouvoir comparer les ratios d'une même entreprise dans le temps et de comparer les entreprises entre elles. Toutefois, de telles comparaisons ne sont valables que si l'**information** est **comparable,** c'est-à-dire que les mêmes conventions comptables sont appliquées de la même manière d'un exercice à l'autre (la permanence des conventions comptables).

À ces caractéristiques de l'information s'ajoute le **principe de bonne information.** Selon ce principe comptable, toute l'information susceptible d'influer sur le jugement d'un utilisateur doit être fournie dans les états financiers. Cette information doit être suffisamment détaillée pour inclure tous les éléments importants, mais aussi assez condensée pour être compréhensible pour le lecteur. Ces qualités de l'information financière, jumelées au principe de bonne information, servent de guide au Conseil des normes comptables lorsque vient le temps d'élaborer de nouvelles normes.

Pour bien interpréter les états financiers, l'utilisateur doit aussi être conscient de trois contraintes importantes qui interviennent dans le processus comptable. Premièrement, même si les éléments et les montants peu importants doivent être comptabilisés, il n'est pas nécessaire de se conformer à des normes comptables particulières ni de présenter séparément ces éléments s'ils n'ont aucune influence sur les décisions des utilisateurs. Il s'agit ici de la notion d'**importance relative.** Cette notion décrit le caractère significatif des informations financières utiles aux investisseurs. L'appréciation de l'importance relative est une question de jugement.

D'après la notion d'**équilibre avantages-coûts**, les avantages que sont censées procurer les informations contenues dans les états financiers doivent être supérieurs au coût de celles-ci[4].

Seule une **information compréhensible** est utile aux utilisateurs.

Une **information pertinente** peut influer sur les décisions économiques que les utilisateurs sont appelés à prendre ; elle est fonction de sa valeur prédictive ou rétrospective et de la rapidité de sa publication.

Une **information fiable** est exacte (fidèle à la réalité), neutre, vérifiable, et elle est basée sur des estimations prudentes.

Une **information comparable** permet d'établir un parallèle entre les états financiers de deux entités distinctes ou entre les états financiers d'une même entité ayant trait à des exercices différents.

Le **principe de bonne information** incite les entreprises à fournir dans les états financiers toutes les informations financières susceptibles d'influer sur les décisions économiques d'un utilisateur.

La notion d'**importance relative** fait référence à des éléments ou à des montants assez importants pour influer sur la prise de décision des utilisateurs.

---

4. *Manuel de l'ICCA*, chapitre 1000.16.

Deuxièmement, nous avons vu que la **prudence** est une des qualités de l'information financière. Cette notion requiert donc qu'on choisisse les méthodes comptables pour éviter 1) de surévaluer l'actif et les produits d'exploitation et 2) de sous-évaluer le passif et les charges. Une telle directive a pour but de contrebalancer l'optimisme naturel des gestionnaires en ce qui a trait à leurs activités, qui transparaît parfois dans l'établissement de leurs états financiers. Cette contrainte explique le caractère relativement conservateur des montants inscrits à l'état des résultats et au bilan.

Enfin, les utilisateurs d'états financiers consciencieux doivent connaître les pratiques comptables particulières qui ont cours dans différents secteurs. Par exemple, le secteur public (régi par les gouvernements) a adopté la méthode de la comptabilité par fonds pour enregistrer et présenter ses opérations.

La notion de **prudence** recommande de choisir les méthodes comptables qui risquent le moins de surévaluer l'actif et les produits d'exploitation ou de sous-évaluer le passif et les charges.

PERSPECTIVE INTERNATIONALE

Comparaison des PCGR canadiens avec les IFRS

Selon une analyse du Conseil des normes comptables (CNC), les normes canadiennes sont assez similaires aux normes internationales d'information financière (International Financial Reporting Standards (IFRS). De manière générale, elles sont fondées sur des cadres conceptuels en grande partie identiques. Toutefois, une analyse détaillée fait ressortir de nombreuses différences dont voici quelques exemples.

Normes	PCGR	IFRS	Chapitre
Présentation distincte des éléments extraordinaires	Exigé	Interdit	5
Détermination du coût des stocks selon la méthode du dernier entré premier sorti (DEPS)	Permis	Interdit	7
Réévaluation des immobilisations corporelles à la juste valeur	Interdit	Permis	8
Constatation des produits selon la méthode d'achèvement des travaux	Permis	Interdit	6
Calcul du résultat par action avant activités abandonnées et éléments extraordinaires	Exigé	Permis	5

À partir de 2011, les sociétés canadiennes ouvertes devront se conformer aux normes internationales. D'ici là, le CNC et l'IASB (International Accounting Standards Board) travaillent ensemble pour élaborer des normes communes qui élimineront les différences actuelles. Les organismes de réglementation des États-Unis sont également très engagés dans l'harmonisation des pratiques au niveau international. En fait, on remarque que les normes internationales sont la plupart du temps issues des normes états-uniennes.

TEST D'AUTOÉVALUATION

Associez les termes de la colonne gauche à leur définition dans la colonne droite.

_____ 1. L'information pertinente

_____ 2. Le président et chef de la direction, et le directeur des finances

_____ 3. L'analyste financier

_____ 4. Le vérificateur

_____ 5. L'équilibre avantages-coûts

a) Les dirigeants à qui incombe principalement la responsabilité de l'information comptable.

b) Une partie indépendante qui vérifie les états financiers.

c) Une information qui influe sur les décisions économiques des utilisateurs.

d) Les avantages de présenter une information devraient en surpasser les coûts.

e) Une personne qui analyse l'information financière et donne des conseils.

Vérifiez vos réponses à l'aide des solutions présentées en bas de page*.

---

* 1. c); 2. a); 3. e); 4. b); 5. d).

Le processus de diffusion de l'information financière

Comme nous l'avons vu dans la section sur les intermédiaires de l'information, le processus de diffusion de l'information financière comprend plus d'étapes et de participants qu'on serait porté à le croire. Le processus ne se limite pas à l'expédition des rapports annuels et trimestriels par la poste aux actionnaires. Les organismes de réglementation exigent que les entreprises s'assurent que les investisseurs ont tous accès aux nouvelles importantes qui les concernent. Les règles concernant les « initiés » sont très claires. Les gestionnaires ne peuvent utiliser leurs informations privilégiées pour transiger leurs actions avant que ces informations ne soient rendues publiques.

Les communiqués

Un **communiqué** est une annonce publique écrite, émise par l'entreprise et généralement distribuée aux principaux services de nouvelles.

Axcan et la plupart des sociétés ouvertes annoncent leurs bénéfices trimestriels et annuels dans un **communiqué** aussitôt que les chiffres sont disponibles. Ainsi, ils diffusent rapidement (en temps utile) les renseignements aux utilisateurs externes et évitent la possibilité de fuites sélectives de l'information. En général, Axcan émet ce type de communiqué entre cinq à sept semaines après la fin de la période couverte. Ces

Coup d'œil sur

Axcan Pharma inc.

COMMUNIQUÉ DE PRESSE

Date : 9 février 2006
Axcan annonce des revenus records de 70,6 millions $ pour le premier trimestre de l'exercice 2006.

Mont-Saint-Hilaire (Québec) – Axcan Pharma inc. (NASDAQ : AXCA) (TSX : AXP) a annoncé aujourd'hui ses résultats financiers pour le premier trimestre de l'exercice 2006, terminé le 31 décembre 2005 (tous les montants sont en dollars US). Voici les faits saillants du premier trimestre :

- Revenus records déclarés de 70,6 millions $;
- Hausse de 18,8 % du bénéfice par action pleinement dilué comparativement au même trimestre de l'exercice précédent ;
- ITAX : tous les patients des deux essais de phase III ont été randomisés.

Les revenus totaux pour les trois mois terminés le 31 décembre 2005 ont été de 70,6 millions $, comparativement à 61,6 millions $ pour le premier trimestre de l'exercice 2005, en hausse de 14,6 %.

Au premier trimestre de 2006, le bénéfice net a été de 9,2 millions $, comparativement à un bénéfice net de 7,8 millions $ pour la période correspondante en 2005. Le bénéfice dilué par action pour le premier trimestre de 2006 a été de 0,19 $, par rapport à un bénéfice dilué par action de 0,16 $ pour la même période en 2005. Il s'agit du premier trimestre où la rémunération en actions est portée aux dépenses, ce qui a eu un impact négatif sur le bénéfice par action de 0,02 $ pour ce trimestre.

« En ce début d'exercice 2006, nous sommes heureux des progrès réalisés jusqu'à présent. Nos revenus records reflètent la solidité de notre portefeuille actuel de produits. Nous estimons que les augmentations des niveaux d'inventaire des grossistes ont eu un impact positif sur nos revenus de moins de 105 millions $, ce qui confirme nos premières hypothèses selon lesquelles les niveaux d'inventaire des grossistes allaient se stabiliser selon la fourchette souhaitée de huit à douze semaines », a indiqué le Dr Frank Verwiel, président et chef de la direction d'Axcan.

« Du côté de la recherche et développement, nous avons franchi une autre étape importante en terminant la randomisation pour l'essai pivot nord-américain de phase III sur Itopride, plus de 600 patients ont été randomisés dans le cadre de cette étude », a conclu le Dr Verwiel.

Source : *Axcan Pharma inc.*, [en ligne], www.axcan.com, (page consultée le 10 mars 2006).

annonces sont transmises par courriel aux grands services de nouvelles électroniques et imprimées qui les transmettent immédiatement à leurs abonnés. Ces communiqués sont également disponibles sur le site Web d'Axcan. Un extrait d'un communiqué trimestriel typique d'Axcan est reproduit ci-avant. On y trouve d'importantes données financières et une analyse des résultats par la direction. Ce texte est accompagné des états financiers trimestriels (non vérifiés) qui seront expédiés aux actionnaires après la publication de ce communiqué.

La plupart des entreprises, y compris Axcan, tiennent des conférences téléphoniques à la suite de la publication des communiqués. Durant ces conférences, les gestionnaires répondent aux questions des analystes financiers. Ces conférences sont aussi accessibles aux investisseurs ; leur écoute est d'ailleurs une bonne façon de connaître les stratégies de l'entreprise et ses perspectives futures. Voici ce qu'annonçait Axcan dans le même communiqué du 9 février 2006 :

> Axcan tiendra une conférence téléphonique le 10 février 2006 à 8 h 30 HNE. Les parties intéressées pourront également participer à la conférence par le biais d'une webdiffusion disponible au www.axcam.com. Cette webdiffusion sera archivée pour une durée de 90 jours. Pour avoir accès à la conférence téléphonique, veuillez composer le (866) 250-4910 (Canada et États-Unis) ou le (416) 644-3425 (International). Une rediffusion de la conférence sera disponible jusqu'au 17 février 2006. Pour écouter la rediffusion, faites le (416) 640-1917, code 21174075.

Pour des titres négociés activement comme ceux de la société Axcan, l'essentiel de la réaction du marché (l'augmentation et la diminution du cours du titre à la suite des transactions des investisseurs) face aux informations contenues dans le communiqué se produit en général très vite. Il ne faut pas oublier que de nombreux analystes surveillent Axcan et que ces derniers prédisent régulièrement quels seront les bénéfices de l'entreprise. Lorsque les chiffres sont connus, le marché réagit non pas au montant de ces bénéfices, mais à la différence entre les prévisions et le montant réel. Cette différence porte le nom de « bénéfices imprévus ». Par exemple, voici ce qu'un journaliste écrivait à la suite du communiqué d'Axcan sur les résultats de son troisième trimestre 2005.

> **À quoi faut-il s'attendre ?**
>
> Axcan Pharma inc. a affiché un bénéfice net de 9 cents US l'action au troisième trimestre par rapport à 23 cents US pour la même période l'an dernier.
>
> Pour prendre en compte cette nouvelle donne, l'analyste a révisé ses attentes pour l'exercice 2005. Son bénéfice par action prévu passe de 70 cents US à 52 cents US.
>
> « À moins qu'Axcan fasse des acquisitions, sa croissance sera limitée pour les deux prochaines années », estime M. Hay.
>
> Pour ces raisons, le spécialiste a réduit sa recommandation d'« achat » à « conserver » et son prix cible (passe) de 27 $ à 19 $ d'ici un an. Quatre autres courtiers (Merrill Lynch, Financière Banque Nationale, Scotia et Dundee) ont également abaissé leurs recommandations après la divulgation des résultats du troisième trimestre.
>
> Source : Réjean BOURDEAU (2005), *La Presse*, jeudi 18 août, p. 5 Affaires.

Les bénéfices réalisés avaient été inférieurs aux prévisions, et le prix de l'action avait perdu 15 % de sa valeur à la suite de la publication de ces résultats.

Des entreprises telle Axcan émettent des communiqués concernant d'autres événements importants, y compris l'annonce de nouveaux produits, la signature d'ententes avec de nouveaux distributeurs ou d'importants investisseurs, ou la nomination d'un nouveau dirigeant. Le marché boursier semble souvent réagir à certaines annonces de ce type. Voici, par exemple, un extrait d'un autre communiqué de la société Axcan.

> M. Frank Verwiel nommé président et chef de la direction d'Axcan – M. Léon Gosselin demeurera président du conseil d'administration
>
> Mont-Saint-Hilaire, le 19 mai. Axcan Pharma inc. a annoncé aujourd'hui la nomination du Dr Frank Verwiel à titre de président et chef de la direction de la Société, avec effet le 11 juillet 2005. Il deviendra aussi membre du conseil d'administration d'Axcan lors de la prochaine réunion prévue au début du mois d'août prochain. M. Léon F. Gosselin, fondateur d'Axcan et président et chef de la direction sortant, continuera d'assumer la présidence du conseil.
>
> «La nomination du Dr Verwiel s'inscrit dans le contexte du processus de planification de la succession et de l'objectif déjà mentionné par la Société de séparer les rôles de chef de la direction et de président du conseil. En tant que président du conseil, je me concentrerai pleinement sur les plans stratégiques à long terme qui conduiront aux succès futurs de la Société. Je suis très heureux d'accueillir le Dr Verwiel au sein d'Axcan. J'ai hâte de travailler avec lui afin d'assurer la continuité du leadership ainsi qu'une transition en douceur des responsabilités. Je lui apporterai aussi tout le soutien nécessaire afin de procéder au lancement prévu d'ITAX, et pour faire émerger Axcan en tant que concurrent important en gastro-entérologie à l'échelle internationale», a dit M. Gosselin.
>
> Source: *Axcan Pharma inc.*, [en ligne], www.axcan.com, (page consultée en mars 2006).

Les communiqués portant sur les résultats financiers annuels et trimestriels précèdent souvent de quelques semaines la publication papier des rapports. Un tel délai est nécessaire afin de permettre l'insertion de renseignements supplémentaires, l'impression et la distribution des rapports.

Les rapports annuels

Dans le cas des sociétés fermées, les rapports annuels sont des documents relativement simples. En général, ils renferment seulement les éléments suivants:

1) les états financiers de base: l'état des résultats, le bilan, l'état des capitaux propres et l'état des flux de trésorerie (le résultat étendu peut faire l'objet d'un état financier distinct ou être intégré à l'état des résultats ou à l'état des capitaux propres);
2) toutes les notes complémentaires ou les notes afférentes aux états financiers;
3) le rapport du vérificateur.

Les rapports annuels des sociétés ouvertes sont beaucoup plus détaillés. En effet, des exigences supplémentaires sont imposées par l'AMF. Elles concernent la présentation de l'information et le fait qu'un grand nombre d'entreprises utilisent ces documents comme instruments de relations publiques pour communiquer des renseignements non comptables à leurs actionnaires, à leurs clients, aux médias, etc.

En général, les rapports annuels des sociétés ouvertes se divisent en deux sections:

La première section, non financière, comporte habituellement un message aux actionnaires de la part du président du conseil ou du président et chef de la direction (ou les deux), une présentation de la mission et de la philosophie de la direction, une description des produits, et aussi un aperçu de ses perspectives et des possibilités stimulantes qui s'offrent à elle. On y ajoute souvent de magnifiques photographies des produits, des locaux et du personnel.

La deuxième section, de nature financière, souvent imprimée sur un papier de couleur différente pour que les utilisateurs la trouvent facilement, comprend l'essentiel du rapport. Dans cette section sont réunies les informations exigées par l'AMF, celles qui sont exigées par la SEC pour les entreprises canadiennes cotées à une Bourse aux États-Unis et toutes les autres informations financières jugées pertinentes par la direction de l'entreprise. Voici les principaux éléments présents dans cette section:

1) un rapport de gestion souvent intitulé « Commentaires et analyse par la direction de la situation financière et des résultats d'exploitation » ;
2) les états financiers de base présentés sur une base comparative avec l'exercice précédent ;
3) les notes complémentaires ou les notes afférentes aux états financiers ;
4) le rapport du vérificateur ;
5) le rapport de la direction ;
6) une rétrospective financière des 5 à 10 dernières années ;
7) la liste des membres du conseil d'administration et de l'équipe de direction ;
8) des renseignements généraux sur la société à l'intention des actionnaires et des investisseurs.

L'ordre de présentation de ces éléments peut varier.

Le rapport annuel doit être transmis aux actionnaires dans les 140 jours suivant la fin de l'exercice financier. De plus, les états financiers doivent être approuvés par le conseil d'administration de l'entreprise. Deux administrateurs du conseil ont pour mandat de signer ces états. Léon F. Gosselin et Claude Sauriol, tous deux administrateurs, ont signé les états financiers d'Axcan.

L'analyse par la direction de la situation financière et des résultats d'exploitation présente une analyse historique et prospective des activités de l'entreprise. Cette analyse permet aux utilisateurs d'évaluer la performance et les perspectives d'avenir de la société. Vous trouverez les rapports annuels complets des sociétés Reitmans et Le Château en annexes à la fin de ce volume. Comme nous l'avons souligné précédemment, les rapports financiers d'un grand nombre d'entreprises sont disponibles sur le Web.

Source : *Axcan Pharma inc.*, [en ligne], www.axcan.com, (page consultée le 27 février 2007).

Les rapports trimestriels

En général, les rapports trimestriels commencent par un message aux actionnaires et un rapport de gestion relatant les faits saillants du trimestre. Ce message est suivi des états financiers présentés en comparaison avec ceux de la période correspondante de l'exercice précédent. Ces états financiers portent la mention « non vérifiés », car la vérification des états financiers trimestriels n'est pas légalement requise. De plus en plus d'entreprises comme Axcan fournissent dans leurs rapports trimestriels un jeu complet d'états financiers et quelques notes complémentaires. Les sociétés fermées préparent elles aussi des rapports trimestriels destinés aux prêteurs. Les rapports trimestriels d'Axcan sont publiés environ cinq semaines après la fin de chaque trimestre. Ces trimestres se terminent les 31 décembre, 31 mars, 30 juin et 30 septembre.

Les prospectus

Toute entreprise qui veut procéder à un appel public à l'épargne doit soumettre, pour approbation, un prospectus à l'AMF. Le prospectus est un document d'information à l'intention des investisseurs. Il présente tous les faits importants et toutes les données financières susceptibles d'influer sur la valeur ou le cours des titres qui font l'objet du placement. De façon générale, un prospectus comprend une description du placement proposé, une évaluation des facteurs de risques liés à ce titre, une description de l'utilisation du produit de la vente du placement, des informations sur les dirigeants et leur rémunération ainsi que sur les actionnaires principaux de l'entreprise, une analyse par la direction de la situation financière et des résultats d'exploitation, des états financiers vérifiés et une foule d'autres renseignements pertinents. Tous les prospectus des sociétés ouvertes canadiennes sont déposés sur le système SEDAR et sont ainsi accessibles au public. En 2005, Axcan a déposé un supplément de prospectus dans le cadre de son appel public à l'épargne. Nous présentons ci-après un extrait de la première page du prospectus.

Un examen minutieux des états financiers et des notes complémentaires

Nous avons déjà vu que les données financières contenues dans les rapports comptables constituent des éléments importants qui aident les investisseurs, les prêteurs et les analystes à prendre leurs décisions. Pour faciliter l'utilisation de ces états financiers par les décideurs, l'information y est présentée selon un certain ordre que suivent les entreprises. Toutefois, il peut exister des différences entre les entreprises, car celles-ci adoptent un mode de présentation propre à leurs activités de façon à présenter une image fidèle de leur situation financière. Malgré ces différences, chacun de ces rapports est conforme aux principes comptables étudiés dans ce volume. Nous allons maintenant examiner quelques-uns de ces états financiers.

Le bilan

Le bilan d'Axcan en date du 30 septembre 2005 apparaît au tableau 5.4 (*voir la page 272*). Il faut d'abord noter le titre de ce document : «Bilans consolidés». Le terme «consolidés» signifie que ces états financiers incluent les comptes de l'entreprise et de ses filiales (par exemple Axcan Scandipharm inc.). Les comptes de l'entreprise et de ses filiales ont été additionnés par un processus de consolidation qui consiste à enregistrer un seul chiffre pour chaque élément. (Il sera question du processus de consolidation au chapitre 11.) Les états financiers d'Axcan sont présentés en dollars des États-Unis. Comme Axcan réalise la majeure partie de son chiffre d'affaires aux États-Unis et comme ses titres sont transigés sur le marché boursier états-unien, Axcan a choisi le dollar des États-Unis comme unité de mesure.

Le bilan d'Axcan est établi suivant un mode de présentation verticale (les comptes d'actif sont énumérés en tête, puis viennent ceux du passif et ceux des capitaux propres, dans une seule colonne). D'autres entreprises utilisent un mode de présentation horizontale (les actifs du côté gauche, le passif et les capitaux propres du côté droit). Comme c'est généralement le cas, le bilan d'Axcan est ordonné. Autrement dit, ses actifs et les éléments de son passif sont inscrits dans un ordre précis, et ils sont séparés en deux catégories : à court terme et à long terme. Nous avons vu au chapitre 2 que les actifs à court terme sont définis comme étant des actifs susceptibles d'être transformés en liquidités ou de venir à échéance au cours du prochain exercice. On définit le passif à court terme comme les sommes qui seront payées à l'aide des actifs à court terme durant l'année qui suit la date du bilan. En général, un bilan typique est ordonné de la façon suivante :

A. Actif (par ordre décroissant de liquidité)
  1. Actif à court terme
  2. Actif à long terme
  Total de l'actif
B. Passif (par ordre d'échéance)
  1. Passif à court terme
  2. Passif à long terme
  Total du passif
C. Capitaux propres ou avoir des actionnaires (par source)
  1. Capital social (provenant des propriétaires)
  2. Bénéfices non répartis (bénéfices nets cumulés moins les dividendes cumulés et déclarés)
  3. Surplus d'apport
  4. Autres éléments du résultat étendu
  Total des capitaux propres
  Total du passif et des capitaux propres

Il faut souligner, encore une fois, que chaque poste d'un état financier est une combinaison d'un certain nombre de comptes utilisés dans les livres comptables d'une entreprise. De plus, selon les circonstances, les impôts futurs (Axcan utilise le terme «impôts reportés») peuvent apparaître à quatre endroits différents au bilan: à titre d'actif à court terme, de passif à court terme, d'actif à long terme ou de passif à long terme. Il s'agit d'un processus comptable fort complexe qu'on aborde rapidement au chapitre 9 et qui fait l'objet de cours de comptabilité avancés.

L'actif à court terme comprend les éléments normalement réalisables au cours de la prochaine année. L'actif à court terme comprend la trésorerie (les espèces et les quasi-espèces au bilan d'Axcan), les placements temporaires disponibles à la vente, les comptes clients, le stock et les charges payées d'avance.

Après la section des actifs à court terme, on trouve souvent les placements à long terme. Il s'agit d'actifs qui ne servent pas à l'exploitation de l'entreprise. Par exemple, les investissements immobiliers et les placements en titres et en obligations d'autres entreprises font partie de cette catégorie.

Les immobilisations corporelles sont souvent appelées des «actifs immobilisés». Cette catégorie comprend les actifs corporels (les biens matériels) qui ont été acquis pour servir à l'exploitation de l'entreprise plutôt que pour être revendus sous forme d'éléments de stocks ou détenus sous forme de placements. Parmi ces actifs, on trouve les immeubles, les terrains sur lesquels les immeubles sont construits ainsi que le matériel, les outils, le mobilier et les agencements utilisés dans l'exploitation de l'entreprise.

Les actifs incorporels n'ont pas d'existence physique, mais leur durée de vie est longue. Leur valeur découle des droits et des privilèges juridiques associés à leur possession. On peut citer par exemple les brevets, les marques de commerce, les droits d'auteur, les concessions ou franchises et les écarts d'acquisition résultant de l'achat d'autres entreprises. En général, les actifs de ce type ne sont pas destinés à la revente, mais ils sont directement liés à l'exploitation de l'entreprise. À titre d'actifs incorporels, Axcan détient des marques de commerce, des licences d'utilisation de marques de commerce et des droits de fabrication. Axcan présente aussi un écart d'acquisition provenant de l'achat d'entreprises effectué au cours des dernières années.

On s'attend à ce que le passif à court terme soit réglé au cours de l'exercice qui suit la date du bilan. Le passif à court terme comprend les comptes fournisseurs, les effets à payer à court terme, les salaires à payer, les impôts exigibles et les autres charges engagées (c'est-à-dire utilisées mais non payées). Axcan regroupe les comptes fournisseurs et les charges à payer, et elle inscrit les impôts exigibles séparément. On trouve aussi dans cette section les versements exigibles sur la dette à long terme, c'est-à-dire les sommes que l'entreprise est tenue par contrat de rembourser au cours du prochain exercice.

TABLEAU 5.4 | Bilans consolidés

Bilans consolidés aux 30 septembre	2005	2004
(en milliers de dollars des États-Unis)	$	$
ACTIF		
Actif à court terme		
Espèces et quasi-espèces	79 969	21 979
Placements temporaires, disponibles à la vente (note 5)	17 619	15 922
Débiteurs, montant net (note 6)	37 587	46 585
Impôts sur les bénéfices à recevoir	8 351	9 196
Stocks (note 7)	36 016	37 270
Frais payés d'avance et dépôts	1 771	3 494
Impôts reportés (note 8)	9 044	4 586
Total de l'actif à court terme	190 357	139 032
Immobilisations corporelles, montant net (note 9)	31 673	31 252
Actifs incorporels, montant net (note 10)	388 921	407 875
Écart d'acquisition, montant net (note 11)	27 467	27 467
Frais d'émission d'emprunts reportés, montant net	2 577	3 088
Impôts reportés (note 8)	412	930
Total de l'actif	641 407	609 644
PASSIF		
Passif à court terme		
Comptes fournisseurs et frais courus (note 13)	52 990	47 917
Impôts sur les bénéfices à payer	3 247	731
Versements sur la dette à long terme	1 497	1 778
Impôts reportés (note 8)	602	936
Total du passif à court terme	58 336	51 362
Dette à long terme (note 14)	126 332	127 916
Impôts reportés (note 8)	39 135	38 290
Total du passif	223 803	217 568
AVOIR DES ACTIONNAIRES		
Capital-actions (note 15)		
Actions privilégiées, sans valeur nominale et dont le nombre autorisé est illimité, aucune action émise	–	
Actions privilégiées, série A, sans valeur nominale et dont le nombre autorisé est de 14 175 000, aucune action émise	–	
Actions privilégiées, série B, sans valeur nominale et dont le nombre autorisé est de 12 000 000, aucune action émise	–	
Actions ordinaires, sans valeur nominale et dont le nombre autorisé est illimité, 45 682 175 et 45 562 336 émises et en circulation respectivement aux 30 septembre 2005 et 2004	261 714	260 643
Bénéfices non répartis	138 787	112 362
Surplus d'apport	1 329	–
Autres éléments du résultat global cumulés	15 774	19 071
Total de l'avoir des actionnaires	417 604	392 076
Total du passif et de l'avoir des actionnaires	641 407	609 644

Les notes complémentaires font partie intégrante des états financiers consolidés.
Pour le conseil,

(signé)   (signé)
Léon F. Gosselin   Dr Claude Sauriol
   Administrateur   Administrateur

Le passif à long terme comprend les dettes d'une entreprise qui ne sont pas classées dans le passif à court terme. Leurs échéances dépassent d'une année la date du bilan. On peut citer par exemple les emprunts bancaires à long terme, les emprunts obligataires, les débentures, les dettes relatives à un régime de retraite et les obligations locatives.

Les capitaux propres ou l'avoir des actionnaires représentent les droits résiduels des propriétaires sur l'actif (c'est-à-dire A − Pa = CP). Ces droits résultent des contributions des actionnaires (le capital social ou le capital-actions) auxquelles s'ajoutent les bénéfices non répartis correspondant aux bénéfices accumulés de l'entreprise depuis les débuts de son exploitation dont on a soustrait les dividendes cumulés déclarés. D'autres éléments tels que le surplus d'apport et les autres éléments du résultat étendu (ou du résultat global) peuvent également faire partie des capitaux propres de l'entreprise. Le surplus d'apport représente les montants versés par les porteurs de titres de capitaux propres non comptabilisés dans le poste Capital social. Et les autres éléments du résultat étendu comprennent les produits, les charges, les gains et les pertes qui, conformément aux PCGR, n'ont pas été imputés à l'état des résultats au cours de l'exercice.

Axcan fournit de l'information sur son capital-actions autorisé et son capital-actions émis et payé (45 682 175 actions ordinaires étaient en circulation à la fin de l'exercice 2005). Selon son certificat de constitution, Axcan peut émettre un nombre illimité d'actions ordinaires et un nombre illimité d'actions privilégiées. Toutefois, aucune action privilégiée n'était émise à la fin de l'exercice 2005. Il sera de nouveau question des capitaux propres au chapitre 10.

L'état des résultats

L'état des résultats consolidé d'Axcan pour l'exercice 2005 est reproduit au tableau 5.5 (*voir la page 274*). Cet état prend parfois le nom de « résultats ». L'état des résultats peut comporter jusqu'à sept grandes sections :
1) les activités d'exploitation poursuivies ;
2) les éléments non fréquents ou non typiques ;
3) les activités abandonnées ;
4) les éléments extraordinaires ;
5) le bénéfice net (somme de 1, 2, 3 et 4) ;
6) le résultat par action ;
7) le résultat étendu.

Les états des résultats de toutes les entreprises comportent les sections 1 (les activités normales d'exploitation poursuivies), 5 (le bénéfice net) et 6 (le résultat par action). Selon les circonstances propres à chacune, les entreprises peuvent ajouter une ou plusieurs des sections restantes. La somme des montants enregistrés dans les quatre premières sections (+/−) doit être égale au bénéfice net présenté. Nous allons d'abord examiner la section qu'on trouve le plus couramment et qui est la plus importante : la section des activités normales poursuivies.

Les activités normales d'exploitation

La première section d'un état des résultats donne les résultats des activités d'exploitation normales de l'entreprise. Il est possible de présenter cette section d'une des deux manières suivantes :
1) une forme de présentation à groupements simples qui consiste à regrouper en premier lieu tous les produits et les gains et de soustraire toutes les charges et les pertes ;
2) une forme de présentation à groupements multiples dans laquelle on soustrait le coût des marchandises vendues du chiffre d'affaires pour indiquer la marge bénéficiaire brute (ou le bénéfice brut) à titre de total partiel, puis les autres charges d'exploitation pour faire ressortir le bénéfice d'exploitation ; cette méthode met aussi en évidence le bénéfice avant impôts et le bénéfice net.

TABLEAU 5.5 | État des résultats

Résultats consolidés des exercices terminés les 30 septembre en milliers de dollars des États-Unis, sauf les montants relatifs aux actions	2005 $	2004 $	2003 $
Produits	251 343	243 634	179 084
Coût des marchandises vendues excluant les amortissements	71 534	54 247	44 459
Frais de vente et d'administration	85 997	76 365	63 084
Frais de recherche et de développement	31 855	19 866	12 098
Travaux de recherche en cours acquis	–	–	12 000
Amortissements	21 532	16 359	8 063
	210 918	166 837	139 704
Bénéfice d'exploitation	40 425	76 797	39 380
Frais financiers	7 140	6 885	4 283
Revenus d'intérêts	(1 340)	(756)	(1 639)
Perte (gain) de change étranger	(213)	(313)	122
Frais d'une offre publique d'achat	–	–	3 697
	5 587	5 816	6 463
Bénéfice avant impôts sur les bénéfices	34 838	70 981	32 917
Impôts sur les bénéfices (note 8)	8 413	22 253	12 992
Bénéfice net	26 425	48 728	19 925
Bénéfice par action ordinaire			
De base	0,58	1,08	0,44
Dilué	0,56	0,96	0,44
Nombre moyen pondéré d'actions ordinaires			
De base	45 617 703	45 286 199	44 914 944
Dilué	55 219 202	55 031 184	45 607 992

Les notes complémentaires font partie intégrante des états financiers consolidés, et la note 16 présente des informations additionnelles sur les résultats.

L'état des résultats de la société Axcan est établi suivant la méthode de présentation à groupements multiples. Il met en évidence le bénéfice d'exploitation, le bénéfice avant impôts sur les bénéfices et le bénéfice net. Dans des chapitres précédents, nous avons à l'occasion utilisé le mode de présentation à groupements simples. Selon un sondage effectué auprès de 200 sociétés canadiennes, seulement quatre entreprises (2 %) présentaient en 2004 un état des résultats à groupements simples[5].

Le chiffre d'affaires (ou Produits dans l'état des résultats d'Axcan) correspond au chiffre d'affaires brut dont on soustrait les escomptes de caisse, ainsi que les rendus et rabais consentis au cours de l'exercice.

Le coût des marchandises vendues équivaut au coût des articles vendus par un marchand (une entreprise qui achète des produits aux fabricants pour les revendre ensuite) ou par un fabricant (une entreprise qui produit les marchandises à vendre aux grossistes ou aux détaillants). Tout stock qui est acheté ou fabriqué mais non vendu au cours de l'exercice est inclus dans le compte Stocks au bilan. Nous aborderons la comptabilité du chiffre d'affaires et du coût des marchandises pour les entreprises de détail et de fabrication aux chapitres 6 et 7.

---

5. Clarence BYRD, Ida CHEN et Joshua SMITH (2005), *Financial Reporting in Canada*, Toronto, ICCA, p. 92.

Le **bénéfice brut** (ou la **marge bénéficiaire brute**) est un total partiel et non un compte. Il s'agit de la différence entre le chiffre d'affaires net et le coût des marchandises vendues. Il peut être utile dans le calcul de certains ratios financiers. Au tableau 5.5, il faut noter que la société Axcan n'effectue pas ce calcul. Toutefois, elle donne la possibilité de le faire puisqu'elle précise le montant du Coût des marchandises vendues. Selon le sondage cité précédemment[6], seulement 84 entreprises canadiennes présentaient en 2004 de façon distincte le coût des marchandises vendues. Il est vrai que la divulgation de cette information donne un précieux renseignement aux compétiteurs en leur permettant de calculer la marge bénéficiaire brute. Il faut noter que les normes américaines exigent la divulgation de cette information.

Les frais d'exploitation sont les charges habituelles engagées dans le cadre des activités d'exploitation normales d'une entreprise au cours d'un exercice. Il n'est pas rare d'observer des différences entre le type de charges et le type de revenus selon la nature de chaque entreprise et de chaque secteur d'activité. La société Axcan montre dans cette catégorie des frais de vente et d'administration ainsi que des frais de recherche et développement. Un autre total partiel, le **bénéfice d'exploitation** (aussi appelé le « **résultat d'exploitation** ») est calculé après qu'on a soustrait les frais d'exploitation du bénéfice brut.

Par ailleurs, le chapitre 1520 du *Manuel de l'ICCA* précise quelles informations l'état des résultats doit fournir. C'est le cas entre autres des revenus de placement, des amortissements, des frais d'intérêts ainsi que des gains ou des pertes découlant de la vente d'actifs immobilisés. Les frais d'intérêts sur une dette sont parfois regroupés avec les revenus d'intérêts, de sorte qu'on ne divulgue qu'un seul montant. Ces éléments sont ensuite additionnés au (ou soustraits du) bénéfice d'exploitation pour obtenir le **bénéfice avant impôts**.

> Le bénéfice brut (ou la marge bénéficiaire brute) correspond au chiffre d'affaires dont on soustrait le coût des marchandises vendues.

> Le bénéfice d'exploitation (ou le résultat d'exploitation) est égal au chiffre d'affaires dont on soustrait le coût des marchandises vendues et les autres charges d'exploitation.

> Le bénéfice avant impôts correspond aux produits d'exploitation dont on soustrait toutes les charges à l'exception des impôts sur les bénéfices.

TEST D'AUTOÉVALUATION

Remplissez le tableau suivant. (Inscrivez un + pour une augmentation et un − pour une diminution. S'il n'y a aucun effet, écrivez AE.) Considérez chaque élément indépendamment des autres.

a) Enregistrement et paiement du loyer de 200 $.

b) Enregistrement de la vente à crédit de marchandises pour un montant de 400 $ et d'un coût des marchandises vendues de 300 $.

Opération	Actif à court terme	Bénéfice brut	Bénéfice d'exploitation
a)			
b)			

Vérifiez vos réponses à l'aide des solutions présentées en bas de page*.

Les activités abandonnées

Toute entreprise qui procède ou a procédé à la fermeture ou à la cession d'un secteur important de ses activités doit présenter de façon distincte, à l'état des résultats, les informations s'y rapportant. Il peut s'agir, par exemple, des produits, des charges, des gains et des pertes. De plus, elle doit ajouter les détails s'y rapportant dans une note complémentaire. À l'état des résultats, tout montant lié aux **activités abandonnées** est présenté déduction faite des impôts s'y rapportant. Le fait de présenter ces informations de façon distincte informe les utilisateurs que ces résultats d'activités abandonnées ont une utilité moindre comme indicateurs du rendement futur de l'entreprise.

> Les activités abandonnées résultent de l'abandon ou de la cession-vente d'une partie des activités de l'entreprise ; elles sont présentées à l'état des résultats déduction faite des impôts s'y rapportant.

---

* a) −200, AE, −200 ; b) +100, +100, +100.

6. *Ibid.*, p. 96.

Dans son rapport annuel 2001, Axcan rapportait un élément concernant les activités abandonnées pour les exercices 2000 et 1999. En 2000, la société a abandonné les activités de sa coentreprise Althin Biopharm inc. et, en 1999, elle a vendu sa filiale Axcan ltée. Tous les détails concernant le bénéfice d'exploitation lié à ces activités ainsi que le gain ou la perte résultant de leur abandon étaient fournis.

Dans le rapport annuel 2005 de Bombardier, la note 18 explique les activités abandonnées au cours d'un exercice en ces termes:

« Le 18 décembre 2003, la Société a vendu son secteur produits récréatifs. Les résultats d'exploitation et les flux de trésorerie de ce secteur pour l'exercice 2004 (jusqu'au 18 décembre 2003) ont été présentés séparément, à titre d'activités abandonnées, dans les présents états financiers consolidés. »

Suit le détail des résultats de ce secteur pour la période du 1er février 2003 au 18 décembre 2003 ainsi que des flux de trésorerie engendrés pour la même période. La note donne aussi des informations sur le prix et le mode de règlement de la vente.

Les éléments extraordinaires

Les **éléments extraordinaires** sont des gains ou des pertes résultant d'opérations qui ne font pas partie des activités normales de l'entreprise et qui ne sont pas susceptibles de se répéter fréquemment. De plus, ces opérations ne doivent pas découler d'une décision de la direction ou des propriétaires de l'entreprise. Cette troisième caractéristique des éléments extraordinaires restreint énormément les éléments qu'il est possible d'y inclure. On peut citer, par exemple, les pertes subies à la suite de catastrophes naturelles telles que des inondations ou des incendies. Il faut enregistrer ces éléments dans une section distincte de l'état des résultats déduction faite des impôts. Cette présentation permet aux décideurs de constater que ces éléments ne se reproduiront probablement pas de manière fréquente et, par conséquent, qu'ils sont peu pertinents dans leur analyse concernant l'avenir de l'entreprise. De plus, une note complémentaire est requise pour expliquer la nature de l'élément extraordinaire.

> Les **éléments extraordinaires** sont des gains ou des pertes caractérisés à la fois par leur nature inhabituelle, leur non-fréquence et l'absence de contrôle par la direction ou les actionnaires.

Depuis l'ajout de cette notion de non-contrôle concernant les éléments extraordinaires, certaines opérations sont maintenant présentées à titre d'**éléments non fréquents et non typiques.** Ces opérations respectent les deux premières caractéristiques des éléments extraordinaires, soit la nature inhabituelle et la non-fréquence. On trouve notamment dans cette catégorie les gains ou les pertes sur vente d'actifs immobilisés ou de placements ainsi que les frais de restructuration. Ces éléments inhabituels doivent être présentés séparément à l'état des résultats tout en étant inclus dans le calcul du bénéfice d'exploitation, puis faire l'objet d'une note complémentaire donnant toutes les informations pertinentes.

> Les **éléments non fréquents et non typiques** sont les gains ou les pertes découlant d'opérations qui ne sont pas susceptibles de se répéter fréquemment et qui ne sont pas typiques des activités normales de l'entreprise.

Enfin, on arrive au résultat net, c'est-à-dire au bénéfice net. Toutefois, un état des résultats n'est pas complet sans les renseignements sur le résultat par action.

Le résultat par action

Comme nous l'avons vu au chapitre 4, il existe une façon simple de calculer le résultat par action.

$$\text{Résultat par action} = \frac{\text{Résultat net revenant aux actionnaires ordinaires}}{\text{Moyenne pondérée du nombre d'actions en circulation au cours de l'exercice}}$$

Axcan publie ce montant dans son état des résultats (*voir le tableau 5.5 à la page 274*) sous le titre « Bénéfice par action ordinaire ». Toute entreprise qui présente une structure financière complexe (c'est-à-dire avec des options d'achat d'actions ou des titres convertibles en actions ordinaires) doit aussi calculer l'effet de ces éléments comme s'ils avaient été exercés ou convertis au début de l'exercice ou au moment de leur émission initiale si elle a eu lieu au cours de l'exercice. On parle alors de résultat par action dilué. Le calcul de tels montants dépasse le cadre de ce volume, et il sera étudié dans les cours avancés de comptabilité. Toute entreprise qui déclare des activités abandonnées ou des éléments extraordinaires doit également présenter l'effet de ces éléments sur le résultat par action.

Les impôts sur les bénéfices

Une des caractéristiques communes aux quatre premières sections de l'état des résultats (*voir la page 273*) est qu'on trouve dans chacune d'elles le montant de la charge fiscale relative à cette section. C'est ce qu'on appelle la « ventilation des impôts de l'exercice ». Les éléments qui apparaissent à la suite des activités normales d'exploitation sont présentés nets des impôts qui s'y rapportent. Par exemple, un gain extraordinaire de 1 000 $ est présenté à 750 $ (1 000 $ − 250 $ de charges fiscales).

Avant de déterminer le bénéfice provenant des activités normales, on calcule et on soustrait la charge fiscale. Dans le cas d'Axcan, cette charge correspond à environ 24 % du résultat comptable. Seules les sociétés par actions (ou les sociétés de capitaux) sont assujetties à une telle charge. Les impôts sur les bénéfices sont payables à chaque exercice (en partie par anticipation selon des estimations trimestrielles).

Depuis octobre 2006, le CNC a introduit un nouveau concept : le résultat étendu. Le résultat étendu comprend d'une part le bénéfice net de la période et, d'autre part, les gains et les pertes de la période qui n'ont pas été constatés à l'état des résultats en conformité avec les règles établies par l'ICCA. Les entreprises ont la possibilité de présenter ces informations soit dans un état financier distinct appelé l'« état du résultat étendu », soit de les intégrer dans l'état des résultats qui s'appellera alors l'« état du résultat étendu détaillé » ou encore de les présenter à l'intérieur de l'état des capitaux propres, comme l'a fait la société Axcan. L'étude des éléments du résultat étendu fera l'objet d'une discussion au chapitre 10 ; ce sujet sera approfondi dans les cours de comptabilité intermédiaire.

L'état des capitaux propres

L'état des capitaux propres (ou avoir des actionnaires) indique les changements survenus au cours d'un exercice dans les capitaux propres. L'état de l'avoir des actionnaires de la société Axcan pour l'exercice 2005 est reproduit dans le tableau 5.6 à la page suivante. Jusqu'à présent, les états de capitaux propres que nous avons étudié montraient uniquement les changements survenus dans les bénéfices non répartis au cours d'un exercice. Comme il est possible de le constater avec Axcan, les BNR ne constituent qu'une partie des éléments de l'état de capitaux. Dans son état, Axcan présente les variations survenues au cours de l'exercice en ce qui concerne le capital-actions, les BNR, le surplus d'apport et les autres éléments du résultat étendu (ou global). Nous analyserons cet état financier plus en détail au chapitre 10.

TABLEAU 5.6 | Avoir des actionnaires consolidé

Avoir des actionnaires consolidé des exercices terminés les 30 septembre en milliers de dollars des États-Unis, sauf les montants relatifs aux actions	2005	2004	2003
Actions ordinaires (nombre d'actions)			
Solde au début	45 562 336	45 004 320	44 863 198
Actions émises conformément au régime d'options d'achat d'actions en contrepartie d'espèces	119 839	558 016	141 122
Solde à la fin	45 682 175	45 562 336	45 004 320
Actions ordinaires	$	$	$
Solde au début	260 643	255 743	254 640
Actions émises conformément au régime d'options d'achat d'actions en contrepartie d'espèces	1 071	4 900	1 103
Solde à la fin	261 714	260 643	255 743
Bénéfices non répartis			
Solde au début	112 362	63 634	43 709
Bénéfice net	26 425	48 728	19 925
Solde à la fin	138 787	112 362	63 634
Surplus d'apport			
Solde au début	–	–	–
Économie d'impôts sur les bénéfices relative à l'exercice d'options d'achat d'actions	1 329	–	–
Solde à la fin	1 329	–	–
Autres éléments du résultat global cumulés			
Solde au début	19 071	11 634	(3 562)
Ajustements au titre de l'écart d'acquisition	(3 297)	7 437	15 196
Solde à la fin	15 774	19 071	11 634
Total de l'avoir des actionnaires	417 604	392 076	331 011
Résultat global			
Ajustements au titre de l'écart d'acquisition	(3 297)	7 437	15 196
Bénéfice net	26 425	48 728	19 925
Total du résultat global	23 128	56 165	35 121

Les notes complémentaires font partie intégrante des états financiers consolidés.

L'état des flux de trésorerie

Dans les chapitres précédents, nous avons discuté des différentes composantes de l'état des flux de trésorerie énumérées ci-après.

Les flux de trésorerie liés aux activités d'exploitation

Cette section comprend les flux de trésorerie relatifs aux opérations qui entrent dans le calcul du bénéfice net.

Les flux de trésorerie liés aux activités d'investissement

Cette section porte sur les activités d'investissement telles que l'acquisition et la cession d'actifs à long terme destinés à engendrer des produits et des liquidités futures.

Les flux de trésorerie liés aux activités de financement

Cette section traite des activités liées au financement de l'entreprise au moyen des capitaux propres et de la dette.

L'état des flux de trésorerie consolidé de la société Axcan pour l'exercice 2005 est reproduit dans le tableau 5.7 (*voir la page 280*). Il contient les sections énumérées précédemment. On peut présenter la première section (les flux de trésorerie liés aux activités d'exploitation) selon la méthode directe ou la méthode indirecte. La société Axcan utilise la méthode indirecte qui consiste à ajuster le bénéfice net, calculé selon la méthode de la comptabilité d'exercice, pour tenir compte des éléments sans effet sur la trésorerie, des variations dans les éléments du fonds de roulement. La méthode indirecte est la méthode la plus utilisée par les entreprises canadiennes.

INCIDENCE SUR LES FLUX DE TRÉSORERIE

Les activités d'exploitation (la méthode indirecte)

La section des activités d'exploitation de l'état des flux de trésorerie établie selon la méthode indirecte permet à l'analyste de comprendre la différence entre le bénéfice net et les flux de trésorerie liés à l'exploitation d'une entreprise. En fait, il peut s'agir de montants très différents. Il ne faut pas oublier que l'état des résultats est établi selon la méthode de la comptabilité d'exercice. On enregistre donc les produits d'exploitation lorsqu'ils sont réalisés sans tenir compte du moment où les flux de trésorerie qui s'y rapportent se produisent. Les charges sont rapprochées des produits d'exploitation et enregistrées dans le même exercice que ceux-ci, encore une fois sans considération du moment où les sorties de fonds correspondantes ont lieu.

Avec la méthode indirecte, le premier élément des flux de trésorerie liés aux activités d'exploitation est le bénéfice net qui a été calculé suivant la méthode de la comptabilité d'exercice et qu'on doit transformer en flux de trésorerie.

Bénéfice net

+/− Redressements des éléments ne nécessitant pas de mouvements de fonds

+/− Variation des éléments du fonds de roulement

Flux de trésorerie liés aux activités d'exploitation

Les éléments qui apparaissent entre ces deux montants servent à expliquer pourquoi ils diffèrent l'un de l'autre. Prenons l'exemple de la société Axcan. Comme aucune sortie de fonds n'a eu lieu au cours de l'exercice pour la charge d'amortissement inscrite à l'état des résultats, ce montant est réintégré grâce au processus de conversion. De même, les augmentations et les diminutions des actifs et des passifs à court terme justifient une fraction de la différence entre le bénéfice net et les flux de trésorerie liés aux activités d'exploitation. Par exemple, les ventes à crédit augmentent le bénéfice net et l'actif à court terme (le poste Clients), mais elles n'augmentent pas les liquidités. À mesure que nous examinerons plus en détail différents éléments de l'état des résultats et du bilan (*voir les chapitres 6 à 11*), nous traiterons également de l'incidence de ceux-ci sur l'état des flux de trésorerie. L'étude de tous les aspects de cet état financier se fera au chapitre 12.

| TABLEAU 5.7 | État des flux de trésorerie |

Flux de trésorerie consolidés des exercices terminés les 30 septembre en milliers de dollars des États-Unis	2005 $	2004 $	2003 $
Exploitation			
Bénéfice net	26 425	48 728	19 925
Éléments hors caisse			
Part des actionnaires sans contrôle	–	–	(103)
Amortissements des frais d'émission d'emprunts reportés	1 100	1 144	646
Autres amortissements	21 532	16 359	8 063
Perte (gain) sur cession d'éléments d'actif	–	(5)	1 130
Variation de monnaies étrangères	(84)	342	305
Impôts reportés	(3 261)	6 625	1 848
Participation aux résultats des coentreprises	–	455	106
Variations d'éléments du fonds de roulement (note 17)	22 033	(50 288)	19 576
Flux de trésorerie liés aux activités d'exploitation	67 745	23 360	51 496
Financement			
Emprunts à long terme	–	2 212	126 064
Remboursements d'emprunts à long terme	(1 857)	(3 842)	(4 687)
Frais d'émission d'emprunts reportés	(589)	–	(4 589)
Émission d'actions	1 071	4 900	1 103
Flux de trésorerie liés aux activités de financement	(1 375)	3 270	117 891
Investissement			
Acquisitions de placements temporaires	(14 519)	(20 936)	(133 112)
Cessions de placements temporaires	12 822	138 074	60 740
Cessions de placements	–	1 876	637
Acquisitions d'immobilisations corporelles	(6 330)	(13 409)	(4 291)
Cessions d'immobilisations corporelles	–	405	–
Acquisitions d'actifs incorporels	(51)	(149 628)	(76 093)
Cessions d'actifs incorporels	–	917	–
Flux de trésorerie liés aux activités d'investissement	(8 078)	(42 701)	(152 119)
Gain (perte) de change sur espèces libellées en monnaies étrangères	(302)	277	528
Augmentation (diminution) nette des espèces et quasi-espèces	57 990	(15 794)	17 796
Espèces et quasi-espèces au début	21 979	37 773	19 977
Espèces et quasi-espèces à la fin	79 969	21 979	37 773

Les notes complémentaires font partie intégrante des états financiers consolidés.

(Note : Certains postes de cet état financier sont complexes et dépassent largement un cours de comptabilité de base.)

Les notes complémentaires (ou les notes afférentes) aux états financiers

Les montants présentés dans les différents états financiers fournissent des informations importantes pour les décideurs, mais la plupart des utilisateurs ont besoin d'informations supplémentaires pour mener à bien leur analyse. Selon le chapitre 1000 du *Manuel de l'ICCA*, les notes complémentaires visent à fournir des précisions sur des éléments constatés dans les états financiers ou à donner des informations au sujet d'éléments ne satisfaisant pas aux critères de constatation et qui, de ce fait, ne sont pas présentés dans les états financiers. Ces notes font partie intégrante des états financiers. En effet, elles sont comprises dans le rapport du vérificateur, et l'information incluse a la même importance que celle qui est présentée dans les états financiers mêmes. Pour les besoins de notre analyse, nous avons classé les notes aux états financiers d'Axcan par catégories : les principales conventions comptables, les précisions sur des éléments présentés dans les états financiers et les informations financières pertinentes non présentées dans les états financiers.

La description des principales conventions comptables

La grande majorité des entreprises présentent, dans leur première note aux états financiers, un résumé des principales conventions comptables utilisées. Comme vous pourrez le constater à la lecture des prochains chapitres, les principes comptables généralement reconnus (PCGR) permettent aux entreprises de choisir entre différentes méthodes pour mesurer certains éléments.

Le résumé des principales conventions comptables indique à l'utilisateur quelles méthodes comptables l'entreprise a adoptées. Il est impossible d'analyser efficacement les résultats financiers d'une entreprise si on ne possède pas au départ une bonne connaissance des différentes méthodes utilisées. Voici la convention comptable adoptée par Axcan pour évaluer son stock.

Coup d'œil sur

Axcan Pharma inc.

RAPPORT ANNUEL

Notes complémentaires

3. Les conventions comptables
   L'évaluation des stocks

Les stocks de matières premières et de matériel de conditionnement sont évalués au moindre du coût et du coût de remplacement, alors que les stocks de produits en cours et de produits finis sont évalués au moindre du coût et de la valeur de réalisation nette, le coût étant déterminé selon la méthode de l'épuisement successif. Le coût des stocks de produits en cours et de produits finis inclut les matières premières, la main-d'œuvre directe, les sous-contrats et une imputation des frais généraux. Des provisions sont maintenues pour les stocks à rotation lente sur la base de la durée de vie utile restante et de l'estimation du délai nécessaire pour vendre ces stocks. Les stocks désuets et les produits défectueux sont radiés au coût des marchandises vendues.

Les différentes méthodes comptables et les principes comptables généralement reconnus

De nombreuses personnes ont de fausses impressions concernant la nature des règles que sont les principes comptables généralement reconnus. Elles croient par exemple que les PCGR exigent l'utilisation d'une seule méthode comptable pour calculer chaque valeur inscrite aux états financiers (par exemple la valeur du stock). En fait, les PCGR permettent souvent de choisir une méthode comptable parmi plusieurs méthodes acceptables. Une entreprise peut alors adopter les méthodes qui correspondent le mieux à sa situation économique particulière. Toutefois, cette possibilité complique la tâche des utilisateurs d'états financiers, car ces derniers doivent comprendre comment le choix des méthodes comptables d'une entreprise influe sur la présentation de ses états financiers.

Par exemple, avant d'analyser les états financiers de deux entreprises qui utilisent des méthodes comptables différentes, on doit convertir les états de l'une en utilisant les méthodes adoptées par l'autre pour pouvoir les comparer. Autrement, le lecteur se retrouve dans la situation d'une personne qui comparerait des distances en kilomètres avec des distances en milles sans les convertir dans une échelle commune. À l'intérieur des chapitres subséquents, nous verrons comment développer les habiletés nécessaires pour effectuer de telles conversions.

Des précisions sur des éléments constatés dans les états financiers

Le deuxième type de notes fournit des informations supplémentaires, et des précisions sur différents postes présentés aux états financiers. Entre autres informations, ces notes peuvent présenter séparément les produits d'exploitation par région géographique ou secteur d'activité, décrire des opérations importantes telle l'acquisition d'une entreprise ou donner de plus amples détails sur un poste en particulier. Par exemple, la société Axcan donne des informations supplémentaires sur l'acquisition de produits médicaux dans sa note 4. Elle précise les produits, les droits et les licences achetés ainsi que le prix payé. Dans sa note 13, que voici, Axcan précise la composition du poste Comptes fournisseurs et frais courus.

Notes complémentaires
(en milliers de dollars des États-Unis)

13. Comptes fournisseurs et frais courus	2005	2004
	$	$
Comptes fournisseurs	14 808	13 259
Rabais, retours de marchandises et demandes de crédit courus	12 886	9 430
Intérêts courus sur les billets subordonnés	2 447	2 530
Redevances courues	5 584	5 340
Salaires courus	2 202	3 228
Bonis courus	2 637	2 804
Frais de recherche et développement courus	5 207	3 447
Autres frais courus	4 319	4 979
Réclamations en cours de règlement	2 900	2 900
	52 990	47 917

Les informations financières pertinentes non constatées dans les états financiers

Les informations de cette dernière catégorie ont des répercussions financières sur l'entreprise, mais elles n'apparaissent pas comme telles dans les états financiers. Il s'agit par exemple de renseignements concernant un régime d'options d'achat d'actions, de questions juridiques, d'engagements ou d'éventualités, ou de tout événement important qui a eu lieu après la fin de l'exercice, mais avant la publication des états financiers. Un extrait de la note 21 qui suit en est un exemple.

Notes complémentaires
21. Engagements et éventualités

a) Engagements

La société s'est engagée en vertu de contrats de location non résiliables et des ententes de services échéant à différentes dates jusqu'au 30 septembre 2010 pour des espaces de bureaux, de l'équipement, du matériel roulant et des services de gestion des ventes et de recherche et développement. Un des contrats pour des espaces à bureaux est assorti d'une clause d'indexation.

Les paiements minimums exigibles en vertu de ces engagements s'établissent comme suit :

2006	1 908
2007	891
2008	912
2009	291
2010	6
	4 008

LA RATIFICATION DU PROTOCOLE DE KYOTO POURRAIT MODIFIER LA PERCEPTION À L'ÉGARD DE L'UTILITÉ ET DE LA PERTINENCE DE L'INFORMATION ENVIRONNEMENTALE

L'information environnementale fournie par les sociétés est fort peu uniforme, et il semble que nombre d'entreprises ne tirent pas avantage de cet outil de création de valeur. La ratification du *Protocole de Kyoto* et la surveillance qui va sans doute s'ensuivre pourraient modifier les perceptions à l'égard de l'utilité et de la pertinence de la publication, par les sociétés, d'informations environnementales. [...]

L'information environnementale fournie peut influencer l'interprétation que font les parties prenantes de la performance financière d'une entreprise. À cet égard, l'information que les intervenants du marché peuvent utiliser pour apprécier le risque environnemental est très pertinente, ce qui peut fournir à l'entreprise des motifs économiques pour communiquer certaines informations. Par exemple, les dirigeants qui fournissent beaucoup d'information de nature à rassurer les investisseurs sur les activités ou la performance de l'entreprise comblent un besoin et inspirent confiance à ceux-ci. [...] Cependant, il se peut également que les investisseurs jugent non crédible une information qui semble trop complaisante. Aussi, pour être crédible et créatrice de valeur, l'information fournie doit être un tant soit peu critique à l'égard de la gestion environnementale exercée par l'entreprise. [...]

Lorsqu'elles publient volontairement des informations environnementales, les entreprises acceptent d'assumer les coûts associés à la communication d'informations susceptibles de leur être préjudiciables en retour des avantages potentiels d'une information plus complète. Notamment parce qu'elle témoigne d'une plus grande transparence, l'information environnementale accroît la crédibilité de l'entreprise et peut atténuer les appréhensions des investisseurs à l'égard du risque. Ainsi, une transparence accrue peut donner plus de crédibilité aux résultats présentés. [...]

Source : Denis CORMIER et Michel MAGNAN (2003), *CA Magazine*, mai.

Dans l'actualité

CAMagazine

INFORMATION ENVIRONNEMENTALE

L'analyse du rendement des capitaux propres

L'objectif principal de l'analyse des états financiers est d'évaluer la performance des entreprises. Les dirigeants d'une entreprise (ainsi que ses concurrents) utilisent les états financiers pour mieux comprendre et évaluer les stratégies d'affaires. De leur côté, les analystes, les investisseurs et les prêteurs s'en servent pour évaluer la performance de l'entité dans le cadre de l'évaluation de ses titres et de son crédit. À ce stade de notre étude des données financières contenues dans les rapports financiers, nous sommes en mesure d'utiliser ces données pour évaluer le rendement des entreprises à l'aide d'un outil d'analyse, soit le calcul du rendement des capitaux propres (appelé aussi le « taux de rendement sur le capital investi »).

OBJECTIF D'APPRENTISSAGE 4

Analyser la performance d'une entreprise d'après le rendement des capitaux propres.

ANALYSONS LES RATIOS

Le rendement des capitaux propres

1. **Question d'analyse**

   Avec quel succès la direction a-t-elle utilisé l'investissement des actionnaires au cours de l'exercice ?

2. **Ratios et comparaisons**

$$\text{Rendement des capitaux propres} = \frac{\text{Bénéfice net}}{\text{Capitaux propres moyens*}}$$

   Pour Axcan en 2005, ce rapport était le suivant :

$$\frac{26\ 425\ \$}{(417\ 604 + 392\ 076) \div 2} = 0,065\ (6,5\ \%)$$

   * Capitaux propres moyens = (Capitaux propres au début de l'exercice + Capitaux propres à la fin de l'exercice) ÷ 2.

a) L'analyse de la tendance dans le temps			b) La comparaison avec les compétiteurs	
AXCAN			**AETERNA ZENTERIS**	**LABOPHARM**
2003	2004	2005	2004	2004
6,4 %	13,5 %	6,5 %	(4,6 %)	(111 %)

3. **Interprétation des résultats**

   EN GÉNÉRAL ◊ Le rendement des capitaux propres sert à mesurer le bénéfice réalisé pour chaque dollar des capitaux propres. À long terme, on s'attend à ce que les actions des entreprises dont le rendement des capitaux propres est supérieur à la moyenne se transigent à des prix plus élevés que les actions des entreprises dont le rendement est inférieur, toutes choses étant égales par ailleurs. Les gestionnaires, les analystes et les prêteurs utilisent ce ratio pour évaluer la capacité de l'entreprise à atteindre un rendement adéquat pour les actionnaires.

   AXCAN ◊ Le rendement des capitaux propres de la société Axcan a fluctué au cours des trois dernières années, passant de 6,4 % à 13,5 %, puis de nouveau à 6,5 %. L'année 2004 a été exceptionnelle pour Axcan avec une augmentation de son chiffre d'affaires de 36 % et une augmentation de son bénéfice net de 46,1 % par rapport à l'exercice 2003. Bien que son chiffre d'affaires ait atteint un chiffre record en 2005, les frais de recherche et développement ont augmenté de 60 %, provoquant une baisse du bénéfice net de 46 % et ramenant ainsi le rendement des capitaux propres au niveau de 2003.

   Si on compare Axcan avec ses concurrents dans le domaine pharmaceutique, on s'aperçoit qu'elle est la seule société à montrer un rendement des capitaux propres positif.

Aeterna Zenteris et Labopharm réalisaient toutes deux des pertes nettes importantes en 2004. Il faut dire que le secteur bio-pharmaceutique est un secteur en plein développement qui exige beaucoup d'investissement en recherche et développement avant que les entreprises puissent en récolter les fruits.

QUELQUES PRÉCAUTIONS ◊ Un rendement des capitaux propres croissant peut aussi indiquer que l'entreprise n'investit pas assez dans la recherche et développement ou dans la modernisation de ses immobilisations corporelles. Bien qu'une telle stratégie tende à faire diminuer les coûts et, par le fait même, à augmenter le rendement des capitaux propres à court terme, il entraîne normalement des baisses de ce taux à mesure que les produits et les immobilisations corporelles de l'entité atteignent la fin de leur cycle de vie. En conséquence, les décideurs expérimentés évaluent le rendement des capitaux propres dans un contexte plus global de la stratégie d'affaires d'une entreprise.

Une analyse globale du rendement des capitaux propres

Pour analyser le rendement de la société Axcan de façon efficace, il faut comprendre pourquoi son taux de rendement des capitaux propres de 2005 diffère de celui des exercices précédents et de celui de ses concurrents. L'analyse globale du rendement des capitaux propres permet de décomposer ce taux en trois indicateurs précisés dans le tableau 5.8 (*voir la page 286*). Ces indicateurs décrivent les trois moyens dont dispose la direction d'une entreprise pour améliorer le taux de rendement de ses capitaux propres. On les mesure en se servant des ratios clés que nous avons étudiés dans les trois chapitres précédents.

Le pourcentage de marge bénéficiaire nette

Le pourcentage de marge bénéficiaire nette correspond au quotient obtenu en divisant le bénéfice net par le chiffre d'affaires net. Il sert à mesurer combien rapporte chaque dollar de vente. On peut l'augmenter ainsi:
1) en accroissant le volume des ventes;
2) en augmentant le prix de vente;
3) en diminuant les charges.

Le taux de rotation de l'actif total

Le taux de rotation de l'actif total correspond au quotient obtenu en divisant le chiffre d'affaires net par l'actif total moyen. Il sert à évaluer l'efficacité de la direction à réaliser des ventes à partir de ses ressources. On peut l'augmenter ainsi:
1) en accroissant le volume des ventes;
2) en diminuant le nombre d'actifs moins productifs.

Le taux d'adéquation du capital

Le taux d'adéquation du capital correspond au quotient obtenu en divisant l'actif total moyen par les capitaux propres moyens[7]. Il sert à mesurer dans quelle proportion l'entreprise finance ses actifs à même ses capitaux propres ou sa dette. On peut l'accroître ainsi:
1) en augmentant la dette;
2) en rachetant (ou en diminuant) les actions en circulation.

Ces trois ratios permettent d'évaluer respectivement l'efficacité de l'entreprise dans ses activités d'exploitation, d'investissement et de financement.

---

7. Pour l'analyse globale du rendement des capitaux, nous utilisons l'actif total *moyen* et les capitaux propres *moyens* pour calculer le taux d'adéquation du capital.

TABLEAU 5.8 | Indicateurs du rendement des capitaux propres

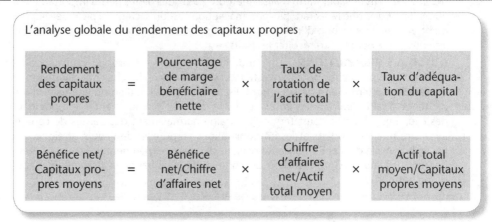

L'analyse globale du rendement des capitaux propres

Rendement des capitaux propres	=	Pourcentage de marge bénéficiaire nette	×	Taux de rotation de l'actif total	×	Taux d'adéquation du capital
Bénéfice net/ Capitaux propres moyens	=	Bénéfice net/Chiffre d'affaires net	×	Chiffre d'affaires net/Actif total moyen	×	Actif total moyen/Capitaux propres moyens

L'analyse du rendement et la stratégie d'affaires

Les industriels avisés appliquent souvent l'une ou l'autre des stratégies suivantes. Dans le premier cas, il s'agit d'une stratégie de haute valeur ou de différenciation du produit. L'entreprise compte sur la recherche et développement ainsi que sur des activités de promotion pour persuader la clientèle de la supériorité ou de l'originalité d'un produit. Elle peut alors exiger un prix plus élevé et réaliser une marge bénéficiaire plus importante. Dans le second cas, il s'agit d'une stratégie de diminution des coûts qui mise sur une gestion efficace des comptes clients, des stocks et des actifs productifs pour favoriser l'obtention d'un taux de rotation de l'actif total élevé.

TABLEAU 5.9 | Indicateurs du rendement des capitaux propres

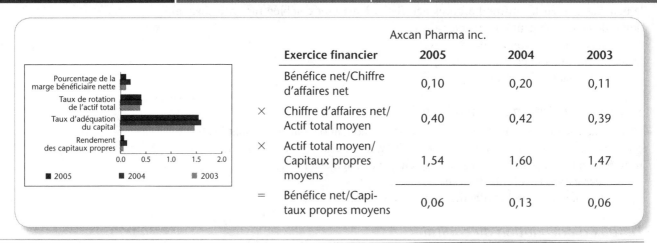

Axcan Pharma inc.

Exercice financier	2005	2004	2003
Bénéfice net/Chiffre d'affaires net	0,10	0,20	0,11
× Chiffre d'affaires net/ Actif total moyen	0,40	0,42	0,39
× Actif total moyen/ Capitaux propres moyens	1,54	1,60	1,47
= Bénéfice net/Capitaux propres moyens	0,06	0,13	0,06

L'analyse globale du rendement des capitaux propres présentée au tableau 5.9 indique à quoi on peut attribuer la fluctuation de ce taux au cours des trois dernières années. Bien que son chiffre d'affaires ait augmenté de façon régulière au cours de ces années, la marge bénéficiaire nette a chuté en 2005. Ce résultat est attribuable à une augmentation générale des dépenses d'exploitation, et particulièrement en ce qui concerne les frais de recherche et développement qui ont connu une hausse de 60 %. Cette hausse est principalement due au développement de son nouveau produit ITAX. Selon la direction, ce produit promet des ventes annuelles de 300 millions de dollars US au moment de sa commercialisation. Axcan est dans un secteur où les bénéfices viennent après plusieurs années de recherche et développement. D'un autre côté, on peut constater une certaine stabilité du taux de rotation de l'actif total, attribuable au fait que l'augmentation du chiffre d'affaires a été suivie de près par l'augmentation de ses actifs. Quant au taux d'adéquation du capital, il a légèrement fluctué au cours des dernières années. En effet, Axcan n'a ni fait d'emprunt important ni diminué sa dette de façon significative, ni fait d'appel public pour ses actions. En somme, l'analyse globale du rendement des capitaux propres nous apprend que la diminution importante de son rendement des capitaux propres en 2005 vient en très grande partie de l'augmentation de ses coûts et particulièrement de ses frais de recherche et développement.

Les entreprises prospères qui adoptent une stratégie de diminution des coûts affichent généralement un rendement des capitaux propres élevé ainsi qu'un taux de rotation de l'actif total et un taux d'adéquation du capital plus élevés que la moyenne. Vous trouverez un exemple de la stratégie de ces entreprises dans le test d'autoévaluation à la fin de cette section.

Comme on vient de le voir, les entreprises peuvent appliquer différentes mesures pour tenter de modifier chacune des composantes du rendement des capitaux propres. Afin de comprendre les répercussions de ces mesures, les analystes financiers décomposent chacun de ces indicateurs en des rapports encore plus détaillés. Ainsi, le taux de rotation de l'actif total se subdivise en taux de rotation d'actifs plus précis tels que les comptes clients, le stock et les actifs immobilisés. Nous allons approfondir notre compréhension de ces ratios dans les sept prochains chapitres du volume. Ensuite, au chapitre 13, nous réunirons ces ratios pour une analyse globale.

TEST D'AUTOÉVALUATION

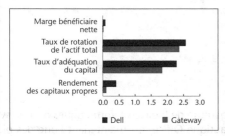

L'analyse du tableau 5.9 visait à comprendre les raisons de la fluctuation du rendement des capitaux propres de la société Axcan au cours des trois derniers exercices. Ce type d'analyse est souvent appelé une «analyse chronologique». On peut aussi s'en servir afin d'expliquer pourquoi le taux d'une entreprise est différent de celui de ses concurrents à un moment précis dans le temps. On parle alors d'une «analyse sectorielle». Voici une analyse des rendements des capitaux propres de l'exercice en cours des sociétés Dell Computer et Gateway, deux grands fabricants d'ordinateurs qui vendent directement leurs produits à leur clientèle. Ces deux sociétés ont adopté une stratégie de réduction des coûts, se bâtissant ainsi une réputation de produits de qualité et de services à bas prix. Dell a eu un rendement des capitaux propres plus élevé que celui de Gateway au cours des deux derniers exercices. Servez-vous de l'analyse du rendement des capitaux propres pour expliquer comment Dell a obtenu un rendement plus élevé que celui de Gateway.

	Analyse globale du rendement des capitaux propres	Dell	Gateway
	Bénéfice net/Chiffre d'affaires net	0,068	0,025
×	Chiffre d'affaires net/Actif total moyen	2,56	2,37
×	Actif total moyen/Capitaux propres moyens	2,28	1,84
=	Bénéfice net/Capitaux propres moyens	0,40	0,11

Vérifiez vos réponses à l'aide des solutions présentées en bas de page*.

---

* Les sociétés Dell et Gateway sont toutes deux reconnues pour l'efficience de leurs activités qui se traduit par des taux de rotation de l'actif total élevés. Dans le domaine de l'efficience des actifs, Dell l'emporte sur Gateway, mais par une mince avance. Son principal avantage réside dans une marge bénéficiaire nette qui est de 170 % plus élevée que celle de son concurrent et qui reflète sa réussite auprès de son segment de marché, une clientèle d'affaires. Les clients de cette catégorie achètent en plus grande quantité que les autres, ce qui diminue les coûts de traitement des commandes et de production. Ils se procurent souvent des appareils haut de gamme et à marge bénéficiaire nette plus élevée que les clients du segment de marché de Gateway, qui sont des particuliers. L'effet de cet avantage en matière de marge bénéficiaire nette est encore multiplié par le fait que Dell compte plus que son concurrent sur l'effet de levier (le financement par dettes). Toutefois, ce levier financier plus important pourrait nuire un jour à l'entreprise si le marché de l'ordinateur personnel connaissait un ralentissement.

Conclusion

Au cours de son premier trimestre 2006, la société Axcan a réalisé des revenus d'exploitation records avec une hausse de 14 % et une hausse de son bénéfice net de 1 %. Ces bonnes nouvelles ont par contre été assombries par l'annonce de résultats décevants dans le cas d'une étude clinique sur l'un de ses produits les plus prometteurs, l'ITAX. Le cours de l'action a alors chuté de 35 % en une seule journée.

L'Itopride (ITAX) coule Axcan Pharma inc.

Des résultats cliniques décevants pour le médicament inquiètent les investisseurs.

Le chef de la direction n'a pas voulu reconnaître qu'il s'agit d'un échec majeur pour Axcan Pharma inc. [...] Les résultats divulgués hier concernent une étude internationale. Une autre étude clinique de phase III est menée en Amérique du Nord auprès de 600 patients et ses résultats devraient être connus d'ici le mois de juin [...] L'analyste Hari Sambasivam, de la firme Merrill Lynch, a néanmoins décoté le titre d'Axcan, recommandant à ses clients de vendre leurs actions. Cet analyste a souligné que la société de Mont-Saint-Hilaire avait majoré substantiellement ses dépenses en recherche et développement au cours des deux dernières années afin de soutenir les études de phase III concernant l'Itopride, puisque ce médicament «représentait la plus importante source potentielle de revenus et profits pour Axcan à moyen terme». Merrill Lynch évaluait à 600 millions $US les revenus potentiels pour l'Itopride après quatre ans.

«Compte tenu de l'échec de cette étude, nous croyons qu'il y aura une incertitude considérable concernant les projets de développement futurs d'ITAX (Itopride)», a écrit M. Sambasivam.

Source: PC, *La Presse*, 23 février 2006, p. 3 Affaires.

ANALYSONS UN CAS

La société Microsoft

La société Microsoft, conceptrice d'une vaste gamme de logiciels informatiques dont le système d'exploitation Windows et la suite bureautique Office, est maintenant l'une des plus grandes entreprises informatiques au monde. Voici une liste de comptes non classés tirés d'un état des résultats et d'un bilan de cette société. Il s'agit d'éléments qui ont des soldes normaux et qui sont enregistrés en millions de dollars. Pour l'exercice considéré, 5 341 millions d'actions étaient en circulation. L'exercice se termine le 30 juin.

Fournisseurs	1 188 $	Chiffre d'affaires	25 296 $
Clients	3 671	Autres actifs à court terme	3 530
Caisse	3 922	Autres passifs à court terme	2 862
Capital social	28 390	Autres gains ou pertes	(570)
Coût des marchandises vendues	3 455	Autres actifs à long terme	3 170
Frais généraux et d'administration	857	Immobilisations corporelles	2 309
Impôts à payer	1 468	Impôts sur les bénéfices	3 804
Placements à long terme	14 141	Recherche et développement	4 379
Produits perçus d'avance	5 614	Bénéfices non répartis	18 899
		Frais de mise en marché	4 885
		Placements temporaires	27 678

Travail à faire

1. Dressez un état des résultats (indiquant la marge bénéficiaire brute et le bénéfice d'exploitation) ainsi qu'un bilan pour l'exercice se terminant le 30 juin.

2. Effectuez une analyse globale du rendement des capitaux propres. Expliquez brièvement sa signification et comparez les résultats que vous avez obtenus à ceux de la société Axcan pour l'exercice 2005. (Le total des actifs et le total des capitaux propres de Microsoft étaient, au début de l'exercice, respectivement de 52 150 millions de dollars et de 41 368 millions de dollars.)

Solution suggérée

1.

Société Microsoft
État des résultats
pour l'exercice terminé le 30 juin
(en millions de dollars)

Chiffre d'affaires	25 296 $
Coût des marchandises vendues	3 455
Marge bénéficiaire brute	21 841
Charges d'exploitation	
Recherche et développement	4 379
Frais de mise en marché	4 885
Frais généraux et d'administration	857
Total des charges d'exploitation	10 121
Bénéfice d'exploitation	11 720
Autres gains ou pertes	(570)
Bénéfice avant impôts	11 150
Impôts sur les bénéfices	3 804
Bénéfice net	7 346 $
Résultat par action	1,38 $

Société Microsoft
Bilan
au 30 juin
(en millions de dollars)

Actif	
Actif à court terme	
Caisse	3 922 $
Clients	3 671
Placements temporaires	27 678
Autres actifs à court terme	3 530
Total de l'actif à court terme	38 801
Immobilisations corporelles	2 309
Placements à long terme	14 141
Autres actifs à long terme	3 170
Total de l'actif	58 421 $
Passif	
Passif à court terme	
Fournisseurs	1 188 $
Produits perçus d'avance	5 614
Impôts à payer	1 468
Autres passifs à court terme	2 862
Total du passif à court terme	11 132
Capitaux propres	
Capital social	28 390
Bénéfices non répartis	18 899
Total des capitaux propres	47 289
Total du passif et des capitaux propres	58 421 $

2.	Fin de l'exercice fiscal	30 juin
	Bénéfice net/Chiffre d'affaires net	0,29
×	Chiffre d'affaires net/Actif total moyen	0,46
×	Actif total moyen/Capitaux propres moyens	1,25
=	Bénéfice net/Capitaux propres moyens	0,17

Pour l'exercice se terminant le 30 juin, les actionnaires de Microsoft ont obtenu un rendement de leurs capitaux propres de 17 %. Ce taux est plus élevé que celui d'Axcan en 2005 (*voir les résultats de 2005 au tableau 5.9 à la page 286*). Microsoft présente une marge bénéficiaire plus élevée, réalisant 0,29 $ de bénéfice net sur chaque dollar de vente comparativement à 0,10 $ pour Axcan, bien que le taux de rotation de l'actif total soit sensiblement le même pour les deux sociétés. Cette analyse indique la prédominance de Microsoft dans le domaine des logiciels, qui lui permet d'exiger des prix élevés pour ses produits. Son taux d'adéquation du capital, comme celui de la société Axcan, indique que le capital de Microsoft provient essentiellement de ses capitaux propres et non de sa dette à long terme. Avec 1,25 $ d'actifs pour chaque dollar de capitaux propres, l'entreprise a choisi de ne pas augmenter son ratio d'endettement (emprunter) autant, par exemple, que Dell ou Gateway qui doivent se mesurer à une concurrence féroce dans le secteur du matériel informatique (*voir le test d'autoévaluation à la page 287*).

Points saillants du chapitre

1. **Déterminer les principaux intervenants dans le processus de communication de l'information financière, leur rôle dans ce processus, et les normes juridiques et professionnelles à respecter** (*voir la page 255*).

   La direction de l'entreprise est responsable des informations contenues dans les états financiers et les notes complémentaires. Le recours à des vérificateurs indépendants ajoute de la crédibilité à ces renseignements. Les annonces que font les sociétés ouvertes concernant leurs états financiers sont transmises aux utilisateurs au moyen des services d'information en ligne et de leur site Web. Les analystes financiers jouent un rôle primordial dans la communication de l'information financière grâce à leur analyse des entreprises, leurs recommandations en matière de placements et leurs prévisions de résultats.

2. **Reconnaître les étapes du processus de diffusion de l'information financière, notamment la publication de communiqués de presse, de rapports annuels et trimestriels, et de prospectus** (*voir la page 266*).

   Les entreprises font d'abord connaître leurs résultats par la voie de communiqués. Elles publient ensuite des rapports annuels et trimestriels contenant les états financiers et des informations supplémentaires. Les sites Web des entreprises et les services d'information constituent le principal moyen de diffusion de ce type d'information auprès des utilisateurs spécialisés.

3. **Reconnaître et utiliser les différents modes de présentation des états financiers** (*voir la page 270*).

   La plupart des états financiers sont dressés selon un ordre déterminé. Au bilan, les distinctions les plus importantes concernent les actifs et les passifs à court et à long terme. À l'état des résultats et à l'état des flux de trésorerie, c'est la séparation entre les éléments d'exploitation et les éléments hors exploitation qui est essentielle. Les notes afférentes aux états financiers fournissent la description des conventions comptables utilisées, des précisions sur des éléments constatés dans les états financiers ainsi que des informations sur des événements à portée économique qui n'y sont pas mentionnés.

4. **Analyser la performance d'une entreprise d'après le rendement des capitaux propres** (*voir la page 284*).

Le rendement des capitaux propres sert à mesurer jusqu'à quel point la direction a su tirer parti des investissements de ses actionnaires au cours d'un exercice. Trois indicateurs (la marge bénéficiaire nette, le taux de rotation de l'actif total et le taux d'adéquation du capital) permettent d'expliquer pourquoi le rendement des capitaux propres d'une entreprise diffère d'une année à l'autre ou de celui de ses concurrents. De tels indicateurs donnent aussi une idée des stratégies à adopter pour améliorer le rendement des capitaux propres dans l'avenir.

À partir du chapitre 6, nous entreprendrons une étude en profondeur des états financiers. Nous commencerons par deux des actifs les plus liquides, la trésorerie et les comptes clients, et nous examinerons les opérations relatives aux produits d'exploitation. De nombreux analystes considèrent l'application du principe de constatation des produits et du rapprochement des produits et des charges (dont il sera question au prochain chapitre) qui s'y rapporte comme le principal facteur de l'exactitude et, par conséquent, de l'utilité des différents types d'états financiers. Nous présenterons aussi des concepts relatifs à la gestion et au contrôle de la trésorerie puisqu'il s'agit de fonctions essentielles dans l'entreprise. Il est indispensable que les futurs gestionnaires, comptables et analystes financiers comprennent bien tous les aspects de ces sujets.

RATIOS CLÉS

Le rendement des capitaux propres sert à mesurer le bénéfice réalisé pour chaque dollar des capitaux propres. Le taux se calcule comme suit (*voir la page 284*) :

$$\text{Rendement des capitaux propres} = \frac{\text{Bénéfice net}}{\text{Capitaux propres moyens}}$$

BILAN

Principales catégories
Actifs et passifs à court et à long terme
Capitaux propres

ÉTAT DES RÉSULTATS

Totaux partiels principaux
Marge bénéficiaire brute
Bénéfice d'exploitation
Bénéfice avant impôts
Bénéfice net
Résultat par action

ÉTAT DES FLUX DE TRÉSORERIE

Dans la catégorie des activités d'exploitation (méthode indirecte)
Bénéfice net
+/− Redressements des éléments ne nécessitant pas de mouvements de fonds
+/− Variation des éléments du fonds de roulement
Flux de trésorerie liés aux activités d'exploitation

NOTES COMPLÉMENTAIRES

Principales catégories
Description des conventions comptables appliquées dans les états financiers
Précisions sur des éléments constatés dans les états financiers
Informations financières pertinentes non constatées dans les états financiers

Pour trouver
L'INFORMATION FINANCIÈRE

Mots clés

Questions

1. Décrivez les rôles et les responsabilités de la direction des entreprises et des vérificateurs dans le processus de communication de l'information financière.
2. Définissez les trois types d'utilisateurs d'informations comptables suivants et les relations qui existent entre eux : les analystes financiers, les investisseurs privés et les investisseurs institutionnels.
3. Décrivez brièvement le rôle des services d'information dans la diffusion de l'information financière.
4. Expliquez pourquoi l'utilité d'une information dépend de sa pertinence et de sa fiabilité.
5. Quelle méthode comptable est utilisée pour dresser a) l'état des résultats, b) l'état des flux de trésorerie ?
6. Expliquez brièvement les différentes publications des sociétés ouvertes au cours d'un exercice financier.
7. Quelles sont les grandes sections d'un état des résultats ?
8. Définissez l'expression «éléments extraordinaires». Pourquoi ces éléments devraient-ils être présentés dans une section distincte à l'état des résultats ?
9. Définissez l'expression «éléments non fréquents et non typiques».
10. Énumérez les cinq grandes sections qui apparaissent dans un bilan.
11. Expliquez brièvement les composantes des capitaux propres pour une société.
12. Quelles sont les trois grandes sections d'un état des flux de trésorerie ?
13. Quelles sont les trois grandes catégories de notes complémentaires qui accompagnent les états financiers ? Donnez un exemple de chacune d'elles.
14. Définissez brièvement le rendement des capitaux propres et ce qu'il permet de mesurer.
15. Comment calcule-t-on le rendement des capitaux propres ?

Questions à choix multiples

1. Si l'actif total moyen augmente et que le bénéfice net, le chiffre d'affaires net et les capitaux propres ne changent pas, quel sera l'effet sur le rendement des capitaux propres ?
   a) Une augmentation.
   b) Une diminution.
   c) Aucun effet.
   d) Impossible à déterminer.

2. Si une entreprise divulgue les renseignements suivants à l'état des résultats (CMV, 5 000 $; Impôts sur les bénéfices, 2 000 $; Frais financiers, 500 $; Frais d'exploitation, 3 500 $; Ventes, 14 000 $), quel sera le bénéfice d'exploitation ?
   a) 9 000 $
   b) 3 000 $
   c) 5 000 $
   d) 5 500 $

3. Parmi les éléments suivants, lequel n'est pas un élément qu'on doit présenter après le bénéfice d'exploitation à l'état des résultats ?
   a) Les éléments non fréquents et non typiques.
   b) Les activités abandonnées.
   c) Le résultat par action.
   d) Les éléments extraordinaires.

4. Parmi les fonctions suivantes, laquelle n'est pas assumée par les analystes financiers ?
   a) Établir des prévisions de résultats.
   b) Vérifier les états financiers.
   c) Recommander l'achat, la vente ou la conservation des titres boursiers.
   d) Conseiller les investisseurs sur leur portefeuille.

5. Quel type d'opinion du vérificateur une entreprise souhaite-t-elle recevoir sur ses états financiers ?
   a) Conservatrice.
   b) Avec réserve.
   c) Comparable.
   d) Sans réserve.

6. Parmi les éléments suivants, lequel ne fait pas partie du rapport annuel d'une entreprise ?
   a) Le rapport du vérificateur.
   b) Les états financiers.
   c) Les communiqués.
   d) Le rapport de la direction.

7. L'Autorité des marchés financiers est l'organisme de réglementation chargé :
   a) d'émettre une opinion sur les états financiers ;
   b) d'élaborer les normes comptables internationales ;
   c) d'assurer la protection des investisseurs ;
   d) de vendre et d'acheter les actions cotées à la Bourse.

8. Parmi les cabinets d'experts-comptables suivants, lequel ne fait pas partie des « quatre grands » ?
   a) Ernst & Young.
   b) Raymond Chabot Grant Thornton.
   c) Deloitte & Touche.
   d) KPMG.

9. Les qualités de l'information financière sont :
   a) la compréhensibilité, la pertinence, la fiabilité et la comparabilité ;
   b) la pertinence, la fiabilité, la comparabilité et la bonne information ;
   c) la fiabilité, l'importance relative, la compréhensibilité et la comparabilité ;
   d) la comparabilité, la compréhensibilité, la fiabilité et l'équilibre avantages-coûts.

10. Les activités abandonnées sont présentées :
   a) au bilan ;
   b) à l'état des résultats ;
   c) à l'état des capitaux propres ;
   d) Aucune de ces réponses.

M5-1   L'association de termes et de définitions

Associez chaque intervenant du processus de communication de l'information financière avec sa définition en inscrivant la lettre appropriée dans l'espace prévu à cet effet.

Intervenant	Définition
_____ 1. Le président et chef de la direction, et le directeur des services financiers	A. Un conseiller qui analyse les informations financières et les autres renseignements économiques pour faire des prévisions et des recommandations en matière de placements.
_____ 2. Le vérificateur	
_____ 3. Les utilisateurs	B. Notamment des investisseurs institutionnels et privés ainsi que des prêteurs.
_____ 4. L'analyste financier	C. Les principaux responsables de l'information présentée dans les états financiers.
	D. Un expert-comptable indépendant qui examine les états financiers et porte une opinion sur ceux-ci.

M5-2   L'ordre des communications

Indiquez l'ordre dans lequel les publications ou les rapports suivants sont généralement publiés par les sociétés ouvertes.

Numéro	Titre
_____	Rapport annuel
_____	Rapports trimestriels
_____	Communiqué de presse

M5-3   Les éléments des états financiers

Indiquez dans quel état financier on trouve les différents éléments en inscrivant la lettre appropriée dans l'espace prévu à cet effet.

Élément	État financier
_____ 1. Le passif	A. L'état des résultats
_____ 2. Les flux de trésorerie liés aux activités d'exploitation	B. Le bilan
_____ 3. Les pertes	C. L'état des flux de trésorerie
_____ 4. Les actifs	D. Aucun de ces documents
_____ 5. Les produits d'exploitation	
_____ 6. Les flux de trésorerie liés aux activités de financement	
_____ 7. Les gains	
_____ 8. Les capitaux propres	
_____ 9. Les charges	
_____ 10. Les actifs qu'un actionnaire possède	

M5-4   L'effet d'opérations sur les états financiers

Remplissez le tableau suivant en indiquant l'effet de chacune des opérations suivantes. (Inscrivez un + pour une augmentation et un − pour une diminution. S'il n'y a aucun effet, écrivez AE.) Considérez chaque élément séparément.

a) Inscription de ventes à crédit de 100 $ et du coût des marchandises vendues qui s'y rapporte de 60 $.

b) Inscription des charges de publicité de 10 $ engagées mais non encore payées.

Opération	Actif à court terme	Bénéfice brut	Passif à court terme
a)			
b)			

M5-5 **L'effet d'opérations sur l'équation comptable**
□ OA3

Indiquez l'effet des opérations suivantes sur l'équation comptable. (Inscrivez un + pour une augmentation et un − pour une diminution. S'il n'y a aucun effet, écrivez AE.) Précisez les comptes qui sont modifiés et de quels montants.

a) Ventes à crédit de 500 $ et coût des marchandises vendues qui s'y rapporte de 360 $.

b) Émission au comptant de 10 000 actions ordinaires pour un montant de 90 000 $.

Opération	Actif	=	Passif	+	Capitaux propres

M5-6 **Les écritures de journal**
□ OA3

Passez les écritures de journal pour enregistrer chacune des opérations de l'exercice M5-5.

M5-7 **Le rendement des capitaux propres**
□ OA4

La société Sumac a récemment enregistré les montants suivants (en milliers de dollars) dans ses états financiers en date du 31 décembre.

	Exercice en cours	Exercice précédent
Marge bénéficiaire brute	170 $	140 $
Bénéfice net	85	70
Total des actifs	1 000	900
Total des capitaux propres	800	750

Calculez le rendement des capitaux propres pour l'exercice en cours. Qu'est-ce que ce ratio sert à mesurer ?

Exercices

E5-1 **L'association de termes et de définitions**
□ OA1

Associez chaque intervenant du processus de communication de l'information financière à sa définition en inscrivant la lettre appropriée dans l'espace prévu à cet effet.

Intervenant	Définition
_____ 1. L'Autorité des marchés financiers	A. Un conseiller qui analyse les informations ayant un caractère financier ou économique pour faire des prévisions et des recommandations en matière de placements.
_____ 2. Un vérificateur	
_____ 3. Un investisseur institutionnel	B. Un établissement financier ou un fournisseur qui prête de l'argent à une entreprise.
_____ 4. Un président et chef de la direction et un directeur des services financiers	C. Des personnes qui ont la responsabilité des informations présentées dans les états financiers.
_____ 5. Un prêteur	D. Un expert-comptable indépendant qui examine les états financiers et porte une opinion sur ceux-ci.
_____ 6. Un analyste financier	
_____ 7. Un investisseur privé	E. Un organisme de surveillance des marchés boursiers.
_____ 8. Un service d'information	F. Une entreprise qui recueille, analyse et transmet (sur papier et de façon électronique) des informations financières.
	G. Une personne qui achète des actions d'une société.
	H. Un gestionnaire de caisse de retraite, de fonds commun de placement et de fonds d'investissement qui investit sur le marché boursier pour le compte d'autres personnes.

E5-2 **L'association de termes et de définitions**

Voici différents types d'informations financières. Faites correspondre une définition à chacun d'eux en inscrivant la lettre appropriée dans l'espace prévu à cet effet.

Information financière	Définition
_____ 1. Un rapport annuel	A. Une annonce publique par écrit généralement distribuée aux principales agences de presse.
_____ 2. Un communiqué	
_____ 3. Un rapport trimestriel	B. Un rapport contenant les états financiers de base pour un exercice, les notes afférentes, le rapport de gestion de la direction et le rapport des vérificateurs.
	C. Un bref rapport non vérifié pour un trimestre qui renferme en général les états financiers et un message aux actionnaires.

E5-3 **L'association de termes et de définitions**

Voici des éléments d'information qui apparaissent dans différents rapports financiers. Faites correspondre chacun d'eux au rapport dans lequel on a le plus de chances de le trouver en inscrivant la lettre appropriée dans l'espace prévu à cet effet.

Élément d'information	Rapport
_____ 1. Un résumé des données financières pour une période de 5 à 10 ans.	A. Un rapport annuel
_____ 2. La première annonce des bénéfices trimestriels.	B. Un communiqué
_____ 3. L'annonce d'un changement de vérificateurs.	C. Un rapport trimestriel
_____ 4. Les états financiers de base d'un exercice.	D. Aucun de ces documents
_____ 5. Un résumé de l'information contenue dans l'état des résultats pour le trimestre.	
_____ 6. Des notes afférentes aux états financiers.	
_____ 7. La description des personnes responsables du contenu des états financiers.	
_____ 8. La première annonce de l'engagement d'un nouveau vice-président des ventes.	

E5-4 **Le classement des éléments d'un bilan**

Voici une liste d'éléments d'un bilan. Numérotez-les dans l'ordre où ils apparaissent normalement au bilan.

Numéro	Titre
_____	Passif à court terme
_____	Passif à long terme
_____	Investissements à long terme
_____	Actifs incorporels
_____	Immobilisations corporelles
_____	Actif à court terme
_____	Bénéfices non répartis
_____	Capital social
_____	Autres actifs à long terme

E5-5 **L'établissement d'un bilan**

Falconbridge est l'un des plus importants producteurs de cuivre et de nickel au monde. La société possède des investissements dans les secteurs du zinc et de l'aluminium. Elle emploie 14 500 personnes réparties dans 18 pays. L'année 2005 a été riche en événements marquants. En juin 2005, la société s'est fusionnée avec la société Noranda et en octobre 2005, INCO limitée a fait une offre d'acquisition de toutes les actions ordinaires de Falconbridge. Voici des éléments de son bilan au 31 décembre (en millions de dollars des États-Unis) énumérés par ordre alphabétique.

Autre élément des capitaux propres	294$
Autres passifs à long terme	659
Bénéfices non répartis	154
Capital-actions	4 637
Créditeurs et impôts exigibles	1 691
Débiteurs	1 007
Dette échéant à moins d'un an	353
Dette à long terme	3 474
Immobilisations d'exploitation et projets de mises en valeur	8 510
Impôts sur les bénéfices futurs (PLT)	1 156
Métaux et autres stocks	1 708
Placements et autres actifs (ALT)	307
Trésorerie et équivalents de trésorerie	886

Travail à faire

Dressez un bilan consolidé de la société Falconbridge limitée pour l'exercice se terminant le 31 décembre à l'aide des éléments présentés ci-dessus.

E5-6   **L'établissement d'un bilan**

◆ Les Industries Spectra Premium inc. ■OA3

Industries Spectra Premium est un manufacturier de pièces automobiles et industrielles. Spectra Premium est même le plus important fabricant mondial de réservoirs d'essence en acier. Située à Boucherville, en banlieue de Montréal, Spectra compte environ 1 600 employés dans ses 9 usines et ses 50 centres de distribution répartis à travers le Canada, les États-Unis et l'Angleterre. Voici les éléments d'un bilan de cette entreprise au 31 octobre (en milliers de dollars), présentés par ordre alphabétique.

Autres éléments d'actif (ALT)	5 867$
Autres éléments des capitaux propres	(11 101)
Autres éléments du passif à long terme	8 666
Bénéfices non répartis	7 582
Capital-actions	188 777
Créditeurs et charges à payer	36 592
Débenture convertible	7 310
Débiteurs	44 790
Dette à long terme	9 506
Dette bancaire	793
Écart d'acquisition	18 149
Espèces	8 138
Frais payés d'avance et autres éléments d'actif	4 129
Gain reporté relatif aux instruments financiers dérivés (PCT)	311
Immobilisations	98 550
Immobilisations destinées à la vente	186
Impôts futurs (ACT)	4 860
Impôts futurs (ALT)	16 274
Impôts futurs (PLT)	13 447
Impôts sur le bénéfice à recevoir	2 584
Instruments financiers dérivés (ACT)	561
Revenus reportés (PCT)	536
Stocks	60 830
Tranche à court terme de la dette à long terme	2 499

Travail à faire

Dressez le bilan de l'entreprise pour l'exercice se terminant le 31 octobre en vous servant des éléments présentés.

E5-7   L'association de termes et de définitions

Voici une série de termes relatifs à l'état des résultats. Faites correspondre chaque définition au terme auquel elle se rapporte en inscrivant la lettre appropriée dans l'espace prévu à cet effet.

Terme	Définition
_____ 1. Le coût des marchandises vendues	A. Ventes − Coût des marchandises vendues.
_____ 2. Les charges d'intérêts	B. Un élément qui est à la fois inhabituel et peu susceptible de se répéter.
_____ 3. Un élément non fréquent et non typique	C. Des services rendus en échange d'argent ou à crédit.
_____ 4. Des produits tirés de la prestation de services	D. Produits + Gains − Charges − Pertes, y compris les activités abandonnées et les éléments extraordinaires.
_____ 5. Une charge d'impôts	E. Le montant des ressources utilisées pour acheter ou produire les marchandises qui ont été vendues au cours de l'exercice.
_____ 6. Un bénéfice avant éléments extraordinaires	F. Les impôts sur les bénéfices.
_____ 7. Un bénéfice net	G. Le coût d'emprunt dans le temps.
_____ 8. Une marge bénéficiaire brute	H. Le bénéfice net divisé par le nombre moyen d'actions en circulation.
_____ 9. Un résultat par action	I. Le bénéfice avant les éléments extraordinaires et les impôts qui s'y rapportent.
_____ 10. Des charges d'exploitation	J. Les charges totales directement liées aux activités d'exploitation.
_____ 11. Un bénéfice d'exploitation avant impôts	K. Le bénéfice avant impôts, les activités abandonnées et les éléments extraordinaires.
	L. Aucune de ces définitions.

E5-8   L'état des résultats

Trouvez les montants (en dollars) qui manquent dans l'état des résultats de l'exercice 2009 de la société SupraStyle. Considérez chaque cas indépendamment des autres.

	Cas A	Cas B	Cas C	Cas D	Cas E
Chiffre d'affaires	900 $	700 $	410 $	_____ $	_____ $
Frais de vente	_____	150	80	400 $	250 $
Coût des marchandises vendues	_____	370	_____	500	310 $
Charge d'impôts	_____	30	20	40	30 $
Marge bénéficiaire brute	500	_____	_____		440 $
Bénéfice avant impôts	200	90	_____	190	
Frais d'administration	100		60	100	80
Bénéfice net	170	_____	50	_____	80

E5-9   L'établissement d'un état des résultats

Les données suivantes proviennent des livres de la société Cornouiller en date du 31 décembre 2009.

Chiffre d'affaires	70 000 $
Bénéfice brut	24 500
Frais de vente	8 000
Frais d'administration	_____
Bénéfice avant impôts	12 000
Taux d'imposition	30 %
Nombre d'actions en circulation	3 000

Travail à faire

Dressez un état des résultats (en indiquant à la fois le bénéfice brut et le bénéfice d'exploitation). Montrez tous vos calculs. (Conseil: Servez-vous des montants et des pourcentages fournis pour déduire les valeurs manquantes.)

E5-10 L'établissement d'un état des résultats

Voici des données tirées des livres de la société Amélanchier au 31 décembre 2009.

Chiffre d'affaires	120 000 $
Frais d'administration	10 000
Frais de vente	18 000
Taux d'imposition	25 %
Bénéfice brut	48 000
Nombre d'actions en circulation	2 000

Travail à faire

1. Dressez un état des résultats à groupements simples. Montrez tous vos calculs. (Conseil : Servez-vous des montants et des pourcentages fournis pour calculer les valeurs manquantes.)

2. Dressez un état des résultats à groupements multiples. (Indiquez à la fois le bénéfice brut et le bénéfice d'exploitation.)

E5-11 L'effet d'opérations sur le bilan et l'état des résultats

Voici un résumé de quelques opérations qui se sont produites au cours de l'exercice 2008 (en millions de dollars). Remplissez le tableau suivant. (Inscrivez un + pour une augmentation et un − pour une diminution. S'il n'y a aucun effet, écrivez AE. Inscrivez également le montant de chaque opération.) Considérez chaque élément indépendamment des autres.

a) L'enregistrement de ventes à crédit pour un montant de 500 $ et du coût des marchandises vendues qui y est associé, de 360 $.

b) Un emprunt bancaire de 306 $; le capital est remboursable dans un délai d'un an.

c) Des frais de recherche et développement payés comptant, 10 $.

Opération	Actif à court terme	Bénéfice brut	Passif à court terme
a)			
b)			
c)			

E5-12 L'effet d'opérations sur le bilan, l'état des résultats et l'état des flux de trésorerie

La société Focus est une entreprise de fabrication de meubles située à Sherbrooke. Voici deux opérations tirées de ses livres pour le premier trimestre de l'exercice 2009 (en millions de dollars). Remplissez le tableau ci-dessous. (Inscrivez un + pour une augmentation et un − pour une diminution. S'il n'y a aucun effet, écrivez AE. Inscrivez également le montant de chaque opération.) Considérez chaque cas indépendamment des autres.

a) L'enregistrement d'une vente à crédit, 32 $.

b) Le remboursement d'une partie du capital, soit 2 $, d'un emprunt ; le montant du capital doit être payé en totalité à l'intérieur d'un an.

Opération	Actif à court terme	Bénéfice brut	Passif à court terme	Flux de trésorerie liés aux activités d'exploitation
a)				
b)				

E5-13 L'établissement d'un état des flux de trésorerie

La société Chèvrefeuille dresse actuellement ses états financiers annuels au 31 décembre 2007. Voici les éléments de son état des flux de trésorerie. Les parenthèses indiquent qu'il faut soustraire le montant inscrit de cet état financier. Les soldes au début et à la fin du compte Caisse s'élèvent respectivement à 36 000 $ et à 41 000 $.

Signature d'un effet à payer	25 000 $
Diminution des stocks	2 000
Diminution des comptes fournisseurs	(4 000)
Augmentation des comptes clients	(10 000)
Bénéfice net	18 000
Émission d'actions contre espèces	22 000
Achat d'un nouveau camion de livraison	(12 000)
Achat d'un terrain	(36 000)

Travail à faire

Dressez l'état des flux de trésorerie de la société Chèvrefeuille pour l'exercice 2007. Établissez la section des flux de trésorerie liés aux activités d'exploitation à l'aide de la méthode indirecte, décrite dans ce chapitre.

■OA3 H₂O Innovation ◆ (2000) inc.

E5-14 **L'analyse et l'interprétation du rendement des capitaux propres**

H_2O Innovation (2000) inc. est une jeune entreprise qui conçoit, développe et met en marché des produits novateurs pour la production d'eau potable. Le siège social de la société est à Québec, alors que ses activités de production sont concentrées à son usine située à Ham-Nord, dans la région des Bois-Francs. Voici quelques montants tirés de son état des résultats et de son bilan.

	Exercice en cours	Exercice précédent
Chiffre d'affaires	2 866 796 $	3 399 002 $
Bénéfice (perte) net	(1 304 372)	(3 848 457)
Capitaux propres moyens	496 024	1 454 302
Actif total moyen	5 337 164	7 018 921

Travail à faire

1. Calculez le rendement des capitaux propres de l'exercice en cours et de l'exercice précédent, puis expliquez la signification du changement que vous observez.
2. Expliquez ce changement à l'aide d'une analyse des indicateurs du rendement des capitaux propres.

■OA4 Héroux Devtek ◆

E5-15 **L'analyse et l'interprétation du rendement des capitaux propres**

Héroux Devtek, dont le siège social est situé à Longueuil, est l'un des plus importants fabricants de l'industrie aérospatiale canadienne. La société fabrique entre autres les trains d'atterrissage pour des entreprises telles que Bombardier et Boeing, mais aussi pour l'armée canadienne et états-unienne. Voici quelques montants tirés de son état des résultats et de son bilan (en milliers de dollars).

	Exercice en cours	Exercice précédent
Chiffre d'affaires	232 998 $	192 678 $
Bénéfice net	(2 129)	(2 335)
Capitaux propres moyens	125 091	122 621
Actif total moyen	297 544	286 012

Travail à faire

1. Calculez le rendement des capitaux propres de l'exercice en cours et de l'exercice précédent, puis expliquez la variation que vous constatez.
2. Expliquez la variation à l'aide d'une analyse des indicateurs du rendement des capitaux propres.
3. S'ils se basaient sur cette variation, les analystes financiers seraient-ils plus susceptibles d'augmenter ou de diminuer leurs estimations de la valeur des actions de l'entreprise ? Expliquez votre réponse.

Problèmes

P5-1 **L'association d'opérations et de concepts**

Voici des concepts comptables dont il a été question dans les chapitres 2 à 5. Faites correspondre chaque opération au concept qui s'y rapporte en inscrivant la lettre appropriée dans l'espace prévu à cet effet. Utilisez une seule lettre pour chaque espace.

Les concepts

_____ 1. Les utilisateurs d'états financiers

_____ 2. Un objectif des états financiers

Les qualités de l'information

_____ 3. La pertinence

_____ 4. La fiabilité

Les postulats

_____ 5. La personnalité de l'entité

_____ 6. La continuité de l'exploitation

_____ 7. L'unité monétaire

_____ 8. L'indépendance des exercices

Les composantes des états financiers

_____ 9. Les produits d'exploitation

_____ 10. Les charges

_____ 11. Les gains

_____ 12. Les pertes

_____ 13. L'actif

_____ 14. Le passif

_____ 15. Les capitaux propres

Les principes

_____ 16. La valeur d'acquisition

_____ 17. La constatation des produits

_____ 18. Le rapprochement des produits et des charges

_____ 19. La bonne information

Les contraintes de la comptabilité

_____ 20. L'importance relative

_____ 21. L'équilibre avantages-coûts

_____ 22. Les pratiques dans l'industrie

Les opérations

A. L'enregistrement d'une vente de marchandises de 1 000 $.

B. L'évaluation en dollars des articles non vendus à la fin de l'exercice.

C. L'acquisition d'un véhicule utile à l'exploitation de l'entreprise.

D. L'enregistrement du montant de la charge d'amortissement parce qu'elle est susceptible d'influer sur les décisions importantes des utilisateurs des états financiers.

E. Des investisseurs, des créanciers et d'autres personnes qui s'intéressent à l'entreprise.

F. L'utilisation de méthodes comptables propres à un secteur d'activité.

G. Les emprunts obligataires pour un montant de 1 million de dollars.

H. L'achat d'un camion de 30 000 $.

I. L'engagement d'un expert-comptable pour vérifier les états financiers.

J. La vente de marchandises et la prestation de services au comptant et à crédit au cours de l'exercice, puis l'établissement du coût de ces marchandises vendues et du coût de prestation de ces services.

K. Le principe comptable selon lequel les produits d'exploitation ne sont constatés que lorsque la propriété des marchandises vendues est transmise au client.

L. La conception et l'établissement des états financiers pour aider les utilisateurs à prendre des décisions.

M. La convention visant à ne pas inclure dans les états financiers les activités financières personnelles des propriétaires de l'entreprise.

N. La perte due à la vente d'un actif immobilisé.

O. La supériorité de la valeur d'une information pour l'utilisateur par rapport au coût de sa préparation.

P. L'opération qui consiste à dater l'état des résultats en inscrivant « pour l'exercice terminé le 31 décembre 2008 ».

Q. L'achat de fournitures utilisées au cours de l'exercice.

R. L'acquisition d'un actif (un aiguisoir à crayons qui aura une durée de vie utile de cinq ans) et l'enregistrement à titre de charge au moment de l'achat de 1,99 $.

S. La communication dans les états financiers de tous les renseignements financiers pertinents sur l'entreprise.

T. Le gain obtenu par la vente d'un actif immobilisé.

U. Actif de 500 000 $ − Passif de 300 000 $ = Capitaux propres de 200 000 $.

V. La présentation de l'information financière selon l'hypothèse que l'entreprise poursuivra ses activités dans un avenir prévisible.

P5-2   L'association de termes et de définitions

Voici une liste de termes relatifs au bilan que nous avons étudiés dans les chapitres 2 à 5. Associez chaque définition au terme qui s'y rapporte en inscrivant la lettre appropriée dans l'espace prévu à cet effet.

Termes	Définitions
_____ 1. Les bénéfices non répartis	A. Les immobilisations corporelles.
_____ 2. Le passif à court terme	B. Les dettes ou les obligations découlant d'opérations passées qui seront réglées avec les actifs ou des services.
_____ 3. La trésorerie	C. Le total de l'actif moins le total du passif.
_____ 4. Le compte de sens contraire d'un compte d'actif	D. Les sommes d'argent ou les valeurs qu'on peut utiliser immédiatement pour effectuer des paiements.
_____ 5. L'amortissement cumulé	E. Les actifs qu'on s'attend à recouvrer au cours du prochain exercice.
_____ 6. Les actifs incorporels	F. Le coût moins l'amortissement cumulé.
_____ 7. Les actions en circulation	G. Les bénéfices accumulés moins les dividendes déclarés.
_____ 8. Le passif à long terme	H. Le compte soustrait de l'actif auquel il se rapporte.
_____ 9. Le cycle (normal) d'exploitation	I. Le nombre d'actions émises et en circulation.
_____ 10. La valeur comptable	J. Les actifs qui n'ont pas de substance physique.
_____ 11. Le passif	K. Les ressources économiques que l'entreprise possède à la suite d'opérations passées.
_____ 12. Les actifs immobilisés	L. Les éléments du passif qui devraient être réglés à même les actifs à court terme au cours du prochain exercice.
_____ 13. Les capitaux propres	M. La période qui s'écoule entre l'achat de biens et services auprès des fournisseurs et le recouvrement des ventes auprès des clients.
_____ 14. L'actif à court terme	N. Le total des charges d'amortissement pour un actif depuis sa date d'acquisition à ce jour.
_____ 15. L'actif	O. Tous les éléments du passif non classés dans la catégorie du passif à court terme.
	P. Aucune de ces définitions.

P5-3   L'établissement d'un bilan (PS5-1)

La bijouterie Brillant dresse ses états financiers annuels pour l'exercice 2008. Les montants suivants étaient exacts au 31 décembre 2008 : Caisse, 42 000 $; Clients, 51 300 $; Stock de marchandises, 110 000 $; Assurance payée d'avance, 800 $; Investissement dans les actions de la société Z (à long terme), 26 000 $; Matériel de magasin, 48 000 $; Matériel de magasin déjà utilisé et conservé en vue d'une revente, 7 000 $; Amortissement cumulé − matériel de magasin, 9 600 $; Fournisseurs, 42 000 $; Effet à payer à long terme, 30 000 $; Impôts à payer, 7 000 $; Bénéfices non répartis, 86 500 $; Capital social, 100 000 actions ordinaires en circulation (vendues et émises à 1,10 $ par action).

Travail à faire

1. En vous servant de ces données, dressez un bilan au 31 décembre 2008. Utilisez les dénominations suivantes (inscrivez chaque élément sous l'une d'elles).
   a) Actif : Actif à court terme, Investissements à long terme, Immobilisations et Autres actifs.
   b) Passif : Passif à court terme et Passif à long terme.
   c) Capitaux propres : Capital social et Bénéfices non répartis.
2. Quelle est la valeur comptable nette :
   a) du stock de marchandises ?
   b) des comptes clients ?
   c) du matériel de magasin ?
   d) de l'effet à payer (à long terme) ?
   Donnez une brève explication de ces valeurs.

P5-4 **Les capitaux propres (PS5-2)**

■OA3

À la fin de l'exercice 2008, le bilan de la société Forsythia contenait les données suivantes :

Société Forsythia Bilan au 31 décembre 2008	
Capitaux propres	
Capital social (7 000 actions ordinaires)	80 000 $
Bénéfices non répartis	50 000
Total des capitaux propres	130 000

Au cours de l'exercice 2009, l'entreprise a effectué les opérations suivantes :
a) Vente et émission de 1 000 actions ordinaires à 15 $ par action.
b) Calcul du bénéfice net de 40 000 $.
c) Déclaration et paiement d'un dividende en argent de 3 $ par action sur les 7 000 actions en circulation au début de l'exercice.

Travail à faire
Établissez la section des capitaux propres au bilan de l'entreprise en date du 31 décembre 2009.

P5-5 **L'établissement d'un état des résultats**

◆ Le Groupe Jean
Coutu (PJC) inc. ■OA3

Fondé en 1969 par l'actuel président du conseil, M. Jean Coutu, le Groupe Jean Coutu fait partie des 10 plus importants réseaux de distribution et de vente au détail de produits pharmaceutiques et parapharmaceutiques en Amérique du Nord. Voici, par ordre alphabétique, les éléments présentés à l'état des résultats consolidés d'un exercice se terminant le 28 mai (en milliers de dollars des États-Unis).

Amortissements	195 308 $
Autres frais financiers, nets	1 594
Autres produits	169 020
Chiffre d'affaires, net	9 448 343
Coût des marchandises vendues	7 289 872
Frais généraux et d'exploitation	1 878 296
Impôts sur les bénéfices	(12 583)
Intérêts sur la dette à long terme	152 731
Perte de change non réalisée sur éléments monétaires	7 767

Travail à faire
1. À l'aide des dénominations appropriées, dressez un état des résultats consolidés.
2. Quelles informations le mode de présentation à groupements multiples fait-il ressortir par rapport au mode de présentation à groupements simples ?

P5-6 **L'établissement d'un état des résultats et d'un bilan à partir d'une balance de vérification (PS5-3)**

■OA3

La société immobilière Mamaison (constituée en société de capitaux le 1er avril 2006) a terminé son deuxième exercice le 31 mars 2008. La balance de vérification qu'elle a établie à cette occasion est présentée à la page suivante.

Travail à faire
Dressez les états suivants :
a) L'état des résultats pour l'exercice terminé le 31 mars 2008. Indiquez la charge d'impôts en supposant un taux d'imposition de 25 %. Servez-vous des dénominations suivantes : Produits, Charges, Bénéfice avant impôts, Impôts sur les bénéfices, Bénéfice net et Résultat par action (inscrivez chaque élément sous une de ces dénominations).
b) Le bilan au 31 mars 2008. Présentez 1) la charge d'impôts pour l'exercice sous forme d'impôts à payer et 2) les dividendes dans la section des bénéfices non répartis. Utilisez les dénominations suivantes et inscrivez chaque élément sous l'une d'elles.

	Actif	Passif	Capitaux propres
	Actif à court terme	Passif à court terme	Capital social
	Actif à long terme	Passif à long terme	Bénéfices non répartis

	A	B	C	D
1		Société immobilière Mamaison		
2		Balance de vérification		
3		au 31 mars 2008		
4				
5	Nom des comptes		Débit	Crédit
6	Caisse		53 000	
7	Clients		44 800	
8	Stock de fournitures de bureau		300	
9	Matériel roulant		30 000	
10	Amortissement cumulé – matériel roulant			10 000
11	Matériel de bureau		3 000	
12	Amortissement cumulé – Matériel de bureau			1 000
13	Fournisseurs			20 250
14	Impôts à payer			0
15	Salaires à payer			1 500
16	Effet à payer à long terme			30 000
17	Capital social (30 000 actions)			35 000
18	Bénéfices non répartis (au 1er avril 2007)			7 350
19	Dividendes déclarés et versés au cours de l'exercice		8 000	
20	Commissions gagnées			77 000
21	Frais de gestion gagnés			13 000
22	Charges d'exploitation (détails omis)		48 000	
23	Amortissement (sur le matériel roulant et 500 $ sur le matériel de bureau)		5 500	
24	Charge d'intérêts		2 500	
25	Impôts sur les bénéfices			
26	**Totaux**		**195 100**	**195 100**

■OA3

P5-7   L'établissement d'un état des résultats (un défi)

Voici un état des résultats incomplet de la société Rhododendron pour l'exercice terminé le 31 décembre 2008.

Élément	Autre donnée	Montant	
Chiffre d'affaires			260 000 $
Coût des marchandises vendues			
Marge bénéficiaire brute	Marge bénéficiaire brute en pourcentage des ventes : 35 %		
Charges			
Frais de vente			
Frais généraux et d'administration		28 000 $	
Charge d'intérêts		4 000	
Total des charges			
Bénéfice avant impôts et éléments extraordinaires			
Impôts sur les bénéfices			
Bénéfice avant éléments extraordinaires			
Gain extraordinaire, net			9 600
Bénéfice net			
Résultat par action			1,20

Travail à faire

D'après ces données et en supposant 1) un taux d'imposition de 30 % sur tous les éléments et 2) un total de 25 000 actions ordinaires en circulation, terminez cet état des résultats. Présentez tous vos calculs.

P5-8 **L'effet de certaines opérations sur l'état des résultats et le rendement des capitaux propres (PS5-4)**

◆ Alimentation ■ OA3
Couche-Tard inc. ■ OA4

Alimentation Couche-Tard exploite un réseau d'environ 4 850 dépanneurs en Amérique du Nord. La société génère des revenus qui proviennent principalement de la vente de produits de tabac, d'articles d'épicerie, de boissons, de produits frais et de carburant. Voici un état des résultats récent de cette société (en millions de dollars).

Les capitaux propres se chiffraient respectivement à 728 $ et à 905,4 $ au début et à la fin de l'exercice.

Chiffre d'affaires	10 215,8 $
Coût des marchandises vendues	8 232,9
Marge brute	1 982,9
Frais d'exploitation, de vente, administratifs et généraux	1 543,6
Amortissement des immobilisations et des autres actifs	106,3
	1 649,9
Bénéfice d'exploitation	333,0
Frais financiers	38,9
Bénéfice avant impôts sur les bénéfices	294,1
Impôts sur les bénéfices	94,6
Bénéfice net	199,5 $

Travail à faire

1. Voici une liste d'opérations supplémentaires hypothétiques. Supposez qu'elles ont également été effectuées au cours de l'exercice en question, et remplissez le tableau ci-après en indiquant l'effet de chacune de ces opérations supplémentaires. (Inscrivez un + pour une augmentation et un − pour une diminution. S'il n'y a aucun effet, écrivez AE.) Considérez chaque élément indépendamment des autres et ne tenez pas compte des impôts.

   a) L'enregistrement de ventes à crédit pour un total de 500 $ et du coût des marchandises vendues correspondant de 475 $.

   b) L'engagement d'une charge de 100 $ dans une campagne publicitaire, payée comptant.

   c) L'émission d'actions ordinaires pour un montant de 200 $.

   d) La déclaration et le paiement d'un dividende de 90 $.

Opération	Marge bénéficiaire brute	Bénéfice d'exploitation (perte)	Rendement des capitaux propres
a)			
b)			
c)			
d)			

2. Supposez qu'au cours de l'exercice suivant, Alimentation Couche-Tard ne verse aucun dividende, n'émet ou ne rachète aucune action et réalise le même bénéfice que durant l'exercice considéré ici. Le rendement de ses capitaux propres sera-t-il plus élevé, moins élevé ou le même que celui du présent exercice ? Expliquez votre réponse.

PS5-1 **L'établissement d'un bilan (P5-3)**

L'entreprise Tapis volant dresse actuellement ses états financiers annuels pour l'exercice 2008. Les montants suivants sont exacts en date du 31 décembre 2008 : Caisse, 35 000 $; Investissement en actions de la société ABC (à long terme), 32 000 $; Matériel de magasin, 51 000 $; Clients, 47 500 $; Stock de marchandises, 118 000 $; Assurance payée d'avance, 1 300 $; Matériel de magasin détenu pour revente, 3 500 $; Amortissement cumulé − matériel de magasin, 10 200 $; Impôts à payer, 6 000 $; Effet à payer à long terme, 26 000 $; Fournisseurs, 45 000 $; Bénéfices non répartis, 76 100 $ et Capital social, 100 000 actions ordinaires en circulation vendues et émises initialement à 1,25 $ l'action.

Travail à faire

1. D'après ces données, dressez un bilan au 31 décembre 2008. Servez-vous des dénominations suivantes (inscrivez chaque élément sous l'une d'elles).
   a) Actif : Actif à court terme, Investissements à long terme, Immobilisations et Autres actifs.
   b) Passif : Passif à court terme et Passif à long terme.
   c) Capitaux propres : Capital social et Bénéfices non répartis.
2. Quelle est la valeur comptable nette :
   a) du stock de marchandises ?
   b) des comptes clients ?
   c) du matériel de magasin ?
   d) de l'effet à payer à long terme ?
   Donnez une brève explication de ces valeurs.

PS5-2 **Les capitaux propres (P5-4)**

À la fin de l'exercice 2007, le bilan de la société Le Potiron contenait les données suivantes :

Société Le Potiron
Bilan
au 31 décembre 2007

Capitaux propres	
Capital social (9 500 actions ordinaires)	123 500 $
Bénéfices non répartis	70 000
Total des capitaux propres	193 500 $

Voici, en résumé, quelques opérations effectuées au cours de l'exercice 2008.
a) Vente et émission de 1 500 actions ordinaires à 17 $ l'action.
b) Évaluation du bénéfice net à 50 000 $.
c) Déclaration et paiement d'un dividende en espèces de 2 $ l'action sur les 9 500 actions en circulation au début de l'exercice.

Travail à faire

Établissez la section des capitaux propres au bilan de cette société en date du 31 décembre 2008.

PS5-3 **L'établissement d'un état des résultats et d'un bilan à partir d'une balance de vérification (P5-6)**

Les services d'extermination Cataire (constitués en société par actions le 1er septembre 2006) ont terminé leur deuxième exercice financier le 31 août 2008. L'entreprise a dressé une balance de vérification contenant les données présentées à la page suivante.

Travail à faire

Dressez les états suivants :

a) L'état des résultats pour l'exercice se terminant le 31 août 2008. Calculez la charge d'impôts en supposant que le taux d'imposition s'élève à 25 %. Servez-vous des grands titres suivants : Produits, Charges, Bénéfice avant impôts, Impôts sur les bénéfices, Bénéfice net et Résultat par action. (Inscrivez chacun des éléments sous l'une des dénominations.)

b) Le bilan au 31 août 2008. Présentez : 1) la charge d'impôts pour l'exercice en cours sous forme d'impôts à payer et 2) les dividendes dans la section des bénéfices non répartis. Utilisez les dénominations suivantes (et inscrivez chaque élément sous l'une d'elles).

Actif	Passif	Capitaux propres
Actif à court terme	Passif à court terme	Capital social
Actif à long terme	Passif à long terme	Bénéfices non répartis

	A	B	C	E
1		Services d'extermination Cataire		
2		Balance de vérification		
3		au 31 août 2008		
4	Nom des comptes		Débit	Crédit
5	Caisse		26 000	
6	Clients		30 800	
7	Stock de fournitures		1 300	
8	Véhicules de services		60 000	
9	Amortissement cumulé – véhicules			20 000
10	Matériel		14 000	
11	Amortissement cumulé – Matériel			4 000
12	Fournisseurs			16 700
13	Impôts à payer			0
14	Salaires à payer			1 100
15	Effet à payer à long terme			34 000
16	Capital social (10 000 actions)			40 000
17	Bénéfices non répartis (au 1er septembre 2007)			4 300
18	Dividendes déclarés et versés au cours de l'exercice		2 000	
19	Ventes			38 000
20	Produits tirés des contrats d'entretien			17 000
21	Charge d'exploitation (détails omis)		27 000	
22	Amortissement (incluant 2 000 $ sur le matériel)		12 000	
23	Charge d'intérêts		2 000	
24	Impôts sur les bénéfices			
25	Totaux		175 100	175 100

PS5-4 L'effet de certaines opérations sur l'état des résultats et le rendement des capitaux propres (P5-8)

□ OA3
□ OA4

La société Livresque a complètement transformé le commerce du livre en faisant de ses magasins des espaces publics et des établissements communautaires où les clients peuvent naviguer sur le Web, chercher un livre, se détendre en prenant une tasse de café, bavarder avec des auteurs ou participer à des discussions en groupes. Cette entreprise doit maintenant lutter contre une concurrence croissante non seulement de la part des librairies traditionnelles, mais aussi de la part des libraires en ligne. Voici un extrait d'un état des résultats récent (en milliers de dollars).

Chiffre d'affaires	2 448 $
Charges	
Coût des marchandises vendues	1 785
Frais de vente, généraux et d'administration	466
Amortissement des immobilisations corporelles et des actifs incorporels	78
Bénéfice d'exploitation	119
Intérêts et autres revenus de placement, nets	(38)
Bénéfice (perte) avant impôts	81
Impôts sur les bénéfices	30
Bénéfice net	51 $

Les capitaux propres s'élevaient à 400 $ au début de l'exercice et à 446 $ à la fin de l'exercice.

Travail à faire

1. Voici une liste d'opérations supplémentaires hypothétiques. Supposez qu'elles ont également été effectuées au cours de l'exercice en question, et remplissez le tableau ci-dessous en indiquant l'effet de chaque opération supplémentaire. (Inscrivez un + pour une augmentation et un − pour une diminution. S'il n'y a aucun effet, écrivez AE.) Considérez chaque élément indépendamment des autres et ne tenez pas compte des impôts.
   a) Enregistrement et encaissement de revenus d'intérêts additionnels d'un montant de 4 $.
   b) Achat à crédit de stocks pour un montant de 25 $.
   c) Enregistrement et paiement de frais de publicité d'un montant de 9 $.
   d) Émission d'actions ordinaires pour un total de 50 $.

Opération	Bénéfice d'exploitation (perte)	Bénéfice net	Rendement des capitaux propres
a)			
b)			
c)			
d)			

2. Supposez qu'au cours de l'exercice suivant, l'entreprise ne verse aucun dividende, n'émet ou ne rachète aucune action et réalise 20 % de bénéfice de plus qu'au cours de l'exercice actuel. Son rendement des capitaux propres sera-t-il plus élevé, moins élevé ou le même que le taux de l'exercice en cours ? Expliquez votre réponse.

Cas et projets

Cas – Information financière

CP5-1 La recherche d'information financière

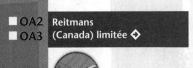

Référez-vous aux états financiers de la société Reitmans (*voir l'annexe C à la fin de ce volume*). Au bas de chaque état financier, l'entreprise indique aux lecteurs que « Les notes afférentes aux états financiers consolidés font partie intégrante de ces états ». Les questions suivantes donnent des exemples de renseignements qu'on peut trouver dans les états financiers et les notes qui les accompagnent. (Conseil : Pour chaque question, indiquez où vous avez trouvé l'information.)

Travail à faire

1. Quels types d'immobilisations possède Reitmans ?
2. Quels sont les engagements de l'entreprise pour les exercices futurs ?

3. Quelle est la valeur marchande des titres négociables pour les deux derniers exercices?
4. La société a-t-elle un régime d'options d'achat d'actions?
5. La société a-t-elle versé des dividendes au cours du dernier exercice?

CP5-2 La recherche d'information financière

◆ Le Château inc.   ☐OA2
                    ☐OA3

Référez-vous aux états financiers de la société Le Château (*voir l'annexe B à la fin de ce volume*). Au bas de chaque état financier, l'entreprise demande aux lecteurs de «Voir les notes afférentes aux états financiers». Les questions suivantes mettent en lumière les renseignements qu'on peut trouver dans les états financiers et les notes qui les accompagnent. (Conseil: Pour chaque question, indiquez où vous avez trouvé l'information.)

Travail à faire

1. Quel a été le résultat net par action de base pour le dernier exercice?
2. Quelle est la valeur d'acquisition des immobilisations?
3. Combien d'actions de catégorie A étaient en circulation à la fin du dernier exercice?
4. Quel est le montant des ventes faites aux États-Unis durant le dernier exercice?
5. Quelles entreprises sont incluses dans les états financiers consolidés?

CP5-3 La comparaison d'entreprises d'un même secteur d'activité

◆ Reitmans (Canada) limitée
  et Le Château inc.   ☐OA4

Référez-vous aux états financiers des sociétés Reitmans et Le Château ainsi qu'aux ratios financiers du secteur industriel (*voir les annexes B, C et D à la fin de ce volume*).

Travail à faire

1. Calculez le rendement des capitaux propres du dernier exercice pour chacune des sociétés. Quelle entreprise présente le taux le plus élevé pendant cet exercice?
2. Analysez les indicateurs du rendement des capitaux propres pour déterminer la ou les raisons des différences que vous observez.
3. Comparez les différents indicateurs du rendement des capitaux propres des deux entreprises à ceux de leur secteur d'activité. Dans quels domaines la société Reitmans réussit-elle mieux ou moins bien que ses concurrents? Et dans le cas de la société Le Château?

CP5-4 L'utilisation des états financiers

☐OA2
☐OA3

Voici quelques comptes extraits des états financiers annuels de la société Genévrier au 31 décembre 2009 (la fin du troisième exercice).

Extrait de l'état des résultats pour l'exercice 2009	
Chiffre d'affaires	275 000 $
Coût des marchandises vendues	(170 000)
Toutes les autres charges (y compris les impôts)	(95 000)
Bénéfice net	10 000 $
Extrait du bilan au 31 décembre 2009	
Actif à court terme	90 000 $
Tous les autres actifs	212 000
Total des actifs	302 000
Passif à court terme	40 000
Passif à long terme	66 000
Capital social (10 000 actions)	116 000
Bénéfices non répartis	80 000
Total du passif et des capitaux propres	302 000 $

Travail à faire

Analysez les données des états financiers de la société Genévrier pour l'exercice 2009 en répondant aux questions suivantes. Présentez tous vos calculs.

1. Quelle est la marge bénéficiaire brute?
2. Quel est le montant du résultat par action?
3. Si le taux d'imposition est de 25 %, quel est le bénéfice avant impôts?
4. Quel est le prix moyen de vente par action?
5. En supposant que l'entreprise n'a déclaré ni versé aucun dividende au cours de l'exercice 2009 déterminez quel était le solde initial (le 1er janvier 2009) des bénéfices non répartis?

Cas – Analyse critique

CP5-5 La prise de décision à titre de gestionnaire

Sony est un chef de file mondial dans le domaine de la fabrication de produits électroniques pour les entreprises et le grand public ainsi que dans les secteurs du divertissement et de l'assurance. Le taux de rendement de ses capitaux propres a augmenté de 9 % à 14 % au cours des trois dernières années.

Travail à faire

Indiquez l'effet le plus probable de chacun des changements de stratégie énumérés ci-après sur le taux de rendement des capitaux propres de Sony au cours du prochain exercice et des exercices à venir. (Inscrivez un + pour une augmentation et un − pour une diminution. S'il n'y a aucun effet, écrivez AE.) Supposez qu'aucun autre facteur ne varie. Expliquez chacune de vos réponses et traitez chaque élément indépendamment des autres.

a) L'entreprise diminue ses investissements en recherche et développement de produits qui seront mis sur le marché dans plus d'un an.

b) L'entreprise entreprend une nouvelle campagne de publicité pour un film qui sortira en salle au cours de la prochaine année.

c) L'entreprise émet des actions supplémentaires ; le produit de cette émission permettra d'acquérir d'autres entreprises de haute technologie dans les exercices à venir.

Changement de stratégie	Rendement des capitaux propres de l'exercice en cours	Rendement des capitaux propres d'exercices à venir
a)		
b)		
c)		

CP5-6 La prise de décision à titre de vérificateur

L'entreprise Malvina n'a pas tenu ses livres comptables avec exactitude pendant sa première année d'activité 2007. Nous sommes le 31 décembre 2007, date de la fin de l'exercice financier. Un expert-comptable indépendant examine les livres de l'entreprise et découvre de nombreuses erreurs qui sont décrites ci-après. Supposez que ces erreurs n'influent pas les unes sur les autres.

Travail à faire

Analysez chaque erreur et déterminez son effet sur le bénéfice, l'actif et le passif des exercices 2007 et 2008 si personne ne la corrige. Prenez pour hypothèse qu'il n'y a aucune autre erreur. Pour indiquer l'effet de chaque erreur, inscrivez un + pour une surévaluation et un − pour une sous-évaluation. S'il n'y a aucun effet, écrivez AE. Rédigez une explication de votre analyse de chaque opération à l'appui de votre réponse.

	Effet sur					
	Bénéfice net		Actif		Passif	
Erreurs indépendantes	2007	2008	2007	2008	2007	2008
1. Une charge d'amortissement pour l'exercice 2007 non enregistrée, 950 $.	+950 $	AE	+950 $	+950 $	AE	AE
2. Des salaires gagnés par des employés au cours de l'exercice 2007 non enregistrés ni versés en 2007, mais qui seront versés en 2008, 500 $.						

3. Des produits d'exploitation réalisés au cours de l'exercice 2007, mais non recouvrés ni enregistrés jusqu'en 2008, 600 $.						
4. Un montant payé et enregistré à titre de charge en 2007, mais ne constituant pas une charge avant 2008, 200 $.						
5. Des ventes encaissées et enregistrées comme produits d'exploitation en 2007, mais ceux-ci ne seront pas gagnés avant 2008, 900 $.						
6. Une vente de services au comptant en 2007, le montant est enregistré ainsi : le compte Caisse est augmenté, et le compte Clients est diminué, 300 $.						
7. Un achat à crédit, le 31 décembre 2007, d'un terrain pour 8 000 $ non enregistré jusqu'au moment du paiement, le 1er février 2008.						

Voici l'explication qu'on pourrait donner pour la première erreur.

1. Le fait de ne pas avoir enregistré l'amortissement pour l'exercice 2007 sous-évalue la charge d'amortissement à l'état des résultats ; par conséquent, le bénéfice est surévalué de 950 $. Au bilan, l'amortissement cumulé est sous-évalué de 950 $, de sorte que les actifs seront surévalués de 950 $ jusqu'à ce que l'erreur soit corrigée.

Projets – Information financière

CP5-7 **La comparaison d'entreprises dans le temps**

À l'aide de votre navigateur Web, visitez le site de la société Axcan et trouvez le rapport annuel le plus récent de cette entreprise. (Note : Vous pouvez aussi vous procurer les renseignements nécessaires sur le site de SEDAR.)

Travail à faire

1. Quel est le rendement des capitaux propres de l'entreprise au cours de l'exercice le plus récent et comment se compare-t-il aux taux fournis dans le chapitre ? Quelle est l'explication de la direction concernant cette variation (s'il y a lieu) ?
2. Utilisez les indicateurs du rendement des capitaux propres pour déterminer ce qui a causé l'essentiel de la variation.

CP5-8 **La comparaison d'entreprises d'un même secteur d'activité**

Consultez les sites Web de Cascades et de Domtar, deux importantes entreprises du secteur des pâtes et papiers. D'après les informations fournies dans leurs derniers états financiers, déterminez le rendement des capitaux propres de chacune de ces sociétés. Rédigez un bref rapport dans lequel vous comparerez ces deux ratios.

CP5-9 **Les services d'information financière**

Consultez le site Web d'une maison de courtage ou d'un service d'information financière cité dans le texte.

Travail à faire

Rédigez un bref rapport donnant un aperçu de l'information disponible sur le site choisi en matière d'information financière.

◆ Axcan Pharma inc. ■ OA4

◆ Cascades et Domtar ■ OA4

■ OA1

OA2
OA3

Nortel Networks ◈

CP5-10 La recherche d'information financière : les sites Web des entreprises

Consultez le site Web de Nortel.

Travail à faire

Répondez aux questions suivantes à l'aide des informations disponibles sur le site de l'entreprise.

1. À quel endroit pouvez-vous trouver les renseignements sur les résultats trimestriels ?

2. Pour le dernier trimestre, quel changement observez-vous dans le chiffre d'affaires par rapport au même trimestre de l'exercice précédent ? De quelle façon la direction explique-t-elle ce changement (s'il y a lieu) ?

3. Quel est le résultat par action et le prix par action le jour du communiqué le plus récent concernant les résultats du dernier trimestre ?

OA2
OA3

CP5-11 Un projet en équipe : le processus de communication de l'information financière

Chaque équipe doit choisir un secteur d'activité à analyser. Chaque membre de l'équipe devra se procurer le rapport annuel d'une société ouverte de ce secteur, différente de celles qui ont été choisies par les autres membres.

Travail à faire

Sur une base individuelle, chaque membre de l'équipe devra rédiger un bref rapport répondant aux questions suivantes au sujet de l'entreprise choisie.

1. Quels modes de présentation utilise-t-on pour dresser le bilan et l'état des résultats ?

2. Trouvez une note qui décrit une convention comptable appliquée dans les états financiers de l'entreprise, une autre qui donne des précisions sur un élément constaté dans un état financier et une dernière qui communique de l'information financière n'apparaissant pas dans les états financiers. Quelle information chacune de ces notes vous fournit-elle ?

3. Consultez le site Web de l'entreprise ou encore le site d'un service d'information financière pour trouver un article présentant l'annonce des résultats annuels de l'entreprise. À quel moment cette annonce a-t-elle été faite par rapport à la date du rapport annuel ?

4. Calculez le rendement des capitaux propres pour l'exercice en cours. Quelle entreprise offre le rendement le plus élevé à ses actionnaires pour cet exercice ?

5. Servez-vous de l'analyse des indicateurs du rendement des capitaux propres pour déterminer les raisons de toute différence que vous observez.

Rédigez ensuite ensemble un bref rapport dans lequel vous soulignerez les ressemblances et les différences entre ces entreprises en fonction des éléments étudiés. Donnez des explications possibles aux différences relevées.

OA1
OA2
OA3

CP5-12 Un projet sur la publication de l'information financière

Ce projet a pour but de vous familiariser avec les états financiers et les notes complémentaires qui les accompagnent. Vous devez aussi suivre la réaction du cours des actions à l'annonce des résultats financiers d'une société ouverte. Votre professeur vous assignera peut-être une entreprise particulière à analyser ou vous pourriez choisir l'une des entreprises présentées dans ce volume, une entreprise concurrente du même secteur d'activité ou encore une entreprise qui vous intéresse.

Travail à faire

Consultez le site Web de l'entreprise ou tout autre service mentionné dans ce chapitre pour trouver un article qui publie l'annonce des résultats annuels de l'entreprise. Trouvez également la cote en Bourse de l'entreprise.

a) Tracez un diagramme illustrant le prix de clôture de l'action de votre entreprise à la date de l'annonce des résultats, ainsi que cinq jours avant et cinq jours après cette date.

b) Décrivez l'effet apparent de l'annonce sur le prix de l'action de cette société.

c) Donnez les explications fournies dans l'article au sujet des résultats enregistrés ou sur les variations du cours des actions. Trouvez-vous ces explications convaincantes ? Expliquez votre réponse.

CP5-13 Un projet sur la publication de l'information financière (approfondissement)

Ce projet a pour but de suivre le processus de publication d'informations financières d'une société ouverte pendant trois mois après la fin de son dernier exercice. Votre professeur vous attribuera peut-être une société particulière à analyser ou vous pourriez choisir l'une des entreprises présentées dans ce volume, une entreprise concurrente du même secteur d'activité ou encore une entreprise qui vous intéresse.

Travail à faire

1. Recueillez l'information qui vous sera utile.

   a) Procurez-vous le dernier rapport annuel ainsi qu'un communiqué concernant les derniers résultats.

   b) Trouvez un article annonçant un événement significatif non lié aux résultats financiers (le lancement d'un nouveau produit, un regroupement d'entreprises, etc.) qui s'est produit au cours du dernier exercice.

   c) Tracez deux diagrammes séparés illustrant : 1) le prix de clôture de l'action de votre entreprise le jour du communiqué portant sur ses résultats ainsi que cinq jours avant et après la publication de ce communiqué et 2) le prix de clôture de l'action pendant la semaine où l'article choisi en b) est paru ainsi que cinq jours avant et après la parution de cet article.

2. Analysez les communiqués.

   a) En vous basant sur le rapport de l'entreprise, déterminez les principales branches d'activité de la société, nommez son président et chef de la direction, son directeur des finances, ses vérificateurs et ses principaux concurrents.

   b) Comparez les ratios suivants : le taux d'adéquation du capital, le taux de rotation de l'actif total, la marge bénéficiaire nette et le rendement des capitaux propres de l'exercice choisi avec ceux de l'exercice précédent.

3. Présentez les résultats de votre analyse : rédigez un rapport incluant les éléments suivants :

   a) Une brève description de l'entreprise et de ses activités, des personnes qui y jouent un rôle important et de ses concurrents.

   b) Une brève analyse des informations recueillies à la question 1. Ajoutez toute explication des événements rapportés ou des fluctuations du cours de l'action fournie par les médias.

   c) Un résumé de votre analyse comparative du rendement de l'entreprise basée sur les différents ratios calculés à la question 2 b).

Les produits d'exploitation, les comptes clients et la trésorerie

Objectifs d'apprentissage

Au terme de ce chapitre, l'étudiant sera en mesure :

1. d'appliquer le principe de constatation des produits afin de déterminer à quel moment il convient d'enregistrer les produits dans le cas de détaillants, de grossistes et de fabricants (*voir la page 318*);

2. d'analyser l'effet des ventes par carte de crédit, des escomptes et des retours sur ventes sur le chiffre d'affaires de l'entreprise (*voir la page 318*);

3. d'analyser et d'interpréter le pourcentage de la marge bénéficiaire brute (*voir la page 322*);

4. d'estimer, d'enregistrer et d'évaluer l'effet des comptes clients non recouvrables sur les états financiers (*voir la page 324*);

5. d'analyser et d'interpréter le taux de rotation des comptes clients et l'effet des comptes clients sur les flux de trésorerie (*voir la page 329*);

6. d'enregistrer, de gérer et de protéger la trésorerie (*voir la page 332*).

LES INDUSTRIES
DOREL INC.

Les Industries Dorel inc.

La conception, la fabrication et la mise en marché de produits de grandes marques

L'entreprise Les Industries Dorel est une société internationale dont le siège social est à Montréal. Cette entreprise conçoit, fabrique et met en marché une vaste gamme de biens de consommation. Dorel comporte trois importants secteurs : les produits de puériculture, le mobilier de maison et les produits récréatifs. La division Produits de puériculture offre des sièges d'auto pour bébés, des poussettes, des tables à langer et bien d'autres accessoires destinés aux enfants sous différentes marques telles que Cosco et Bébé Confort. La division Mobilier de maison se spécialise dans les meubles prêts-à-assembler tant pour la maison que pour le bureau, par exemple des postes de travail pour ordinateur, des chariots de four micro-ondes, des futons, etc. Ces produits sont distribués sous différentes marques dont Ameriwood, Ridgewood, Cosco Home & Office. La division Produits récréatifs est surtout axée sur la conception, la commercialisation et la distribution de bicyclettes et d'autres produits connexes par l'intermédiaire de sa filiale états-unienne Pacific Cycle, par exemple les populaires bicyclettes Schwinn et Mongoose.

Au cours des années, la croissance de Dorel s'est appuyée sur une stratégie basée sur les éléments suivants : le développement de nouveaux produits correspondant aux besoins du marché ; l'acquisition d'entreprises capables de contribuer à l'augmentation de la valeur de la société ; la qualité de ses produits et de son service à la clientèle ; la notoriété de ses marques auprès des consommateurs. Tous ces éléments, combinés à des méthodes de gestion rigoureuses, ont permis à Dorel d'être présente partout dans le monde grâce à un vaste réseau de distribution.

Parlons affaires

Les renseignements tirés des résultats consolidés (*voir le tableau 6.1*) montrent une croissance continue de Dorel au cours des cinq dernières années. Le chiffre d'affaires (le total des produits d'exploitation) dont on a soustrait le coût des produits vendus (le coût des ventes, le coût des marchandises vendues) est présenté ici séparément des autres charges d'exploitation. Il permet de déterminer la marge bénéficiaire brute (le bénéfice brut).

L'élaboration de la stratégie de croissance de l'entreprise nécessite une coordination minutieuse des activités de vente et de production, mais aussi des activités liées au recouvrement des créances auprès des clients. Ce processus de coordination s'applique, entre autres, à l'utilisation de la carte de crédit et des escomptes sur ventes, et à la gestion des retours de marchandises et des créances irrécouvrables. Ces questions, qui influent autant sur le chiffre d'affaires à l'état des résultats que sur la caisse et les comptes clients au bilan, font l'objet d'étude du présent chapitre.

Nous analyserons aussi le pourcentage de la marge bénéficiaire brute comme mesure de rentabilité et d'efficacité des activités de vente ainsi que le taux de rotation des comptes clients comme mesure de l'efficacité des activités d'approbation de crédit et de recouvrement des créances. Finalement, comme les liquidités peuvent aussi facilement faire l'objet de fraude et de détournement de fonds, nous discuterons de la façon dont les systèmes comptables comportent généralement des mesures de contrôle qui aident à prévenir et à déceler de tels délits.

TABLEAU 6.1 Extrait des résultats consolidés (en milliers de dollars US)

	2005	2004	2003	2002	2001
Chiffre d'affaires	1 760 865 $	1 709 074 $	1 180 777 $	992 073 $	916 769 $
Coût des produits vendus	1 367 217	1 315 921	874 763	760 423	718 123
Bénéfice brut	393 648 $	393 153 $	306 014 $	231 650 $	198 646 $

Coup d'œil sur

Dorel

RAPPORT ANNUEL

Structure du chapitre

La comptabilisation des produits d'exploitation	La mesure et la présentation des comptes clients	La présentation et la protection de la trésorerie
Les ventes aux consommateurs	La classification des comptes clients	La trésorerie – définition
Les ventes aux entreprises	La comptabilisation des créances estimées irrécouvrables	La gestion de la trésorerie
Les rendus et rabais sur ventes	La présentation des comptes clients et des créances douteuses	Le contrôle de la trésorerie
La présentation du chiffre d'affaires	Les méthodes d'estimation des créances douteuses	Le rapprochement bancaire
Le pourcentage de la marge bénéficiaire brute	Les mesures de contrôle des comptes clients	
	Le taux de rotation des comptes clients	

La comptabilisation des produits d'exploitation

OBJECTIF D'APPRENTISSAGE 1

Appliquer le principe de constatation des produits afin de déterminer à quel moment il convient d'enregistrer les produits dans le cas de détaillants, de grossistes et de fabricants.

Comme nous l'avons vu au chapitre 3, d'après le principe de constatation des produits, il faut enregistrer les produits lorsque ces derniers sont gagnés (c'est-à-dire dans les situations suivantes : la marchandise a été livrée, une opération d'échange a été conclue, le prix est fixé et le recouvrement est raisonnablement assuré). Dans la plupart des cas, ces critères sont satisfaits au moment où le titre et les risques de propriété sont transférés à l'acheteur. Le moment où le titre de propriété change de mains dépend des modalités d'expédition prévues au contrat de vente. Lorsque l'entreprise expédie des marchandises franco à bord (FAB) au lieu d'expédition, le titre de propriété change de mains au moment de l'expédition et, normalement, l'acheteur paie les frais de transport. Le vendeur constate le produit au moment de l'expédition. Au contraire, lorsque l'entreprise expédie ses marchandises FAB destination, le titre de propriété change de mains au moment de la livraison. Dans ce cas, le vendeur paie les frais d'expédition. Le vendeur constate le produit au moment de la livraison. Le plus souvent, les entreprises qui offrent des services enregistrent les produits lorsque le service au client a été effectué. Les entreprises indiquent la méthode de constatation des produits qu'elles suivent dans une note aux états financiers souvent intitulée « Principales conventions comptables ». D'ailleurs, dans cette note, Dorel rapporte ce qui suit :

Coup d'œil sur

Les Industries Dorel inc.

RAPPORT ANNUEL

Notes afférentes aux états financiers consolidés

2. Principales conventions comptables

Constatation des produits
Les produits des ventes, des droits de licence et des commissions sont constatés lors de la livraison des marchandises et du transfert de la propriété au client.

Comme Dorel, un grand nombre de fabricants, de grossistes et de détaillants constatent leurs produits au moment de la livraison. Les vérificateurs s'assurent aussi, à chaque fin d'exercice, que les produits sont constatés dans la bonne période afin de bien mesurer le bénéfice net.

Le montant de chiffre d'affaires qu'il faut enregistrer aux livres correspond au montant d'argent équivalant au prix de vente. Certaines pratiques commerciales relatives aux ventes diffèrent si elles s'appliquent à des entreprises ou à des consommateurs. Dorel vend sa marchandise uniquement à d'autres entreprises qui, elles, vendent aux consommateurs. Toutefois, comme la majorité des entreprises vendent soit à des entreprises, soit aux consommateurs, nous étudierons les problèmes de comptabilité propres à l'un et à l'autre type de clientèle.

La plupart des entreprises utilisent diverses approches pour inciter les clients à acheter leurs produits et à payer leurs achats. Parmi les principales méthodes, on peut noter : 1) l'autorisation d'utiliser des cartes de crédit pour payer les achats ; 2) l'offre de conditions de crédit lors des achats en cas de paiement rapide de la part des entreprises clientes ; 3) la possibilité de retours sur ventes dans certaines circonstances, et ce, pour tous les clients. Ces méthodes, à leur tour, modifient la façon de calculer le chiffre d'affaires net.

Les ventes aux consommateurs

OBJECTIF D'APPRENTISSAGE 2

Analyser l'effet des ventes par carte de crédit, des escomptes et des retours sur ventes sur le chiffre d'affaires de l'entreprise.

Dans les différents magasins de détail, les consommateurs paient leurs achats en argent comptant ou par carte de crédit (par exemple Visa, MasterCard ou American Express). L'entreprise accepte les paiements par carte de crédit pour différentes raisons : 1) elle pense qu'en offrant ce service, elle accroît la clientèle de ses magasins ; 2) elle évite ainsi les coûts du crédit accordé directement aux clients (y compris la comptabilité et les pertes dues au non-paiement des clients ; 3) en acceptant les cartes de crédit plutôt que les chèques, l'entreprise évite les pertes qu'occasionnent les chèques sans provision ; 4) les sociétés émettrices de cartes de crédit (par exemple Visa) absorbent toute perte liée à des achats effectués de façon frauduleuse à l'aide de cartes de crédit à la condition, bien sûr, que l'entreprise accepte d'appliquer les mesures de vérification et d'autorisation obligatoires sur les achats par carte de crédit ; 5) l'entreprise peut ainsi récupérer son argent plus rapidement qu'elle ne le ferait en offrant directement du crédit à ses clients, car elle peut déposer les reçus des cartes de crédit directement dans son compte bancaire.

Néanmoins, les sociétés émettrices de cartes de crédit réclament des frais pour ce service. Ainsi, lorsque les reçus de cartes de crédit sont déposés à la banque, l'entreprise reçoit une somme inférieure à son prix de vente. Par exemple, si les ventes par carte de crédit rapportent 3 000 $ à un magasin pour la journée et que les sociétés émettrices de cartes de crédit imposent des frais de 3 %, l'entreprise enregistrera les résultats suivants :

Chiffre d'affaires	3 000 $
Moins : **Escompte sur cartes de crédit** (0,03 × 3 000 $)	90
Chiffre d'affaires net (présenté à l'état des résultats)	2 910 $

Un **escompte sur cartes de crédit** désigne les frais réclamés par la société émettrice de la carte pour ses services.

Les ventes aux entreprises

La plupart des ventes de Dorel à des entreprises sont des ventes à crédit. Lorsque Dorel vend des meubles à crédit à des détaillants, les modalités de paiement sont imprimées sur chacun des documents de vente, et les factures sont envoyées aux clients. On se sert souvent de symboles pour abréger le texte. Par exemple, si la somme totale est due dans les 30 jours suivant la date de facturation, on notera n/30 comme modalité de paiement. Le « n » désigne le montant net de la vente, c'est-à-dire le montant dont on a soustrait, s'il y a lieu, les retours sur ventes.

Dans d'autres cas, on consent un **escompte sur ventes** (ou **escompte de caisse**) au client pour l'inciter à payer plus vite[1]. Supposons que l'entreprise offre des modalités de paiement standard de 2/10, n/30. Cela signifie que le client peut soustraire 2 % du montant de la facture s'il paie en espèces dans un délai de 10 jours après la date de vente. Si le client n'effectue pas son paiement au comptant à l'intérieur de ce délai de 10 jours, il devra verser le prix de vente total (moins les retours) au plus tard 30 jours après la date de la vente.

Un **escompte sur ventes** (ou **escompte de caisse**) est un escompte en argent offert aux acheteurs pour encourager un paiement rapide des comptes clients.

Incitatif à un paiement rapide

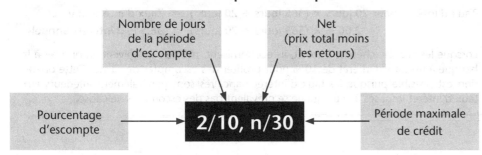

---

1. Il est important de ne pas confondre un escompte de caisse et une remise. Les vendeurs utilisent parfois une remise pour fixer un prix de vente ; ce prix correspond alors au prix courant ou au prix de catalogue dont on soustrait la remise. Par exemple, si le prix d'un article est établi à 10 $ l'unité, mais qu'il y a une remise de 20 % sur les commandes de 100 unités et plus, le prix de l'unité, pour une grosse commande, sera alors de 8 $ l'unité. De même, pour diminuer le prix d'une gamme de produits dont l'écoulement est lent, il suffit d'augmenter la remise. On doit toujours déduire les remises du montant du chiffre d'affaires.

Les entreprises offrent des escomptes sur ventes pour encourager leurs clients à régler rapidement leur compte en argent comptant. Une telle tactique profite à l'entreprise :

1. Elle lui permet d'emprunter moins d'argent aux banques pour satisfaire à ses besoins de liquidités.

2. En outre, si un client paie la facture de Dorel avant celles de ses autres fournisseurs, les risques que ce client manque de fonds pour payer cette facture sont moindres.

Les entreprises enregistrent habituellement les escomptes sur ventes en déduisant ces escomptes du chiffre d'affaires lorsque le paiement est effectué à l'intérieur du délai prévu pour obtenir l'escompte (ce qui est le cas le plus fréquent)[2]. Par exemple, si on enregistre une vente à crédit de 1 000 $ assortie de modalités de paiement de 2/10, n/30 et que le paiement est effectué à l'intérieur du délai de l'escompte, on inscrit le montant suivant au chiffre d'affaires :

Chiffre d'affaires	1 000 $
Moins : Escompte sur ventes (0,02 × 1 000 $)	20
Chiffre d'affaires net (présenté à l'état des résultats)	980 $

Si le paiement est effectué après le délai de l'escompte, on indique le montant total de 1 000 $ comme chiffre d'affaires.

Il faut noter que l'objectif des escomptes sur ventes et la façon de les comptabiliser ressemblent beaucoup à l'objectif et à la façon de comptabiliser les escomptes sur cartes de crédit. Ces deux types d'escomptes constituent une option intéressante pour les clients tout en favorisant la rentrée rapide de liquidités, en réduisant les coûts liés à la comptabilisation et en minimisant les risques de non-paiement par les clients. La comptabilisation des escomptes sur ventes sera abordée plus en détail à l'annexe 6-A de ce chapitre (*voir la page 342*).

ANALYSE FINANCIÈRE

Profiter de l'escompte ou non, voilà la question !

En général, les clients paient en respectant le délai prévu pour bénéficier de l'escompte puisqu'ils réalisent ainsi des économies substantielles. Par exemple, avec des modalités du type 2/10, n/30, le client économise 2 % en payant 20 jours plus tôt (le dixième jour au lieu du trentième), ce qui représente approximativement des intérêts annuels de 36,5 %. On obtient ce taux d'intérêt en faisant le calcul ci-après. Supposons une vente de 100 $ avec des conditions 2/10, n/30.

On calcule le taux d'intérêt annuel ainsi :

Taux d'intérêt pour 20 jours × (365 jours ÷ 20 jours) = Taux d'intérêt annuel

2,00 % × (365 jours ÷ 20 jours) = 36,5 % d'intérêts annuels

Lorsque les clients achètent à crédit, ils économisent, même s'ils doivent emprunter à la banque à un taux d'intérêt de 10 % pour profiter des escomptes de caisse. Cette opération est possible puisque les taux d'intérêt bancaires sont généralement inférieurs aux taux d'intérêt imposés à ceux qui ne se prévalent pas des escomptes de caisse.

---

2. Nous utilisons la méthode brute dans tous les exemples de cet ouvrage. Certaines entreprises se servent de la méthode nette qui consiste à enregistrer le chiffre d'affaires après en avoir soustrait le montant de l'escompte de caisse. Comme le choix de la méthode influe peu sur les états financiers, l'étude de cette méthode sera réservée à un cours plus avancé.

Les rendus et rabais sur ventes

Les clients ont le droit de retourner la marchandise si elle n'est pas conforme à la commande ou si elle a été endommagée. Par la suite, ils recevront un remboursement ou un rajustement de leur facture. Ces retours sont souvent additionnés dans un compte distinct appelé « **Rendus et rabais sur ventes** », et ils doivent être déduits du chiffre d'affaires brut au moment du calcul du chiffre d'affaires net. Ce compte joue un rôle important, car il renseigne la direction de l'entreprise sur le volume des retours et des rabais, lui fournissant ainsi une indication de la qualité du service offert aux clients. Supposons qu'une entreprise achète 40 poussettes de bébé à crédit chez Dorel pour la somme de 4 000 $. Avant de régler sa facture, l'entreprise constate que 10 poussettes (soit 25 % de la commande) ne sont pas de la couleur commandée et les retourne à Dorel[3]. Cette dernière calculera alors son chiffre d'affaires ainsi :

Les **rendus et rabais sur ventes** constituent une réduction du chiffre d'affaires due aux retours ou aux rabais consentis sur des marchandises pour diverses raisons.

Chiffre d'affaires	4 000 $
Moins : Rendus et rabais sur ventes (0,25 × 4 000 $)	1 000
Chiffre d'affaires net (présenté à l'état des résultats)	3 000 $

La présentation du chiffre d'affaires

Dans ses livres, l'entreprise comptabilise séparément les escomptes sur cartes de crédit, les escomptes sur ventes ainsi que les rendus et les rabais sur ventes pour permettre aux gestionnaires de contrôler les coûts d'utilisation des cartes de crédit, les escomptes sur ventes et le retour de marchandises non conformes aux commandes des clients ou encore endommagées. Si on utilise les exemples précédents, le montant du chiffre d'affaires qui apparaîtrait à l'état des résultats serait alors calculé comme suit :

Chiffre d'affaires		8 000 $
Moins :	Escomptes sur cartes de crédit (compte de sens contraire)	90
	Escomptes sur ventes (compte de sens contraire)	20
	Rendus et rabais sur ventes (compte de sens contraire)	1 000
Chiffre d'affaires net (présenté à l'état des résultats)		6 890 $

Dans sa note sur la constatation des produits, Dorel indique que des provisions pour ces éléments sont prévues et comptabilisées.

Notes afférentes aux états financiers consolidés

2. Principales conventions comptables

[...] Des provisions pour les incitatifs accordés aux clients et des provisions pour les rabais et retours sur ventes sont comptabilisées au moment de la livraison de la marchandise.

Coup d'œil sur

Dorel

RAPPORT ANNUEL

Pour l'année 2005, Dorel a enregistré une provision pour ces différents éléments de 41 320 000 $.

Comme nous l'avons indiqué précédemment, le chiffre d'affaires dont on soustrait le coût des marchandises vendues est égal à la marge bénéficiaire brute. Les analystes traitent souvent cette marge bénéficiaire brute comme un pourcentage du chiffre d'affaires (pourcentage de la marge bénéficiaire brute).

---

3. Dorel pourrait aussi proposer à son client un rabais de 300 $ pour garder les poussettes. Si son client accepte l'offre, Dorel enregistrera aussi ce 300 $ comme un rendu et rabais sur ventes.

Le pourcentage de la marge bénéficiaire brute

1. Question d'analyse

Quel est le degré d'efficacité de la direction à vendre des marchandises ou à rendre des services à un prix excédant leur coût d'achat ou de production ?

2. Ratio et comparaison

Le pourcentage de la marge bénéficiaire brute se calcule ainsi :

$$\text{Pourcentage de la marge bénéficiaire brute} = \frac{\text{Marge bénéficiaire brute}}{\text{Chiffre d'affaires net}}$$

Le pourcentage de Dorel, pour l'année 2005, est le suivant :

$$\frac{393\ 648\ \$}{1\ 760\ 865\ \$} = 0,224\ (22,4\%)$$

OBJECTIF D'APPRENTISSAGE **3**

Analyser et interpréter le pourcentage de la marge bénéficiaire brute.

Comparons

Pourcentage de la marge bénéficiaire brute

Le Groupe Jean Coutu (PJC) inc.	24,2 %
Bombardier inc.	13,6 %
Cascades inc.	16,5 %

a) L'analyse de la tendance dans le temps		
DOREL		
2003	2004	2005
25,9 %	23 %	22,4 %

b) La comparaison avec les compétiteurs	
SHERMAG	**AMISCO**
13,8 %	25,7 %

3. Interprétation des résultats

EN GÉNÉRAL ◊ Le pourcentage de la marge bénéficiaire brute mesure la capacité d'exiger un prix de vente assez élevé et de produire des marchandises et des services à un coût moindre. Une marge bénéficiaire brute plus élevée favorise normalement un bénéfice net plus élevé. Les stratégies d'affaires de même que la concurrence ont un effet sur le pourcentage de cette marge. Les entreprises qui privilégient un produit de qualité et distinctif ont recours à des activités telles que la recherche et le développement ainsi que la promotion pour convaincre les consommateurs de la supériorité et du caractère distinct de leurs produits. Cette stratégie leur permet d'exiger des prix plus élevés et d'accroître ainsi le pourcentage de leur marge bénéficiaire brute. Par contre, les entreprises qui adoptent une stratégie basée sur des coûts peu élevés comptent sur une gestion plus efficace de la production pour diminuer les coûts et augmenter le pourcentage de la marge bénéficiaire brute. Les gestionnaires, les analystes et les créanciers se servent de ce ratio pour évaluer l'efficacité des stratégies des entreprises sur le plan du développement de produits, de la mise en marché et de la production.

DOREL ◊ Le pourcentage de la marge bénéficiaire brute de l'entreprise a diminué au cours de ces trois derniers exercices en passant de 25,9 % en 2003 à 23 % en 2004 et à 22,4 % au cours du plus récent exercice. Par rapport aux entreprises d'autres secteurs d'activité, Dorel fait bonne figure puisque son ratio est supérieur à la moyenne de celui des trois autres entreprises choisies aux fins de comparaison. En effet, selon les renseignements obtenus dans le rapport annuel des sociétés Le Groupe Jean Coutu, Bombardier et Cascades, on obtient respectivement des ratios de 24,02 %, de 13,6 % et de 16,5 %. Il faut toutefois noter qu'une analyse comparative avec des secteurs d'activité différents peut faire ressortir des variations significatives en ce qui concerne les ratios. Ce résultat est tout à fait normal puisque la marge de profit réalisée sur chaque article vendu n'est pas la même d'un secteur à l'autre. Ainsi, la marge de profit qu'on peut espérer obtenir à la suite de la vente de croustilles est évidemment différente de celle qui est réalisée sur la vente d'un avion. Il est donc généralement plus pertinent de procéder à une analyse comparative avec les concurrents directs de l'entreprise, c'est-à-dire les entreprises du même secteur d'activité. Par contre, de plus en plus d'entreprises diversifient leurs opérations et évoluent, comme Dorel, dans plusieurs secteurs d'activité. Il est donc très difficile, voire impossible, de trouver un concurrent identique. Néanmoins, on peut comparer Dorel à deux sociétés québécoises du secteur du meuble : Shermag et Amisco. On réalise alors que le pourcentage de la marge bénéficiaire brute est beaucoup plus élevé chez Dorel que chez Shermag, et qu'il est légèrement inférieur à celui d'Amisco.

QUELQUES PRÉCAUTIONS ◊ Il est important de connaître les raisons de toute variation dans le pourcentage de la marge bénéficiaire brute afin de pouvoir évaluer la capacité d'une entreprise à maintenir cette marge. Par exemple, l'augmentation de la marge bénéficiaire brute qui résulte d'une augmentation de la vente de bicyclettes ayant une contribution marginale élevée, au cours d'un été particulièrement doux, sera jugée plus difficile à maintenir qu'une augmentation due à l'apparition de nouveaux produits. De plus, pour pouvoir justifier des prix plus élevés, on doit souvent investir en recherche et développement de même qu'en publicité, et ces coûts peuvent éliminer l'effet positif d'une augmentation de la marge bénéficiaire brute. Enfin, il faut savoir qu'une légère variation dans le pourcentage de cette marge peut entraîner une variation importante du bénéfice net.

TEST D'AUTOÉVALUATION

1. Supposez que la société Double-As a vendu des vêtements de tennis pour une valeur de 30 000 $ à différents détaillants avec des modalités de paiement de 1/10, n/30, et que la moitié de cette somme lui a été versée à l'intérieur du délai prévu pour se prévaloir de l'escompte. Pendant la même période, le chiffre d'affaires brut des magasins de l'entreprise a été de 5 000 $ dont 80 % ont été payés par carte de crédit, avec un escompte de 3 %, et le reste en espèces. Calculez le chiffre d'affaires net de cette période.

2. Au cours du premier trimestre de 2008, supposez que le chiffre d'affaires net de Double-As s'élevait à 176 897 $ et que le coût des marchandises vendues était de 103 768 $. Démontrez que le pourcentage de la marge bénéficiaire brute est de 41,3 %.

Vérifiez vos réponses à l'aide des solutions présentées en bas de page*.

La mesure et la présentation des comptes clients

La classification des comptes clients

En général, on classe les comptes clients suivant trois catégories. Premièrement, il peut s'agir d'un **compte clients** ou **Clients** ou d'un **effet à recevoir.** On crée un compte client lorsque l'on comptabilise une vente à crédit dans un compte ouvert au nom du client. Par exemple, on crée un compte client lorsque Dorel vend des meubles à Wal-Mart. Un effet à recevoir est une promesse écrite (c'est-à-dire un document en bonne et due forme) de payer : 1) un montant précis d'argent (qu'on appelle le « capital ») à une date ultérieure précisée (connue sous le nom d'« échéance ») ; 2) des intérêts déterminés d'avance à une ou à plusieurs dates ultérieures. Les intérêts sont le montant exigé pour le capital prêté. Nous étudierons le calcul des intérêts en même temps que les effets à payer dans un chapitre ultérieur.

Deuxièmement, on peut classer les comptes clients comme étant des comptes clients ou des créances diverses. On crée normalement un compte client lors de la vente de marchandises ou de la prestation de services à crédit. Les créances diverses résultent

Les **comptes clients** (ou **Clients**) sont des comptes de bilan où figurent les sommes à recouvrer des clients à la suite d'une vente de marchandises ou d'une prestation de services.

Les **effets à recevoir** sont des promesses écrites dans lesquelles une partie s'engage à payer ce qu'elle doit à une entreprise en respectant des conditions précises (le montant, l'échéance et les intérêts).

---

* 1. Chiffre d'affaires brut   35 000 $

      Moins : Escomptes sur ventes ($0,01 \times 1/2 \times 30\,000$ $)   150

                Escomptes sur cartes de crédit ($0,03 \times 0,8 \times 5\,000$ $)   120

      Chiffre d'affaires net   34 730 $

  2. 176 897 $ − 103 768 $ = 73 129 $ de marge bénéficiaire brute

    73 129 $ ÷ 176 897 $ = 41,3 % (valeur arrondie)

de transactions autres que des activités courantes de l'entreprise. Par exemple, si une entreprise prête de l'argent à un nouveau vice-président chargé des activités internationales pour l'aider à s'acheter une maison près de son nouveau lieu de travail, elle classera ce prêt dans la catégorie des créances diverses (les avances aux employés).

Troisièmement, dans le bilan, on classe aussi les comptes clients comme étant soit des actifs à court terme, soit des actifs à long terme selon le moment où on s'attend à recouvrer le montant en question.

Comme beaucoup d'entreprises, Dorel présente un seul type de comptes clients et utilise le terme « Débiteurs » pour les désigner. L'entreprise classe cet élément d'actif dans les actifs à court terme parce que tous ces comptes doivent être récupérés dans un délai d'un an.

PERSPECTIVE INTERNATIONALE

Les comptes clients en monnaie étrangère

Les ventes à l'étranger (ou les exportations) prennent de plus en plus d'ampleur dans l'économie canadienne. La plupart des ventes aux entreprises, sur le marché international comme sur le marché intérieur, se font à crédit. Lorsque l'acheteur a convenu de payer avec sa devise plutôt qu'en dollars canadiens, on ne peut pas additionner directement ces comptes clients, libellés en devises, aux comptes clients en dollars canadiens. On doit d'abord les convertir en dollars canadiens en se servant du taux de change en vigueur entre les deux monnaies à la date de la transaction. Par exemple, si un grand magasin français devait 20 000 € à une société canadienne le 20 novembre 2006, et que 1 € valait 1,4708 $ CA à cette date, l'entreprise devrait alors inscrire 29 416 $ aux comptes clients dans son bilan.

Taux de change des différentes monnaies (en dollars canadiens le 20 novembre 2006)	
Dollar des États-Unis	1,1475 $
Peso mexicain	0,1047 $
Euro	1,4708 $

La comptabilisation des créances estimées irrécouvrables

OBJECTIF D'APPRENTISSAGE **4**

Estimer, enregistrer et évaluer l'effet des comptes clients non recouvrables sur les états financiers.

Dorel garde un compte client distinct (regroupé dans un livre comptable appelé l'« auxiliaires des comptes clients ») pour chaque client à qui elle vend des marchandises. Le montant des comptes clients qui apparaît au bilan est le total de tous ces comptes distincts.

Toute entreprise qui offre des marchandises à crédit sait qu'un certain nombre de ventes se solderont par des créances irrécouvrables. Selon le principe du rapprochement des produits et des charges, il faut enregistrer les créances irrécouvrables dans la période comptable au cours de laquelle les ventes dont elles découlent ont été effectuées. Toutefois, dans bien des cas, l'entreprise ignore que certains clients ne paieront pas leur dû avant la période comptable suivante. Donc, à la fin d'une période, l'entreprise ne sait pas précisément quel compte client est une créance irrécouvrable.

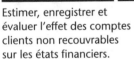

Les **créances douteuses** sont les charges associées aux comptes clients estimés irrécouvrables.

La **méthode d'imputation par provision** établit le montant des créances douteuses à l'aide d'une estimation de celles-ci.

Dorel résout le problème et se conforme au principe comptable du rapprochement des produits et des charges en enregistrant une provision pour les **créances douteuses.** La **méthode d'imputation par provision** est fondée sur l'estimation du montant de créances irrécouvrables auquel on peut s'attendre et sur la radiation de certains comptes estimés irrécouvrables au cours de l'exercice. De plus, dans les situations d'incertitude, la **prudence** doit guider les jugements portés pour éviter toute surévaluation des comptes clients.

L'enregistrement de l'estimation des créances douteuses

Les créances douteuses ou créances estimées irrécouvrables sont les charges relatives aux comptes clients considérés comme irrécouvrables. À la fin de la période comptable, on doit enregistrer le montant prévu de créances douteuses. Pour l'exercice se terminant le 30 décembre 2005, supposons que les créances douteuses de Dorel s'élèvent à 300 000 $. Voici l'effet sur l'équation comptable et l'écriture de régularisation qu'on doit passer.

ÉQUATION COMPTABLE

Actif	=	Passif	+	Capitaux propres	
Provision pour créances douteuses −300 000				Créances douteuses −300 000	

ÉCRITURE DE JOURNAL

Créances douteuses (+C, −CP) 300 000
    Provision pour créances douteuses (+XA, −A) 300 000

Dorel aurait alors enregistré un montant de créances douteuses de 300 000 $ dans son état des résultats de l'exercice terminé le 30 décembre 2005. On inclut normalement ce montant dans la catégorie « frais d'exploitation ». Cette charge diminue le bénéfice net et les capitaux propres. On ne peut diminuer précisément les comptes clients dont il est question. En effet, il est impossible de savoir lesquels sont en cause. On crée donc un compte de sens contraire, appelé « **Provision pour créances douteuses** » (aussi appelé « **Provision pour créances irrécouvrables** »). À titre de compte de sens contraire, on doit toujours soustraire le solde de la provision pour créances douteuses du solde des comptes clients. Ainsi, on réduit à la fois la valeur nette des comptes clients et le total de l'actif.

*Une **Provision pour créances douteuses** (ou **Provision pour créances irrécouvrables**) est un compte de sens contraire dans lequel on classe les comptes clients que la société estime ne pas pouvoir recouvrer.*

La radiation de certains comptes estimés irrécouvrables

Tout au long de l'exercice, dès qu'on a déterminé qu'un client ne paiera pas ses dettes (par exemple à cause d'une faillite), on doit radier cette créance irrécouvrable. La radiation élimine le compte client en question et réduit le compte de sens contraire Provision pour créances douteuses du même montant. Par exemple, si on veut radier un montant total de 100 000 $ au cours de l'exercice, voici l'effet sur l'équation comptable et l'écriture de journal correspondante :

ÉQUATION COMPTABLE

Actif	=	Passif	+	Capitaux propres
Provision pour créances douteuses +100 000				
Clients −100 000				

ÉCRITURE DE JOURNAL

Provision pour créances douteuses (−XA, +A) 100 000
    Clients (−A) 100 000

Il faut noter que cette radiation n'a aucun effet sur les comptes de l'état des résultats. Aucune créance douteuse n'est enregistrée, puisque la charge estimée a déjà été inscrite dans la période où la vente a eu lieu. En outre, la valeur comptable nette des comptes clients n'a pas changé, car la diminution du compte d'actif (Clients) a été compensée par une diminution du compte de sens contraire Provision pour créances douteuses, de sorte que le total de l'actif n'a pas changé.

Lorsqu'un client effectue un paiement sur un compte précédemment radié, on annule l'écriture de journal qui a servi à radier le compte pour le montant à percevoir et on enregistre le recouvrement de la somme en question.

Un résumé du processus comptable

Il importe de se rappeler que la comptabilisation des créances douteuses est un processus comprenant deux étapes.

Étape	Temps	Comptes touchés	États financiers touchés
1. Enregistrer les créances douteuses	À la fin de l'exercice où la vente a eu lieu	Créances douteuses (C) ↑ Provision pour créances douteuses (XA) ↑	Bénéfice net ↓ Actif (valeur comptable des comptes clients) ↓
2. Radier les créances irrécouvrables	Tout au long de l'exercice	Clients (A) ↓ Provision pour créances douteuses (XA) ↓	Bénéfice net AE Actif (valeur comptable des comptes clients) AE

On peut aussi illustrer le processus comptable complet concernant les créances estimées irrécouvrables à l'aide des comptes en T des comptes clients et de la provision pour créances douteuses.

+	Clients (A)	−
Solde au début	Encaissements	
Ventes à crédit	Radiations	
Solde à la fin		

−	Provision pour créances douteuses (XA)	+
	Solde au début	
Radiations	Ajustements pour créances douteuses	
	Solde à la fin	

Le compte Clients comprend à la fois les comptes clients recouvrables et les comptes clients irrécouvrables. Le solde du compte Provision pour créances douteuses correspond à la partie des comptes clients estimés irrécouvrables. Le montant des comptes clients nets (Comptes clients − Provision pour créances douteuses) reporté au bilan représente la valeur que l'entreprise espère récupérer au cours du prochain exercice.

La présentation des comptes clients et des créances douteuses

Les analystes qui veulent davantage d'informations sur les comptes clients de Dorel peuvent se référer à la note 5 des états financiers. On y donne le montant des comptes clients et des provisions qui s'y rattachent (*voir le tableau 6.2*). Au 30 décembre 2005, la valeur nette des comptes clients s'élève à 287 225 000 $, alors que la provision pour créances douteuses est de 5 767 000 $. La provision pour crédits prévus correspond au montant estimé des escomptes sur ventes et des rendus et rabais dont peuvent encore bénéficier les clients de Dorel.

Les montants des créances douteuses et des comptes clients radiés pour la période terminée n'apparaissent généralement pas de façon distincte dans le rapport annuel, mais ils sont plutôt inclus dans les frais d'exploitation.

TABLEAU 6.2 Comptes clients au bilan

Coup d'œil sur

Dorel

RAPPORT ANNUEL

Note 5: Débiteurs

Les débiteurs comprennent les éléments suivants (en milliers de dollars US):

	2005	2004
Débiteurs	334 312 $	337 411 $
Provision pour crédits prévus	(41 320)	(43 933)
Provision pour créances douteuses	(5 767)	(8 271)
	287 225 $	285 207 $

Le solde du compte Provision pour créances douteuses de la société Vélomotrice est de 4 910 000 $ au 1er janvier 2007. Au cours de l'exercice 2007, la société a radié des comptes clients pour un montant total de 1 480 000 $. À la fin de l'exercice, elle a estimé ses créances irrécouvrables à 2 395 000 $.

1. Indiquez l'effet sur l'équation comptable et l'écriture de journal pour enregistrer les créances douteuses à la fin de l'exercice.
2. Indiquez l'effet sur l'équation comptable et passez l'écriture de radiation des comptes clients de Vélomotrice.
3. Calculez le solde du compte Provision pour créances douteuses à la fin de l'exercice.

Vérifiez vos réponses à l'aide des solutions présentées en bas de page*.

Les méthodes d'estimation des créances douteuses

On estime souvent le montant des créances douteuses enregistrées à la fin de l'exercice d'après 1) un pourcentage du chiffre d'affaires de la période ou 2) un classement chronologique des comptes clients. Les deux méthodes respectent les principes comptables généralement reconnus et sont largement utilisées en pratique. Le pourcentage du chiffre d'affaires est une méthode plus simple, mais l'analyse chronologique des comptes clients donne normalement des résultats plus justes.

La méthode d'estimation fondée sur le chiffre d'affaires

Un grand nombre d'entreprises établissent leur provision à l'aide de la **méthode d'estimation fondée sur le chiffre d'affaires.** Cette méthode évalue les créances douteuses selon une analyse des ventes à crédit réalisées au cours des exercices antérieurs et qui se sont révélées comme étant des créances irrécouvrables. Le pourcentage moyen du chiffre d'affaires qui pourrait se révéler comme étant des créances irrécouvrables est calculé en divisant le total des pertes sur créances irrécouvrables survenues au cours des exercices précédents par le total des ventes à crédit. Une entreprise qui possède quelques années d'existence a suffisamment d'expérience pour prévoir la possibilité de pertes futures sur ses comptes clients. Supposons par exemple que l'entreprise Tricotou estime à 0,5 % le taux de perte moyen dû à des créances irrécouvrables. Si son chiffre d'affaires s'élève à 150 000 $, le montant des créances douteuses se calcule ainsi :

La **méthode d'estimation fondée sur le chiffre d'affaires** évalue les créances douteuses d'après l'analyse du chiffre d'affaires ou des ventes à crédit réalisées au cours des exercices antérieurs et qui se sont ultérieurement révélées comme étant des créances irrécouvrables.

Chiffre d'affaires	×	Taux de perte sur créances	=	Créances douteuses
150 000 $	×	0,5 %	=	750 $

---

* 1. **Équation comptable :**

Actif	=	Passif	+	Capitaux propres
Provision pour créances douteuses −2 395 000				Créances douteuses −2 395 000

Écriture de journal :
Créances douteuses (+C, −CP) 2 395 000
    Provision pour créances douteuses (+XA, −A) 2 395 000

2. **Équation comptable :**

Actif	=	Passif	+	Capitaux propres
Provision pour créances douteuses +1 480 000				
Clients −1 480 000				

Écriture de journal :
Provision pour créances douteuses (−XA, +A) 1 480 000
    Clients (−A) 1 480 000

3. Solde au début + Créances douteuses − Radiation = Solde à la fin
    4 910 000 $ + 2 395 000 $ − 1 480 000 $ = 5 825 000 $

Ce montant de 750 $ sera directement enregistré comme une charge et une augmentation de la provision pour créances douteuses. Si on suppose que le solde d'ouverture du compte Provision pour créances douteuses de la société Tricotou est de 1 581 $ et qu'elle a radié des comptes clients pour un montant de 931 $, le solde de la provision pour créances douteuses se calcule ainsi :

−	Provision pour créances douteuses (XA)		+
		1 581	Solde au début
Radiation	931	750	Créances douteuses
		?	Solde à la fin

$$1\ 581 + 750 - 931 = 1\ 400\ \$$$

Le classement chronologique des comptes clients

La **méthode d'estimation fondée sur le classement chronologique des comptes clients** consiste à estimer les créances irrécouvrables d'après l'âge de chacun des comptes clients.

Plutôt que de recourir à la méthode d'estimation fondée sur le chiffre d'affaires, bon nombre d'entreprises utilisent la **méthode d'estimation fondée sur le classement chronologique des comptes clients.** Avec cette méthode, les comptes clients les plus vieux sont généralement ceux qui sont le moins susceptibles d'être recouvrés. Par exemple, un compte client dû dans un délai de 30 jours et qui n'a pas été réglé après 45 jours est plus susceptible, en moyenne, d'être recouvré que le même type de compte client encore en souffrance après 120 jours. En se basant sur son expérience antérieure, l'entreprise peut estimer quelle proportion de ses comptes clients datant de différentes périodes demeurera impayée.

Supposons que la société Tricotou répartit ses comptes clients de 25 000 $ en trois catégories distinctes. Dans un premier temps, les gestionnaires examinent chaque compte client et les trient selon le temps écoulé depuis leur enregistrement aux livres. Par la suite, les gestionnaires doivent estimer les taux probables de pertes pour chaque catégorie : par exemple les comptes courants, 2 % ; les comptes ayant de 1 à 90 jours de retard, 8 % ; et les comptes ayant plus de 90 jours de retard, 20 %. Comme on peut le voir dans le classement chronologique présenté ci-après, ce calcul donne le montant total estimé des créances irrécouvrables, soit 1 280 $. Ce montant doit correspondre au solde de fin du compte Provision pour créances douteuses. On parle alors d'un « solde estimé ».

Par conséquent, on doit ajuster la provision pour créances douteuses selon la différence entre le solde réel du compte et le solde estimé. Le montant des créances douteuses de la période correspond à la différence entre l'estimation des créances irrécouvrables (qu'on vient de calculer) et le solde de la provision pour créances douteuses.

Classement chronologique des comptes clients

Âge des comptes			Pourcentage de pertes		Montant irrécouvrable
Comptes courants	18 000 $	×	2 %	=	360 $
1 à 90 jours de retard	4 000	×	8 %	=	320
Plus de 90 jours de retard	3 000	×	20 %	=	600
Solde estimé de la provision pour créances douteuses					1 280 $
Moins : Solde réel de la provision pour créances douteuses					650
Créances douteuses de l'exercice					630 $

−	Provision pour créances douteuses (XA)		+
		1 581	Solde au début
Radiation	931	?	Créances douteuses
		1 280	Solde à la fin

Comparaison entre les deux méthodes

- La méthode d'évaluation de la provision fondée sur le chiffre d'affaires permet de calculer directement la charge de créances douteuses à l'état des résultats. Cette méthode, qualifiée d'« approche résultat », met l'accent sur le rapprochement des produits et des charges.
- La méthode fondée sur le classement chronologique permet de calculer le solde du compte Provision pour créances douteuses au bilan. La différence entre le solde aux livres du compte Provision pour créances douteuses avant les ajustements et le solde estimé fait l'objet d'une écriture de régularisation. Au bilan, le montant des comptes clients différera selon la méthode utilisée.

	Estimation fondée sur le chiffre d'affaires	Estimation fondée sur le classement chronologique des comptes clients
Comptes clients	25 000 $	25 000 $
Moins : Provision pour créances douteuses	1 400	1 280
Comptes clients, net	23 600 $	23 720 $

Les mesures de contrôle des comptes clients

Un grand nombre de directeurs des ventes axés sur la mise en marché oublient que, s'ils peuvent augmenter leur volume de ventes en assouplissant leur politique de crédit, ils n'en tireront aucun avantage si leurs clients ne les paient jamais. Une bonne partie des entreprises qui mettent l'accent sur les ventes sans contrôler le recouvrement des ventes à crédit se retrouvent rapidement dans une impasse par rapport à leurs comptes clients. Voici trois façons de procéder qui peuvent aider à minimiser le nombre de créances irrécouvrables :

1. Établir les antécédents des clients en matière de crédit par une personne indépendante du service des ventes et du recouvrement.
2. Procéder périodiquement à un classement chronologique des comptes clients et communiquer avec les clients dont les paiements sont en retard.
3. Récompenser à la fois le personnel des ventes et celui des recouvrements pour tout recouvrement rapide de façon que les deux groupes travaillent en équipe.

Afin d'évaluer de façon globale l'efficacité des personnes responsables des évaluations de crédit et des recouvrements, les gestionnaires et les analystes financiers calculent souvent le taux de rotation des comptes clients.

ANALYSONS LES RATIOS

Le taux de rotation des comptes clients

1. **Question d'analyse**

   Jusqu'à quel point les activités liées à l'acceptation de crédit et aux recouvrements sont-elles efficaces ?

2. **Ratio et comparaison**

   Le taux de rotation des comptes clients se calcule ainsi :

$$\text{Taux de rotation des comptes clients} = \frac{\text{Chiffre d'affaires net}}{\text{Comptes clients nets moyens*}}$$

* Comptes clients nets moyens = (Comptes clients nets au début + Comptes clients nets à la fin) ÷ 2

OBJECTIF D'APPRENTISSAGE 5

Analyser et interpréter le taux de rotation des comptes clients et l'effet des comptes clients sur les flux de trésorerie.

Dans le cas de Dorel, le taux pour 2005 est le suivant :

$$\frac{1\ 760\ 865\ \$}{(287\ 225\ \$ + 285\ 207\ \$) \div 2} = \frac{1\ 760\ 865\ \$}{286\ 216} = 6,2$$

a) L'analyse de la tendance dans le temps		
DOREL		
2003	2004	2005
7,5	6,8	6,2

b) La comparaison avec les compétiteurs	
SHERMAG	AMISCO
2005	2005
5,3	7,8

Comparons	
Taux de rotation des comptes clients d'industries diverses	
Bois et matériel de construction	12,7
Boissons à base de malt	14,9
Ventes au détail	98,6

3. Interprétation des résultats

EN GÉNÉRAL ◊ Le taux de rotation des comptes clients reflète le nombre moyen de fois où les comptes clients nets (comptes clients − provision pour créances douteuses) ont été enregistrés et recouvrés au cours d'une période donnée. Un taux plus élevé indique un recouvrement plus rapide des comptes clients. L'entreprise en bénéficie, car elle peut investir l'argent recouvré et ainsi obtenir des revenus d'intérêts ou réduire ses emprunts et diminuer ses charges d'intérêts. Par contre, l'autorisation de crédit comportant des échéances de paiement de plus en plus éloignées et l'emploi de méthodes de recouvrement inefficaces vont nécessairement résulter en un taux moins élevé. Les analystes et les créanciers surveillent ce taux, sachant qu'une baisse soudaine pourrait signifier que l'entreprise accorde des délais de paiement plus longs dans le but d'augmenter ses ventes en perte de vitesse ou même d'enregistrer des ventes qui feront plus tard l'objet de retours. Plusieurs gestionnaires et analystes calculent le délai moyen de recouvrement des comptes clients, qui est égal à 365 divisé par le taux de rotation des comptes clients. Ce calcul indique également le temps moyen que prennent les clients pour payer leurs comptes. Dans le cas de Dorel, le calcul est le suivant :

$$\text{Délai de recouvrement} = \frac{365}{\text{Taux de rotation des comptes clients}} = \frac{365}{6,2} = 58,9 \text{ jours}$$

DOREL ◊ Le taux de rotation des comptes clients de l'entreprise n'a cessé de diminuer au cours des trois derniers exercices, passant de 7,5 en 2003 à 6,8 en 2004 et à 6,2 au cours du plus récent exercice. Si on la compare aux entreprises du même secteur d'activité, Dorel fait bonne figure par rapport à Shermag, mais le taux de rotation est inférieur à celui d'Amisco.

QUELQUES PRÉCAUTIONS ◊ Les différences qui existent entre les secteurs d'activité et les entreprises quant aux modalités de crédit accordées aux clients peuvent créer des variations importantes dans le taux de rotation des comptes clients. Ainsi, le taux d'une entreprise en particulier ne devrait être comparé qu'avec celui des années antérieures de cette même entreprise ou avec ceux d'autres entreprises du même secteur utilisant les mêmes modalités de crédit. On peut d'ailleurs remarquer, dans le tableau ci-dessus, que le secteur des ventes au détail affiche un taux de rotation des comptes clients nettement plus élevé que les autres secteurs, et ce, compte tenu qu'une très grande partie de leurs ventes sont faites au comptant.

Les comptes clients

La variation des comptes clients peut devenir un facteur important en ce qui concerne les flux de trésorerie liés aux activités d'exploitation d'une entreprise. Alors que l'état des résultats reflète les produits d'exploitation d'une période, les flux de trésorerie liés aux activités d'exploitation reflètent le recouvrement en espèces des sommes dues par les clients pour la même période. Les ventes à crédit augmentent le solde des comptes clients. Le recouvrement des sommes dues par les clients diminue ce solde. De plus, la variation des comptes clients entre le début et la fin d'une période correspond en grande partie à la différence entre les ventes et les encaissements.

L'effet sur l'état des flux de trésorerie (la méthode indirecte)

EN GÉNÉRAL ◊ Lorsqu'on observe une diminution des comptes clients pour une période donnée, cela suppose que les montants en espèces recueillis auprès des clients sont supérieurs aux ventes. Par conséquent, on doit ajouter le montant de la diminution dans le calcul des flux de trésorerie liés aux activités d'exploitation.

D'un autre côté, lorsque les comptes clients augmentent pour une période donnée, cela suppose que les montants en espèces recueillis auprès des clients sont inférieurs aux ventes. Ainsi, on doit soustraire le montant de cet accroissement dans le calcul des flux de trésorerie liés aux activités d'exploitation*.

	Effet sur les flux de trésorerie
Activités d'exploitation (méthode indirecte)	
Bénéfice net	XXX $
Ajustements :	
Ajouter la diminution des comptes clients	+
ou	
Soustraire l'augmentation des comptes clients	−

DOREL ◊ Le tableau 6.3 reproduit la section liée aux activités d'exploitation de l'état des flux de trésorerie de Dorel.

TABLEAU 6.3 | Comptes clients à l'état des flux de trésorerie

Flux de trésorerie consolidés
Exercices terminés les 30 décembre 2005 et 2004
(en milliers de dollars US)

	2005	2004
Flux de trésorerie liés aux :		
Activités d'exploitation		
Bénéfice net	91 322 $	100 076 $
Éléments sans effet sur la trésorerie :		
....	143 213	133 715
Variations des soldes hors trésorerie du fonds de roulement (note 24)	(44 345)*	(17 055)
Rentrées nettes liées aux activités d'exploitation	98 868 $	116 660 $

* Ces variations sont dues en partie aux comptes clients, pour une valeur de (12 220 $) en 2005 et de (34 816 $) en 2004.

---

* Pour les entreprises qui ont des comptes clients en monnaie étrangère ou qui font des acquisitions-cessions d'entreprises, le total des variations enregistré à l'état des flux de trésorerie ne sera pas nécessairement égal aux variations dans les comptes clients qui apparaissent au bilan.

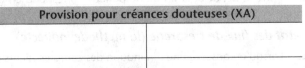
La présentation et la protection de la trésorerie

La trésorerie – définition

La **trésorerie** comprend les sommes d'argent et tout autre instrument financier (tel qu'un chèque, un mandat ou une traite bancaire) que les banques acceptent en dépôt et qu'elles ajoutent immédiatement au compte bancaire de l'entreprise.

Les **équivalents de trésorerie** sont des placements facilement convertibles à court terme, en un montant connu de trésorerie, et dont la valeur est peu susceptible de varier de façon significative[4]. Parmi les éléments qu'on trouve dans cette catégorie, mentionnons les certificats de dépôt encaissables en tout temps et les bons du Trésor émis par les gouvernements.

L'expression «Trésorerie et équivalents de trésorerie» est quelquefois utilisée pour désigner l'ensemble des actifs liquides de l'entreprise, bien que le terme «Trésorerie», employé seul, suffise.

Une entreprise peut avoir plusieurs comptes bancaires et différents types de trésorerie, mais tous ses comptes se trouvent habituellement combinés en un seul montant à des fins de présentation de l'information financière. La société Dorel, par exemple, inscrit un seul compte, «Trésorerie», à son bilan.

---

4. *Manuel de l'ICCA*, chap. 1540.08.
5. Louis MÉNARD, *op. cit.*, p. 189.
6. *Ibid.*, p. 193.

La gestion de la trésorerie

De nombreuses entreprises reçoivent chaque jour de leurs clients d'importantes sommes d'argent, des chèques et des reçus de cartes de crédit. Du fait que les employés pourraient facilement s'approprier cet argent, la direction doit prévoir des mesures visant à protéger les liquidités qu'elle reçoit et utilise au cours de ses transactions. Afin de gérer efficacement la trésorerie, il ne suffit pas simplement de protéger la caisse contre le vol, les fraudes ou les pertes causées par la négligence. La gestion de la trésorerie comporte plusieurs autres volets, notamment :

1) comptabiliser les transactions de manière appropriée afin de pouvoir dresser l'état des flux de trésorerie et le bilan ;
2) établir des contrôles permettant de s'assurer qu'il y a suffisamment de liquidités pour a) répondre aux besoins des activités d'exploitation, b) payer les dettes qui arrivent à échéance et c) faire face aux imprévus ;
3) prévenir l'accumulation de quantités excessives de liquidités. Les liquidités superflues ne rapportent rien à l'entreprise si elles sont laissées dans le compte courant. Donc, on les investit souvent dans des titres de placements temporaires afin d'en retirer un certain revenu (intérêts ou dividendes) en attendant le moment de s'en servir.

Le contrôle de la trésorerie

L'expression « **contrôle interne** » désigne les diverses mesures mises en place par la direction de l'entreprise pour : assurer la protection des actifs ; procurer une assurance raisonnable quant à la fiabilité de l'information financière de cette entreprise, de l'efficacité et de l'utilisation optimale de ses ressources ; prévenir les erreurs et les fraudes ; respecter les lois et les règlements auxquels la société doit se conformer. Les mesures de contrôle doivent s'appliquer à tous les actifs : la caisse, les comptes clients, les investissements, les biens utilisés dans l'exploitation, etc. Les contrôles visant à s'assurer de l'exactitude des registres comptables d'une entreprise ont pour but de prévenir les erreurs d'inattention et les fraudes telles que celle qui a été décrite dans l'exemple de Discus (*voir le chapitre 1*). Un bon contrôle interne, qui fait l'objet d'un examen par un vérificateur externe indépendant, accroît la fiabilité des états financiers d'une entreprise.

Comme la caisse est le poste le plus sujet au vol ou à la fraude, il doit faire l'objet d'un nombre élevé de mesures de contrôle. Chacun a sans doute déjà observé l'application de mesures de ce type sans réellement savoir de quoi il s'agissait. Par exemple, dans la plupart des cinémas, un employé est chargé de vendre les billets d'admission et un autre de vérifier si les clients ont un billet en leur possession avant de leur accorder l'accès à la salle. Il serait sans aucun doute beaucoup moins coûteux de faire accomplir ces deux tâches par la même personne. Toutefois, un seul employé pourrait alors facilement voler de l'argent en laissant entrer des clients sans leur donner un billet à la suite de l'encaissement du montant d'argent. Si différents employés effectuent ces deux tâches, la coopération des deux personnes est alors nécessaire pour réussir ce type de vol. Cette mesure permet donc de réduire un tel risque.

Le **contrôle interne** est l'ensemble des politiques et des procédures définies et maintenues par la direction en vue d'assurer la protection des actifs de l'entité, la fiabilité de l'information financière, l'efficience ou l'utilisation optimale des ressources, la prévention et la détection des erreurs et des fraudes, et le respect des politiques établies[7].

---

7. Louis MÉNARD, *op. cit.,* p. 639.

Un système de contrôle efficace permettant de bien gérer et de protéger les liquidités de l'entreprise devrait inclure les éléments suivants :

1. *La séparation des tâches.*
   a) Séparer les tâches liées à l'encaissement et au décaissement.
   b) Séparer les tâches liées à l'enregistrement comptable des encaissements et des décaissements.
   c) Séparer les tâches liées à la manipulation de l'argent des tâches liées à l'enregistrement aux livres.

2. *Les procédures administratives.*
   a) Exiger que toutes les recettes soient déposées à la banque, et ce, quotidiennement ; exercer un contrôle sévère sur l'argent.
   b) Exiger une séparation de tâches entre la personne qui est responsable de l'approbation des achats et autres décaissements et celle qui est responsable des paiements. Utiliser des chèques prénumérotés et accorder une attention particulière aux paiements effectués par transfert électronique de fonds, car il n'y a aucun document (comme dans le cas des chèques).
   c) Attribuer la responsabilité de l'approbation des paiements et celle de la signature des chèques ou de la transmission électronique de fonds à des personnes différentes.
   d) Exiger un rapprochement mensuel des comptes bancaires avec les soldes aux livres de l'entreprise (il en sera question dans la prochaine section).

La séparation des tâches et l'application de procédures précises constituent des étapes importantes faisant partie du contrôle de la trésorerie. La séparation des tâches décourage le vol, car elle requiert la collusion de deux personnes ou plus pour commettre un vol et le dissimuler ensuite dans les registres comptables.

Les procédures administratives permettent de s'assurer que le travail d'une personne est corroboré par les résultats enregistrés par d'autres personnes. Par exemple, le montant d'argent déposé dans une caisse enregistreuse par un vendeur peut être comparé au montant d'argent déposé à la banque par un autre employé. Le rapprochement des comptes de caisse et des relevés bancaires constitue un contrôle supplémentaire sur les dépôts.

QUESTION D'ÉTHIQUE

L'éthique et la nécessité de contrôle

Certaines personnes s'inquiètent de la recommandation selon laquelle toutes les entreprises faisant l'objet d'une saine gestion devraient se doter d'importantes mesures de contrôle. À leur avis, de telles mesures donnent l'impression que la direction de l'entreprise ne fait pas confiance à ses employés. Malheureusement, même si la grande majorité de ceux-ci sont dignes de confiance, on ne peut nier le fait que chaque année, des entreprises perdent des milliards de dollars qui leur sont volés par les employés. Dans bien des cas, les auteurs de ces actes criminels avouent avoir volé leur employeur parce qu'il leur paraissait facile de le faire et que personne ne semblait y accorder une grande importance par la suite (il n'y avait pas de mesures de contrôle interne en place).

Nombre d'entreprises fournissent à leurs employés un code d'éthique établissant les standards à respecter et les comportements à adopter en ce qui a trait aux transactions avec les clients, les fournisseurs et les autres employés, mais aussi en ce qui concerne l'utilisation des biens de l'entreprise. Même si, dans les faits, chaque employé est responsable de son propre comportement, les mesures de contrôle interne peuvent être perçues comme étant représentatives des valeurs importantes véhiculées par la direction de l'entreprise.

Le rapprochement bancaire

Le contenu d'un relevé bancaire

L'utilisation appropriée des comptes bancaires d'une entreprise peut constituer une mesure de contrôle importante des liquidités de l'entreprise. Chaque mois, la banque envoie à l'entreprise (le déposant) un **relevé bancaire**, c'est-à-dire la liste 1) de chaque dépôt enregistré à la banque au cours de cette période, 2) de chaque chèque compensé par la banque pendant cette période et 3) du solde du compte de l'entreprise. Ce relevé indique aussi les frais bancaires ou les retenues (tels les frais de service) prélevés directement au compte de l'entreprise par la banque. Un exemple de relevé bancaire est présenté au tableau 6.4.

Le tableau 6.4 comprend trois éléments qui requièrent une explication. Le 25 juin, on a prélevé, dans la colonne des «Retraits», un montant de 18 $ dont le code est CSP[8].

> Un **relevé bancaire** est un rapport mensuel émis par les banques indiquant les dépôts enregistrés, les chèques compensés ainsi que d'autres retraits ou dépôts, et le solde en banque à la fin de la période couverte par le relevé.

TABLEAU 6.4 | Exemple d'un relevé bancaire

Banque Transcanadienne
123, rue Commerciale, Touteville (Touteprovince) A1B 2C3
Téléphone: (514) 356-4567

Relevé bancaire

Entreprise Jeanne Doré
1000, rue Déserte
Villesage (Belleprovince) Z9Y 8X7

Date du relevé	
30-06-2007	
Numéro de compte	Numéro de page
877-95861	1

À CETTE DATE	VOTRE SOLDE	DÉPÔTS	RETRAITS	SOLDE FINAL
01-06-07	7 762,40	4 050,00	3 490,20	8 322,20

RETRAITS			DÉPÔTS		SOLDE QUOTIDIEN	
Date	N°	Montant	Date	Montant	Date	Montant
02-06	98	500,00	02-06	3 000,00	01-06	7 762,40
03-06	102	55,00			02-06	10 262,40
09-06	99	100,00	09-06	500,00	03-06	10 207,40
10-06	122	8,20			09-06	10 607,40
11-06	124	2 150,00			10-06	10 599,20
18-06	125	46,80	18-06	20,00 INT	11-06	8 449,20
19-06	127	208,00			18-06	8 422,40
24-06	128	82,70	24-06	230,00	19-06	8 214,40
25-06		18,00 CSP			24-06	8 361,70
25-06	129	144,40			25-06	8 343,70
26-06	132	22,52	26-06	300,00	25-06	8 199,30
27-06	130	96,50			26-06	8 476,78
30-06	126	52,08			27-06	8 380,28
30-06		6,00 FS			30-06	8 328,20
					30-06	8 322,20

Code:
   INT intérêts;
   CSP chèque sans provision;
   FS frais de service.

---

8. Ces codes varient selon les établissements bancaires.

L'entreprise Doré a reçu un chèque provenant d'un de ses clients et l'a déposé à sa banque, la Banque Transcanadienne. Suivant la procédure habituelle, la banque a ensuite traité le chèque et l'a fait parvenir à la banque du client. Toutefois, le compte de ce client ne contenait pas les liquidités suffisantes pour couvrir le chèque. La banque l'a donc retourné à la Banque Transcanadienne, qui l'a ensuite reversé au compte de l'entreprise Doré. Ce type de chèque est souvent désigné par le code CSP (chèque sans provision). Dans ce cas-ci, le chèque sans provision oblige l'entreprise à augmenter les comptes clients et à diminuer la caisse de 18 $.

Par ailleurs, le 30 juin, on a inscrit un montant de 6 $ dans la colonne des « Retraits » accompagné du code FS (le code désignant les frais de service). Le relevé bancaire comprend une note de la banque expliquant ces frais (qui ne correspondent pas à un chèque). L'entreprise doit, à son tour, inscrire cette charge dans le compte de frais approprié, par exemple les frais bancaires, et diminuer la caisse de 6 $.

Enfin, le 18 juin, un montant de 20 $ apparaît dans la colonne « Dépôts », et il est accompagné du code INT pour « intérêts gagnés ». La banque a payé un montant d'intérêts sur le solde bancaire de l'entreprise. Celle-ci doit enregistrer ce produit en augmentant la caisse et les revenus d'intérêts de 20 $.

La nécessité d'un rapprochement bancaire

Un **rapprochement bancaire** est un processus qui consiste à vérifier l'exactitude du relevé bancaire et des comptes de caisse d'une entreprise.

Le **rapprochement bancaire** est le processus selon lequel on compare (en expliquant les différences) le solde du compte Caisse inscrit aux livres de l'entreprise et le solde selon la banque, tel qu'il apparaît sur le relevé bancaire mensuel. Il faut effectuer ce rapprochement bancaire pour chaque compte bancaire (c'est-à-dire pour chaque relevé bancaire que fournit chacune des banques) à la fin de chaque mois.

En général, le solde apparaissant au relevé bancaire ne concorde pas avec celui qu'on trouve au compte Caisse du grand livre de l'entreprise.

Par exemple, on trouve les chiffres suivants au compte Caisse du grand livre de l'entreprise Doré à la fin de juin (l'entreprise ne possède qu'un seul compte bancaire).

+	Caisse		−
1er juin – solde au début	7 090,00	Juin – chèques émis	3 800,00
Juin – dépôt	5 750,00		
Solde à la fin	9 040,00		

Le solde final de 8 322,20 $ inscrit sur le relevé bancaire (*voir le tableau 6.4 à la page 335*) diffère du montant de 9 040,00 $ qui apparaît dans les livres de l'entreprise. La plupart du temps, cette différence est due à un délai d'enregistrement des mêmes transactions entre la banque et l'entreprise :

1) certaines transactions relatives au compte Caisse ont été enregistrées dans les livres de l'entreprise, mais ne sont pas inscrites sur le relevé bancaire ;
2) certaines transactions apparaissent sur le relevé bancaire, mais elles n'ont pas été inscrites dans les livres de l'entreprise.

D'autres différences peuvent provenir d'erreurs d'enregistrement des transactions, tant par la banque que par l'entreprise.

Voici quelques-unes des causes les plus fréquentes des différences entre le solde selon le relevé bancaire et celui qui est indiqué aux livres de l'entreprise.

1. *Les chèques en circulation.* L'entreprise a émis des chèques qui ont été enregistrés aux livres en diminuant le compte Caisse. Cependant, la banque n'a pas encore compensé ces chèques (ils n'apparaissent donc pas au relevé bancaire comme une déduction au solde). On identifie les chèques en circulation ainsi : on compare les chèques que la banque a payés avec le registre des chèques (par exemple les talons de chèques ou le journal des décaissements) de l'entreprise.

2. *Les dépôts en circulation.* L'entreprise expédie les dépôts à la banque, et elle enregistre cette opération aux livres en augmentant le compte Caisse. Toutefois, la banque ne les a pas encore enregistrés (ils n'apparaissent donc pas dans le relevé bancaire sous forme d'augmentation du solde bancaire). Les dépôts en circulation sont généralement des dépôts effectués un ou deux jours avant la fin de la période couverte par le relevé bancaire. On les retrace en comparant la liste des dépôts qui apparaissent sur le relevé bancaire aux copies des bordereaux de dépôts que conserve l'entreprise.

3. *Les frais bancaires.* Les frais engagés pour des services bancaires sont inscrits sur le relevé bancaire. Ces frais doivent être enregistrés aux livres de l'entreprise en augmentant le compte de charge approprié et en diminuant la caisse.

4. *Les chèques sans provision.* L'entreprise a déposé ces chèques, mais ces derniers doivent être réinscrits aux comptes clients de l'entreprise. Dans les livres de l'entreprise, on doit alors augmenter les comptes clients et diminuer la caisse.

5. *Les intérêts.* Les intérêts payés par la banque à l'entreprise viennent augmenter la caisse et les revenus de l'entreprise.

6. *Les erreurs.* La banque et l'entreprise peuvent commettre des erreurs, en particulier lorsque le volume des transactions effectué au compte Caisse est très élevé.

Une illustration d'un rapprochement bancaire

L'entreprise devrait procéder à un rapprochement bancaire dès la réception d'un relevé bancaire.

Voici l'aspect général d'un rapprochement bancaire.

Solde à la fin selon les livres	xxx $	Solde à la fin selon le relevé bancaire	xxx $
+ Intérêts payés par la banque	xxx	+ Dépôts en circulation	xxx $
− Chèques CSP et frais de service	xxx	− Chèques en circulation	xxx
± Erreurs de l'entreprise	xxx	± Erreurs de la banque	xxx
Solde à la fin corrigé	xxx $	Solde à la fin corrigé	xxx $

Le tableau 6.5 (*voir la page 338*) présente le rapprochement bancaire entre le solde bancaire (8 322,20 $ selon le tableau 6.4 *à la page 335*) et le solde final aux livres (9 040,00 $) de l'entreprise J. Doré pour le mois de juin. Selon ce tableau, une fois le rapprochement bancaire effectué, on constate que le solde de caisse corrigé s'élève à 9 045,00 $. Ce solde corrigé est le montant qui devra apparaître au compte Caisse à la suite du rapprochement. Dans notre exemple, il s'agit également du montant de caisse qui devrait être présenté au bilan compte tenu que l'entreprise n'a qu'un seul compte bancaire et aucune petite caisse.

Voici les étapes que suit l'entreprise afin d'établir le rapprochement bancaire.

1. *Déterminer les chèques en circulation.* En comparant la liste des chèques compensés par la banque au registre de tous les chèques émis, on constate que les chèques suivants sont encore en circulation (non compensés par la banque) à la fin de juin.

Numéro du chèque	Montant
101	145,00 $
123	815,00
131	117,20
Total	1 077,20 $

On inscrit ce total dans le rapprochement bancaire sous forme d'une diminution au solde bancaire. Ces chèques seront déduits par la banque lorsque celle-ci les aura compensés.

2. *Déterminer les dépôts en circulation.* En comparant les bordereaux de dépôts avec la liste des dépôts inscrits sur le relevé bancaire, on constate qu'un dépôt de 1 800 $, effectué le 30 juin, n'apparaît pas sur le relevé bancaire. Ce montant est inscrit dans le rapprochement bancaire sous forme d'une augmentation au solde bancaire. La banque l'ajoutera au relevé lorsqu'elle aura enregistré le dépôt.

3. *Enregistrer les frais et les crédits bancaires.*

   a) Les intérêts payés par la banque, 20 $, apparaissent dans le rapprochement bancaire sous forme d'une augmentation du solde aux livres. Ce montant a déjà été inclus dans le solde bancaire.

   b) Le chèque sans provision de P. Lajoie, au montant de 18 $, apparaît dans le rapprochement bancaire sous forme d'une diminution du solde aux livres. Il a déjà été soustrait du solde bancaire.

   c) On inscrit les frais bancaires de 6 $ dans le rapprochement bancaire sous forme de diminution du solde aux livres. Ils ont déjà été soustraits du solde bancaire.

4. *Évaluer l'effet des erreurs.* À ce stade, l'entreprise constate qu'il y a une différence de 9 $ entre les soldes à la suite du rapprochement. En vérifiant les écritures de journal passées au cours du mois, on a trouvé le chèque n° 99 émis au montant de 100 $ pour payer un compte fournisseur. Or, le montant enregistré au compte de l'entreprise s'élevait à 109 $. Par conséquent, on doit additionner la différence de 9 $ (109 $ − 100 $) au solde aux livres de l'entreprise. De son côté, la banque a compensé le chèque pour le bon montant, soit 100 $.

   Il faut noter qu'au tableau 6.5, les soldes selon les registres comptables de l'entreprise et selon le relevé bancaire à la suite du rapprochement bancaire concordent, et le solde corrigé du compte Caisse s'élève à 9 045,00 $.

   Un rapprochement bancaire comme celui du tableau 6.5 vise deux objectifs:

1. Il permet de vérifier l'exactitude du solde bancaire et des registres comptables de l'entreprise et de déterminer le solde exact du compte Caisse. Ce solde (auquel on ajoute le solde de la petite caisse s'il y en a un) correspond au montant de caisse présenté au bilan.

2. Il permet de déterminer toutes les transactions ou toutes les variations qui n'ont pas encore été enregistrées, mais qui doivent apparaître dans les livres de l'entreprise afin que son solde de caisse soit exact. Toutes les transactions (ou variations) apparaissant du côté du solde aux livres dans le rapprochement bancaire doivent être enregistrées aux livres de l'entreprise.

TABLEAU 6.5 Illustration d'un rapprochement bancaire

Entreprise Doré
Rapprochement bancaire
pour le mois se terminant le 30 juin 2007

Registres comptables		Relevé bancaire	
Solde aux livres	9 040,00 $	Solde bancaire	8 322,20 $
Plus:		Plus:	
Intérêts payés par la banque	20,00 $	Dépôts en circulation	1 800,00 $
Erreur dans l'enregistrement du chèque n° 99	9,00		
	9 069,00 $		10 122,20 $
Moins:		Moins:	
Chèque sans provision de P. Lajoie	18,00 $	Chèques en circulation	1 077,20 $
Frais bancaires	6,00 $		
Solde aux livres corrigé	9 045,00 $	Solde bancaire corrigé	9 045,00 $

Comptes de l'entreprise Doré

ÉQUATION COMPTABLE

Actif		=	Passif		+	Capitaux propres	
Caisse			Fournisseurs	+9		Revenus d'intérêts	+20
(+20, −18, −6, +9)	+5					Frais bancaires	−6
Clients	+18						

ÉCRITURE DE JOURNAL

a)	Caisse (+A)...	20	
	Revenus d'intérêts (+Pr, +CP)		20
	pour enregistrer les intérêts payés par la banque		
b)	Clients (+A)...	18	
	Caisse (−A)		18
	pour enregistrer un chèque sans provision		
c)	Frais bancaires (+C, −CP)	6	
	Caisse (−A)		6
	pour enregistrer les frais bancaires réclamés par la banque		
d)	Caisse (+A)...	9	
	Fournisseurs (+Pa)		9
	pour corriger une erreur commise lors de l'enregistrement d'un chèque émis à un fournisseur		

Il faut noter que toutes les augmentations et les diminutions qui apparaissent du côté des registres comptables de l'entreprise requièrent des ajustements aux livres pour mettre le compte Caisse à jour. Les augmentations et les diminutions qui se trouvent du côté du relevé bancaire ne requièrent pas d'ajustements, car elles seront enregistrées automatiquement dès que la banque les aura compensées.

TEST D'AUTOÉVALUATION

Parmi les éléments suivants découverts au cours du rapprochement bancaire, indiquez lesquels entraîneront une correction du solde du compte Caisse au bilan :

1. les chèques en circulation ;
2. les dépôts en circulation ;
3. les frais bancaires ;
4. les chèques sans provision qui ont été déposés.

Vérifiez vos réponses à l'aide des solutions présentées en bas de page*.

---

* 1. Aucune correction.
   2. Aucune correction.
   3. Comme les frais bancaires doivent être déduits du compte de l'entreprise, il faut donc diminuer la caisse et enregistrer une charge.
   4. Les chèques sans provision que l'entreprise a déposés ont été enregistrés aux livres comme une augmentation de la caisse. Il faut donc diminuer la caisse et augmenter le compte client en question, mais seulement si on peut raisonnablement s'attendre à être payé.

Conclusion

Comme nous l'avons vu précédemment dans ce chapitre, une entreprise doit s'assurer que la croissance dont elle bénéficie entraînera aussi une augmentation des profits. Pour ce faire, elle doit réaliser rapidement ce qui suit : 1) renouveler continuellement ses gammes de produits tout en utilisant les nouvelles technologies liées à la fabrication ; 2) tendre vers une production à moindre coût ; 3) accorder plus d'attention à la gestion des stocks et au recouvrement des comptes clients, puisqu'une créance non recouvrée n'a aucune valeur pour l'entreprise. Chacun de ces objectifs vise à augmenter le chiffre d'affaires net ou à diminuer le coût des marchandises vendues, c'est-à-dire à accroître la marge bénéficiaire brute.

ANALYSONS UN CAS

Exemple 6-A

Au cours de l'année 2008, les magasins Entrepôts en gros ont vendu pour 950 000 $ de marchandises dont 400 000 $ ont été vendues à crédit avec des modalités de paiement de 2/10, n/30 (75 % du montant a été payé à l'intérieur du délai de l'escompte), 500 000 $ par carte de crédit (avec un escompte de 3 % sur cartes de crédit) et le reste en argent comptant. Le 31 décembre 2008, le solde des comptes clients s'élevait à 80 000 $. La provision pour créances douteuses était de 9 000 $ au début de l'exercice et des créances irrécouvrables de 6 000 $ ont été radiées durant l'exercice.

Travail à faire

1. Calculez le chiffre d'affaires net de l'exercice 2008.
2. Supposez que l'entreprise utilise la méthode d'estimation fondée sur le chiffre d'affaires pour évaluer les créances douteuses et qu'elle estime que 2 % des ventes à crédit vont se révéler comme étant des créances irrécouvrables. Enregistrez les créances douteuses pour l'exercice 2008.
3. Supposez que l'entreprise emploie la méthode d'estimation fondée sur le classement chronologique des comptes clients et qu'elle estime qu'une valeur de 10 000 $ des comptes courants est irrécouvrable. Enregistrez les créances douteuses pour l'exercice 2008.

Solution suggérée

1. On doit soustraire à la fois les escomptes sur ventes et les escomptes sur cartes de crédit du chiffre d'affaires dans le calcul du chiffre d'affaires net.

Chiffre d'affaires	950 000 $
Moins : Escomptes sur ventes (0,02 × 0,75 × 400 000 $)	6 000
Escomptes sur cartes de crédit (0,03 × 500 000 $)	15 000
Chiffre d'affaires net	929 000 $

2. Il faut appliquer le pourcentage estimé des créances irrécouvrables aux ventes à crédit. Les ventes en argent ne produisent jamais de créances irrécouvrables.

Créances douteuses : (0,02 × 400 000 $)

ÉQUATION COMPTABLE

Actif	=	Passif	+	Capitaux propres
Provision pour créances douteuses −8 000				Créances douteuses −8 000

ÉCRITURE DE JOURNAL

Créances douteuses (+C, −CP)	8 000	
Provision pour créances douteuses (+XA, −A)		8 000

3. Lorsqu'on a recours au classement chronologique des comptes clients, l'écriture qui en résulte correspond au solde estimé moins le solde aux livres.

Solde estimé de la provision pour créances douteuses	10 000 $
Moins : Solde aux livres de la provision pour créances douteuses (9 000 $ − 6 000 $)	3 000
Créances douteuses de l'exercice	7 000 $

ÉQUATION COMPTABLE

Actif	=	Passif	+	Capitaux propres
Provision pour créances douteuses −7 000				Créances douteuses −7 000

ÉCRITURE DE JOURNAL

Créances douteuses (+C, −CP)	7 000	
Provision pour créances douteuses (+XA, −A)		7 000

Exemple 6-B

Un étudiant de première année à l'université vient de recevoir le premier relevé bancaire de son compte de chèques. C'est la première fois qu'il établit un rapprochement bancaire. Voici les renseignements dont il dispose.

Solde bancaire au 1er septembre	1 150 $
Dépôts du mois de septembre	650
Chèques compensés en septembre	900
Frais bancaires	25
Solde bancaire au 30 septembre	875

L'étudiant est surpris de constater qu'un dépôt de 50 $, effectué le 29 septembre, n'apparaît pas dans son compte. Toutefois, il se réjouit du fait que le chèque de 200 $, destiné à payer son loyer, n'a pas encore été compensé. Le solde de son carnet de chèques s'élève à 750 $.

Travail à faire
1. Établissez le rapprochement bancaire.
2. Pourquoi est-il important que des individus comme cet étudiant, de même que les entreprises, établissent un rapprochement bancaire chaque mois ?

Solution suggérée
1. Le rapprochement bancaire ressemble à ce qui suit.

Livre de l'étudiant		Relevé bancaire	
Solde au livre	750 $	Solde bancaire	875 $
Plus : Aucune	−	Plus : Dépôt en circulation	50
Moins : Frais bancaires	(25)	Moins : Chèque en circulation	(200)
Solde corrigé	725 $	Solde corrigé	725 $

2. Les individus ainsi que les entreprises devraient procéder à une vérification de leur relevé de banque mensuel et établir un rapprochement bancaire. Ce processus permet de déterminer le solde réel de liquidités disponibles. En ne procédant pas à un tel rapprochement, on accroît les risques qu'une erreur ne soit pas découverte et qu'on finisse par émettre des chèques sans provision. Les entreprises ont une raison supplémentaire d'effectuer cette opération : le solde corrigé, calculé lors du rapprochement, doit apparaître au bilan à la fin de la période.

L'enregistrement des escomptes et des rendus et rabais sur ventes

Comme nous l'avons vu précédemment, les escomptes sur cartes de crédit et les escomptes de caisse sont présentés en diminution du chiffre d'affaires. Par exemple, si une société émettrice de cartes de crédit réclame des frais de 3% pour ses services et que les ventes par carte de crédit s'élèvent à 3 000$ pour le 2 janvier, l'entreprise enregistre ce qui suit.

ÉQUATION COMPTABLE

Actif	=	Passif	+	Capitaux propres	
Caisse +2 910				Ventes	+3 000
				Escompte sur cartes de crédit	−90

ÉCRITURE DE JOURNAL

Caisse (+A)..	2 910	
Escompte sur cartes de crédit (+XPr, −Pr, −CP)........................	90	
Ventes (+Pr, +CP)		3 000

De plus, si les ventes à crédit sont comptabilisées suivant des modalités de paiement de 2/10, n/30 (1 000$ × 0,98 = 980$), et que le paiement a lieu à l'intérieur du délai d'escompte, l'entreprise enregistrera les éléments ci-dessous.

ÉQUATION COMPTABLE

Actif	=	Passif	+	Capitaux propres	
Clients +1000				Ventes	+1 000

ÉCRITURE DE JOURNAL

Clients (+A)..	1 000	
Ventes (+Pr, +CP)		1 000

ÉQUATION COMPTABLE

Actif	=	Passif	+	Capitaux propres	
Caisse +980				Escompte sur ventes	−20
Clients −1 000					

ÉCRITURE DE JOURNAL

Caisse (+A)...	980	
Escompte sur ventes (+XPr, −Pr, −CP).................................	20	
Clients (−A)		1 000

On devrait toujours traiter les rendus et les rabais sur ventes comme des comptes de sens contraire. Supposons qu'une entreprise achète à crédit de Dorel 20 tables à langer pour un total de 2 000$. Le jour de la vente, Dorel enregistre cette transaction de la façon suivante:

ÉQUATION COMPTABLE

Actif	=	Passif	+	Capitaux propres	
Clients +2 000				Ventes	+2 000

ÉCRITURE DE JOURNAL

Clients (+A)..	2 000	
Ventes (+Pr, +CP)		2 000

Avant d'avoir payé les tables à langer, l'entreprise découvre que 5 tables qui lui ont été livrées sont un peu endommagées. Elle les renvoie donc à Dorel où, le même jour, on enregistre ce qui suit.

ÉQUATION COMPTABLE

Actif		=	Passif	+	Capitaux propres	
Clients	−500				Rendus et rabais sur ventes	−500

ÉCRITURE DE JOURNAL

Rendus et rabais sur ventes (+XPr, −Pr, −CP)............................	500	
Clients (−A)..		500

Points saillants du chapitre

1. **Appliquer le principe de constatation des produits afin de déterminer à quel moment il convient d'enregistrer les produits dans le cas de détaillants, de grossistes et de fabricants** (*voir la page 318*).

   On considère généralement la politique de constatation des produits comme l'un des principaux déterminants d'une présentation fidèle des états financiers. Pour la plupart des marchands et des fabricants, le moment recommandé pour la constatation des produits est celui de l'expédition ou de la livraison des marchandises. Dans le cas des entreprises de services, il s'agit du moment suivant la prestation du service.

2. **Analyser l'effet des ventes par carte de crédit, des escomptes et des retours sur ventes sur le chiffre d'affaires de l'entreprise** (*voir la page 318*).

   On peut présenter les escomptes sur cartes de crédit et les escomptes sur ventes soit en diminution du chiffre d'affaires, soit comme des charges. Les rendus et rabais sur ventes, qui devraient toujours être traités en comme un compte de sens contraire, diminuent également le chiffre d'affaires.

3. **Analyser et interpréter le pourcentage de la marge bénéficiaire brute** (*voir la page 322*).

   Le pourcentage de la marge bénéficiaire brute sert à mesurer la capacité d'une entreprise à vendre des produits ou des services à un prix plus élevé que le coût de leur production ou de leur achat. Les gestionnaires, les analystes et les créanciers se servent de ce ratio pour évaluer l'efficacité des stratégies d'une entreprise sur le plan du développement de produits, de la mise en marché et de la production.

4. **Estimer, enregistrer et évaluer l'effet des comptes clients non recouvrables sur les états financiers** (*voir la page 324*).

   Lorsque les comptes clients sont importants, les entreprises doivent utiliser la méthode d'imputation par provision pour comptabiliser les créances douteuses. Les étapes de ce processus sont les suivantes : 1) enregistrer la Provision pour créances douteuses en fin d'exercice ; 2) radier certains comptes qui ont été jugés comme irrécouvrables au cours de l'exercice.

   L'inscription d'une provision pour créances douteuses réduit le bénéfice net de même que le montant net des comptes clients. La radiation n'influe sur aucun de ces comptes.

5. **Analyser et interpréter le taux de rotation des comptes clients et l'effet des comptes clients sur les flux de trésorerie** (*voir la page 329*).

   a) *Le taux de rotation des comptes clients* – Ce taux sert à mesurer l'efficacité des activités d'approbation de crédit et de recouvrement des créances. Il indique combien de fois, en moyenne, on a enregistré et recouvré des comptes clients durant l'exercice. Les analystes et les créanciers l'examinent attentivement, car une diminution majeure et soudaine pourrait signifier qu'une entreprise repousse les échéances de paiement dans le but de soutenir des ventes au ralenti ou encore qu'elle enregistre la vente de biens qui feront plus tard l'objet de retours.

   b) *Les effets sur les flux de trésorerie (la méthode indirecte)* – Lorsqu'il y a une diminution nette des comptes clients pour un exercice financier, le montant des espèces recouvrées auprès des clients excède toujours le chiffre d'affaires, et les flux de trésorerie provenant de l'exploitation augmentent. Dans le cas d'un accroissement net des comptes clients, le montant des espèces recouvrées est toujours inférieur au chiffre d'affaires. Ainsi, les flux de trésorerie provenant de l'exploitation diminuent.

6. **Enregistrer, gérer et protéger la trésorerie** (*voir la page 332*).

   La caisse est l'élément le plus liquide de tous les actifs. Il circule constamment de l'intérieur vers l'extérieur de l'entreprise et inversement. Par conséquent, on devrait lui appliquer de nombreuses mesures de contrôle, y compris le rapprochement bancaire. En outre, la gestion des liquidités revêt une importance capitale pour les gestionnaires qui doivent toujours disposer d'argent afin de répondre aux besoins d'exploitation de l'entreprise, tout en évitant de conserver des montants superflus qui ne produisent aucun revenu.

   L'enregistrement du coût des marchandises vendues ressemble beaucoup à celui des produits d'exploitation. Le chapitre 7 porte sur les transactions liées aux stocks et au coût des marchandises destinées à la vente. Ce sujet est important, car le coût des marchandises vendues par une entreprise a un effet considérable sur sa marge bénéficiaire brute et son bénéfice net, deux éléments qui font l'objet d'un suivi minutieux de la part des investisseurs, des analystes financiers et de divers autres utilisateurs des états financiers. L'importance accrue accordée à la qualité, à la productivité et aux coûts oriente de plus en plus l'attention des directeurs de production vers le coût des marchandises vendues et les stocks. Les coûts de détention des stocks jouent un rôle considérable lors de lancement de nouveaux produits et de la prise de décisions concernant l'établissement des prix. Les directeurs de marketing et les gestionnaires s'y intéressent donc aussi de façon particulière. Enfin, comme la comptabilisation des stocks a un effet direct sur les impôts à payer de nombreuses entreprises, nous en profiterons pour explorer l'effet de la fiscalité sur les prises de décisions des gestionnaires et sur la communication de l'information financière.

RATIOS CLÉS

Le pourcentage de la marge bénéficiaire brute sert à mesurer, sous forme de pourcentage, l'excédent des prix de vente sur les coûts d'achat ou de production des marchandises vendues ou les coûts liés à la prestation des services rendus. On le calcule ainsi (*voir la page 322*) :

$$\text{Pourcentage de la marge bénéficiaire brute} = \frac{\text{Marge bénéficiaire brute}}{\text{Chiffre d'affaires net}}$$

Le taux de rotation des comptes clients sert à mesurer l'efficacité des activités d'approbation de crédit et de recouvrement des créances. On le calcule ainsi (*voir la page 329*) :

$$\text{Taux de rotation des comptes clients} = \frac{\text{Chiffre d'affaires net}}{\text{Comptes clients nets moyens}}$$

BILAN

Dans la catégorie des actifs à court terme
   Clients (après déduction de la Provision
      pour créances douteuses)

ÉTAT DES RÉSULTATS

Produits d'exploitation
   Chiffre d'affaires net (le chiffre d'affaires
      moins les escomptes, et les rendus et
      rabais sur ventes)

Charges
   Frais d'exploitation (y compris les
      créances douteuses)

Pour trouver
**L'INFORMATION
FINANCIÈRE**

ÉTAT DES FLUX DE TRÉSORERIE

*Dans la catégorie des activités d'exploitation
(la méthode indirecte)*
   Bénéfice net
+ Diminutions des comptes clients (nettes)
− Augmentations des comptes clients (nettes)

NOTES COMPLÉMENTAIRES

*Dans la section « Résumé des principales
conventions comptables »*
   Politique de constatation des produits

Mots clés

Questions

1. Expliquez la différence entre le chiffre d'affaires et le chiffre d'affaires net.

2. Qu'est-ce que le bénéfice brut ou la marge bénéficiaire brute ? Comment calcule-t-on le pourcentage de la marge bénéficiaire brute ? Dans votre explication, supposez que le chiffre d'affaires net est de 100 000 $ et que le coût des marchandises vendues s'élève à 60 000 $.

3. Qu'est-ce qu'un escompte sur cartes de crédit ? Comment cet escompte influe-t-il sur les montants qui apparaissent à l'état des résultats ?

4. Qu'est-ce qu'un escompte sur ventes ? Utilisez les modalités 1/10, n/30 dans votre explication.

5. Quelle est la distinction entre un rendu et rabais sur ventes et un escompte sur ventes ?

6. Expliquez la différence entre les comptes clients et les effets à recevoir.

7. La méthode d'imputation par provision employée lors de la comptabilisation des créances douteuses vise à respecter un principe comptable. Quel est ce principe ?

8. D'après la méthode d'imputation par provision, doit-on constater les créances douteuses : a) dans l'exercice au cours duquel les ventes correspondant à ces créances ont eu lieu ou b) dans l'exercice où le vendeur apprend que le client est incapable de payer ?

9. Quel est l'effet de la comptabilisation des créances douteuses (selon la méthode d'imputation par provision) sur : a) le bénéfice net et b) les comptes clients nets ?

10. En général, une augmentation du taux de rotation des comptes clients indique-t-il un recouvrement plus rapide ou plus lent des comptes clients ? Expliquez votre réponse.

11. Définissez les termes « trésorerie » et « équivalents de trésorerie » dans le contexte de la comptabilité. Indiquez les types d'éléments qui devraient être inclus ou exclus de ces catégories.

12. Résumez les principales caractéristiques d'un système de contrôle efficace de la trésorerie.

13. Pourquoi la manipulation de l'argent et la comptabilisation de la caisse devraient-elles être des activités séparées ? Comment procède-t-on à une telle séparation ?

14. Quels sont les objectifs d'un rapprochement bancaire ? Quels soldes cherche-t-on à rapprocher ?

15. Expliquez brièvement comment calculer le montant total du compte Caisse avant de l'inscrire au bilan.

16. Selon la méthode de la marge bénéficiaire brute pour l'enregistrement des escomptes sur ventes, inscrit-on le montant de ces escomptes : a) au moment où la vente est enregistrée ou b) au moment où le recouvrement du compte est enregistré ? (Annexe 6-A)

Questions à choix multiples

1. Quelle est la meilleure description d'un escompte sur carte de crédit ?
   a) L'escompte offert par un vendeur à un consommateur pour l'inciter à utiliser une carte de crédit comme Visa.
   b) Les frais chargés par un vendeur à un consommateur pour accepter que ce dernier utilise une carte de crédit.
   c) L'escompte offert par un vendeur à un consommateur pour le paiement rapide de son compte.
   d) Les frais chargés par une entreprise de cartes de crédit (comme Visa) à un vendeur.

2. Un escompte sur ventes dont les termes sont 2/10, n/30 signifie :
   a) un escompte de 10 % pour un paiement avant 30 jours ;
   b) un escompte de 2 % pour un paiement avant 10 jours ou le montant total pour un paiement avant 30 jours ;
   c) 2/10 de 1 % d'escompte pour un paiement avant 30 jours ;
   d) aucune de ces réponses.

3. Une entreprise a réduit ses coûts de fabrication en déplaçant son usine dans un autre pays. Quel effet ce déplacement aura-t-il sur son pourcentage de marge bénéficiaire brute, toutes choses étant égales par ailleurs ?
   a) Le pourcentage ne changera pas.
   b) Le pourcentage augmentera.
   c) Le pourcentage diminuera.
   d) b) ou c).

4. Lorsqu'une entreprise qui utilise la méthode d'imputation par provision radie un compte client, quel énoncé est vrai ?
   1) Le total des capitaux propres ne change pas.
   2) Le total des actifs ne change pas.
   3) Le total des charges ne change pas.

   a) 2
   b) 1 et 3
   c) 1 et 2
   d) 1, 2 et 3

5. L'entreprise Malouin évalue ses créances douteuses selon la méthode d'estimation fondée sur le classement chronologique des comptes clients. Elle détermine ainsi :
   a) les créances douteuses de la période ;
   b) le solde du compte Provision pour créances douteuses à la fin de la période ;
   c) la variation du compte Provision pour créances douteuses pour la période ;
   d) a) et c).

6. En étudiant votre relevé bancaire, vous constatez qu'un de vos clients vous a remis un chèque sans provision. Lors de votre rapprochement bancaire, vous devez procéder ainsi :

	Solde aux livres	Solde bancaire
a)	Aucun effet	Diminuer
b)	Diminuer	Augmenter
c)	Diminuer	Aucun effet
d)	Augmenter	Diminuer

7. Quel énoncé n'est pas une exigence d'un système de contrôle efficace de la trésorerie ?
   a) Exiger la signature de deux gestionnaires sur chaque chèque.
   b) Exiger que l'argent soit déposé à la banque chaque jour.
   c) Exiger que la personne qui manipule l'argent n'ait aucun accès à la comptabilisation de la caisse.
   d) Toutes ces exigences font partie d'un système de contrôle efficace de la trésorerie.

8. Selon la méthode d'imputation par provision, lorsqu'on enregistre les créances douteuses :
   a) le total des actifs et le total des capitaux propres ne changent pas ;
   b) le total des actifs et le total des capitaux propres diminuent ;
   c) le total des actifs augmente et le total des capitaux propres diminue ;
   d) le total des passifs augmente et le total des capitaux propres augmente.

9. Quelle est la meilleure présentation des comptes clients aux états financiers ?
   a) Au bilan, dans l'actif, les comptes clients plus la provision pour créances douteuses.
   b) Au bilan, dans l'actif, les comptes clients ; à l'état des résultats, dans les charges, la provision pour créances douteuses.
   c) Au bilan, dans l'actif, les comptes clients moins les créances douteuses.
   d) Au bilan, dans l'actif, les comptes clients moins la provision pour créances douteuses.

10. Quel élément ne fait pas partie du calcul du chiffre d'affaires net ?
    a) Les rendus et rabais sur ventes.
    b) Les escomptes sur ventes.
    c) Le coût des marchandises vendues.
    d) Les escomptes sur cartes de crédit.

Mini-exercices

OA1

M6-1   Le principe de constatation des produits

Indiquez le moment le plus probable où, selon vous, on enregistrerait le produit d'une vente pour chacune des transactions ci-dessous.

Transaction	Point A	Point B
a) Une vente par carte de crédit de billets d'avion qu'effectue une compagnie d'aviation	_____ Lieu de la vente	_____ À la fin du vol
b) Une vente par carte de crédit d'un ordinateur qu'effectue une entreprise de vente par correspondance	_____ À l'expédition	_____ À la livraison
c) Une vente à crédit de marchandises à un client commercial	_____ À l'expédition	_____ À l'encaissement du compte

M6-2 **Le chiffre d'affaires et les escomptes sur ventes**

Des marchandises dont la facture s'élève à 2 000 $ ont été vendues suivant des modalités de paiement de 2/10, n/30. Si l'acheteur paie à l'intérieur du délai prévu pour bénéficier de l'escompte, quel montant inscrira-t-on comme chiffre d'affaires net à l'état des résultats de l'entreprise ?

M6-3 **Le chiffre d'affaires et les escomptes sur ventes, les escomptes sur cartes de crédit et les retours sur ventes**

Le chiffre d'affaires brut total d'une période donnée inclut les éléments suivants :

Ventes par carte de crédit (escompte de 3 %)	8 000 $
Ventes à crédit (2/15, n/60)	9 500 $

Les retours sur ventes liés aux ventes à crédit se chiffrent à 500 $. Tous les retours sont effectués avant le paiement des marchandises. La moitié des marchandises vendues à crédit ont été payées à l'intérieur du délai d'escompte. Cette entreprise considère tous les escomptes et les retours comme des comptes de sens contraire. Quel montant inscrira-t-elle à l'état des résultats à titre de chiffre d'affaires net ?

M6-4 **Le calcul et l'interprétation du pourcentage de la marge bénéficiaire brute**

Le chiffre d'affaires net de l'exercice s'élève à 56 000 $, et le coût des marchandises vendues est de 48 000 $. Calculez le pourcentage de la marge bénéficiaire brute pour l'année en cours. Qu'indique ce pourcentage ?

M6-5 **L'enregistrement des créances douteuses**

Passez les écritures de journal pour chacune des transactions suivantes :
a) Au cours de l'exercice, l'entreprise a radié des créances irrécouvrables pour un montant de 17 000 $.
b) À la fin de l'exercice, on estime que les créances douteuses s'élèvent à 14 000 $.

M6-6 **L'effet des créances douteuses sur les états financiers**

À l'aide des choix suivants, indiquez l'effet des transactions proposées. Inscrivez un + pour une augmentation et un − pour une diminution. S'il n'y a aucun effet, écrivez AE. Précisez les comptes qui subissent un changement et les montants en cause.
a) À la fin de l'exercice, on estime les créances douteuses à 10 000 $.
b) Au cours de cet exercice, on a radié un montant de 8 000 $ en créances irrécouvrables.

Actif	=	Passif	+	Capitaux propres

M6-7 **L'effet de la politique de crédit sur le taux de rotation des comptes clients**

Déterminez l'effet le plus probable que les changements suivants de la politique de crédit pourraient avoir sur le taux de rotation des comptes clients. (Inscrivez un + pour une augmentation et un − pour une diminution. S'il n'y a aucun effet, écrivez AE.)
a) Le crédit offert est assorti d'échéances de paiement plus courtes. _____
b) L'efficacité des méthodes de recouvrement est améliorée. _____
c) Du crédit est accordé à des clients moins fiables. _____

M6-8 **Le rapprochement bancaire**

Indiquez s'il faut additionner (+) ou soustraire (−) les éléments suivants aux registres comptables de l'entreprise ou du relevé bancaire lors de l'établissement d'un rapprochement bancaire.

Éléments de rapprochement	Registres de l'entreprise	Relevé bancaire
a) Chèques en circulation		
b) Frais bancaires		
c) Dépôts en circulation		

M6-9 **L'enregistrement des escomptes sur ventes (Annexe 6-A)**

On effectue une vente de 700 $ assortie des modalités de paiement de 2/10, n/30. À quel montant la vente devrait-elle être enregistrée ? Passez l'écriture de journal requise. Passez aussi l'écriture correspondant au recouvrement, en supposant que celui-ci se fait à l'intérieur du délai prévu pour bénéficier de l'escompte.

Exercices

E6-1 **Les ventes à crédit et les escomptes sur ventes**

☐ OA2

Au cours des mois de janvier et de février, la société Bronze ltée a vendu des marchandises à trois clients. Voici les transactions dans l'ordre où elles ont été effectuées.

06-01   Vente de marchandises à M. Leblanc pour un montant de 1 000 $ et facturation suivant des modalités de 2/10, n/30.

06-01   Vente de marchandises à M. Lenoir pour un montant de 900 $ et facturation suivant des modalités de 2/10, n/30.

14-01   Recouvrement de la somme due par M. Leblanc.

02-02   Recouvrement du montant dû par M. Lenoir.

28-02   Vente de marchandises à M. Raymond pour un montant de 500 $ et facturation suivant des modalités de 2/10, n/45.

Travail à faire

Calculez le chiffre d'affaires net pour les deux mois qui se terminent le 28 février.

E6-2 **Les ventes à crédit, les escomptes sur ventes, les retours sur ventes et les ventes par carte de crédit**

☐ OA2

On a obtenu les transactions suivantes aux livres de la société Verdure :

12-07   Vente de marchandises au client R pour un total de 1 000 $ porté au compte de sa carte de crédit Visa ; Visa réclame 2 % de frais sur les cartes de crédit à l'entreprise.

15-07   Vente de marchandises au client S dont la facture s'élève à 5 000 $; modalités de paiement de 3/10, n/30.

20-07   Vente de marchandises au client T ; la facture est de 3 000 $; modalités de paiement de 3/10, n/30.

22-07   Le client T retourne de la marchandise achetée le 20 juillet. Le client obtient un crédit de 1 000 $.

23-07   Recouvrement de la somme due par le client S pour la vente survenue le 15 juillet.

25-08   Recouvrement de la somme due par le client T pour la vente du 20 juillet.

Travail à faire

Calculez le chiffre d'affaires net de la période de deux mois se terminant le 31 août.

E6-3 **Les ventes à crédit, les escomptes sur ventes, les retours sur ventes et les ventes par carte de crédit**

☐ OA2

Les transactions suivantes sont inscrites aux livres du détaillant Hébert pour l'exercice 2007.

20-11   Vente de deux articles au client B qui règle les 400 $ du prix de vente avec sa carte de crédit Visa ; Visa réclame à Hébert 2 % de frais sur les cartes de crédit.

25-11   Vente de 20 articles au client C dont la facture totale s'élève à 5 000 $; modalités de paiement de 3/10, n/30.

28-11   Vente de 10 articles identiques au client D ; la facture totale est de 6 000 $; modalités de paiement de 3/10, n/30.

30-11   Le client D retourne un des articles achetés le 28 novembre ; selon lui, l'article est défectueux ; le client obtient un crédit.

06-12   Le client D paie le solde du compte en entier.

30-12   Le client C règle en entier la facture du 25 novembre 2007.

Travail à faire

Calculez le chiffre d'affaires net de la période de deux mois qui se termine le 31 décembre 2007.

E6-4 **L'effet des ventes à crédit, des escomptes sur ventes, des ventes par carte de crédit et des rendus et rabais sur ventes sur l'état des résultats**

L'entreprise de chaussures Sandale enregistre les rendus et rabais sur ventes, les escomptes sur ventes et sur cartes de crédit comme des comptes de sens contraire. Remplissez le tableau ci-dessous en indiquant l'effet de chacune des transactions. (Inscrivez un + pour une augmentation et un − pour une diminution. S'il n'y a aucun effet, écrivez AE.)

12-07 Vente de marchandises à un client au magasin de l'usine; l'achat de 300 $ est porté sur la carte American Express du client; la société émettrice réclame des frais de service de 1 %. Le coût des marchandises vendues est de 200 $.

15-07 Vente de marchandises à un client T; la facture totale est de 5 000 $; modalités de paiement de 3/10, n/30. Le coût des marchandises vendues est de 3 000 $.

20-07 Recouvrement de la somme due par le client T.

21-07 Avant d'avoir réglé sa facture, un client retourne des chaussures dont le prix s'élève à 1 000 $ et le coût à 600 $.

Transactions	Chiffre d'affaires net	Coût des marchandises vendues	Marge bénéficiaire brute
12 juillet			
15 juillet			
20 juillet			
21 juillet			

E6-5 **L'évaluation du taux d'intérêt implicite annuel de l'escompte sur ventes**

La société Paysagistes Papineau offre des modalités de paiement de 3/10, n/60 à ses clients.

Travail à faire

1. Calculez le taux d'intérêt implicite annuel de son escompte sur ventes.
2. Si la banque d'un client exige 15 % d'intérêts, est-il avantageux de faire un emprunt pour profiter de l'escompte? Expliquez votre réponse.

E6-6 **L'analyse du pourcentage de la marge bénéficiaire brute**

Le tableau ci-dessous résume les données fournies aux registres de la société Salaberry pour l'exercice se terminant le 31 décembre 2008.

Travail à faire

1. À partir des données fournies, dressez un état des résultats (qui indique à la fois la marge bénéficiaire brute et le bénéfice provenant des activités d'exploitation). Ajoutez une colonne et présentez aussi les montants sous forme de pourcentage des ventes.
2. Quel est le montant de la marge bénéficiaire brute? Quel est le pourcentage de la marge bénéficiaire brute? Expliquez la signification de ces deux montants.

Ventes de marchandises au comptant	220 000 $
Ventes de marchandises à crédit	32 000
Coût des marchandises vendues	147 000
Frais de vente	40 200
Frais d'administration	19 000
Rendus et rabais sur ventes	7 000
Éléments non inclus dans les montants ci-dessus :	
Estimation des créances douteuses : 2,5 % des ventes à crédit	
Taux moyen d'impôts sur les bénéfices : 25 %	
Le nombre d'actions ordinaires en circulation est de 5 000	

E6-7 **L'analyse du pourcentage de la marge bénéficiaire brute**

La société D'un Océan à l'autre inc. s'enorgueillit d'être l'un des chefs de file mondiaux parmi les distributeurs de chaussures non destinées aux athlètes. L'entreprise fait face à une forte concurrence sur un grand nombre de marchés, et elle offre souvent ses produits à un prix inférieur à celui de ses concurrents. Les données qui suivent proviennent de son plus récent rapport annuel (en milliers de dollars).

Ventes de marchandises	888 926 $
Impôts sur les bénéfices	23 262
Dividendes en espèces déclarés	8 588
Frais d'administration et de vente	246 652
Coût des marchandises vendues	562 338
Charge d'intérêts	5 474
Autres revenus	686
Éléments non inclus dans les postes ci-dessus :	
Le nombre d'actions ordinaires en circulation est de 40 721	

Travail à faire

1. À partir des données fournies, dressez un état des résultats (indiquant à la fois la marge bénéficiaire brute et le bénéfice qui proviennent des activités d'exploitation). Ajoutez une colonne et présentez aussi les montants sous forme de pourcentage des ventes.
2. Quel est le montant de la marge bénéficiaire brute ? Quel est le pourcentage de la marge bénéficiaire brute ? Expliquez la signification de ces deux montants. Comparez le pourcentage de la marge bénéficiaire brute de cette entreprise à celui de Dorel. À votre avis, comment s'explique la différence entre les deux entreprises ?

E6-8 **La comptabilisation des créances douteuses**

Au cours de l'exercice 2008, les Productions PAM ont enregistré des ventes à crédit pour un montant total de 650 000 $. En se basant sur leur expérience des années antérieures, les gestionnaires ont estimé que le taux de créances douteuses sur les ventes à crédit était de 2 %.

Travail à faire

Passez les écritures de journal pour chacune des transactions suivantes :
a) l'ajustement approprié des créances douteuses pour l'exercice 2008 ;
b) le 31 décembre 2008, on a évalué qu'un compte client de 1 000 $ établi au mois de mars de l'exercice courant était irrécouvrable ; il faut donc le radier.

E6-9 **La comptabilisation des créances douteuses**

Au cours de l'exercice 2008, les Entreprises électroniques Gagnon ont enregistré des ventes à crédit pour un montant total de 720 000 $. En se basant sur leur expérience des années antérieures, les directeurs ont estimé que le taux de créances douteuses sur les ventes à crédit était de 0,5 %.

Travail à faire

Passez les écritures de journal pour chacune des transactions suivantes :
a) l'ajustement approprié des créances douteuses pour l'exercice 2008 ;
b) le 31 décembre 2008, on a évalué qu'un compte client de 300 $ provenant d'un exercice précédent était irrécouvrable ; il faut donc le radier.

E6-10 **L'effet des créances douteuses sur les états financiers**

Indiquez l'effet des transactions énumérées à l'exercice E6-9 sur l'équation comptable. Inscrivez un + pour une augmentation et un − pour une diminution. Indiquez les comptes qui varient ainsi que les montants en cause.

Actif	=	Passif	+	Capitaux propres

E6-11 L'effet des créances douteuses sur différents postes d'un état des résultats

Au cours de l'exercice 2007, l'entreprise Meubles Relâche a comptabilisé des ventes à crédit pour un total de 600 000 $. Par expérience, ses gestionnaires estiment que le taux de créances douteuses est de 3 % sur les ventes à crédit.

Travail à faire

1. Passez les écritures de journal pour chacune des transactions suivantes :
   a) l'ajustement approprié en matière de créances douteuses pour l'exercice 2007 ;
   b) le 31 décembre 2007, on a déterminé qu'un compte client de 1 600 $ provenant d'un exercice précédent était irrécouvrable ; il faut donc le radier.
2. Remplissez le tableau ci-dessous en indiquant le montant et l'effet de chacune des transactions. (Inscrivez un + pour une augmentation et un − pour une diminution. S'il n'y a aucun effet, écrivez AE.)

Transactions	Chiffre d'affaires net	Marge bénéficiaire brute	Bénéfice net
a)			
b)			

E6-12 Le calcul des créances douteuses à l'aide du classement chronologique des comptes clients

À la laiterie Les Vaches rieuses, on utilise la méthode d'estimation fondée sur le classement chronologique des comptes clients pour estimer les créances douteuses. On classe le solde de chacun des comptes clients en se basant sur les trois périodes de temps suivantes : 1) un montant de 12 000 $ pour les comptes courants ; 2) un montant de 5 000 $ pour les comptes de moins de 120 jours ; 3) un montant de 3 000 $ pour les comptes de 120 jours et plus. L'expérience passée a démontré que les taux moyens de perte due au non-recouvrement des comptes clients à la fin de l'exercice sont respectivement de 2 %, de 10 % et de 30 % pour chacune des catégories. Le 31 décembre 2009 (date de la fin de l'exercice en cours), le solde de la provision pour créances douteuses était de 300 $ (crédit) avant qu'on enregistre l'écriture de régularisation de fin d'exercice.

Travail à faire

Quel montant l'entreprise devrait-elle comptabiliser comme créances douteuses pour l'exercice en cours ?

E6-13 La comptabilisation et la présentation des créances douteuses à l'aide du classement chronologique des comptes clients

L'entreprise Rubine utilise la méthode fondée sur le classement chronologique des comptes clients pour estimer les créances douteuses. On classe le solde de chacun des comptes clients en se basant sur les trois périodes de temps suivantes : 1) un montant de 65 000 $ pour les comptes courants ; 2) un montant de 10 000 $ pour les comptes de moins de 180 jours ; 3) un montant de 4 000 $ pour les comptes de 180 jours et plus. L'expérience passée a démontré que les taux de perte due au non-recouvrement des comptes clients à la fin de l'exercice sont respectivement de 1 %, de 15 % et de 40 % pour chacune des catégories. Le 31 décembre 2008 (date de la fin de l'exercice en cours), le solde de la provision pour créances douteuses est de 100 $ (crédit) avant les régularisations de fin d'année.

Travail à faire

1. Passez l'écriture de régularisation pour ajuster la provision pour créances douteuses à la fin de l'exercice.
2. Présentez la section des comptes clients au bilan.

E6-14 La comptabilisation et la présentation des créances douteuses à l'aide du classement chronologique des comptes clients

L'entreprise Lady utilise la méthode fondée sur le classement chronologique des comptes clients pour estimer les créances douteuses. On classe le solde de chacun des comptes clients en se basant sur les trois périodes de temps suivantes : 1) un montant de 300 000 $ pour les comptes courants ; 2) un montant de 50 000 $ pour les comptes de moins de 120 jours ; 3) un montant de 26 000 $ pour les comptes de plus de 120 jours et plus. L'expérience passée a démontré que les taux de perte due au non-recouvrement des comptes clients à la fin de l'exercice sont respectivement de 0,5 %, de 10 % et de 30 % pour chacune des catégories. Le 31 décembre 2008 (date de la fin de l'exercice en cours), le solde de la provision pour créances douteuses est de 200 $ (crédit) avant les régularisations de fin d'année.

Travail à faire
1. Passez l'écriture de régularisation afin d'ajuster la provision pour créances douteuses à la fin de l'exercice.
2. Présentez la section des comptes clients au bilan.

E6-15 L'interprétation des renseignements présentés au sujet des créances douteuses

DaimlerChrysler est l'un des plus importants groupes industriels établi en Allemagne. Cette entreprise est bien connue puisqu'elle est le constructeur des voitures Mercedes-Benz, des voitures et des camions Chrysler. L'entreprise fabrique aussi différents produits liés aux domaines du transport (ferroviaire et aérospatial), de la propulsion, de la défense et de la technologie de l'information. Lors de sa demande d'inscription à la Bourse de New York, la société s'est conformée aux exigences de cet organisme en divulguant les renseignements suivants au sujet de ses provisions pour créances douteuses (en millions d'euros).

Solde au début de l'exercice	Charges de l'exercice	Montants radiés	Solde à la fin de la période
629	23	(48)	604

Travail à faire
1. Rédigez un résumé des écritures de journal portant sur les créances douteuses pour l'exercice en cours.
2. Si DaimlerChrysler avait radié un montant supplémentaire de 10 millions d'euros de ses comptes clients au cours de cet exercice, quels auraient été les effets sur les comptes clients nets et le bénéfice net de l'entreprise ? Expliquez votre réponse.

E6-16 Le traitement des radiations de créances irrécouvrables et du recouvrement ultérieur des montants dus par les clients

Microtechnique conçoit, produit et met sur le marché une vaste gamme de logiciels informatiques. Dans un bilan récent, l'entreprise présentait les renseignements qui suivent concernant son chiffre d'affaires et ses comptes clients (en milliers de dollars).

	Exercice en cours	Exercice précédent
Comptes clients, déduction faite d'une provision de 166 $ et de 242 $	5 196 $	5 129 $
Chiffre d'affaires	36 835 $	32 187 $

Selon d'autres renseignements obtenus, l'entreprise a aussi comptabilisé des créances douteuses de 44 000 $ et n'a réinscrit aucun des comptes précédemment radiés au cours de l'exercice en cours.

1. Quel montant de créances irrécouvrables l'entreprise a-t-elle radié au cours de l'exercice en cours ?
2. En supposant que toutes les ventes de Microtechnique au cours de cet exercice ont été faites à crédit, déterminez le montant des encaissements durant l'exercice en cours.

E6-17   **L'effet des créances douteuses sur le bénéfice net et le fonds de roulement**

Un rapport annuel récent de la société Rave présente les renseignements qui suivent (en millions de dollars).

	Exercice 1	Exercice 2
Clients	5 992 000 $	5 964 000 $
Provision pour créances douteuses	(399 000)	(419 000)
	5 593 000 $	5 545 000 $

Une note aux états financiers indique qu'on a aussi radié des comptes clients irrécouvrables pour un montant de 322 000 $ au cours de l'exercice 1 et de 512 000 $ au cours de l'exercice 2.

Travail à faire

1. Déterminez le montant des créances douteuses de l'exercice 2 en vous basant sur les renseignements ci-dessus.
2. Le fonds de roulement se définit comme l'actif à court terme dont on soustrait le passif à court terme. Quel est l'effet de la radiation des comptes clients de 512 000 $ sur le fonds de roulement de la société au cours de l'exercice 2 ? Durant cette deuxième année, quel effet la comptabilisation des créances douteuses a-t-elle eu sur le fonds de roulement de l'entreprise ?
3. De quelle façon cette radiation de 512 000 $ a-t-elle modifié le bénéfice net de l'entreprise au cours de l'exercice 2 ? Quel effet l'enregistrement des créances douteuses a-t-il eu sur le bénéfice net de l'exercice 2 ?

E6-18   **L'enregistrement, la comptabilisation et l'estimation d'une provision pour créances douteuses**

Au cours de l'exercice 2009, le magasin Caméra MIL a enregistré un chiffre d'affaires de 170 000 $, dont 85 000 $ provenaient de ventes à crédit. Au début de l'exercice 2009, le solde des comptes clients s'élevait à 10 000 $, et la provision pour créances douteuses présentait un solde créditeur de 800 $.

Le recouvrement des comptes clients au cours de l'exercice 2009 a rapporté 68 000 $. Voici quelques renseignements au sujet de l'exercice 2009.

a) Le 31 décembre 2009, on a décidé qu'un compte client de 1 500 $ (celui de J. Dupont) datant de l'exercice précédent était irrécouvrable. On l'a donc immédiatement radié à titre de créance irrécouvrable.

b) Le 31 décembre 2009, en se basant sur leur expérience, les gestionnaires de l'entreprise ont décidé de maintenir leur politique comptable qui consiste à estimer les pertes dues à des créances douteuses à un taux de 2 % des ventes à crédit pour l'année.

Travail à faire

1. Passez les écritures de journal correspondant aux deux décisions prises le 31 décembre 2009 (c'est-à-dire à la fin de l'exercice financier).
2. Montrez comment les montants relatifs aux comptes clients et aux créances douteuses seront présentés à l'état des résultats et au bilan de l'exercice 2009. Ne tenez pas compte des impôts sur les bénéfices.
3. D'après les renseignements disponibles, un taux de 2 % paraît-il raisonnable ? Expliquez votre réponse.

E6-19 **L'analyse et l'interprétation du taux de rotation des comptes clients**

Un récent rapport annuel de Federal Express présente les renseignements suivants :

	(en milliers de dollars US)	
	Exercice en cours	**Exercice précédent**
Clients	3 178 000 $	2 776 000 $
Moins : Provision pour créances douteuses	151 000	149 000
Clients, nets	3 027 000 $	2 627 000 $
Chiffre d'affaires	24 710 000 $	
(Supposez que tout a été vendu à crédit)		

Travail à faire

1. Calculez le taux de rotation des comptes clients et le délai moyen de recouvrement des comptes clients pour l'exercice en cours.
2. Expliquez ce que vous révèle chacun des montants.

E6-20 **Le calcul et l'interprétation du taux de rotation des comptes clients**

Un récent rapport annuel de Dell présente les renseignements suivants :

	(en milliers de dollars US)	
	Exercice en cours	**Exercice précédent**
Clients	3 719 000 $	2 657 000 $
Moins : Provision pour créances douteuses	84 000	71 000
Clients, nets	3 635 000 $	2 586 000 $
Chiffre d'affaires	41 444 000 $	
(Supposez que tout a été vendu à crédit)		

Travail à faire

1. Calculez le taux de rotation des comptes clients et le délai moyen de recouvrement des comptes clients pour l'exercice en cours.
2. Expliquez ce que vous révèle chacun des montants.

E6-21 **L'effet de la baisse du chiffre d'affaires et des comptes clients sur les flux de trésorerie**

Chaussures Bibeau inc. fabrique et met en marché des chaussures sous les marques Bibeau, Bellevue et Basta. Au cours des trois derniers exercices, on a observé une diminution du chiffre d'affaires et du bénéfice net qui a entraîné une perte nette de 8 430 000 $. Toutefois, à chaque exercice, l'entreprise enregistrait des flux de trésorerie positifs provenant de l'exploitation.

Les variations dans les comptes clients contribuent à expliquer ce résultat positif. Voici ce que présentent les bilans de l'exercice en cours et de l'exercice précédent.

	(en milliers de dollars US)	
	Exercice en cours	**Exercice précédent**
Clients et effets à recevoir déduction faite de la provision	48 066 $	63 403 $

Travail à faire

1. Comment les variations dans les comptes clients pourraient-elles modifier les flux de trésorerie provenant de l'exploitation ? Expliquez pourquoi ces variations auraient un tel effet.
2. Expliquez comment la diminution du chiffre d'affaires entraîne souvent : a) une diminution des comptes clients et b) un encaissement des comptes clients plus élevé que le chiffre d'affaires.

E6-22 **L'effet de l'augmentation du chiffre d'affaires et des variations des comptes débiteurs sur les flux de trésorerie**

Apple est bien connue pour ses produits iMac et iPod. Au cours des dernières années, son chiffre d'affaires et son bénéfice net ont tous les deux augmenté de façon spectaculaire. Toutefois, les flux de trésorerie provenant de l'exploitation ont diminué au cours de la même période. Cette diminution s'explique en partie par une variation dans le solde des comptes clients. Voici ce que présentent les bilans de l'exercice en cours et de l'exercice précédent.

	(en milliers de dollars US)	
	Exercice en cours	**Exercice précédent**
Clients moins la provision pour créances douteuses	707 000 $	534 000 $

Travail à faire

1. Comment les variations aux comptes clients pourraient-elles modifier les flux de trésorerie provenant de l'exploitation ? Expliquez pourquoi les variations auraient cet effet.

2. Expliquez comment l'augmentation du chiffre d'affaires entraîne souvent : a) une augmentation des comptes clients et, par conséquent, b) des recouvrements auprès des clients qui totalisent une somme moins élevée que le chiffre d'affaires.

E6-23 **L'établissement du rapprochement bancaire et les écritures de journal**

Voici un résumé du relevé bancaire en date du 30 juin 2008 et le solde du compte Caisse au grand livre de l'entreprise Jonas.

Relevé bancaire			
	Chèques	**Dépôts**	**Solde**
Solde au 1er juin 2008			6 800 $
Dépôts en juin		17 000 $	23 800
Chèques compensés en juin	17 700 $		6 100
Frais bancaires	50		6 050
Solde au 30 juin 2008			6 050 $

+		Caisse	–	
01-06 Solde au début	6 800	Juin	Chèques émis	18 400
Juin Dépôts	19 000			

Travail à faire

1. Établissez le rapprochement bancaire. Une comparaison entre les chèques émis et les chèques compensés par la banque indique que 700 $ de chèques sont en circulation. Un dépôt de 2 000 $ est en circulation à la fin de juin.

2. Passez toutes les écritures de journal nécessaires à la suite du rapprochement bancaire.

3. Quel est le solde du compte Caisse après les écritures rendues nécessaires à la suite du rapprochement bancaire ?

4. Quel montant total de liquidités faudrait-il inscrire au bilan à la date du 30 juin ?

E6-24 **L'établissement du rapprochement bancaire et les écritures de journal** □OA6

Voici un résumé du relevé bancaire au 30 septembre 2007 ainsi que le solde du compte Caisse pour le mois de septembre de l'entreprise Rousseau.

Relevé bancaire			
	Chèques	Dépôts	Solde
Solde au 1er septembre 2007			6 300 $
Dépôts enregistrés en septembre		27 000 $	33 300
Chèques compensés en septembre	28 500 $		4 800
Chèque CSP – J. Dupont	250		4 550
Frais bancaires	50		4 500
Solde au 30 septembre 2007			4 500 $

+	Caisse				−
01-09	Solde au début	6 300	Septembre	Chèques émis	28 600
Septembre	Dépôts	28 000			

Aucun chèque en circulation ni dépôt en circulation n'a fait l'objet d'un report après le mois d'août. Toutefois, il y a encore des dépôts et des chèques en circulation à la fin de septembre.

Travail à faire

1. Établissez le rapprochement bancaire.
2. Passez toutes les écritures de journal nécessaires à la suite de ce rapprochement bancaire.
3. Quel devrait être le solde du compte Caisse après les écritures rendues nécessaires à la suite du rapprochement bancaire ?
4. Quel montant total de liquidités faudrait-il inscrire au bilan au 30 septembre ?

E6-25 **L'enregistrement des ventes à crédit, des escomptes sur ventes, des retours sur ventes et des ventes par carte de crédit (Annexe 6-A)**

Les transactions suivantes ont été choisies parmi les opérations qu'ont réalisées les détaillants Hébert au cours de l'exercice 2008 :

20-11 Vente de 2 articles au client B ; le prix de vente de 400 $ est porté au compte Visa du client ; Visa exige d'Hébert 2 % de frais sur les cartes de crédit.

25-11 Vente de 20 articles au client C ; la facture totale s'élève à 4 000 $; modalités de paiement de 3/10, n/30.

28-11 Vente de 10 articles identiques au client D ; la facture totale est de 6 000 $; modalités de paiement de 3/10, n/30.

30-11 Le client D retourne un des articles achetés le 28 parce qu'il est défectueux ; le client obtient un crédit.

06-12 Le client D paie le solde de son compte en entier.

30-12 Le client C règle en entier la facture du 25 novembre 2008.

Travail à faire

Passez les écritures de journal correspondant à chacune de ces transactions ; supposez que l'entreprise enregistre son chiffre d'affaires selon la méthode brute. Ne comptabilisez pas le coût des marchandises vendues.

P6-1 **L'application du principe de constatation des produits**

À quel moment doit-on comptabiliser les produits d'exploitation pour chacune des situations suivantes ?

Cas A Un établissement de restauration rapide vend, comme cadeaux de Noël, des carnets de bons de réduction à 10 $. On peut échanger chaque bon de 1 $ en tout temps au cours des 12 prochains mois. Les clients doivent payer comptant pour pouvoir se procurer les carnets.

Cas B La société de construction Hugo a vendu un terrain à l'entreprise Finition pour la construction d'une nouvelle maison. Le prix du lot est de 50 000 $. Finition a versé un acompte de 100 $ et a convenu de payer le reste de la somme dans 6 mois. Après avoir conclu la vente, la société Hugo apprend que l'entreprise Finition passe fréquemment de tels contrats, mais qu'elle refuse de payer le solde lorsqu'elle ne trouve pas de client qui accepte de se construire sur les lots en question.

Cas C L'entreprise Frigoplus a toujours constaté ses produits au moment de la vente de ses réfrigérateurs. Récemment, elle a augmenté la période admissible pour ses garanties prolongées afin de couvrir toutes les réparations sur une période de sept ans. Le comptable se demande si l'entreprise a terminé son processus de génération de produits lorsqu'elle vend ses réfrigérateurs. Selon lui, la provision pour garanties de sept ans signifie qu'une quantité importante de travail supplémentaire pourrait devoir être effectuée au cours de cette période.

P6-2 **Les escomptes, les retours et les créances douteuses (PS6-1)**

Les données suivantes proviennent des registres comptables de la société Juvénile et portent sur l'exercice financier se terminant le 31 décembre 2007.

Soldes au 1er janvier 2007	
Clients	120 000 $
Provision pour créances douteuses	6 000

Mises à part les ventes au comptant, l'entreprise a aussi vendu des marchandises et effectué des recouvrements selon des modalités de paiement de 2/10, n/30. (Supposez que le prix de vente unitaire est de 500 $ pour toutes les transactions et que la société Juvénile emploie la méthode brute pour enregistrer son chiffre d'affaires.)

Transactions au cours de l'exercice 2007

a) Vente de marchandises au comptant : 226 000 $.

b) Vente de marchandises à R. Jeunet ; montant de la facture : 12 000 $.

c) Vente de marchandises à K. Noiret ; montant de la facture : 26 000 $.

d) Deux jours après la date de son achat, R. Jeunet retourne un des articles achetés en b) et un crédit est inscrit à son compte.

e) Vente de marchandises à B. Serrault ; montant de la facture : 24 000 $.

f) R. Jeunet a payé son compte en entier dans les délais prévus pour bénéficier de l'escompte.

g) L'entreprise a recouvré 98 000 $ en espèces sur les ventes à crédit aux clients de l'année précédente ; tous ces paiements ont été faits dans les délais prévus pour obtenir l'escompte.

h) K. Noiret a payé sa facture (pour la transaction en c) à temps pour bénéficier de l'escompte.

i) Vente de marchandises à R. Roy ; montant de la facture : 17 000 $.

j) Trois jours après avoir payé intégralement son compte, K. Noiret retourne sept articles défectueux et reçoit un remboursement en espèces.

k) L'entreprise recouvre 6 000 $ en espèces sur un compte client pour des ventes effectuées l'année précédente, donc après le délai prévu pour profiter de l'escompte.

l) L'entreprise radie un compte de 2 900 $ en souffrance depuis 2005.

m) L'entreprise estime son taux de créances douteuses à 1 % de ses ventes nettes à crédit.

Travail à faire

1. À l'aide des comptes suivants, indiquez l'effet de chacune des transactions énumérées, y compris la radiation de la créance irrécouvrable et la correction pour l'estimation des créances douteuses. (Ne tenez pas compte du coût des marchandises vendues.) Inscrivez un + pour une augmentation et un − pour une diminution. S'il n'y a aucun effet, écrivez AE.

	Chiffre d'affaires	Escomptes sur ventes	Rendus et rabais sur ventes	Créances douteuses
a)	+226 000	AE	AE	AE

2. Indiquez comment on devrait présenter les comptes relatifs aux activités de vente et de recouvrement à l'état des résultats de l'entreprise pour l'exercice 2007. (Considérez les escomptes sur ventes comme un compte de sens contraire.)

P6-3   Le pourcentage de la marge bénéficiaire brute   □OA3

Les données suivantes proviennent des rapports de fin d'exercice de la société d'exportation Namur. Calculez les montants manquants et présentez vos calculs. (Conseil: Dans le cas B, commencez par la fin.)

	Cas indépendants	
Postes de l'état des résultats	Cas A	Cas B
Chiffre d'affaires brut	232 000 $	160 000 $
Rendus et rabais sur ventes	18 000	?
Chiffre d'affaires net	?	?
Coût des marchandises vendues	?	(68 %)
Bénéfice brut	(30 %)	?
Frais d'exploitation	?	18 500
Bénéfice avant impôts	20 000	?
Impôts sur les bénéfices (20 %)	?	?
Bénéfice net	?	?
Résultat par action (10 000 actions)	?	2,20 $

P6-4   L'interprétation de l'information disponible sur la provision pour créances douteuses (PS6-2)   □OA4

La société Papierfin fabrique et met sur le marché différents produits de papier et de fibres synthétiques. L'entreprise a récemment publié les renseignements qui suivent concernant sa provision pour créances douteuses dans son rapport annuel.

(en millions de dollars)				
Provision pour créances douteuses	Solde au début	Imputés aux charges	Radiation des comptes clients	Solde à la fin
Exercice 1	61	?	15	69
Exercice 2	69	30	?	58
Exercice 3	58	162	145	75

Travail à faire

1. Passez les écritures de journal relatives aux créances douteuses pour l'exercice 3.
2. Calculez les montants manquants, indiqués par des points d'interrogation (?), pour les exercices 1 et 2.

P6-5 **L'estimation des créances douteuses selon le classement chronologique des comptes clients (PS6-3)**

La société de fabrication de matériel Prévert utilise la méthode du classement chronologique des comptes clients pour estimer les créances douteuses à la fin de chaque exercice financier. Les ventes sont à crédit et assorties de modalités de paiement de n/60. On classe le solde de chacun des comptes clients de l'entreprise dans trois catégories : 1) les comptes courants ; 2) les comptes en souffrance depuis moins de une année ; 3) les comptes en souffrance depuis plus de une année. L'expérience prouve qu'en fin d'exercice, les taux moyens de perte due à l'impossibilité de recouvrer le montant d'une créance sont, selon chacune des catégories, respectivement de 1 %, de 5 % et de 30 %.

Le 31 décembre 2008 (à la fin de l'exercice en cours), le solde des comptes clients s'élevait à 42 000 $ et celui de la provision pour créances douteuses à 1 020 $ (créditeur). Pour déterminer quelles factures sont payées, l'entreprise applique le recouvrement aux plus anciennes en premier lieu. Pour simplifier, il ne sera question que des comptes de cinq clients. Voici les renseignements concernant ces comptes en date du 31 décembre 2008.

Date	Description	Débit	Crédit	Solde à la fin
	V. Lebrun – compte client			
11-03-2007	Vente	14 000		14 000
30-06-2007	Recouvrement		5 000	9 000
31-01-2008	Recouvrement		4 000	5 000
	D. David – compte client			
28-02-2008	Vente	22 000		22 000
15-04-2008	Recouvrement		10 000	12 000
30-11-2008	Recouvrement		8 000	4 000
	N. Leblanc – compte client			
30-11-2008	Vente	9 000		9 000
15-12-2008	Recouvrement		2 000	7 000
	S. Strapontin – compte client			
02-03-2006	Vente	5 000		5 000
15-04-2006	Recouvrement		5 000	0
01-09-2007	Vente	10 000		10 000
15-10-2007	Recouvrement		8 000	2 000
01-02-2008	Vente	19 000		21 000
01-03-2008	Recouvrement		5 000	16 000
31-12-2008	Vente	3 000		19 000
	T. Thomas – compte client			
30-12-2008	Vente	7 000		7 000

Travail à faire

1. Calculez le montant total des comptes clients dans chaque catégorie d'âge.
2. Calculez le montant estimé des créances douteuses pour chacune des catégories et présentez un tableau comme celui qui est illustré dans le chapitre.
3. Passez l'écriture de régularisation correspondant aux créances douteuses en date du 31 décembre 2008.
4. Indiquez comment il faudrait présenter les montants relatifs aux comptes clients à l'état des résultats et au bilan de l'exercice 2008.

P6-6 **L'établissement d'un état des résultats et le calcul du pourcentage de la marge bénéficiaire brute et du taux de rotation des comptes clients en tenant compte des escomptes, des retours et des créances douteuses (PS6-4)**

La société Bidule vend de l'équipement lourd servant à la construction. Ses états financiers pour l'exercice terminé le 31 décembre indiquent que son capital social est composé de 10 000 actions en circulation. Voici un extrait de la balance de vérification provenant du grand livre de l'entreprise, en date du 31 décembre 2009.

Liste des comptes	Débit	Crédit
Caisse	42 000 $	
Clients	18 000	
Stocks (en fin d'exercice)	65 000	
Immobilisations corporelles	50 000	
Amortissement cumulé		21 000 $
Passifs		30 000
Capital social		90 000
Bénéfices non répartis, au 1er janvier 2009		11 600
Chiffre d'affaires		182 000
Rendus et rabais sur ventes	7 000	
Coût des marchandises vendues	98 000	
Frais de vente	17 000	
Frais d'administration	18 000	
Créances douteuses	2 000	
Escomptes sur ventes	8 000	
Impôts sur les bénéfices	9 600	
Totaux	334 600 $	334 600 $

Travail à faire

1. En commençant avec le chiffre d'affaires net, dressez un état des résultats (qui indique à la fois la marge bénéficiaire brute et le bénéfice net). Considérez les escomptes et les rendus et rabais sur ventes comme des comptes de sens contraire.

2. Le solde des comptes clients au 1er janvier 2009 était de 16 000 $. Calculez le pourcentage de la marge bénéficiaire brute et le taux de rotation des comptes clients. Expliquez leur signification.

P6-7   **L'établissement d'un rapprochement bancaire et les écritures de journal correspondantes**   ☐OA6

Prétextant un manque de temps, le comptable de la Maison Hocquart n'a pas établi le rapprochement de son relevé bancaire et de son compte de caisse pour le mois d'avril 2008. On vous demande d'établir ce rapprochement et de revoir les procédures à suivre avec le comptable.

Le 30 avril 2008, le relevé bancaire et le compte Caisse indiquaient les transactions suivantes pour le mois d'avril :

Relevé bancaire	Chèques	Dépôts	Solde
Solde au 1er avril 2008			25 850 $
Dépôts au cours du mois d'avril		36 000 $	61 850
Intérêts encaissés		1 070	62 920
Chèques compensés au cours du mois d'avril	44 200 $		18 720
Chèque CSP – A.B. Ray	140		18 580
Frais bancaires	50		18 530
Solde au 30 avril 2008			18 530 $

+		Caisse (A)		–
01-04	Solde	23 250	Avril	Chèques émis 43 800
Avril	Dépôts	42 000		

La comparaison effectuée entre les chèques émis avant et durant le mois d'avril, ainsi que les chèques compensés par la banque pour la même période, indique que le montant des chèques en circulation à la fin de ce mois s'élève à 2 200 $. Il n'y a aucun dépôt en circulation reporté depuis le mois de mars, mais il y en a un qui est en circulation à la fin d'avril.

Travail à faire

1. Établissez un rapprochement bancaire détaillé pour le mois d'avril.
2. Passez les écritures de journal qui s'imposent à la suite de ce rapprochement. Pourquoi sont-elles nécessaires ?
3. Quel est le solde du compte Caisse au 1er mai 2008 ?
4. Quel montant de caisse devrait-on inscrire au bilan à la fin d'avril ?

P6-8 **L'établissement d'un rapprochement bancaire et les écritures de journal nécessaires (PS6-5)**

Voici ce que le relevé bancaire et le solde au compte Caisse indiquent pour le mois d'août 2008 de l'entreprise Marthe et Marie.

Relevé bancaire			
Date	Chèques	Dépôts	Solde
01-08			17 470 $
02-08	300 $		17 170
03-08		12 000 $	29 170
04-08	400		28 770
05-08	250		28 520
09-08	900		27 620
10-08	300		27 320
15-08		4 000	31 320
21-08	400		30 920
24-08	21 000		9 920
25-08		7 000	16 920
30-08	800		16 120
30-08		2 180*	18 300
31-08	100**		18 200 $

* Intérêts encaissés de 2 180 $
** Frais bancaires

+		Caisse (A)		−
01-08	Solde	16 520	Chèques émis	
Dépôts			02-08	300
02-08		12 000	04-08	900
12-08		4 000	15-08	290
24-08		7 000	17-08	550
31-08		5 000	18-08	800
			20-08	400
			23-08	21 000

À la fin de juillet, trois chèques étaient en circulation pour des montants de 250 $, de 400 $ et de 300 $. Il n'y avait aucun dépôt en circulation à ce moment-là.

Travail à faire

1. Calculez les dépôts en circulation à la fin du mois d'août en comparant les dépôts sur le relevé bancaire et les dépôts inscrits au compte Caisse.
2. Calculez le total des chèques en circulation à la fin du mois d'août en comparant la liste des chèques sur le relevé bancaire, la liste des chèques inscrits dans le compte Caisse et la liste des chèques en circulation à la fin du mois de juillet.
3. Établissez le rapprochement bancaire pour le mois d'août.

4. Passez les écritures de journal nécessaires à la suite de ce rapprochement bancaire. Pourquoi sont-elles nécessaires ?

5. Quel montant total de caisse devrait-on présenter au bilan au 31 août 2008 ?

P6-9 **L'enregistrement du chiffre d'affaires, des retours et des créances douteuses (Annexe 6-A)**

Servez-vous des données fournies pour le problème P6-2, qui proviennent des registres comptables de la société Juvénile pour l'exercice se terminant le 31 décembre 2007.

Travail à faire

1. Passez les écritures de journal relatives à ces transactions, y compris la radiation des créances irrécouvrables et l'écriture de régularisation pour l'estimation des créances douteuses. Ne comptabilisez pas le coût des marchandises vendues. Indiquez vos calculs pour chaque écriture.

2. Précisez comment on devrait présenter les comptes relatifs à ces activités de vente et de recouvrement à l'état des résultats pour l'exercice 2007. (Considérez les escomptes sur ventes comme un compte de sens contraire.)

Problèmes supplémentaires

PS6-1 **Le chiffre d'affaires et le montant des escomptes, des retours et des créances douteuses (P6-2)**

☐ OA2
☐ OA4

Les données suivantes proviennent des livres de la société Floubec pour l'exercice se terminant le 31 décembre 2009.

Soldes au 1er janvier 2007	
Clients	97 000 $
Provision pour créances douteuses	5 000

L'entreprise a vendu des marchandises et effectué des recouvrements selon des modalités de paiement de 3/10, n/30 (sauf pour les ventes au comptant). Supposez que le prix de vente à l'unité est de 400 $ pour toutes les transactions. Utilisez la méthode brute afin d'enregistrer le chiffre d'affaires.

Transactions effectuées au cours de l'exercice 2009

a) Vente de marchandises au comptant, 122 000 $.

b) Vente de marchandises à la société L'Abbaye ; montant de la facture, 6 800 $.

c) Vente de marchandises à la société Brunet ; montant de la facture, 14 000 $.

d) La société L'Abbaye paie sa facture en b) dans les délais prévus pour bénéficier de l'escompte.

e) Vente de marchandises à Caroline inc. ; montant de la facture, 12 400 $.

f) Deux jours après avoir payé son compte en entier, la société L'Abbaye retourne quatre articles défectueux et reçoit un remboursement en espèces.

g) Recouvrement de 78 000 $ en espèces sur des ventes à crédit réalisées au cours de l'année précédente, soit avant l'échéance des délais prévus pour obtenir les escomptes.

h) Trois jours après la date de son achat, la société Brunet retourne deux des articles achetés en c) et reçoit un crédit à son compte.

i) La société Brunet paie son compte en entier avant l'échéance de l'escompte.

j) Vente de marchandises à la société DEC ; montant de la facture, 9 000 $.

k) La société Caroline paie son compte en entier, mais après le délai prévu pour bénéficier de l'escompte.

l) Radiation d'un compte en souffrance depuis l'exercice 2007 au montant de 1 600 $, puisque ce dernier est estimé irrécouvrable.

m) L'estimation du taux de créances douteuses dont se sert l'entreprise se chiffre à 2 % de ses ventes à crédit ; les retours sont exclus.

Travail à faire

1. À l'aide des comptes suivants, indiquez l'effet de chacune des transactions énumérées, y compris la radiation de la créance irrécouvrable et l'écriture de correction pour l'estimation des créances douteuses. (Ne tenez pas compte du coût des marchandises vendues.) Inscrivez un + pour une augmentation et un − pour une diminution. S'il n'y a aucun effet, écrivez AE.

	Chiffre d'affaires	Escomptes sur ventes	Rendus et rabais sur ventes	Créances douteuses
a)	+122 000	AE	AE	AE

2. Indiquez comment les comptes précédents relatifs aux activités de vente et de recouvrement devraient apparaître à l'état des résultats pour l'exercice 2009. (Considérez les escomptes sur ventes comme un compte de sens contraire.)

■OA4 Saucony inc. ◆

PS6-2 L'interprétation de l'information disponible sur la provision pour créances douteuses (P6-4)

Sous diverses marques de commerce, la société Saucony inc. et ses filiales conçoivent, fabriquent et vendent des bicyclettes et leurs pièces ainsi que des vêtements et des souliers pour athlètes. L'entreprise a récemment publié les renseignements suivants au

Information sur les comptes clients (en millions de dollars)				
Provision pour créances douteuses	Solde au début	Créances douteuses imputées aux charges	Radiation	Solde à la fin
Exercice 3	2 032 $	4 908 $	5 060 $	(?)
Exercice 2	1 234	(?)	4 677	2 032 $
Exercice 1	940	5 269	(?)	1 234

sujet de sa provision pour créances douteuses.

Travail à faire

1. Passez les écritures de journal relatives aux créances douteuses pour l'exercice 3.
2. Déterminez les montants manquants, qui sont indiqués par des points d'interrogation (?), pour les exercices 1, 2 et 3.

■OA4

PS6-3 L'estimation des créances douteuses selon le classement chronologique des comptes clients (P6-5)

La société Moteurs Sirois utilise la méthode du classement chronologique des comptes clients afin d'estimer ses créances douteuses à la fin de chaque exercice. Elle offre des modalités de paiement de n/45 sur les ventes à crédit. Le solde de chaque compte client est classé dans l'une des quatre catégories suivantes : 1) les comptes courants ; 2) les comptes en souffrance depuis moins de 6 mois ; 3) les comptes en souffrance depuis 6 à 12 mois ; 4) les comptes en souffrance depuis plus de 1 an. L'expérience démontre qu'en fin d'exercice, les taux moyens de perte due à l'impossibilité de recouvrer le montant des comptes clients sont, selon les catégories, respectivement de 1 %, de 5 %, de 20 % et de 50 %.

À la fin de l'exercice terminé le 31 décembre 2008, le solde des comptes clients s'élevait à 39 500 $ et celui de la provision pour créances douteuses, à 1 550 $ (crédit). Pour déterminer quelles factures sont payées, l'entreprise applique le recouvrement aux plus anciennes en premier lieu. Pour simplifier, seulement cinq comptes clients seront retenus ici. Voici les renseignements concernant chacun de ces comptes en date du 31 décembre 2008.

Date	Description	Débit	Crédit	Solde
R. Damien – compte client				
13-03-2008	Vente	19 000		19 000
12-05-2008	Recouvrement		10 000	9 000
30-09-2008	Recouvrement		7 000	2 000
C. Huot – compte client				
01-11-2007	Vente	31 000		31 000
01-06-2008	Recouvrement		20 000	11 000
01-12-2008	Recouvrement		5 000	6 000
J. Giono – compte client				
31-10-2008	Vente	12 000		12 000
10-12-2008	Recouvrement		8 000	4 000
M. Laberge – compte client				
02-05-2008	Vente	15 000		15 000
01-06-2008	Vente	10 000		25 000
15-06-2008	Recouvrement		15 000	10 000
15-07-2008	Recouvrement		10 000	0
01-10-2008	Vente	26 000		26 000
15-11-2008	Recouvrement		16 000	10 000
15-12-2008	Vente	4 500		14 500
H. Wu – compte client				
30-12-2008	Vente	13 000		13 000

Travail à faire

1. Calculez le montant total des comptes clients dans chaque catégorie d'âge. Dressez un tableau selon l'âge chronologique des comptes clients.
2. Calculez le montant estimé irrécouvrable pour chaque catégorie d'âge et le montant total.
3. Passez les écritures de correction requises pour les créances douteuses au 31 décembre 2008.
4. Indiquez comment on devrait présenter les montants relatifs aux comptes clients à l'état des résultats et au bilan de l'exercice 2008.

PS6-4 **L'établissement d'un état des résultats et le calcul du pourcentage de la marge bénéficiaire brute et du taux de rotation des comptes clients en tenant compte des escomptes, des retours et des créances douteuses (P6-6)**

OA2
OA3
OA4

L'entreprise Gargantua a été constituée en société par actions il y a sept ans et elle exploite une épicerie locale. Lors de la constitution, 6 000 actions ordinaires ont été émises au nom des trois propriétaires. L'emplacement du magasin a été si bien choisi que le chiffre d'affaires s'est accru chaque année. À la fin de l'exercice 2009, le comptable a dressé l'état des résultats qui suit. (Supposez que tous les montants sont exacts, même si la terminologie et la présentation sont erronées.)

Gargantua Profits et pertes au 31 décembre 2009	Débit	Crédit
Chiffre d'affaires		420 000 $
Coût des marchandises vendues	279 000 $	
Rendus et rabais sur ventes	10 000	
Frais de vente	58 000	
Frais généraux et d'administration	16 000	
Créances douteuses	1 000	
Escomptes sur ventes	6 000	
Impôts sur les bénéfices	15 000	
Profit net	35 000	
Totaux	420 000 $	420 000 $

Travail à faire

1. En commençant avec le chiffre d'affaires net, dressez un état des résultats (qui indique à la fois la marge bénéficiaire brute et le bénéfice net).
2. Les soldes des comptes clients au début et à la fin de l'exercice sont respectivement de 38 000 $ et de 42 000 $. Calculez le pourcentage de la marge bénéficiaire brute et le taux de rotation des comptes clients. Expliquez leur signification.

PS6-5 **L'établissement d'un rapprochement bancaire et les écritures de journal nécessaires (P6-8)**

Voici le relevé bancaire de la société Padoue au 31 décembre 2007 ainsi que le compte Caisse tiré de son grand livre en décembre 2007.

	Relevé bancaire		
Date	**Chèques**	**Dépôts**	**Solde**
01-12			48 000 $
02-12	400; 300 $	17 000 $	64 300
04-12	7 000; 90		57 210
06-12	120; 180; 1 600		55 310
11-12	500; 1 200; 70	28 000	81 540
13-12	480; 700; 1 900		78 460
17-12	12 000; 8 000		58 460
23-12	60; 23 500	36 000	70 900
26-12	900; 2 650		67 350
28-12	2 200; 5 200		59 950
30-12	17 000; 1 890; 300*	19 000	59 760
31-12	1 650; 1 350; 150**	5 250***	61 860

   * Chèque CSP de J. Gaucher, un client
  ** Frais bancaires
 *** Intérêts encaissés

+			Caisse (A)			−
01-12	Solde		64 100	Chèques émis durant le mois de décembre		
Dépôts				60	5 000	2 650
11-12		28 000		17 000	5 200	1 650
23-12		36 000		700	1 890	2 200
30-12		19 000		3 300	1 600	7 000
31-12		13 000		1 350	120	300
				180	90	480
				12 000	23 500	8 000
				70	500	1 900
				900	1 200	

Le rapprochement bancaire du mois de novembre 2007 présentait les renseignements suivants : en date du 30 novembre – un solde de caisse s'élevant à 64 100 $; des dépôts en circulation pour un montant total de 17 000 $ et deux chèques en circulation respectivement de 400 $ et de 500 $ pour un total de 900 $.

Travail à faire

1. Calculez les dépôts en circulation au 31 décembre 2007 en comparant la liste des dépôts sur le relevé bancaire, la liste des dépôts inscrits aux livres et la liste des dépôts en circulation au 30 novembre.
2. Calculez le montant des chèques en circulation au 31 décembre 2007 en comparant la liste des chèques sur le relevé bancaire, la liste des chèques inscrits aux livres et la liste des chèques en circulation au 30 novembre.
3. Établissez un rapprochement bancaire en date du 31 décembre 2007.
4. Passez toutes les écritures de journal requises à la suite du rapprochement bancaire de l'entreprise. Pourquoi sont-elles nécessaires ?
5. Quel montant total de caisse devrait être présenté au bilan au 31 décembre 2007 ?

Cas et projets

Cas – Information financière

CP6-1 La recherche d'information financière

Référez-vous aux états financiers de la société Reitmans (Canada) limitée qui sont présentés en annexe C à la fin de ce manuel.

Reitmans (Canada) limitée
☐ OA3
☐ OA5
☐ OA6

Travail à faire

1. Quel montant de trésorerie l'entreprise présente-t-elle à la fin de l'exercice le plus récent ? Que comprennent les espèces et les quasi-espèces ?
2. L'entreprise fait-elle mention d'une provision pour créances douteuses au bilan ou dans les notes ? Expliquez pourquoi.
3. Calculez le taux de rotation des comptes clients pour l'exercice le plus récent. Commentez votre résultat.
4. L'entreprise divulgue-t-elle sa politique de constatation des produits ? Étant donné qu'il s'agit d'un détaillant, à quel moment croyez-vous qu'elle constate ses produits ?

CP6-2 La recherche d'information financière

Référez-vous aux états financiers de la société Le Château inc. (*voir l'annexe B à la fin de ce manuel*).

Le Château inc.
☐ OA2
☐ OA5
☐ OA6

Travail à faire

1. Qu'est-ce que l'entreprise révèle au sujet de la valeur de sa trésorerie et de ses équivalents de trésorerie ?
2. Quelles charges la société Le Château soustrait-elle de son chiffre d'affaires lors du calcul de sa marge bénéficiaire brute ? En quoi cette pratique pourrait-elle être différente de celle qui est utilisée par d'autres entreprises et comment cela pourrait-il modifier la façon dont vous interprétez le pourcentage de la marge bénéficiaire brute ?
3. Calculez le taux de rotation des comptes clients de la société Le Château pour l'exercice financier se terminant le 28 janvier 2006.
4. Quelle est la variation des comptes clients au cours de l'exercice ? Quel effet cette dernière a-t-elle eu sur les liquidités provenant de l'exploitation pour l'exercice en cours ?

CP6-3 La comparaison d'entreprises d'un même secteur d'activité

Référez-vous aux états financiers de Reitmans, à ceux de la société Le Château et aux ratios de ce secteur d'activité (*voir les annexes B, C et D à la fin de ce manuel*).

Reitmans (Canada) limitée et Le Château inc.
☐ OA3
☐ OA5

Travail à faire

1. Calculez le pourcentage de la marge bénéficiaire brute des deux entreprises pour l'exercice le plus récent.
2. Comparez le pourcentage de la marge bénéficiaire brute de chacune des deux entreprises à la moyenne de leur secteur d'activité. Réussissent-elles mieux ou moins bien que la moyenne ?
3. Calculez le taux de rotation des comptes clients des deux entreprises pour l'exercice le plus récent. Comparez vos résultats à la moyenne de leur secteur d'activité. Réussissent-elles mieux ou moins bien que la moyenne ?

CP6-4 L'utilisation des rapports financiers : la publication des créances douteuses à l'échelle internationale

L'entreprise Foster's Brewing contrôle plus de 50 % du marché de la bière en Australie. De plus, elle possède 40 % des Brasseries Molson au Canada ainsi que 100 % de Courage Limited au Royaume-Uni. À titre d'entreprise australienne, elle se conforme aux principes comptables généralement reconnus de son pays d'origine, et elle utilise la terminologie comptable qui y est en vigueur. Dans les notes aux états financiers de son plus récent rapport annuel, elle présente les renseignements suivants sur ses comptes clients. (Tous les chiffres y sont enregistrés en milliers de dollars australiens.)

Foster's Brewing
☐ OA4
☐ OA5

Note 3 : Comptes clients	Exercice 1	Exercice 2
Créances à court terme		
Créances clients	792 193	999 159
Réserve pour créances irrécouvrables	(121 449)	(238 110)
Autres créances	192 330	130 288
Réserve pour créances irrécouvrables	(384)	(2 464)
Créances à long terme		
Créances clients	164 808	200 893
Autres créances	15 094	16 068
Réserve pour créances irrécouvrables	(7 920)	(7 400)

Note 15 : Bénéfice d'exploitation	Exercice 1	Exercice 2
Montants mis de côté pour les réserves des :		
Créances irrécouvrables – créances clients	(21 143)	(53 492)
Créances irrécouvrables – autres créances	(228)	(2 570)

Travail à faire

1. Le nom des comptes employés par l'entreprise australienne diffère de ceux qu'on utilise généralement au Canada. Quel nom remplace ici la provision pour créances douteuses et les créances douteuses ?

2. Le montant des ventes à crédit pour l'exercice 2 s'élevait à 9 978 875 $. Calculez le taux de rotation des comptes clients (créances clients) pour l'exercice 2. (Ne tenez pas compte des créances irrécouvrables.)

3. Calculez la provision pour créances douteuses sous forme de pourcentage des comptes clients courants en traitant séparément les créances des clients des autres créances. Expliquez pourquoi ces pourcentages pourraient être différents.

4. Quel est le montant total des comptes clients radiés pour l'exercice 2 ?

Cas – Analyse critique

CP6-5 **Une prise de décision d'un directeur financier : le choix entre deux périodes de constatation des produits**

UPS, Airborne Freight et Federal Express comptent parmi les plus grandes entreprises du domaine très concurrentiel de la livraison de colis. La comparabilité est une qualité essentielle des chiffres comptables, notamment afin de permettre aux analystes de comparer des entreprises du même secteur d'activité. Toutefois, les notes aux états financiers portant sur la constatation des produits de ces trois concurrents indiquent trois périodes différentes pour la constatation des produits d'exploitation provenant de la livraison de colis, soit à la livraison des colis, selon le degré d'avancement de la prestation du service et au moment où le colis est pris en charge par le client. Ces périodes correspondent respectivement à la fin, à la constatation progressive et au début du processus pour engendrer des produits.

> **United Parcel Service of America, inc.**
> La constatation des produits s'effectue lors de la livraison du colis.

> **Airborne Freight Corp.**
> La constatation des produits domestiques et de la plupart des charges relatives aux activités domestiques se fait lorsque les colis à envoyer sont pris en charge par le client.
> La note d'Airborne Freight indique aussi : « Le bénéfice net obtenu selon la politique de constatation actuelle n'est pas réellement différent de celui qu'on obtiendrait au moyen d'une constatation basée sur la date de livraison. »

Travail à faire

1. À votre avis, la différence entre les politiques de constatation des produits d'Airborne Freight et d'UPS influe-t-elle sur le bénéfice net que ces entreprises enregistrent ? Expliquez votre réponse.

2. Supposez que les trois entreprises collectent des colis chez leurs clients, qu'elles reçoivent chaque jour 1 million de dollars en paiement pour leurs services et que chaque colis est livré le lendemain. Quels seraient les produits d'exploitation constatés par chacune d'elles pour une année, compte tenu de leurs politiques respectives de constatation des produits ?

3. Dans quelles circonstances les réponses que vous avez données en 2 pourraient-elles changer ?

4. Si vous dirigiez une telle entreprise, laquelle de ces règles de constatation des produits préféreriez-vous ? Expliquez votre réponse.

CP6-6 **La façon d'évaluer un dilemme sur le plan éthique : les mesures incitatives de la direction, la constatation des produits et les ventes avec droit de retour**

◆ Symbol Technologies inc. ▪OA1

L'entreprise Symbol Technologies était un fabricant de logiciels de codes à barres en pleine expansion. Selon les accusations que le gouvernement fédéral a portées, lorsque les affaires de la société ont ralenti et que l'entreprise n'a pu satisfaire les attentes de croissance constante exigées par le marché boursier, l'ancien président du conseil d'administration et directeur général, de même que le directeur des finances et le contrôleur ont réagi ainsi : ils ont enregistré des produits d'exploitation et des provisions pour retours non justifiés. Cette politique a eu pour résultat d'entraîner une surévaluation des produits de 230 millions de dollars et du bénéfice net de 530 millions de dollars. Cette fraude revêt un caractère unique en ce sens que tous les hauts dirigeants de l'entreprise y étaient impliqués. L'extrait d'article ci-dessous décrit la nature exacte de la fraude qu'ils ont commise.

Les ex-dirigeants de Symbol plaident coupables

Par Kara Scannell

The Wall Street Journal, 26 mars 2003

Un ancien cadre supérieur en finances à l'emploi de Symbol Technologies inc. a plaidé coupable à l'accusation d'avoir participé à une vaste fraude comptable qui a fait monter les revenus du fabricant de lecteurs de codes à barres de 10 %, soit d'environ 100 millions de dollars par année, entre 1999 et 2001.

La dénonciation et la plainte civile déposées hier ont accusé M. Asti et d'autres cadres supérieurs d'avoir submergé le réseau commercial de Symbol de fausses commandes à la fin de chaque trimestre pour atteindre des cibles de revenus et de bénéfice net. En vertu des pratiques comptables généralement acceptées, les revenus peuvent être comptabilisés seulement lorsque des produits sont livrés à des clients. Parmi les clients de Symbol, on compte des fournisseurs de services et des épiceries.

Les enquêteurs ont allégué que M. Asti et les autres inculpés ont réalisé des transactions factices visant à soudoyer des revendeurs en leur offrant une redevance de 1 % pour « acheter » des produits d'un distributeur à la fin d'un trimestre, que Symbol pouvait par la suite racheter. La compagnie pouvait alors convaincre prétendument les distributeurs de commander d'autres produits afin de combler le vide d'inventaire nouvellement créé.

La Securities and Exchange Commission (SEC) a déclaré que les revenus gonflés ont contribué à faire grimper le cours de l'action de Symbol et à enrichir M. Asti. Ce cadre supérieur aurait prétendument vendu des milliers d'actions de la compagnie, pour lesquelles il aurait reçu des options sur actions, alors que l'action était négociée à des niveaux artificiellement élevés.

Travail à faire

1. Dans cet article, certains faits portent-ils à croire que Symbol n'a pas respecté le principe de constatation des produits ? Si oui, pourquoi ?
2. En supposant que Symbol procédait à la constatation des produits lors de la livraison de la marchandise, comment croyez-vous que l'entreprise aurait pu présenter aux états financiers le fait que ses clients avaient le droit d'annuler leurs contrats ? (Établissez le lien avec la comptabilisation des créances douteuses.)
3. À votre avis, qu'est-ce qui pourrait avoir incité la direction à falsifier ses états financiers ? Pourquoi tenait-elle à afficher une croissance constante de son bénéfice net ?
4. Déterminez qui a souffert de la conduite frauduleuse de la direction.
5. Supposez que vous êtes le vérificateur d'entreprises similaires. Après vous être renseigné sur cette fraude, quels types de transactions surveilleriez-vous avec plus d'attention lors de la vérification des états financiers de vos clients ?

■ OA6

CP6-7 L'évaluation des mesures de contrôle

L'entreprise Le Petit Ruisseau compte un employé en qui la direction a une confiance absolue et qui, selon le propriétaire, « s'occupe de toutes les facettes de la comptabilité ». Cet employé a ainsi la responsabilité de compter, de vérifier et d'enregistrer les encaissements et les paiements en espèces. Il effectue les dépôts bancaires hebdomadaires, émet les chèques pour les charges importantes (signés par le propriétaire), effectue de petits retraits de la caisse enregistreuse pour les dépenses quotidiennes et s'occupe du recouvrement des comptes clients. Le propriétaire a demandé un prêt de 20 000 $ à la banque locale qui a alors exigé une vérification des états financiers pour l'exercice venant de se terminer. Au cours d'un entretien avec le propriétaire, le vérificateur externe (un expert-comptable) a présenté au propriétaire des preuves de certaines transactions effectuées au cours de l'exercice par l'employé censé être digne de confiance.

a) Certaines ventes au comptant n'ont pas été versées à la caisse enregistreuse, et l'employé a ainsi empoché environ 50 $ par mois.
b) L'argent que cet employé a pris dans la caisse enregistreuse a été remplacé par des notes de frais comportant de fausses signatures (pour environ 12 $ par jour).
c) L'employé a empoché une somme de 300 $ recouvrée du compte d'un client important. Il a dissimulé son vol à l'aide de l'écriture suivante pour le même montant : débit pour des retours sur ventes et crédit au compte Clients.
d) L'employé a également empoché un montant de 800 $ provenant du recouvrement du compte d'un autre client. Il a dissimulé son vol à l'aide de l'écriture suivante pour le même montant : débit au compte Provision pour créances douteuses et crédit au compte Clients.

Travail à faire

1. Quel est le montant approximatif volé par l'employé au cours du dernier exercice financier ?
2. Quelles recommandations feriez-vous au propriétaire ?

Projets – Information financière

■ OA3
■ OA5

Dorel ◆

CP6-8 La comparaison des entreprises dans le temps : le pourcentage de la marge bénéficiaire brute et le taux de rotation des comptes clients

Procurez-vous les états des résultats et les bilans de Dorel pour les trois dernières années. (Ces renseignements sont disponibles sur le site Internet de l'entreprise.)

Travail à faire

Rédigez un court texte dans lequel vous comparerez le pourcentage de marge bénéficiaire brute et le taux de rotation des comptes clients de l'entreprise au cours des trois dernières années. Indiquez les modifications relatives aux activités qui pourraient expliquer les variations des ratios.

■ OA2

CP6-9 La comparaison d'entreprises provenant de différents secteurs d'activité : les politiques de constatation des produits

Procurez-vous les notes indiquant le choix de la méthode de constatation des produits qui apparaissent aux rapports annuels de trois entreprises. Celles-ci doivent appartenir à des secteurs d'activité différents. (Consultez ces documents sur le site du service SEDAR à l'adresse www.sedar.com ou sur le site Web des entreprises elles-mêmes.)

Travail à faire

Rédigez un bref rapport indiquant les différences observées dans le choix de conventions comptables. Demandez-vous si les différences entre ces conventions devancent, retardent ou ne modifient aucunement le moment de la constatation des produits. Examinez aussi les différences qui existent entre les divers secteurs d'activité et qui pourraient justifier des différences au sujet du choix de convention comptable portant sur la constatation des produits.

CP6-10 Un projet en matière d'éthique : l'analyse d'irrégularités lors de la constatation des produits

OA1

Trouvez un reportage récent décrivant une irrégularité comptable relative à la constatation des produits. (Consultez les bases de données à la bibliothèque qui font la recension des journaux d'affaires et des sites Internet consacrés au monde des affaires. Faites une recherche à partir de la rubrique « irrégularités comptables ».) Rédigez un bref rapport exposant la nature de l'irrégularité, en quoi cette dernière est contraire au principe de constatation des produits, l'étendue des corrections à apporter au bénéfice net déclaré précédemment, l'effet de l'annonce de cette irrégularité sur le prix des actions de l'entreprise et, enfin, les amendes administratives ou autres imposées à l'entreprise et à ses cadres.

CP6-11 Un projet d'équipe : l'analyse des produits d'exploitation et des comptes clients

OA1
OA4
OA5

Formez une équipe et choisissez un secteur d'activité à analyser (vous en trouverez la liste à l'adresse suivante : www.sedar.com. Cliquez ensuite sur « entreprises » ou « secteur d'activité ».) Chaque membre de l'équipe doit se procurer le rapport annuel d'une société ouverte de ce secteur, différente de celles qui ont été choisies par les autres membres. (Consultez les sites Web de chaque entreprise.)

Travail à faire

Sur une base individuelle, chacun devra ensuite rédiger un bref rapport répondant aux questions suivantes au sujet de l'entreprise choisie. Analysez toute similitude que vous observez concernant les entreprises choisies par les membres de l'équipe. En équipe, rédigez ensuite un rapport dans lequel vous soulignerez les ressemblances et les différences entre ces entreprises pour chacune des questions traitées. Donnez des explications possibles aux différences observées entre les diverses entreprises.

1. Quel principe de constatation des produits l'entreprise applique-t-elle ?
2. Calculez le pourcentage de la marge bénéficiaire brute. Comparez avec la moyenne du secteur. Discutez des résultats.
3. Quel est le taux de rotation des comptes clients ? Comparez ce taux avec la moyenne du secteur. Discutez des résultats.
4. Déterminez quels sont les renseignements disponibles concernant la provision pour créances douteuses. Si les renseignements dont vous avez besoin sont fournis, calculez le pourcentage des créances irrécouvrables par rapport au chiffre d'affaires.
5. Quel effet la variation dans les comptes clients a-t-elle eu sur les flux de trésorerie provenant de l'exploitation ? Expliquez votre réponse.

Les stocks

Objectifs d'apprentissage

Au terme de ce chapitre, l'étudiant sera en mesure :

1. d'appliquer le principe de la valeur d'acquisition au coût des stocks afin de connaître les montants qui en font partie et le principe du rapprochement des produits et des charges afin de déterminer le coût des marchandises vendues (*voir la page 377*);

2. de déterminer le coût des stocks et le coût des marchandises vendues à l'aide de quatre méthodes (*voir la page 383*);

3. de déterminer dans quelles circonstances il est plus avantageux pour une entreprise d'utiliser l'une ou l'autre des méthodes de détermination du coût des stocks (*voir la page 389*);

4. d'évaluer les stocks au moindre du coût et de la juste valeur (*voir la page 393*);

5. d'évaluer la performance des gestionnaires des stocks à l'aide du taux de rotation des stocks et l'effet des stocks sur les flux de trésorerie (*Voir la page 395*);

6. de comparer les entreprises qui utilisent des méthodes différentes pour déterminer le coût des stocks (*voir la page 399*).

7. de comprendre les méthodes de contrôle et de suivi des stocks, et d'analyser l'incidence d'erreurs relatives aux stocks sur les états financiers (*voir la page 402*).

CORPORATION
COTT

Corporation Cott

Le succès d'un fabricant canadien de boissons gazeuses

Vous avez le goût d'une bonne boisson froide à coût économique ? Vous avez l'habitude d'acheter la marque maison de l'épicier du coin ? Eh bien ! C'est sans doute Corporation Cott (Cott, dorénavant) qui l'a fabriquée. Malgré la taille impressionnante des deux plus grandes chaînes de boissons gazeuses à travers le monde (il s'agit bien sûr de PepsiCo et de Coca-Cola), Cott s'est taillé une place importante sur le marché canadien. En effet, les marques maison y occupent 19 % du secteur des boissons gazeuses à emporter (11 % aux États-Unis et 28 % au Royaume-Uni). Créée en 1952, Cott est aujourd'hui le plus important fabricant de boissons gazeuses à emporter de marque maison au monde. La croissance des dernières années est due à une série d'acquisitions stratégiques et à une forte croissance interne. On compte parmi les principaux groupes de clients de Cott les supermarchés, les grandes surfaces, les pharmacies, les dépanneurs, les grossistes et, bien sûr, Wal-Mart, qui assure 40 % de son chiffre d'affaires. Plus récemment, Cott s'est lancée dans la fabrication de boissons non gazeuses et dans l'embouteillage de l'eau ; ces marchés prendront davantage d'importance dans l'avenir.

Cott offre à sa clientèle des services intégrés : elle met au point des formules pour boissons, fabrique des concentrés, produit les boissons gazeuses et, enfin, commercialise ses produits à l'échelle mondiale. Ses principaux marchés comprennent les État-Unis, le Canada, le Royaume-Uni et le Mexique. Dans ces quatre pays, la société compte 23 usines de production de boissons et 3 200 employés. Les installations de fabrication de concentrés sont à Columbus, en Géorgie où se situe également un centre de recherche et de technologie. Le siège social de l'entreprise, quant à lui, se situe à Toronto.

La priorité de Cott est d'assurer la croissance des marques maison de ses clients. Toutefois, elle vend aussi des boissons sous ses propres marques déposées telles que Cott, Stars & Stripes, Vess et Vintage et des concentrés par l'entremise de RC International dans plus de 60 pays à l'extérieur de l'Amérique du Nord. Cott attribue sa réussite à la production de boissons de grande qualité qui sont présentées dans un emballage robuste, ainsi qu'à son excellent service à la clientèle.

Entre 2000 et 2005, le chiffre d'affaires de la société est passé de 990,6 à 1 755,3 millions de dollars des États-Unis. Pour la même période, son bénéfice avant intérêts, impôts et amortissement (BAIIA) est passé de 114,2 à 138,3 millions de dollars. Sa marge bénéficiaire brute a chuté en 2004 de 19,5 % à 17,2 % et, en 2005, elle a encore chuté pour se retrouver à 14,2 %. En 2004, on a attribué la diminution de la marge bénéficiaire brute à une croissance trop forte, difficile à gérer, occasionnant des coûts de logistique et posant des défis quant à l'efficacité des usines. En 2005, l'augmentation du coût des matières premières, la hausse des coûts fixes dus à une augmentation de la capacité de production ainsi qu'un changement dans les préférences des consommateurs pour des boissons non gazéifiées, expliquent la baisse de la marge bénéficiaire brute.

Cott doit relever le défi qui consiste à contrôler la qualité et le coût de ses stocks afin de mieux gérer la croissance et d'améliorer sa marge bénéficiaire brute. La société cherche aussi à réduire le coût des différentes composantes liées aux stocks, soit les matières premières, la main-d'œuvre directe et les frais généraux de fabrication, et ce, sans altérer la qualité de ses produits. Ainsi, afin de préserver sa place dans l'industrie des boissons gazeuses et continuer à croître, Cott doit sans cesse améliorer sa production et la gestion de ses stocks. Ainsi, elle pourra répondre à la demande grandissante de ses produits et développer de nouveaux produits de boissons non gazeuses pour satisfaire la demande et suivre l'évolution du marché.

Parlons affaires

De nos jours, tous les fabricants et les marchands doivent se préoccuper du coût et de la qualité de leurs stocks. Nous allons donc nous intéresser de plus près au coût des marchandises vendues (coût des produits vendus, prix coûtant des marchandises vendues ou coût des ventes) présenté à l'état des résultats, de même qu'aux stocks présentés au bilan. Le tableau 7.1 montre des extraits des états financiers de la société Cott qui présentent ces deux principaux comptes. Il faut noter que le coût des marchandises vendues est déduit du chiffre d'affaires afin de déterminer le bénéfice brut à l'état des résultats. Les stocks sont considérés comme un élément d'actif à court terme au bilan. On le présente après la caisse et les comptes débiteurs (ou comptes clients), puisqu'il s'agit d'un actif moins liquide que les deux premiers.

| TABLEAU 7.1 | Extraits de l'état consolidé des résultats et du bilan |

Corporation Cott
État consolidé des résultats
pour les exercices terminés* les
(en millions de dollars des États-Unis)

	31 décembre 2005	1er janvier 2005
Chiffre d'affaires	1 755,3 $	1 646,3 $
Coût des marchandises vendues	1 505,8	1 362,6
Bénéfice brut	249,5 $	283,7 $

* La date de fin d'exercice varie entre le 28 décembre et le 3 janvier, selon la fin du cycle d'exploitation. La date de fin d'exercice pour 2005 est le 31 décembre 2005 et celle pour 2004, le 1er janvier 2005.

Corporation Cott
Bilans consolidés (partiels)
(en millions de dollars)

ACTIF	31 décembre 2005	1er janvier 2005
Actif à court terme		
Caisse	21,7 $	26,6 $
Comptes débiteurs – note 8	191,1	184,3
Stocks – note 9	144,2	122,8
Charges payées d'avance et autres actifs	9,5	9,7
Total des éléments d'actif à court terme	366,5 $	343,4 $

Pour une bonne gestion des stocks, il est important de s'assurer que l'entreprise dispose toujours de quantités suffisantes de stocks de haute qualité afin de répondre aux besoins des clients tout en minimisant les coûts de détention liés aux stocks non vendus (c'est-à-dire les coûts de production, d'entreposage, de produits périmés et de financement).

Par exemple, la production d'une quantité insuffisante d'une boisson très en demande entraîne une pénurie de stocks. Cette insuffisance se traduit par des pertes au point de vue des ventes et une diminution du degré de satisfaction de la clientèle. À l'opposé, la production d'une trop grande quantité de boissons qui se vendent moins augmente les coûts d'entreposage et les charges afférentes au paiement des intérêts sur la marge de crédit servant à financer les stocks. Cette situation peut aussi entraîner des pertes importantes si l'entreprise ne parvient pas, par la suite, à écouler la marchandise avant qu'elle ne soit périmée. Par exemple, Cott doit évaluer sa production en fonction des prévisions météorologiques. Une vague de chaleur amène une plus grande demande de boissons. Cott peut augmenter sa production, mais une trop grande production de boissons dont la durée de vie est plus courte peut entraîner des pertes si elles deviennent périmées avant leur vente. L'été 2005 s'est avéré très chaud. Toutefois, Cott n'a pas vendu le nombre de boissons gazeuses qu'elle escomptait en Amérique du Nord. En effet, les préférences des consommateurs ont changé ; ils optent pour des boissons non gazéifiées telles que les jus et l'eau embouteillée. La marge de bénéfice brut sur l'eau est moins élevée que sur les boissons gazeuses, ce qui explique en partie la diminution de la marge bénéficiaire brute.

Même dans un marché à forte compétition, Cott ne peut réduire ses prix de façon importante, car la qualité de ses produits est prioritaire. Il en est ainsi des concentrés qui relèvent de recettes secrètes bien gardées. Pour Cott, la qualité est essentielle. Dans tout domaine, les produits de moindre qualité créent de l'insatisfaction chez la clientèle, et ils entraînent des retours de marchandises et une diminution des ventes dans le futur.

Dans le processus de gestion des stocks, le système comptable joue trois rôles. Ce dernier doit pouvoir fournir 1) les renseignements nécessaires pour dresser les états financiers et les déclarations de revenus, 2) les informations à jour et continues sur les quantités et le coût des stocks afin de faciliter les décisions relatives aux achats et à la fabrication et 3) les renseignements permettant d'aider à protéger ce bien important, car les stocks peuvent faire l'objet de vols et d'autres formes de mauvaise utilisation.

La qualité de production et de la gestion des stocks, la diversité des marques de boissons fabriquées (les marques maison ou ses propres marques) et la diversité de sa clientèle (les grandes chaînes, les épiciers, les dépanneurs, etc.) font de Cott un exemple particulièrement intéressant pour traiter des sujets du présent chapitre.

Nous examinerons d'abord les composantes principales des stocks, les choix les plus importants que les directeurs doivent effectuer au cours du processus d'établissement des rapports financiers et fiscaux et comment ces choix influent sur les impôts payés. Nous verrons ensuite brièvement comment les systèmes comptables permettent de suivre les quantités et le coût des stocks dans le but de favoriser la prise de décisions et le contrôle. Les cours de comptabilité de management portent plus précisément sur la gestion des stocks.

La nature des stocks et le coût des marchandises vendues	Les méthodes de détermination du coût des stocks	L'évaluation des stocks au moindre du coût et de la juste valeur	L'évaluation des gestionnaires des stocks	Le contrôle des stocks
Les éléments inclus dans les stocks	La méthode du coût distinct		La mesure de l'efficacité de la gestion des stocks	Le contrôle interne des stocks
Le coût des stocks	L'hypothèse du cheminement des coûts (PEPS, DEPS, coût moyen)		Le taux de rotation des stocks	Le système d'inventaire permanent et le système d'inventaire périodique
Le cheminement des coûts relatifs aux stocks	L'incidence des méthodes de détermination du coût des stocks sur les états financiers		Les stocks et les flux de trésorerie	Les erreurs relatives à la mesure des stocks de clôture
Le coût des marchandises vendues	Le choix des gestionnaires quant à la méthode de détermination du coût des stocks		Les méthodes de détermination du coût des stocks et l'analyse des états financiers	

La nature des stocks et le coût des marchandises vendues

Les éléments inclus dans les stocks

Les **stocks** se composent d'articles qui sont 1) détenus pour être vendus dans le cours normal des affaires ou 2) utilisés pour produire des biens en vue de les revendre ou de fournir des services. Au bilan, on présente les stocks comme un élément d'actif à court terme puisqu'ils sont généralement utilisés ou transformés en trésorerie au cours d'une période n'excédant pas 12 mois ou au cours du prochain cycle d'exploitation comptable de l'entreprise. Les types de stocks que détient une entreprise varient selon les caractéristiques de leurs opérations.

OBJECTIF D'APPRENTISSAGE 1

Appliquer le principe de la valeur d'acquisition au coût des stocks afin de connaître les montants qui en font partie et le principe du rapprochement des produits et des charges afin de déterminer le coût des marchandises vendues.

Les **stocks** sont des articles qu'une entreprise détient en vue de les vendre dans le cours normal des affaires ou qu'elle utilise pour produire des biens ou des services destinés à la vente.

Les grossistes ou les détaillants détiennent habituellement :

- Le **stock de marchandises** : les biens (ou les marchandises) détenus pour la revente dans le cours normal des affaires. Les biens sont normalement acquis comme produits finis et sont donc prêts à être vendus sans autre transformation.

Cott n'a pas de stock de marchandises qu'elle achète et revend à ses clients hormis quelques articles promotionnels qui sont sans importance. Elle est essentiellement une entreprise de fabrication. Par contre, la société Canadian Tire est une entreprise qui achète des biens des manufacturiers et les revend aux consommateurs.

Les entreprises de fabrication détiennent les stocks décrits ci-après.

- Le **stock de matières premières** comprend les éléments achetés à des fins de transformation en produits finis. On les inclut au stock de matières premières jusqu'à ce qu'on les ait utilisés. Ils sont alors transférés au stock de produits en cours de fabrication.
- Le **stock de produits en cours** comprend les produits en cours de fabrication qui ne sont pas encore terminés. À la fin des opérations de transformation, les produits deviennent le stock de produits finis.
- Le **stock de produits finis** comprend les produits fabriqués par l'entreprise dont la transformation est entièrement terminée et qui sont prêts à être vendus.

Chez Cott, les stocks liés aux activités de fabrication des boissons sont enregistrés dans le type de comptes décrits ci-dessus.

Corporation Cott
Notes afférentes aux états financiers consolidés
Note 9 : Stocks

(EN MILLIONS DE DOLLARS US)	31 décembre 2005	1er janvier 2005
Matières premières	63,9 $	47,9 $
Produits finis	62,9	59,9
Autres	17,4	15,0
	144,2 $	122,8 $

Pour Cott, les matières premières comprennent les bouteilles en polyéthylène téréphtalate (PETP), les bouchons, les préformes en PETP, les canettes et les couvercles, les étiquettes, les cartons et les plateaux, les concentrés, les édulcorants et le dioxyde de carbone. Les produits finis comptent les boissons gazeuses de marque maison et de marques déposées, les boissons pétillantes et aromatisées, les jus et les produits à base de jus filtrés, l'eau embouteillée, les boissons énergisantes et les thés glacés. À la fin de l'exercice, il n'y a pas de stock de produits en cours. À cause de la nature du produit et de la nécessité de faire le dénombrement pour l'inventaire, ce résultat est probablement normal pour cette entreprise. Il en serait autrement pour une entreprise qui fabrique des autos, par exemple.

Le coût des stocks

L'entreprise comptabilise les stocks à la valeur d'acquisition (coût d'origine ou coût historique). Le coût d'acquisition des stocks comprend les sommes engagées pour amener un élément à un stade où il est utilisable ou vendable ainsi que les frais nécessaires pour expédier l'article à l'endroit où il sera utilisé ou vendu. Lorsque Cott achète des matières premières pour fabriquer ses boissons ou lorsque la société Canadian Tire achète des marchandises pour les revendre aux consommateurs, le montant enregistré comme coût comprend le prix facturé et les charges indirectes liées à cet achat, par exemple les frais de transport pour la livraison des articles aux entrepôts ainsi que les coûts d'inspection et de préparation. En général, l'entreprise devrait cesser d'accumuler les coûts lorsque les matières premières sont **prêtes à être utilisées** ou lorsque le stock de marchandises se trouve dans un état et dans un lieu où il est **prêt à être vendu** ou livré aux consommateurs. Tout coût additionnel lié à la vente des stocks aux grossistes, par exemple le salaire des employés du service de la vente, sont engagés après que les stocks sont prêts à être vendus. Ils font alors partie des frais de ventes et d'administration de la période.

ANALYSE FINANCIÈRE

L'application pratique du principe de l'importance relative

Pour bon nombre d'entreprises, les frais accessoires comme les coûts d'inspection et de préparation de la marchandise ne représentent pas une somme très importante (*voir la discussion sur le principe de l'importance relative au chapitre 5*) et, dans ce cas, ces frais n'ont pas à être imputés au coût des stocks. Ainsi, pour des raisons d'ordre pratique, plusieurs entreprises utilisent le prix indiqué sur la facture, auquel elles soustraient les rabais et les escomptes, pour obtenir le coût unitaire des matières premières ou des marchandises. Elles enregistrent les autres frais indirects dans un compte distinct qui est comptabilisé comme une charge.

Le cheminement des coûts relatifs aux stocks

Le cheminement des coûts relatifs aux stocks, aussi bien pour les grossistes que pour les détaillants, est relativement simple [*voir le tableau 7.2 a)*]. Lorsque ceux-ci achètent des marchandises, les stocks augmentent. Lorsqu'ils en vendent, le coût des marchandises vendues augmente et les stocks diminuent.

TABLEAU 7.2 | Cheminement des coûts relatifs aux stocks

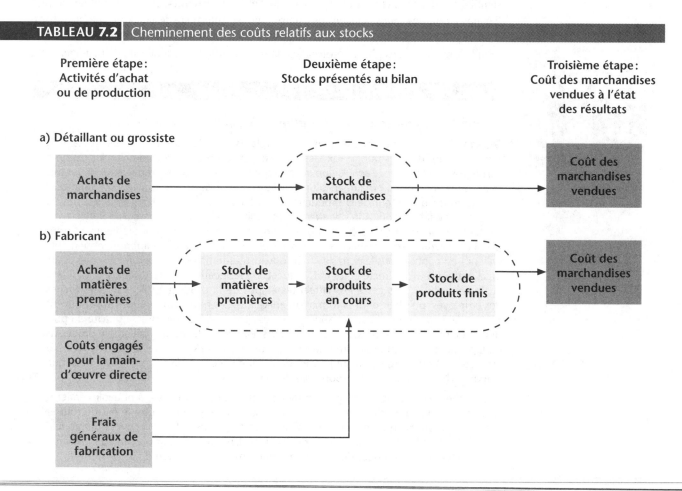

Le tableau 7.2 b) ci-avant donne un aperçu du cheminement des coûts relatifs aux stocks, propre au secteur de la fabrication, un processus qui semble plus complexe. En premier lieu, on doit acheter les **matières premières** (aussi appelées des « **matières directes** »). Dans le cas des activités de fabrication de boissons de Cott, l'entreprise doit acheter les matières premières telles que les concentrés, les édulcorants et le dioxyde de carbone. Lorsque ces matières sont utilisées, le coût de chacune d'elles est déduit du stock de matières premières et ajouté au stock de produits finis.

Deux autres éléments du coût de fabrication, soit le coût de la main-d'œuvre directe et les coûts indirects de production, sont ajoutés au stock de produits en cours lorsqu'ils sont engagés dans le processus de fabrication. Le coût de la **main-d'œuvre directe** correspond aux salaires des employés qui travaillent directement à la transformation des matières premières. Les **frais généraux de fabrication** comprennent tous les autres coûts de production. Par exemple, le salaire du contremaître et le coût du chauffage, de l'éclairage et de l'électricité pour faire fonctionner l'usine entrent dans les frais généraux de fabrication. Lorsque les boissons sont embouteillées et emballées, donc prêtes à la vente, les montants cumulés au stock de produits en cours sont transférés au stock de produits finis. Lorsque les biens finis sont vendus, le coût des marchandises vendues augmente et le stock de produits finis diminue.

Dans le tableau 7.2 à la page précédente, on remarque que, pour les détaillants ou grossistes comme pour les fabricants, les coûts sont inclus aux stocks en suivant trois étapes : 1) la première étape a trait aux activités d'achat ou de production ; 2) la deuxième étape comprend les ajouts aux différents postes de stocks au bilan ; 3) à la troisième étape, celle de la vente, les montants relatifs aux stocks (produits finis ou marchandises) sont passés en charge au coût des marchandises vendues à l'état des résultats. Puisque le cheminement des coûts relatifs aux stocks jusqu'au coût des marchandises vendues est semblable pour les **détaillants,** les **grossistes** et les **fabricants,** et dans le but de simplifier nos exemples, nous concentrons notre analyse future sur le stock de marchandises d'un détaillant. La comptabilisation et la gestion des stocks des entreprises de fabrication feront l'objet d'études plus approfondies dans les cours de comptabilité de management.

Le coûts de la **main-d'œuvre directe** désigne le salaire des employés qui travaillent directement au processus de transformation des produits.

Les **frais généraux de fabrication** représentent les coûts de fabrication qui ne sont pas des matières premières ou des coûts de main-d'œuvre directe.

ANALYSE FINANCIÈRE

Les méthodes modernes de fabrication et le coût des stocks

Le diagramme du cheminement des coûts relatifs aux stocks (*voir le tableau 7.2 à la page 379*) présente les principaux éléments liés au contrôle du coût des stocks. Comme l'entreprise doit financer l'acquisition et l'entreposage des matières premières et des autres fournitures achetées, le maintien d'un niveau minimal de stocks tout en prévoyant les besoins futurs du secteur de la production représente la première étape de la réussite du processus de fabrication. Afin d'y arriver, Cott doit travailler en étroite collaboration avec ses fournisseurs pour s'assurer de la production et de la qualité des ingrédients, et pour planifier la livraison des matières premières. Cette façon de gérer les approvisionnements en stock est connue sous le nom de « méthode juste-à-temps ». Afin de minimiser les coûts de la main-d'œuvre directe et les frais indirects de fabrication inhérents aux stocks, il faut également revoir sans cesse les différentes étapes de la production ainsi que les tâches des employés, puis leur offrir la formation adéquate. Les nouveaux produits sont souvent créés à l'aide d'un processus de fabrication plus simple afin d'améliorer la qualité du produit et de réduire les coûts associés aux retours. Par exemple, pour améliorer le processus de fabrication, Cott peut automatiser une partie des tâches en achetant un appareil qui inspecte les bouteilles, ce qui lui permet de réduire le coût de la main-d'œuvre ainsi que la marge d'erreur dont sont responsables les employés.

Le système de comptabilité de gestion de Cott est conçu de manière à pouvoir vérifier si les changements apportés ont engendré les résultats escomptés, outre le fait de fournir des renseignements qui permettront une amélioration constante des activités de fabrication. Il s'agit de la comptabilité de prix de revient. Les cours de comptabilité de management traitent en profondeur des problèmes que pose la conception de tels systèmes.

Le coût des marchandises vendues

Le coût des marchandises vendues (CMV) ou le prix coûtant des marchandises vendues (PCMV) représente une charge importante pour la plupart des entreprises (sauf les entreprises de services). De plus, il est directement lié au chiffre d'affaires. Le montant du chiffre d'affaires (les ventes) au cours d'un exercice correspond au nombre d'unités vendues multiplié par leur prix de vente, alors que le coût des marchandises vendues équivaut au même nombre d'unités multiplié par leur coût unitaire. L'évaluation du coût des marchandises vendues est un excellent exemple d'application du principe de rapprochement des produits et des charges.

Examinons le lien entre le coût des marchandises vendues à l'état des résultats et les stocks au bilan. Afin de simplifier notre analyse, nous nous concentrerons sur le stock de marchandises. Comme la société Cott est un fabricant, nous utiliserons l'exemple de Canadian Tire. Cette dernière commence chaque exercice avec un stock de marchandises disponibles (ou en main) appelé le «**stock au début**» **(SD)** ou le «stock d'ouverture». Durant l'exercice, le stock au début augmente à la suite d'**achats (A)** de nouvelles marchandises. Le total du stock au début et des achats de marchandises au cours d'un exercice représente le coût des **marchandises destinées à la vente.** Ce qui n'a pu être vendu à la fin de la période constitue le **stock à la fin (SF)** ou stock de clôture au bilan. La portion des marchandises destinées à la vente qui est vendue au cours de l'exercice devient le **coût des marchandises vendues** à l'état des résultats. Le stock à la fin d'un exercice devient automatiquement le stock au début de l'exercice suivant. Les liens entre ces divers montants relatifs aux stocks sont présentés dans l'équation du coût des marchandises vendues qui est présentée dans l'exemple ci-dessous.

Ainsi, on suppose que Canadian Tire 1) a un stock d'ouverture de 400 millions de dollars, 2) qu'elle achète, au cours de cette période, des marchandises pour un montant de 2 500 millions de dollars et 3) que son stock de fermeture a une valeur de 500 millions de dollars. À l'aide de l'équation, on peut déterminer que l'entreprise enregistrera un coût des marchandises vendues de 2 400 millions de dollars, calculé de la façon suivante :

> Le coût des **marchandises destinées à la vente** représente le coût des stocks au début de la période plus les achats (ou les éléments transférés aux produits finis) de la période.
>
> **L'équation du coût des marchandises vendues**
> SD + A − SF = CMV

ÉQUATION DU COÛT DES MARCHANDISES VENDUES	
(en millions de dollars)	
Stock au début (SD)	400 $
Plus : Achats (A) de marchandises au cours de l'exercice	+ 2 500
Marchandises destinées à la vente	2 900
Moins : Stock à la fin (SF)	− 500
Coût des marchandises vendues (CMV)	2 400 $

On peut présenter la même information sur les stocks sous forme d'un compte en T comme ci-dessous ou comme au tableau 7.3 (*voir la page 382*).

Stock de marchandises (A)			
(en millions de dollars)			
Stock au début	400		
Plus : Achats de stocks	2 500	Moins : Coût des marchandises vendues	2 400
Solde à la fin	500		

Dès que trois de ces quatre valeurs sont connues, on peut se servir de l'équation afin de déterminer la quatrième. Le compte en T peut également être utilisé à cette fin.

Plus loin dans ce chapitre, nous verrons comment cette équation du coût des marchandises vendues peut servir d'outil pour analyser les erreurs relatives à la mesure des stocks et pour évaluer l'effet de différentes méthodes comptables sur les états financiers.

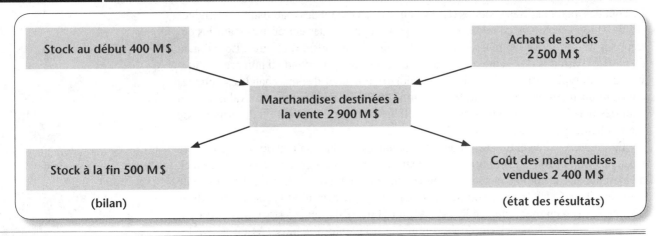

TEST D'AUTOÉVALUATION

1. Prenez pour hypothèse de travail les données suivantes concernant la gamme de bicyclettes vendue par l'un des magasins de la société Canadian Tire pour l'exercice 2007.

> Stock au début : 400 unités à un coût unitaire de 75 $
> Achats de 600 unités à un coût unitaire de 75 $
> Ventes de 700 unités à un prix de vente de 100 $ (dont le coût unitaire était de 75 $)

À l'aide de l'équation du coût des marchandises vendues, calculez le montant (en dollars) des *marchandises disponibles à la vente*, du *stock à la fin* et du *coût des marchandises vendues* des bicyclettes pour l'exercice 2007.

> Stock au début
> + Achats de marchandises durant l'exercice
> _____
> Marchandises disponibles à la vente
> − Stock à la fin
> _____
> Coût des marchandises vendues

2. Prenez pour hypothèse de travail les données suivantes relativement à la vente de bicyclettes 2008 du même magasin Canadian Tire.

> Stock au début : 300 unités à un coût unitaire de 75 $
> Stock à la fin : 600 unités à un coût unitaire de 75 $
> Ventes de 1 100 unités à un prix de vente de 100 $ (dont le coût unitaire était de 75 $)

À l'aide de l'équation du coût des marchandises vendues, calculez le montant (en dollars) des *achats* de bicyclettes pour l'année 2008. Gardez en mémoire que si trois des quatre montants sont connus, l'équation du coût des marchandises vendues peut servir à déterminer le quatrième montant.

> Stock au début
> + Achats de marchandises durant l'exercice
> − Stock à la fin
> _____
> Coût des marchandises vendues

Vérifiez vos réponses à l'aide des solutions présentées en bas de page*.

---

*   1.   Stock au début   (400 × 75 $)   30 000 $
         + Achats de marchandises durant l'exercice   (600 × 75 $)   45 000
         Marchandises destinées à la vente   75 000
         − Stock à la fin   (300 × 75 $)   22 500
         Coût des marchandises vendues   (700 × 75 $)   52 500 $

    2.   SD = 300 × 75 $ = 22 500 $ SD + A − SF = CMV
         SF = 600 × 75 $ = 45 000 $ 22 500 $ + A − 45 000 $ = 82 500 $
         CVM = 1 100 × 75 $ = 82 500 $ A = 105 000 $

Les méthodes de détermination du coût des stocks[1]

Selon l'exemple des bicyclettes dans le test d'autoévaluation précédent, le coût unitaire (prix d'achat par le détaillant) de toutes les bicyclettes était le même, soit 75 $. En général, si le coût des marchandises demeurait le même, il n'y aurait plus rien à dire sur ce sujet. Toutefois, on sait que les prix de la plupart des biens varient. Le coût d'un grand nombre de produits manufacturés tels que les automobiles et les bicyclettes et même les boissons a augmenté à un rythme modéré au cours des dernières années. Cependant, dans d'autres secteurs comme celui de l'informatique, les coûts de production (et les prix de vente au détail) ont diminué de façon spectaculaire.

Lorsque le coût des stocks varie beaucoup, le fait de déterminer quels éléments il faut considérer comme vendus ou encore comme faisant partie des stocks à la fin peut transformer des profits en pertes (ou inversement). Ainsi, cette opération peut faire en sorte que certaines entreprises doivent verser (ou peuvent économiser) des sommes substantielles en impôts. Un exemple fort simple permettra d'illustrer ces effets. Il ne faut pas se méprendre sur la simplicité de l'exemple qui suit, car les sociétés utilisent actuellement ces pratiques.

Supposez que la société Canadian Tire a fait les achats suivants :

1er janvier	En main, 2 bicyclettes du modèle A à 70 $ chacune
12 mars	Achat de 4 bicyclettes du modèle A à 80 $ chacune
9 juin	Achat d'une bicyclette du modèle A à 100 $
5 juillet	Vente de 4 bicyclettes du modèle A à 120 $ chacune

Remarquez que le **coût des bicyclettes a augmenté** rapidement entre janvier et juin. Le 5 juillet, 4 bicyclettes sont vendues à 120 $ chacune, et on inscrit un chiffre d'affaires de 480 $. Quel montant sera inscrit à titre de Coût des marchandises vendues ? La réponse dépend de l'hypothèse que nous posons à propos des bicyclettes vendues. Il existe quatre méthodes reconnues pour déterminer le coût des ventes et le coût des stocks :
1) la méthode du coût distinct ;
2) la méthode du premier entré, premier sorti (PEPS) ;
3) la méthode du dernier entré, premier sorti (DEPS) ;
4) la méthode du coût moyen.

Ces quatre méthodes permettent de répartir le montant total, en dollars, des marchandises destinées à la vente (SD + A) entre le stock à la fin (SF) au bilan comme actif et le coût des marchandises vendues (CMV) à l'état des résultats comme charge. Les entreprises doivent faire un choix parmi ces quatre méthodes. La première méthode détermine les éléments précis qui restent en stock et qui sont vendus. Les trois autres méthodes reposent sur une hypothèse différente quant au cheminement des coûts relatifs aux stocks.

La méthode du coût distinct

Avec la **méthode du coût distinct,** le coût de chaque article vendu est déterminé de façon précise et enregistré à titre de coût des marchandises vendues. Cette méthode nécessite donc que le coût d'achat de chaque article soit comptabilisé distinctement. Pour ce faire, 1) on attribue un code à chaque unité avant de l'inclure aux stocks ou 2) on doit conserver un compte distinct pour chacune des unités que l'on codifie à l'aide d'un numéro de série. Dans l'exemple de Canadian Tire, n'importe quelle des sept bicyclettes en magasin aurait pu être vendue. Si on suppose qu'une bicyclette à 70 $, deux bicyclettes à 80 $ et une bicyclette à 100 $ ont été vendues, le coût total de ces quatre unités (70 $ + 80 $ + 80 $ + 100 $) correspondrait au coût des marchandises vendues (330 $). Le coût des unités invendues représenterait alors le stock de clôture.

OBJECTIF D'APPRENTISSAGE 2

Déterminer le coût des stocks et le coût des marchandises vendues à l'aide de quatre méthodes.

La **méthode du coût distinct** permet d'évaluer le coût précis de chacun des articles qui ont été vendus.

---

1. Depuis la publication de ce chapitre, la méthode DEPS n'est plus acceptée selon les principes comptables canadiens et internationaux. L'étudiant est donc avisé de ne pas considérer les informations présentées qui concernent cette méthode.

La méthode du coût distinct se révèle peu pratique lorsque le stock se compose d'une grande quantité d'articles différents. Par contre, lorsqu'il s'agit d'articles ayant un coût unitaire très élevé, par exemple les automobiles ou les bijoux de grande qualité, cette méthode est appropriée. Toutefois, cette méthode pourrait amener des gestionnaires peu scrupuleux à modifier de façon intentionnelle l'information présentée aux états financiers lorsque les articles détenus sont identiques. En effet, il devient alors possible de manipuler le coût des marchandises vendues et le stock à la fin en choisissant, parmi plusieurs coûts unitaires, ceux qui leur conviennent, même si les marchandises ne diffèrent sous aucun autre aspect. Il en résulte que la majorité des entreprises utilisent rarement cette méthode. Elles évaluent donc les unités en stock en posant l'une des trois hypothèses sur le cheminement des coûts du stock de marchandises.

L'hypothèse du cheminement des coûts (PEPS, DEPS, coûts moyens)

Le **choix d'une méthode pour déterminer le coût des stocks n'est pas basé sur le mouvement ou le cheminement physique des biens** sur les étagères. C'est la raison pour laquelle on parle d'hypothèse concernant le cheminement des coûts. Pour illustrer les différentes méthodes, on suppose l'utilisation d'un bac. Il suffit alors de se représenter ces différentes méthodes comme des mouvements de marchandises qui entrent et qui sortent du bac. **Nous allons appliquer ces méthodes comme si tous les achats de la période se faisaient avant que les ventes et le coût des ventes soient inscrits.**

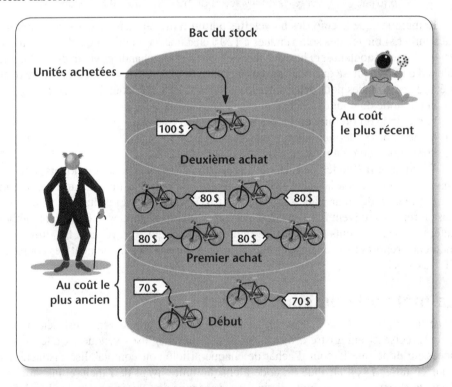

La méthode de l'épuisement successif

Selon la **méthode de l'épuisement successif** (aussi appelée « **méthode du Premier Entré, Premier Sorti** » – **PEPS** [ou FIFO – *First In First Out*]), on pose l'hypothèse que les articles achetés en premier sont les premiers articles à être vendus et que les derniers articles achetés resteront en stock. Selon la méthode PEPS, on détermine le coût des marchandises vendues et le stock de clôture en posant l'hypothèse que le mouvement ou le cheminement d'entrée et de sortie des articles du bac se fait comme dans

Selon la **méthode de l'épuisement successif** (ou **méthode du Premier Entré, Premier Sorti – PEPS**), on pose l'hypothèse que les premiers biens achetés (premiers entrés) sont les premiers biens vendus (premiers sortis).

le tableau 7.4 (*voir la page 386*). Premièrement, on considère que le prix de chaque achat est déposé dans le bac par le haut, selon l'ordre chronologique des transactions, l'un par-dessus l'autre (deux unités de stock au début à 70 $, suivi des achats de quatre unités à 80 $ et de une unité à 100 $), ce qui donne un total de marchandises destinées à la vente de 560 $. Chaque article vendu est soustrait à partir du **fond** du bac, par ordre chronologique d'entrée (deux unités à 70 $ et deux à 80 $); **premier entré, premier sorti.** Ces éléments, qui totalisent 300 $, constituent le coût des marchandises vendues (CMV). Les articles restants (deux unités à 80 $ et une à 100 $ = 260 $) constituent le stock de clôture. La méthode PEPS attribue les coûts les plus **anciens** au **coût des marchandises vendues** et les coûts les plus **récents** au **stock de clôture.** Cette méthode part du principe que les coûts les plus anciens doivent être ceux qu'on doit tenter de rapprocher des produits.

Calcul du coût des marchandises vendues selon PEPS		
Stock au début	(2 unités à 70 $ chacune)	140 $
+ Achats	(4 unités à 80 $ chacune)	320
	(1 unité à 100 $)	100
Marchandises destinées à la vente		560
− Stock à la fin	(2 unités à 80 $ chacune et 1 unité à 100 $)	260
Coût des marchandises vendues	(2 unités à 70 $ chacune et 2 unités à 80 $ chacune)	300 $

La méthode de l'épuisement à rebours

Selon la **méthode de l'épuisement à rebours** (aussi appelée « **méthode du Dernier Entré, Premier Sorti** » – DEPS [ou LIFO, *Last In First Out*]), on pose l'hypothèse que les biens les plus récents (les derniers entrés) sont les premiers à être vendus et que les biens les plus anciens font partie du stock à la fin (*voir le bac de stock DEPS au tableau 7.4 à la page suivante*). Comme avec la méthode PEPS, chaque achat est traité comme s'il était déposé dans le bac par le haut, par ordre chronologique des transactions (deux unités de stock au début à 70 $, ensuite les achats de quatre unités à 80 $ et une unité à 100 $), ce qui donne un total de marchandises destinées à la vente de 560 $. Contrairement à la méthode PEPS, cependant, chaque article vendu est soustrait à partir du **haut** du bac, par ordre chronologique inverse des transactions (une unité à 100 $, suivie de trois unités à 80 $); **dernier entré, premier sorti.** Ces éléments totalisant 340 $ constituent le coût des marchandises vendues (CMV). Les articles restants (une unité à 80 $ et deux à 70 $ = 220 $) constituent le stock de clôture. DEPS attribue les coûts les plus **récents** aux **coûts des marchandises vendues** et les coûts les plus **anciens** au **stock de clôture.** « Cette méthode part du principe que les coûts les plus récents doivent être ceux qu'on doit tenter de rapprocher des produits[1]. »

Selon la **méthode de l'épuisement à rebours** (ou **méthode du Dernier Entré, Premier Sorti** – DEPS), on pose l'hypothèse que les articles achetés en dernier (derniers entrés) sont vendus en premier (premiers sortis).

Calcul du coût des marchandises vendues selon DEPS		
Stock au début	(2 unités à 70 $ chacune)	140 $
+ Achats	(4 unités à 80 $ chacune)	320
	(1 unité à 100 $)	100
Marchandises destinées à la vente		560
− Stock à la fin	(2 unités à 70 $ chacune et 1 unité à 80 $)	220
Coût des marchandises vendues	(3 unités à 80 $ chacune et 1 unité à 100 $)	340 $

---

1. Louis MÉNARD, et collab. (2004), *Dictionnaire de la comptabilité et de la gestion financière,* 2ᵉ éd., Toronto, ICCA, p. 420.

L'hypothèse portant sur le cheminement des coûts de la méthode DEPS est exactement à l'opposé de celle sur laquelle se fonde la méthode PEPS, comme représenté ci-dessous.

	PEPS	DEPS
Coût des marchandises vendues à l'état des résultats	Coûts des unités les plus anciennes	Coûts des unités les plus récentes
Stocks au bilan	Coûts des unités les plus récentes	Coûts des unités les plus anciennes

TABLEAU 7.4 Cheminement du stock de marchandises selon les méthodes PEPS et DEPS

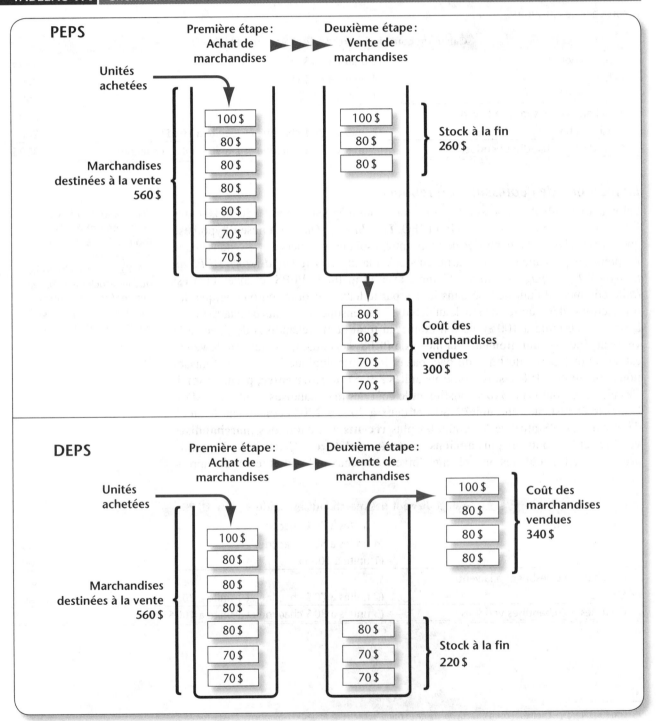

La méthode du coût moyen

Selon la **méthode du coût moyen**, on calcule le coût unitaire moyen pondéré[2] des marchandises destinées à la vente. On utilise cette méthode pour déterminer le coût des marchandises vendues et le stock à la fin. Le calcul du coût unitaire moyen pondéré des marchandises destinées à la vente s'effectue comme suit.

La **méthode du coût moyen** utilise le coût unitaire moyen pondéré des marchandises destinées à la vente afin de déterminer à la fois le coût des marchandises vendues et le stock à la fin.

Nombre d'unités	×	Coût unitaire	=	Coût total
2	×	70 $	=	140 $
4	×	80 $	=	320 $
1	×	100 $	=	100 $
7				560 $

$$\text{Coût moyen pondéré} = \frac{\text{Coût des marchandises destinées à la vente}}{\text{Nombre d'unités destinées à la vente}}$$

$$\text{Coût moyen pondéré} = \frac{560\ \$}{7\ \text{unités}} = 80\ \$\ \text{l'unité}$$

Selon cette approche, on attribue le même coût moyen à chacune des unités, soit un montant de 80 $, au coût des marchandises vendues et au stock à la fin. Cette méthode est illustrée au tableau 7.5.

Calcul du coût des marchandises vendues (coût moyen)		
Stock au début	(2 unités à 70 $ chacune)	140 $
+ Achats	(4 unités à 80 $ chacune)	320
	(1 unité à 100 $)	100
Marchandises destinées à la vente	(7 unités à un coût moyen unitaire pondéré de 80 $)	560
− Stock à la fin	(3 unités à 80 $ chacune, coût moyen unitaire pondéré)	240
Coût des marchandises vendues	(4 unités à 80 $ chacune, coût moyen unitaire pondéré)	320 $

TABLEAU 7.5 Cheminement des coûts relatifs au stock de marchandises selon la méthode du coût moyen

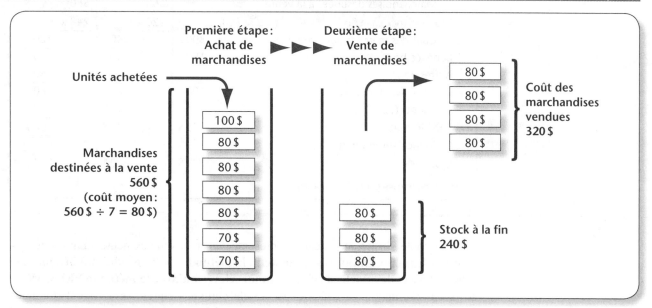

---

2. On doit utiliser un coût unitaire moyen pondéré plutôt qu'une simple moyenne des coûts unitaires. Dans la plupart des cas, une moyenne simple est erronée, car elle ne tient pas compte du nombre d'unités qui correspondent à chaque coût unitaire. Par exemple, si on achète une unité à 2 $, une unité à 3 $ et trois unités à 5 $, le coût moyen pondéré est de 4 $ ([2 $ + 3 $ + 5 $ + 5 $ + 5 $] / 5 unités) comparativement au coût moyen simple de 3,33 $ ([2 $ + 3 $ + 5 $] / 3).

L'incidence des méthodes de détermination du coût des stocks sur les états financiers

Chacune des quatre méthodes disponibles pour calculer le coût des stocks est conforme aux principes comptables généralement reconnus (PCGR). Selon ces derniers, la seule exigence est que la méthode choisie doit être celle qui permet le meilleur rapprochement des produits et des charges. Cependant, du point de vue fiscal, la méthode de l'épuisement à rebours (DEPS) n'est pas permise au Canada, même si elle est acceptée d'un point de vue comptable. Aux États-Unis, elle est permise aux deux points de vue, comptable et fiscal.

Les entreprises doivent donc faire un choix, selon les circonstances. Pour comprendre ce choix, on doit d'abord comprendre les effets de chacune des méthodes sur l'état des résultats et le bilan. Le tableau 7.6, basé sur notre exemple, présente un sommaire de l'incidence des méthodes PEPS, DEPS et du coût moyen sur les états financiers. Il est important de se rappeler que les méthodes diffèrent seulement en ce qui concerne la répartition des marchandises destinées à la vente entre le coût des marchandises vendues et le stock de clôture. Pour cette raison, la méthode dont le stock de clôture est le plus élevé présente le montant le moins élevé du coût des marchandises vendues et, par conséquent, un bénéfice brut plus élevé ainsi qu'une charge fiscale plus importante. La méthode du coût moyen pondéré donne généralement des montants de bénéfice et de stocks qui se situent entre ceux qu'on obtient avec les méthodes PEPS et DEPS.

TABLEAU 7.6 | Incidence des méthodes de détermination du coût des stocks sur les états financiers

	PEPS		DEPS		Coût moyen pondéré
Incidence sur l'état des résultats					
Ventes		480 $		480 $	480 $
Coût des marchandises vendues					
Stocks au début	140 $		140 $		140 $
Plus : Achats	420		420		420
Marchandises destinées à la vente	560		560		560
Moins : Stocks à la fin	260		220		240
Coût des marchandises vendues		300		340	320
Bénéfice brut		180		140	160
Autres frais		80		80	80
Bénéfice avant impôts		100		60	80
Impôts (25 %)		25		15*	20
Bénéfice net		75 $		45 $	60 $
Incidence sur le bilan					
Stocks		260 $		220 $	240 $

* Méthode refusée par le fisc canadien.

L'exemple illustré au tableau 7.6 présente des coûts qui augmentent dans le temps. **Lorsque les coûts unitaires augmentent, la méthode DEPS produit un bénéfice net moins élevé et des stocks de clôture moins élevés qu'avec la méthode PEPS.** Même en temps d'inflation, le coût des stocks de certaines entreprises peuvent diminuer. **Lorsque les coûts unitaires diminuent, la méthode DEPS donne un bénéfice net plus élevé et des stocks à la fin plus élevés que la méthode PEPS.** Ces effets seront maintenus aussi longtemps que les niveaux des stocks seront constants ou à la hausse. Nous illustrons donc ci-dessous les effets des méthodes DEPS et PEPS. Rappelons que la méthode du coût moyen donne des résultats qui se situent entre les deux.

Coûts à la hausse: effets normaux sur les états financiers		
	PEPS	**DEPS**
Coût des marchandises vendues à l'état des résultats	Moins élevé	Plus élevé
Bénéfice brut	Plus élevé	Moins élevé
Stocks au bilan	Plus élevés	Moins élevés

Coûts à la baisse: effets normaux sur les états financiers		
	PEPS	**DEPS**
Coût des marchandises vendues à l'état des résultats	Plus élevé	Moins élevé
Bénéfice brut	Moins élevé	Plus élevé
Stocks au bilan	Moins élevés	Plus élevés

Le choix des gestionnaires quant à la méthode de détermination du coût des stocks

Sur 200 entreprises canadiennes sondées en 2004[3], seulement deux utilisaient la seule méthode DEPS pour évaluer leurs stocks. Ainsi, cette méthode n'est pas réellement utilisée au Canada. Comme nous l'avons mentionné plus tôt, le fisc canadien refuse l'utilisation de cette méthode, ce qui oblige les entreprises à faire de nouveaux calculs pour produire leurs déclarations de revenus. Le choix se limite donc à la méthode du coût moyen ou PEPS[4]. On remarque cependant que 21 % (31/147) des entreprises canadiennes qui divulguaient leur méthode de détermination du coût utilisaient plus d'une méthode. Une telle constatation soulève une question importante.

Qu'est-ce qui incite les entreprises à choisir différentes méthodes d'évaluation du coût des stocks? D'après ce que nous avons vu au chapitre 5, la direction doit opter pour une méthode qui respecte les principes comptables généralement reconnus. Cette méthode devrait être celle qui, aux fins de publication de ses états financiers, reflète le mieux sa situation économique et financière.

Tout en respectant ce principe, la plupart des gestionnaires choisissent une méthode comptable en considérant deux facteurs:
1. L'effet sur le bénéfice (les gestionnaires préfèrent présenter un bénéfice plus élevé).
2. L'effet sur la charge fiscale (les gestionnaires préfèrent payer moins d'impôts et reporter le paiement de ces impôts à une date ultérieure).

L'augmentation des coûts relatifs aux stocks

Lorsque les coûts relatifs aux stocks augmentent, la méthode du coût moyen peut amener une charge d'impôts moins élevée, mais aussi un bénéfice net moins élevé comparativement à la méthode PEPS. Vous pouvez le constater en examinant le tableau 7.6, où le bénéfice avant impôts était moins élevé avec la méthode du coût moyen (80$) qu'avec la méthode PEPS (100$). Conséquemment, la charge d'impôts selon la méthode du coût moyen est moins élevée (20$) que celle avec la méthode PEPS (25$); il en résulte une épargne de 5$ avec la méthode du coût moyen.

Par ailleurs, les entreprises pouvant utiliser la méthode DEPS aux fins fiscales, par exemple les entreprises américaines, la préféreront à la méthode PEPS parce qu'il en résulte une épargne d'impôts de 10$.

3. Clarence BYRD, Ida CHEN et Joshua SMITH, 2004, *Financial Reporting in Canada,* 30ᵉ éd., Toronto, ICCA, p. 214.
4. Une entreprise pourrait utiliser la méthode DEPS pour les états financiers tout en se servant de la méthode PEPS ou de celle du coût moyen pour la déclaration des revenus. Toutefois, ce type de combinaison s'observe rarement au Canada, comme on a pu le constater (2 entreprises sur 200 = 1,0%) car le fisc demanderait des explications.

OBJECTIF D'APPRENTISSAGE 3

Déterminer dans quelles circonstances il est plus avantageux pour une entreprise d'utiliser l'une ou l'autre des méthodes de détermination du coût des stocks.

Dans un contexte où les prix grimpent, les entreprises américaines préfèrent la méthode DEPS à cause de l'avantage fiscal. Du fait que la méthode DEPS est permise par le fisc explique l'usage très répandu de cette méthode aux États-Unis. Par contre, la réduction d'impôts qu'elle suscite explique peut-être la position des autorités fiscales canadiennes, tant provinciales que fédérales, d'interdire cette méthode pour les déclarations de revenus.

Cet exemple simple montre les calculs requis afin d'évaluer les économies d'impôts, mais il ne reflète pas l'importance des montants en cause souvent obtenus dans la pratique. Par exemple, la société Harley-Davidson est un cas typique d'entreprise qui utilise «une combinaison» de méthodes d'évaluation de ses stocks. Le montant de 181,1 millions de dollars des États-Unis de stocks présentés à son bilan du 31 décembre 2001 comprend des stocks situés aux États-unis, qui sont évalués selon la méthode DEPS. Le bénéfice net obtenu avec cette méthode est inférieur à celui qu'on obtiendrait en utilisant la méthode PEPS, pour un montant de 17,1 millions de dollars des États-Unis. À un taux d'imposition de 17 %, l'entreprise a ainsi économisé au total environ 6 millions de dollars des États-Unis en impôts, ce qui représente un gain important. Elle n'utilise cependant pas la méthode DEPS pour son stock de motocyclettes détenu à l'extérieur des États-Unis, soit parce que son usage n'est pas autorisé pour les déclarations de revenus, soit parce que la méthode n'est pas conforme à la pratique.

La diminution des coûts relatifs aux stocks

Lorsque les prix ont tendance à diminuer, les entreprises choisissent la méthode PEPS plus que toute autre méthode, car celle-ci entraîne des charges fiscales moins élevées. Cela se produit dans l'industrie de la haute technologie où les prix sont à la baisse. Dans ce cas, la méthode PEPS, où les coûts les plus anciens, donc les plus élevés, se transforment en coût des marchandises vendues, permet d'enregistrer le coût des marchandises le plus élevé, le bénéfice brut le plus faible et, par conséquent, les montants d'impôts à payer les plus bas. C'est la méthode que les sociétés Apple et Dell ont utilisée pour évaluer leurs stocks. Du fait que la plupart des entreprises d'un même secteur d'activité doivent s'approvisionner auprès des mêmes sources et qu'elles doivent ainsi composer avec des structures de prix similaires, on observe que la plupart choisissent souvent la même méthode de détermination du coût des stocks, ce qui permet d'éviter les problèmes de comparaison. De plus, comme toutes les méthodes respectent les PCGR, l'entreprise axe son choix sur la méthode qui lui permet d'économiser des impôts tout en respectant les règles fiscales, bien sûr.

L'application uniforme des méthodes de détermination du coût des stocks

Il est important de noter que le choix d'une méthode de détermination du coût des stocks n'est pas nécessairement basé sur le mouvement réel des marchandises sur les étagères, comme nous l'avons déjà dit. Une société n'est pas tenue d'utiliser la même méthode pour tous les éléments en stock. De plus, il semble qu'aucune justification particulière n'est requise pour choisir une ou plusieurs méthodes acceptables, hormis le fait que la méthode choisie doit permettre de refléter le mieux sa situation économique et financière. Comme nous l'avons mentionné, 30 entreprises sur 200 utilisent différentes méthodes pour différents éléments en stock.

Afin de faciliter la comparabilité des informations présentées aux états financiers, les normes comptables requièrent que les entreprises appliquent les méthodes comptables de façon uniforme d'un exercice à l'autre. Ainsi, il ne leur est pas permis d'employer la méthode du coût moyen pour un exercice, celle de l'épuisement successif (PEPS) pour l'exercice suivant et, finalement, revenir à la première méthode au cours du troisième exercice. Un changement de méthode comptable n'est permis que dans les cas où il peut améliorer la mesure des résultats financiers et ainsi mieux refléter la réalité des opérations de l'entreprise. Passer d'une méthode de détermination du coût des stocks à une autre constitue ainsi un événement en soi assez rare et, si cela se produisait, l'entreprise devrait fournir les raisons justifiant ce changement de même que l'effet du changement de méthode sur les données financières présentées dans les états financiers.

QUESTION D'ÉTHIQUE

La méthode DEPS et les conflits entre les intérêts des gestionnaires et ceux des actionnaires

Nous avons vu que le choix d'une méthode de détermination du coût des stocks peut influer sur les résultats financiers. À cet effet, les gestionnaires d'entreprise peuvent être amenés à choisir une méthode qui va à l'encontre des intérêts des propriétaires. Durant une période où les prix grimpent, par exemple, l'utilisation de la méthode DEPS par les entreprises américaines peut s'avérer le meilleur choix pour les propriétaires, car il s'ensuit une réduction de la charge fiscale. Par contre, les gestionnaires préféreront peut-être la méthode PEPS dans les mêmes conditions économiques, car celle-ci donne habituellement des bénéfices plus élevés, ce qui les avantage lorsque leur rémunération est basée sur le bénéfice net présenté aux états financiers.

Un programme de rémunération bien conçu devrait récompenser les gestionnaires qui agissent dans l'intérêt des propriétaires, mais ce n'est malheureusement pas toujours le cas. Certes, un gestionnaire qui refuse de choisir la meilleure méthode comptable pour son entreprise dans le seul but d'augmenter sa rémunération adopte un comportement peu souhaitable sur le plan éthique.

Dans le cas des entreprises canadiennes, bien que la méthode du coût moyen puisse donner une charge fiscale moins élevée que la méthode PEPS quand les prix grimpent (*voir le tableau 7.6 à la page 388*), l'écart du bénéfice net entre les méthodes PEPS et coût moyen est moins important qu'entre les méthodes DEPS et PEPS. De plus, l'écart entre DEPS et PEPS est toujours dans le même sens alors qu'il peut varier dans un sens ou dans l'autre entre les méthodes PEPS et coût moyen (*voir le test d'autoévaluation ci-après*). Comme les écarts entre les méthodes PEPS et coût moyen sont moins importants et instables, les problèmes d'éthique chez les gestionnaires se posent moins au Canada.

En principe, aucune méthode ne peut permettre de réaliser des économies d'impôts de façon permanente. En effet, lorsque le niveau des stocks ou les prix diminuent, l'effet sur le bénéfice est inversé, et les impôts qui avaient jusqu'alors été reportés doivent être payés. Il y a toutefois un avantage économique à différer le paiement des impôts, car l'entreprise peut alors placer l'argent qu'elle aurait autrement versé en impôts et recevoir des intérêts. En outre, le paiement d'une partie de ce montant peut être retardé, et une certaine partie pourrait même ne jamais être payée à cause de pertes d'exploitation que pourrait accumuler l'entreprise au fil des ans.

Il est important de noter que, selon la norme internationale (IAS2) que le Canada prévoit adopter en 2011, la méthode DEPS est interdite. Puisque peu d'entreprises canadiennes utilisent cette méthode, les répercussions sur leurs états financiers et la tenue de livre devraient être minime. La situation est tout autre pour les entreprises américaines si les autorités états-uniennes décidaient d'adopter les normes internationales. Au moment où ce volume a été achevé, nous pouvions constater des modifications de normes comptables sur une base continuelle. La norme internationale pourrait aussi faire l'objet d'une modification, quoique peu probable. Il serait sage de rester à l'affût de l'information à cet égard.

TEST D'AUTOÉVALUATION

1. Calculez le coût des marchandises vendues et le bénéfice net pour 2007 selon les méthodes comptables DEPS, PEPS et coût moyen (CM). Posez l'hypothèse que le stock au début et les achats pour 2007 comprennent ce qui suit:

Stocks au début	10 unités à 6 $ chacune
Achats en janvier	5 unités à 10 $ chacune
Achats en mai	5 unités à 12 $ chacune

Durant 2007, on a vendu 15 unités à 20 $ chacune. Les autres charges d'exploitation se sont élevées à 100 $.

2. Calculez le coût des marchandises vendues et le bénéfice net de 2008 selon les méthodes comptables PEPS, DEPS et coût moyen (CM). (Indice: Le montant du stock de clôture de 2007 devient le montant du stock d'ouverture de 2008.) Supposez que les achats de 2008 comprennent les éléments suivants:

Achats en mars	6 unités à 13 $ chacune
Achat en novembre	5 unités à 14 $ chacune

Durant 2008, on a vendu 10 unités à 24 $ chacune, et le total des frais d'exploitation s'est élevé à 70 $.

3. Laquelle des méthodes recommanderiez-vous à la société? Expliquez votre réponse.

Vérifiez vos réponses à l'aide des solutions présentées en bas de page*.

---

* 1.

2007	PEPS	CM	DEPS		PEPS	CM	DEPS
Stock au début	60 $	60,00 $	60 $	Ventes (15 × 20 $)	300 $	300,00 $	300 $
Achats (5 × 10 $) + (5 × 12 $)	110	110,00	110	CMV	110	127,50	140
Marchandises destinées à la vente	170	170,00	170	Bénéfice brut	190	172,50	160
Stock à la fin*	60	42,50	30	Autres frais	100	100,00	100
CMV	110 $	127,50 $	140 $	Bénéfice avant impôts	90 $	72,50 $	60 $

* PEPS stock à la fin = (5 × 12 $) = 60 $
      coût des marchandises vendues = (10 × 6 $) + (5 × 10 $) = 110 $

  CM calcul du coût unitaire moyen pondéré = [(10 × 6 $) + (5 × 10 $) + (5 × 12 $)] ÷ 20 = 8,50 $
      stock à la fin = 5 × 8,50 $ = 42,50 $
      coût des marchandises vendues = 15 × 8,50 $ = 127,50 $

  DEPS stock à la fin = (5 × 6 $) = 30 $
      coût des marchandises vendues = (5 × 12 $) + (5 × 10 $) + (5 × 6 $) = 140 $

2.

2008	PEPS	CM	DEPS		PEPS	CM	DEPS
Stock au début	60 $	42,50 $	30 $	Ventes (10 × 24 $)	240 $	240,00 $	240 $
Achats (6 × 13 $) + (5 × 14 $)	148	148,00	148	CMV	125	119,10	135
Marchandises destinées à la vente	208	190,50	178	Bénéfice brut	115	120,90	105
Stock à la fin*	83	71,40	43	Autres frais	70	70,00	70
CMV	125 $	119,10 $	135 $	Bénéfice avant impôts	45 $	50,90 $	35 $

* PEPS stock à la fin = (5 × 14 $) + (1 × 13 $) = 83 $
      coût des marchandises vendues = (5 × 12 $) + (5 × 13 $) = 125 $

  CM calcul du coût moyen = [(5 × 8,5 $) + (6 × 13 $) + (5 × 14 $)] ÷ 16 = 11,90 $ (arrondi)
      stock à la fin = 6 × 11,90 $ = 71,40 $
      coût des marchandises vendues = 10 × 11,90 $ = 119,00* $
      * 119,10 $ sans arrondissement

  DEPS stock à la fin = (5 × 6 $) + (1 × 13 $) = 43 $
      coût des marchandises vendues = (5 × 14 $) + (5 × 13 $) = 135 $

3. La méthode choisie doit être celle qui présente le plus fidèlement la situation financière de la société. Cela étant dit, si la méthode était permise d'un point de vue fiscal au Canada, elle serait probablement adoptée par un grand nombre d'entreprises puisqu'elle produit le bénéfice le moins élevé, donc une charge fiscale moins élevée lorsque les prix grimpent. Bien que la méthode du CM offre un avantage fiscal en 2007 comparativement à la méthode PEPS, cet avantage est renversé en 2008.

392 Les stocks

L'évaluation des stocks au moindre du coût et de la juste valeur

À la fin de l'exercice et aux fins de la présentation aux états financiers, on doit comparer la juste valeur des stocks avec leur valeur d'acquisition. On devrait présenter les stocks au coût d'acquisition, conformément au principe du coût d'origine. Toutefois, lorsqu'il est possible de remplacer les marchandises incluses aux stocks à la fin par des articles identiques mais à un coût moindre, on devrait plutôt utiliser ce coût de remplacement pour évaluer les stocks. Par ailleurs, il faudrait attribuer aux articles endommagés, désuets ou invendables toujours en stock, un coût unitaire qui représente leur valeur de réalisation nette estimative (prix de vente moins les frais afférents pour les vendre) si celle-ci est inférieure à leur coût d'origine. Cette règle porte le nom de « méthode d'évaluation des stocks au **moindre du coût et de la juste valeur** » (ou règle de la valeur minimale).

Cette méthode, basée sur la valeur minimale, s'éloigne du principe de la valeur d'acquisition, car selon la **prudence** (*voir le chapitre 5*) il faut éviter de surestimer les actifs ou le bénéfice net. Cette méthode est particulièrement utilisée dans le cas de deux types d'entreprises : 1) les entreprises de technologie de pointe comme Dell, qui fabriquent des produits dont le coût de production et le prix de vente sont souvent en baisse et 2) les entreprises comme Le Château inc., qui vendent des produits saisonniers, tels les vêtements, dont la valeur diminue de façon spectaculaire à la fin de chaque saison de vente.

La méthode de la valeur minimale permet de constater une perte de détention (ou moins-value) dans l'exercice au cours duquel le **coût de remplacement** d'un article a diminué plutôt que dans l'exercice au cours duquel le bien a été vendu. Le montant de la moins-value des stocks est la différence entre le coût d'achat et le coût de remplacement (inférieur au coût d'achat) ; il est ajouté au coût des marchandises vendues pour cet exercice. Afin d'illustrer ce concept, supposons que le stock de produits de la société Hewlett Packard comprend les articles suivants à la fin de l'exercice 2008 (l'exercice en cours).

OBJECTIF D'APPRENTISSAGE 4

Évaluer les stocks au moindre du coût et de la juste valeur.

L'évaluation au **moindre du coût et de la juste valeur** est une méthode d'évaluation qui diffère du principe du coût historique. Elle sert à constater une perte lorsque le coût de remplacement (ou la valeur de réalisation nette) devient inférieur au coût d'origine.

Le **coût de remplacement** est le prix d'achat qu'il faudrait payer aujourd'hui afin de se procurer des articles identiques à ceux en stock.

Article	Quantité	Coût unitaire	Coût de remplacement (juste valeur) par unité	Moindre du coût et de la juste valeur par unité	Moindre du coût et de la juste valeur
Puces Pentium	1 000	250 $	200 $	200 $	1 000 × 200 $ = 200 000 $
Lecteurs de disques	400	100	110	100	400 × 100 $ = 40 000

Il faudrait comptabiliser les 1 000 puces Pentium au stock à la fin au prix courant du marché (200 $), puisque ce dernier est moins élevé que le coût historique (250 $). Chez Hewlett Packard, on enregistrerait cette moins-value ainsi :

ÉQUATION COMPTABLE

Actif	=	Passif	+	Capitaux propres
Stocks − 50 000				Coût des marchandises vendues − 50 000

ÉCRITURE DE JOURNAL

Coût des marchandises vendues (+C, −CP) (1 000 × 50 $)........ 50 000

    Stocks (−A)... 50 000

Comme le coût des lecteurs de disques (100 $) est inférieur au coût du marché (110 $), il n'est pas nécessaire de dévaluer ces articles. Ceux-ci seront donc laissés aux livres à leur coût d'acquisition, soit de 100 $ l'unité (40 000 $ au total). Les principes comptables généralement reconnus ne permettent pas la constatation des plus-values non matérialisées, et ce, afin de respecter le principe de prudence.

La réduction du coût des puces Pentium entraîne les effets suivants à l'état des résultats et au bilan :

Effets d'une diminution des stocks	Exercice en cours (2008)	Exercice de la vente (2009*)
Coût des marchandises vendues	Augmentation de 50 000 $	Diminution de 50 000 $
Bénéfice avant impôts	Diminution de 50 000 $	Augmentation de 50 000 $
Stocks à la fin au bilan	Diminution de 50 000 $	Aucune incidence
* On suppose la vente en 2009.		

Comme on peut le remarquer, les effets dans la période de vente sont à l'opposé des effets dans la période où la moins-value est constatée. La méthode d'évaluation au moindre du coût et de la juste valeur ne fait que reporter le moment de la constatation au coût des ventes. On ne fait que transférer le coût des marchandises vendues de la période de vente (2009) à la période où la moins-value est constatée (2008).

Dans le cas d'articles saisonniers comme les vêtements ou des produits désuets ou endommagés, si la **valeur de réalisation nette** (le prix de vente moins les frais d'achèvement et de mise en vente) devient inférieure au coût, on déduit la différence aux stocks à la fin et on l'ajoute au coût des marchandises vendues de l'exercice en cours. Cette radiation a la même incidence sur les états financiers des exercices en cours et futurs qu'une réduction de la valeur au prix de remplacement.

Selon les principes comptables généralement reconnus, on doit appliquer la règle de la valeur minimale aux stocks, et ce, peu importe laquelle des quatre méthodes de détermination du coût des stocks a été utilisée. Il faut remarquer que, dans les deux extraits de notes qui suivent, la société Cott qui utilise uniquement la méthode de l'épuisement successif, et la société Cascades qui se sert de la méthode du coût moyen et de la méthode de l'épuisement successif, indiquent qu'elles emploient la méthode du moindre du coût et de la juste valeur lors de l'établissement de leurs états financiers.

> La **valeur de réalisation nette** est le prix de vente prévu dont on soustrait les frais d'achèvement ou de mise en vente (par exemple les frais de réparation et de mise au rebut).

Coup d'œil sur

Corporation Cott

RAPPORT ANNUEL

Corporation Cott
Notes afférentes aux états financiers consolidés
1. Principales conventions comptables
Stocks

Les stocks sont évalués soit au coût, déterminé selon la méthode de l'épuisement successif, soit à la valeur de réalisation nette selon le moins élevé des deux. Les bouteilles consignées et les caisses en plastique sont évaluées au coût, à la valeur de consignation ou à la valeur de réalisation nette, selon le moins élevé des trois. Les produits finis et en cours comprennent le coût des matières premières et de la main-d'œuvre directe ainsi que les coûts indirects de fabrication.

Coup d'œil sur

Cascades inc.

RAPPORT ANNUEL

Cascades inc.
Notes afférentes aux états financiers consolidés
1. Conventions comptables
Stocks

Les stocks de produits finis sont évalués au moindre du coût moyen de fabrication et de la valeur de réalisation nette. Les stocks de matières premières et les approvisionnements sont évalués au moindre du coût et du coût de remplacement. Le coût des matières premières et des approvisionnements est déterminé respectivement selon la méthode du coût moyen et de la méthode de l'épuisement successif.

Il faut noter que, selon la norme internationale (IAS 2) – norme que le Canada prévoit adopter en 2011 –, le coût de remplacement est interdit. On doit plutôt utiliser la juste valeur. Par ailleurs, les dépréciations de stocks (lorsque la juste valeur est inférieure au coût) font l'objet d'une reprise lorsque les circonstances qui justifiaient la dépréciation n'existent plus. La reprise est limitée au montant de dépréciation initiale. Il serait judicieux de suivre l'évolution de cette norme au fil des ans.

L'évaluation des gestionnaires des stocks

La mesure de l'efficacité de la gestion des stocks

Comme nous l'avons dit au début du chapitre, pour une bonne gestion des stocks, il est important de s'assurer que l'entreprise dispose toujours de quantités suffisantes de stocks de haute qualité afin de répondre aux besoins des clients tout en minimisant les coûts de détention liés aux stocks non vendus (c'est-à-dire les coûts de production, d'entreposage, de produits périmés et de financement). Le taux de rotation des stocks est une mesure qui démontre l'efficacité de l'entreprise à gérer ces deux objectifs opposés.

OBJECTIF D'APPRENTISSAGE 5

Évaluer la performance des gestionnaires des stocks à l'aide du taux de rotation des stocks et de l'effet des stocks sur les flux de trésorerie.

Le taux de rotation des stocks

ANALYSONS LES RATIOS

Le taux de rotation des stocks

1. **Question d'analyse :**

   Jusqu'à quel point les activités de gestion des stocks sont-elles efficaces ?

2. **Ratio et comparaison :**

$$\text{Taux de rotation des stocks} = \frac{\text{Coût des marchandises vendues}}{\text{Stocks moyens*}}$$

   * Stocks moyens = (Stocks au début + Stocks à la fin) ÷ 2

   En 2005, le taux de rotation des stocks de Cott était le suivant (*voir le tableau 7.1 à la page 375 pour les données de l'équation ; les chiffres sont en millions de dollars des États-Unis*) :

$$\frac{1\,505,8\$}{(144,2\$ + 122,8\$) \div 2} = 11,3$$

a) L'analyse de la tendance dans le temps			b) La comparaison avec les compétiteurs*	
COTT			**COCA-COLA**	**PEPSICO**
2003	2004	2005	2005	2005
13,2	12,6	11,3	5,8	8,8

* L'un des compétiteurs canadiens de Cott est la société Industries Lassonde. Cette société ne divulgue pas le coût des marchandises vendues, comme plusieurs sociétés canadiennes. Les entreprises cotées sur des Bourses américaines sont tenues de le divulguer. La société Arrowhead Water Products, bien qu'elle soit canadienne, ne produit que de l'eau ; ainsi, la comparaison n'est pas appropriée. Nous avons donc choisi des sociétés américaines et, de ce fait, les limites de l'analyse seront expliquées ci-après.

3. Interprétation des résultats

EN GÉNÉRAL ◊ Le taux de rotation des stocks indique le nombre de fois où on a produit et vendu une quantité d'articles correspondant aux stocks moyens à l'intérieur d'un exercice donné. Un taux élevé révèle que les stocks passent plus rapidement du processus de fabrication jusqu'à l'acheteur final. Une telle situation profite à l'entreprise puisqu'elle réduit ses coûts d'entreposage et les coûts potentiels de désuétude des stocks. Cela signifie également qu'il y a moins d'argent investi dans les stocks. L'entreprise peut ainsi se servir de ce surplus ou l'investir pour gagner des intérêts ou encore réduire ses emprunts et, par le fait même, diminuer sa charge d'intérêts. Des politiques efficaces d'achat et de production, comme la méthode juste-à-temps, de même qu'une forte demande pour un produit auront tendance à faire augmenter le taux. Les analystes et les créanciers surveillent de près ce ratio, car une baisse soudaine pourrait signifier qu'une entreprise connaît une diminution imprévue dans la demande de ses produits ou qu'il existe des problèmes concernant la gestion de la production. De nombreux gestionnaires et analystes calculent aussi un autre indice, soit celui du délai moyen de rotation des stocks qui, pour la société Cott, s'obtient de la façon suivante:

$$\text{Délai moyen de rotation des stocks:} \quad \frac{365}{\text{Taux de rotation des stocks}} = \frac{365}{11,3} = 32,3 \text{ jours}$$

Cela nous indique la durée moyenne que l'entreprise met à produire et à livrer la marchandise à ses clients.

COTT ◊ Le taux de rotation des stocks de Cott a diminué légèrement entre 2003 et 2005, passant de 13,2 à 11,3. Cette baisse est due à la forte compétition que les entreprises se livrent dans le secteur, à l'augmentation du coût des matières premières et des coûts fixes, ainsi qu'à une perte d'efficacité dans sa chaîne de production. Le chiffre d'affaires a peu augmenté en raison d'un virage dans les préférences des consommateurs vers les boissons non gazeuses. La légère augmentation du chiffre d'affaires en 2005 est due à des acquisitions; sans ces dernières, le chiffre d'affaires aurait augmenté de 1% seulement. On peut observer que Cott affiche un meilleur taux de rotation des stocks que Coca-Cola et PepsiCo. La comparaison avec ces deux entreprises comporte quand même certaines lacunes au sujet de la taille, des ressources financières et de la diversité des produits. En effet, ces sociétés fabriquent une gamme importante de boissons non gazeuses et, dans le cas de PepsiCo, des produits tels que des croustilles et des céréales dont la rotation peut être moins rapide que dans le cas des boissons gazeuses. Aussi, compte tenu de leur taille, les grosses entreprises peuvent bénéficier de ce que les économistes appellent des «économies d'échelle». Par conséquent, elles peuvent être contraintes de garder un stock de marchandises plus important, ce qui réduit le taux. En outre, le fait que Cott produise en grande partie pour le compte de grandes entreprises (production sur commande) lui permet de garder ses stocks au minimum. Par ailleurs, pour s'assurer d'une comparaison pertinente, il faut examiner les méthodes utilisées pour déterminer le coût des stocks et le coût des marchandises vendues. Pour les trois entreprises, la méthode de détermination du coût des stocks est comparable. Même si PepsiCo utilise la méthode DEPS pour comptabiliser 16% de ses stocks, elle divulgue (dans une note aux états financiers) que les différences entre les méthodes DEPS et PEPS ne sont pas importantes. Pour terminer, rappelons qu'au début de ce chapitre, nous avons examiné les principaux éléments de la stratégie d'expansion de Cott. Cette stratégie repose sur le développement d'une nouvelle gamme de produits non gazeux, l'agrandissement des marchés et un contrôle plus serré des coûts de production. Ces éléments importants permettent d'améliorer le taux de rotation des stocks.

QUELQUES PRÉCAUTIONS ◊ Les écarts qui existent entre les différents secteurs d'activité en matière de processus d'achat, de production et de vente peuvent entraîner des différences significatives entre les ratios calculés. Par exemple, les restaurants qui doivent renouveler très rapidement leur stock de produits périssables ont tendance à présenter un taux de rotation des stocks plus élevé que ceux qui sont obtenus dans d'autres secteurs d'activité. On devrait comparer le taux d'une entreprise uniquement à ceux qui sont obtenus au cours des exercices antérieurs ou à ceux d'autres entreprises appartenant au même secteur d'activité. Toutefois, la comparaison est difficile lorsque les sociétés utilisent des méthodes différentes pour déterminer le coût des stocks et le coût des marchandises vendues.

Comparons

Taux de rotation des stocks

Alimentation Couche-Tard
22,3

Molson
12,0

Domtar
6,6

Les Aliments Humpty Dumpty
12,4

Les stocks et les flux de trésorerie

Lorsque les entreprises augmentent leur production afin de respecter la croissance dans la demande d'un produit, le niveau des stocks au bilan devrait augmenter. Toutefois, lorsque les sociétés surestiment la demande d'un produit, elles en fabriquent trop. Il en résulte une augmentation des coûts d'entreposage ainsi que des coûts d'intérêts sur les emprunts à court terme servant à financer les stocks. Il peut même en résulter une perte si les stocks excédentaires ne peuvent être vendus à des prix normaux. L'analyse de l'état des flux de trésorerie peut nous indiquer si de tels problèmes existent.

INCIDENCE SUR LES FLUX DE TRÉSORERIE

Coup d'œil sur

Les flux de trésorerie

Les stocks

Comme il en a été question pour la variation dans les comptes clients, la variation des stocks peut devenir un facteur important pour les flux de trésorerie provenant de l'exploitation d'une entreprise. Le coût des marchandises vendues à l'état des résultats peut être supérieur ou inférieur au montant en espèces payé aux fournisseurs au cours de l'exercice. Comme la plus grande partie des stocks est achetée à crédit auprès des fournisseurs (on appelle généralement ce type de dette Fournisseurs, au bilan, dans le passif), le rapprochement du coût des marchandises vendues et des espèces versées aux fournisseurs doit se faire en tenant compte des variations au compte Stocks et au compte Fournisseurs.

La façon la plus simple de considérer l'effet de la variation des stocks est de se dire que l'achat de marchandises (l'augmentation des stocks) fait diminuer la caisse, alors que la vente des marchandises (la diminution des stocks) fait augmenter la caisse. De même, l'emprunt aux fournisseurs (l'augmentation des comptes fournisseurs) augmente la caisse, tandis que le paiement aux fournisseurs (la diminution des comptes fournisseurs) diminue la caisse.

L'incidence sur l'état des flux de trésorerie (méthode indirecte)

EN GÉNÉRAL ◊ Lorsqu'il y a une **diminution nette des stocks** au cours d'un exercice, les ventes sont supérieures aux achats. Par conséquent, on doit **additionner** le montant de cette diminution lors du calcul des flux de trésorerie provenant de l'exploitation selon la méthode indirecte.

Lorsqu'il y a une **augmentation nette des stocks** au cours d'un exercice, les ventes sont inférieures aux achats. Par conséquent, on doit **soustraire** le montant de cette augmentation lors du calcul des flux de trésorerie provenant de l'exploitation selon la méthode indirecte.

Lorsqu'il y a une **diminution nette des comptes fournisseurs** au cours d'un exercice, les paiements aux fournisseurs sont supérieurs aux nouveaux achats. Par conséquent, on doit **soustraire** le montant de cette diminution lors du calcul des flux de trésorerie provenant de l'exploitation selon la méthode indirecte.

À l'inverse, lorsqu'il y a une **augmentation nette dans les comptes fournisseurs** au cours d'un exercice, les paiements aux fournisseurs sont alors inférieurs aux nouveaux achats. Par conséquent, on doit **additionner** cette augmentation au calcul des flux de trésorerie provenant de l'exploitation selon la méthode indirecte.

	Effets sur les flux de trésorerie
Activités d'exploitation (méthode indirecte)	
Bénéfice net	XXX $
Ajusté avec les redressements suivants :	
Plus la diminution des stocks	+
ou	
Moins l'augmentation des stocks	−
Plus l'augmentation des comptes fournisseurs	+
ou	
Moins la diminution des comptes fournisseurs	−

COTT ◊ Le tableau 7.7 présente une partie de la section des activités d'exploitation de l'état des flux de trésorerie de Cott. Lorsque le solde du compte Stocks augmente au cours d'un exercice, comme c'était le cas pour Cott en 2005, cela signifie que l'entreprise a produit plus de stocks qu'elle n'en a vendus au cours de cet exercice. On doit soustraire cette augmentation lors du calcul de ses flux de trésorerie provenant de l'exploitation. Au cours du même exercice, si le solde des comptes fournisseurs a augmenté, c'est que l'entreprise a effectué plus d'emprunts auprès de ses fournisseurs que de remboursements. On doit alors additionner cette augmentation lors du calcul de ses flux de trésorerie provenant de l'exploitation présenté selon la méthode indirecte.

Lorsque les ventes augmentent, comme c'était le cas pour Cott en 2005, on observe généralement une augmentation des stocks qui entraîne une diminution des flux de trésorerie provenant de l'exploitation. Toutefois, les éléments mis en évidence au tableau 7.7 démontrent que l'augmentation des emprunts auprès des fournisseurs (l'augmentation de la trésorerie) de 18,9 M$ a plus que compensé la diminution de trésorerie provoquée par la variation des stocks (15,4 M$).

TABLEAU 7.7 | Stocks à l'état des flux de trésorerie

États partiels des flux de trésorerie consolidés et note 17 aux états financiers pour les exercices se terminant les :
(en millions de dollars US)

	31 décembre	1er janvier
	2005	**2005**
Activités d'exploitation		
Bénéfice net	24,6 $	78,3 $
Éléments hors caisse :		
Amortissement	70,2	60,0
Amortissement des frais de financement	0,8	0,7
Impôts reportés (note 5)	(6,5)	9,1
Part des actionnaires sans contrôle	4,5	4,0
Part de la perte de satellites	–	0,7
Perte de valeur sur actifs	33,5	1,5
Autres éléments hors trésorerie	3,0	0,8
Variation nette du fonds de roulement		
hors trésorerie (note 19)	(1,0)	(52,4)
Flux de trésorerie liés aux activités d'exploitation	129,1 $	102,7 $

Note 19 : Informations sur les flux de trésorerie

Les variations des éléments hors trésorerie du fonds de roulement* :

Diminution (augmentation) des comptes débiteurs	(5,0) $	(21,3) $
Diminution (augmentation) des stocks	(15,4)	(22,8)
Diminution (augmentation) des frais payés d'avance	0,5	(4,8)
Augmentation (diminution) des comptes créditeurs et charges à payer	18,9	(3,5)
	(1,0) $	(52,4) $

---

* Pour les entreprises qui ont des comptes en devises étrangères ou qui effectuent des acquisitions ou cessions d'entreprises, le montant de la variation inscrit à l'état des flux de trésorerie n'est pas toujours égal à celui de la variation des comptes enregistrés au bilan.

Les méthodes de détermination du coût des stocks et l'analyse des états financiers

Que fait l'analyste financier qui veut comparer deux entreprises dont les états financiers ont été dressés à l'aide de méthodes différentes pour comptabiliser les stocks? Avant de pouvoir effectuer une analyse intelligente, il faut redresser les états financiers de l'une des entreprises pour les rendre comparables. Si on voulait effectuer une analyse comparative entre une entreprise canadienne qui utilise la méthode PEPS et une entreprise américaine qui utilise la méthode DEPS, la conversion serait facile. En effet, les règles américaines exigent que ces entreprises présentent également leurs stocks au début et à la fin selon la méthode PEPS dans les notes aux états financiers, si les différences sont importantes. On peut donc utiliser cette information ainsi que l'équation du coût des marchandises vendues pour convertir le bilan et l'état des résultats d'une base DEPS à une base PEPS.

OBJECTIF D'APPRENTISSAGE 6

Comparer les entreprises qui utilisent des méthodes différentes pour déterminer le coût des stocks.

La conversion de l'état des résultats de la méthode DEPS à la méthode PEPS

Comme nous l'avons déjà dit, le choix d'une hypothèse sur le cheminement du coût des stocks influe sur la façon dont les marchandises destinées à la vente sont réparties entre le coût des marchandises vendues et les stocks à la fin. Il n'y a aucune incidence sur l'enregistrement des achats. Les stocks à la fin seront différents selon l'une ou l'autre des méthodes. Puisque les stocks à la fin d'un exercice deviennent les stocks au début de l'exercice suivant, il s'ensuit que les stocks au début seront également différents.

Stocks au début	**Différent**
+ Achats de marchandises durant l'exercice	**Même**
− Stocks à la fin	**Différent**
Coût des marchandises vendues	**Différent**

Cette équation suggère que, si on connaît les différences entre les valeurs des stocks au début et des stocks à la fin de l'exercice évalués selon les méthodes PEPS et DEPS, on peut aussi connaître la différence dans le coût des marchandises vendues. Au tableau 7.8 (*voir la page 400*), la note afférente aux états financiers de Harley-Davidson pour l'exercice 2003 est présentée. Cette note divulgue les différences dans

---

* 1. Le taux de rotation des stocks augmentera puisque le dénominateur du ratio (stocks moyens) diminuera de 5 M$.

$$\frac{1\,505,8\$}{(134,2\$ + 122,8\$) \div 2} = 11,7$$

2. Une augmentation des stocks entraînera une diminution des flux de trésorerie provenant de l'exploitation (*voir la section de ce chapitre intitulée «L'incidence sur les flux de trésorerie» à la page 397*).

les stocks au début et les stocks à la fin selon les méthodes PEPS et DEPS. En utilisant cette information, on peut déterminer que le montant du coût des marchandises vendues aurait été **inférieur** de 275 000 $ si la méthode PEPS avait été utilisée.

Excès de PEPS sur DEPS au début de l'exercice	17 017 $
− Moins : Excès de PEPS sur DEPS à la fin de l'exercice	−17 292
Différence au Coût des marchandises vendues selon PEPS	(275) $

Ainsi, le bénéfice brut aurait été plus élevé à la suite d'une diminution du coût des marchandises vendues de 275 000 $. Par contre, la charge fiscale plus élevée aurait réduit cette incidence sur le bénéfice net.

TABLEAU 7.8 | Effets des méthodes de détermination des stocks sur les états financiers

Coup d'œil sur

Harley-Davidson inc.

RAPPORT ANNUEL

Harley-Davidson inc.
Notes aux états financiers consolidés
2. Information supplémentaire du bilan et des flux de trésorerie
(en milliers de dollars)

	31 décembre	
	2003	**2002**
Stocks selon la méthode PEPS	225 018 $	235 173 $
Excédent des stocks de la méthode PEPS comparativement à la méthode DEPS	17 292	17 017
Stocks selon la méthode DEPS	207 726 $	218 156 $

ANALYSE FINANCIÈRE

La méthode DEPS et le taux de rotation des stocks

Pour les entreprises qui utilisent la méthode DEPS, le taux de rotation des stocks peut cependant se révéler trompeur. Il ne faut pas oublier, comme on l'a vu précédemment, que pour ces entreprises, les montants correspondant aux stocks au début et à la fin de l'exercice, qui constituent le dénominateur de ce ratio, sont artificiellement réduits. En effet, ces montants reflètent les prix les moins élevés provenant des achats effectués en premier. Considérons Deere & Co, manufacturier américain d'équipement John Deere pour la ferme, la pelouse et la construction. Dans la note sur les stocks de la société, on lit les valeurs suivantes :

Coup d'œil sur

Deere Company

RAPPORT ANNUEL

Deere & Company
Note afférente aux états financiers consolidés
Stocks
(en millions de dollars)

	2003	2002
Stocks selon PEPS	2 316 $	2 320 $
Redressement à une base DEPS	(950)	(948)
Stocks selon DEPS	1 366 $	1 372 $

Le coût des marchandises vendues de John Deere pour 2003 est de 10 752,7 millions de dollars. Si le taux de rotation des stocks est calculé avec la méthode DEPS pour évaluer les stocks, le taux sera le suivant :

$$\text{Taux de rotation des stocks (méthode DEPS)} = \frac{10\ 752,7\ \$}{(1\ 366\ \$ + 1\ 372\ \$) \div 2} = 7,9$$

La conversion du coût des marchandises vendues (le numérateur) à une base PEPS (10 752,7 M$ − 2,0) et l'utilisation des valeurs des stocks selon la méthode PEPS au dénominateur donnent un nouveau ratio calculé ainsi :

$$\text{Taux de rotation des stocks (méthode PEPS)} = \frac{10\ 752,7\ \$ - 2,0}{(2\ 316\ \$ + 2\ 320\ \$) \div 2} = 4,6$$

Il faut remarquer que la principale différence se situe au dénominateur. La valeur des stocks à la fin, obtenue avec la méthode PEPS, est presque le double de la valeur obtenue avec la méthode DEPS. Il s'ensuit que le taux de rotation des stocks selon la méthode DEPS est un peu moins de la moitié de celui obtenu avec la méthode PEPS. La valeur des stocks au début et à la fin selon la méthode DEPS est artificiellement réduite. En effet, elle tient compte des prix d'achat les plus anciens, donc des coûts engagés au début de l'exercice. Par conséquent, le rapport entre le numérateur et le dénominateur du premier calcul est dépourvu de sens*.

----

* Le montant du coût des marchandises vendues selon la méthode DEPS à l'état des résultats et le montant des stocks selon la méthode PEPS au bilan sont plus près des coûts actuels. À cet effet, on pense souvent que ces chiffres seraient les plus appropriés en tant que numérateur et dénominateur pour le calcul de ce ratio.

PERSPECTIVE INTERNATIONALE

La méthode DEPS : des comparaisons à l'échelle internationale

Les méthodes d'évaluation des stocks présentées dans ce chapitre sont utilisées dans la plupart des grands pays industrialisés. Dans plusieurs pays, la méthode de l'épuisement à rebours (DEPS) n'est pas utilisée. En Angleterre et au Canada, par exemple, l'usage de la méthode DEPS n'est pas autorisé par le fisc pour les déclarations de revenus, et on y recourt rarement pour les rapports financiers. La situation est la même en Australie et à Singapour, mais on peut l'utiliser en Chine d'un point de vue fiscal ou comptable. Par contre, aux États-Unis, on peut l'utiliser à la condition d'indiquer les différences entre les résultats obtenus avec cette méthode et ceux qui seraient obtenus avec la méthode de l'épuisement successif (PEPS) – si ces différences sont importantes, bien sûr. Ces différences peuvent soulever des problèmes de comparabilité lorsqu'on veut analyser des entreprises de différents pays. Par exemple, General Motors et Ford recourent à la méthode DEPS pour évaluer les stocks situés aux États-Unis et à la méthode du coût moyen ou à celle de l'épuisement successif pour évaluer la valeur des stocks détenus à l'extérieur du territoire américain. D'un autre côté, Honda, une entreprise japonaise, utilise la méthode PEPS pour tous ses stocks.

1. La société Caterpillar inc., un manufacturier important d'équipement de ferme et de construction, a présenté un bénéfice avant impôts de 1 615 M$ dans un exercice récent. La note sur le stock indiquait que «si la méthode PEPS avait été utilisée, le stock aurait été plus élevé de 2 103 $ et 2 035 $ à la fin de l'année courante et de l'année précédente, respectivement». (Les montant notés se rapportent à l'excédent). Convertissez le bénéfice avant impôts, pour l'année en cours d'une base DEPS à une base PEPS.

Caterpillar inc.

Excès de PEPS sur DEPS au début de l'exercice	_____
Moins : Excès de PEPS sur DEPS à la fin de l'exercice	_____
Différence au Coût des marchandises vendues selon PEPS	_____
Bénéfice avant impôts (DEPS)	_____
Différence de bénéfice avant impôts avec PEPS	_____
Bénéfice avant impôts (PEPS)	_____

Vérifiez vos réponses à l'aide des solutions présentées en bas de page*.

Le contrôle des stocks

Le contrôle interne des stocks

OBJECTIF D'APPRENTISSAGE 7

Comprendre les méthodes de contrôle et de suivi des stocks, et analyser l'incidence d'erreurs relatives aux stocks sur les états financiers.

Après la caisse, les stocks sont l'actif le plus susceptible d'être volé. Il est également très important d'instaurer une bonne gestion des quantités en stock pour éviter les coûts de pénurie ou d'excès de stocks. La profitabilité de l'entreprise en dépend. Par conséquent, une série de mesures de contrôle et un système d'information à jour s'avèrent primordiaux pour la bonne gestion des stocks. Voici cinq points essentiels à cet effet :

1) la séparation des responsabilités pour la gestion physique des stocks et l'enregistrement aux livres ;
2) l'entreposage des marchandises de manière à les protéger du vol et des dommages ;
3) l'accès limité aux marchandises au personnel autorisé seulement ;
4) le maintien d'un système d'inventaire permanent (décrit ci-dessous) ;
5) la comparaison des dénombrements physiques des stocks avec les registres permanents.

Le système d'inventaire permanent et le système d'inventaire périodique

Le montant des achats de l'exercice figure toujours dans les registres comptables. Par contre, le montant du coût des marchandises vendues et le montant des stocks à la fin peuvent être déterminés à l'aide de deux systèmes d'inventaire différents : permanent et périodique.

Le système d'inventaire permanent

Le **système d'inventaire permanent** consiste à tenir à jour un compte Stocks (ou d'inventaire) dans les livres comptables au cours de l'exercice financier. Pour chaque type de marchandises en main, ce compte détaillé indique 1) le nombre d'unités et le coût

Le **système d'inventaire permanent** consiste à tenir un registre d'inventaire détaillé dans lequel sont inscrits, au cours de l'exercice financier, chacun des achats et chacune des ventes.

---

* 1.

Excès de PEPS sur DEPS au début	2 035 $		Bénéfice avant impôts (DEPS)	1 615 $
Moins : Excès de PEPS sur DEPS à la fin	2 103		Différence : Bénéfice avant impôts	68
Différence au CMV	(68) $		Bénéfice avant impôts (PEPS)	1 683 $

des stocks au début, 2) le nombre d'unités et le coût de chaque achat, 3) le nombre d'unités et le coût des marchandises pour chaque vente et 4) le nombre d'unités et le coût des marchandises en main à n'importe quel moment. On le tient à jour en enregistrant chacune des transactions à mesure qu'elles ont lieu au cours de l'exercice. Dans un système d'inventaire permanent complet, le compte Stocks donne à la fois le montant des stocks de clôture et le montant du coût des marchandises vendues à tout moment. Il faut cependant procéder à un dénombrement de temps à autre pour s'assurer que ce compte est exact et pouvoir y apporter les corrections nécessaires en cas d'erreur ou de vol.

Ce type d'inventaire requiert normalement un système informatique lorsque plusieurs articles sont vendus. Il est généralement nécessaire de tenir un compte Stocks distinct pour chaque type de marchandises en main, basé sur l'enregistrement de chaque opération, pour prendre des décisions concernant les achats, la fabrication et la distribution. Des entreprises comme Canadian Tire se fient grandement à leur système d'inventaire permanent et partagent même par voie électronique une partie des renseignements qu'elles en tirent avec leurs fournisseurs.

Toutes les écritures de journal concernant les activités d'achat et de vente dont il a été question jusqu'ici dans ce manuel étaient enregistrées à l'aide d'un système d'inventaire permanent. Dans ce type de système, on inscrit directement les achats dans le compte Stocks. En outre, lors de l'enregistrement de chaque vente, on entre en contrepartie le coût de l'article cédé, ce qui permet de comptabiliser la diminution des stocks existants et le coût des marchandises vendues. Il en résulte qu'on dispose à tout moment des renseignements sur le coût des marchandises vendues et les stocks à la fin.

Le système d'inventaire périodique

Selon le **système d'inventaire périodique,** on ne tient pas à jour le compte Stocks au cours de l'exercice. Il faut donc procéder à un véritable dénombrement (décompte ou prise d'inventaire) des marchandises qui sont toujours en main **à la fin de chaque exercice financier.** On calcule alors la valeur (en dollars) des stocks à la fin en multipliant le nombre d'unités de chaque type de marchandises que l'entreprise possède par leur coût unitaire. On détermine ensuite le coût des marchandises vendues à l'aide de l'équation comptable du coût des marchandises vendues.

Ainsi, on ne connaît pas la valeur des stocks avant la fin de l'exercice, c'est-à-dire au moment où on procède au dénombrement physique des stocks. Il est ainsi impossible de déterminer de façon précise le coût des marchandises vendues tant que ce dénombrement n'est pas terminé. On inscrit les achats de stocks dans un compte temporaire (ou compte de résultats) appelé « **Achats** » (au lieu de Stocks), et on enregistre les revenus ou les produits au moment de chaque vente. Toutefois, le coût des marchandises vendues n'est pas comptabilisé avant que le dénombrement des stocks ne soit achevé. Le reste du temps (par exemple pour dresser des états financiers trimestriels), les entreprises qui utilisent un système d'inventaire périodique doivent estimer la quantité des stocks qu'elles possèdent. Les méthodes pour estimer les quantités de stocks en main sont abordées dans des cours de comptabilité intermédiaire.

Avant que les entreprises puissent se procurer des ordinateurs et des lecteurs de codes à barres à prix abordables, la raison fondamentale pour laquelle elles utilisaient le système d'inventaire périodique était son coût peu élevé. Ce type de système a pour principal inconvénient le manque de renseignements à jour sur les stocks. Les directeurs ne disposent alors d'aucun moyen de savoir s'il y a surstockage ou risque de pénurie. De nos jours, la plupart des entreprises ne pourraient survivre sans cette information. Comme on l'a vu au début de ce chapitre, les pressions en matière de coûts et de qualité dues à une concurrence croissante, combinées à des baisses spectaculaires du

Le **système d'inventaire périodique** prévoit un dénombrement des stocks afin de déterminer les stocks de clôture et le coût des marchandises vendues à la fin de l'exercice financier.

prix des ordinateurs, ont presque obligé toutes les entreprises sauf les plus petites à se doter de systèmes d'inventaire permanent assez sophistiqués. Les entrées comptables nécessaires à la tenue de chaque système d'inventaire sont présentées à l'annexe 7-B à la fin de ce chapitre.

Les erreurs relatives à la mesure des stocks de clôture

Comme le montre l'équation du coût des marchandises vendues, il existe un lien entre les stocks à la fin et le coût des marchandises vendues. En effet, les éléments non inclus aux stocks de fermeture sont présumés vendus au cours de l'exercice. On peut ainsi voir que l'évaluation des quantités et des coûts relatifs aux stocks à la fin aura un effet à la fois sur le bilan (l'actif) et sur l'état des résultats (le coût des marchandises vendues, la marge bénéficiaire brute et le bénéfice net). La détermination du coût des stocks de fermeture a non seulement un effet sur le bénéfice net de l'exercice en cours, mais aussi sur celui de l'exercice suivant. Cet effet sur deux exercices s'explique par le fait que les stocks à la fin d'un exercice deviennent les stocks d'ouverture de l'exercice suivant.

Selon un article tiré du *Wall Street Journal*[5], le fabricant de cartes de souhaits Gibson Greetings (maintenant une filiale d'American Greetings inc.) avait surévalué de 20 % son bénéfice net, car une de ses divisions avait surestimé les stocks à la fin de l'exercice. Il est possible de calculer l'effet d'une telle erreur sur les bénéfices nets avant impôts de l'exercice en cours et de l'exercice suivant à l'aide de l'équation du coût des marchandises vendues. Supposons que les stocks à la fin sont surévalués de 10 000 $ à cause d'une erreur d'écriture qui n'a pas été découverte. Voici quel serait l'effet de cette surévaluation pour l'exercice en cours et l'exercice suivant.

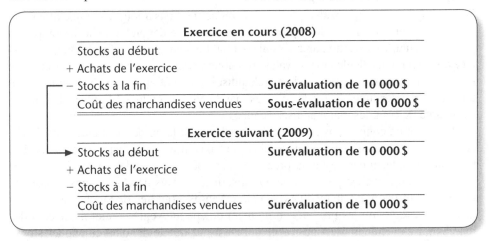

Le coût des marchandises vendues étant sous-évalué, **le bénéfice avant impôts sera surévalué de 10 000 $ pour l'exercice 2008.** De plus, comme les stocks à la fin de l'année en cours (2008) deviennent les stocks au début de l'exercice suivant (2009), voici l'effet obtenu pour l'exercice suivant : du fait que le coût des marchandises vendues est surévalué, **le bénéfice avant impôts sera alors sous-évalué** du même montant **en 2009.**

Comme le bénéfice net est reporté aux bénéfices non répartis, ces erreurs seront imputées aux bénéfices non répartis. Ainsi, à la fin de 2008, les bénéfices seront surévalués de 10 000 $ (moins la charge fiscale correspondante). Cette erreur se trouvera toutefois compensée au cours de l'exercice 2009 de telle façon qu'à la fin de 2009, le montant des bénéfices non répartis de même que la valeur des stocks seront exacts. Il faut donc une période de deux ans pour qu'une erreur dans les stocks se corrige d'elle-même sur les comptes cumulatifs des stocks et des bénéfices non répartis.

---

5. *The Wall Street Journal*, 3 avril 1995, p. B5.

Pour cet exemple, on a supposé que la surévaluation des stocks à la fin était due à une erreur d'inattention qui a résulté en une erreur d'écriture. Toutefois, les fraudes relatives aux stocks constituent une des deux formes les plus courantes de fraudes dans les états financiers. Il faut se rappeler que c'est d'ailleurs ce qui s'est produit dans l'affaire Discus (*voir le chapitre 1*) ainsi que dans le cas d'une fraude réellement survenue, celle de MiniScribe.

TEST D'AUTOÉVALUATION

Supposez que nous sommes à la fin de 2008 et que, pour la première fois, l'entreprise se soumet à une vérification effectuée par un cabinet d'experts-comptables. Posez également l'hypothèse que le vérificateur a découvert que les stocks à la fin de 2008 étaient sous-estimés de 15 000 $. Corrigez et refaites l'état des résultats dans l'espace ci-dessous.

État des résultats
pour l'exercice terminé le 31 décembre

	2008 Avant correction		2008 Corrigé
Chiffre d'affaires		750 000 $	
Coût des marchandises vendues			
Stocks au début	45 000 $		
Plus : Achats	460 000		_____
Marchandises destinées à la vente	505 000		
Moins : Stocks à la fin	40 000		_____
Coût des marchandises vendues		465 000	_____
Bénéfice brut		285 000	
Frais d'exploitation		275 000	_____
Bénéfice avant impôts		10 000	
Charge d'impôts (20 %)		2 000	_____
Bénéfice net		8 000 $	_____

Vérifiez vos réponses à l'aide des solutions présentées en bas de page*.

---

*

Chiffre d'affaires		750 000 $
Coût des marchandises vendues		
Stocks au début	45 000 $	
Plus : Achats	460 000	
Marchandises destinées à la vente	505 000	
Moins : Stocks à la fin	55 000	
Coût des marchandises vendues		450 000
Bénéfice brut		300 000
Frais d'exploitation		275 000
Bénéfice avant impôts		25 000
Charge d'impôts (20 %)		5 000
Bénéfice net		20 000 $

(Répondez aux questions avant de consulter la solution qui suit l'exemple). Ce cas permet de réviser l'application de la méthode de détermination du coût des stocks PEPS et DEPS, de même que le taux de rotation des stocks.

La société Appareils Belmont est le distributeur d'un certain nombre d'appareils électroménagers coûteux. Pour cet exemple, l'appareil choisi est le four à micro-ondes. Supposez que les opérations résumées ci-dessous ont été effectuées au cours de l'exercice financier 2009 dans l'ordre chronologique indiqué. Supposez aussi que toutes les opérations ont été faites en argent comptant.

	Unités	Coût unitaire
a) Stocks au début	11	200 $
b) Achats de marchandises	9	220
c) Ventes (prix de vente, 420 $)	8	?

Travail à faire

1. Calculez les montants suivants en supposant que l'entreprise utilise la méthode PEPS ou la méthode DEPS.

	Stocks à la fin		Coût des marchandises vendues	
	Unités	Dollars	Unités	Dollars
PEPS				
DEPS				

2. Calculez le taux de rotation des stocks pour l'exercice en cours en choisissant la méthode PEPS pour évaluer les stocks. Que vous indique-t-il ?

Solution suggérée

1.

	Stocks à la fin		Coût des marchandises vendues	
	Unités	Dollars	Unités	Dollars
PEPS	12	2 580 $	8	1 600 $
DEPS	12	2 420	8	1 760

Calculs

Stocks au début (11 unités × 200 $)	2 200 $
+ Achats (9 unités à 220 $)	1 980
Marchandises destinées à la vente	4 180 $

Méthode PEPS (évaluation établie à la fin de l'exercice)

Marchandises destinées à la vente (ci-dessus)		4 180 $
+ Stocks à la fin : (9 unités × 220 $) + (3 unités × 200 $) =	2 580	
Coût des marchandises vendues : (8 unités × 200 $)		1 600 $

Méthode DEPS (évaluation établie à la fin de l'exercice)

Marchandises destinées à la vente (ci-dessus)		4 180 $
+ Stocks à la fin : (11 unités × 200 $) + (1 unité × 220 $) =	2 420	
Coût des marchandises vendues : (8 unités × 220 $)		1 760 $

2. Taux de rotation des stocks = Coût des marchandises vendues ÷ Stocks moyens
   = 1 600 $ ÷ [(2 200 $ + 2 580 $)] ÷ 2
   = 0,67

Le taux de rotation des stocks reflète le nombre de fois où les stocks moyens de l'entreprise ont été produits et vendus au cours de l'exercice financier. Ainsi, la société Appareils Belmont a produit et vendu son stock moyen d'appareils électroménagers moins d'une fois au cours de l'exercice.

Les éléments supplémentaires portant sur la mesure des achats

Les retours et les rabais sur achats

Une entreprise peut retourner des marchandises au vendeur si ces dernières ne sont pas conformes à ses spécifications, si elles arrivent endommagées ou sont autrement insatisfaisantes. Les **retours et rabais sur achats** entraînent une réduction du coût de la marchandise achetée et l'inscription d'un remboursement en argent ou d'une réduction de sa dette envers le vendeur en échange du retour. Si Cott retournait à un fournisseur des canettes qui ne respectent pas ses normes de qualité et dont le coût total s'élève à 1 000 $, elle enregistrerait probablement ce retour de la façon décrite ci-après (on suppose que le vendeur lui rembourse la somme versée).

Les **retours et rabais sur achats** constituent une réduction du coût d'achat due à des marchandises non acceptables.

ÉQUATION COMPTABLE

	Actif	=	Passif	+	Capitaux propres
Caisse	+1 000				
Stocks	−1 000				

ÉCRITURE DE JOURNAL

Caisse (+A)..	1 000	
Stocks (−A)..		1 000

Les escomptes sur achats

Le vendeur et l'acheteur doivent tous deux comptabiliser les escomptes de caisse. (Il a été question de la constatation par le vendeur au chapitre 6.) Lors de l'achat de marchandises à crédit, le vendeur établit parfois des modalités de paiement telles 2/10, n/30, ce qui signifie que si le paiement est effectué à l'intérieur d'un certain délai suivant la date de l'achat (10 jours dans ce cas), l'acheteur obtiendra un escompte de caisse (de 2 %) appelé un «**escompte sur achats**». Si le paiement n'est pas effectué à l'intérieur du délai prévu pour bénéficier de l'escompte, le client devra payer la totalité de la facture dans les 30 jours de l'achat (30 jours après l'achat).

L'**escompte sur achats** est une réduction du montant à payer, obtenu grâce au paiement rapide d'un compte.

Supposons que le 17 janvier, Cott a acheté des marchandises dont le prix s'élevait à 1 000 $ et dont les modalités de paiement étaient 2/10, n/30. Si Cott utilise la méthode du montant brut (*voir le chapitre 6*), elle devrait enregistrer son achat comme suit.

Date de l'achat : 17 janvier

ÉQUATION COMPTABLE

	Actif	=	Passif		+	Capitaux propres
Stocks	+1 000		Fournisseurs	+1 000		

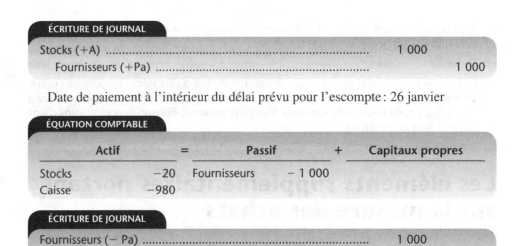

ÉCRITURE DE JOURNAL

Stocks (+A)	1 000	
Fournisseurs (+Pa)		1 000

Date de paiement à l'intérieur du délai prévu pour l'escompte : 26 janvier

ÉQUATION COMPTABLE

Actif		=	Passif		+	Capitaux propres
Stocks	−20		Fournisseurs	− 1 000		
Caisse	−980					

ÉCRITURE DE JOURNAL

Fournisseurs (− Pa)	1 000	
Stocks (−A)		20
Caisse (−A)		980

Si, pour une raison quelconque, Cott ne paie pas à l'intérieur du délai prévu pour bénéficier de l'escompte de 10 jours, elle devrait alors enregistrer les données suivantes au 1er février :

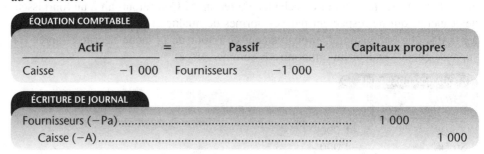

ÉQUATION COMPTABLE

Actif		=	Passif		+	Capitaux propres
Caisse	−1 000		Fournisseurs	−1 000		

ÉCRITURE DE JOURNAL

Fournisseurs (−Pa)..	1 000	
Caisse (−A)..		1 000

La propriété des stocks

Lors de l'inventaire en fin d'exercice, certaines marchandises commandées peuvent être en transit. La question qui se pose est la suivante : doit-on inclure ces articles en transit dans les stocks à la fin ? Cela dépend du contrat entre l'expéditeur et l'acheteur. Les règles et les méthodes comptables obligent l'acheteur à inclure dans ses stocks toutes les marchandises pour lesquelles il détient le titre de propriété. Le moment où le titre de possession change de mains est déterminé selon les modalités d'expédition précisées au contrat de vente. Ainsi, lorsque les marchandises sont expédiées franco à bord point de départ ou FAB expédition (de l'anglais *freight on board* – FOB), le titre de propriété change de mains au moment de l'expédition. L'acheteur acquitte normalement les frais de transport et assure les biens au cours du transit. On ajouterait donc aux stocks à la fin de l'acheteur les marchandises FAB expédition, même si elles ne sont pas physiquement dans l'entrepôt de l'acheteur au moment de l'inventaire. Par contre, lorsque les marchandises sont expédiées franco à bord point d'arrivée (ou FAB livraison, FAB destination, FAB réception), le titre change de mains au moment de la livraison. Alors, le vendeur débourse normalement les frais du transport et assume les frais d'assurances au cours du transit. Dans ce cas, les marchandises en transit ne sont pas incluses aux stocks de la fin de l'acheteur ; elles n'en feront partie qu'au moment de leur réception dans l'entrepôt de l'acheteur.

Parfois, certaines marchandises se vendent difficilement. Dans ces situations, le vendeur ne veut pas s'engager fermement en achetant ces marchandises au risque de ne pouvoir les vendre et de subir les pertes de valeurs subséquentes. Les fabricants peuvent alors expédier quand même ces marchandises chez le vendeur et les envoyer en consignation. Selon ce genre d'entente, le fournisseur conserve la propriété de l'article, tandis que l'entreprise agissant à titre de dépositaire n'est pas tenue de payer ces articles jusqu'à ce qu'ils soient vendus à un client. Ces marchandises appartiennent donc au fabricant tant et aussi longtemps que les articles ne sont pas vendus. Ainsi, toute marchandise en consignation à la fin d'un exercice est incluse dans les stocks du fabricant, même s'il ne les a pas en sa possession et, par conséquent, ces marchandises sont exclues des stocks du vendeur, même s'il les a en sa possession.

La comparaison entre le système d'inventaire permanent et le système d'inventaire périodique

Annexe 7-B

Pour simplifier la discussion sur la façon dont les systèmes comptables peuvent contrôler les données, nous allons utiliser l'exemple de la société Canadian Tire. Nous supposons que la société entrepose et vend seulement un article, des perceuses électriques, et que seuls les événements suivants ont eu lieu en 2010 :

1er janvier	Stock au début : 800 unités à un coût unitaire de 50 $
14 avril	Achat : 1 100 unités à un coût unitaire de 50 $
30 novembre	Vente : 1 300 unités à un prix de vente unitaire de 83 $

Pour chacun des deux types de systèmes d'inventaire, ces événements donneraient lieu aux étapes suivantes, par ordre chronologique de transactions. Nous présenterons d'abord la solution à l'aide des écritures de journal tout en indiquant la variation dans les éléments de l'équation comptable. Par la suite, nous présenterons les effets sur l'équation comptable.

Système d'inventaire permanent	Système d'inventaire périodique
Écritures de journal : 1. Enregistrer tous les achats dans le compte Stocks et dans le fichier d'inventaire permanent.	1. Enregistrer tous les achats au compte Achats.

14 avril 2010
 Stocks (+A) (1 100 unités à 50 $)* 55 000
    Fournisseurs (+Pa) (ou Caisse −A) 55 000
	14 avril 2010
	 Achats* (+A) (1 100 unités à 50 $).......... 55 000
	    Fournisseurs (+Pa) (ou Caisse −A) 55 000

* La donnée est entrée également dans le fichier d'inventaire permanent pour ce produit sous la forme suivante : 1 100 perceuses électriques à 50 $ chacune.	* Le compte Achats est un compte temporaire qu'on remet à zéro à la fin de l'exercice.
2. Enregistrer toutes les ventes dans le compte Ventes et enregistrer le coût des marchandises vendues.	2. Enregistrer toutes les ventes au compte Ventes.

30 novembre 2010
 Clients (+A) (ou Caisse +A)............... 107 900
    Ventes (+ Pr, +CP) (1 300 unités à 83 $) 107 900
 CMV (+C, −CP)................................... 65 000
    Stocks (−A) (1 300 unités à 50 $)* 65 000
	30 novembre 2010
	 Caisse (+A) (ou Clients +A)............... 107 900
	    Ventes (+Pr, +CP) (1 300 unités à 83 $) 107 900

* La donnée est également entrée dans le fichier d'inventaire permanent de ce produit, ce qui signifie une réduction de 1 300 unités à 50 $ chacune.	

Système d'inventaire permanent	Système d'inventaire périodique

3. Utiliser le coût des marchandises vendues (CMV) et les quantités de stocks.
 	
À la fin de l'exercice financier, le solde du compte Coût des marchandises vendues correspond au montant de cette charge telle qu'elle est présentée à l'état des résultats. Il n'est pas nécessaire de calculer le coût des marchandises vendues car, selon le système d'inventaire permanent, ce compte est à jour. De plus, le compte Stocks indique la valeur des stocks à la fin qui sera présenté au bilan. Un dénombrement des stocks à la fin de l'exercice est néanmoins nécessaire pour s'assurer de l'exactitude des fichiers permanents et pour évaluer l'incidence de vols ou d'autres formes de réduction de stocks, comme la désuétude.
 	
Aucune entrée comptable n'est nécessaire.
	3. À la fin de l'exercice:
	   a) Dénombrer les unités en main.
	   b) Calculer la valeur (en dollars) des stocks à la fin.
	   c) Calculer et enregistrer le coût des marchandises vendues.

Système d'inventaire périodique (suite) :

Stocks au début = (stocks de la fin de l'exercice précédent)	40 000 $
Ajouter : Achats (solde du compte des achats)	55 000
Marchandises destinées à la vente	95 000
Déduire : Stocks à la fin (dénombrement des stocks : 600 unités à 50 $)	30 000
Coût des marchandises vendues	65 000 $

31 décembre 2010

Transfert du solde des comptes Stocks au début et Achats au compte Coût des marchandises vendues

Coût des marchandises vendues (+C, −CP)	95 000	
Stocks (d'ouverture) (−A)		40 000
Achats (−A)		55 000

Déduire le montant des stocks à la fin du compte Coût des marchandises vendues afin de terminer la comptabilisation de ce compte et d'établir le solde du compte Stocks à la fin.

Stocks (de clôture) (+A)	30 000	
CMV (−C, +CP)		30 000

Inventaire permanent

Actif	=	Passif	+ Capitaux propres
Stocks +55 000		Fournisseurs +55 000	
Clients +107 900			Ventes + 107 900
Stocks −65 000			CMV − 65 000

Inventaire périodique

Actif	=	Passif	+ Capitaux propres
Achats +55 000		Fournisseurs +55 000	
Clients +107 900			Ventes +107 900
Stock −40 000			
Achats −55 000			CMV −95 000
Stocks +30 000			CMV +30 000

Il faut remarquer que l'incidence des écritures sur l'équation comptable est la même pour les deux systèmes. Seul le moment de la comptabilisation des montants diffère.

Points saillants du chapitre

1. **Appliquer le principe de la valeur d'acquisition au coût des stocks afin de connaître les montants qui en font partie, et le principe du rapprochement des produits et des charges afin de déterminer le coût des marchandises vendues (*voir la page 377*).**

Les stocks devraient comprendre tous les articles que l'entreprise possède et qu'elle détient aux fins de revente. Les coûts sont affectés au compte Stocks lorsque des marchandises sont produites ou achetées. Les coûts sortent du compte Stocks (comme une charge) lorsque des marchandises sont vendues ou qu'on en dispose de toute autre façon. Pour respecter le principe du rapprochement des produits et des charges, il faut déduire le coût total des marchandises vendues au cours d'un exercice du chiffre d'affaires obtenu au cours du même exercice.

2. **Déterminer le coût des stocks et le coût des marchandises vendues à l'aide de quatre méthodes** (*voir la page 383*).

Ce chapitre présente quatre méthodes de détermination du coût des stocks pour attribuer les coûts aux unités vendues et aux unités qui demeurent en stock à la fin de l'exercice. On montre ensuite comment appliquer ces méthodes dans différentes situations économiques. Il s'agit des méthodes de l'épuisement successif (PEPS), de l'épuisement à rebours (DEPS), du coût moyen et du coût distinct. Chacune de ces méthodes est permise selon les principes comptables généralement reconnus. Toutefois, la méthode de l'épuisement à rebours n'est pas permise pour les déclarations de revenus au Canada. De plus, il est important de se rappeler que l'hypothèse au sujet du cheminement des coûts ne correspond pas nécessairement au mouvement ou au déplacement physique des marchandises.

3. **Déterminer dans quelles circonstances il est plus avantageux pour une entreprise d'utiliser l'une ou l'autre des méthodes de détermination du coût des stocks** (*voir la page 389*).

Le choix d'une méthode de détermination du coût des stocks est important, car il aura un effet sur les montants des bénéfices, de la charge d'impôts (et, par le fait même, du flux de trésorerie) ainsi que sur l'évaluation des stocks au bilan. Au cours d'une période de hausse des prix, l'utilisation de la méthode PEPS résultera habituellement en un bénéfice et des impôts plus élevés que ceux qui sont déterminés à l'aide de la méthode DEPS. Par contre, en période de baisse des prix, on obtient exactement les résultats contraires. En général, on choisit la méthode qui reflète le mieux les opérations de l'entreprise et celle qui produit le plus de flux de trésorerie.

4. **Évaluer les stocks au moindre du coût et de la juste valeur** (*voir la page 393*).

Les stocks à la fin devraient être mesurés selon le moindre du coût actuel ou du coût de remplacement (la méthode d'évaluation au moindre du coût et de la juste valeur ou la règle de la valeur minimale). Cette pratique peut avoir un effet considérable sur les états financiers des entreprises dont les coûts sont susceptibles de baisser. En ce qui concerne les articles endommagés, désuets ou détériorés, il faut aussi leur attribuer un coût unitaire qui correspond à une estimation de leur valeur de réalisation nette, si cette dernière est inférieure au coût. L'ajustement par suite de l'évaluation des stocks au moindre du coût et de la juste valeur augmente le coût des marchandises vendues, réduit le bénéfice et diminue le montant des stocks inscrit aux livres dans l'année même de la dévaluation.

5. **Évaluer la performance des gestionnaires des stocks à l'aide du taux de rotation des stocks et l'effet des stocks sur les flux de trésorerie** (*voir la page 395*).

Le taux de rotation des stocks mesure l'efficacité de la gestion des stocks. Il indique combien de fois une entreprise a produit et vendu ses stocks moyens au cours d'un exercice. Les analystes et les créanciers surveillent attentivement ce ratio, car une baisse soudaine pourrait indiquer une diminution imprévue de la demande pour les produits d'une entreprise ou des inefficacités concernant la gestion de sa production. Lorsqu'il y a une diminution nette des stocks durant un exercice, cela indique que les ventes sont alors supérieures aux achats. Par conséquent, on doit additionner le montant de cette diminution au calcul des flux de trésorerie liés aux activités d'exploitation selon la méthode indirecte. Lorsqu'il y a une augmentation nette des stocks au cours d'un exercice, les ventes sont alors inférieures aux achats. On doit alors retrancher le montant correspondant à cette augmentation au calcul des flux de trésorerie liés aux activités d'exploitation selon la méthode indirecte.

6. **Comparer les entreprises qui utilisent des méthodes différentes pour déterminer le coût des stocks** (*voir la page 399*).

On peut faire des comparaisons en convertissant les états financiers préparés avec la méthode DEPS pour évaluer les stocks sur une base PEPS. Les sociétés publiques américaines qui utilisent la méthode DEPS doivent divulguer les montants des stocks au début et à la fin selon la méthode PEPS afin d'en évaluer la différence. Cette différence s'applique également au coût des marchandises vendues, au bénéfice brut, à la charge fiscale et au bénéfice net.

7. **Comprendre les méthodes de contrôle et de suivi des stocks et analyser l'incidence d'erreurs relatives aux stocks sur les états financiers** (*voir la page 402*).

Plusieurs procédures de contrôle peuvent limiter les vols et les erreurs de gestion des stocks. Deux systèmes d'inventaire permettent de contrôler les stocks de clôture et le coût des marchandises vendues au cours de l'exercice : 1) le système d'inventaire permanent, basé sur la tenue de fichiers détaillés et continus pour chacun des produits entreposés ; 2) le système d'inventaire périodique, qui se base sur le dénombrement des stocks à la fin de l'exercice pour en fixer le montant, et l'utilisation d'une équation afin de déterminer le montant du coût des marchandises vendues. Une erreur concernant l'évaluation des stocks à la fin modifie le coût des marchandises vendues à l'état des résultats de l'exercice en cours de même que la valeur des stocks à la fin au bilan. Elle modifie inversement le coût des marchandises vendues de l'exercice suivant d'un montant équivalent, car les stocks à la fin d'un exercice deviennent les stocks au début de l'exercice suivant. On peut mieux comprendre les liens entre les postes grâce à l'équation du coût des marchandises vendues (SD + A − SF = CMV).

Dans ce chapitre et les chapitres précédents, nous avons étudié les actifs à court terme. Ces actifs sont très importants pour l'entreprise, mais la plupart d'entre eux ne créent pas de valeur en tant que telle. Dans le chapitre 8, nous aborderons les actifs à long terme tels que les immeubles, l'équipement et le matériel ainsi que les ressources naturelles et les biens incorporels qui sont utilisés pour les activités de production. Un grand nombre d'actifs à long terme ajoutent de la valeur, par exemple l'usine dans laquelle on construit des automobiles. Ces actifs soulèvent des problèmes de comptabilité intéressants puisqu'ils génèrent des avantages futurs sur un certain nombre d'exercices financiers.

RATIOS CLÉS

Le taux de rotation des stocks mesure l'efficacité de la gestion des stocks. Il indique combien de fois les stocks moyens ont été produits et vendus au cours d'un exercice financier. On le calcule comme suit (*voir la page 395*).

$$\text{Taux de rotation des stocks} = \frac{\text{Coût des marchandises vendues}}{\text{Stocks moyens}}$$

Pour trouver
L'INFORMATION FINANCIÈRE

BILAN

Sous la rubrique «Actif à court terme»
   Stocks

ÉTAT DES RÉSULTATS

Charges
   Coût des marchandises vendues

ÉTAT DES FLUX DE TRÉSORERIE

Sous la rubrique «Activités d'exploitation (méthode indirecte)»
   Bénéfice net
   + diminution des stocks
   − augmentation des stocks
   + augmentation des comptes fournisseurs
   − diminution des comptes fournisseurs

NOTES COMPLÉMENTAIRES

Sous la rubrique «Principales conventions comptables»
   Description du choix de la direction en
      matière de comptabilisation du stock
      (PEPS, DEPS, coût moyen, coût distinct
      et moindre du coût et de la juste valeur).

Dans une note distincte
   Si les composantes des stocks (les
      fournitures, les matières premières,
      les produits en cours de fabrication,
      les produits finis) ne sont pas inscrites
      directement au bilan.
   Si les composantes du fonds de roulement
      (stocks, comptes fournisseurs) ne sont
      pas inscrites directement à l'état des flux
      de trésorerie.

Mots clés

Questions

1. Pourquoi les stocks sont-ils un élément important pour les utilisateurs internes (les gestionnaires) et les utilisateurs externes des états financiers ?

2. Sur quoi se base-t-on pour déterminer ce qui devrait être inclus au compte Stocks ?

3. Discutez de l'application du principe de la valeur d'acquisition à un article faisant partie des stocks à la fin.

4. Définissez l'expression « coût des marchandises destinées à la vente ». En quoi ce coût diffère-t-il de celui des marchandises vendues ?

5. Définissez les expressions « stocks au début » et « stocks à la fin ».

6. Le présent chapitre traite de quatre méthodes de détermination du coût des stocks. Énumérez ces quatre méthodes et expliquez brièvement chacune d'elles.

7. Expliquez comment on peut manipuler le bénéfice lorsqu'on utilise la méthode du coût distinct pour la détermination du coût des stocks.

8. Comparez l'effet des méthodes DEPS, PEPS et coût moyen en ce qui a trait aux stocks à la fin présentés au bilan lorsque a) les prix augmentent et b) les prix diminuent.

9. Comparez l'effet des méthodes DEPS, PEPS et coût moyen sur l'état des résultats (c'est-à-dire sur le bénéfice avant impôts) lorsque a) les prix augmentent et b) les prix diminuent.

10. Montrez l'effet des méthodes DEPS et PEPS sur les rentrées et les sorties de fonds.

11. Expliquez brièvement l'application du concept de l'évaluation au moindre du coût et de la juste valeur aux stocks de fermeture, ainsi que son incidence sur l'état des résultats et le bilan lorsque la valeur marchande est inférieure au coût.

12. Lorsqu'on utilise un système d'inventaire permanent, on connaît les coûts unitaires des articles vendus à la date de chaque vente. Par contre, avec un système d'inventaire périodique, on ne connaît les coûts unitaires qu'à la fin de l'exercice. Pourquoi ces énoncés sont-ils exacts ?

Questions à choix multiples

1. Parmi les énoncés suivants, lequel ou lesquels sont vrais pour le coût des marchandises vendues ?
   1) Le coût des marchandises vendues comprend les coûts pour l'achat et la production de stocks pour l'exercice courant.
   2) Le coût des marchandises vendues est une charge à l'état des résultats.
   3) Le montant du coût des marchandises vendues varie selon la méthode utilisée pour déterminer les stocks d'une société (PEPS, DEPS, etc.).

   a) 2
   b) 3
   c) 2 et 3
   d) 1, 2 et 3

2. Le choix de la méthode de détermination du coût des stocks aura une incidence :
   a) sur le bilan ;
   b) sur l'état des résultats ;
   c) sur l'état des bénéfices non répartis ;
   d) sur tous les éléments ci-dessus.

3. Parmi les éléments suivants, lequel ne fait pas partie du coût des stocks ?
   a) Les frais généraux d'administration.
   b) La main-d'œuvre directe.
   c) Les matières premières.
   d) Les frais généraux de fabrication.

4. À chaque période, le coût des marchandises destinées à la vente est réparti entre :
   a) les actifs et les passifs ;
   b) les actifs et les charges ;
   c) les actifs et les ventes ;
   d) les charges et les passifs.

5. Un couturier renommé, installé à Montréal, crée des robes de mariées de très haut de gamme. Quelle méthode de détermination du coût des stocks utiliserait-il ?
   a) PEPS.
   b) DEPS.
   c) Le coût moyen.
   d) Le coût distinct.

6. Un **taux** de rotation des stocks qui augmente :
   a) indique une période de temps plus longue entre la commande et la réception des stocks ;
   b) indique une période de temps plus courte entre la commande et la réception des stocks ;
   c) indique une période de temps plus courte entre l'achat et la vente des stocks ;
   d) indique une période de temps plus longue entre l'achat et la vente des stocks.

7. Si le solde du compte Fournisseurs diminue d'un exercice à l'autre, lequel des énoncés suivants est vrai ?
   a) Les paiements en espèces aux fournisseurs sont plus élevés que les achats à crédit de l'exercice en cours.
   b) Les paiements en espèces aux fournisseurs sont moins élevés que les achats à crédit de l'exercice en cours.
   c) Les montants perçus des clients excèdent les paiements en espèces aux fournisseurs.
   d) Les montants perçus des clients excèdent les achats de l'exercice en cours.

8. Lorsqu'on applique la règle du moindre du coût et de la juste valeur aux stocks, lequel des énoncés suivants est vrai ?

1) La règle du moindre du coût et de la juste valeur est un exemple du principe du coût d'acquisition.

2) Lorsque le coût de remplacement des stocks est inférieur au coût inscrit aux livres, le bénéfice net est réduit.

3) Lorsque le coût de remplacement des stocks est inférieur au coût inscrit aux livres, l'actif total est réduit.

a) 1

b) 2

c) 2 et 3

d) 1, 2 et 3

9. Laquelle des méthodes de détermination du coût des stocks permet d'établir le lien le plus étroit entre les coûts récents et le chiffre d'affaires à l'état des résultats, et présente des coûts anciens aux stocks du bilan ?

a) PEPS.

b) Le coût moyen.

c) DEPS.

d) Le coût distinct.

10. Lorsqu'il est question d'un système d'inventaire permanent, lequel des énoncés suivants est faux ?

a) Le dénombrement des stocks n'est pas nécessaire puisque les registres sont à jour à chaque transaction.

b) Le solde des stocks au bilan est mis à jour avec chaque transaction d'achat et de vente de marchandises.

c) Le coût des marchandises vendues est augmenté chaque fois qu'une vente est inscrite.

d) Le compte Achats n'est pas utilisé au fur et à mesure que les achats de stocks sont effectués.

Mini-exercices

M7-1   Les liens entre les articles en stock et le type d'entreprise □ OA1

Dans le tableau suivant, établissez le lien entre chaque type de stocks et une catégorie d'entreprise.

Type de stocks	Type d'entreprise	
	Détaillant ou grossiste	Fabricant
Marchandises		
Produits finis		
Produits en cours de fabrication		
Matières premières		

M7-2   La comptabilisation du coût des achats pour un détaillant ou un grossiste □ OA1

L'entreprise Bazin a acheté 80 nouvelles chemises et a enregistré un coût total de 3 140 $ répartis comme suit.

Coût facturé	2 600 $
Frais d'expédition	165
Droits et taxes à l'importation	115
Intérêts (10 %) sur la somme de 2 600 $ empruntée pour financer l'achat	260
	3 140 $

Travail à faire

1. Apportez les corrections que vous jugerez nécessaires aux calculs déjà effectués. Présentez vos calculs.
2. En supposant l'utilisation d'un système d'inventaire permanent, présentez cet achat :
   a) à l'aide de l'équation comptable ;
   b) en passant la ou les écritures de journal au montant approprié.

OA1

M7-3 La détermination du coût des stocks pour un fabricant

Les coûts d'exploitation d'une entreprise de fabrication sont traités soit a) comme élément du coût des stocks qui sera passé en charges (à partir du coût des marchandises vendues) lors de la vente des produits finis, soit b) comme des charges au moment où ils sont engagés. Indiquez si chacun des coûts suivants appartient à la catégorie a) ou b).

1. Le salaire des ouvriers d'usine.
2. Le salaire des vendeurs.
3. Le coût des matières premières achetées.
4. Le chauffage, l'éclairage et l'électricité de l'usine.
5. Le chauffage, l'éclairage et l'électricité de l'immeuble du siège social.

OA1
OA5
Dofasco inc. ◆

M7-4 La détermination des achats à l'aide de l'équation du coût des marchandises vendues et le taux de rotation des stocks

L'entreprise Dofasco inc. est un important fabricant d'acier au Canada. Partout en Amérique du Nord, elle fournit à ses clients des produits en acier laminé plat, des tubes d'acier et des flans soudés au laser de haute qualité. L'un des éléments de sa stratégie comprend «une excellence opérationnelle qui donne lieu à une performance d'exploitation maximale». Dans un rapport annuel récent, l'entreprise a enregistré ce qui suit :

(en millions de dollars)			
	20C	20B	20A
CMV	2 580,4 $	2 602,8 $	
Stocks à la fin	848,5	853,5	772,7

Travail à faire

1. Est-il possible d'obtenir une estimation raisonnable des achats de marchandises pour l'exercice en cours ? Si oui, évaluez cette estimation ; sinon, expliquez pourquoi vous ne pouvez pas estimer un montant.
2. Effectuez les calculs du taux de rotation des stocks. Faites ensuite l'analyse afin de déterminer si l'entreprise progresse vers ses objectifs d'excellence opérationnelle. D'autres éléments doivent-ils être considérés pour faire une bonne évaluation ?

OA2

M7-5 Les incidences des différentes méthodes de détermination du coût des stocks sur les états financiers

Précisez laquelle des deux méthodes de détermination du coût des stocks, PEPS ou DEPS, produit normalement les effets décrits ci-après pour les situations indiquées.

a) Hausse des coûts
   Bénéfice net plus élevé   _____
   Stocks plus élevés   _____
b) Baisse des coûts
   Bénéfice net plus élevé   _____
   Stocks plus élevés   _____

OA3

M7-6 Le choix d'une méthode de détermination du coût des stocks et la situation économique des entreprises

Indiquez laquelle des deux méthodes de détermination du coût des stocks, PEPS ou DEPS*, donnerait des flux monétaires plus importants dans les situations suivantes :

a) Hausse des coûts   _____
b) Baisse des coûts   _____

* Faites l'hypothèse que les deux méthodes sont acceptées du point de vue fiscal.

M7-7   L'évaluation des stocks au moindre du coût et de la juste valeur

L'entreprise Morel a encore en main les articles suivants à la fin de son exercice :

	Quantité	Coût par article	Coût de remplacement par article
Article A	50	75 $	100 $
Article B	25	60	50

En utilisant la règle de la valeur minimale pour évaluer chaque article, déterminez le montant qui devrait être présenté comme stocks au bilan.

M7-8   L'évaluation de l'incidence de changements concernant la gestion des stocks sur le taux de rotation des stocks

Indiquez l'effet le plus probable des changements suivants concernant la gestion des stocks sur le taux de rotation des stocks. (Inscrivez un + pour une augmentation et un − pour une diminution. S'il n'y a aucun effet, écrivez AE.

_____ a) la livraison de stocks de pièces par les fournisseurs sur une base quotidienne plutôt qu'hebdomadaire ;

_____ b) la diminution du processus de fabrication de 10 à 8 jours ;

_____ c) l'augmentation des délais de paiement pour les achats de stocks de 15 à 30 jours.

M7-9   L'évaluation de l'incidence aux états financiers d'erreurs portant sur les stocks

Supposez que les stocks à la fin de l'exercice 2007 ont été sous-évalués de 100 000 $. Expliquez comment cette erreur modifierait les montants de bénéfice avant impôts de 2007 et de 2008. Si les stocks à la fin de 2007 avaient été surévalués plutôt que sous-évalués de 100 000 $, quel serait l'effet d'une telle erreur ?

Exercices

E7-1   L'analyse des éléments à inclure aux stocks

Au 31 décembre 2008, la société Austin a procédé à un dénombrement de ses stocks en usine, ce qui lui a permis d'évaluer ses stocks de clôture à 50 000 $. Durant la vérification de fin d'année effectuée par le vérificateur externe, les données suivantes ont été recueillies :

a) Au 31 décembre 2008, les biens d'un fournisseur au prix coûtant de 300 $ sont en transit dans le camion de Courrier Express. Les termes avec le fournisseur sont « FAB point d'expédition ». Austin n'a pas inclus ces éléments dans les stocks de clôture parce qu'ils n'étaient pas en sa possession.

b) Le 27 décembre 2008, la société Austin a livré pour 400 $ d'échantillons à un client avec l'entente qu'ils seraient retournés à Austin le 15 janvier 2009. Les biens ont été exclus de l'inventaire d'Austin, car elle ne les avait pas en main.

c) Le 31 décembre 2008, des biens dont le coût s'élevait à 2 000 $ étaient en transit vers des clients, avec la mention « FAB point d'expédition ». Puisque les biens avaient été expédiés, Austin les a exclus de l'inventaire, bien que la date de réception des marchandises par le client ait été prévue pour le 10 janvier 2009.

d) Le 31 décembre 2008, des biens dont le coût s'élevait à 1 000 $ étaient en transit vers des clients, avec la mention « FAB point de réception ». Puisque les biens avaient été expédiés, Austin les a exclus de l'inventaire, bien que la date de réception des marchandises par le client ait été prévue pour le 10 janvier 2009.

Travail à faire

La pratique comptable de la société Austin requiert la comptabilisation de tout article en stock dont elle détient la propriété. Pour vous rappeler les règles en matière de biens en transit, référez-vous à l'annexe 7-A. En commençant avec le 50 000 $ de stock en inventaire comptabilisé par Austin, déterminez le montant corrigé des stocks de clôture. Expliquez le traitement que vous accordez à chacun des éléments ci-dessus. (Indice : Préparez trois colonnes intitulées Élément, Montant, Explication).

E7-2 **La détermination des montants manquants à l'aide des liens existant entre les postes de l'état des résultats**

Dans chacun des cas suivants, trouvez les montants manquants à l'état des résultats de l'entreprise Bloch pour l'exercice 2009 (il n'y a aucun lien entre les cas). (Indice : Pour le cas B, travaillez de bas en haut.)

	Cas A	Cas B	Cas C
Chiffre d'affaires	7 950 $	?	5 920 $
Stocks d'ouverture	11 000 $	6 500 $	4 000 $
Achats	5 000	?	9 420
Marchandises destinées à la vente	?	15 270	13 420
Stocks de fermeture	10 250	11 220	?
Coût des marchandises vendues	?	?	5 400
Bénéfice brut	?	1 450 $	?
Charges	1 300	?	520
Bénéfice avant impôts	900 $	(500) $	0 $

E7-3 **La détermination des montants manquants à l'aide des liens existant entre les postes de l'état des résultats**

Dans chacun des cas suivants, trouvez les montants manquants à l'état des résultats de l'entreprise de détail Verdurin pour l'exercice 2009 (il n'y a aucun lien entre les cas).

Cas	Chiffre d'affaires	Stocks au début	Achats	Marchandises destinées à la vente	Stocks à la fin	Coût des marchandises vendues	Bénéfice brut	Char- ges	Bénéfice (ou perte) avant impôts
A	650 $	100 $	700 $	? $	500 $	? $	? $	200 $	? $
B	900	200	800	?	?	?	?	150	0
C	?	150	?	?	300	200	400	100	?
D	800	?	600	?	250	?	?	250	100
E	1 000	?	900	1 100	?	?	500	?	(50)

La société Gap inc. ◈

E7-4 **Le calcul par déduction des achats de marchandises**

La société Gap est un détaillant spécialisé dans la vente de vêtements sous les appellations commerciales suivantes : Gap, Old Navy et Banana Republic. Supposez que vous êtes une analyste financière ou un analyste financier. Votre patron vient tout juste de terminer l'analyse du plus récent rapport annuel de la société Gap. Vous disposez de ses notes, mais certains renseignements dont vous avez besoin sont manquants. Selon les notes, les stocks de fermeture pour l'exercice en cours se chiffrent à 1 696 millions de dollars et ceux de l'exercice précédent, à 1 814 millions de dollars. Le chiffre d'affaires de l'exercice s'élève à 16 023 millions de dollars. Le coût des marchandises vendues atteint 10 154 millions de dollars et le bénéfice net, 1 113 millions de dollars. Pour procéder à votre analyse, vous croyez avoir besoin du montant des achats de l'exercice.

Travail à faire

Pouvez-vous trouver le renseignement manquant à partir des notes dont vous disposez ? Expliquez votre réponse et présentez vos calculs. (Indice : Utilisez l'équation du coût des marchandises vendues pour tenter de trouver la valeur manquante.)

E7-5 **Le calcul des stocks à la fin et du coût des marchandises vendues selon les méthodes PEPS, DEPS et coût moyen**

La société Soleil utilise un système d'inventaire périodique. À la fin de l'exercice terminé le 31 décembre 2009, les renseignements suivants concernant le produit nᵒ 1 étaient inscrits aux livres :

Transactions	Nombre d'unités	Coût unitaire
Stocks au 31 décembre 2008	2 000	6 $
Pour l'exercice 2009 :		
Achat, 21 mars	5 000	9
Achat, 1er août	3 000	10
Stocks au 31 décembre 2009	4 000	

Travail à faire

Calculez les stocks à la fin et le coût des marchandises vendues en utilisant les méthodes PEPS, DEPS et coût moyen. (Conseil : Utilisez des colonnes adjacentes pour chaque cas.)

E7-6 Le calcul des stocks à la fin et du coût des marchandises vendues selon les méthodes PEPS, DEPS et coût moyen

☐ OA2

La société Cloé utilise un système d'inventaire périodique. À la fin de l'exercice terminé le 31 décembre 2009, les renseignements suivants concernant le produit n° 1 étaient inscrits aux livres.

Transactions	Nombre d'unités	Coût unitaire
Stocks au 31 décembre 2008	3 000	8 $
Pour l'exercice 2009 :		
Achat, 21 mars	5 000	9
Achat, 1er août	2 000	7
Stocks au 31 décembre 2009	4 000	

Travail à faire

Calculez les stocks à la fin et le coût des marchandises vendues en utilisant les méthodes PEPS, DEPS et coût moyen. (Conseil : Utilisez des colonnes adjacentes pour chaque cas.)

E7-7 L'analyse et l'interprétation de l'incidence des méthodes DEPS et PEPS sur les états financiers

☐ OA2
☐ OA3

L'entreprise Bontemps utilise un système d'inventaire périodique. À la fin de l'exercice terminé le 31 décembre 2009, les renseignements suivants concernant le produit n° 2 étaient inscrits aux livres.

Transactions	Nombre d'unités	Coût unitaire
Stocks au 31 décembre 2008	3 000	12 $
Pour l'exercice 2009 :		
Achat, 11 avril	9 000	10
Achat, 1er juin	8 000	13
Vente (40 $ l'unité)	11 000	
Frais d'exploitation (hormis la charge d'impôts), 195 000 $		

Travail à faire

1. Dressez l'état des résultats jusqu'au bénéfice avant impôts en donnant le détail du coût des marchandises vendues selon :
   a) la méthode PEPS ;
   b) la méthode DEPS.
Pour chacun des cas, présentez vos calculs des stocks à la fin. (Conseil : utilisez des colonnes adjacentes pour comparer les deux cas.)
2. Comparez les montants du bénéfice avant impôts et des stocks à la fin dans les deux cas. Expliquez les ressemblances et les différences que vous observez.
3. Au Canada, laquelle ou lesquelles des méthodes de détermination du coût des stocks sont acceptées du point de vue fiscal ? Du point de vue des PCGR ?

E7-8 **L'analyse et l'interprétation de l'incidence des méthodes DEPS et PEPS sur les états financiers**

L'entreprise Performante inc. utilise un système d'inventaire périodique. À la fin de l'exercice terminé le 31 décembre 2009, les renseignements suivants concernant le produit n° 2 étaient inscrits aux livres.

Transactions	Nombre d'unités	Coût unitaire
Stocks au 31 décembre 2008	7 000	8 $
Pour l'exercice 2009 :		
Achat, 5 mars	19 000	9
Achat, 19 septembre	10 000	11
Vente (29 $ l'unité)	8 000	
Vente (31 $ l'unité)	16 000	
Frais d'exploitation (hormis la charge d'impôts), 500 000 $		

Travail à faire

1. Dressez l'état des résultats jusqu'au bénéfice avant impôts en donnant le détail du coût des marchandises vendues selon :
    a) la méthode PEPS ;
    b) la méthode DEPS.

Pour chacun des cas, présentez vos calculs des stocks à la fin. (Conseil : Utilisez des colonnes adjacentes pour comparer les deux cas.)

2. Comparez les montants du bénéfice avant impôts et des stocks à la fin dans les deux cas. Expliquez les ressemblances et les différences que vous observez.

3. Au Canada, laquelle ou lesquelles des méthodes de détermination du coût des stocks sont acceptées du point de vue fiscal ? Du point de vue des PCGR ? Si vous étiez une société américaine, laquelle des méthodes préféreriez-vous d'un point de vue fiscal ? Expliquez votre réponse.

E7-9 **Le choix entre trois méthodes de détermination du coût des stocks selon leur incidence sur les flux de trésorerie et le bénéfice net**

L'entreprise Brichot utilise un système d'inventaire périodique. Voici les données qu'elle a enregistrées pour l'exercice 2010 : Stock de marchandises au début (31 décembre 2009), 2 000 unités à 35 $ chacune ; achats, 8 000 unités à 38 $ chacune ; charges (hormis les impôts) 142 000 $; stock à la fin selon le dénombrement au 31 décembre 2010, 1 800 unités ; ventes 8 200 unités à 70 $ chacun ; taux d'impôt moyen sur le revenu, 30 %.

Travail à faire

1. Dressez l'état des résultats selon les méthodes PEPS, DEPS et du coût moyen. Utilisez une présentation semblable à celle-ci.

État des résultats	Nombre d'unités	Méthode de détermination du coût des stocks		
		PEPS	DEPS	Coût moyen
Chiffre d'affaires		____ $	____ $	____ $
Coût des marchandises vendues				
Stocks au début				
Achats				
Marchandises destinées à la vente				
Stocks à la fin				
Coût des marchandises vendues				
Bénéfice brut				
Charges				
Bénéfice avant impôts				
Charge d'impôts				
Bénéfice net		____ $	____ $	____ $

2. Laquelle des trois méthodes de détermination du coût des stocks est préférable du point de vue a) du bénéfice net et b) des flux de trésorerie? Expliquez vos réponses.
3. Quelles seraient vos réponses à la question 2 si les prix étaient en baisse? Expliquez votre réponse.

E7-10 **Le choix entre trois méthodes de détermination du coût des stocks selon leur effet sur le flux de trésorerie**

☐ OA2
☐ OA3

Voici une partie des renseignements de l'état des résultats de l'entreprise Tibère selon trois méthodes différentes de détermination du coût des stocks. Supposez que cette entreprise utilise un système d'inventaire périodique.

	PEPS	DEPS	Coût moyen
Coût des marchandises vendues			
Stocks au début (340 unités)	11 220 $	11 220 $	11 220 $
Achats (475 unités)	17 100	17 100	17 100
Marchandises destinées à la vente			
Stocks à la fin (510 unités)			
Coût des marchandises vendues			
Ventes, 305 unités; prix de vente unitaire, 50 $			
Charges, 1 600 $			

Travail à faire

1. Calculez le coût des marchandises vendues selon les méthodes PEPS, DEPS et du coût moyen.
2. Dressez l'état des résultats jusqu'au bénéfice avant impôts selon chacune des méthodes.
3. Classez ces trois méthodes en fonction de leurs avantages concernant les flux de trésorerie et expliquez les raisons de votre classement.

E7-11 **L'enregistrement des stocks au moindre du coût et de la juste valeur**

☐ OA4

L'entreprise Porphyre dresse ses états financiers annuels en date du 31 décembre 2009. Voici des renseignements sur les stocks de clôture pour les cinq principaux types d'articles.

	Stocks à la fin, 2009		
Article	Quantité en main	Coût unitaire à l'achat (PEPS)	Coût de remplacement (valeur au marché) à la fin de l'exercice
A	50	15 $	12 $
B	75	40	40
C	10	50	52
D	30	30	30
E	400	8	6

Travail à faire

Déterminez le montant des stocks à la fin de l'exercice 2009 en vous servant de la règle de la valeur minimale et en l'appliquant à chacun des articles. (Conseil: Créez une colonne pour chacun des éléments suivants: l'article, la quantité, le coût total, la valeur marchande totale et l'évaluation selon la méthode de la valeur minimale.)

E7-12   L'enregistrement des stocks au moindre du coût et de la juste valeur

L'entreprise Demski a été fondée le 1er janvier 2008 et dresse actuellement ses états financiers annuels en date du 31 décembre 2008. Voici des renseignements sur les stocks de clôture pour les quatre principaux types d'articles.

| Article | Quantité en main | Stocks à la fin, 2008 | |
		Coût unitaire à l'achat (PEPS)	Coût de remplacement (valeur au marché) à la fin de l'exercice
A	20	12 $	13 $
B	75	40	38
C	35	55	52
D	10	30	35

Travail à faire

1. Déterminez le montant des stocks à la fin de l'exercice 2008 en vous servant de la règle de la valeur minimale et en l'appliquant à chacun des articles. (Conseil : Créez une colonne pour chacun des éléments suivants : l'article, la quantité, le coût total, la valeur marchande totale et l'évaluation selon la méthode de la valeur minimale.)

2. Quel sera l'effet de la moins-value des stocks sur le coût des marchandises vendues pour l'exercice de 2008 ?

E7-13   L'analyse et l'interprétation du taux de rotation des stocks

Dell est un leader dans la fabrication des ordinateurs personnels. Au cours d'un exercice récent, l'entreprise a enregistré les résultats suivants en dollars des États-Unis.

Chiffre d'affaires	41 444 $
Coût des marchandises vendues	33 892
Stocks au début	306
Stocks à la fin	327

Travail à faire

1. Calculez le taux de rotation des stocks ainsi que le délai moyen d'écoulement des stocks pour l'exercice considéré.

2. Expliquez chacun des montants obtenus.

3. Expliquez comment cette analyse pourrait être plus complète.

E7-14   L'analyse et l'interprétation de l'incidence du choix entre les méthodes PEPS et DEPS sur le taux de rotation des stocks

Les renseignements suivants sur un produit particulier proviennent des registres comptables de l'entreprise Alcazar et datent de la fin de janvier 2010.

Stocks, 31 décembre 2009, selon PEPS, 19 unités à 14 $ = 266 $
Stocks, 31 décembre 2009, selon DEPS, 19 unités à 10 $ = 190 $

Transactions	Nombre d'unités	Coût unitaire	Coût total
Achat, 9 janvier 2010	25	15 $	375 $
Achat, 20 janvier 2010	50	16	800
Vente, 11 janvier 2010 (à 38 $ l'unité)	40		
Vente, 27 janvier 2010 (à 39 $ l'unité)	28		

Travail à faire

Calculez le taux de rotation des stocks selon les méthodes PEPS et DEPS. Présentez vos calculs et arrondissez au dollar près. Expliquez laquelle de ces deux méthodes, à votre avis, indique avec le plus de précision l'efficacité de l'équipe de gestion.

E7-15 **L'interprétation de l'effet des variations concernant les stocks et les comptes fournisseurs sur les flux de trésorerie liés aux activités d'exploitation**

◆ Alcan inc. ■ OA5

Alcan est une entreprise canadienne d'envergure internationale dans le domaine de l'aluminium et des emballages. Voici les renseignements inscrits au bilan d'un rapport annuel récent de cette entreprise.

Bilans consolidés au 31 décembre (en millions de dollars)		
	Exercice en cours	**Exercice précédent**
. . . . . .	. . .	. . .
Stocks	2 734 $	4 040 $
. . . . . .	. . .	. . .
Créditeurs	4 608	5 843

Travail à faire

Expliquez l'effet des variations des stocks et des comptes créditeurs de l'exercice en cours sur les flux de trésorerie liés aux activités d'exploitation pour le même exercice.

E7-16 **L'analyse des notes aux états financiers de sociétés américaines afin de rectifier le montant des stocks à partir de la méthode DEPS vers la méthode PEPS**

◆ Ford Motor Company ■ OA6

La note suivante apparaissait dans un récent rapport annuel de la société Ford Motor Company.

Note 5. Stocks – Secteur de l'automobile		
Les stocks au 31 décembre se présentaient comme suit (en millions de dollars)	**Exercice en cours**	**Exercice précédent**
Matières premières, produits en cours de fabrication et fournitures	3 842 $	3 174 $
Produits finis	6 335	4 760
Total des stocks selon PEPS	10 177	7 934
Moins redressement selon DEPS	(996)	(957)
Total	9 181 $	6 977 $
Environ un tiers des stocks a été évalué selon la méthode du dernier entré, premier sorti.		

Travail à faire

1. Déterminez la valeur des stocks à la fin qui aurait été enregistrée pour l'exercice en cours si Ford avait utilisé uniquement la méthode de l'épuisement successif (PEPS).
2. L'entreprise a enregistré un coût des marchandises vendues de 129 821 millions de dollars pour l'exercice en cours. Déterminez le coût des marchandises vendues qu'elle aurait enregistré si elle avait utilisé uniquement la méthode de l'épuisement successif au cours des deux exercices.
3. Expliquez pourquoi Ford a choisi la méthode DEPS pour comptabiliser une partie de ses stocks.

E7-17 **L'analyse de l'effet d'une erreur à la suite de l'enregistrement des achats**

■ OA7

L'entreprise Le Paradis du ski a enregistré par erreur des achats de stocks achetés à crédit, reçus au cours de la dernière semaine de décembre 2010 comme étant des achats effectués en janvier 2011 (on parle alors d'« erreur de démarcation » [ou d'« erreur de coupure d'exercice »] concernant les achats). L'entreprise utilise un système d'inventaire périodique. Ses stocks de fermeture ont été dénombrés, et aucune erreur n'a été relevée à chacun des exercices. En supposant qu'aucune correction n'a été faite en 2010 ou en 2011, indiquez si, dans les états financiers, chacun des montants suivants sera sous-évalué, surévalué ou exact :

1. Le bénéfice net pour 2010.
2. Le bénéfice net pour 2011.
3. Les bénéfices non répartis au 31 décembre 2010.
4. Les bénéfices non répartis au 31 décembre 2011.

■ OA7 | Gibson Greeting Cards ◆

E7-18 **L'analyse de l'incidence d'une erreur portant sur les stocks, telle qu'elle est indiquée sous forme de note aux états financiers**

Il y a quelques années, la note suivante apparaissait dans les états financiers de l'entreprise Gibson Greeting Cards (maintenant une filiale d'American Greetings Corp.).

> Le 1er juillet, l'entreprise a annoncé qu'elle avait constaté que ses stocks [...] avaient été surévalués [...] La surestimation se chiffrait à 8 806 000 $.

L'entreprise avait enregistré un bénéfice net erroné de 25 852 000 $ pour l'exercice au cours duquel l'erreur avait été commise, et son taux d'imposition était de 39,3 %.

Travail à faire

1. Calculez le montant du bénéfice net que Gibson a enregistré après avoir corrigé l'erreur relative aux stocks. Présentez vos calculs.
2. Supposez que l'erreur sur les stocks n'a pas été découverte. Déterminez les postes des états financiers qui seraient erronés pour l'exercice où l'erreur s'est produite de même que pour l'exercice suivant. Indiquez, pour chaque compte, s'il s'agit d'une surévaluation ou d'une sous-évaluation.

■ OA7

E7-19 **L'analyse et l'interprétation de l'incidence d'une erreur sur les stocks**

L'entreprise Dolbeau a dressé les états des résultats suivants:

	Premier trimestre 2010		Deuxième trimestre 2010	
Chiffre d'affaires		15 000 $		18 000 $
Coût des marchandises vendues				
Stocks au début	3 000 $		4 000 $	
Achats	7 000		12 000	
Marchandises destinées à la vente	10 000		16 000	
Stocks à la fin	4 000		9 000	
Coût des marchandises vendues		6 000		7 000
Bénéfice brut		9 000		11 000
Charges		5 000		6 000
Bénéfice avant impôts		4 000 $		5 000 $

Au cours du troisième trimestre, l'entreprise a découvert que les stocks de clôture du premier trimestre aurait dû être de 4 400 $. La société utilise la méthode de l'inventaire périodique.

Travail à faire

1. Quel effet cette erreur a-t-elle eu sur le montant combiné des bénéfices avant impôts des deux premiers trimestres? Expliquez votre réponse.
2. Cette erreur a-t-elle modifié le montant du résultat par action de chaque trimestre? (*Voir l'analyse du résultat par action au chapitre 5.*) Expliquez votre réponse.
3. Dressez l'état des résultats corrigé pour chacun des trimestres.
4. Construisez un tableau ayant les titres qui suivent. Pour chaque poste de l'état des résultats, comparez les montants exacts et erronés. Déterminez si l'erreur qui s'ensuit surestime ou sous-estime le poste et de combien.

	Premier trimestre			Deuxième trimestre		
Poste de l'état des résultats	Erroné	Exact	Erreur	Erroné	Exact	Erreur

E7-20 **L'enregistrement des ventes et des achats compte tenu des escomptes de caisse (Annexe 7-A)**

Le Coin du vélo vend de la marchandise à crédit avec des modalités de paiement de 2/10, n/30. Une vente au montant de 800 $ (le coût des marchandises vendues est de 500 $) est facturée à Milou Clément, le 1er février 2008. L'entreprise utilise la méthode du montant brut pour enregistrer ses escomptes sur vente.

Travail à faire

1. Présentez la vente à crédit. Formulez votre réponse sous forme d'équation comptable. Passez aussi les écritures de journal. Supposez que l'entreprise utilise un système d'inventaire permanent.

2. Supposez que le montant du compte a été recouvré en entier le 9 février 2008. Décrivez les incidences sur les éléments de l'équation comptable et passez l'écriture de journal à cette date.

3. Reformulez la solution de la question précédente en supposant plutôt que le montant du compte a été recouvré en entier le 2 mars 2008.

Le 4 mars 2008, l'entreprise a acheté à crédit d'un fournisseur des bicyclettes et des accessoires pour un montant de 8 000 $ selon des modalités de paiement de 1/15, n/30. Elle utilise la méthode du montant brut pour enregistrer ses achats.

Travail à faire

4. Présentez cet achat à crédit en supposant que l'entreprise utilise un système d'inventaire permanent. Formulez votre réponse sous forme d'équation comptable. Passez ensuite l'écriture de journal nécessaire.

5. Présentez le recouvrement du compte en entier le 12 mars 2008. Formulez votre réponse sous forme d'équation comptable. Passez ensuite l'écriture de journal nécessaire.

6. Reformulez votre réponse à la question précédente en supposant que le compte a été recouvré en entier le 28 mars 2008.

E7-21 **La comptabilisation des achats et des ventes avec un système d'inventaire permanent ou un système d'inventaire périodique (Annexe 7-B)**

L'entreprise Cottard a enregistré un stock d'ouverture de 100 unités à un coût unitaire de 25 $. Au cours de l'exercice 2008, elle a effectué les opérations d'achat et de vente suivantes :

14 janvier	Vente à crédit de 25 unités à un prix unitaire de 45 $
9 avril	Achat à crédit de 15 unités supplémentaires à un coût unitaire de 25 $
2 septembre	Vente à crédit de 50 unités à un prix unitaire de 50 $

À la fin de l'exercice 2008, par suite du dénombrement des stocks, l'entreprise a encore 40 unités en stock.

Travail à faire

Présentez chaque opération en supposant que l'entreprise Cottard utilise a) un système d'inventaire permanent et b) un système d'inventaire périodique. Présentez les redressements nécessaires à la fin de l'exercice, soit au 31 décembre. Dans votre réponse, 1) indiquez les incidences sur les éléments de l'équation comptable et 2) passez les écritures de journal nécessaires.

Problèmes

P7-1 **L'analyse des éléments à inclure aux stocks** ☐ OA1

L'entreprise Régence vient de terminer l'inventaire physique de ses stocks pour l'exercice se terminant le 31 décembre 2010. On a dénombré seulement les articles qui se trouvaient sur les tablettes, en entrepôt et dans l'aire de réception. On les a déterminés selon la méthode de l'épuisement successif (PEPS). La valeur des stocks s'élevait à 70 000 $. Au cours de sa vérification, l'expert-comptable indépendant a obtenu les renseignements supplémentaires suivants :

a) Des marchandises évaluées à 500 $ étaient utilisées à l'essai par un client et n'ont donc pas été incluses dans le dénombrement du 31 décembre 2010.

b) Des marchandises d'une valeur de 600 $ étaient en transit au 31 décembre 2010. Un fournisseur les avaient expédiées avec la mention « FAB point de réception ». Elles ont été exclues du dénombrement parce qu'elles n'avaient pas encore été livrées à l'entreprise.

c) Le 31 décembre 2010, le montant total des marchandises en transit expédiées aux clients avec des modalités FAB point d'expédition s'élevait à 1 000 $. (La date de livraison prévue était le 10 janvier 2011.) Comme les marchandises avaient déjà été expédiées, elles ne faisaient pas partie des articles dénombrés.

d) Le 28 décembre 2010, un client a payé 2 000 $ comptant pour des marchandises qu'il reviendrait chercher le 3 janvier 2011. L'entreprise avait déboursé 1 200 $ pour ces marchandises et, comme ces dernières se trouvaient sur place, elles ont été incluses dans le dénombrement des stocks.

e) Le jour de l'inventaire physique, l'entreprise a reçu une note d'un fournisseur l'informant que des marchandises commandées précédemment à un coût de 2 200 $ avaient été livrées à la société de transport le 27 décembre 2010. Les modalités étaient « FAB point d'expédition ». Comme l'envoi n'était pas encore arrivé le 31 décembre 2010, les marchandises ont été exclues du dénombrement.

f) Le 31 décembre 2010, l'entreprise a expédié à un client des marchandises d'une valeur de 950 $ FAB point de réception. Ces marchandises ne devraient pas arriver avant le 8 janvier 2011 et, comme elles n'étaient pas sur place lors de l'inventaire, elles n'ont pas été incluses dans le dénombrement.

g) Le volume des ventes d'un des articles est si faible que la direction de l'entreprise avait prévu de s'en débarrasser au cours de l'exercice précédent. Pour inciter Régence à garder l'article en question en stock, le fournisseur lui a envoyé la marchandises « en consignation ». Chaque mois, l'entreprise envoie au fabricant un rapport portant sur le nombre d'unités vendues et lui remet le coût en argent comptant. À la fin de décembre 2010, l'entreprise Régence disposait encore de cinq de ces articles à 1 000 $ chacun. Elle les a donc inclus dans son dénombrement.

Travail à faire

Rappelez-vous que les règles et les méthodes comptables obligent l'entreprise Régence à inclure dans ses stocks toutes les marchandises pour lesquelles elle détient le titre de propriété. N'oubliez pas que le moment où le titre de possession change de mains est déterminé selon les modalités d'expédition précisées au contrat de vente (*voir l'annexe 7-A pour plus d'information*). En commençant avec les stocks de 70 000 $ que Régence a dénombrés, calculez le montant corrigé des stocks à la fin. Expliquez comment vous traitez chacun des éléments relevés par l'expert-comptable. (Conseil : Établissez trois colonnes, une pour l'article, une autre pour le montant et la troisième pour l'explication que vous apportez.)

■OA2   P7-2   **L'analyse de l'incidence des quatre méthodes de détermination du coût des stocks (PS7-1)**

L'entreprise Desmeules utilise un système d'inventaire périodique. À la fin de l'exercice terminé le 31 décembre 2009, voici ce que présentent les livres comptables de l'entreprise concernant le produit le plus en demande.

Transactions	Nombre d'unités	Coût unitaire
Stocks d'ouverture, 1er janvier 2009	1 800	2,50 $
Transactions au cours de 2009 :		
Achat, 30 janvier	2 500	3,10
Achat, 1er mai	1 200	4,00
Vente (5 $ l'unité)	(1 450)	
Vente (5 $ l'unité)	(1 900)	

Travail à faire

Calculez les montants suivants au 31 décembre 2009 : a) le coût des marchandises destinées à la vente, b) les stocks à la fin et c) le coût des marchandises vendues selon chacune des méthodes de détermination du coût des stocks suivantes (présentez vos calculs et arrondissez au dollar près).

1. La méthode du coût moyen.
2. La méthode de l'épuisement successif.
3. La méthode de l'épuisement à rebours.
4. La méthode du coût distinct. Avec cette méthode, supposez que les articles de la première vente provenaient aux deux cinquièmes des stocks d'ouverture et aux trois cinquièmes de l'achat effectué le 30 janvier 2009. Supposez aussi que les articles de la deuxième vente provenaient du reste des stocks d'ouverture et de l'achat du 1er mai 2009.

P7-3 **Le choix des quatre méthodes de détermination du coût des stocks selon le bénéfice et les flux de trésorerie (PS7-2)**

◇ EXCEL ☐ OA2 ☐ OA3

À la fin de janvier 2009, les livres de l'entreprise Balbec indiquent les renseignements suivants concernant un article qui se vend 18 $ l'unité.

Transactions	Nombre d'unités	Montant
Stocks, 1er janvier 2009	500	2 500 $
Achat, 12 janvier	600	3 600
Achat, 26 janvier	160	1 280
Vente	(400)	
Vente	(300)	

Travail à faire

1. En supposant que l'entreprise utilise un système d'inventaire périodique, dressez un état des résultats sommaire (jusqu'au bénéfice brut) en vous servant de chacune des méthodes suivantes : a) coût moyen, b) PEPS, c) DEPS et d) coût distinct. Dans le cas de la méthode du coût distinct, supposez que les marchandises de la première vente provenaient des stocks d'ouverture et celles de la deuxième vente, de l'achat du 12 janvier. Présentez le détail de vos calculs.
2. Laquelle des deux méthodes, PEPS ou DEPS, permettrait d'obtenir le bénéfice avant impôts le plus élevé ? Laquelle aurait comme résultat le résultat par action le plus élevé ?
3. Laquelle des deux méthodes, PEPS ou CM, présenterait la charge d'impôts la plus faible ? Expliquez votre réponse en supposant que le taux d'imposition moyen est de 30 %.
4. Laquelle des deux méthodes, PEPS ou CM, permettrait d'obtenir en 2009 le flux de trésorerie le plus avantageux pour l'entreprise ? Expliquez votre réponse.

P7-4 **L'analyse et l'interprétation de la manipulation des résultats selon la méthode DEPS**

☐ OA2 ☐ OA3

L'entreprise Pacifique vend de l'appareillage d'essai électronique qu'elle se procure auprès d'une société étrangère. Au cours de l'exercice 2012, le compte de stocks contenait les renseignements suivants :

L'entreprise évalue ses stocks selon la méthode de l'épuisement à rebours (DEPS).

	Nombre d'unités	Coût unitaire	Coût total
Stocks au début	15	12 000 $	180 000 $
Achats	40	10 000	400 000
Ventes (45 unités à 25 000 $ chacune)			

Travail à faire

1. Dressez l'état des résultats sommaire suivant à l'aide de la méthode de l'épuisement à rebour (DEPS) et du système d'inventaire périodique. Présentez vos calculs.

Chiffre d'affaires	_____ $
Coût des marchandises vendues	_____
Bénéfice brut	
Charges	300 000
Bénéfice avant impôts	_____ $
Stocks à la fin	_____ $

2. Pour différentes raisons, la direction pense acheter 20 unités supplémentaires au montant de 8 000 $ chacune avant le 31 décembre 2012. Dressez à nouveau l'état des résultats (et les nouveaux stocks à la fin) en supposant que cet achat est effectué le 31 décembre 2012.

3. Par quel montant le bénéfice avant impôts a-t-il varié à la suite de la décision du 31 décembre 2012 ? En posant l'hypothèse que le coût unitaire de l'appareillage d'assaut continuera à diminuer en 2013, y a-t-il le moindre indice d'une manipulation des résultats ? Expliquez votre réponse.

■ OA2
■ OA3

P7-5   **L'évaluation du choix entre les méthodes PEPS et DEPS dans le contexte de hausses et de baisses des prix**

Vous devez évaluer le bénéfice selon quatre scénarios différents.

1. Lorsque les prix augmentent :
   – situation A : on utilise la méthode PEPS ;
   – situation B : on utilise la méthode DEPS.
2. Lorsque les prix diminuent :
   – situation C : on utilise la méthode PEPS ;
   – situation D : on utilise la méthode DEPS.

Voici les données de base communes aux quatre situations : les ventes sont de 500 unités pour un chiffre d'affaires de 12 500 $; les stocks au début sont de 300 unités ; les achats, de 400 unités ; les stocks à la fin, de 200 unités et les frais d'exploitation, de 4 000 $. Les états des résultats ci-après ont été dressés afin de refléter les quatre scénarios aux fins d'analyse.

EXCEL ◆

	Hausse des prix		Baisse des prix	
	Situation A	Situation B	Situation C	Situation D
	PEPS	DEPS	PEPS	DEPS
Chiffre d'affaires	12 500 $	12 500 $	12 500 $	12 500 $
Coût des marchandises vendues				
Stocks au début	3 600	3 600	3 900	3 900
Achats	5 200	5 200	4 800	4 800
Marchandises destinées à la vente	8 800	?	?	?
Stocks à la fin	2 600	?	?	?
Coût des marchandises vendues	6 200	?	?	?
Bénéfice brut	6 300	?	?	?
Charges	4 000	4 000	4 000	4 000
Bénéfice avant impôts	2 300	?	?	?
Charge d'impôts (30 %)	690	?	?	?
Bénéfice net	1 610 $	$	$	$

Travail à faire

1. Remplissez les différentes colonnes ci-dessus pour chacune des situations. En ce qui concerne les situations A et B (hausse de prix), supposez que les stocks d'ouverture étaient de 300 unités à 12 $ l'unité, soit 3 600 $ et que les achats étaient de 400 unités à 13 $ l'unité, soit 5 200 $. Dans le cas des situations C et D (baisse de prix), supposez le contraire, c'est-à-dire que les stocks d'ouverture sont de 300 unités à 13 $ chacune, soit 3 900 $, et que les achats sont de 400 unités à 12 $ chacune, soit 4 800 $. Utilisez le système d'inventaire périodique.

2. Analysez l'effet de l'augmentation et de la diminution des prix que vous avez observées à la question précédente sur le bénéfice avant impôts et sur le bénéfice net.

3. Analysez l'effet de chaque situation sur les flux de trésorerie.

4. Si la méthode DEPS était acceptée au Canada du point de vue fiscal, quelle méthode, PEPS ou DEPS, recommanderiez-vous ? Expliquez votre réponse.

P7-6 **La détermination de l'incidence de la règle de la valeur minimale sur l'état des résultats et les flux de trésorerie**

L'entreprise Simonet a dressé ses états financiers en date du 31 décembre 2009. L'entreprise utilise la méthode PEPS pour évaluer ses stocks. Toutefois, elle a négligé d'appliquer la règle du moindre du coût et de la juste valeur à ses stocks de fermeture. Voici l'état des résultats provisoire de 2009.

Chiffre d'affaires		280 000 $
Coût des marchandises vendues		
Stocks au début	30 000 $	
Achats	182 000	
Marchandises destinées à la vente	212 000	
Stocks à la fin (selon la méthode PEPS)	44 000	
Coût des marchandises vendues		168 000
Bénéfice brut		112 000
Frais d'exploitation		61 000
Bénéfice avant impôts		51 000
Charge d'impôts (30 %)		15 300
Bénéfice net		35 700 $

Supposez qu'on vous a demandé de dresser à nouveau les états financiers de 2009 pour que la règle de la valeur minimale y soit reflétée. Vous avez déjà recueilli les données suivantes concernant les stocks à la fin de 2009.

Article	Quantité	Coût d'achat Coût unitaire	Coût de remplacement coût unitaire Total	(Valeur marchande)
A	3 000	3 $	9 000 $	4 $
B	1 500	4	6 000	2
C	7 000	2	14 000	4
D	3 000	5	15 000	3
			44 000 $	

Travail à faire

1. Dressez à nouveau l'état des résultats en tenant compte de la règle de la valeur minimale pour déterminer les stocks à la fin de l'exercice 2009. Appliquez cette règle individuellement à chacun des articles. Présentez vos calculs.

2. Comparez et expliquez l'incidence de la règle de la valeur minimale sur chacun des montants que vous avez modifiés en 1.

3. Sur quel concept se base-t-on pour justifier la méthode de l'évaluation au moindre du coût et de la juste valeur du stock de marchandises ?

4. Quelle incidence cette méthode a-t-elle eu sur les flux de trésorerie pour l'exercice 2009 ? Quel serait son effet à long terme sur les flux de trésorerie ?

■ OA5

P7-7 **L'évaluation de l'effet de changements dans le processus de fabrication sur le taux de rotation des stocks et sur les flux de trésorerie liés aux activités d'exploitation**

La société Tan inc. se spécialise depuis cinq ans dans la fabrication de composants électroniques pour les téléphones cellulaires. Au cours de cette période, l'entreprise a connu une croissance rapide de son chiffre d'affaires et de ses stocks. La société Tan vous a engagé comme premier contrôleur de la société. Vous avez établi de nouveaux procédés relativement aux achats et à la fabrication dans le but de diminuer les stocks d'environ un tiers d'ici la fin de l'exercice. Voici les données que vous avez recueillies concernant ces changements.

		(en milliers de dollars)	
	Début de l'exercice	Fin de l'exercice (prévisions)
Stocks	463 808 $	310 270 $
		Exercice en cours (prévisions)
Coût des marchandises vendues		7 015 069 $

Travail à faire

1. Calculez le taux de rotation des stocks en vous basant sur les deux hypothèses suivantes :
   a) l'hypothèse qui est présentée dans le tableau ci-dessus (c'est-à-dire une baisse au solde des stocks) ;
   b) aucune variation au solde des stocks par rapport au début de l'exercice.

2. Calculez l'effet du changement prévu au solde des stocks sur les flux de trésorerie liés aux activités d'exploitation de l'exercice. (Évaluez le montant de cet effet et le signe correspondant.)

3. Selon l'analyse précédente, rédigez une note brève expliquant comment une hausse du taux de rotation des stocks peut entraîner une augmentation des flux de trésorerie liés aux activités d'exploitation. Expliquez également comment l'entreprise peut bénéficier de cette augmentation.

■ OA6 General Motors (GM) ◆

P7-8 **L'évaluation du choix entre les méthodes DEPS et PEPS à la suite d'une note sur les stocks aux états financiers**

Un rapport annuel de la société General Motors comporte la note suivante aux états financiers :

Les stocks sont généralement enregistrés à un coût qui ne dépasse pas la valeur marchande. Le coût de presque tous les stocks aux États-Unis a été déterminé à l'aide de la méthode de l'épuisement à rebours (DEPS). Si on avait utilisé la méthode de l'épuisement successif (PEPS), on estime que la valeur de ces stocks aurait augmenté de 2 077,1 millions de dollars à la fin du présent exercice par rapport à une hausse de 1 784,5 millions de dollars à la fin de l'exercice précédent.

Pour l'exercice en cours, GM a enregistré un bénéfice net (après impôts) de 320,5 millions de dollars. À la fin de l'exercice, le solde du compte des bénéfices non répartis était de 15 340 millions de dollars.

Travail à faire

1. Évaluez le montant de bénéfice net que l'entreprise aurait enregistré pour l'exercice en cours si elle avait utilisé la méthode PEPS (en supposant que le taux d'imposition est de 30 %).

2. Évaluez le montant des bénéfices non répartis que l'entreprise aurait enregistré en fin d'exercice si elle avait toujours utilisé la méthode PEPS (en supposant que le taux d'imposition est de 30 %).

3. L'emploi de la méthode DEPS, permise aux États-Unis par les autorités fiscales, a permis à l'entreprise de réduire le montant d'impôts qu'elle devait verser pour l'exercice en cours par rapport au montant qu'elle aurait payé en utilisant la méthode PEPS. Calculez le montant de cette réduction (en supposant que le taux d'imposition est de 30%).

P7-9   **L'analyse et l'interprétation de l'incidence d'erreurs concernant les stocks (PS7-3)**

◆ EXCEL ■ OA7

Voici quelques données extraites de l'état des résultats de l'entreprise Pontbriand pour les quatre derniers exercices financiers.

	2007	2008	2009	2010
Chiffre d'affaires	2 000 000 $	2 400 000 $	2 500 000 $	3 000 000 $
Coût des marchandises vendues	1 400 000	1 630 000	1 780 000	2 100 000
Bénéfice brut	600 000	770 000	720 000	900 000
Charges	450 000	500 000	520 000	550 000
Bénéfice avant impôts	150 000	270 000	200 000	350 000
Charge d'impôts (30%)	45 000	81 000	60 000	105 000
Bénéfice net	105 000 $	189 000 $	140 000 $	245 000 $

Une vérification a permis de découvrir que, lors du calcul de ces montants, on a surévalué les stocks à la fin de 2008 de 20 000 $. L'entreprise utilise un système d'inventaire périodique.

Travail à faire

1. Dressez à nouveau ces états des résultats en corrigeant l'erreur.
2. Calculez le pourcentage de la marge bénéficiaire brute pour chacune des années a) avant la correction et b) après la correction. Ces résultats ajoutent-ils de la crédibilité aux montants corrigés selon vos calculs ? Expliquez votre réponse.
3. Quel effet cette erreur aurait-elle eu sur la charge d'impôts si on suppose que le taux moyen d'imposition est de 30% ?

P7-10   **La comptabilisation des ventes et des achats incluant les escomptes de caisse et les retours (Annexe 7-A)**

Le Coin du campus est une coopérative étudiante. Le 1er janvier 2011, ses stocks d'ouverture s'élevaient à 150 000 $, le solde de ses comptes clients, à 4 000 $, et le solde créditeur de sa provision pour créances irrécouvrables, à 800 $. L'entreprise utilise un système d'inventaire permanent et comptabilise ses achats de stocks selon la méthode du montant brut.

Voici, à titre d'exemple, un résumé de quelques-unes des opérations effectuées en 2011 :

a) Vente de marchandises au comptant (coût des ventes, 137 500 $)	275 000 $
b) Retour de marchandises défectueuses par les clients en échange d'un remboursement en espèces (coût des ventes, 800 $)	1 600
Achats de marchandises à crédit chez divers fournisseurs, modalités de 3/10, n/30 comme suit :	
c) Fournitures Auguste, prix de la facture avant la déduction pour l'escompte de caisse	5 000
d) Autres fournisseurs, prix de facture avant déduction de l'escompte de caisse	120 000
e) Achats au comptant de matériel utilisé dans le magasin	2 200
f) Achats au comptant de fournitures de bureau pour utilisation future dans le magasin	700
g) Frais de transport pour les marchandises achetées et payées comptant	400
Paiement des comptes fournisseurs au cours de l'exercice comme suit :	
h) Paiement à la société Fournitures Auguste après le délai de la période d'escompte	5 000
i) Paiement des autres fournisseurs avant l'expiration du délai de l'escompte de 3%	116 400

Travail à faire

1. Présentez les effets de ces transactions sur les postes du bilan à l'aide de l'équation comptable.
2. Passez les écritures de journal pour chacune des transactions.

Problèmes supplémentaires

PS7-1 L'analyse de l'effet des quatre méthodes de détermination du coût des stocks (P7-2)

L'entreprise Toutazimut utilise un système d'inventaire périodique. À la fin de l'exercice, le 31 décembre 2010, ses livres indiquent les informations suivantes concernant l'article le plus vendu par la société :

Transactions	Nombre d'unités	Coût unitaire
Stocks au début, 1er janvier 2010	400	30 $
Transactions au cours de 2010 :		
Achat, 20 février	600	32
Achat, 30 juin	500	36
Vente (46 $ l'unité)	(700)	
Vente (46 $ l'unité)	(100)	

Travail à faire

Calculez les montants a) des marchandises destinées à la vente, b) des stocks à la fin et c) du coût des marchandises vendues en date du 31 décembre 2010 selon chacune des méthodes de détermination du coût des stocks. (Présentez vos calculs et arrondissez les montants au dollar près.)

1. Utilisez la méthode du coût moyen.
2. Utilisez la méthode de l'épuisement successif (PEPS).
3. Utilisez la méthode de l'épuisement à rebours (DEPS).
4. Utilisez la méthode du coût distinct. Dans ce cas, supposez qu'un cinquième des marchandises de la première vente provient des stocks au début et les quatre autres cinquièmes, de l'achat du 20 février. Supposez aussi que les marchandises de la deuxième vente proviennent de l'achat du 30 juin 2010.

PS7-2 L'évaluation des quatre méthodes de détermination du coût des stocks basé sur le bénéfice et les flux de trésorerie (P7-3)

À la fin de janvier 2009, les registres comptables de la société Georges ont présenté l'information suivante concernant un article particulier qui s'est vendu 20 $ l'unité :

Transactions	Unités	Montant
Stocks, au 1er janvier 2009	600	2 400 $
Achats, 12 janvier	800	4 000
Achats, 26 janvier	100	600
Vente	(400)	
Vente	(300)	

Travail à faire

1. En supposant que l'entreprise utilise un système d'inventaire périodique, dressez un état des résultats sommaire (jusqu'au bénéfice brut) en vous servant de chacune des méthodes suivantes : a) coût moyen, b) PEPS, c) DEPS et d) coût distinct. Dans le cas de la méthode du coût distinct, supposez que les marchandises de la première vente provenaient des stocks d'ouverture et celles de la deuxième vente, de l'achat du 12 janvier. Présentez vos calculs.
2. Laquelle des deux méthodes, PEPS ou DEPS, permettrait d'obtenir le bénéfice avant impôts le plus élevé ? Laquelle aurait le résultat par action le plus élevé ?

3. Laquelle des deux méthodes, PEPS ou DEPS, présenterait la charge d'impôts la plus faible s'il s'agissait d'une entreprise américaine ? Expliquez votre réponse en supposant que le taux d'imposition moyen est de 30 %.

4. Laquelle des deux méthodes, PEPS ou DEPS, permettrait d'obtenir le flux de trésorerie le plus avantageux pour l'entreprise américaine ? Expliquez votre réponse. Et qu'en serait-il pour une entreprise canadienne ?

PS7-3 L'analyse et l'interprétation de l'effet d'erreurs sur les stocks (P7-9) OA7

Voici certains montants de l'état des résultats partiel de l'entreprise Clémenceau pour les quatre dernières années.

	2007	2008	2009	2010
Chiffre d'affaires	50 000 $	51 000 $	62 000 $	58 000 $
Coût des marchandises vendues	32 500	35 000	43 000	37 000
Bénéfice brut	17 500	16 000	19 000	21 000
Charges	10 000	12 000	14 000	12 000
Bénéfice avant impôts	7 500 $	4 000 $	5 000 $	9 000 $

Après une analyse détaillée de ces montants, on a déterminé que, lors du dénombrement effectué le 31 décembre 2008, les stocks avaient été sous-évalués de 3 000 $.

Travail à faire

1. Modifiez les états des résultats de façon que les montants reflètent la correction de l'erreur concernant les stocks.

2. Calculez le pourcentage de la marge bénéficiaire brute pour chacune des années a) avant la correction et b) après la correction. Ces résultats ajoutent-ils de la crédibilité aux montants corrigés selon vos calculs ? Expliquez votre réponse.

3. Quel effet cette erreur aurait-elle eu sur la charge d'impôts de l'entreprise si son taux moyen d'imposition était de 30 % ?

Cas et projets

Cas – Rapports annuels

CP7-1 La recherche d'informations financières Reitmans (Canada) limitée OA4 OA5 OA7

Référez-vous aux états financiers de la société Reitmans (Canada) limitée (*voir l'annexe C à la fin de ce manuel*).

Travail à faire

1. L'entreprise évalue ses stocks au moindre du coût et de la juste valeur. À la fin de l'exercice en cours, vous attendez-vous à ce que l'entreprise réduise ses stocks à la valeur du coût de remplacement ou à la valeur minimale ? Expliquez votre réponse.

2. En supposant que la société a surestimé ses stocks à la fin de l'année courante de 10 millions de dollars, déterminez le montant corrigé du bénéfice avant impôts.

3. Faites le calcul du taux de rotation des stocks pour l'année la plus récente. Comment interprétez-vous ce taux ?

CP7-2 La recherche d'informations financières Le Château inc. OA1 OA2 OA5

Référez-vous aux états financiers de la société Le Château (*voir l'annexe B à la fin de ce manuel*). Indiquez où, dans le rapport annuel, vous avez obtenu les informations.

Travail à faire

1. Quel est le montant des stocks détenus par l'entreprise à la fin de l'exercice le plus récent ?

2. Estimez le montant des marchandises que l'entreprise a achetées au cours de l'exercice le plus récent. (Indice : Utilisez l'équation du coût des marchandises vendues et ignorez le libellé « charges de vente et administration » qui se rattache au coût des marchandises vendues.)

3. Quelle méthode l'entreprise utilise-t-elle pour déterminer le coût de ses stocks ?

4. Quelle variation y a-t-il eu concernant les stocks au cours de l'exercice actuel ? En quoi cette variation a-t-elle modifié les flux de trésorerie nets liés aux activités d'exploitation au cours de l'exercice ?

OA5 Reitmans (Canada) ◆
limitée
et Le Château inc.

CP7-3 **La comparaison des entreprises d'un même secteur d'activité**

Référez-vous aux états financiers de la société Reitmans (Canada), à ceux de la société Le Château ainsi qu'au rapport sur les ratios de ce secteur d'activité (*voir les annexes B, C et D à la fin de ce manuel*).

Travail à faire

1. Calculez le taux de rotation des stocks des deux entreprises pour les deux exercices présentés. Que pourriez-vous déduire de la différence entre les deux ?

2. Comparez le taux de rotation des stocks de l'exercice courant de chacune des deux entreprises à la moyenne du secteur d'activité. Ces entreprises ont-elles une meilleure ou une moins bonne rotation des stocks comparativement à la moyenne du secteur ?

Cas – Information financière

OA1 Dana Corporation ◆

CP7-4 **L'utilisation des rapports financiers : l'interprétation de l'effet d'un changement concernant la comptabilisation des coûts relatifs à la production**

Dana Corporation conçoit et fabrique des pièces détachées pour les marchés industriels, les véhicules et l'équipement mobile original tout-terrain. Dans un rapport annuel antérieur, on trouve la note suivante concernant les stocks de l'entreprise.

> Dana Corporation a apporté des modifications à sa méthode de comptabilisation des stocks applicables à partir du 1er janvier [...] pour y inclure certains coûts liés à la production qui étaient précédemment imputés aux charges. Ce changement relatif aux principes comptables permet un rapprochement plus représentatif des coûts et des produits d'exploitation correspondants. Il a eu pour effet d'augmenter la valeur du stock de 23,0 millions de dollars et le bénéfice net, de 12,9 millions de dollars.

Travail à faire

1. Selon la méthode comptable employée jusque-là par l'entreprise, certains coûts de production étaient comptabilisés sous forme de charges à l'état des résultats de l'exercice au cours duquel ils avaient été engagés. Selon la nouvelle méthode, à quel moment ces coûts de production seront-ils passés en charge ?

2. Expliquez comment le fait d'imputer ces coûts aux stocks entraîne une augmentation de leur valeur et une augmentation du bénéfice net de l'exercice.

OA5
OA6

CP7-5 **L'utilisation des rapports financiers : l'interprétation de l'incidence du choix entre les méthodes du coût moyen et PEPS sur le taux de rotation des stocks**

La société Construit inc. est un important fabricant d'outillage agricole et de construction. Le conseiller comptable a recueilli les renseignements qui suivent concernant les stocks de l'entreprise.

Le coût des stocks est déterminé selon la méthode du coût moyen pondéré. L'entreprise a adopté cette méthode pour la majeure partie de ses stocks il y a plus de 50 ans. La valeur des stocks déterminée avec la méthode du CM représentait environ 90 % de celle de l'ensemble des stocks évalués au coût actuel (coûts de remplacement) en date du 31 décembre 2010, 2009 et 2008. Si on avait utilisé la méthode de l'épuisement successif (PEPS), les stocks auraient été de 2 103 $, de 2 035 $ et de 1 818 $ plus élevés que les montants enregistrés respectivement les 31 décembre 2010, 2009 et 2008.

Au bilan de l'entreprise, on trouve les renseignements suivants :			
	2010	2009	2008
Stocks	1 921 $	1 835 $	1 525 $

L'état des résultats présente les données suivantes :			
	2010	2009	2008
Coût des marchandises vendues	12 000 $	10 834 $	9 075 $

Travail à faire

On vous a récemment engagé pour analyser l'efficacité de la gestion des stocks chez Construit inc. et on vous demande de rédiger un bref rapport à ce sujet. Plus précisément, vous devez calculer le taux de rotation des stocks de 2010 selon les méthodes de l'épuisement successif (PEPS) et du coût moyen (CM). Ensuite, vous devez comparer vos résultats en fonction de deux données : 1) le taux de l'entreprise pour l'année précédente, 2009 ; 2) le taux de son principal concurrent, Poutrelle ltée. En 2010, le taux de rotation des stocks de Poutrelle était de 4,2 selon la méthode de l'épuisement successif et de 9,8 selon la méthode du coût moyen. Votre rapport devrait contenir les éléments suivants.

1. Les taux demandés, calculés avec les deux méthodes (PEPS et CM).
2. Une explication des écarts entre les taux d'une méthode à l'autre.
3. Une explication concernant lequel des taux (calculés d'après la méthode PEPS ou la méthode CM) indique avec le plus d'exactitude possible l'efficacité avec laquelle les entreprises gèrent leurs stocks.

CP7-6 **L'utilisation des rapports financiers : une perspective internationale**

◇ Diageo ■OA6

En raison de la mondialisation de l'économie, les utilisateurs d'états financiers doivent souvent analyser des entreprises dont le siège social n'est pas dans leur propre pays. Diageo est une grande société de capitaux de niveau international établie à Londres. Elle possède un grand nombre d'entreprises telles que Seagram, The Pillsbury Company et Burger King.

Travail à faire

En vous servant des concepts présentés dans ce volume, expliquez la signification des différentes catégories de comptes qui apparaissent dans l'extrait du rapport annuel de Diageo reproduit ici. (Note : Les postes Quote-part provenant de sociétés affiliées et Participations sans contrôle se rapportent à des sujets dont il sera question au cours de chapitres ultérieurs.)

Diageo Compte des profits et pertes consolidés Exercices terminés les 30 septembre 2008 et 2007 (en millions de livres sterling)			
	Notes	2008	2007
Rotation	2	(12 821) £	(11 870) £
Charges d'exploitation	4	(10 948)	(10 088)
Bénéfice d'exploitation	2	(1 873)	(1 782)
Quote-part des résultats des sociétés affiliées	6	(203)	(195)
Bénéfice commercial		(2 076)	(1 977)
Gain sur la vente de biens immeubles		(19)	(5)
Ventes d'entreprises	7	(23)	(168)
Intérêts nets	8	(350)	(363)
Bénéfice sur les activités courantes avant impôts		(1 722)	(1 451)
Impôts sur le bénéfice des activités courantes	9	(416)	(401)
Bénéfice sur les activités courantes après impôts		(1 306)	(1 050)
Participations sans contrôle		(80)	(74)
Bénéfice de l'exercice		(1 226)	(976)
Dividendes	10	(751)	(713)
Virement à la réserve		(475)	(263)
Résultat par action	11	36,3 p*	28,8 p*

* p = pence, une division de la livre (100 pences = 1 livre sterling)

Cas – Analyse critique

OA6 Quaker Oats ◆

CP7-7 **La prise de décisions lorsqu'on est analyste financier : l'analyse de l'effet du passage à la méthode DEPS**

Dans un rapport annuel antérieur de Quaker Oats (une société américaine qui est maintenant une division de PepsiCo), on trouve les renseignements qui suivent.

> L'entreprise a adopté l'hypothèse portant sur le mouvement des coûts de la méthode de l'épuisement à rebours pour évaluer la majorité des stocks de la société U.S. Grocery Products qui lui reste. Selon elle, l'utilisation de la méthode de l'épuisement à rebours permettait un rapprochement plus fidèle des coûts et des produits d'exploitation. L'effet cumulatif de ce changement sur les bénéfices non répartis était impossible à déterminer au début de l'exercice, de même que les effets pro forma d'une application rétroactive de cette méthode aux exercices précédents. Dans le cas de l'exercice au cours duquel le changement a eu lieu, on a constaté une diminution du bénéfice net de 16,0 millions de dollars, soit 0,20 $ par action.

Travail à faire

En tant qu'analyste financier, rédigez un rapport exposant les effets du changement de méthode comptable sur les états financiers de Quaker Oats. Dans votre rapport, supposez que le taux d'imposition est de 34 %. Répondez aux questions suivantes dans votre rapport :

1. Outre la raison invoquée, pourquoi la direction de l'entreprise a-t-elle choisi la méthode de l'épuisement à rebours ?
2. À titre d'analyste, comment auriez-vous réagi à la diminution de 0,20 $ par action du bénéfice net due à l'adoption de la méthode de l'épuisement à rebours ?
3. Une situation semblable pourrait-elle se produire pour une entreprise canadienne ? Expliquez votre réponse.

OA7 Micro Warehouse inc. ◆

CP7-8 **La résolution d'un problème d'éthique : le bénéfice net, les achats de stocks et les primes de rendement à la direction**

Micro Warehouse est une entreprise qui vend des logiciels et du matériel informatique en ligne et par catalogue.

> Un article dans *The Wall Street Journal* écrit il y a quelques années, révélait que la société réorganisait sa direction générale. Trois de ses cadres supérieurs ont démissionné alors que la société était sous enquête non officielle par la Security and Exchange Commission (SEC), organisme semblable à l'Autorité des marchés financiers, au Québec. Il faut cependant noter que Micro Warehouse a effectué cette réorganisation à la suite de l'enquête chez Norwalk, Conn, qui a déclenché des poursuites d'actionnaires contre l'entreprise. Cette dernière a surévalué son bénéfice net de 28 millions de dollars depuis 1992 à cause d'irrégularités comptables.

Dans son rapport trimestriel à la Commission des valeurs mobilières des États-Unis présenté deux jours auparavant, l'entreprise indiquait que des inexactitudes relatives à la sous-évaluation d'achats et de comptes fournisseurs dans l'exercice en cours et des exercices antérieurs se chiffraient à 47,3 millions de dollars. Elle signalait également que, par conséquent, les primes de rendement de 2,2 millions de dollars destinées aux cadres supérieurs pour l'exercice de 1995 allaient être annulées. Le taux d'imposition total de l'entreprise est d'environ 40,4 %. Le coût des marchandises vendues et les primes de rendement aux cadres supérieurs sont entièrement déductibles d'impôts.

Travail à faire

À titre de vérificateur du bureau comptable de Micro Warehouse, rédigez un rapport décrivant les effets de la sous-évaluation des achats et de l'annulation des primes de rendement. Voici les sujets dont vous devez traiter :

1. L'effet total de la sous-estimation des achats sur les bénéfices avant et après impôts.
2. L'effet total de l'annulation des primes de rendement sur les bénéfices avant et après impôts.

3. Une estimation du pourcentage des bénéfices après impôts que la direction recevait sous forme de primes de rendement.

4. Une analyse des raisons possibles pour lesquelles le conseil d'administration de Micro Warehouse aurait pu décider de lier l'attribution de primes aux cadres aux bénéfices enregistrés ; une analyse de l'éventuelle relation entre ce type de système de primes et les erreurs de comptabilité.

Projets – Information financière

CP7-9 Un projet en équipe : l'analyse des stocks

☐ OA2
☐ OA3
☐ OA5

En équipe, choisissez un secteur d'activité à analyser. Vous en trouverez des listes aux adresses suivantes : www.sedar.com (des entreprises canadiennes), www.investor. reuters.com/Industries.aspx (des entreprises américaines). Les activités du secteur choisi doivent être telles que des stocks sont présentés au bilan.

Chaque membre de l'équipe devrait se procurer le rapport annuel d'une société ouverte de ce secteur, mais cette société doit être différente de celles qui sont choisies par les autres membres. Consultez par exemple la bibliothèque de votre établissement scolaire, le service SEC EDGAR (pour les entreprises américaines, www.sec.gov), le service SEDAR (pour les entreprises canadiennes, www.sedar.com) ou les sites Web de chaque entreprise.

Travail à faire

Individuellement, chacun devrait rédiger un bref rapport répondant aux questions suivantes en ce qui concerne l'entreprise choisie. En équipe, discutez des similarités que vous avez relevées entre les sociétés. Ensuite, écrivez un bref rapport d'équipe qui compare et met en opposition vos entreprises.

1. Quel est le pourcentage des stocks par rapport à l'actif total au bilan pour chacun des trois derniers exercices ?

2. Quelle méthode de détermination du coût des stocks applique-t-on aux stocks ?
   a) Quels sont, à votre avis, les motifs de ce choix ?
   b) Si l'entreprise a utilisé la méthode de l'épuisement à rebours (s'il s'agit d'une entreprise américaine) ou la méthode du coût moyen (s'il s'agit d'une entreprise canadienne), le bénéfice net avant impôts aurait-il été supérieur ou inférieur s'il avait été calculé à l'aide de la méthode de l'épuisement successif ? Supposez que les prix sont à la hausse.

3. Analyse des ratios
   a) En général, que mesure le taux de rotation des stocks ?
   b) Calculez le taux de rotation des stocks pour les trois derniers exercices.
   c) Que suggèrent vos résultats à propos de l'entreprise ?
   d) S'il est disponible, trouvez le taux de rotation des stocks de l'industrie pour l'exercice le plus récent et comparez ce ratio à vos résultats. Discutez pourquoi le ratio de votre société est semblable ou différent du taux du secteur.

4. Quelle a été l'incidence d'une variation des stocks sur les flux de trésorerie liés aux activités d'exploitation pour l'année en cours (en d'autres mots, le changement a-t-il augmenté ou diminué les flux de trésoreries) ? Expliquez votre réponse.

Les immobilisations corporelles et les actifs incorporels

Objectifs d'apprentissage

Au terme de ce chapitre, l'étudiant sera en mesure :

1. de définir, de classer et d'expliquer la nature des immobilisations ; de calculer et d'interpréter le taux de rotation des actifs immobilisés (*voir la page 442*) ;

2. d'appliquer le principe de la valeur d'acquisition (ou du coût d'origine) lors de l'acquisition et de l'entretien des immobilisations corporelles (*voir la page 445*) ;

3. de connaître et d'appliquer différentes méthodes d'amortissement (*voir la page 451*) ;

4. d'expliquer l'effet de la dépréciation des actifs à long terme sur les états financiers (*voir la page 462*) ;

5. de connaître le processus comptable lors de la cession (ou de l'aliénation) des immobilisations corporelles (*voir la page 463*) ;

6. de reconnaître les particularités comptables liées à la comptabilisation des ressources naturelles et des actifs incorporels (*voir la page 465*) ;

7. de comprendre l'effet, sur les flux de trésorerie, des opérations d'achat, d'amortissement et de vente des actifs immobilisés (*voir la page 472*).

TRANSAT A.T. INC.

Transat A.T. inc.

La gestion des bénéfices grâce au contrôle de la capacité de production

Transat A.T. inc. est une société intégrée de l'industrie du tourisme. Elle se spécialise dans l'organisation, la commercialisation et la distribution de voyages vacances. Que ce soit au Canada ou en Europe, Transat compte plus de 20 filiales dont le transporteur aérien Air Transat, le voyagiste Vacances Transat et l'agence Club Voyages. Transat exerce ses activités uniquement dans le secteur des voyages vacances, et ce, exclusivement en Amérique du Nord et en Europe.

Air Transat transporte annuellement plus de 2,5 millions de passagers vers 90 destinations dans 25 pays, ce qui représente environ 300 vols par semaine. Cette société est la plus importante compagnie aérienne spécialisée dans les vols nolisés au Canada. Elle offre ce service à partir d'une dizaine de villes canadiennes et de quatre villes aux États-Unis. Elle dessert principalement les destinations du sud en hiver et de l'Europe durant l'été. Transat est aussi le premier agent de voyages au Canada.

L'industrie du voyage vacances est un secteur où la demande a toujours été très sensible aux conditions économiques générales et à certains événements qui sont hors du contrôle de l'entreprise. Par exemple, tout le secteur du transport aérien a été fortement perturbé à cause des événements du 11 septembre 2001 à New York et du ralentissement économique subséquent. Les ouragans, de plus en plus nombreux et dévastateurs, viennent aussi perturber l'industrie du voyage. En outre, on ne peut oublier les menaces d'ordre sanitaire telle une pandémie de grippe d'origine aviaire. Ces conditions peuvent provoquer une hésitation chez les voyageurs qui retardent ou même annulent leur voyage. Transat doit aussi composer avec la forte concurrence dans l'industrie aérienne et l'augmentation continuelle du prix du carburant.

Parlons affaires

Un des principaux défis que les dirigeants d'entreprises doivent relever consiste à planifier leur capacité de production pour satisfaire les besoins futurs de leur société. La capacité de production d'une entreprise dépend de ses actifs disponibles qui lui permettent de fabriquer des biens ou d'offrir un service, de là l'importance d'une bonne gestion des immobilisations corporelles. Si les dirigeants sous-estiment le niveau de production requis, la société ne pourra produire les biens ou les services selon la demande. Ainsi, l'opportunité de réaliser des revenus lui échappera. À l'inverse, si les besoins de production sont surestimés, l'entreprise engagera des coûts supplémentaires qui réduiront ses bénéfices.

L'industrie aérienne offre un bel exemple des difficultés associées à ce processus de planification de la capacité de production. Si un avion part de Montréal à destination de Paris avec des places vacantes, la valeur économique de celles-ci est perdue à jamais. Il n'y a aucune façon de vendre des places à un client une fois que l'avion a décollé. Au contraire d'un fabricant, une compagnie aérienne ne peut « stocker » ses places pour l'avenir.

D'un autre coté, si un grand nombre de personnes veulent prendre l'avion, la société refusera des clients si les places ne sont pas disponibles. Vous seriez probablement prêt à acheter un téléviseur chez un marchand, même si ce dernier vous dit que l'appareil ne peut vous être livré avant une semaine. Par contre, si vous voulez faire un voyage à Noël, vous refuserez l'offre d'une compagnie aérienne qui vous propose une place en janvier. Vous changerez simplement de compagnie aérienne ou de moyen de transport.

En tant que transporteur aérien, Transat a de nombreux concurrents dont les entreprises canadiennes Air Canada et WestJet. Pour attirer des passagers, chacun mise sur sa capacité à répondre à la demande. Les clients veulent un horaire flexible (ce qui requiert un bon nombre d'appareils) et des avions modernes et confortables. Les entreprises devant investir des sommes importantes dans leurs actifs immobilisés, elles font de nombreux efforts pour remplir leurs avions à chaque vol. Depuis plusieurs années, Transat mise également sur un service intégré afin d'attirer une plus vaste clientèle. Conforme aux attentes des voyageurs, ce service comprend le transport aérien, l'hébergement, les croisières et les excursions.

Dans l'actualité

Le Devoir

Transat A.T. a déclaré hier des profits en hausse et confirmé à ses actionnaires qu'elle espérait acquérir d'ici la fin de l'année quelques hôtels au Mexique ou dans d'autres pays des Antilles où elle est déjà bien implantée […].

Transat est un important « fabricant » et distributeur de forfaits de voyage qui incluent l'hébergement. L'entreprise n'est toutefois propriétaire d'aucun établissement hôtelier. Prudente jusqu'à maintenant, la société est désormais prête à tenter sa chance […].

Pour le voyagiste, l'idée est de recruter des clients parmi les gens qui se rendent dans les Antilles l'été par exemple. Cela permettrait à Transat de remplir ses avions – et éventuellement ses hôtels – à l'année.

Source : Karine FORTIN (2006), « Transat veut acquérir des hôtels dans le Sud », *Le Devoir*, 16 mars, p. B1.

Les questions concernant les immobilisations corporelles ont des répercussions importantes sur la stratégie d'affaires d'une entreprise. Les gestionnaires consacrent un temps considérable à planifier le niveau optimal de leur capacité de production, et les analystes financiers examinent attentivement les états financiers pour déterminer l'effet des décisions des gestionnaires.

Dans ce chapitre, nous allons suivre le cycle de vie naturel des immobilisations. Nous étudierons d'abord les questions de constatation et de mesure au moment de l'acquisition des immobilisations corporelles. Nous examinerons ensuite les différentes questions relatives à la possession et à l'utilisation de ces actifs dans le temps et, enfin, leur aliénation ou cession. Enfin, nous concentrerons notre attention sur les problèmes de constatation, de mesure et de présentation des actifs incorporels.

L'acquisition et l'entretien des immobilisations corporelles	L'amortissement, la perte de valeur et la cession des immobilisations corporelles	Les ressources naturelles et les actifs incorporels
La classification des immobilisations	Les concepts liés à l'amortissement	L'acquisition et l'épuisement des ressources naturelles
Le taux de rotation des actifs immobilisés	Les différentes méthodes d'amortissement	L'acquisition et l'amortissement des actifs incorporels
La détermination du coût d'acquisition	Le choix des gestionnaires	Quelques exemples d'actifs incorporels
Les réparations et l'entretien, les améliorations, les ajouts et agrandissements	La dépréciation des actifs à long terme	
	La cession des immobilisations corporelles	

L'acquisition et l'entretien des immobilisations corporelles

OBJECTIF D'APPRENTISSAGE **1**

Définir, classer et expliquer la nature des immobilisations, calculer et interpréter le taux de rotation des actifs immobilisés.

Les **immobilisations** (ou les **actifs immobilisés**) sont des éléments d'actifs corporels et incorporels que l'entreprise détient, qu'elle utilise de façon durable dans le contexte de ses activités, et qui ne sont pas destinées à être vendues.

Le tableau 8.1 présente la section Actif du bilan de la société Transat, tiré de son rapport annuel pour l'exercice terminé le 31 octobre 2005 ainsi que la note 6 qui décrit en détail les différents éléments faisant partie des immobilisations.

Commençons avec une classification de ces actifs immobilisés.

La classification des immobilisations

Selon la nature des entreprises, les **immobilisations** (ou les **actifs immobilisés**) représentent très souvent l'élément d'actif le plus important. En outre, comme on l'a déjà vu, elles permettent de déterminer directement la capacité de production de l'entreprise. Les immobilisations sont des éléments d'actif à long terme qui satisfont à tous les critères suivants[1] :

1. Ils sont destinés à être utilisés pour la production ou la fourniture de biens, pour la prestation de services ou pour l'administration, à être donnés en location à des tiers, ou bien à servir au développement ou à la mise en valeur, à la construction, à l'entretien ou à la réparation d'autres immobilisations corporelles.
2. Ils ont été acquis, construits, développés ou mis en valeur en vue d'être utilisés de façon durable.
3. Ils ne sont pas destinés à être vendus dans le cours normal des affaires.

---

1. *Manuel de l'ICCA*, chap. 3061.04.

TABLEAU 8.1 | Rapport annuel

Bilans consolidés (partiels)
aux 31 octobre
(en milliers de dollars)

	2005	2004
ACTIF		
Actif à court terme		
Espèces et quasi-espèces	293 495 $	310 875 $
Espèces et quasi-espèces en fiducie ou autrement réservées (note 4)	182 268	157 678
Débiteurs	69 611	72 745
Actifs d'impôts futurs	70	586
Stocks	7 524	4 053
Frais payés d'avance	40 576	39 729
Tranche récupérable à moins d'un an des dépôts	29 259	28 830
Total de l'actif à court terme	622 803	614 496
Dépôts (note 5)	24 127	22 111
Actifs d'impôts futurs (note 16)	5 106	10 656
Immobilisations (notes 6 et 15)	195 131	93 128
Écarts d'acquisition	93 741	86 966
Autres actifs (note 7)	8 629	11 032
	949 537 $	838 389 $

	2005		2004	
Note 6: **Immobilisations corporelles**	Coût	Amortissement cumulé	Coût	Amortissement cumulé
Biens loués en vertu de contrats de location-acquisition			–	–
Aéronefs	150 937 $	47 579 $		
	150 937	47 579		
Immobilisations corporelles acquises				
Hangar et édifices administratifs	844	339	7 640 $	2 302 $
Améliorations – aéronefs loués en vertu de contrats de location-acquisition	23 643	10 015	19 214	6 108
Équipement d'aéronefs	35 669	29 079	33 750	26 160
Équipement et logiciels informatiques	87 106	63 436	70 633	50 082
Moteurs d'aéronefs	20 358	6 482	20 358	5 151
Équipement et mobilier de bureau	24 531	18 439	20 855	16 096
Améliorations locatives et autres	21 432	11 674	18 367	10 411
Pièces de rechange durables	25 118	7 464	24 139	5 518
	238 701	146 928	214 956	121 828
	389 638 $	194 507 $	214 956 $	121 828 $
Amortissement cumulé	194 507		121 828	
Valeur nette	195 131 $		93 128 $	

On reconnaît deux grandes catégories d'immobilisations : les immobilisations corporelles et les actifs incorporels.

Les **immobilisations corporelles** sont des biens qui ont une existence tangible et physique.

1. Les **immobilisations corporelles** sont des biens qui ont une existence à la fois tangible et physique, c'est-à-dire qu'on peut les toucher. On distingue trois types d'immobilisations corporelles :

   a) Les terrains dont la durée de vie est illimitée et qui ne sont donc pas sujets à l'amortissement. Le bilan de Transat ne montre aucun actif de ce type.

   b) Les bâtiments, le matériel et les améliorations locatives dont la durée de vie est limitée. Dans le cas de Transat, cette catégorie comprend, entre autres, les aéronefs, l'équipement pour l'entretien des aéronefs et les bâtiments.

   c) Les ressources naturelles telles que les biens miniers ou les biens pétroliers et gaziers. Cette catégorie d'immobilisations existe dans des entreprises qui exploitent, par exemple, des réserves de pétrole et de gaz comme Esso L'Impériale ou des gisements aurifères comme Cambior.

Les **actifs incorporels** sont des biens qui n'ont pas d'existence physique, mais qui confèrent des droits particuliers.

2. Les **actifs incorporels** sont des éléments de l'actif à long terme qui n'ont pas d'existence physique, mais qui confèrent à leur propriétaire des droits particuliers. On peut citer notamment les brevets d'invention, les droits d'auteur, les licences, les concessions, les marques de commerce, mais aussi les écarts d'acquisition et certains frais reportés. Transat présente dans son bilan des écarts d'acquisition ainsi que des frais reportés.

ANALYSONS LES RATIOS

Le taux de rotation des actifs immobilisés

1. Question d'analyse

Quel est le degré d'efficacité de la direction d'une entreprise dans l'utilisation de ses immobilisations ?

2. Ratios et comparaisons

$$\text{Taux de rotation des actifs immobilisés} = \frac{\text{Chiffre d'affaires net}}{\text{Actifs immobilisés moyens*}}$$

* (Actifs immobilisés au début de l'exercice + Actifs immobilisés à la fin de l'exercice) ÷ 2

En 2005, le taux de Transat était le suivant :

2 364 481 $ ÷ [(93 128 $ + 195 131 $) ÷ 2] = 16,4 fois

a) L'analyse de la tendance dans le temps			b) La comparaison avec les compétiteurs	
TRANSAT			AIR CANADA	WESJET
2003	2004	2005	2005	2005
15,5	22,5	16,4	2,1	0,8

3. Interprétation des résultats

EN GÉNÉRAL ◊ Le taux de rotation des actifs immobilisés permet de mesurer la productivité de l'entreprise. Un taux élevé indique normalement une gestion efficace. Un taux croissant dans le temps signifie que les actifs immobilisés sont utilisés de manière très efficace. Les créanciers et les analystes financiers se servent de ce coefficient pour évaluer l'efficacité d'une entreprise à obtenir un chiffre d'affaires intéressant grâce à une bonne gestion de ses immobilisations.

TRANSAT ◊ Le taux de rotation des actifs immobilisés de Transat a chuté au cours de la dernière année. Cette performance est due principalement à son programme de location – acquisition de nouveaux appareils qui a eu pour effet d'augmenter considérablement la valeur de ses immobilisations. Par ailleurs, il est difficile de comparer Transat avec Air Canada et WestJet. Ces deux dernières compagnies sont beaucoup plus capitalisées que Transat. La compagnie Air Canada affiche des immobilisations d'une valeur de 5,5 milliards de dollars comparativement à 195 millions de dollars pour Transat. Il faut aussi comprendre que Transat détient de nombreuses filiales qui exploitent aussi le domaine des voyagistes et des agences de voyage, secteurs qui n'ont pas besoin d'une forte capitalisation pour fonctionner.

QUELQUES PRÉCAUTIONS ◊ Un taux faible ou décroissant peut indiquer que l'entreprise est en pleine expansion (à la suite de l'acquisition d'actifs immobilisés supplémentaires) et qu'elle prévoit atteindre un chiffre d'affaires plus élevé dans l'avenir. Un taux croissant peut aussi signifier que l'entreprise a réduit ses dépenses en capital si elle croit que son chiffre d'affaires risque de diminuer. Par conséquent, pour interpréter correctement le taux de rotation des actifs immobilisés, il faut examiner l'ensemble des activités de l'entreprise.

La détermination du coût d'acquisition

Les immobilisations doivent être comptabilisées au coût. Voici comment on définit le coût dans le *Manuel de l'ICCA,* au chapitre 3061.05.

OBJECTIF D'APPRENTISSAGE 2

Appliquer le principe de la valeur d'acquisition (ou du coût d'origine) lors de l'acquisition et de l'entretien des immobilisations corporelles.

> *Le coût correspond au montant de la contrepartie donnée pour acquérir, construire, développer ou mettre en valeur, ou améliorer une immobilisation corporelle. Il englobe tous les frais directement rattachés à l'acquisition, à la construction, au développement ou à la mise en valeur, ou à l'amélioration de l'immobilisation corporelle, y compris les frais engagés pour amener celle-ci à l'endroit et dans l'état où elle doit se trouver aux fins de son utilisation prévue.*

D'après la définition du coût, les frais acceptables et nécessaires engagés pour l'acquisition d'une immobilisation corporelle, son installation et sa préparation à l'utilisation font partie du coût d'acquisition. Nous disons alors que ces frais doivent être capitalisés*, c'est-à-dire qu'ils font partie du coût de l'actif au bilan plutôt que d'être une charge à l'état des résultats.

On additionne ces coûts (y compris toutes les taxes sur les ventes, les frais juridiques, les frais de transport et les coûts d'installation), et on déduit les rabais spéciaux au prix d'achat de l'actif. Par contre, on ne devrait pas y inclure les charges financières (les intérêts) relatifs à l'achat. On enregistrera plutôt les intérêts à titre de charges financières à l'état des résultats.

Outre l'achat de bâtiments et de matériel, une entreprise peut aussi acquérir un terrain, généralement pour y bâtir une nouvelle usine ou un bâtiment administratif. Dans le cas de l'achat d'un terrain, on doit inclure dans le coût d'acquisition tous les frais accessoires payés par l'acquéreur, notamment les frais d'assainissement et d'aménagement, la commission payée à l'agent immobilier, les frais juridiques, les ajustements d'impôt foncier et les frais d'arpentage.

Il arrive parfois qu'une entreprise achète un vieil immeuble ou du matériel d'occasion à des fins d'exploitation. Les coûts de rénovation et de réparation prévus au moment de l'achat et engagés par l'acheteur avant la mise en service doivent être inclus dans le coût d'acquisition de cet actif immobilisé.

Pour illustrer notre propos, supposons que Transat a acheté un appareil Airbus au cours de l'exercice 2006 au prix, selon le contrat, de 80 millions de dollars. La société Airbus a offert à Transat un rabais de 4 millions de dollars pour un contrat exclusif. Il en résulte que le prix du nouvel avion livré à Transat est de 76 millions de dollars. On suppose aussi que la compagnie aérienne a payé des frais de transport de 200 000 $, alors que le coût du réglage de l'appareil se chiffre à 800 000 $ pour préparer le nouvel

---

* L'adjectif « capitalisé » est considéré comme un anglicisme au sens de « tirer profit de », mais les comptables l'utilisent largement.

appareil afin qu'il soit mis en service. Le **coût d'acquisition** correspond au montant de la contrepartie donnée pour acquérir le bien et le mettre en service. L'entreprise a établi que le coût d'acquisition du nouvel appareil se détaille ainsi :

Prix facturé pour l'appareil	80 000 000 $
Moins : Rabais spécial en vertu de l'entente	4 000 000
Prix facturé net à payer	76 000 000 $
Plus : Frais de transport payés par Transat	200 000
Coûts de mise en service payés par Transat	800 000
Coût d'acquisition	77 000 000 $

L'acquisition au comptant

On suppose que Transat paie l'appareil comptant. Cette opération apparaît alors dans ses livres comme suit.

ÉQUATION COMPTABLE

Actif		=	Passif	+	Capitaux propres
Aéronef	+77 000 000				
Caisse	−77 000 000				

ÉCRITURE DE JOURNAL

Aéronef (+A)	77 000 000	
Caisse (−A)		77 000 000

Bien des gens trouveront inusité qu'une compagnie aérienne paie comptant l'achat de nouveaux biens coûtant 77 000 000 $, mais c'est souvent le cas. Lorsqu'elle acquiert des actifs immobilisés, une entreprise peut payer avec des liquidités provenant de son exploitation ou qu'elle a récemment empruntées. Il est aussi possible que le vendeur finance l'achat.

L'acquisition par emprunt

Supposons que Transat a signé un effet à payer pour le nouvel appareil et qu'elle a payé comptant les coûts de transport et de mise en service. L'effet de cette opération sur l'équation comptable et l'écriture de journal qu'elle devra passer est décrit ci-après.

ÉQUATION COMPTABLE

Actif		=	Passif		+	Capitaux propres
Aéronef	+77 000 000		Effet à payer	+76 000 000		
Caisse	−1 000 000					

ÉCRITURE DE JOURNAL

Aéronef (+A)	77 000 000	
Caisse (−A)		1 000 000
Effet à payer (+Pa)		76 000 000

L'acquisition pour une contrepartie autre que monétaire

On pourrait inclure dans la transaction une contrepartie autre que monétaire, par exemple des actions de l'entreprise ou un droit accordé par celle-ci au vendeur de se procurer des biens ou des services à un prix particulier pendant un intervalle de temps précis. Lorsqu'on intègre ce type de contrepartie dans l'achat d'un bien, on mesure le coût d'acquisition selon le montant payé comptant, auquel on additionne la juste valeur de la contrepartie autre que monétaire qui est cédée. S'il n'est pas possible de déterminer la juste valeur de cette contrepartie, on se sert de la juste valeur du bien acheté pour comptabiliser l'opération.

Supposons maintenant que Transat a cédé 2 000 000 d'actions ayant une valeur boursière de 22 $ l'action (le prix approximatif de l'action au moment de l'opération), et qu'elle a versé à Airbus le solde du montant en argent, y compris les frais de transport et de mise en service. Voici l'effet de l'opération sur l'équation comptable ainsi que sur l'écriture de journal appropriée pour enregistrer la transaction.

ÉQUATION COMPTABLE

	Actif	=	Passif	+	Capitaux propres
Aéronef	+77 000 000				Capital social +44 000 000
Caisse	−33 000 000				(22 $ × 2 000 000)

ÉCRITURE DE JOURNAL

Aéronef (+A)	77 000 000	
Caisse (−A)		33 000 000
Capital social (+CP)		44 000 000

L'acquisition par construction

Une entreprise construit parfois elle-même certains biens plutôt que de les acheter d'un fabricant. Le cas échéant, le coût d'acquisition d'une immobilisation construite par l'entreprise pour son propre compte comprend tous les frais liés à la construction (comme le coût des matières, la main-d'œuvre et les frais indirects imputables à l'activité de construction). Dans la plupart des cas, le coût comprend aussi les frais financiers engagés au cours de la période de construction tels les intérêts sur les emprunts effectués pour financer la construction. On parle alors de la **capitalisation des intérêts.** Comme ces intérêts font partie des coûts directement imputables à la construction, l'entreprise peut les inclure dans le coût de l'actif immobilisé jusqu'à son achèvement. Vous étudierez plus en détail les calculs liés à la capitalisation des intérêts si vous poursuivez des études en comptabilité.

Le fait d'incorporer le coût des matières premières, de la main-d'œuvre et des frais financiers au coût de l'actif immobilisé a comme effet d'augmenter la valeur de l'actif, de diminuer les charges de l'exercice et d'augmenter le bénéfice net.

Supposons que Transat construit un nouvel hangar et paie 600 000 $ en main-d'œuvre et 1 300 000 $ en matières premières et en matériel. Transat paie également 100 000 $ en frais d'intérêts durant la période de construction. Voici l'effet de cette opération sur l'équation comptable et l'écriture de journal qu'elle devra passer.

La **capitalisation des intérêts** consiste à inclure les intérêts engagés au cours de la période de construction dans le coût des immobilisations lorsque l'entreprise construit pour son propre compte.

ÉQUATION COMPTABLE

	Actif	=	Passif	+	Capitaux propres
Hangar	+2 000 000				
Caisse	−2 000 000				

Coûts capitalisés :
Matières
premières   1 300 000 $
Main-d'œuvre   600 000 $
Intérêts   100 000 $

ÉCRITURE DE JOURNAL

Hangar (+A)	2 000 000	
Caisse (−A)		2 000 000

Voici une note concernant les intérêts capitalisés qu'on peut trouver dans un rapport annuel récent de la société Air Canada.

Notes afférentes aux états financiers consolidés

2. Convention de présentation et sommaire des principales méthodes comptables

v) Intérêts capitalisés

Les intérêts sur les sommes destinées à financer l'acquisition de nouveau matériel volant et d'autres immobilisations corporelles sont capitalisés jusqu'à la mise en service de ces biens.

L'acquisition sous forme d'achat en bloc

Lorsqu'une entreprise acquiert plusieurs actifs immobilisés (par exemple un terrain, un bâtiment et du matériel) au cours d'une seule opération et pour un prix global, on parle d'**achat à un prix global** (ou d'**achat en bloc**). On doit alors constater et mesurer séparément le coût de chaque actif. Le prix d'achat doit donc être ventilé (ou réparti) entre le terrain, le bâtiment et le matériel de façon rationnelle.

Un **achat à un prix global** (ou un **achat en bloc**) consiste à acquérir de façon simultanée deux ou plusieurs immobilisations à un prix forfaitaire.

Les normes comptables suggèrent d'utiliser la juste valeur de chacune des immobilisations acquises pour répartir le coût d'acquisition global. L'entreprise peut aussi se servir de l'évaluation d'un expert indépendant ou de l'évaluation municipale dans le cas des terrains et des bâtiments. Supposons maintenant que Transat a payé 300 000 $ comptant pour acheter un bâtiment et le terrain sur lequel il est construit.

Les justes valeurs respectives de l'immeuble et du terrain n'étant pas connues, on a eu recours aux services d'un expert. Son évaluation, qui se chiffre à 315 000 $, indique les justes valeurs estimatives suivantes : 189 000 $ pour le bâtiment et 126 000 $ pour le terrain. Afin de déterminer le coût d'acquisition de chaque actif, on fait le calcul suivant :

Bâtiment

$$\frac{\text{Juste valeur}}{\text{Juste valeur totale}} = \frac{189\,000\,\$}{315\,000\,\$} = 60\,\%$$

60 % × Prix d'achat de 300 000 $ = 180 000 $

Terrain

$$\frac{\text{Juste valeur}}{\text{Juste valeur totale}} = \frac{126\,000\,\$}{315\,000\,\$} = 40\,\%$$

40 % × Prix d'achat de 300 000 $ = 120 000 $

Voici l'effet de cette opération sur l'équation comptable et l'écriture qu'elle aurait passée.

ÉQUATION COMPTABLE

Actif		=	Passif	+	Capitaux propres
Terrain	+120 000				
Bâtiment	+180 000				
Caisse	−300 000				

ÉCRITURE DE JOURNAL

Terrain (+A)	120 000	
Bâtiment (+A)	180 000	
Caisse (−A)		300 000

Au cours d'un exercice récent, la société McDonald's a acheté des immobilisations corporelles à un prix de 1,8 milliard de dollars. Lors de l'acquisition de ces actifs, supposez que l'entreprise a aussi payé 70 millions de dollars en taxes; 8 millions de dollars en frais de transport; 1,3 million de dollars pour l'installation et la préparation de ces immobilisations corporelles avant leur utilisation et 100 000 $ en contrats d'entretien pour couvrir les réparations sur ces immobilisations pendant toute la durée de leur utilisation.

1. Calculez le coût d'acquisition de ces immobilisations corporelles.
2. En vous basant sur les hypothèses ci-dessous, précisez les effets de cette acquisition sur l'équation comptable. (Inscrivez un + pour une augmentation et un − pour une diminution, et donnez les comptes avec les montants correspondants.)

	Actif	Passif	Capitaux propres
a) 30 % sont payés comptant, et un effet à payer est signé pour le solde.			
b) Émission de 10 millions d'actions ordinaires ayant une valeur boursière de 45 $ l'action et le reste comptant.			

Vérifiez vos réponses à l'aide des solutions présentées en bas de page*.

Les réparations et l'entretien, les améliorations, les ajouts et agrandissements

La plupart des entreprises doivent engager des coûts pour maintenir ou améliorer la capacité de production de leurs immobilisations. De telles dépenses comprennent les réparations ordinaires découlant de l'entretien normal, les réparations importantes telles que les améliorations et les remplacements, ainsi que les ajouts et agrandissements. Les dépenses engagées après la date d'acquisition d'une immobilisation peuvent être classées en deux catégories :

Les réparations et l'entretien

Les dépenses pour les **réparations et l'entretien** sont des coûts engagés pour l'entretien normal des immobilisations corporelles. Elles sont nécessaires pour maintenir ces actifs en bon état. Ces dépenses sont récurrentes et ne servent pas à prolonger la durée de vie utile de l'actif. Ces coûts sont considérés comme une **dépense d'exploitation**; ils sont comptabilisés comme une charge de l'exercice dans lequel ils sont engagés.

Pour ce qui est de Transat, les réparations ordinaires comprennent, entre autres, la vidange des moteurs, le remplacement des voyants lumineux des tableaux de bord ou la réparation du tissu endommagé des sièges. Même si chacune des dépenses effectuées pour les réparations est relativement petite, dans l'ensemble, elles peuvent devenir

Les **réparations et l'entretien** sont des coûts engagés pour l'entretien normal des immobilisations.

Une **dépense d'exploitation** procure des avantages pendant l'exercice en cours seulement, de sorte qu'il convient de la passer immédiatement en charges.

---

* 1.

Immobilisations corporelles	
Prix d'achat	1 800 000 000 $
Taxe sur les ventes	70 000 000
Frais de transport	8 000 000
Frais d'installation	1 300 000
Coût d'acquisition	1 879 300 000 $

Les contrats d'entretien ne sont pas nécessaires pour rendre les biens utilisables et, par conséquent, ne sont pas inclus dans le coût d'acquisition.

2.

Actif		Passif		Capitaux propres
a) Immobilisations corporelles	+1 879 300 000	Effet à payer +1 315 510 000		
Caisse	−563 790 000			
b) Immobilisations corporelles	+1 879 300 000			Capital social +450 000 000
Caisse	−1 429 300 000			

substantielles. En 2005, Transat affichait des frais d'entretien de ses aéronefs pour une somme de 92 millions de dollars à l'état des résultats.

Les améliorations ainsi que les ajouts et agrandissements

On classe les **améliorations** dans la catégorie des dépenses en capital. Le coût des améliorations est enregistré dans un compte d'actif approprié. Les améliorations augmentent l'utilité économique de l'actif parce qu'elles accroissent son efficacité ou sa durée de vie utile.

Le chapitre 3061.26 du *Manuel de l'ICCA* précise ce qui suit :

Les coûts engagés pour accroître le potentiel de service d'une immobilisation corporelle représentent une amélioration. Le potentiel de service peut être accru lorsque la capacité de production physique ou de service estimée antérieurement est augmentée, que les frais d'exploitation y afférents sont réduits, que la durée de vie ou durée de vie utile est prolongée ou que la qualité des extrants est améliorée.

Par exemple, le remplacement du moteur d'un avion permettra d'augmenter non seulement le nombre d'heures de vol de l'avion, mais aussi son potentiel de service. Les ajouts et agrandissements consistent à apporter un élément supplémentaire à un actif existant, par exemple l'ajout d'une aile à un immeuble. Comme ils augmentent le potentiel de service de l'immobilisation, ils constituent des dépenses en capital. Par conséquent, le coût des ajouts et agrandissements est inscrit au compte d'actif auquel il s'applique.

Dans bien des cas, la distinction entre une **dépense en capital** (un actif) et une dépense d'exploitation (une charge) est difficile à faire. Les gestionnaires doivent alors recourir à leur jugement et prendre une décision selon la nature de la dépense engagée. De nombreux gestionnaires préféreront classer des éléments dans la catégorie des dépenses de capital dans le but de présenter un bénéfice net plus élevé que s'ils enregistraient le montant en charges pour l'exercice en cours. D'autres gestionnaires préféreront inscrire la dépense à titre de charge à l'état des résultats pour payer moins d'impôts dans l'exercice en cours. Étant donné qu'il s'agit de décisions basées sur le jugement, les vérificateurs doivent examiner très attentivement le mode de comptabilisation des coûts engagés après la date d'acquisition des immobilisations.

Pour éviter de perdre du temps à distinguer une dépense en capital d'une dépense d'exploitation, certaines entreprises adoptent des lignes de conduite simples qui régissent le mode de comptabilisation de ces coûts. Par exemple, une grande entreprise peut décider de passer en charges toutes les dépenses individuelles qui coûtent moins de 1 000 $. Ce type de politique peut être acceptable compte tenu de la notion de l'importance relative.

Les **améliorations** ainsi que les ajouts et agrandissements sont des coûts engagés pour accroître l'utilité économique des immobilisations.

Une **dépense en capital** (ou une dépense en immobilisation) est une dépense effectuée en vue d'accroître le potentiel de service d'une immobilisation. Elle procure des avantages au cours d'un certain nombre d'exercices et est inscrite à l'actif.

ANALYSE FINANCIÈRE

Worldcom

Quand des dépenses qui devraient normalement être inscrites comme charges à l'état des résultats sont plutôt inscrites à l'actif, l'effet sur les états financiers est énorme. Dans l'un des plus importants scandales financiers, Worlcom a ainsi surévalué son bénéfice et ses flux de trésorerie générés par l'exploitation de plusieurs milliards de dollars. Cette pratique comptable frauduleuse a permis à Worldcom d'afficher de solides profits au lieu des pertes réelles qu'elle subissait. Après enquête, les vérificateurs ont découvert que la société devait réviser ses résultats à la baisse pour les exercices 2000 et 2001 de 74,4 milliards de dollars.

L'amortissement, la perte de valeur et la cession des immobilisations corporelles

Les concepts liés à l'amortissement

Le coût d'une immobilisation corporelle qui a une vie utile limitée (comme l'avion acheté par une compagnie aérienne) représente le montant payé d'avance afin de fournir un service pendant un certain nombre d'exercices. Selon le principe du rapprochement des produits et des charges, l'entreprise doit répartir le coût d'acquisition des immobilisations (autres que les terrains) entre les exercices au cours desquels elle les utilise et en retire des avantages. La société Transat gagne des revenus en offrant, entre autres, un service de transport aérien et engage des charges en utilisant une partie de la vie limitée de ses avions.

OBJECTIF D'APPRENTISSAGE 3

Connaître et appliquer différentes méthodes d'amortissement.

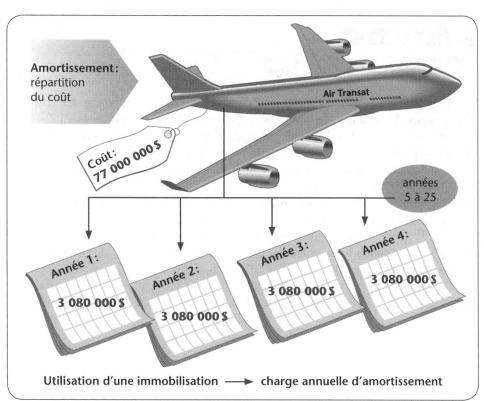

Utilisation d'une immobilisation ⟶ charge annuelle d'amortissement

---

* 1. Une dépense en capital; 2. Une dépense d'exploitation; 3. Une dépense d'exploitation; 4. Une dépense en capital.

L'amortissement est la répartition logique et systématique du coût des immobilisations corporelles (à l'exception des terrains) sur leur durée de vie ou leur durée de vie utile prévue.

On emploie le terme « **amortissement** » quand il s'agit d'exprimer le rapprochement entre le coût des immobilisations corporelles et les revenus produits par ces actifs. L'amortissement est la répartition, d'une façon logique et systématique, du coût d'acquisition des immobilisations corporelles, autres que les terrains, entre les exercices durant lesquels ces biens fourniront des services ou procureront des avantages.

Certains étudiants ont de la difficulté à comprendre le concept d'amortissement tel que l'utilisent les comptables. En comptabilité, l'amortissement est un processus de répartition des coûts. Il ne s'agit pas de déterminer la valeur de l'actif. Lorsqu'un actif est amorti, le montant restant qui apparaît au bilan ne représente probablement pas sa valeur marchande actuelle. Un exemple simple permettra d'illustrer la nécessité de ce type de constatation. Si vous étiez présidente ou président de la société Transat au cours de l'exercice pendant lequel l'entreprise a acheté un nouvel avion pour un montant de 77 millions de dollars payés comptant, il est probable que vous n'approuveriez pas l'idée que le comptable enregistre le coût total de l'appareil à titre de charges dans l'année de l'acquisition. Vous lui feriez sûrement remarquer que l'avion devrait permettre de réaliser des revenus durant de nombreuses années, de sorte que son coût devrait être inscrit à titre de charges tout au long de la période pendant laquelle il produira des revenus. Autrement, les bénéfices de l'année d'acquisition seraient sous-évalués, tandis qu'ils seraient surévalués pour chacun des exercices au cours desquels l'avion servirait. Il faut se rappeler que le postulat de l'indépendance des exercices exige d'imputer à chaque exercice tous les faits ou toutes les opérations qui s'y rattachent.

Une entrée comptable est nécessaire à la fin de chaque période pour refléter l'utilisation des immobilisations au cours de cette période.

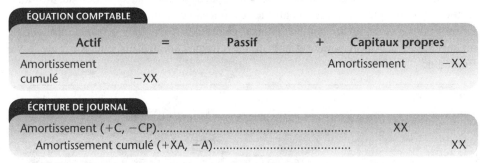

La **valeur comptable nette** d'une immobilisation correspond à son coût d'acquisition diminué de l'amortissement cumulé.

On inscrit le montant de l'amortissement de chaque exercice comme charge à l'état des résultats. Le montant de l'amortissement cumulé depuis la date de l'acquisition est comptabilisé au bilan dans un compte de sens contraire, appelé « Amortissement cumulé », qui est déduit du coût de l'actif auquel il correspond.

Le montant inscrit au bilan porte le nom de « valeur comptable nette ». La **valeur comptable nette** d'une immobilisation corporelle correspond à son coût d'acquisition moins le montant de l'amortissement cumulé à partir de la date de l'acquisition jusqu'à la date d'établissement du bilan.

Dans la note 6 présentée au tableau 8.1 (*voir la page 443*), on peut observer que le coût des actifs immobilisés de Transat est de 389 638 000 $ à la fin de l'exercice 2005. L'amortissement cumulé s'élève à 194 507 000 $. Ainsi, la valeur comptable nette est de 195 131 000 $, montant inscrit au bilan. Transat présente également une charge d'amortissement à l'état des résultats de 37 558 000 $.

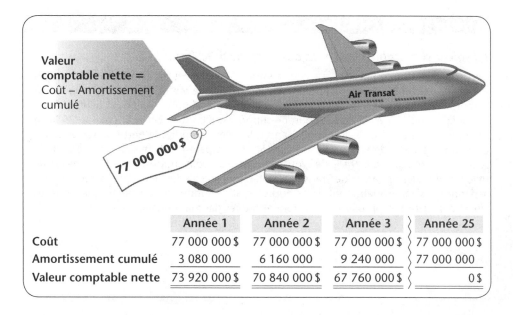

	Année 1	Année 2	Année 3	Année 25
Coût	77 000 000 $	77 000 000 $	77 000 000 $	77 000 000 $
Amortissement cumulé	3 080 000	6 160 000	9 240 000	77 000 000
Valeur comptable nette	73 920 000 $	70 840 000 $	67 760 000 $	0 $

Pour calculer l'amortissement de l'exercice (ou la charge d'amortissement de l'exercice), on a besoin des éléments suivants:

1) le coût d'acquisition de l'actif;
2) la durée de vie de l'actif et sa durée de vie utile pour l'entreprise;
3) la valeur de récupération de l'actif à la fin de sa durée de vie et sa valeur résiduelle à la fin de sa durée de vie utile pour l'entreprise.

Les éléments 2 et 3 sont des estimations. Par conséquent, l'amortissement de l'exercice est aussi une estimation. Selon les normes comptables canadiennes, le montant d'amortissement qui doit être passé en charges est **le plus élevé** des montants suivants:

a) le coût, moins la valeur de récupération, réparti sur la durée de vie de l'immobilisation;
b) le coût, moins la valeur résiduelle, réparti sur la durée de vie utile de l'immobilisation.

Dans une note aux états financiers, Transat indique comment elle calcule l'amortissement de ses immobilisations selon différentes estimations.

Notes afférentes aux états financiers consolidés
Note 2 Principales conventions comptables
Immobilisations corporelles

Les immobilisations corporelles sont comptabilisées au coût et sont amorties compte tenu de la valeur résiduelle, selon la méthode linéaire sur la durée estimative de leur utilisation comme suit:

Biens loués en vertu de contrats de location-acquisition

Aéronefs	5 à 6 ans

Immobilisations corporelles acquises

Hangar et édifices administratifs	35 ans
Améliorations – aéronefs loués en vertu de contrats de location-exploitation	Durée du bail
Équipement d'aéronefs	5 à 10 ans
Équipement et logiciels informatiques	3 à 7 ans
Moteurs d'aéronefs	Cycles utilisés
Équipement et mobilier de bureau	4 à 10 ans
Améliorations locatives et autres	Durée du bail
Pièces de rechange durables	Utilisation

La **durée de vie utile** est la période de temps pendant laquelle on prévoit qu'un actif contribue aux flux de trésorerie futurs de l'entreprise.

La **durée de vie** est la période de temps totale pendant laquelle un actif peut rendre des services.

La **valeur résiduelle** est la valeur que prévoit récupérer l'entreprise à la fin de la durée de vie utile d'un actif immobilisé.

La **valeur de récupération** est la valeur d'une immobilisation corporelle à la fin de sa durée de vie. La valeur de récupération est souvent nulle ou négligeable.

La **durée de vie utile** correspond à la durée économique utile d'un actif pour l'entreprise et non à sa durée de vie totale pour tous les utilisateurs potentiels de cet actif. Par exemple, on peut supposer que l'avion acheté par Transat a la capacité de voler pendant 35 ans (la **durée de vie**). Toutefois, l'entreprise veut offrir à ses clients un service de qualité supérieure en leur fournissant toujours un équipement moderne. Ainsi, l'entreprise renouvelle ses équipements tous les 10 ans (la durée de vie utile). La durée de vie utile est toujours soit égale, soit inférieure à la durée de vie d'une immobilisation. La durée de vie utile peut être exprimée en termes d'années ou de production, par exemple le nombre d'heures qu'une machinerie peut fonctionner ou le nombre d'unités qu'elle peut produire.

Pour ses aéronefs, Transat se base sur une durée de vie utile estimative de cinq à six ans, alors que ceux-ci pourront voler encore de nombreuses années. Le propriétaire suivant se basera à son tour sur une durée de vie utile estimative établie d'après ses propres critères.

La valeur résiduelle représente le montant que l'entreprise s'attend à récupérer lorsqu'elle vendra l'actif à la fin de sa durée de vie utile pour l'entreprise. La **valeur résiduelle** correspond à la valeur de réalisation nette que l'entreprise estime pouvoir recouvrer au moment où elle n'aura plus besoin de l'actif. Dans le cas d'un avion, il peut s'agir du montant que l'entreprise s'attend à recevoir lorsqu'elle vendra l'actif à une petite compagnie aérienne régionale qui utilise un équipement plus ancien.

La valeur résiduelle d'une immobilisation ne correspond pas toujours à sa **valeur de récupération.** Celle-ci représente la valeur de réalisation nette à la fin de la durée de vie d'un actif, et est normalement négligeable. Dans sa note aux états financiers, Transat mentionne que ses immobilisations sont amorties en tenant compte de leur valeur résiduelle.

L'estimation de la durée de vie utile dans un même secteur d'activité

Les notes afférentes aux états financiers de certaines entreprises du secteur du transport aérien fournissent les estimations suivantes concernant la durée de vie utile des appareils :

Compagnie aérienne	Durée de vie utile
Transat	5 à 6 ans
WestJet	Durée du bail
Air Canada	20 à 25 ans

On peut attribuer ces différences dans les durées de vie utile à plusieurs facteurs, entre autres au type d'appareil utilisé par chacune des compagnies aériennes, à la location ou à l'acquisition des appareils, à leurs plans de remplacement, aux différences dans leurs activités et au degré de conservatisme de la direction. En outre, avec le même type d'appareil, les entreprises qui décident d'utiliser leur équipement moins longtemps peuvent peut-être estimer des valeurs résiduelles supérieures à celles des entreprises qui planifient une durée de vie utile plus longue.

Les différences dans les estimations de la durée de vie utile et des valeurs résiduelles des immobilisations utilisées par certaines entreprises peuvent avoir un effet important sur une analyse comparative de ces entreprises. Les analystes doivent comprendre les causes de ces différences pour porter un jugement adéquat.

Les différentes méthodes d'amortissement

Les comptables n'ont pas réussi à s'entendre sur la meilleure méthode d'amortissement à cause des différences importantes qui existent, d'une part, entre les entreprises et, d'autre part, entre les actifs qu'elles possèdent. Il en résulte que différentes méthodes sont couramment utilisées dans les états financiers. Ces méthodes d'amortissement sont toutes fondées sur le même concept. Chacune d'elles répartit une partie du coût d'un bien amortissable sur chaque exercice à venir de façon logique et systématique. Toutefois, chacune d'elles attribue à chaque période une fraction différente du coût à amortir. Nous allons étudier trois des méthodes d'amortissement les plus couramment employées :

1) la méthode de l'amortissement linéaire ;
2) la méthode de l'amortissement proportionnel à l'utilisation ;
3) la méthode de l'amortissement dégressif à taux constant.

Les données et les informations fournies au tableau 8.2 serviront à illustrer ces méthodes. Dans cet exemple, on suppose que Transat a acquis un véhicule de service (un équipement) le 1ᵉʳ novembre 2005.

TABLEAU 8.2 Données illustrant le calcul de l'amortissement à l'aide de différentes méthodes

Transat Coût d'acquisition d'un camion		Par année	Cumulatif
Achat le 1ᵉʳ novembre 2005	62 500 $		
Durée de vie	5 ans ou 120 000 km		
Durée de vie utile	3 ans ou 100 000 km		
Valeur résiduelle	2 500 $		
Valeur de récupération	0 $		
Nombre de kilomètres parcourus : Exercice 2006		30 000 km	30 000 km
Exercice 2007		50 000 km	80 000 km
Exercice 2008		20 000 km	100 000 km

La méthode de l'amortissement linéaire

L'**amortissement linéaire** est une méthode d'amortissement qui consiste à répartir le coût amortissable d'une immobilisation en des montants périodiques égaux d'un exercice à l'autre.

Les entreprises, y compris Transat, se servent de la méthode de l'**amortissement linéaire** plus que de toutes les autres méthodes d'amortissement combinées.

Avec cette méthode, la charge annuelle d'amortissement demeure constante d'un exercice à l'autre. La formule employée pour estimer la charge d'amortissement annuelle est la suivante :

Méthode de l'amortissement linéaire

Calcul basé sur la durée de vie			
(Coût d'acquisition − Valeur de récupération)	÷ Durée de vie	=	Charge d'amortissement
(62 500 $ − 0 $)	÷ 5	=	12 500 $

Calcul basé sur la durée de vie utile			
(Coût d'acquisition − Valeur résiduelle)	÷ Durée de vie utile	=	Charge d'amortissement
(62 500 $ − 2 500 $)	÷ 3	=	20 000 $

Le coût amortissable correspond au montant qu'on doit répartir sur un certain nombre d'exercices et diffère selon que notre calcul est basé sur la durée de vie ou la durée de vie utile de notre immobilisation. Dans le calcul basé sur la durée de vie, le coût amortissable correspond au coût d'acquisition moins la valeur de récupération alors que, dans le calcul basé sur la durée de vie utile, le coût amortissable correspond au coût d'acquisition moins la valeur résiduelle.

Comme nous l'avons vu plus tôt, la charge d'amortissement correspond au plus élevé des deux montants calculés précédemment, soit 20 000 $ par année pendant trois ans.

Voici donc le plan d'amortissement pour la durée de vie utile totale du camion.

Charge d'amortissement de l'exercice selon la méthode de l'amortissement linéaire

Exercice	Calculs	Charge d'amortissement	Amortissement cumulé	Valeur comptable
À l'acquisition				62 500 $
2006	(62 500 $ − 2 500 $) ÷ 3	20 000 $	20 000 $	42 500
2007	(62 500 $ − 2 500 $) ÷ 3	20 000	40 000	22 500
2008	(62 500 $ − 2 500 $) ÷ 3	20 000	60 000	2 500
	Total	60 000 $		

Il faut noter les éléments suivants :
1) la charge d'amortissement est constante à chaque exercice ;
2) l'amortissement cumulé augmente d'un montant égal chaque année ;
3) la valeur comptable nette de l'immobilisation diminue du même montant à chaque exercice.

C'est la raison pour laquelle cette méthode est qualifiée de « linéaire ». Il faut aussi préciser que ce plan permet de préparer l'écriture de régularisation et de déterminer son effet sur l'état des résultats et le bilan. Transat utilise la méthode de l'amortissement linéaire pour tous ses actifs. En 2005, elle a enregistré une charge d'amortissement sur ses immobilisations de 36 991 000 $, soit 1,6 % de son chiffre d'affaires pour cet exercice. La plupart des compagnies aériennes ont aussi recours à la méthode de l'amortissement linéaire.

La méthode de l'amortissement proportionnel à l'utilisation

La méthode de l'**amortissement proportionnel à l'utilisation** (ou **proportionnel au rendement**) tient compte du degré d'utilisation de l'immobilisation. Voici la formule permettant d'estimer la charge d'amortissement de l'exercice selon cette méthode.

Méthode de l'amortissement proportionnel à l'utilisation

Calcul basé sur la durée de vie

$$\frac{(\text{Coût d'acquisition} - \text{Valeur de récupération})}{\text{Utilisation totale sur la durée de vie}} \times \text{Utilisation réelle} = \text{Charge d'amortissement}$$

$$\frac{(62\,500\,\$ - 0\,\$)}{120\,000\ \text{km}} \times 30\,000\ \text{km} = 15\,625\,\$$$

Calcul basé sur la durée de vie utile

$$\frac{(\text{Coût d'acquisition} - \text{Valeur résiduelle})}{\text{Utilisation totale sur la durée de vie utile}} \times \text{Utilisation réelle} = \text{Charge d'amortissement}$$

$$\frac{(62\,500\,\$ - 2\,500\,\$)}{100\,000\ \text{km}} \times 30\,000\ \text{km} = 18\,000\,\$$$

Taux d'amortissement par kilomètre = 0,60 $

La méthode de l'**amortissement proportionnel à l'utilisation** (ou **proportionnel au rendement**) consiste à répartir le coût amortissable d'une immobilisation pendant sa durée de vie utile en fonction de son utilisation.

En divisant le coût amortissable (62 500 $ ou 60 000 $) par le total de l'utilisation estimative (120 000 km ou 100 000 km), on peut calculer le taux d'amortissement par unité d'utilisation (0,52 $ ou 0,60 $), puis le multiplier par l'utilisation réelle (30 000 km) pour déterminer la charge d'amortissement de l'exercice. La charge d'amortissement pour l'exercice 2006 est de 18 000 $, soit le plus élevé des deux montants calculés précédemment. Pour chaque kilomètre parcouru par le véhicule, Transat enregistrerait une charge d'amortissement de 0,60 $. Voici le plan d'amortissement du camion d'après la méthode de l'amortissement proportionnel à l'utilisation.

Exercice	Calculs	Charge d'amortissement	Amortissement cumulé	Valeur comptable
À l'acquisition				62 500 $
2006	0,60 $ (taux) × 30 000 km	18 000 $	18 000 $	44 500
2007	0,60 $ (taux) × 50 000 km	30 000	48 000	14 500
2008	0,60 $ (taux) × 20 000 km	12 000	60 000	2 500
	Total	60 000 $		

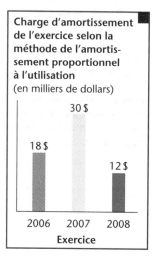

Charge d'amortissement de l'exercice selon la méthode de l'amortissement proportionnel à l'utilisation
(en milliers de dollars)

Il faut noter que la charge d'amortissement, l'amortissement cumulé et la valeur comptable nette varient d'un exercice à l'autre en fonction du nombre de kilomètres parcourus au cours de l'exercice. Lorsqu'on utilise la méthode de l'amortissement proportionnel à l'utilisation, on dit que la charge d'amortissement est un coût variable, puisqu'elle varie de façon directement proportionnelle à la production ou à l'utilisation.

La méthode de l'amortissement proportionnel à l'utilisation se fonde sur une estimation de la capacité de production ou d'utilisation totale d'une immobilisation. Naturellement, il est très difficile d'estimer la production à venir. C'est la raison pour laquelle l'entreprise doit régulièrement réévaluer son estimation afin d'assurer le meilleur rapprochement des produits et des charges.

Bien que Transat n'utilise pas cette méthode d'amortissement, celle-ci est fréquemment utilisée par les entreprises du secteur des ressources naturelles, comme le montre cette note tirée des états financiers de la compagnie pétrolière Esso.

Principales conventions comptables
Immobilisations corporelles

L'amortissement et l'épuisement des actifs liés aux propriétés productrices commencent au moment où la production devient régulière. L'amortissement des autres actifs débute au moment où l'actif est installé et prêt à servir. Les actifs en cours de construction ne sont pas amortis.

Pour les propriétés productrices, l'amortissement est calculé selon la méthode proportionnelle au rendement à partir des réserves mises en valeur. Pour les autres immobilisations corporelles, l'amortissement est calculé selon la méthode linéaire, sur leur durée de vie utile estimative. En général, les raffineries sont amorties sur 25 ans; les autres actifs importants, comme les usines chimiques et les stations-services, sont amortis sur 20 ans.

La méthode de l'amortissement dégressif à taux constant

Lorsqu'un bien amortissable est plus efficient dans ses premières années d'utilisation, les gestionnaires choisissent une méthode d'amortissement dégressif. Avec cette méthode, la charge d'amortissement est plus élevée au cours des premières années de vie utile d'une immobilisation, au moment où elle génère plus de revenus. C'est ce qu'on appelle un «**amortissement accéléré**».

Les méthodes d'**amortissement accéléré** ont pour effet de produire des charges d'amortissement plus élevées au cours des premiers exercices d'utilisation.

La méthode de l'**amortissement dégressif à taux constant** est une méthode qui consiste à répartir le coût d'une immobilisation sur plusieurs exercices grâce à l'application d'un taux sur la valeur comptable de l'actif.

Parmi les méthodes d'amortissement accéléré, on trouve la méthode de l'amortissement dégressif à taux constant et la méthode de l'amortissement dégressif à taux double (*voir l'annexe 8-A à la page 477*). Il en existe une autre, moins fréquemment utilisée, qui est la méthode de l'amortissement proportionnel à l'ordre numérique inversé des périodes, qui est décrite dans les manuels de comptabilité plus avancés.

La méthode de l'**amortissement dégressif à taux constant** consiste à calculer la charge d'amortissement annuel. Pour ce faire, on applique un taux constant à la valeur comptable de l'immobilisation au début de l'exercice. Afin de déterminer ce taux, un savant calcul est prévu et est expliqué à l'annexe 8-A. Aux fins de l'illustration de cette méthode, on pose l'hypothèse que Transat utilise un taux de 45 % pour amortir tout son matériel roulant. Il s'agit d'ailleurs d'une méthode d'amortissement très utilisée pour ce type d'actifs. La formule employée dans le but d'estimer la charge d'amortissement annuelle est la suivante:

Méthode de l'amortissement dégressif à taux constant

Valeur comptable nette	×	Taux d'amortissement	=	Charge d'amortissement
62 500 $	×	45 %	=	28 125 $

La charge d'amortissement pour l'exercice 2006 serait de 28 125 $.

Il y a deux différences importantes entre les méthodes d'amortissement accéléré et les méthodes d'amortissement linéaire ou proportionnel à l'utilisation.

• Pour calculer la charge d'amortissement, on utilise la valeur comptable nette (Coût – Amortissement cumulé) de l'actif et non son coût amortissable. Comme la valeur comptable diminue chaque année (étant donné que l'amortissement cumulé augmente d'année en année), la charge d'amortissement aussi diminue.

• La valeur comptable nette d'une immobilisation ne peut être amortie au-delà de sa valeur résiduelle. Par conséquent, si le calcul annuel de la charge d'amortissement produit un solde d'amortissement cumulé trop élevé (si bien que la valeur comptable nette devient inférieure à la valeur résiduelle), la charge d'amortissement sera réduite de façon que les deux valeurs (comptable et résiduelle) soient égales. On cesse alors de calculer la charge d'amortissement dans les années qui suivent. Voici le plan d'amortissement du camion d'après la méthode d'amortissement dégressif à taux constant.

Exercice	Calculs	Charge d'amortissement	Amortissement cumulé	Valeur comptable nette
À l'acquisition				62 500 $
2006	(62 500 $ − 0 $) × 45 %	28 125 $	28 125 $	34 375
2007	(62 500 $ − 28 125 $) × 45 %	15 469	43 594	18 906
2008	(62 500 $ − 43 594 $) × 45 %	8 508	52 102	10 398
	Total	52 102 $		

Les entreprises des secteurs où le matériel devient très vite désuet utilisent les méthodes de l'amortissement dégressif. Sony en est un exemple.

---

2. Résumé des principales conventions comptables
Les immobilisations corporelles et l'amortissement

Les immobilisations corporelles sont constatées au coût historique. L'amortissement est calculé d'après la méthode de l'amortissement dégressif pour la société mère et les filiales japonaises [...] et selon la méthode de l'amortissement linéaire pour les filiales situées à l'étranger en appliquant des taux basés sur les durées de vie utile estimatives des immobilisations, soit entre 15 et 50 ans pour les immeubles et entre 2 et 10 ans pour la machinerie et l'équipement.

Comme l'indique cette note, les entreprises peuvent employer différentes méthodes d'amortissement pour diverses catégories d'actifs. Toutefois, elles doivent appliquer les mêmes méthodes d'un exercice à l'autre pour assurer la comparabilité de leurs états financiers (la permanence des méthodes).

En résumé

Le tableau suivant résume les différentes méthodes d'amortissement déjà abordées et montre les variations de la charge d'amortissement selon la méthode utilisée.

Méthode	Charge d'amortissement
Amortissement linéaire	Charge égale à chaque exercice
Amortissement proportionnel à l'utilisation	Charge variable selon l'utilisation réelle
Amortissement dégressif à taux constant	Charge plus élevée pour les premiers exercices

ANALYSE FINANCIÈRE

L'effet des différentes méthodes d'amortissement

Supposez que vous devez analyser deux entreprises identiques, sauf que l'une utilise la méthode de l'amortissement dégressif et l'autre, la méthode de l'amortissement linéaire. À votre avis, quelle méthode permettra d'enregistrer les bénéfices nets les plus élevés ? En réalité, il ne s'agit pas d'une question facile, car il est impossible d'y répondre avec certitude.

Avec les méthodes d'amortissement accéléré, on enregistre un amortissement plus élevé au cours des premières années de la vie d'un actif, ce qui permet d'inscrire des bénéfices nets moins élevés. À mesure que l'actif prend de l'âge, l'effet est inversé. Ainsi, les ◆

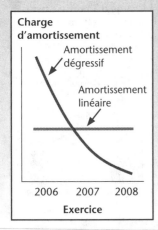

Charge d'amortissement

Amortissement dégressif

Amortissement linéaire

2006 2007 2008

Exercice

entreprises qui emploient l'amortissement accéléré enregistrent une charge d'amortissement moins élevée et des bénéfices nets plus élevés dans les dernières années d'utilisation d'un actif que dans les exercices antérieurs. Le diagramme ci-contre représente le schéma typique de l'amortissement au cours de la durée de vie d'un actif selon deux des méthodes déjà étudiées. Lorsque la courbe de la méthode d'amortissement dégressif passe au-dessous de la droite de la méthode d'amortissement linéaire, les bénéfices nets qu'elle permet d'enregistrer sont plus élevés que ceux qui sont obtenus avec la méthode linéaire. Néanmoins, la charge d'amortissement total à la fin de la période d'utilisation de l'actif sera la même, peu importe la méthode utilisée.

Les utilisateurs d'états financiers doivent comprendre la différence entre l'utilisation d'une méthode d'amortissement plutôt qu'une autre et la façon dont le passage du temps modifie ces différences. En effet, les écarts importants qu'on observe dans les bénéfices nets enregistrés par des entreprises peuvent être dus aux caractéristiques des différentes méthodes d'amortissement plutôt qu'à des différences économiques réelles.

TEST D'AUTOÉVALUATION

Supposez que Transat a acheté du nouveau matériel informatique au prix de 240 000 $. Ce matériel a une durée de vie utile estimative de 6 ans (soit une durée de service estimative de 50 000 heures) et une valeur résiduelle estimative de 30 000 $. La durée de vie est de 10 ans (ou 60 000 heures), et la valeur de récupération est nulle. Déterminez la charge d'amortissement du premier exercice complet d'après chacune des méthodes suivantes :

1. la méthode de l'amortissement linéaire ;

2. la méthode de l'amortissement proportionnel à l'utilisation (si on suppose que ce matériel a servi durant 8 000 heures au cours du premier exercice) ;

3. la méthode de l'amortissement dégressif à taux constant, selon un taux d'amortissement de 20 %.

Vérifiez vos réponses à l'aide des solutions présentées en bas de page*.

Le choix des gestionnaires

Les gestionnaires doivent déterminer quelle méthode d'amortissement assure le meilleur rapprochement des produits et des charges pour tout actif immobilisé. Si on prévoit qu'une immobilisation rapportera des bénéfices égaux tout au long de son utilisation, on adoptera la méthode de l'amortissement linéaire. Les gestionnaires peuvent aussi juger que cette méthode est la plus simple et la plus facile à utiliser. De plus, cette méthode permet d'enregistrer des bénéfices plus élevés au cours des premières années d'utilisation d'un actif qu'avec les méthodes d'amortissement accéléré. Pour ces raisons, la méthode de l'amortissement linéaire est, et de loin, la méthode la plus utilisée par les entreprises. D'un autre côté, certains actifs immobilisés rapportent davantage de bénéfices au cours de leurs premières années d'utilisation. Dans ce cas, on choisira une méthode d'amortissement accéléré.

---

* 1. (240 000 $ – 30 000 $) × 1/6 = 35 000 $
    ou
    (240 000 $ – 0 $) × 1/10 = 24 000 $
    Charge d'amortissement : 35 000 $
   2. [(240 000 $ – 30 000 $) ÷ 50 000] × 8 000 = 33 600 $
    ou
    [(240 000 $ – 0 $) ÷ 60 000] × 8 000 = 32 000 $
    Charge d'amortissement : 33 600 $
   3. 240 000 $ × 20 % = 48 000 $

L'amortissement et les impôts

La plupart des sociétés ouvertes tiennent deux ensembles de comptes concernant leurs immobilisations. Le premier est préparé conformément aux principes comptables généralement reconnus (PCGR) pour l'établissement des états financiers destinés aux actionnaires. Il sert à déterminer la valeur comptable des actifs. Le second sert à calculer la charge d'impôts de l'entreprise d'après les lois fiscales en vigueur, et il permet de déterminer la valeur fiscale d'un actif. En apprenant que des sociétés tiennent ainsi des comptes séparés, certaines personnes mettent en doute le caractère éthique et légal d'une telle pratique. En fait, la tenue de deux ensembles de registres, l'un pour le calcul des charges fiscales et l'autre pour la présentation de l'information financière, est parfaitement éthique et légale.

La raison pour laquelle il s'agit d'une pratique légale est simple : les objectifs des PCGR et ceux des lois fiscales sont différents.

Communication de l'information financière (PCGR)	Déclaration de revenus
Les règles de l'information financière conformes aux principes comptables généralement reconnus sont conçues dans le but de fournir des renseignements de nature économique qui servent à la prévision des flux de trésorerie à venir des entreprises.	L'objectif des règles fiscales est de recueillir suffisamment d'argent pour payer les dépenses gouvernementales. En outre, ces règles renferment de nombreuses dispositions destinées à favoriser certains comportements jugés avantageux pour la société (par exemple, les contributions à des organismes de charité sont déductibles d'impôts pour inciter les gens à soutenir des programmes dignes d'encouragement).

Il est facile de comprendre pourquoi on permet aux entreprises de tenir deux ensembles de registres. Toutefois, il serait intéressant de connaître la raison pour laquelle des dirigeants choisissent d'engager les frais supplémentaires inhérents à une telle pratique. Dans certains cas, les différences entre la Loi sur les impôts et les principes comptables généralement reconnus ne laissent pas le choix aux gestionnaires – ces derniers doivent tenir des registres séparés. Dans d'autres cas, il s'agit d'une décision économique qu'on appelle souvent la « règle du moindre et du plus tard ». Tous les contribuables veulent payer le montant d'impôts le moins élevé qui est légalement permis, et ils veulent le payer le plus tard possible. Si vous aviez le choix entre verser 100 000 $ au gouvernement fédéral à la fin de cette année ou de l'année prochaine, vous choisiriez sûrement la fin de l'an prochain. Une telle décision vous permettrait d'investir cette somme pendant une année supplémentaire et d'en retirer un rendement intéressant.

En tenant des registres séparés, les sociétés peuvent retarder ou différer le paiement de millions et, parfois même, de milliards de dollars en impôts. Le tableau ci-dessous dresse une liste de sociétés qui ont enregistré d'importants passifs d'impôts futurs dans un exercice récent. Une grande partie de ce passif est attribuable à des écarts entre la valeur comptable et la valeur fiscale des immobilisations. Nous reviendrons sur les passifs d'impôts futurs au chapitre 9.

Société	Passif d'impôts futurs	Pourcentage attribuable à l'application de différentes méthodes d'amortissement
Cascades	331 millions $	73 %
Domtar	803 millions	92
Groupe Jean Coutu	550 millions	43
Quebecor	725 millions	93

L'amortissement fiscal, qu'on appelle la «déduction pour amortissement», diffère donc très souvent de l'amortissement comptable calculé afin de dresser les états financiers. Aux fins fiscales, les immobilisations sont classées par catégorie selon leur nature. À chaque catégorie correspond un taux d'amortissement dégressif qu'on applique à la fraction non amortie du coût en capital (le coût d'acquisition). Ce calcul permet de déterminer le maximum déductible pour l'année.

L'amortissement fiscal n'essaie pas de rapprocher le coût d'un actif des produits d'exploitation qu'il engendre au cours de sa vie utile, en conformité avec le principe du rapprochement des produits et des charges. Ce système permet plutôt un amortissement rapide des actifs, ce qui diminue le bénéfice imposable au cours des premières années d'utilisation. Son objectif est d'encourager les entreprises à investir dans des immobilisations corporelles modernes pour qu'elles puissent rester concurrentielles sur les marchés mondiaux.

PERSPECTIVE INTERNATIONALE

Les méthodes d'amortissement dans d'autres pays

De nombreuses entreprises, dans la plupart des pays du monde, utilisent les différentes méthodes d'amortissement abordées à l'intérieur de ce chapitre. Toutefois, dans certains pays, on se sert d'autres méthodes. Ainsi, des entreprises britanniques sont autorisées à se servir de la méthode de l'amortissement à intérêts composés, car celle-ci réduit le montant de l'amortissement pendant les premières années d'utilisation d'un actif (au contraire, avec la méthode d'amortissement accéléré, les montants d'amortissement sont plus élevés au début qu'à la fin de la durée de vie de l'actif).

Un grand nombre de pays, dont l'Australie, le Brésil, l'Angleterre, le Mexique et la Chine, permettent aussi de réévaluer les immobilisations corporelles à leur juste valeur à la date de l'établissement du bilan. Le principal argument en faveur de cette réévaluation est que le coût historique d'un actif acheté 10 à 15 ans plus tôt n'est pas pertinent à cause, entre autres, des effets de l'inflation. Par exemple, la plupart des gens ne songeraient pas à comparer le prix d'origine d'une Honda 1978 à celui d'une Honda 2008, car le pouvoir d'achat en dollars a considérablement changé en 30 ans. Toutefois, la réévaluation à la juste valeur des immobilisations corporelles est interdite (selon les principes comptables généralement reconnus) au Canada, aux États-Unis, en Allemagne et au Japon. Un des principaux arguments contre cette pratique est le manque d'objectivité inévitable dans l'estimation de la juste valeur d'un tel actif.

La dépréciation des actifs à long terme

OBJECTIF D'APPRENTISSAGE 4

Expliquer l'effet de la dépréciation des actifs à long terme sur les états financiers.

Les sociétés doivent régulièrement passer en revue leurs immobilisations corporelles et incorporelles pour déceler toute perte de valeur. On parle de perte de valeur lorsque la valeur comptable nette d'un actif à long terme n'est pas recouvrable et qu'elle excède la juste valeur de l'actif. La valeur comptable d'un actif à long terme n'est pas recouvrable si elle excède le total des flux de trésorerie non actualisés* découlant de son utilisation et de sa sortie éventuelle. Le cas échéant, il faut constater une perte de valeur ou une moins-value. Cette dépréciation peut survenir lorsque certains événements ou changements de situation la justifient. Le chapitre 3063.10 du *Manuel de l'ICCA* nous donne des exemples de tels événements :

a) une baisse significative de la valeur de marché de l'actif ;

b) un changement défavorable important dans le degré ou le mode d'utilisation ou dans l'état de l'actif ;

c) un changement défavorable important dans l'environnement juridique ou le contexte économique susceptible d'influer sur la valeur de l'actif.

---

* Les flux de trésorerie non actualisés ou actualisés sont des concepts vus dans des cours de comptabilité avancés.

En somme,

un actif à long terme subit une perte de valeur si :

> **Valeur comptable > Flux de trésorerie non actualisés**

et

> **Valeur comptable > Juste valeur**

Alors,

> **Dépréciation (perte de valeur) = Valeur comptable − Juste valeur**

Le processus comptable lié à ces événements relève davantage d'un cours de comptabilité avancée. Il vous suffit de comprendre le concept plutôt que la technique comptable. Voici un extrait du rapport annuel de la société Quebecor.

**1. Sommaire des principales conventions comptables
Dépréciation d'actifs à long terme**

La Compagnie révise les valeurs comptables de ses actifs à long terme en comparant la valeur comptable de l'actif ou le groupe d'actifs avec les flux monétaires futurs non actualisés prévus qui seront générés par cet actif ou ce groupe d'actifs lorsqu'un événement indique que sa valeur comptable pourrait ne pas être recouvrable. Une perte de valeur est constatée lorsque la valeur comptable d'un actif ou d'un groupe d'actifs détenue pour utilisation est supérieure à la somme des flux de trésorerie non actualisés qui devraient provenir de son utilisation ou de sa cession éventuelle. La perte de valeur est évaluée comme étant l'excédent de la valeur comptable de l'actif sur sa juste valeur basée sur le prix en vigueur sur le marché, si disponible, ou la méthode des flux monétaires futurs actualisés.

3. Dépréciation d'actifs

Au cours de l'exercice terminé le 31 décembre 2005, à la suite d'une revue de ses actifs à long terme, Quebecor World inc. a effectué des tests de recouvrabilité sur plusieurs groupes spécifiques d'actif principalement affectés par les mesures de restructuration. En conséquence, Quebecor World a comptabilisé une charge totale pour dépréciation d'actifs à long terme et d'amortissement accéléré de 65,2 millions de dollars, principalement en Europe.

La cession des immobilisations corporelles

Il arrive très souvent qu'une entreprise décide volontairement de ne pas rester propriétaire d'un actif immobilisé pour toute sa durée de vie. Si, par exemple, elle abandonne un article de sa gamme de produits, elle n'a plus besoin de l'équipement dont elle se servait pour fabriquer cet article. Elle peut aussi vouloir remplacer une machine par une autre, plus efficace. Ces cessions se font, entre autres, au moyen de la vente, de l'échange ou de la mise hors service de l'immobilisation. Lorsque Transat se débarrasse d'un vieil équipement, elle peut le vendre à une compagnie aérienne régionale ou de transport de marchandises. Une entreprise peut aussi perdre un actif de façon involontaire par suite d'un événement qui échappe au contrôle comme un accident, une expropriation ou un incendie.

La cession d'actifs immobilisés se produit rarement le dernier jour d'un exercice. Tous les comptes relatifs à une immobilisation dont on se départit doivent d'abord être mis à jour puis radiés. La cession d'un bien amortissable nécessite en général deux étapes :
1) l'enregistrement de la charge d'amortissement jusqu'à la date de cession ;
2) la radiation de tous les comptes relatifs à l'actif cédé et la constatation du gain ou de la perte qui en découle.

À la date de cession, on doit radier le coût de l'actif immobilisé et tout amortissement cumulé. Tout écart entre le produit de la cession (la contrepartie reçue en échange) et la valeur comptable de l'actif cédé devient une perte ou un gain à l'état des résultats. Comme il ne s'agit pas d'une opération qui découle des activités normales de l'entreprise, ce gain (ou cette perte) sera considéré soit comme un élément non fréquent et non typique (une aliénation volontaire), soit comme un élément extraordinaire (une aliénation non volontaire).

Supposons qu'à la fin du dix-septième exercice, Air Canada a vendu un avion dont elle n'avait plus besoin à cause de la suppression de ses vols à destination d'une petite ville canadienne. Elle a obtenu 5 millions de dollars comptant. Le coût d'acquisition de cet appareil était de 20 millions de dollars, et il était amorti suivant la méthode d'amortissement linéaire sur une période de 20 ans sans valeur résiduelle (soit une charge d'amortissement de 1 million de dollars par année). Dans un premier temps, il faut enregistrer la charge d'amortissement pour l'exercice en cours (le dix-septième exercice), puis radier les soldes et constater le gain ou la perte. Les calculs se font ainsi :

Encaissement		5 000 000 $
Coût d'acquisition de l'avion	20 000 000 $	
Moins : Amortissement cumulé		
(1 000 000 $ × 17 ans)	17 000 000	
Valeur comptable à la date de la vente		3 000 000
Gain sur vente d'immobilisation		2 000 000 $

Voici l'effet de l'opération sur l'équation comptable et les écritures qu'on doit passer à la date de la vente.

ÉQUATION COMPTABLE

Actif	=	Passif	+	Capitaux propres	
1) Amortissement cumulé −1 000 000				Amortissement	1 000 000
2) Caisse +5 000 000				Gain sur cession	
Amortissement cumulé +17 000 000				d'immobilisation +2 000 000	
Appareil −20 000 000					

ÉCRITURE DE JOURNAL

1) Amortissement (+C)	1 000 000	
Amortissement cumulé (+XA, −A)		1 000 000
2) Caisse (+A)	5 000 000	
Amortissement cumulé (−XA, +A)	17 000 000	
Appareil (−A)		20 000 000
Gain sur cession d'immobilisation (+G, +CP)		2 000 000

En utilisant les mêmes données que celles dans l'exemple plus haut et en supposant que l'actif est vendu 2 000 000 $ comptant, calculez le gain ou la perte sur cession.

Vérifiez vos réponses à l'aide des solutions présentées en bas de page*.

QUESTION D'ÉTHIQUE

Une stratégie douteuse

Fondée en 1972, Singapore Airlines, qui jouit d'une rentabilité soutenue, se classe parmi les plus grands exploitants au monde d'avions gros porteurs équipés de systèmes à la fine pointe de la technologie, les Boeing 747-400. Contrairement aux autres compagnies aériennes dont les flottes ont une moyenne d'âge de plus de 12 ans, Singapore Airlines utilise ses appareils en moyenne un peu moins de 6 ans. Cette stratégie de gestion de la productivité de l'entreprise a un double effet. La charge d'amortissement est beaucoup plus élevée à cause de la durée de vie utile estimative très courte des avions, ce qui réduit le bénéfice net. D'un autre côté, Singapore Airlines vend ses avions mis hors service, une activité qui lui permet de réaliser des gains. La décision d'amortir sur une durée de vie utile très courte et de vendre les actifs au moment choisi par les gestionnaires donne à la direction une certaine marge de manœuvre en matière de gestion des bénéfices nets. Le fait d'utiliser les règles comptables conservatrices (charges d'amortissement élevées) pour augmenter les revenus subséquents (lors de la vente de l'actif) n'est pas souhaitable ; les vérificateurs et les organismes de réglementation le dénoncent souvent.

Les ressources naturelles et les actifs incorporels

L'acquisition et l'épuisement des ressources naturelles

Le public connaît surtout les grandes entreprises qui fabriquent des biens (comme Cascades et Bombardier), qui les distribuent (comme Rona et Jean Coutu) ou qui fournissent des services (comme Bell Canada et Vidéotron). Toutefois, il existe beaucoup de grandes entreprises, certaines étant peu connues, qui exploitent des **ressources naturelles,** entre autres des biens miniers (tels que des gisements d'or ou de minerai de fer), des réserves de pétrole, de gaz et des terrains boisés. Les entreprises dont les activités portent sur les ressources naturelles jouent un rôle essentiel dans l'économie. En effet, elles produisent des biens importants tels que le bois de construction, le mazout pour le chauffage et le transport. De plus, elles produisent des matières premières que transformeront ensuite des entreprises de fabrication de biens de consommation. Elles attirent aussi énormément l'attention à cause des effets considérables qu'elles peuvent avoir sur l'environnement. Les citoyens que cette question préoccupe lisent souvent les états financiers des entreprises qui font de l'exploration (pour trouver du pétrole, du charbon et différents minerais) afin de déterminer les montants qu'elles consacrent à la protection de l'environnement.

Les entreprises du secteur des ressources naturelles appliquent les mêmes principes comptables que nous avons étudiés jusqu'à présent. Les ressources naturelles sont donc comptabilisées au coût d'acquisition.

OBJECTIF D'APPRENTISSAGE 6

Reconnaître les particularités comptables liées à la comptabilisation des ressources naturelles et des actifs incorporels.

Les **ressources naturelles** sont des actifs qu'on trouve dans la nature, par exemple les forêts, les gisements de pétrole, de gaz naturel ou de minerai, les ressources hydroélectriques.

*	Encaissement	2 000 000 $
	Valeur comptable de l'actif	3 000 000
	Perte sur vente d'actif immobilisé	1 000 000 $

Selon le *Manuel de l'ICCA*,

3061.21 Le coût des biens miniers comprend les frais d'exploration lorsque l'entreprise considère que ces frais répondent aux caractéristiques d'une immobilisation corporelle.

3061.22 Le coût des biens pétroliers et gaziers comprend les coûts d'acquisition, les frais de mise en valeur et certains frais d'exploration.

À mesure que l'entreprise exploite ses ressources naturelles, le coût d'acquisition des immobilisations doit être réparti sur les exercices au cours desquels elle en retire des produits d'exploitation, conformément au principe du rapprochement des produits et des charges. Le terme « **épuisement** » décrit le processus de répartition logique et systématique du coût d'acquisition sur la durée de vie utile d'une ressource naturelle. Ce concept d'épuisement ressemble en tous points au concept d'amortissement ; la seule différence réside dans le type d'actifs dont on rend compte. De nombreuses entreprises du secteur des ressources naturelles utilisent la méthode proportionnelle à l'utilisation pour calculer la charge d'épuisement à inscrire à l'état des résultats.

Voici un extrait des notes afférentes aux états financiers 2005 de la société Cambior. Y sont décrites les conventions comptables de l'entreprise en ce qui concerne les ressources naturelles qu'elle exploite, soit des gisements aurifères.

L'**épuisement** est la répartition logique et systématique du coût d'une ressource naturelle sur sa période d'exploitation.

**Notes aux états financiers consolidés
(en milliers de dollars américains)**

**2. Conventions comptables
Immobilisations**

Les immobilisations sont comptabilisées au coût. L'amortissement et l'épuisement des propriétés minières, des frais de mise en valeur et des bâtiments et équipements rattachés aux mines sont calculés selon la méthode de l'amortissement proportionnel à la production sur la durée économique estimative des gisements en cause.

8. Immobilisations	Coût	Amortissement et épuisement cumulés	Coût non amorti
Propriétés minières	164 560 $	66 853 $	97 707 $
Frais de mise en valeur	509 848	408 022	101 826
Terrains, bâtiments et équipements relatifs aux mines	510 835	326 236	184 599
Autre	17 035	15 394	1 641
	1 202 278	816 505	385 773
Projets miniers	69 093	–	69 093
	1 271 371 $	816 505 $	454 866 $

L'acquisition et l'amortissement des actifs incorporels

Un actif incorporel, comme tout autre actif, tire sa valeur de certains droits et privilèges qui sont conférés par la loi à son propriétaire. Un bien incorporel n'a cependant aucune substance physique ou matérielle, contrairement aux immobilisations corporelles telles que des terrains ou des immeubles. Parmi les biens incorporels, on peut citer les droits d'auteurs, les brevets, les marques de commerce et les licences. La plupart des actifs incorporels, sauf l'écart d'acquisition (dont il sera question plus loin) sont en général attestés par un document juridique. L'importance des actifs incorporels s'est accrue au cours des années avec l'expansion des technologies Web et une économie davantage axée sur la connaissance que sur la matière première.

On comptabilise l'acquisition des actifs incorporels conformément au principe de la valeur d'acquisition et sensiblement de la même façon que les immobilisations corporelles. Dans le cas où un actif incorporel est développé à l'interne (par exemple, la création d'une marque de commerce), de nouvelles règles sont en voie d'adoption par le CNC (Conseil des normes comptables). Dans l'exposé-sondage «Actifs incorporels développés à l'interne» de décembre 2005, on peut lire la directive suivante:

Un actif incorporel développé à l'interne doit être constaté seulement lorsque tous les critères suivants sont réunis:

a) l'actif incorporel est clairement défini et son coût peut être identifié et déterminé de façon fiable;

b) la faisabilité technique de la production, de la commercialisation ou de l'utilisation de l'actif incorporel a été établie;

c) la direction de l'entreprise a l'intention et la capacité de produire, de commercialiser ou d'utiliser l'actif incorporel;

d) l'entreprise dispose déjà, ou prévoit pouvoir disposer, de ressources adéquates, sur les plans techniques, financiers et autres, pour mener le développement à bien et permettre l'utilisation ou la vente de l'actif incorporel;

e) la direction de l'entreprise peut démontrer que l'actif incorporel générera probablement des avantages économiques futurs, en démontrant notamment qu'il existe un marché pour le produit généré par l'actif incorporel ou pour l'actif incorporel lui-même ou, s'il doit être utilisé à l'interne, l'utilité de l'actif incorporel.

Ces nouvelles mesures divergent des normes internationales qui prévoient certaines exclusions. Par contre, les normes américaines ne permettent généralement pas la constatation des actifs incorporels développés à l'interne.

Le processus d'amortissement des actifs incorporels est à peu près le même que pour les immobilisations corporelles. Toutefois, certains actifs incorporels ont une durée de vie limitée, et d'autres ont une durée de vie indéfinie.

La durée de vie limitée

Les actifs incorporels dont la durée de vie est limitée (par exemple un brevet acquis qui expire dans 17 ans) sont amortis sur leur durée de vie utile pour l'entreprise. En général, on utilise la méthode de l'amortissement linéaire. Sauf exception, la valeur résiduelle d'un actif incorporel est présumée nulle. La charge d'amortissement est inscrite à l'état des résultats de chaque exercice; quant aux biens incorporels, ils sont comptabilisés au bilan à leur valeur d'acquisition dont on soustrait l'amortissement cumulé.

Un exemple – Supposons qu'une entreprise achète un brevet au coût de 800 000 $. Elle estime sa durée de vie utile à 15 ans et qu'il n'y a aucune valeur résiduelle. La charge d'amortissement se calculera ainsi:

(Coût − Valeur résiduelle)	÷	Durée de vie utile	=	Charge d'amortissement
(800 000 $ − 0 $)	÷	15	=	53 333 $

ÉQUATION COMPTABLE

Actif	=	Passif	+	Capitaux propres
Amortissement cumulé − Brevet −53 333				Amortissement −53 333

ÉCRITURE DE JOURNAL

Amortissement (+C, −CP)...	53 333	
Amortissement cumulé − Brevet (+XA, −A)		53 333

Contrairement aux immobilisations corporelles, l'entreprise n'a pas besoin de faire le calcul basé sur la durée de vie de l'actif. Seules la valeur résiduelle et la durée de vie utile sont utilisées pour calculer la charge d'amortissement.

La durée de vie indéfinie

Un actif incorporel dont la durée de vie est indéfinie (par exemple l'exploitation de routes aériennes ou une licence de radiodiffusion) n'est pas amorti.

> 3062.10 *Lorsque la durée de vie utile d'un actif incorporel est tenue pour indéfinie, l'actif ne doit pas être amorti tant et aussi longtemps que sa durée de vie n'est pas considérée comme limitée.*

Toutefois, ces actifs doivent faire l'objet annuellement d'un test de dépréciation pour évaluer une possible perte de valeur. Le processus est le même que celui qui a été étudié pour les immobilisations corporelles.

> 3062.19 *Un actif incorporel non amortissable doit être soumis à un test de dépréciation annuellement, ou plus fréquemment si des événements ou des changements de situation indiquent que l'actif pourrait avoir subi une dépréciation. Le test de dépréciation doit consister en une comparaison de la juste valeur de l'actif incorporel avec sa valeur comptable. Lorsque la valeur comptable de l'actif incorporel excède **sa juste valeur** comptable, une perte de valeur doit être constatée pour un montant égal à l'excédent.*

Quelques exemples d'actifs incorporels

Les données recueillies lors d'un sondage effectué auprès de 200 sociétés canadiennes[2] montrent qu'en 2004, 98 d'entre elles présentaient dans leurs états financiers des actifs incorporels à durée de vie limitée, 31 des actifs incorporels à durée de vie indéfinie et 130 affichaient des écarts d'acquisition.

L'écart d'acquisition

Un **écart d'acquisition** (ou la **survaleur** ou le **fonds commercial**) est l'excédent du coût d'une entreprise acquise sur la juste valeur de ses actifs et de ses passifs.

L'actif incorporel le plus fréquemment relevé est, de loin, l'**écart d'acquisition** (ou la **survaleur** ou le **fonds commercial**). La survaleur (qu'on appelle souvent à tort l'« achalandage »), telle que l'entendent la plupart des gens d'affaires, réside dans la bonne réputation d'une entreprise auprès de sa clientèle. Elle est due à des facteurs comme la confiance des clients, une réputation de bons services ou de produits de qualité, une équipe de gestionnaires compétents et une bonne situation financière. Dès le premier jour de ses activités, une entreprise prospère contribue à constituer son fonds commercial. En ce sens, on dit que ce fonds est autogénéré et il n'est pas comptabilisé comme un actif.

La seule façon de comptabiliser un écart d'acquisition sous forme d'actif est d'acheter une autre entreprise. Souvent, le prix d'acquisition d'une entreprise dépasse la juste valeur de son actif net (Actif − Passif). Cet excédent est comptabilisé à titre d'écart d'acquisition. Pourquoi payer plus pour une entreprise dans son ensemble qu'on ne paierait pour chacun de ses actifs si on les achetait séparément ? Il est facile d'acheter du matériel d'embouteillage moderne pour fabriquer et vendre une nouvelle boisson gazeuse au cola mais, ce faisant, on ne réaliserait sûrement pas autant de profits que si on pouvait acquérir le potentiel de profits associé à Coca-Cola ou à Pepsi. En achetant le fonds commercial d'une entreprise existante, l'acheteur espère ainsi réaliser des bénéfices supérieurs à la normale.

À des fins comptables, on définit l'écart d'acquisition comme la différence entre le prix d'achat d'une entreprise dans son ensemble et la juste valeur de tous ses actifs moins la juste valeur de son passif.

---

2. Clarence BYRD, Ida CHEN et Joshua SMITH (2005), *Financial Reporting in Canada*, Toronto, ICCA, p. 254-258.

> Prix d'achat
> − Juste valeur de l'actif net
> Écart d'acquisition à comptabiliser

On comptabilise le montant relatif à l'écart d'acquisition à titre d'actif incorporel uniquement lorsqu'il est acheté.

Au cours de l'exercice 2005, Transat a acquis différentes entreprises dans le secteur des voyages, et elle a comptabilisé un écart d'acquisition de 8 541 000 $. Il s'agit d'ailleurs du seul actif incorporel que Transat présente dans son bilan.

À l'encontre des autres actifs incorporels, l'écart d'acquisition n'est pas amorti. L'entreprise doit plutôt, à la fin de chaque exercice financier, effectuer un test de dépréciation pour vérifier si l'écart d'acquisition a perdu de la valeur. Si oui, la valeur de l'actif sera réduite, et une charge sera inscrite à l'état des résultats. Il s'agit d'un sujet complexe qui est abordé dans les cours de comptabilité avancés. Nous y reviendrons tout de même au chapitre 11.

Voici ce qu'on trouve à ce sujet dans une note aux états financiers de Transat.

> **2. Principales conventions comptables**
> **Écarts d'acquisition**
>
> Les écarts d'acquisition représentent l'excédent du prix d'acquisition par rapport à la juste valeur des actifs nets acquis. Les écarts d'acquisition sont soumis à un test de dépréciation annuel, ou plus fréquemment si des événements ou des changements de situation indiquent qu'ils pourraient avoir subi une baisse de valeur. Le test de dépréciation vise à comparer la juste valeur de l'unité d'exploitation à laquelle se rattache l'écart d'acquisition à sa valeur comptable. Toute dépréciation de la valeur comptable de l'écart d'acquisition par rapport à sa juste valeur est imputée aux résultats de la période au cours de laquelle la baisse de valeur s'est produite. Pour évaluer la juste valeur de ses unités d'exploitation, la société utilise la méthode de l'actualisation des flux monétaires.

La marque de commerce

Une **marque de commerce** est un nom, un symbole ou un slogan distinctif qui est associé à un produit en particulier et à une entreprise. Elle est protégée par la loi. Les marques de commerce comptent souvent parmi les actifs ayant la plus grande valeur que possède une entreprise. Il est difficile d'imaginer la société Walt Disney sans Mickey Mouse, tout comme on associe un Big Mac au restaurant McDonald's. Il est possible aussi qu'une partie du plaisir que vous prenez à boire votre boisson gazeuse favorite provienne de l'image qui s'est créée autour de son nom. De nombreuses personnes reconnaissent le logo d'une entreprise aussi vite qu'ils le font pour un panneau d'arrêt sur les routes. L'enregistrement d'une marque de commerce vous donne le droit exclusif de l'utiliser pendant une période de 15 ans renouvelable indéfiniment. Les marques de commerce ont donc une durée de vie indéfinie, et elles ne seront pas amorties tant et aussi longtemps que leur durée de vie n'est pas considérée comme limitée.

Voici un extrait des notes afférentes aux états financiers consolidés du Groupe Jean Coutu tiré de son rapport annuel 2005.

Une **marque de commerce** est un droit juridique exclusif d'utiliser un signe distinctif (un nom, une image, un slogan, un sigle, etc.).

> **Principales conventions comptables**
> **k) Actifs incorporels**
>
> Les actifs incorporels à durée de vie indéfinie, constituées d'une marque de commerce, sont comptabilisés au coût et ne sont pas amortis. La marque de commerce est soumise à un test de dépréciation annuel ou plus fréquemment si des événements ou des changements de situations indiquent une perte de valeur. En date du 28 mai 2005, la Compagnie a effectué un test de dépréciation et aucune réduction de valeur n'a été nécessaire.

Le brevet

Un **brevet** est un droit exclusif accordé par l'État pour une période de 20 ans. Il est en général conféré à une personne qui invente un nouveau produit ou découvre un nouveau procédé. Il permet à son détenteur d'exploiter, de fabriquer ou de vendre l'objet du brevet et le brevet lui-même. Sans la protection d'un brevet, les inventeurs montreraient probablement peu d'intérêt pour la recherche de nouveaux produits. Le droit d'exclusivité empêche un concurrent de copier une nouvelle invention ou une découverte jusqu'à ce que l'inventeur ou son acquéreur ait eu le temps de tirer profit de son produit.

Lorsqu'on achète un brevet, on le comptabilise à sa valeur d'acquisition. Suivant le principe du rapprochement des produits et des charges, le coût d'un brevet doit être amorti au cours de sa durée de vie utile pour l'entreprise. Cette estimation doit être réexaminée chaque année.

Les droits d'auteur

Les **droits d'auteur** accordent à leur propriétaire les droits exclusifs de publier, d'exploiter et de vendre une œuvre littéraire, musicale ou artistique pour une période déterminée (selon la loi en vigueur, cette période peut aller jusqu'à 50 ans après la mort de l'auteur). Le manuel que vous lisez en ce moment est couvert par des droits d'auteur (copyright) qui protègent leur éditeur et leurs auteurs. Ainsi, la loi interdit à un professeur de photocopier plusieurs chapitres de ce livre pour les distribuer à ses étudiants. On comptabilise ces droits en appliquant les mêmes principes, directives et processus que ceux qu'on utilise pour comptabiliser tous les actifs incorporels.

La technologie

Le nombre d'entreprises qui présentent dorénavant dans leurs actifs incorporels l'élément « **technologie** » augmente d'année en année. Les coûts de développement de logiciels et de sites Web sont devenus très importants. En 2005, Air Canada montrait dans son bilan un actif incorporel « Technologies » de 206 millions de dollars.

Coup d'œil sur

Air Canada

RAPPORT ANNUEL

Notes afférentes aux états financiers consolidés		
5. Actifs incorporels	**2005**	**2004**
Actifs à durée de vie indéfinie		
Droits relatifs à des désignations et créneaux aéroportuaires internationaux	653 $	688 $
Marque de commerce Air Canada	595	628
Marque de commerce Aéroplan	109	135
Autres marques de commerce	118	131
	1 475	1 582
Actifs à durée de vie définie		
Contrats Aéroplan	407	499
Appartenance Star Alliance	239	246
Autres contrats ou relations clients	247	260
Technologies	206	133
	1 099	1 138
Amortissement cumulé		
Contrats Aéroplan	(23)	(3)
Appartenance Star Alliance	(12)	(1)
Autres contrats ou relations clients	(40)	(7)
Technologies	(37)	(6)
	987	1 121
	2 462 $	2 703 $

La concession

La **concession** est l'autorisation donnée par un franchiseur (par exemple Van Houtte) à un franchisé (une entreprise qui achète une franchise) de vendre certains produits ou services, d'utiliser une marque de commerce dans une région géographique donnée. Les contrats de franchisage renferment en général différentes clauses concernant les droits et les devoirs des franchisés et du franchiseur. L'acquisition d'une concession nécessite un investissement de la part du franchisé, qu'on appelle une « redevance ». La redevance sera comptabilisée à titre d'actif incorporel. La durée d'un contrat de franchisage dépend de la convention qui lie les parties et peut être d'une année ou porter sur une période indéfinie. Blockbuster Video est une entreprise qui a du succès dans le domaine de la location de vidéos. Pour accélérer son expansion, elle conclut des contrats de franchisage avec des entrepreneurs locaux. Ces contrats requièrent le paiement de redevances de franchisage et couvrent une période de 20 ans. Plus de 900 magasins sont liés à Blockbuster par des contrats de ce type.

> Une **concession** est un droit contractuel de vendre certains produits ou services, d'utiliser certaines marques de commerce ou d'effectuer certaines activités dans une région géographique donnée.

QUESTION D'ÉTHIQUE

Une forte pression pour enregistrer des bénéfices réguliers toujours plus élevés

Au cours des 10 dernières années, de fortes pressions ont été exercées sur les dirigeants des entreprises pour qu'ils maintiennent une augmentation régulière de leur bénéfice net, de façon à satisfaire les attentes de tous les analystes financiers. À mesure que ces attentes s'exprimaient de plus en plus explicitement, les mécanismes utilisés par les dirigeants pour gérer le bénéfice net et atteindre leurs objectifs devenaient de plus en plus évidents. Le titre d'un article de journal est assez éloquent.

> « Apprenez à jouer le jeu du bénéfice net (et Wall Street vous adulera) »

Dans l'actualité

L'année 2002 a été marquée par de nombreux scandales financiers dévoilant la manipulation des principes comptables par les dirigeants d'entreprises. Enron, WorldCom, Xerox, Qwest, Merck et bien d'autres ont tous voulu gonfler leurs résultats pour satisfaire les attentes du marché financier. Les actifs immobilisés peuvent jouer un rôle important dans la capacité des entreprises à satisfaire ou à dépasser les estimations des experts. La décision de capitaliser ou de passer en charges certains frais, d'amortir ou non les actifs incorporels, de réduire ou non la valeur des actifs sont tous des éléments qui relèvent du jugement et qui influent directement sur les résultats d'un exercice. Les dirigeants se doivent d'adopter en ces domaines un comportement éthique pour garder la confiance des investisseurs.

INCIDENCE SUR LES FLUX DE TRÉSORERIE

La préparation de la section « Activités d'exploitation » de l'état des flux de trésorerie, avec la méthode indirecte, implique de convertir le bénéfice net calculé en fonction des règles de la comptabilité d'exercice en flux de trésorerie selon les règles de la comptabilité de caisse. Une telle conversion demande d'éliminer 1) les produits et les charges qui n'ont pas donné lieu à un encaissement ou à un décaissement et 2) les gains et les pertes qui relèvent des activités de financement ou d'investissement. Quand l'amortissement est enregistré, aucune sortie de fonds n'est inscrite. Comme la charge d'amortissement vient réduire le bénéfice net, il faut l'additionner dans les activités d'exploitation pour en éliminer l'effet. De même, comme tout gain (ou toute perte) sur la vente d'actifs immobilisés augmente (ou diminue) le bénéfice net, on doit l'enlever (ou l'ajouter) du bénéfice net pour en éliminer l'effet.

OBJECTIF
D'APPRENTISSAGE **7**

Comprendre l'effet, sur
les flux de trésorerie,
des opérations d'achat,
d'amortissement et de vente
des actifs immobilisés.

EN GÉNÉRAL ◊ L'acquisition, la vente et l'amortissement d'immobilisations influent sur les flux de trésorerie d'une entreprise comme le montre le tableau ci-dessous.

	Effet sur les flux de trésorerie
Activités d'exploitation (avec la méthode indirecte)	
Bénéfice net	XXX $
Ajustements pour : Amortissement des immobilisations	+
Gains sur cession d'immobilisations	−
Pertes sur cession d'immobilisations	+
Activités d'investissement	
Acquisition d'immobilisations	−
Cession d'immobilisations	+

TRANSAT ◊ Le tableau 8.3 présente un extrait condensé de l'état des flux de trésorerie de la société Transat pour les exercices 2005 et 2004. Transat utilise la méthode indirecte et ajuste le bénéfice net des exercices pour tenir compte des éléments ne nécessitant pas de sorties ou de rentrées de fonds. Elle a donc ajouté la charge d'amortissement, de même que la perte à la suite de la radiation d'actifs, au bénéfice net pour déterminer les flux de trésorerie liés aux activités d'exploitation. Dans les activités d'investissement, Transat a déboursé 27 213 000 $ pour acquérir des immobilisations au cours de l'exercice 2005 (20 902 000 $ en 2004), et encaissé 5 001 000 $ en 2005 lors de la vente d'immobilisations corporelles.

Dans des secteurs d'activité fortement capitalisés comme l'aéronautique, l'amortissement est une charge considérable qui entre dans le calcul du bénéfice net. De plus, c'est souvent le seul ajustement d'importance qui est apporté au bénéfice net lorsqu'il s'agit de déterminer les flux de trésorerie provenant de l'exploitation. C'était le cas pour Transat au cours des exercices 2005 et 2004.

TABLEAU 8.3 | État des flux de trésorerie

Transat A.T. inc.
États consolidés des flux de trésorerie
exercices terminés les 31 octobre
(en milliers de dollars)

	2005	2004
Activités d'exploitation		
Bénéfice net	55 416 $	72 320 $
Imputations à l'exploitation ne nécessitant pas de sorties (rentrées) de fonds		
Amortissement	37 558	33 027
Radiation d'immobilisations corporelles et d'autres actifs	−	3 031
Autres (regroupés)	(29 189)	76 722
Flux de trésorerie liés aux activités d'exploitation	63 785	185 100
Activités d'investissement		
Acquisitions d'immobilisations corporelles	(27 213)	(20 902)
Dispositions d'immobilisations corporelles	5 001	−
Autres (regroupés)	3 612	(12 068)
Flux de trésorerie liés aux activités d'investissement	(18 600)	(32 970)

De fausses idées

Certains utilisateurs qui interprètent mal la signification d'une charge sans effet sur la trésorerie croient que l'amortissement engendre des fonds. Cette erreur peut être attribuable au fait qu'on additionne l'amortissement dans la section Activités d'exploitation de l'état des flux de trésorerie. Toutefois, l'amortissement n'est en aucun cas une source de liquidités. Pour qu'il y ait un flux de trésorerie provenant de l'exploitation, il faut absolument vendre des biens et des services. Une entreprise qui enregistre une charge d'amortissement élevée ne produit pas plus d'argent qu'une autre dont le montant d'amortissement est faible (si on suppose qu'elles sont exactement semblables sur tous les autres plans). La charge d'amortissement réduit le montant de bénéfice net enregistré par une entreprise, mais elle ne diminue pas le montant d'argent qu'elle produit parce qu'il s'agit d'une charge sans effet sur la trésorerie. (Il faut se rappeler que la comptabilisation de l'amortissement a pour effet de diminuer les capitaux propres et les actifs immobilisés, mais non la caisse.) C'est la raison pour laquelle, dans l'état des flux de trésorerie, on réincorpore l'amortissement de l'exercice au bénéfice net (calculé selon la méthode de la comptabilité d'exercice) pour calculer les flux de trésorerie provenant de l'exploitation (calculés selon la méthode de la comptabilité de caisse).

Bien que l'amortissement n'implique aucune sortie de fonds, le concept d'amortissement fiscal peut, par contre, influer sur les flux de trésorerie de l'entreprise. En effet, l'amortissement fiscal est une dépense déductible du revenu. Plus l'amortissement fiscal est élevé, moins les impôts à payer seront élevés. De plus, comme les impôts nécessitent un décaissement, l'amortissement fiscal permet de réduire les sorties de fonds de l'entreprise.

Conclusion

Depuis 2001, l'industrie du transport aérien a connu des années difficiles principalement à cause de la concurrence sur les prix et la hausse du prix du carburant, mais aussi par suite des conditions climatiques (ouragans). À cause de ces éléments, les résultats de l'exercice 2005 de Transat ont diminué et la direction de l'entreprise s'attend à ce que l'année 2006 soit encore moins profitable. Pourtant, phénomène rare pour Transat, son premier rapport trimestriel au 31 janvier 2006 présentait une augmentation de ses profits par rapport à la même période de l'année précédente. Transat possède également des liquidités d'une valeur de 397,5 millions de dollars, ce qui la place dans une position confortable pour faire face à l'avenir. D'ailleurs, Transat envisage de faire des acquisitions afin de consolider sa position dans certains secteurs et certaines régions géographiques.

L'action de Transat a varié entre 15,90 $ et 26,50 $ au cours de la dernière année. En mai 2006, elle se situe aux environs de 25 $, prix cible des analystes financiers qui suivent le titre.

Donjon inc. poursuit ses activités depuis un certain nombre d'années. Au moment de sa fondation, il s'agissait d'une entreprise de construction d'habitations. Au cours des dernières années, elle a étendu ses activités à la construction lourde, au béton prêt à l'emploi, aux sables et graviers, aux matériaux de construction et aux services de terrassement.

Voici quelques-unes des opérations qui ont été effectuées au cours de l'exercice 2008. Elles portent sur les principaux sujets abordés dans ce chapitre. Les montants ont été simplifiés pour faciliter la démonstration.

2008

1er janvier : La direction a décidé d'acheter un immeuble qui a été construit il y a une dizaine d'années. L'emplacement est idéal et compte un nombre satisfaisant de places de stationnement. L'entreprise a acheté l'immeuble et le terrain sur lequel il se trouve pour 305 000 $. Elle a versé 100 000 $ comptant et a contracté un emprunt hypothécaire pour le reste du montant. Un expert fiable a établi les valeurs marchandes suivantes : le terrain à 126 000 $ et l'immeuble à 174 000 $.

12 janvier : L'entreprise paie des frais de 38 100 $ pour la rénovation de l'immeuble prévue lors de l'achat.

19 juin : L'entreprise achète un troisième terrain pour en faire une carrière de gravier (désignée par « n° 3 »), et elle paie comptant un montant de 50 000 $. L'emplacement a été minutieusement arpenté. D'après des estimations, l'entreprise prévoit en extraire 100 000 m^3 de gravier. La production totale de cette carrière est toutefois évaluée à 120 000 m^3.

10 juillet : L'entreprise paie 1 200 $ pour l'entretien de l'immeuble.

1er août : Elle paie 10 000 $ pour les coûts de préparation de la nouvelle carrière à son exploitation.

31 décembre : Elle enregistre l'amortissement et la dépréciation des actifs immobilisés.

a) L'amortissement de l'immeuble s'effectuera selon la méthode d'amortissement linéaire. La durée de vie utile est estimée à 30 ans avec une valeur résiduelle estimative de 35 000 $. La durée de vie est évaluée à 50 ans sans valeur de récupération.

b) Au cours de l'exercice 2008, on a extrait et vendu 12 000 m^3 de gravier de la carrière n° 3.

c) L'entreprise possède un brevet dont elle se sert dans ses activités. Au 1er janvier 2008, le solde du compte Brevet se chiffrait à 3 300 $. Le brevet a une durée de vie utile restante de six ans (y compris 2008).

d) Au début de l'année, l'entreprise possédait un équipement dont le coût était de 650 000 $ et la valeur comptable nette, de 520 000 $. Cet équipement continue d'être amorti au moyen de la méthode de l'amortissement dégressif, selon un taux d'amortissement de 10 %.

e) À la fin de l'exercice, l'entreprise a jugé qu'une partie du vieil équipement d'excavation dont le coût d'acquisition était de 156 000 $ et dont la valeur comptable restante se chiffre à 120 000 $ est d'une utilité limitée. Elle a évalué cet actif en vue d'une possible réduction de valeur. Elle s'attend à des flux de trésorerie nets futurs non actualisés de 40 000 $, et la juste valeur est de 35 000 $.

Le 31 décembre 2008 marque la fin de l'exercice financier.

Travail à faire

1. Indiquez les comptes touchés, le montant et l'effet de chacune des opérations énumérées précédemment sur l'équation comptable. (Inscrivez un + pour une augmentation et un − pour une diminution. S'il n'y a aucun effet, écrivez AE.) Servez-vous des titres suivants :

Date	Actif	=	Passif	+	Capitaux propres

2. Passez les écritures de régularisation nécessaires au 31 décembre pour les éléments a) et b).

3. Présentez un bilan partiel au 31 décembre 2008 pour les comptes suivants:

Immobilisations corporelles: Terrain, Immeuble, Équipement et Carrière de gravier;
Actifs incorporels: Brevet.

4. En supposant que l'entreprise a eu un chiffre d'affaires de 1 000 000 $ pour l'exercice 2008 et que ses actifs immobilisés avaient une valeur comptable nette de 500 000 $ au début de l'année, calculez le taux de rotation des actifs immobilisés. Expliquez sa signification.

Solution suggérée

1. L'effet sur l'équation comptable (avec les calculs)

Date	Actif		=	Passif	+	Capitaux propres
1er janvier (1)	Caisse Terrain Immeuble	−100 000 +128 100 +176 900		Hypothèque à payer +205 000		
12 janvier	Caisse Immeuble	−38 100 +38 100				
19 juin	Caisse Carrière n° 3	−50 000 +50 000				
10 juillet	Caisse	−1 200				Frais d'entretien −1 200
1er août	Caisse Carrière n° 3	−10 000 +10 000				
31 décembre a) (2)	Amortissement cumulé − Immeuble	− 6 000				Amortissement −6 000
31 décembre b) (3)	Épuisement cumulé − Carrière n° 3	−7 200				Épuisement −7 200
31 décembre c) (4)	Amortissement cumulé − Brevet	−550				Amortissement −550
31 décembre d) (5)	Amortissement cumulé − Équipement	−52 000				Amortissement −52 000
31 décembre e) (6)	Amortissement cumulé − Équipement	−85 000				Perte de valeur −85 000 des immobilisations

Calculs:

(1)   **Terrain:** $\dfrac{126\,000}{300\,000} \times 305\,000\,\$ = 128\,100\,\$$ **Immeuble:** $\dfrac{174\,000}{300\,000} \times 305\,000\,\$ = 176\,900\,\$$

(2)   **Coût de l'immeuble**

Paiement initial	176 900 $
Rénovations avant utilisation	38 100
Coût d'acquisition	215 000 $

Amortissement linéaire

Calcul basé sur la durée de vie utile

(Coût de 215 000 $ − Valeur résiduelle de 35 000 $)
÷ 30 ans = 6 000 $

Calcul basé sur la durée de vie

(Coût de 215 000 $ − Valeur de récupération de 0 $)
÷ 50 ans = 4 300 $

(3)   **Coût de la carrière de gravier**

Paiement initial	50 000 $
Coûts de préparation	10 000
Coût d'acquisition	60 000 $

Amortissement proportionnel à l'utilisation

Calcul basé sur la durée de vie utile

Coût de 60 000 $ ÷ Production estimée à 100 000 =
0,60 $ par mètre cube de gravier

Calcul basé sur la durée de vie

Coût de 60 000 $ ÷ Production totale à 120 000 =
0,50 $ par mètre cube de gravier

Épuisement: 12 000 unités × 0,60 $ = 7 200 $

⁽⁴⁾ **Amortissement linéaire**

Valeur comptable du brevet	3 300 $
÷ Durée de vie utile restante	6 ans
	550 $

⁽⁵⁾ **Amortissement dégressif à taux constant**
(Valeur comptable de 520 000 $) × 10 % = Amortissement de l'exercice de 52 000 $

⁽⁶⁾ **Réduction de valeur**
Comme la valeur comptable de l'ancien équipement (120 000 $) est supérieure aux flux de trésorerie non actualisés (40 000 $), il y a perte de valeur.

Perte de valeur	= Valeur comptable	120 000 $
	Moins : Juste valeur	35 000
	Perte de valeur	85 000 $

2. Écritures de régularisation au 31 décembre 2008
   a) Amortissement (+C, −CP).. 6 000
      Amortissement cumulé − Immeuble (+XA, −A).....   6 000
   b) Épuisement (+C, −CP).. 7 200
      Épuisement cumulé − Carrière n° 3 (+XA, −A).......   7 200

3. Bilan partiel au 31 décembre 2008

Actif		
Immobilisations		
Terrain		128 100 $
Immeuble	215 000 $	
Moins : Amortissement cumulé	6 000	209 000
Équipement	650 000	
Moins : Amortissement cumulé		
[(650 000 $ − 520 000 $) + 52 000 $ + 85 000 $]	267 000	383 000
Carrière de gravier	60 000	
Moins : Épuisement cumulé	7 200	52 800
Total des actifs immobilisés		772 900 $
Actifs incorporels		
Brevet	3 300	
Moins : Amortissement cumulé	550	2 750 $

4. Taux de rotation des actifs immobilisés

$$\frac{\text{Chiffre d'affaires net}}{(\text{Immobilisations au début de l'exercice} + \text{Immobilisations à la fin de l'exercice}) \div 2} = \frac{1\,000\,000\,\$}{(500\,000\,\$ + 772\,900\,\$) \div 2} = 1,57$$

Cette entreprise de construction est hautement capitalisée. Le taux de rotation des actifs immobilisés permet de mesurer l'efficacité de l'entreprise à utiliser ses investissements dans des immobilisations corporelles afin d'obtenir son chiffre d'affaires. Pour une analyse complète, il faudrait étudier la tendance dans le temps en ce qui concerne cette entreprise et la comparer à ses compétiteurs ou au taux du secteur.

D'autres méthodes d'amortissement accéléré

Nous avons vu que la méthode de l'amortissement dégressif à taux constant consiste à calculer la charge d'amortissement annuel en appliquant un taux constant à la valeur comptable de l'immobilisation au début de l'exercice. Pour déterminer ce taux, un savant calcul est prévu. De plus, toujours en conformité avec les normes comptables canadiennes, il faut déterminer le taux en faisant deux calculs, l'un basé sur la durée de vie et le deuxième basé sur la durée de vie utile de l'immobilisation. De plus, il faut inscrire la charge d'amortissement la plus élevée. Voici les calculs pour déterminer le taux d'amortissement à l'aide des mêmes données présentées au tableau 8.2 (*voir la page 455*).

Calcul basé sur la durée de vie

$$1 - \sqrt[n]{\frac{\text{Valeur de récupération}}{\text{Coût d'acquisition}}} \qquad 1 - \sqrt[5]{\frac{1}{62\,500}} = 0,89$$

n = durée de vie

Charge d'amortissement :   Valeur comptable × Taux

62 500 \$ × 0,89 = 55 625 \$

Calcul basé sur la durée de vie utile

$$1 - \sqrt[n]{\frac{\text{Valeur résiduelle}}{\text{Coût d'acquisition}}} \qquad 1 - \sqrt[3]{\frac{2\,500}{62\,500}} = 0,66$$

n = durée de vie utile

Charge d'amortissement :   Valeur comptable × Taux

62 500 \$ × 0,66 = 41 250 \$

La charge d'amortissement pour l'exercice 2006 serait donc de 55 625 \$.

Une autre méthode d'amortissement accéléré est la méthode de l'amortissement dégressif à taux double dont le calcul du taux est beaucoup plus simple. Cette méthode, tout comme celle à taux constant, est basée sur l'application d'un taux constant à la valeur comptable de l'immobilisation au début de l'exercice. Le taux constant est le double de celui qu'on utiliserait avec la méthode de l'amortissement linéaire. On détermine ce taux d'amortissement dégressif 1) en calculant le taux linéaire, puis 2) en multipliant ce taux linéaire par deux. Par exemple, si la durée de vie utile estimative est de 10 ans, le taux linéaire est de 10 % (1 ÷ 10), et le double du taux est de 20 % (2 × Taux linéaire de 10 %).

Pour calculer la charge d'amortissement selon la méthode de l'amortissement dégressif à taux double, on multiplie la valeur comptable nette de l'immobilisation par le taux d'amortissement comme suit.

Méthode de l'amortissement dégressif à taux double

Calcul basé sur la durée de vie

Valeur comptable nette	× Taux d'amortissement	= Charge de l'exercice
(Coût − Amortissement cumulé) ×	2/Durée de vie	
(62 500 − 0 en 2006)	2/5	25 000 \$

Calcul basé sur la durée de vie utile

Valeur comptable nette	× Taux d'amortissement	= Charge de l'exercice
(Coût − Amortissement cumulé) ×	2/Durée de vie utile	
(62 500 − 0 en 2006)	2/3	41 667 \$

La charge d'amortissement pour l'exercice 2006 serait de 41 667 \$.

Voici le plan d'amortissement du camion d'après la méthode d'amortissement dégressif à taux double.

Exercice	Calculs	Charge d'amortissement	Amortissement cumulé	Valeur comptable nette
À l'acquisition				62 500 $
2006	(62 500 $ − 0 $) × 2/3	41 667 $	41 667 $	20 833
2007	(62 500 $ − 41 667 $) × 2/3	13 889	55 556	6 944
2008	(62 500 $ − 55 556 $) × 2/3	4 444*	60 000	2 500
	Total	**60 000 $**		

* 4 629 $ étant une charge trop élevée, on enregistre 4 444 $.

Il faut noter que la charge d'amortissement calculée pour l'exercice 2008 (4 629 $) n'est pas le montant réellement inscrit à l'état des résultats (4 444 $). On ne doit jamais amortir un actif au-dessous de sa valeur résiduelle. Or, la valeur résiduelle de l'actif que détient Transat est estimée à 2 500 $. Si on enregistrait une charge d'amortissement de 4 629 $, la valeur comptable de l'actif serait inférieure à 2 500 $. Par conséquent, la charge d'amortissement appropriée pour l'exercice 2008 se chiffre à 4 444 $ (6 944 $ − 2 500 $), c'est-à-dire au montant qui diminuera la valeur comptable à exactement 2 500 $.

Annexe 8-B

Les révisions des estimations

Pour calculer la charge d'amortissement, on a recours à des estimations — la durée de vie utile et la durée de vie ainsi que la valeur résiduelle et la valeur de récupération — qui sont faites au moment de l'acquisition d'un bien amortissable en fonction des informations disponibles à cette date. On doit parfois réviser l'une ou l'autre de ces estimations initiales à mesure qu'on accumule de nouvelles informations concernant le bien en question.

Le chapitre 3061.34 du *Manuel de l'ICCA* énumère quelques circonstances qui peuvent modifier les estimations :

1) un changement dans le niveau d'utilisation de l'actif ;
2) un changement dans le mode d'utilisation de l'actif ;
3) la mise hors service de l'actif pendant une période prolongée ;
4) des dommages matériels ;
5) des progrès technologiques importants ;
6) des modifications de la législation ou de l'environnement, ou l'évolution de la mode ou des goûts, ayant une incidence sur la durée d'utilisation de l'immobilisation.

Lorsqu'une entreprise révise ses estimations, le coût amortissable pour les prochains exercices sera calculé à partir de la valeur comptable nette de l'actif au moment de la révision.

Prenons comme exemple les données suivantes concernant un avion :

Coût de l'avion au moment de l'acquisition	60 000 000 $
Durée de vie	30 ans
Durée de vie utile estimative	20 ans
Valeur de récupération	0 $
Valeur résiduelle estimative	3 000 000 $

Peu après le début de la cinquième année, l'entreprise a révisé son estimation initiale de la durée de vie utile à 25 ans, et elle a diminué la valeur résiduelle estimative à 2 400 000 $. L'entreprise calculera la charge d'amortissement pour la cinquième année de la façon suivante :

1. Charge d'amortissement pour les quatre premières années :

Calcul basé sur la durée de vie
(60 000 000 $ − 0 $) ÷ 30 = 2 000 000 $ par année

Calcul basé sur la durée de vie utile
(60 000 000 $ − 3 000 000 $) ÷ 20 = 2 850 000 $ par année

Charge d'amortissement, qui correspond au montant le plus élevé des deux, soit :

$$2\ 850\ 000 \times 4\ \text{ans} = 11\ 400\ 000\ \$$$

2. Valeur comptable de l'avion à la fin de l'année 4 :

Coût d'acquisition	60 000 000 $
Moins : Amortissement cumulé	11 400 000
	48 600 000 $

3. Charge d'amortissement pour l'année 5 et les suivantes :

Calcul basé sur la durée de vie
(48 600 000 $ − 0 $) ÷ 26 (30 − 4) = 1 869 230 $

Calcul basé sur la durée de vie utile
(48 600 000 $ − 2 400 000 $) ÷ 21 (25 − 4) = 2 200 000 $

Par conséquent, la charge d'amortissement de l'année 5 et des années subséquentes sera donc de 2 200 000 $.

Vous remarquerez qu'une révision des estimations modifie la charge de l'exercice en cours et des exercices subséquents sans influer sur les exercices antérieurs. Aucune correction des exercices antérieurs n'est faite, car les révisions d'estimations découlent de faits nouveaux qui n'étaient pas connus avant cette date.

Les entreprises peuvent aussi changer de méthode d'amortissement, par exemple passer de l'amortissement dégressif à l'amortissement linéaire. Toutefois, un changement de la méthode d'amortissement sera considéré comme une révision des estimations si ce changement découle de faits nouveaux. Sinon, un changement de méthode d'amortissement devient une modification de convention comptable, sujet qui est étudié dans les cours de comptabilité intermédiaire. Selon les principes comptables généralement reconnus, une entreprise ne devrait modifier ses estimations comptables et ses méthodes d'amortissement que si les nouvelles estimations ou les nouvelles méthodes utilisées lui permettent de mieux mesurer son bénéfice périodique. De son côté, le principe de la permanence des méthodes requiert que les renseignements comptables enregistrés dans les états financiers soient comparables d'un exercice à l'autre. Il s'agit d'une sérieuse restriction à tout changement dans les estimations et les méthodes d'amortissement, à moins qu'un tel changement n'ait pour effet d'améliorer la mesure de la charge d'amortissement et des bénéfices nets. Toute modification entraîne leur divulgation par voie de note aux états financiers.

Les sociétés canadiennes font mention, dans leurs états financiers, qu'elles ont recours à des estimations et que des révisions sont possibles.

Notes afférentes aux états financiers consolidés
1. Principales conventions comptables
Utilisation d'estimations

La préparation d'états financiers selon les PCGR du Canada requiert l'utilisation de certaines estimations ayant une incidence sur les actifs et les passifs inscrits aux états financiers, sur la présentation des éventualités en date du bilan ainsi que sur les postes de revenus et de charges pour les exercices présentés. La direction réévalue réguliè-rement, en fonction des informations disponibles, ses estimations incluant celles qui concernent les coûts environnementaux, la durée de vie utile des immobilisations cor-porelles, la dépréciation des actifs à long terme et les écarts d'acquisition ainsi que les régimes de retraite. Les résultats réels pourraient différer de ces estimations. Lorsque des ajustements sont nécessaires, ils sont portés aux résultats lorsqu'ils sont connus.

TEST D'AUTOÉVALUATION

Supposons que Transat possède un camion qui a coûté au départ 100 000 $. Au moment de l'achat, ce camion avait une durée de vie utile estimative de 10 ans et une valeur résiduelle de 10 000 $. La durée de vie était de 12 ans, et la valeur de récupération est nulle. Après s'en être servi pendant cinq ans, l'entreprise décide que la durée de vie utile restante de ce camion est seulement de deux ans. À la suite de cette révision d'estimation, quel montant devrait-elle enregistrer comme charge d'amortissement pour la durée de vie restante de ce bien ? Considérez que Transat utilise la méthode de l'amortissement linéaire.

Vérifiez vos réponses à l'aide des solutions présentées en bas de page*.

Points saillants du chapitre

1. **Définir, classer et expliquer la nature des immobilisations ; calculer et interpréter le taux de rotation des actifs immobilisés (*voir la page 442*).**

   a) Les immobilisations sont des éléments d'actifs à long terme qu'une entreprise possède et utilise de façon durable dans le cours normal de ses activités. On distingue deux catégories d'immobilisations : les immobilisations corporelles (par exemple les terrains, les immeu-bles, l'équipement et les ressources naturelles) et les actifs incorporels (par exemple les marques de commerce, les brevets et l'écart d'acquisition).

   b) La méthode d'amortissement utilisée par l'entreprise détermine la valeur comptable nette des immobilisations qui entre dans le calcul du taux de rotation des actifs immobilisés. Les méthodes d'amortissement accéléré réduisent plus rapidement la valeur comptable nette et augmentent le taux de rotation des actifs immobilisés.

---

* Charge d'amortissement pour les cinq premières années :
(100 000 $ − 10 000 $) ÷ 10 = 9 000 $
(100 000 $ − 0 $) ÷ 12 = 8 333 $
Donc, l'amortissement cumulé est égal à 9 000 $ × 5 = 45 000 $.
Valeur comptable du camion après cinq ans : 100 000 $ − 45 000 $ = 55 000 $
Calcul basé sur la durée de vie :
55 000 $ × 1/7 (12 − 5) = 7 857 $
Calcul basé sur la durée de vie utile :
55 000 $ × 1/2 = 27 500 $
Charge d'amortissement annuelle pour les prochaines années : 27 500 $

2. **Appliquer le principe de la valeur d'acquisition (ou du coût d'origine) lors de l'acquisition et de l'entretien des immobilisations corporelles (*voir la page 445*).**

Le coût d'acquisition des immobilisations correspond à la juste valeur de la contrepartie donnée pour acquérir les biens, à laquelle on ajoute tous les frais raisonnables et nécessaires engagés pour acquérir et amener l'actif à l'endroit et dans l'état nécessaire à son utilisation. L'achat d'une immobilisation peut se régler au comptant, grâce à un emprunt ou à l'émission d'actions. L'acquisition peut aussi se faire sous forme d'achat en bloc ou encore la société peut elle-même s'occuper de la construction. Les coûts liés à l'utilisation des immobilisations sont soit des ajouts ou des améliorations (dépenses en capital), soit des frais d'entretien normaux (dépenses d'exploitation).

   a) Les dépenses en capital procurent des avantages pendant plusieurs exercices ; les montants sont portés aux comptes d'actifs appropriés et sont ensuite amortis.

   b) Les dépenses d'exploitation procurent des avantages uniquement pendant l'exercice en cours ; au moment où ces dépenses sont engagées, les montants sont portés aux comptes de charges appropriés.

3. **Connaître et appliquer différentes méthodes d'amortissement (*voir la page 451*).**

Les méthodes d'amortissement – Selon le principe du rapprochement des produits et des charges, on doit répartir le coût amortissable des immobilisations sur les exercices au cours desquels l'entreprise les utilise. La valeur comptable nette de l'actif correspond au coût d'acquisition moins l'amortissement cumulé. La charge d'amortissement diminue le bénéfice net de l'exercice. Les méthodes les plus utilisées sont la méthode d'amortissement linéaire (une charge constante dans le temps), la méthode d'amortissement proportionnel à l'utilisation (une charge qui varie selon l'utilisation réelle) et la méthode de l'amortissement dégressif à taux constant (une charge qui diminue avec le temps).

4. **Expliquer l'effet de la dépréciation des actifs à long terme sur les états financiers (*voir la page 462*).**

En raison de certains événements ou des circonstances, la valeur comptable des actifs à long terme peut être plus élevée que les flux de trésorerie futurs non actualisés. On réduit alors la valeur de l'actif à sa juste valeur.

5. **Connaître le processus comptable lors de la cession (ou de l'aliénation) des immobilisations corporelles (*voir la page 463*).**

   a) On s'assure que la charge d'amortissement est inscrite jusqu'à la date de cession.

   b) La cession peut être volontaire ou involontaire ; on retranche des livres le coût de l'actif et le montant de l'amortissement cumulé qui s'y rapporte.

   c) On enregistre le produit de cession.

   d) Il y a gain (ou perte) lorsque la valeur comptable nette est inférieure (ou supérieure) à la contrepartie reçue.

6. **Reconnaître les particularités comptables liées à la comptabilisation des ressources naturelles et des actifs incorporels (*voir la page 465*).**

Le principe de la valeur d'acquisition guide le processus de comptabilisation des ressources naturelles et des actifs incorporels. En général, les ressources naturelles sont amorties selon la méthode proportionnelle à l'utilisation. Les actifs incorporels dont la durée de vie est limitée sont habituellement amortis selon la méthode d'amortissement linéaire, et les actifs incorporels dont la durée de vie est indéfinie ne sont pas amortis.

7. **Comprendre l'effet, sur les flux de trésorerie, des opérations d'achat, d'amortissement et de vente des actifs immobilisés (*voir la page 472*).**

L'amortissement est une charge qui n'a aucun effet sur les liquidités ; on l'additionne au bénéfice net à l'état des flux de trésorerie pour déterminer les flux de trésorerie liés aux activités d'exploitation. L'acquisition et la vente d'immobilisations sont des activités d'investissement.

Dans les chapitres précédents, nous avons examiné des questions d'affaires et de comptabilité relatives aux actifs qu'une entreprise détient. Dans les chapitres 9 et 10, nous allons changer de point de vue et analyser l'autre côté du bilan. Nous verrons comment les gestionnaires financent les activités de leur entreprise et l'acquisition de leurs actifs. Dans le chapitre 9, nous traiterons de différents éléments du passif et dans le chapitre 10, nous aborderons les capitaux propres.

Le taux de rotation des actifs immobilisés permet de mesurer avec quel degré d'efficacité une entreprise utilise ses investissements en immobilisations. L'évolution du taux dans le temps est analysée et peut être comparée au taux des concurrents de l'entreprise. Ce taux se calcule comme suit (*voir la page 444*).

$$\text{Taux de rotation des actifs immobilisés} = \frac{\text{Chiffre d'affaires net}}{\text{Actifs immobilisés moyens}}$$

Pour trouver
L'INFORMATION FINANCIÈRE

BILAN

Sous le titre Actif à long terme
Immobilisations corporelles nettes
Ressources naturelles nettes
Actifs incorporels nets

ÉTAT DES RÉSULTATS

Sous le titre Charges d'exploitation
Amortissement
Épuisement
Perte de valeur sur immobilisations

ÉTAT DES FLUX DE TRÉSORERIE

Sous le titre Activités d'exploitation (avec la méthode indirecte)
Bénéfice net
+ Amortissement des immobilisations
− Gains sur la vente des actifs
+ Pertes sur la vente des actifs

Sous le titre Activités d'investissement
+ Cession d'actifs au comptant
− Achat d'actifs au comptant

NOTES COMPLÉMENTAIRES

Sous le titre Résumé des principales conventions comptables
Description du choix de la direction en matière de méthodes d'amortissement pour les actifs immobilisés corporels et incorporels, y compris la durée de vie utile et le montant d'amortissement de l'exercice si ces éléments n'apparaissent pas à l'état des résultats.
Une liste des principales catégories d'actifs immobilisés présentant le coût d'acquisition, l'amortissement cumulé et la valeur comptable pour chaque catégorie.

Mots clés

Questions

1. Définissez le terme « immobilisations ».
2. Comment calcule-t-on le taux de rotation des actifs immobilisés ? Expliquez la signification de ce taux.
3. Quelles sont les catégories d'immobilisations ? Expliquez chacune de ces catégories.
4. Établissez un lien entre le principe de la valeur d'acquisition et la comptabilisation des immobilisations. D'après ce principe, quels montants devrait-on habituellement inclure dans le coût d'acquisition d'une immobilisation ?
5. Décrivez la relation qui existe entre le principe du rapprochement des produits et des charges et la comptabilisation des immobilisations.
6. Expliquez la distinction entre les éléments suivants :
   a) Les dépenses en capital et les dépenses d'exploitation – Comment comptabilise-t-on les unes et les autres ?
   b) Les réparations ordinaires et les améliorations – Comment comptabilise-t-on les unes et les autres ?
7. Expliquez ce qui distingue l'amortissement et l'épuisement.
8. Dans le calcul de l'amortissement, on doit connaître ou estimer certaines valeurs ; nommez-les et expliquez la nature de chacune d'elles.
9. La durée de vie utile et la valeur résiduelle d'une immobilisation sont liées au propriétaire ou à l'utilisateur actuel de cet actif plutôt qu'à tous ses utilisateurs potentiels. Expliquez cet énoncé.
10. Quel type de charge d'amortissement trouve-t-on avec chacune des méthodes suivantes ? Quand doit-on utiliser chacune de ces méthodes ?
    a) La méthode de l'amortissement linéaire.
    b) La méthode de l'amortissement proportionnel à l'utilisation.
    c) La méthode de l'amortissement dégressif à taux constant.
11. Sur quelle période des ajouts et agrandissement à une immobilisation déjà existante devraient-ils être amortis ? Expliquez votre réponse.
12. Qu'est-ce que la dépréciation d'une immobilisation ?
13. Définissez l'expression « actif incorporel ». Comment doit-on amortir un actif incorporel ?
14. Définissez l'expression « écart d'acquisition ». À quel moment est-il approprié de comptabiliser l'écart d'acquisition ?
15. Pourquoi additionne-t-on la charge d'amortissement au bénéfice net à l'état des flux de trésorerie ?

Questions à choix multiples

1. La société Tassé et la société Bouté ont toutes deux acheté un nouveau véhicule au prix de 60 000 $ le 1er janvier 2007. Au 31 décembre 2010, la valeur comptable du véhicule de la société Tassé est inférieure à la valeur comptable du véhicule de la société Bouté. Quelle explication pourrait-on donner à cette différence ?
   a) Les deux sociétés utilisent la méthode de l'amortissement linéaire, mais Tassé estime une durée de vie du véhicule plus longue.
   b) La société Tassé estime une valeur résiduelle moins élevée, et les deux sociétés estiment une durée de vie utile égale et utilisent la méthode de l'amortissement linéaire.
   c) Selon les PCGR, cette situation est impossible.
   d) Tassé utilise la méthode de l'amortissement linéaire, et Bouté utilise la méthode de l'amortissement dégressif à taux constant.
2. La société Barbier utilise la méthode de l'amortissement linéaire pour amortir son immeuble qui a été acheté en 2008. L'immeuble a une durée de vie utile de 20 ans et une valeur résiduelle de 20 000 $. La durée de vie est estimée à 50 ans sans valeur de récupération. La charge d'amortissement en 2008 s'élevait à 20 000 $. Quelle est la valeur d'acquisition de l'immeuble ?
   a) 360 000 $ c) 400 000 $
   b) 380 000 $ d) 420 000 $

3. Avantout inc. utilise la méthode de l'amortissement linéaire pour tous ses actifs immobilisés. Le 31 décembre 2009, Avantout a vendu une pièce d'équipement achetée le 1er janvier 2008 au coût de 10 000 $. On avait estimé la durée de vie utile de cet actif à cinq ans sans valeur résiduelle, et une durée de vie de six ans sans valeur de récupération. L'équipement a été vendu 7 500 $. Quel est le gain ou la perte à la suite de cette vente ?
   a) Une perte de 500 $.
   b) Un gain de 500 $.
   c) Une perte de 1 500 $.
   d) Un gain de 1 500 $.
   e) Aucun gain ou aucune perte.

4. Avec quelle méthode d'amortissement utilise-t-on la valeur comptable comme coût amortissable ?
   a) La méthode de l'amortissement linéaire.
   b) La méthode de l'amortissement proportionnel à l'utilisation.
   c) La méthode de l'amortissement dégressif à taux constant.
   d) Aucune de ces méthodes.

5. Quels actifs doivent être amortis avec la méthode de l'amortissement linéaire ?
   a) Les ressources naturelles.
   b) Les actifs incorporels à durée de vie limitée.
   c) Les actifs incorporels à durée de vie indéfinie.
   d) Tous ces actifs.

6. Une entreprise espère présenter des bénéfices élevés. Dans ce cas, pour calculer l'amortissement, elle doit procéder ainsi :
   a) utiliser les taux prescrits par les lois fiscales ;
   b) estimer la durée de vie de ses actifs la plus courte ;
   c) estimer une valeur résiduelle la plus élevée pour ses actifs ;
   d) estimer une valeur résiduelle la moins élevée pour ses actifs.

7. Combien d'affirmations sont vraies ?
   • L'écart d'acquisition est enregistré au moment de l'achat d'une autre entreprise seulement.
   • Un test de dépréciation sur l'écart d'acquisition est effectué chaque année.
   • La perte de valeur sur l'écart d'acquisition diminue le bénéfice net.
   a) Aucune.
   b) Une affirmation.
   c) Deux affirmations.
   d) Trois affirmations.

8. Quand on enregistre l'amortissement, parmi les énoncés suivants, lequel est vrai ?
   a) Le total de l'actif augmente, et les capitaux propres augmentent.
   b) Le total de l'actif diminue, et le total du passif augmente.
   c) Le total de l'actif diminue, et les capitaux propres augmentent.
   d) Aucune de ces réponses.

9. La société Kalanchoé a acheté un terrain et un bâtiment au prix total de 320 000 $. À la même date, l'évaluation municipale s'élevait à 70 000 $ pour le terrain et à 180 000 $ pour le bâtiment. Quel est le coût d'acquisition du bâtiment ?
   a) 180 000 $
   b) 230 400 $
   c) 89 600 $
   d) Aucune de ces réponses.

10. Parmi les énoncés suivants, lequel est vrai ?
   a) Les actifs incorporels à durée de vie indéfinie ne sont pas amortis.
   b) Les actifs incorporels ne subissent aucune perte de valeur.
   c) Tous les actifs incorporels sont à durée de vie limitée.
   d) Aucune de ces réponses.

Mini-exercices

M8-1 Le classement des immobilisations

Indiquez la nature de chacun des actifs immobilisés suivants et le concept de répartition des coûts qui s'y rapporte. Utilisez les symboles présentés dans le tableau.

	Nature			Concept de répartition des coûts
T	Terrain		A	Amortissement
I	Immeuble		E	Épuisement
M	Matériel		AA	Amortissement des actifs incorporels
RN	Ressources naturelles		AR	Aucune répartition des coûts
AI	Actif incorporel		AU	Autre
AU	Autre			

Actif	Nature	Répartition des coûts	Actif	Nature	Répartition des coûts
1. Des droits d'auteur	___	___	6. Un permis d'exploitation	___	___
2. Un terrain détenu pour l'exploitation	___	___	7. Un terrain détenu pour revente	___	___
3. Un entrepôt	___	___	8. Un camion de livraison	___	___
4. Un puits de pétrole	___	___	9. Un terrain détenu pour l'exploitation du bois	___	___
5. Un nouveau moteur pour une vieille machine	___	___	10. Une usine de production	___	___

M8-2 Le taux de rotation des actifs immobilisés

Les renseignements suivants ont été enregistrés par l'entreprise de service de fret aérien Courcelles pour l'exercice 2008 :

Actifs immobilisés nets (début de l'exercice)	1 450 000 $
Actifs immobilisés nets (fin de l'exercice)	2 250 000 $
Chiffre d'affaires net pour l'exercice	3 250 000 $
Bénéfice net pour l'exercice	1 700 000 $

Calculez le taux de rotation des actifs immobilisés de cette entreprise pour l'exercice 2008. Que pouvez-vous dire du taux de rotation de la société Courcelles en comparaison avec celui d'Air Canada cité dans le chapitre ?

M8-3 Un achat en bloc

La société DesMeules a acquis un terrain supplémentaire et un immeuble qui renferme plusieurs pièces d'équipement, le tout pour une somme de 600 000 $. L'achat a été payé de la façon suivante : 20 % en espèces, 20 % en actions et 60 % sous la forme d'un emprunt hypothécaire auprès d'un établissement bancaire. D'après un expert, le terrain, l'immeuble et le matériel ont respectivement une juste valeur estimative de 200 000 $, de 500 000 $ et de 100 000 $. Indiquez l'effet de cette acquisition sur l'équation comptable. (Inscrivez un + pour une augmentation et un − pour une diminution.) Précisez les comptes qui sont modifiés et les montants en cause.

Actif	=	Passif	+	Capitaux propres

OA1

OA5

OA2

CHAPITRE 8 **485**

M8-4 **La distinction entre les dépenses en capital et les dépenses d'exploitation**

Pour chacune des opérations ci-après, inscrivez à gauche la lettre correspondant au type de dépense. Utilisez les symboles suivants :

	Type de dépense		Opération
C	Une dépense en capital	_____	1. Paiement de 400 $ pour des réparations ordinaires.
		_____	2. Paiement de 6 000 $ pour des améliorations apportées à du matériel.
E	Une dépense d'exploitation	_____	3. Paiement de 20 000 $ en espèces pour des agrandissements à un vieil immeuble.
N	Ni l'une ni l'autre	_____	4. Paiement de 200 $ pour l'entretien de l'équipement.
		_____	5. Achat d'une machine à 7 000 $ avec l'émission d'un effet à payer à long terme.
		_____	6. Paiement de 2 000 $ pour des frais de publicité.
		_____	7. Paiement de la prime d'assurance annuelle de 900 $.
		_____	8. Achat d'un brevet, 4 300 $ comptant.
		_____	9. Paiement de 10 000 $ en salaires mensuels.
		_____	10. Paiement d'un dividende en espèces, 20 000 $.

M8-5 **Le calcul de la valeur comptable nette (avec la méthode de l'amortissement linéaire)**

Calculez la valeur comptable nette d'un appareil de trois ans qui a coûté 21 500 $ et qui a une valeur résiduelle estimative de 1 500 $ et une durée de vie utile de quatre ans. La durée de vie est de cinq ans, et la valeur de récupération est nulle. L'entreprise utilise la méthode de l'amortissement linéaire.

M8-6 **Le calcul de la valeur comptable nette (avec la méthode de l'amortissement dégressif à taux constant)**

Calculez la valeur comptable nette d'un appareil de trois ans qui a coûté 21 500 $. La valeur résiduelle estimative est de 1 500 $, et la durée de vie utile estimative est de quatre ans. La durée de vie est de cinq ans, et la valeur de récupération est nulle. L'entreprise utilise la méthode de l'amortissement dégressif à taux constant, soit 30 %. Arrondissez au dollar près.

M8-7 **Le calcul de la valeur comptable nette (avec la méthode de l'amortissement proportionnel à l'utilisation)**

Calculez la valeur comptable nette d'un appareil de trois ans qui a coûté 21 500 $. La valeur résiduelle estimative est de 1 500 $, et la durée de vie utile estimative est de 20 000 heures-machine. La durée de vie est de 25 000 heures-machine, et la valeur de récupération est nulle. L'entreprise utilise la méthode de l'amortissement proportionnel à l'utilisation et a utilisé l'appareil 3 000 heures au cours de l'exercice 1, 8 000 heures au cours de l'exercice 2 et 7 000 heures au cours de l'exercice 3.

M8-8 **La dépréciation des actifs à long terme**

Pour chacun des éléments ci-dessous, indiquez si un actif devrait subir une réduction de valeur. (Inscrivez « O » pour oui ou « N » pour non.) Lorsque la réponse est positive, quel est le montant de la perte à comptabiliser ?

	Valeur comptable nette	Estimation des flux de trésorerie futurs	Juste valeur	Y a-t-il perte de valeur ?	Si oui, de quel montant ?
a) Machinerie	16 000 $	10 000 $	9 000 $		
b) Droits d'auteur	40 000 $	41 000 $	39 000 $		
c) Usine	50 000 $	35 000 $	30 000 $		
d) Bâtiment	230 000 $	230 000 $	240 000 $		

M8-9 La cession d'une immobilisation corporelle

À la suite d'un vaste projet de rénovation entrepris au début de l'année, la pharmacie Couillard inc. a vendu des éléments de rayonnage (des accessoires de magasins) qui avaient 10 ans pour un montant de 1 400 $ en argent. À l'origine, ces étagères avaient coûté 6 200 $ et avaient été amorties de façon linéaire sur une durée de vie utile estimative de 12 ans. Leur valeur résiduelle estimative était de 200 $. Indiquez l'effet de la vente de ces éléments sur l'équation comptable. Passez les écritures de journal nécessaires.

M8-10 L'acquisition d'actifs incorporels

La Pâtisserie Bégon est en affaires depuis 30 ans. Elle s'est constituée une clientèle fidèle qui est formée de nombreux restaurants. La société Bigot a offert de l'acheter pour 5 000 000 $. La valeur comptable des éléments d'actif et de passif de la Pâtisserie Bégon, à la date de l'offre, s'élève à 4 400 000 $ et sa valeur marchande, à 4 600 000 $. En outre, l'entreprise 1) détient le brevet d'un appareil à canneler la pâte à tarte inventé dans le contexte de ses activités (le brevet, d'une juste valeur de 200 000 $, n'a jamais été comptabilisé par la Pâtisserie Bégon) et 2) elle estime que son fonds commercial (ses clients fidèles) se chiffre à 300 000 $ (montant qui n'a jamais été comptabilisé non plus par l'entreprise). La direction de la Pâtisserie Bégon devrait-elle accepter l'offre de 5 000 000 $ de la société Bigot ? Si oui, calculez le montant que la société Bigot devrait enregistrer à titre d'écart d'acquisition à la date de l'achat.

M8-11 L'établissement de l'état des flux de trésorerie

Voici quelques-unes des activités de la société Frontenac au cours de l'exercice se terminant le 31 décembre 2008 : vente d'un terrain au comptant à son coût d'acquisition de 15 000 $; achat de matériel à 80 000 $ (paiement de 75 000 $ comptant et le reste sous forme d'un effet à payer) ; enregistrement de 3 000 $ en charge d'amortissement de l'exercice. Le bénéfice net de l'entreprise se chiffre à 10 000 $ pour l'exercice. Préparez les sections Exploitation et Investissement d'un état des flux de trésorerie pour l'exercice 2008 à partir des données fournies.

Exercices

E8-1 L'établissement d'un bilan

Voici une liste des comptes et des montants (en milliers de dollars) provenant des états financiers du Groupe Jean Coutu inc. (PJC), l'un des plus importants réseaux de distribution et de vente au détail de produits pharmaceutiques et parapharmaceutiques.

Constructions en cours	32 065 $	Autres immobilisations corporelles	513 996 $
Placements temporaires	78 489	Amortissement cumulé –	
Autres éléments de l'actif à court terme	47 803	Autres immobilisations corporelles	174 106
		Actifs incorporels	804 702
Autres éléments de l'actif à long terme	105 996	Amortissement cumulé –	
Placements à long terme	18 819	Actifs incorporels	75 063
Espèces et quasi-espèces	132 175	Stocks	1 678 245
Immeubles destinés à la location	191 188	Immeubles	340 058
Amortissement cumulé –		Amortissement cumulé –	
immeubles destinés à la location	22 968	Immeubles	41 471
Écart d'acquisition	866 451	Terrains	243 490
Matériel roulant	14 112	Débiteurs	544 810
Amortissement cumulé –		Mobilier et équipement	480 148
Matériel roulant	3 563	Amortissement cumulé – Mobilier et équipement	80 450

Travail à faire

Préparez la section des actifs du bilan de l'entreprise en classant ceux-ci en deux catégories : Actif à court terme et Actif à long terme.

E8-2 Le taux de rotation des actifs immobilisés

Les données qui suivent apparaissent dans un rapport annuel récent de la société Cascades.

En millions de dollars	2005	2004	2003	2002	2001	2000	1999	1998
Chiffre d'affaires net	3 862 $	3 692 $	3 449 $	3 591 $	3 217 $	3 031 $	2 776 $	2 682 $
Immobilisations corporelles nettes	1 562	1 700	1 636	1 604	1 481	1 376	1 355	1 400

Travail à faire

1. Calculez le taux de rotation des actifs immobilisés de l'entreprise pour 1999, 2001, 2003 et 2005 (les années impaires).
2. Comment des analystes financiers interpréteraient-ils ces résultats ?

E8-3 La comptabilisation d'un achat en bloc et l'amortissement des actifs (avec la méthode de l'amortissement linéaire)

La société Marie-Rollet a acheté un immeuble et le terrain sur lequel il est situé pour un montant total en espèces de 178 000 $. Elle paie 2 000 $ en frais de notaire. Les rénovations effectuées sur l'immeuble ont coûté 21 200 $. Selon un expert indépendant, l'immeuble et le terrain ont respectivement des valeurs marchandes de 158 384 $ et de 50 016 $.

Travail à faire

1. Répartissez le coût d'acquisition entre le terrain et l'immeuble d'après les valeurs estimatives. Présentez vos calculs.
2. Montrez l'effet de ces opérations sur l'équation comptable.
3. Passez l'écriture de journal pour enregistrer l'achat du terrain et de l'immeuble incluant tous les frais engagés. Supposez que toutes les transactions ont été faites au comptant et que tous les achats ont eu lieu au début de l'exercice.
4. Calculez la charge d'amortissement selon la méthode de l'amortissement linéaire à la fin du premier exercice. Supposez que la durée de vie utile estimative est de 12 ans et que la valeur résiduelle se chiffre à 14 000 $, alors que la durée de vie est de 20 ans sans valeur de récupération.
5. Quelle serait la valeur comptable de l'immeuble à la fin du deuxième exercice ?

E8-4 L'acquisition et l'amortissement d'un actif (avec la méthode de l'amortissement linéaire)

L'entreprise Vaudreuil a acheté une machine le 1er janvier 2008 à un prix de 20 000 $. Le jour de la livraison, le 2 janvier 2008, elle a versé 8 000 $ comptant, et le solde est payable le 1er juillet avec des intérêts de 6 %. Le 3 janvier 2008, elle a déboursé 250 $ pour le transport de la machine. Le 5 janvier, elle a payé des frais d'installation relatifs à cet achat qui se chiffraient à 1 200 $. Le 1er juillet 2008, elle s'est acquittée du solde de la facture et des intérêts. Le 31 décembre 2008 (date de la fin de l'exercice), l'entreprise a enregistré la charge d'amortissement pour la machine en se servant de la méthode d'amortissement linéaire. Elle estimait alors la durée de vie utile de cet appareil à 10 ans et sa valeur résiduelle à 3 450 $, alors que la durée de vie était évaluée à 15 ans sans valeur de récupération.

Travail à faire (arrondissez tous les montants au dollar près)

1. Indiquez l'effet sur l'équation comptable de chaque opération (des 1er, 2, 3 et 5 janvier ainsi que du 1er juillet). Précisez les comptes modifiés et les montants ; inscrivez un + pour une augmentation et un − pour une diminution. Utilisez le modèle suivant :

Date	Actif	=	Passif	+	Capitaux propres

2. Calculez le coût d'acquisition de la machine.
3. Calculez la charge d'amortissement qu'on doit enregistrer pour l'exercice 2008.

4. Quelle incidence les intérêts de 6 % versés sur l'effet à payer ont-ils sur le coût de la machine ? Dans quelles circonstances peut-on intégrer les intérêts dans le coût d'acquisition ?

5. Quelle serait la valeur comptable de la machine à la fin de l'exercice 2009 ?

E8-5 **La comptabilisation de l'amortissement et des réparations (avec la méthode de l'amortissement linéaire)**

La société Beauharnois exploite un petit établissement de production en plus de ses activités normales de prestation de service. Au début de l'exercice 2008, les soldes suivants apparaissaient dans les comptes de l'entreprise :

Matériel de production	80 000 $
Amortissement cumulé	55 000 $

Au cours de l'exercice 2008, l'entreprise a engagé les dépenses suivantes pour les réparations et l'entretien :

Entretien courant et réparations du matériel	850 $
Amélioration majeure du matériel	10 500 $

Le matériel est amorti selon la méthode de l'amortissement linéaire sur une durée de vie utile estimative de 15 ans, en tenant compte d'une valeur résiduelle estimative de 5 000 $. L'exercice annuel se termine le 31 décembre.

Travail à faire

1. Calculez la charge d'amortissement enregistrée à la fin de l'exercice 2007.
2. À partir de 2008, quelle sera la durée de vie utile restante ?
3. Précisez si les frais engagés en 2008 sont des dépenses d'exploitation ou des dépenses en capital.
4. Calculez la charge d'amortissement de l'exercice 2008 pour le matériel de production. Supposez qu'il n'y a aucun changement dans sa durée de vie utile ni dans sa valeur résiduelle. Présentez tous vos calculs.

E8-6 **L'effet de l'amortissement et des réparations (avec la méthode de l'amortissement linéaire) sur l'équation comptable**

Référez-vous aux renseignements contenus dans l'exercice E8-5.

Travail à faire

Indiquez l'effet sur l'équation comptable des éléments ci-après. (Précisez quels sont les comptes modifiés et les montants ; inscrivez un + pour une augmentation ou un − pour une diminution.)

1. La charge d'amortissement de l'exercice 2007.
2. Des dépenses engagées au cours de l'exercice 2008.
3. La charge d'amortissement du matériel de production pour l'exercice 2008.

Présentez tous vos calculs et servez-vous du modèle de présentation suivant :

Date	Actif	=	Passif	+	Capitaux propres

E8-7 **Le calcul de l'amortissement selon différentes méthodes**

Au début de son exercice, la société Callières a acheté une machine qui lui a coûté 6 400 $. Cette machine a une durée de vie utile estimative de quatre ans et une valeur résiduelle de 800 $, alors que sa durée de vie est de huit ans sans valeur de récupération. Supposez que sa durée de vie utile est de 80 000 unités et sa durée de vie de 100 000 unités. Supposez aussi que sa production annuelle est, pour la première année, de 28 000 unités ; pour la deuxième, de 22 000 unités ; pour la troisième, de 18 000 unités et pour la quatrième, de 12 000 unités.

Travail à faire

1. Dressez un tableau d'amortissement en tenant compte de chacune des méthodes d'amortissement indiquées ci-dessous. Présentez tous vos calculs et arrondissez au dollar près.
   a) L'amortissement linéaire.
   b) L'amortissement proportionnel à l'utilisation.
   c) L'amortissement dégressif à un taux de 30 %.

Méthode : _____				
Exercice	Calculs	Charge d'amortissement	Amortissement cumulé	Valeur comptable
À l'acquisition				
1				
2				
etc.				

2. Supposez que la machine a servi directement à la production d'un des articles fabriqués et vendus par l'entreprise. Dans ce cas, quels facteurs la direction pourrait-elle considérer dans le choix d'une méthode d'amortissement plutôt que d'une autre en accord avec le principe du rapprochement des produits et des charges ?

■ OA3

E8-8 Le calcul de l'amortissement selon différentes méthodes

Au début de son exercice financier, la société Alexia a acheté une machine qui lui a coûté 125 000 $. Cette machine a une durée de vie de huit ans ou de 300 000 unités, et une durée de vie utile estimée à cinq ans ou à 250 000 unités. La valeur résiduelle est estimée à 15 000 $, alors que la valeur de récupération est nulle.

La production annuelle a été de :

Exercice	Unités
1	75 000
2	60 000
3	30 000
4	45 000
5	40 000

Travail à faire

1. Dressez un tableau d'amortissement en tenant compte de chacune des méthodes d'amortissement indiquées ci-dessous. Présentez tous vos calculs et arrondissez au dollar près.
   a) L'amortissement linéaire.
   b) L'amortissement proportionnel à l'utilisation.
   c) L'amortissement dégressif à un taux de 25 %.

Méthode : _____				
Exercice	Calculs	Charge d'amortissement	Amortissement cumulé	Valeur comptable
À l'acquisition				
1				
2				
etc.				

2. Supposez que la machine a servi directement à la production d'un des articles fabriqués et vendus par l'entreprise. Dans ce cas, quels facteurs la direction pourrait-elle considérer dans le choix d'une méthode d'amortissement plutôt que d'une autre en accord avec le principe du rapprochement des produits et des charges ?

E8-9 **La politique d'amortissement**

◆ Kodak ■OA3

Dans le rapport annuel de la société Kodak, on trouve la note suivante :

> **Principales conventions comptables**
> **L'amortissement**
>
> La charge d'amortissement est déterminée d'après le coût historique et la durée de vie utile estimative des actifs. En général, l'entreprise utilise la méthode de l'amortissement linéaire pour calculer l'amortissement. En ce qui a trait aux actifs situés aux États-Unis et acquis avant le 1er janvier 1992, le calcul de l'amortissement se fait généralement à l'aide des méthodes d'amortissement accéléré.

Travail à faire

À votre avis, pourquoi l'entreprise a-t-elle changé de méthode d'amortissement pour les actifs acquis en 1992 et au cours des années suivantes ? Quel effet ce changement a-t-il eu sur le bénéfice net ?

E8-10 **Le choix des gestionnaires**

◆ Federal Express ■OA3

Dans un rapport annuel récent de la société Federal Express, on trouve la note suivante :

> Aux fins de présentation de l'information financière, les bâtiments et équipement sont amortis sur leur durée de vie utile selon la méthode de l'amortissement linéaire. Aux fins fiscales, l'amortissement est calculé selon une méthode d'amortissement accéléré.

Travail à faire

Expliquez pourquoi Federal Express utilise des méthodes d'amortissement différentes aux fins de présentation de l'information financière et aux fins fiscales.

E8-11 **Le calcul de l'amortissement selon différentes méthodes**

■OA3
■OA7

La société de La Buade a acheté une machine au prix de 65 000 $ payés comptant. Cette machine avait une durée de vie utile estimative de cinq ans et une valeur résiduelle estimative de 15 000 $, alors que sa durée de vie est de huit ans et que la valeur de récupération est nulle. Supposez que la durée de vie utile estimative en unités de production se chiffre à 250 000 et la durée de vie à 270 000 unités. La machine a produit 40 000 unités la première année et 45 000 unités l'année suivante.

Travail à faire

1. Remplissez le tableau ci-dessous en déterminant les montants appropriés. Présentez tous vos calculs et arrondissez au dollar près.

| Méthode d'amortissement | Charge d'amortissement | | Valeur comptable à la fin du | |
	1er exercice	2e exercice	1er exercice	2e exercice
Linéaire				
Proportionnel à l'utilisation				
Dégressif à taux constant, de 20 %				

2. Laquelle de ces méthodes permettrait d'obtenir le résultat par action le plus faible pour la première année ? Pour la deuxième année ?
3. Laquelle de ces méthodes permettrait d'obtenir les flux de trésorerie les plus élevés la première année ? Expliquez votre réponse.
4. Indiquez l'effet a) de l'acquisition de la machine et b) de la charge d'amortissement sur les activités d'exploitation et d'investissement à l'état des flux de trésorerie (avec la méthode indirecte) pour la première année (en supposant l'utilisation de la méthode d'amortissement linéaire).

E8-12 La dépréciation des immobilisations

On pouvait lire la note suivante dans un rapport annuel récent d'une entreprise :

> **Note 1 – Résumé des principales conventions comptables**
> **Immobilisations corporelles**
>
> L'entreprise a analysé la possibilité de recouvrer la valeur comptable nette des immobilisations corporelles dont les activités sont insatisfaisantes. Il en résulte qu'elle a réduit ses immobilisations corporelles de...

	En millions de dollars
Coût des immobilisations corporelles (au début de l'exercice)	192 $
Coût des immobilisations corporelles (à la fin de l'exercice)	178
Dépenses en capital au cours de l'exercice	29
Amortissement cumulé (au début de l'exercice)	63
Amortissement cumulé (à la fin de l'exercice)	77
Charge d'amortissement au cours de l'exercice	27

Travail à faire

En vous basant sur les renseignements ci-dessus, calculez le montant des immobilisations corporelles (le coût et l'amortissement cumulé) que l'entreprise a radiées au cours de l'exercice. (Conseil : Établissez des comptes en T.)

E8-13 La cession d'un actif immobilisé

La société Cartier a créé un important réseau de livraison de colis à travers tout le territoire québécois. Elle possède plus de 2 000 camions de livraison. Supposez que l'entreprise a vendu un petit camion de livraison qui a été utilisé pendant trois ans. Ses livres contiennent les données suivantes :

Camion de livraison	28 000 $
Amortissement cumulé	23 000 $

Travail à faire

1. Calculez le gain (ou la perte) relatif à la cession du camion en supposant que le prix de vente était de 5 000 $.
2. Calculez le gain (ou la perte) relatif à la cession du camion, en supposant que le prix de vente était de 5 600 $.
3. Calculez le gain (ou la perte) relatif à la cession du camion en supposant que le prix de vente était de 4 600 $.
4. Passez l'écriture de journal dans les trois situations décrites ci-dessus.

E8-14 La cession d'un actif immobilisé

Référez-vous aux renseignements fournis dans l'exercice E8-13.

Travail à faire

1. À l'aide du modèle ci-dessous, précisez l'effet de la cession du camion sur l'équation comptable. Précisez les comptes modifiés et les montants. (Inscrivez + pour une augmentation ou un − pour une diminution.)
   a) Supposez que le prix de vente est de 5 000 $.
   b) Supposez que le prix de vente est de 5 600 $.
   c) Supposez que le prix de vente est de 4 600 $.

Hypothèse	Actif	=	Passif	+	Capitaux propres

2. Expliquez le processus comptable lié à la cession d'un actif immobilisé.

E8-15 La cession d'une immobilisation

En date du 1er janvier 2008, voici ce qu'indiquent les livres de la société Jarret.

Camion (valeur résiduelle estimative de 2 000 $)	12 000 $
Amortissement cumulé (linéaire, pour deux exercices)	4 000 $

Le 31 décembre 2008, le camion de livraison devenait complètement inutilisable par suite d'un accident. Comme il était assuré, l'entreprise a reçu une indemnité de 5 600 $ comptant de la compagnie d'assurance, le 5 janvier 2009.

Travail à faire

1. À l'aide des données fournies, calculez la durée de vie utile estimative du camion.
2. Montrez l'effet sur l'équation comptable de la perte du camion.
3. Passez toutes les écritures de journal relatives à ce camion au 31 décembre 2008 et au 5 janvier 2009. Présentez tous vos calculs.

E8-16 Les ressources naturelles

La société Titane se spécialise dans l'exploration, le développement et l'extraction de ressources naturelles. Supposez qu'en janvier 2008, l'entreprise a versé 700 000 $ pour un gisement de minerai dans le nord du Québec. Au cours du mois de mars, elle a dépensé 65 000 $ pour préparer ce gisement afin qu'il soit exploitable. Elle estimait pouvoir extraire au total 900 000 m³ de minerais, bien que le gisement en contienne 1 million. Au cours de l'exercice 2008, l'entreprise a extrait 60 000 m³ de minerais de ce gisement. Au mois de janvier 2009, elle a dépensé un montant supplémentaire de 6 000 $ pour de nouveaux travaux de développement qui vont augmenter la capacité de production du gisement.

Travail à faire

1. Calculez le coût d'acquisition du gisement durant l'exercice 2008.
2. Calculez la charge d'épuisement de ce gisement pour l'exercice 2008.
3. Calculez le coût d'acquisition du gisement après le paiement des coûts de développement en janvier 2009.

E8-17 L'acquisition et l'amortissement des actifs incorporels

La société Laviolette possède trois actifs incorporels à la fin de l'exercice 2012.

a) Un brevet a été acheté à Robert Laflèche le 1er janvier 2012 au coût de 7 650 $ payés comptant. Robert Laflèche avait fait enregistrer son brevet auprès du gouvernement fédéral cinq ans auparavant, le 1er janvier 2007. La durée de vie totale du brevet est de 20 ans, et la société Laviolette entend s'en servir pendant tout ce temps.

b) Une licence de radiodiffusion a été acquise au coût de 25 000 $ pour une période de 10 ans, renouvelable indéfiniment.

c) Des droits d'auteur ont été acquis le 1er janvier 2012 au coût de 25 000 $. Ils ont une durée de vie légale de 50 ans. L'entreprise estime toutefois que ces droits produiront des flux de trésorerie pendant approximativement 25 ans.

Travail à faire

1. Calculez le coût d'acquisition de chacun de ces actifs incorporels.
2. Calculez l'amortissement de chacun de ces actifs incorporels pour l'exercice 2012.
3. Montrez comment ces actifs et les charges qui s'y rapportent devraient être présentés au bilan et à l'état des résultats de l'exercice 2012.

E8-18 La recherche d'informations financières

Vous prévoyez investir l'argent que vous avez reçu en cadeau à l'occasion de l'obtention de votre diplôme en achetant des actions de différentes sociétés. Vous avez en main quelques rapports annuels de grandes entreprises.

Travail à faire

Indiquez où vous trouveriez des renseignements sur chacun des points suivants dans un rapport annuel. (Indice : Dans certains cas, l'information se trouve à plus d'un endroit.)

1. Les détails concernant les principales catégories d'immobilisations.
2. Les méthodes comptables utilisées pour dresser les états financiers.
3. Les dépenses en capital effectuées par l'entreprise au cours de l'exercice.
4. Le montant net des immobilisations corporelles.
5. Les politiques de l'entreprise en matière d'amortissement des actifs incorporels.
6. La charge d'amortissement.
7. Tout gain (ou toute perte) important lors de la cession d'actifs immobilisés.
8. L'amortissement cumulé de l'exercice précédent.
9. Le montant des actifs radiés pour réduction de valeur au cours de l'exercice.

OA6

OA6

OA1
OA2
OA3
OA4
OA5
OA6
OA7

E8-19 **(Annexe 8-A)**

Référez-vous aux données de l'exercice E8-7.

Travail à faire

Calculez la charge d'amortissement de la machine pour la première et la deuxième année d'utilisation :

a) en utilisant la méthode de l'amortissement dégressif à taux constant ;

b) en utilisant la méthode de l'amortissement dégressif à taux double.

E8-20 **Le calcul et la comptabilisation de l'amortissement (avec la méthode de l'amortissement linéaire) (Annexe 8-B)**

À la fin de l'exercice, le 31 décembre 2009, les livres de l'entreprise Lévis contenaient les renseignements suivants au sujet de la machine A :

Coût au moment de l'acquisition	28 000 $
Amortissement cumulé	10 000 $

Au cours du mois de janvier 2010, cette machine est remise en état, et le coût de cette opération se chiffre à 11 000 $. Il en résulte que sa durée de vie utile estimative augmente de 5 à 8 ans et que sa valeur résiduelle passe de 3 000 $ à 5 000 $. L'estimation de la durée de vie (10 ans) et de la valeur de récupération (nulle) n'est pas révisée. L'entreprise utilise la méthode de l'amortissement linéaire.

Travail à faire

1. Quel est l'effet de la remise en état de la machine sur l'équation comptable ?
2. Passez l'écriture de journal pour enregistrer cette remise en état.
3. Quel âge la machine avait-elle à la fin de l'exercice 2009 ?
4. Calculez la charge d'amortissement pour l'exercice 2010 et passez l'écriture de régularisation nécessaire pour l'enregistrer.
5. Expliquez vos écritures pour les questions 2 et 4.

E8-21 **La révision des estimations (Annexe 8-B)**

La société La Pocatière possède l'immeuble à bureaux où est installée son administration. Cet immeuble apparaissait comme suit dans les comptes à la fin du dernier exercice.

Coût d'acquisition	450 000 $
Amortissement cumulé (d'après la méthode de l'amortissement linéaire, compte tenu d'une durée de vie utile estimative de 30 ans et d'une valeur résiduelle de 30 000 $)	196 000 $

Au cours du mois de janvier de l'exercice en cours, à la suite d'un examen attentif des lieux, la direction a décidé que la durée de vie utile estimative de l'immeuble devrait être ramenée de 30 à 25 ans et que sa valeur résiduelle devrait être réduite de 30 000 $ à 23 000 $, alors que sa durée de vie (50 ans) et sa valeur de récupération (0) ne changent pas. La méthode d'amortissement reste la même.

Travail à faire

1. Calculez la charge d'amortissement annuelle avant la révision des estimations.
2. Calculez la charge d'amortissement annuelle après la révision des estimations.
3. Quel sera l'effet net de la révision des estimations sur le bilan, le bénéfice net et les flux de trésorerie de l'exercice ?

Problèmes

P8-1 **La nature des immobilisations et l'effet de leur achat sur l'équation comptable (PS8-1)**

Le 2 janvier 2007, l'entreprise Soulanges a acheté une machine pour ses activités d'exploitation. Cette machine a une durée de vie utile estimative de 8 ans et une valeur résiduelle estimative de 1 500 $, alors qu'on estime sa durée de vie à 10 ans et une valeur de récupération nulle. L'entreprise fait état des coûts suivants :

a) Le prix facturé de la machine, 80 000 $.

b) Le transport payé par le vendeur d'après le contrat de vente, 800 $.

c) Les coûts d'installation, 2 000 $ payés comptant par l'entreprise.

d) Le paiement du 80 000 $ a été effectué comme suit.

Le 2 janvier :
- 2 000 actions de l'entreprise Soulanges (le cours du marché est de 3 $ l'action) ;
- un effet à payer de 40 000 $ portant intérêt de 5 %, payable le 16 avril 2007 (le capital et les intérêts) ;
- le solde du prix facturé à payer en espèces ; la facture prévoit un rabais de 2 % sur ce montant si celui-ci est payé comptant avant le 12 janvier.

Le 15 janvier :
- L'entreprise a payé le solde dû.

Travail à faire

1. Quelles sont les deux catégories d'immobilisations ? Expliquez les différences entre elles.
2. Indiquez les comptes, les montants et l'effet des opérations décrites sur l'équation comptable. (Inscrivez un + pour une augmentation et un − pour une diminution. S'il n'y a aucun effet, écrivez AE.) Utilisez le modèle suivant :

Date	Actif	=	Passif	+	Capitaux propres

3. Expliquez sur quoi vous avez basé votre décision pour tout élément discutable.

P8-2 **La nature et l'acquisition des immobilisations (PS8-2)**

☐ OA1
☐ OA2

Référez-vous aux données du problème P8-1.

Travail à faire

1. Quelles sont les deux catégories d'immobilisations ? Expliquez les différences entre elles.
2. Passez les écritures de journal pour enregistrer l'achat du 2 janvier et le paiement ultérieur du 15 janvier. Présentez tous vos calculs.
3. Expliquez sur quoi vous avez basé votre décision pour tout élément discutable.

P8-3 **Les coûts liés à l'utilisation des immobilisations (PS8-3)**

◆ Federal Express ☐ OA2
☐ OA3

> **Les immobilisations corporelles**
>
> Les dépenses relatives aux principaux ajouts et agrandissements, aux améliorations et aux modifications à l'équipement de vol ainsi que les frais de remise en état sont capitalisés. L'entretien et les réparations sont imputés aux comptes de charges à mesure que ces frais sont engagés.

Dans un rapport annuel récent de Federal Express, on trouve la note suivante :

Supposez que l'entreprise a effectué des réparations importantes sur un immeuble lui appartenant et qu'elle a ajouté une nouvelle aile. Cet immeuble sert de garage et d'atelier de réparations pour les camions de livraison. Son coût d'origine s'élève à 720 000 $ et, à la fin de 2008 (soit 10 ans plus tard), il était déjà à moitié amorti sur la base d'une durée de vie utile estimative de 20 ans et d'une valeur résiduelle nulle. Supposez que l'entreprise utilise la méthode de l'amortissement linéaire. Au cours de l'exercice 2009, l'entreprise a payé les frais suivants relativement à l'immeuble :

a) Les charges de l'exercice pour l'entretien normal de l'immeuble, 17 000 $ comptant.

b) Des améliorations majeures à l'immeuble, 122 000 $ en espèces. Ces travaux étaient terminés le 31 décembre 2009.

c) La construction de la nouvelle aile était terminée le 31 décembre 2009 et a coûté 230 000 $ en espèces.

Travail à faire

1. En appliquant les conventions comptables de Federal Express, remplissez le tableau ci-après et indiquez l'effet des opérations décrites précédemment. S'il n'y a aucun effet sur un compte, inscrivez AE sur la ligne correspondante.

	Immeuble	Amortissement cumulé	Charge d'amortissement	Frais de réparations
Solde au 1er janvier 2009	720 000 $	360 000 $		
Amortissement pour 2009		_____		
Solde avant les opérations décrites	720 000	_____	_____	
Opération a)	_____	_____	_____	_____
Opération b)	_____	_____	_____	_____
Opération c)	_____	_____	_____	_____
Solde au 31 décembre 2009	_____	_____	_____	_____

2. Quelle était la valeur comptable de l'immeuble au 31 décembre 2009 ?
3. Expliquez l'effet de l'amortissement sur les flux de trésorerie.

☐ OA2
☐ OA3

P8-4 **L'acquisition et l'amortissement d'actifs immobilisés selon les différentes méthodes (PS8-4)**

Au début de l'année, la société d'Ailleboust a acheté trois machines d'occasion de la société Hangar inc. pour un prix total de 38 000 $ payés comptant, et elle a déboursé 2 000 $ supplémentaires en frais de transport. L'entreprise a immédiatement remis les machines en état ; elle les a installées et a commencé à s'en servir. Comme il s'agissait de trois machines différentes, ces dernières ont été enregistrées séparément dans les comptes. Une experte a été chargée de déterminer leur valeur marchande à la date de leur achat (c'est-à-dire avant la remise en état et l'installation). Il est possible aussi de connaître leur valeur comptable dans les livres de la société Hangar. Voici les valeurs comptables, les valeurs d'expertise, les coûts d'installation et de rénovation de ces machines.

	Machine A	Machine B	Machine C
Valeur comptable – Hangar inc.	8 000 $	12 000 $	6 000 $
Valeur d'expertise	9 500	32 000	8 500
Coûts d'installation	300	500	200
Coûts de rénovation avant l'utilisation	2 000	400	600

À la fin de la première année, chaque machine avait fonctionné pendant 8 000 heures.

Travail à faire

1. Calculez le coût d'acquisition de chaque machine. Expliquez votre méthode de répartition.
2. Calculez la charge d'amortissement à la fin de la première année en vous basant sur les hypothèses suivantes.

	Estimation			
Machine	Durée de vie utile	Durée de vie (valeur de récupération nulle)	Valeur résiduelle	Méthode d'amortissement
A	5 ans	7 ans	1 500 $	Linéaire
B	40 000 heures	50 000 heures	900	Proportionnel à l'utilisation
C	4 ans	6 ans	2 000	Dégressif à un taux de 40 %

P8-5 **L'effet de l'amortissement sur quelques ratios financiers (PS8-5**

◆ Molson Coors ☐OA1 ☐OA3

Molson, dont le siège social se trouve à Montréal, est la plus importante entreprise brassicole au Canada avec un chiffre d'affaires de plus de 5,6 milliards de dollars des États-Unis. Voici des informations tirées de son rapport annuel 2005.

11. Immobilisations corporelles

Les terrains, les bâtiments ainsi que le matériel et l'outillage sont inscrits au coût. L'amortissement est normalement calculé selon la méthode linéaire, sur les durées de vie utiles estimatives suivantes : bâtiments et aménagements, de 10 à 40 ans ; matériel et outillage, de 3 à 20 ans.

Voici les composantes des immobilisations au 25 décembre 2005 et au 26 décembre 2004.

	2005	2004
	(en milliers de dollars)	
Terrains et aménagements	207 454 $	142 328 $
Bâtiments et améliorations	967 584	729 715
Matériel et outillage	3 302 685	2 785 985
Biens liés aux ressources naturelles	3 608	3 607
Logiciels	221 615	213 819
Construction en cours	266 460	53 740
	4 969 406	3 929 194
Moins : Amortissement cumulé	(2 663 845)	(2 483 610)
Immobilisations corporelles, montant net	2 305 561 $	1 445 584 $

Travail à faire

1. Si l'entreprise n'avait vendu aucune immobilisation corporelle en 2005, quelle serait la charge d'amortissement enregistrée pour cet exercice ?
2. Si l'entreprise avait oublié d'enregistrer l'amortissement en 2005, quel aurait été l'effet de cette erreur (une surévaluation ou une sous-évaluation) sur les éléments suivants ?
   a) Le résultat par action.
   b) Le taux de rotation des actifs immobilisés.
   c) Le taux d'adéquation du capital.
   d) Le taux de rendement des capitaux propres.

P8-6 **L'incidence de différentes méthodes d'amortissement**

◆ Bell Canada ☐OA1 ☐OA3 ☐OA7

Bell Canada fournit des services de télécommunication principalement au Canada. Comme ses actifs dépassent les 40 milliards de dollars, l'amortissement est un élément important à l'état des résultats de cette entreprise. On vous demande, à titre d'analyste financier chez Bell Canada, de déterminer les effets de différentes méthodes d'amortissement. Aux fins de votre analyse, vous devez comparer ces méthodes appliquées à un appareil ayant coûté 90 225 $. La durée de vie utile estimative de l'appareil est de 10 ans ou de 88 000 heures et sa valeur résiduelle estimative, de 2 225 $, alors que sa durée de vie est de 14 ans ou de 100 000 heures sans valeur de récupération. L'appareil a été utilisé 10 000 heures au cours de la première année et 8 000 au cours de la deuxième.

Travail à faire

1. Pour les années 1 et 2 seulement, dressez un tableau d'amortissement selon chacune des méthodes suivantes. Présentez tous vos calculs.
   a) La méthode de l'amortissement linéaire.
   b) La méthode de l'amortissement proportionnel à l'utilisation.
   c) La méthode de l'amortissement dégressif à un taux de 20 %.

Méthode: _____				
Exercice	Calculs	Charge d'amortissement	Amortissement cumulé	Valeur comptable
À l'acquisition				
1				
2				
etc.				

2. Évaluez chaque méthode en fonction de son effet sur les flux de trésorerie, le taux de rotation des actifs immobilisés et le résultat par action. Si l'essentiel pour l'entreprise est de réduire ses impôts et de maintenir un résultat par action élevé pour la première année, que recommanderiez-vous à la direction ? Feriez-vous une recommandation différente pour la deuxième année ? Expliquez votre réponse.

■ OA5 Singapore Airlines ◆
■ OA7

P8-7   **L'analyse des notes afférentes aux états financiers**
Singapore Airlines a publié les renseignements qui suivent dans les notes afférentes aux états financiers dans un rapport annuel récent (en dollars de Singapour).

Singapore Airlines
Notes afférentes aux états financiers
13. Les actifs immobilisés (en millions de dollars)

	Début de l'exercice	Ajouts	Cession – transfert	Fin de l'exercice
Coût				
Avions	10 293,1	954,4	296,4	10 951,1
Autres actifs immobilisés				
(en résumé)	3 580,9	1 499,1	1 156,7	3 923,3
	13 874,0	2 453,5	1 453,1	14 874,4
Amortissement cumulé				
Avions	4 024,8	683,7	290,1	4 418,4
Autres actifs immobilisés (en résumé)	1 433,4	158,5	73,8	1 518,1
	5 458,2	842,2	363,9	5 936,5

La compagnie aérienne a également publié les renseignements suivants concernant ses flux de trésorerie :

Flux de trésorerie liés aux activités d'exploitation (en millions de dollars)	Exercice en cours	Exercice précédent
Bénéfice d'exploitation	755,9	816,5
Ajustements pour :		
Amortissement des actifs immobilisés	842,2	837,5
Perte (ou gain) sur la vente des actifs immobilisés	(1,3)	(0,3)
Autres ajustements (en résumé)	82,3	39,4
Flux de trésorerie provenant de l'exploitation	1 679,1	1 693,1

Travail à faire

1. Restructurez les renseignements de la note 13 sous forme de comptes en T pour les actifs immobilisés et l'amortissement cumulé.

Actifs immobilisés				Amortissement cumulé	
Solde au début					Solde au début
Acquisitions	Cessions – transferts		Cessions – transferts		Charge d'amortissement
Solde à la fin					Solde à la fin

2. Calculez le montant de caisse que l'entreprise a reçu pour les cessions – transferts. Présentez tous vos calculs.

3. Calculez le pourcentage de la charge d'amortissement par rapport aux flux de trésorerie provenant de l'exploitation. Comment interprétez-vous ce résultat?

P8-8 La cession des immobilisations (PS8-6) ◼OA5

Au cours de l'exercice 2009, la société Montmagny s'est départie de trois actifs. Le 1er janvier 2009, avant ces cessions, les comptes s'établissaient comme suit.

Actif	Coût d'origine	Valeur résiduelle	Durée de vie utile estimative	Amortissement cumulé (avec la méthode d'amortissement linéaire)
Machine A	20 000 $	3 000 $	8 ans	12 750 $ (6 ans)
Machine B	42 600	4 000	10 ans	30 880 (8 ans)
Machine C	76 200	4 200	15 ans	57 600 (12 ans)

L'entreprise s'est départie de ses machines de la façon suivante:

a) La machine A a été vendue le 1er janvier 2009 pour 8 200 $ en espèces.

b) La machine B a été vendue le 31 décembre 2009 pour 27 000 $; l'entreprise a reçu 23 000 $ en espèces et un effet à recevoir de 4 000 $ (portant intérêt au taux de 6 %) dû dans 12 mois.

c) La machine C a subi un dommage irréparable à la suite d'un accident le 1er janvier 2009. Le 10 janvier 2009, une entreprise de récupération est venue la chercher sans frais. Comme la machine était assurée, l'entreprise a recouvré 18 500 $ de la compagnie d'assurance.

Travail à faire

1. Montrez l'effet de chaque cession sur l'équation comptable.

2. Passez toutes les écritures de journal relatives à la cession de chacune des machines.

P8-9 L'effet d'opérations relatives aux immobilisations sur l'équation comptable (PS8-7) ◼OA2 ◼OA3 ◼OA6

Au cours de l'exercice 2008, la société Denonville a effectué les opérations suivantes:

a) Le 10 janvier 2008, l'entreprise a déboursé 14 000 $ pour la remise à neuf complète de chacune des machines suivantes (7 000 $ pour chaque machine), achetées le 1er janvier 2004. Ces frais prolongeront la durée de vie utile des machines de deux ans.
   - Machine A: coût d'origine de 26 000 $, amortissement cumulé (linéaire) au 31 décembre 2007 de 18 400 $ (valeur résiduelle de 3 000 $ et durée de vie utile de cinq ans).
   - Machine B: coût d'origine de 32 000 $, amortissement cumulé (linéaire) de 18 200 $ (valeur résiduelle de 6 000 $ et durée de vie utile de 10 ans).

b) Le 1er janvier 2008, l'entreprise a acheté comptant un brevet d'une valeur de 19 600 $ (durée de vie utile de sept ans).

c) Le 1er janvier 2008, elle a acquis une autre entreprise au montant de 160 000 $ comptant, y compris 46 000 $ pour l'écart d'acquisition. Elle n'a pris en charge aucun élément de passif.

d) Le 1er septembre 2008, l'entreprise a fait construire un hangar d'entreposage sur un terrain loué à H. Hakkat. Elle a déboursé 40 800 $ pour ce hangar qui a une durée de vie utile estimative de 5 ans et aucune valeur résiduelle. La durée de vie est de 10 ans sans valeur de récupération. L'entreprise utilise la méthode de l'amortissement linéaire. Le bail expire dans 3 ans.

e) Les dépenses totales engagées au cours de l'exercice 2008 pour les réparations ordinaires et l'entretien se chiffrent à 6 800 $.

f) Le 31 décembre 2008, l'entreprise a vendu comptant la machine A pour un montant de 6 000 $.

Travail à faire

1. Pour chacune des opérations décrites, précisez les comptes, les montants et l'effet sur l'équation comptable. (Inscrivez un + pour une augmentation et un − pour une diminution.) Utilisez le modèle ci-dessous.

Date	Actif	=	Passif	+	Capitaux propres

2. Pour chacun des éléments d'actifs, calculez la charge d'amortissement qui devra être enregistrée en fin d'exercice, le 31 décembre 2008.

P8-10 **L'achat d'une entreprise**

La société Richelieu a acheté la société Saint-François le 5 janvier 2009. L'entreprise a acquis le nom de sa concurrente et tous ses actifs, sauf la caisse, pour la somme de 450 000 $ en espèces. Toutefois, elle n'a pris en charge aucun élément de passif. Voici les valeurs comptables des actifs qu'on trouvait au bilan de l'entreprise Saint-François à la date de la transaction, accompagnées de leur juste valeur estimée par un expert indépendant.

Société Saint-François 5 janvier 2009	Valeur comptable	Juste valeur*
Clients (nets)	45 000 $	45 000 $
Stocks	220 000	210 000
Actifs immobilisés (nets)	32 000	60 000
Autres actifs	3 000	10 000
Total des actifs	300 000 $	
Passif	60 000 $	
Capitaux propres	240 000	
Total du passif et des capitaux propres	300 000 $	

* Un expert indépendant a fourni à Richelieu la juste valeur des actifs compris dans la vente.

Travail à faire

1. Calculez le montant de l'écart d'acquisition associé à cet achat. (Indice : Les actifs sont achetés à leur juste valeur, conformément au principe de la valeur d'acquisition.)

2. Quel ajustement la société Richelieu devra-t-elle effectuer le 31 décembre 2009 concernant les éléments suivants ?

   a) L'amortissement des actifs immobilisés (avec la méthode linéaire), si on suppose que la durée de vie et la durée de vie utile estimative restante est de 15 ans et qu'il n'y a aucune valeur résiduelle.

   b) L'écart d'acquisition.

P8-11 **Le calcul de l'amortissement, de la valeur comptable et de la dépréciation de différents actifs incorporels (PS8-8)**

La société Châteaufort a cinq actifs incorporels différents dans ses états financiers. La direction se préoccupe de l'amortissement du coût de chacun d'eux. Voici quelques renseignements concernant ces actifs.

a) Un brevet. L'entreprise a acheté comptant un brevet au coût de 54 600 $ le 1er janvier 2008. Ce brevet a une durée de vie utile de 13 ans.

b) Des droits d'auteur. Le 1er janvier 2008, l'entreprise a acheté des droits d'auteur pour un montant de 22 500 $ en espèces. La durée de vie légale restante à partir de cette date est de 30 ans. On estime que l'article couvert par ce droit n'aura plus aucune valeur d'ici 20 ans.

c) Une licence. L'entreprise a obtenu une licence de radiodiffusion. Elle a obtenu cette licence le 1er janvier 2008 pour une somme de 14 400 $ en espèces et une période de 10 ans, renouvelable indéfiniment.

d) Un permis. Le 1er janvier 2007, l'entreprise a obtenu un permis de la Ville pour la prestation d'un service particulier sur une période de cinq ans. Le montant total déboursé pour obtenir ce permis s'élevait à 14 000 $ en espèces.

e) Un fonds commercial. L'entreprise s'est lancée en affaires en janvier 2006. Elle a acheté une autre entreprise pour une somme forfaitaire en espèces de 400 000 $. Ce montant incluait un fonds commercial de 60 000 $.

Travail à faire

1. Calculez le montant de l'amortissement qui devrait être enregistré pour chaque actif incorporel à la fin de l'exercice, le 31 décembre 2008.

2. Donnez la valeur comptable de chaque actif incorporel au 1er janvier 2010.

3. Supposez que, le 2 janvier 2010, la capacité des droits d'auteur à générer des produits d'exploitation a diminué. La société Châteaufort estime que ce droit permettra de produire des flux de trésorerie futurs de 15 000 $. Calculez (s'il y a lieu) la perte due à la réduction de valeur qu'elle doit enregistrer.

P8-12   **Les méthodes d'amortissement accéléré (Annexe 8-A)**

La société Jonquière, dont l'exercice se termine le 31 décembre, a acquis un nouveau véhicule le 1er janvier 2008 au coût de 75 000 $. Elle estime sa durée de vie utile à 7 ans avec une valeur résiduelle de 11 000 $. Selon le fabricant, la durée de vie est de 12 ans avec une valeur de récupération de 1 000 $.

Travail à faire

1. Calculez la charge d'amortissement pour les années 2008 et 2009 selon chacune des méthodes suivantes :
   a) l'amortissement dégressif à taux constant ;
   b) l'amortissement dégressif à taux double.

P8-13   **La révision des estimations (Annexe 8-B)**

◆ Quebecor inc.

Quebecor inc. imprime des magazines, des livres, des catalogues et des encarts publicitaires à l'échelle internationale. C'est aussi une des principales sociétés en matière de publipostage. Un grand nombre d'entreprises spécialisées dans le publipostage se servent de presses Didde ultra-rapides pour imprimer leurs publicités. Ces presses peuvent coûter plus de 1 million de dollars. Supposez que Quebecor possède une presse Didde, achetée au coût initial de 400 000 $. L'appareil est amorti de façon linéaire sur une durée de vie utile estimative de 20 ans, et il a une valeur résiduelle estimative de 50 000 $. À la fin de l'exercice 2009, l'amortissement couvrait huit années entières. En janvier 2010, par suite de l'amélioration des mesures d'entretien, l'entreprise a décidé qu'il serait plus réaliste d'augmenter la durée de vie utile estimative de sa presse à 25 ans et sa valeur résiduelle à 73 000 $. L'exercice se termine le 31 décembre.

Travail à faire

1. Calculez a) la charge d'amortissement enregistrée en 2009 et b) la valeur comptable de la presse à la fin de l'exercice 2009.

2. Calculez le montant de l'amortissement que l'entreprise devrait enregistrer pour l'exercice 2010. Présentez tous vos calculs.

3. Passez l'écriture de régularisation relative à l'amortissement en date du 31 décembre 2010.

Problèmes supplémentaires

PS8-1   **La nature des immobilisations et l'effet de leur acquisition sur l'équation comptable (P8-1)**

□ OA1
□ OA2

Le 1er juin 2008, la société La Barre a acheté une machine qui devait lui servir dans ses activités d'exploitation. La durée de vie utile de cette machine était estimée à six ans et sa valeur résiduelle, à 2 000 $, alors qu'on estime sa durée de vie à neuf ans et une valeur de récupération nulle. L'entreprise a fourni les renseignements suivants sur les coûts relatifs à cette opération :

a) Le prix facturé de la machine, 60 000 $.

b) Le transport payé par le vendeur, d'après le contrat de vente, 650 $.

c) Le coût d'installation, 1 500 $.

d) Les modalités du paiement de la somme de 60 000 $ sont décrites ci-après.
   Le 1ᵉʳ juin :
   - 2 000 actions de la société La Barre (cours du marché de 5 $) ;
   - Pour le solde du prix facturé, un effet à payer portant intérêt au taux de 4 %, remboursable le 2 septembre 2008 (capital et intérêts).
   Le 2 septembre :
   - La société La Barre paie le solde et les intérêts de l'effet à payer.

Travail à faire

1. Quelles sont les deux catégories d'immobilisations ? Expliquez les différences entre elles.

2. Indiquez les comptes modifiés, les montants et l'effet sur l'équation comptable des opérations décrites. (Inscrivez un + pour une augmentation et un − pour une diminution. S'il n'y a aucun effet, écrivez AE. Utilisez le modèle suivant :

Date	Actif	=	Passif	+	Capitaux propres

3. Expliquez sur quoi vous avez basé votre décision pour tout élément discutable.

■ OA1
■ OA2

PS8-2 La nature et l'acquisition des immobilisations (P8-2)

Référez-vous aux données du problème PS8-1.

Travail à faire

1. Quelles sont les deux catégories d'immobilisations ? Expliquez les différences entre elles.

2. Passez les écritures de journal pour enregistrer l'achat du 1ᵉʳ juillet et le paiement ultérieur du 2 septembre. Présentez tous vos calculs.

3. Expliquez sur quoi vous avez basé votre décision pour tout élément discutable.

■ OA2
■ OA3
■ OA7

 Quebecor ◆

PS8-3 Les coûts liés à l'utilisation des immobilisations (P8-3)

Un rapport annuel récent de Quebecor, une société du secteur de l'imprimerie et des médias, comportait la note suivante :

Immobilisations

Les immobilisations sont inscrites au prix coûtant, déduction faite des subventions gouvernementales et des crédits d'impôt sur le revenu s'y rapportant. Le prix coûtant représente les coûts d'acquisition ou de construction, y compris les frais de préparation, d'installation et d'essai ainsi que les intérêts liés à leur financement, jusqu'à la phase de la production commerciale. Les coûts relatifs aux programmes de construction et de raccordement des réseaux d'alimentation et de distribution par câble comprennent le matériel, la main-d'œuvre directe et les charges générales d'administration directes. Les projets en cours peuvent comprendre des avances sur des équipements en construction. Les coûts d'acquisition, d'amélioration et de renouvellement sont capitalisés, tandis que les charges d'entretien et de réparations sont imputées au coût des ventes.

Supposez que Quebecor a effectué des améliorations sur un bâtiment existant et y a ajouté une nouvelle aile. Le bâtiment en question abrite un garage et un atelier de réparations pour les camions de location qui desservent la région de Québec. À l'origine, il a coûté 230 000 $ et, à la fin de l'exercice 2009 (au bout de 5 ans), il a été amorti sur sa durée de vie utile estimative de 20 ans et une valeur résiduelle nulle. Supposez que Quebecor utilise la méthode de l'amortissement linéaire. Au cours de l'exercice 2010, l'entreprise a engagé les frais suivants relatifs à ce bâtiment :

a) Les charges de l'exercice pour l'entretien normal du bâtiment, 5 000 $ en espèces.

b) Des améliorations majeures apportées au bâtiment, 17 000 $ en espèces ; ces travaux ont été terminés le 31 décembre 2010.

c) La construction de la nouvelle aile était terminée le 31 décembre 2010 et a coûté 70 000 $ comptant.

Travail à faire

1. Appliquez les conventions comptables de Quebecor pour remplir le tableau ci-dessous et indiquez l'effet des opérations décrites précédemment. (Inscrivez un + pour une augmentation et un − pour une diminution. S'il n'y a aucun effet, écrivez AE.)

	Bâtiment	Amortissement cumulé	Charge d'amortissement	Frais de réparations
Solde au 1er janvier 2010	230 000 $	_____		
Amortissement en 2010		_____	_____	
Solde avant les opérations décrites	230 000	_____	_____	
Opération a)	_____	_____	_____	_____
Opération b)	_____	_____	_____	_____
Opération c)	_____	_____	_____	_____
Solde au 31 décembre 2010	_____	_____		

2. Quelle était la valeur comptable du bâtiment le 31 décembre 2010 ?
3. Expliquez l'effet de l'amortissement sur les flux de trésorerie.

PS8-4 **L'acquisition et l'amortissement d'actifs immobilisés selon différentes méthodes (P8-4)**

☐OA2
☐OA4

Au début de l'année, la société La Galissonière a acheté trois machines d'occasion de la société Lemoyne pour un montant total de 62 000 $ payés comptant. Les frais de transport de ces machines se chiffraient à 3 000 $. Les machines ont immédiatement été remises en état et installées, puis elles ont commencé à fonctionner. Comme elles étaient différentes les unes des autres, on a dû les enregistrer séparément dans les comptes. Un expert a été engagé pour estimer leur valeur marchande à la date de l'achat (avant la remise en état et l'installation). On dispose également de leur valeur comptable qui apparaît dans les livres de la société Lemoyne. Voici ces valeurs, les résultats de l'estimation, les coûts d'installation et les dépenses relatives aux remises à neuf.

	Machine A	Machine B	Machine C
Valeur comptable, société Lemoyne	10 500 $	22 000 $	16 000 $
Valeur d'expertise	11 500	32 000	28 500
Coûts d'installation	800	1 100	1 100
Coûts de remise à neuf avant l'utilisation	600	1 400	1 600

À la fin de la première année, chaque machine avait fourni 7 000 heures de travail.

Travail à faire

1. Calculez le coût d'acquisition de chaque machine. Expliquez votre méthode de répartition.
2. Calculez la charge d'amortissement à la fin du premier exercice, en prenant pour hypothèses les estimations suivantes :

	Estimation			
Machine	Durée de vie (valeur de récupération nulle)	Durée de vie utile	Valeur résiduelle	Amortissement
A	6 ans	4 ans	1 000 $	Linéaire
B	40 000 heures	35 000 heures	2 000	Proportionnel à l'utilisation
C	7 ans	5 ans	1 500	Dégressif à taux constant, 25 %

PS8-5 L'effet de l'amortissement sur quelques ratios (P8-5)

La société Weston, fondée en 1882, exerce ses activités dans le secteur de la transformation des aliments et de la distribution alimentaire. En 2005, son chiffre d'affaires a été de 31 milliards de dollars. Weston emploie 139 000 employés, principalement au Canada. Voici des notes tirées du rapport annuel 2005 de l'entreprise.

> **1. Sommaire des principales conventions comptables**
> **Immobilisations**
>
> Les immobilisations sont comptabilisées au prix coûtant, qui comprend les intérêts capitalisés. L'amortissement commence dès l'utilisation des actifs et est comptabilisé selon la méthode de l'amortissement linéaire, de façon à amortir le prix coûtant de ces actifs sur leur durée de vie utile estimative. La durée de vie utile estimative varie de 10 à 40 ans dans le cas des bâtiments, de 10 ans pour les améliorations aux bâtiments et de 3 à 16 ans dans le cas du matériel et des agencements. Les améliorations locatives sont amorties sur la durée de vie utile estimative du bien ou sur la durée du contrat de location, si cette durée est plus courte plus, le cas échéant, des options de renouvellement, pour un maximum de 10 ans.

Voici le détail des immobilisations au 31 décembre (en millions de dollars).

	2005			2004		
	Prix coûtant	Amortissement cumulé	Valeur comptable nette	Prix coûtant	Amortissement cumulé	Valeur comptable nette
Propriétés détenues à des fins d'aménagement	442 $		442 $	378 $		378 $
Propriétés en voie d'aménagement	231		231	290		290
Terrains	1 718		1 718	1 623		1 623
Bâtiments	4 961	959	4 002	4 443	863	3 580
Matériel et agencements	5 035	2 985	2 050	4 587	2 601	1 986
Bâtiments et améliorations locatives	769	299	470	688	296	392
	13 156	4 243	8 913	12 009	3 760	8 249
Bâtiments et matériel loués selon des contrats de location-acquisition	99	96	3	98	91	7
Immobilisations	13 255 $	4 339 $	8 916 $	12 107 $	3 851 $	8 256 $

Travail à faire

1. Si Weston n'a radié ni vendu aucune immobilisation corporelle en 2005, quelle est la charge d'amortissement enregistrée pour cet exercice ?
2. Si l'entreprise avait oublié d'enregistrer l'amortissement en 2005, quel aurait été l'effet de cette erreur (une sous-évaluation ou une surévaluation) sur les éléments suivants ?
   a) Le résultat par action.
   b) Le taux de rotation des actifs immobilisés.
   c) Le taux d'adéquation du capital.
   d) Le taux de rendement des capitaux propres.

PS8-6 La cession des immobilisations (P8-8)

Au cours de l'exercice 2008, la société Mésy s'est départie de trois actifs différents. Avant ces cessions, le 1er janvier 2008, les comptes s'établissaient comme suit.

Actif	Coût d'origine	Valeur résiduelle	Durée de vie utile estimative	Amortissement cumulé (avec la méthode d'amortissement linéaire)
Machine A	24 000 $	2 000 $	5 ans	17 600 $ (4 ans)
Machine B	16 500	5 000	10 ans	8 050 (7 ans)
Machine C	59 200	3 200	14 ans	48 000 (12 ans)

La cession des machines s'est faite comme suit.

a) La machine A a été vendue le 1ᵉʳ janvier 2008 pour 5 750 $ en espèces.

b) La machine B a été vendue le 1ᵉʳ juillet 2008 pour 9 000 $; l'entreprise a reçu 4 000 $ en espèces et un effet à recevoir de 5 000 $ (portant intérêt au taux de 7 %) payables dans 12 mois.

c) La machine C a subi un dommage irréparable le 2 octobre 2008 par suite d'un accident. Le 10 octobre 2008, une entreprise de récupération est venue l'enlever immédiatement sans frais. Comme cette machine était assurée, l'entreprise a recouvré 12 000 $ comptant auprès de la compagnie d'assurance.

Travail à faire

1. Montrez l'effet de chaque cession sur l'équation comptable.
2. Passez toutes les écritures de journal relatives à la cession de chaque machine.
3. Expliquez le raisonnement comptable sur lequel vous fondez votre façon de comptabiliser chaque cession.

PS8-7 L'effet d'opérations relatives aux immobilisations sur l'équation comptable (P8-9)

☐ OA2
☐ OA3
☐ OA6

Au cours de l'exercice 2009, la société Zhou a effectué les opérations suivantes :

a) Le 1ᵉʳ janvier 2009, elle a déboursé 16 000 $ pour une remise en état complète de chacune des machines suivantes achetées le 1ᵉʳ janvier 2006 (8 000 $ pour chaque machine).

- Machine A : coût d'origine de 21 500 $; amortissement cumulé (linéaire), au 31 décembre 2008, de 13 500 $ (valeur résiduelle de 3 500 $ et durée de vie utile de quatre ans).
- Machine B : coût d'origine de 18 000 $; amortissement cumulé (linéaire), au 31 décembre 2008, de 12 000 $ (valeur résiduelle de 2 000 $ et durée de vie utile de quatre ans).

b) Le 1ᵉʳ juillet 2009, elle a acheté une licence d'exploitation pour la somme de 7 200 $ en espèces (durée de vie utile estimative de trois ans).

c) Le 1ᵉʳ juillet 2009, elle a acheté une autre entreprise pour 120 000 $ en espèces, y compris un fonds commercial évalué à 29 000 $. Elle a pris en charge un passif de 24 000 $.

d) Le 1ᵉʳ juillet 2009, elle a vendu comptant la machine A pour une somme de 10 500 $.

e) Le 1ᵉʳ janvier 2009, elle a fait recouvrir d'asphalte le stationnement de l'immeuble dont elle est locataire et a déboursé une somme de 7 800 $. La durée de vie utile estimative de ces travaux est de cinq ans et leur valeur résiduelle nulle, alors que leur durée de vie est évaluée à 6 ans sans valeur de récupération. L'entreprise utilise la méthode d'amortissement linéaire. Le bail de l'immeuble expirera dans 10 ans.

f) Le total des charges payées au cours de l'exercice 2009, pour les réparations ordinaires et l'entretien courant, se chiffrait à 6 700 $.

Travail à faire

1. Pour chacune de ces opérations, indiquez les comptes touchés, les montants en cause et l'effet sur l'équation comptable. (Inscrivez un + pour une augmentation et un − pour une diminution.) Utilisez le modèle suivant :

Date	Actif	=	Passif	+	Capitaux propres

2. Pour chacun des actifs, calculez au mois près la charge d'amortissement que l'entreprise doit enregistrer à la fin de l'exercice, le 31 décembre 2009.

PS8-8 Le calcul de l'amortissement, de la valeur comptable et de la dépréciation de différents actifs incorporels (P8-11)

La société Bailli doit comptabiliser et enregistrer cinq actifs incorporels différents dans ses états financiers. Ses dirigeants se demandent comment amortir le coût de chacun d'eux. Voici des renseignements au sujet de ces actifs.

a) Un brevet. L'entreprise a acheté un brevet pour une somme de 18 600 $ payés comptant le 1er janvier 2007. Ce brevet a une durée de vie utile de 12 ans à partir du moment où il a été enregistré, le 1er janvier 2005. Il est amorti sur sa durée de vie utile restante.

b) Des droits d'auteur. Le 1er janvier 2007, l'entreprise a acheté des droits d'auteur pour un montant de 24 750 $ payés comptant. La durée de vie légale restante du droit à partir de cette date est de 30 ans. On estime cependant que l'objet couvert n'aura plus aucune valeur au bout de 15 ans.

c) Une licence. L'entreprise a obtenu une licence de la société Saint-Vallier pour fabriquer et distribuer un article particulier. Elle s'est procuré cette licence le 1er janvier 2007, au coût de 19 200 $ payés comptant, pour une période de 12 ans.

d) Un permis. Le 1er janvier 2006, l'entreprise s'est procuré un permis de la Ville pour exploiter un service particulier pendant une période de sept ans. Le coût total pour obtenir ce permis se chiffre à 21 000 $.

e) L'écart d'acquisition. La société Bailli s'est lancée en affaires au mois de janvier 2005 en achetant une autre entreprise pour une somme forfaitaire de 650 000 $ en espèces qui incluait un fonds commercial évalué à 75 000 $.

Travail à faire

1. Calculez le montant de l'amortissement que l'entreprise devrait enregistrer pour chaque actif incorporel à la fin de l'exercice, le 31 décembre 2007.
2. Donnez la valeur comptable de chaque actif incorporel à la date du 1er janvier 2010.
3. Supposez que, le 2 janvier 2010, la capacité de la licence à créer des produits d'exploitation se trouve réduite. La société Bailli estime alors que cette licence pourra produire des flux de trésorerie futurs de 14 500 $. Calculez, s'il y a lieu, la perte découlant de la réduction de valeur qu'elle doit enregistrer.

Cas et projets

Cas – Information financière

CP8-1 La recherche d'informations financières

Référez-vous aux états financiers et aux notes afférentes de la société Reitmans (*voir l'annexe C à la fin de ce manuel*).

Travail à faire

Pour chaque question, répondez en précisant où vous avez trouvé l'information.

1. Précisez la nature des actifs incorporels.
2. Quel est le montant de l'amortissement cumulé au 28 janvier 2006 ?
3. Quel est le traitement comptable des dépenses relatives à l'ouverture de nouveaux magasins ?
4. Quelle est la valeur d'acquisition des améliorations locatives que possède l'entreprise à la fin du dernier exercice ?
5. À combien s'élève la charge d'amortissement des immobilisations pour le dernier exercice ?
6. Quel est le taux de rotation des actifs immobilisés ? Que suggère-t-il ?

CP8-2 La recherche d'informations financières

Référez-vous aux états financiers et aux notes afférentes de la société Le Château (*voir l'annexe B à la fin de ce manuel*).

Travail à faire

Pour chaque question, répondez en précisant où vous avez trouvé l'information.

1. Quelles méthodes d'amortissement l'entreprise utilise-t-elle ?
2. Quel est le montant d'amortissement cumulé au 28 janvier 2006 ?
3. Quelle est la valeur d'acquisition des automobiles à la fin du dernier exercice ?

4. À combien s'élève la charge d'amortissement des immobilisations pour le dernier exercice?

5. Quel est le taux de rotation des actifs immobilisés? Que suggère-t-il?

CP8-3 La comparaison d'entreprises d'un même secteur d'activité

Référez-vous aux états financiers des sociétés Reitmans et Le Château (*voir les annexes B et C à la fin de ce manuel*).

Travail à faire

1. Calculez le pourcentage d'actifs immobilisés nets par rapport à l'actif total pour les deux entreprises. Y a-t-il des différences?

2. Calculez le pourcentage de l'amortissement cumulé par rapport au coût d'acquisition des immobilisations pour les deux entreprises. À votre avis, pourquoi ces deux pourcentages diffèrent-ils?

3. Calculez le taux de rotation des actifs immobilisés du dernier exercice pour chacune des deux entreprises. Laquelle de ces entreprises présente la plus grande efficacité en matière de gestion des immobilisations? Expliquez votre réponse.

4. Comparez les taux de rotation des actifs immobilisés de ces deux sociétés à celui de la moyenne du secteur (*voir l'annexe D à la fin de ce manuel*).

CP8-4 La recherche d'informations financières

Le site SEDAR classe les entreprises canadiennes par secteur d'activité.

Travail à faire

À l'aide de votre navigateur Web, rendez-vous sur le site de SEDAR (ou tout autre site qui offre ce type d'informations). Trouvez trois concurrents dans chacun des secteurs suivants : 1) les télécommunications, 2) l'hôtellerie, 3) les vêtements de sport et 4) le matériel informatique.

CP8-5 L'interprétation de la presse financière

Le numéro du 15 mai 2006 du journal *La Presse* renfermait un article intitulé : « Tout un défi ! Comment superviser une compagnie dont les actifs sont intangibles et en dehors du bilan? » Procurez-vous cet article en consultant la base de données Biblio-branché.

Travail à faire

Lisez l'article et répondez aux questions suivantes :

1. Qu'entend-on par « actifs intangibles » ?

2. Les actifs intangibles sont-ils réellement en dehors du bilan? Amorcez une discussion à ce sujet.

3. Pourquoi dit-on que la vie boursière n'est pas facile pour les entreprises de la nouvelle économie du savoir?

CP8-6 L'âge des immobilisations

Dans un rapport annuel récent de Black & Decker, on trouve les renseignements qui suivent (en milliers de dollars).

	Exercice en cours
Terrain et aménagements	69 091 $
Bâtiments	298 450
Matériel et outillage	928 151
	1 295 692
Moins : Amortissement cumulé	468 511
	827 181 $

La charge d'amortissement (en milliers de dollars) imputée à l'exploitation se chiffre à 99 234 $ pour l'exercice en cours. L'entreprise utilise la méthode d'amortissement linéaire.

Travail à faire

1. Quelle est, à votre avis, l'estimation la plus probable de la durée de vie utile moyenne prévue pour les actifs amortissables de Black & Decker?

2. Quelle est, à votre avis, l'estimation la plus probable de l'âge moyen des actifs amortissables de l'entreprise?

CP8-7   L'analyse des notes aux états financiers

La note suivante apparaît dans un rapport annuel récent de Cascades.

> **Immobilisations corporelles et amortissement**
>
> Les immobilisations corporelles sont inscrites au coût, y compris les intérêts engagés durant la période de construction de certaines immobilisations corporelles. L'amortissement est appliqué selon la méthode de l'amortissement linéaire, à des taux annuels variant de 3 % à 5 % pour les bâtiments, de 5 % à 10 % pour le matériel et l'outillage et de 15 % à 20 % pour le matériel roulant, compte tenu de la durée d'utilisation de chacune des catégories d'immobilisations corporelles.

Travail à faire

1. Quel est l'intervalle des durées de vie utile pour les bâtiments et le matériel roulant ?
2. Quelle méthode d'amortissement Cascades utilise-t-elle ?

CP8-8   Le taux de rotation des actifs immobilisés et les flux de trésorerie

La société Metro, un des principaux détaillants et distributeurs alimentaires canadiens, affiche un chiffre d'affaires pour l'exercice 2005 de 6,7 milliards de dollars. Au fil des ans, Metro a acquis des entreprises qui l'ont amenée à comptabiliser un écart d'acquisition dont la valeur comptable s'élève, au 24 septembre 2005, à 1,5 milliard de dollars. Voici quelques données tirées d'un rapport annuel récent de l'entreprise (en millions de dollars).

Immobilisations corporelles et incorporelles au bilan consolidé	Exercice 2005	Exercice 2004
Immobilisations corporelles	1 106,4 $	504,9 $
Actifs incorporels	194,8	175,3
Écart d'acquisition	1 543,7	190,0
À l'état des résultats consolidé		
Chiffre d'affaires	6 695,9 $	5 998,9 $
À l'état des flux de trésorerie consolidé		
Bénéfice net	190,4 $	168,8 $
Plus :		
Amortissement	87,2	71,7
Perte sur cession et radiation d'immobilisations corporelles et d'actifs incorporels	3,2	5,4
Dans les notes afférentes aux états financiers		
Amortissement – immobilisations corporelles	60,3 $	47,6 $
Amortissement – actifs incorporels	26,9	24,1
Amortissement cumulé sur les immobilisations corporelles	386,3	347,9

Travail à faire

1. Calculez le taux de rotation des actifs immobilisés pour le dernier exercice. Expliquez votre réponse.
2. Calculez la valeur d'acquisition des immobilisations corporelles à la fin du dernier exercice. Expliquez votre réponse.
3. Dans l'état des flux de trésorerie, pourquoi les montants de l'amortissement sont-ils ajoutés au bénéfice net ?

CP8-9   La cession des immobilisations

D'après le rapport annuel d'une grande entreprise, le solde des immobilisations corporelles à la fin de l'exercice en cours s'élevait à 16 774 millions de dollars. À la fin de l'exercice précédent, il était de 15 667 millions de dollars. Pendant l'exercice en cours, l'entreprise a acheté du matériel neuf d'une valeur de 2 118 millions de dollars. Le solde de l'amortissement cumulé à la fin de cet exercice se chiffrait à 8 146 millions de dollars tandis qu'à la fin de l'exercice précédent, il était de 7 654 millions de dollars. La charge d'amortissement pour l'année est de 1 181 millions de dollars. Comme le rapport annuel n'indique aucun gain et aucune perte attribuable à une cession d'immobilisations corporelles, on suppose que ce montant est nul.

Travail à faire

Quelle somme l'entreprise a-t-elle reçue lors de la vente d'immobilisations corporelles au cours de l'exercice ? (Conseil : Établissez des comptes en T.)

CP8-10 Les méthodes d'amortissement dans différents pays

◆ Diaego ■ OA3

Diageo est une grande entreprise d'envergure internationale établie à Londres. Un de ses rapports annuels récents contient les renseignements que voici concernant ses conventions comptables.

Actifs immobilisés et amortissement

Les actifs immobilisés sont enregistrés au coût historique ou suivant l'évaluation d'un expert. Ce coût inclut les intérêts, nets d'impôts, sur le capital utilisé au cours de la période de développement.

Il n'y a aucun amortissement sur les terrains, libres de toute obligation. Des contrats de location-acquisition sont amortis sur la durée du bail. Toutes les autres immobilisations corporelles, y compris les véhicules, sont amorties jusqu'à leur valeur résiduelle sur leur durée de vie utile estimative à l'intérieur des intervalles suivants :

Matériel et équipement	25 à 100 ans
Immobilisations de production	3 à 25 ans
Agencements	3 à 17 ans

Travail à faire

Comparez la comptabilité relative aux actifs immobilisés en Angleterre aux procédures comptables utilisées au Canada.

Cas – Analyse critique

CP8-11 L'évaluation d'un problème d'éthique : l'analyse d'une modification de convention comptable

◆ Ford Motor Company ■ OA3
■ OA7

Un rapport annuel de Ford Motor Company renferme les renseignements suivants :

Note n° 6
Immobilisations et amortissement – secteur automobile

Les actifs mis en service avant le 1er janvier 1993 sont amortis à l'aide d'une méthode accélérée. Les actifs mis en service au début de 1993 sont amortis suivant la méthode d'amortissement linéaire. Une telle modification des conventions comptables vise à refléter les améliorations apportées à la conception et à la flexibilité du matériel et de l'outillage de fabrication ainsi qu'aux mesures d'entretien. Ces améliorations ont permis d'obtenir une plus grande uniformité dans les capacités de production et dans les coûts d'entretien pendant la durée de vie utile des actifs. Dans ces circonstances, la méthode d'amortissement linéaire est préférable. La modification devrait améliorer les résultats après impôts de l'entreprise de 80 à 100 millions de dollars pour 1993.

Travail à faire

1. Quelle est la raison énoncée pour expliquer le changement de méthode ? À votre avis, quels autres facteurs la direction a-t-elle considérés avant de décider de procéder à ce changement ?
2. Croyez-vous qu'il s'agit d'une question d'éthique ?
3. Sur qui ce changement a-t-il eu un effet ? Ces personnes ont-elles profité ou non de cet effet ? Expliquez votre réponse.
4. Quelle incidence ce changement a-t-il eu sur les flux de trésorerie de Ford ?
5. À titre d'investisseur, comment réagiriez-vous au fait que le bénéfice net de l'entreprise augmentera de 80 à 100 millions de dollars à cause de ce changement ?

Projets – Information financière

OA1
OA3

CP8-12 La comparaison d'entreprises de différents secteurs

À l'aide de votre navigateur Web, visitez le site de trois entreprises canadiennes qui exploitent trois secteurs d'activité différents. Téléchargez leur dernier rapport annuel.

Travail à faire

En vous basant sur les renseignements contenus dans leur dernier rapport annuel, rédigez un texte décrivant les éléments suivants :

1. Les différences entre les comptes d'immobilisations qu'utilisent ces trois entreprises (y compris les actifs incorporels).
2. Les méthodes d'amortissement et les estimations utilisées.
3. La durée de vie utile moyenne approximative des actifs.
4. Le pourcentage d'immobilisations corporelles par rapport au total des actifs.
5. Le taux de rotation des actifs immobilisés.
6. Pour conclure votre analyse, expliquez en quoi ces trois entreprises se ressemblent ou non.

OA1

CP8-13 Une analyse chronologique

À l'aide de votre navigateur Web, visitez le site de Transat. Examinez son rapport annuel le plus récent.

Travail à faire

1. À partir des renseignements fournis, calculez le taux de rotation des actifs immobilisés pour chacun des exercices présentés.
2. Comparez ces taux à ceux qui vous sont fournis dans ce chapitre pour Transat. Quelle tendance, s'il y a lieu, remarquez-vous ? Qu'est-ce qui pourrait expliquer ce changement ?

OA1
OA3

CP8-14 Un projet en équipe : l'analyse des immobilisations

À l'aide de votre navigateur Web, visitez un site d'information financière (*voir le chapitre 5*) où vous trouverez des listes de secteurs d'activité et d'entreprises concurrentes dans chacun de ces secteurs.

En équipe, choisissez un secteur à analyser. Chaque membre de l'équipe doit ensuite se servir de son navigateur Web pour se procurer le rapport annuel d'une société ouverte de ce secteur, différente de celles qu'ont choisies les autres membres.

Travail à faire

1. Individuellement, chaque membre de l'équipe doit rédiger un bref rapport traitant des éléments suivants :
   a) Les catégories d'immobilisations et leur valeur (les immobilisations corporelles, les actifs incorporels).
   b) Les méthodes d'amortissement et les estimations utilisées pour chaque catégorie d'immobilisations.
   c) La durée de vie moyenne approximative des actifs immobilisés.
   d) Le taux de rotation des actifs immobilisés.
2. Faites une analyse comparative des différentes entreprises choisies par les membres de l'équipe. Rédigez ensuite ensemble un bref rapport dans lequel vous soulignerez les ressemblances et les différences entre ces entreprises en fonction des éléments étudiés.

CHAPITRE 9

Le passif

Objectifs d'apprentissage

Au terme de ce chapitre, l'étudiant sera en mesure:

CASCADES INC.

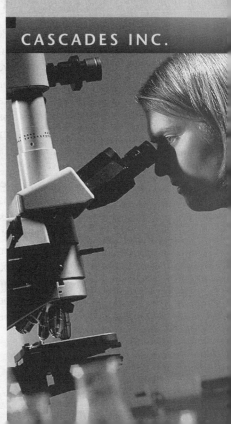

Cascades inc.

Une structure de capital bien gérée !

Tous les jours, vous êtes en contact avec des produits de la société Cascades, que ce soit la boîte de céréales au déjeuner, le papier hygiénique, les enveloppes pour la correspondance, les sacs d'épicerie, les cartons pour l'emballage des œufs, les contenants de Big Mac ou de fleurs pour le jardin, le papier utilisé pour emballer la viande, le seuil de la porte ou les revêtements de sol. Bien que cette liste soit plutôt longue, elle n'est pas exhaustive ! Fondée en 1964, Cascades est reconnue aujourd'hui comme un leader nord-américain dans la fabrication, la transformation et la commercialisation de produits d'emballage, de papiers fins et de papiers tissu composés principalement de fibres recyclées.

La direction de Cascades exploite la société en se fixant des objectifs ambitieux. Bien que plusieurs de ces objectifs soient associés à la croissance du volume des ventes et à l'amélioration de ses opérations, quelques-uns visent des résultats financiers tels que l'appréciation du titre boursier et une saine gestion de sa structure financière. Ce dernier objectif est directement lié au sujet de ce chapitre.

Dans leur étude du bilan d'une entreprise, les analystes financiers considèrent plusieurs facteurs pour évaluer les forces et les faiblesses de l'entreprise. L'un des éléments importants évalués est la stratégie de financement des opérations. Comme c'est le cas pour Cascades, la gestion de la dette est souvent aussi importante que la gestion des actifs.

Parlons affaires

Pour acquérir leurs actifs, les entreprises recourent au financement. Il existe deux sources de financement : les fonds provenant des créanciers (le passif) et ceux provenant des propriétaires (les capitaux propres). Le mélange de passif et de capitaux propres que l'entreprise utilise est appelé la « structure financière » ou la « structure de capital ». Théoriquement, toute structure financière est possible (par exemple 60 % de passif et 40 % de capitaux propres). Le bilan partiel de Cascades (*voir le tableau 9.1*) montre que sa structure de capital est composée de 70,6 % de passif et de 29,4 % de capitaux propres.

Outre le fait de choisir la structure de capital, les gestionnaires peuvent déterminer leurs sources d'emprunt à l'aide d'une variété d'instruments. Quels facteurs les gestionnaires considèrent-ils lorsqu'ils contractent des emprunts ? La réponse à cette question est complexe, et vous l'étudierez en détail dans vos cours de finance. Toutefois, le risque et le rendement sont deux facteurs essentiels qui retiennent leur attention. Les capitaux empruntés représentent un risque plus grand que les capitaux propres parce que les paiements associés à une dette constituent une obligation légale pour l'entreprise. Si une entreprise est incapable d'effectuer les paiements sur la dette (les intérêts ou le remboursement de capital) à cause d'un découvert de trésorerie temporaire, ses créanciers peuvent l'acculer à la faillite et exiger la vente de ses actifs pour la forcer à honorer ses

TABLEAU 9.1 | Bilan de Cascades

Cascades inc.
Bilans consolidés (partiels)
au 31 décembre
(en millions de dollars)

	2005	2004
PASSIF ET CAPITAUX PROPRES		
Passif à court terme		
Emprunts et avances bancaires	44 $	47 $
Comptes fournisseurs et charges à payer	543	509
Partie à court terme de la dette à long terme (note 9)	8	58
	595	614
Dette à long terme (note 9)	1 289	1 168
Autres passifs (note 10)	265	303
	2 149	2 085
Capitaux propres		
Capital-actions (note 11)	264	265
Bénéfices non répartis	669	783
Écarts de conversion cumulés (note 21)	(36)	11
	897	1 059
	3 046 $	3 144 $

engagements. Par contre, le versement de dividendes sur des actions n'est pas une obligation légale tant que le conseil d'administration ne le déclare pas. Par conséquent, les capitaux propres représentent un risque moins grand que les capitaux empruntés pour la société émettrice. Comme toute autre transaction financière, les emprunteurs et les prêteurs tentent de négocier les conditions les plus favorables possible. Les gestionnaires déploient un effort considérable dans l'établissement de la stratégie de financement.

Les entreprises qui intègrent des éléments de passif à leur structure financière doivent aussi prendre des décisions stratégiques concernant l'équilibre qui convient entre les dettes à court terme et les dettes à long terme. Les analystes financiers calculent différents ratios financiers qui leur permettent d'évaluer la structure financière d'une entreprise et l'équilibre entre ces deux types de passif. Dans ce chapitre, nous traiterons à la fois des dettes à court terme et des dettes à long terme, et nous étudierons brièvement les obligations, un type particulier de passif à long terme. Nous discuterons également de quelques ratios financiers importants et nous introduirons le concept de la valeur actualisée.

Structure du chapitre

La définition et le classement des éléments de passif	Les passifs à court terme	Les passifs à long terme	Les concepts de valeur actualisée	Les obligations
La mesure	Les comptes fournisseurs	Les effets à payer à long terme et les obligations	La valeur actualisée d'un versement unique	Les caractéristiques des obligations
Le ratio du fonds de roulement	Le taux de rotation des fournisseurs	La dette découlant de contrats de location	La valeur actualisée de versements périodiques	Les opérations d'émission d'obligations
Le ratio de liquidité relative	Les frais courus		Les applications comptables des valeurs actualisées	Le ratio de couverture des intérêts
	Les effets à payer			Le ratio des capitaux empruntés sur les capitaux propres
	La partie à court terme de la dette à long terme			
	Les produits perçus d'avance			
	Les dettes provisionnées présentées au bilan			
	Les dettes provisionnées présentées dans les notes			
	La gestion du fonds de roulement			

La définition et le classement des éléments de passif

La plupart des gens comprennent relativement bien la définition du terme «passif». Les comptables définissent le **passif** comme «des obligations qui incombent à l'entité par suite d'opérations ou de faits passés, et dont le règlement pourra nécessiter le transfert ou l'utilisation d'actifs, la prestation de services ou encore, toute autre cession d'avantages économiques[1]». Comme le montre le bilan partiel du tableau 9.1 (*voir la page 513*) en date du 31 décembre 2005, Cascades avait accumulé une dette à long terme de 1 289 000 000 $. Ce montant a été emprunté à un groupe de créanciers à un moment dans le passé (une opération passée). De ce fait, l'entreprise a l'obligation présente de verser de l'argent (un actif) à ces créanciers à un moment donné dans l'avenir, conformément au contrat d'emprunt. À cause de cette obligation, elle doit enregistrer une dette à long terme.

Comme la plupart des entreprises, Cascades a plusieurs types de passif et un vaste éventail de créanciers. La liste des éléments de passif d'un bilan n'est à peu près jamais la même d'une entreprise à l'autre, car à différentes activités d'exploitation correspondent différents types d'éléments de passif. La section du passif au bilan de Cascades commence avec le sous-titre Passif à court terme. On définit le **passif à court terme** comme «des obligations dont l'entité devra s'acquitter dans l'année qui suit la date du bilan ou au cours du cycle normal d'exploitation s'il excède un an. En principe, le passif à court terme désigne uniquement les dettes exigibles dans les douze mois suivant la date de clôture de l'exercice[2]». Le passif à long terme comprend tous les éléments de passif qui ne sont pas classés comme des éléments de passif à court terme. Au bilan, tous les éléments du passif à court terme sont additionnés afin de présenter un sous-total permettant le calcul rapide de plusieurs ratios financiers.

La mesure

Un **passif financier** est une obligation contractuelle qui oblige l'emprunteur à céder au créancier soit de la trésorerie, soit un autre actif financier. Lorsqu'on enregistre un élément de passif pour la première fois, on le mesure en fonction de sa valeur courante en trésorerie (sa juste valeur), c'est-à-dire en fonction du montant qu'un créancier accepterait en paiement de cette dette au moment présent. La mesure subséquente du passif (pour les mois et les années à venir) dépend de la catégorie du passif. S'il s'agit d'un **passif financier assumé à des fins de transactions,** on doit le comptabiliser à la valeur actualisée des paiements futurs, notion qu'on verra un peu plus loin, et les frais de transactions sont passés en résultat. L'engagement de vendre un actif à découvert (qu'on ne possède pas encore au moment de la transaction) est un exemple de passif financier assumé à des fins de transactions. En somme, il s'agit d'un passif désigné comme tel par l'entreprise au moment de la transaction.

D'un autre côté, si on considère les comptes fournisseurs, l'échéancier est très court. On peut donc affirmer que la valeur marchande est près de la valeur inscrite à la date de transaction. Ainsi, les passifs à court terme sont inscrits au montant convenu entre les parties à la date de la transaction. En ce qui concerne les passifs à long terme, la mesure de ces éléments sera abordée un peu plus loin dans le chapitre.

Bien que la société Cascades ait emprunté 1 289 000 000 $, elle devra rembourser une somme beaucoup plus élevée. En effet, elle devra débourser non seulement le montant de l'emprunt (le capital), mais aussi les intérêts relatifs à cette dette. Les intérêts que l'entreprise devra payer dans l'avenir n'apparaissent pas dans le montant du passif parce qu'ils deviennent exigibles (et donc une dette) à mesure que le temps passe.

1. Louis MÉNARD, et collab. (2004), *Dictionnaire de la comptabilité et de la gestion financière*, 2e éd., Toronto, ICCA, p. 694.
2. *Idem.*

OBJECTIF D'APPRENTISSAGE 1

Définir, mesurer et classer les éléments du passif.

Le **passif** est une composante du bilan décrivant les obligations qui incombent à l'entité par suite d'opérations ou de faits passés, et dont le règlement pourra nécessiter le transfert ou l'utilisation d'actifs, la prestation de services ou encore toute autre cession d'avantages économiques.

Le **passif à court terme** est la section du bilan regroupant les obligations dont l'entité devra s'acquitter dans l'année qui suit la date du bilan ou au cours du cycle normal d'exploitation s'il excède un an.

Un **passif financier** est une obligation contractuelle qui implique de céder à l'autre partie soit de la trésorerie, soit un autre actif financier.

Un **passif financier assumé à des fins de transactions** est un passif utilisé pour financer des activités de transaction et désigné comme tel par la direction.

Les **liquidités** comprennent les fonds disponibles pour payer les passifs à court terme.

L'information sur les passifs à court terme est importante aux yeux des gestionnaires et des analystes financiers dû au fait qu'ils devront être payés dans un futur rapproché. Les analystes affirment que l'entreprise dispose de **liquidités** lorsqu'elle peut honorer ses dettes à court terme. Plusieurs ratios financiers sont utiles pour évaluer les liquidités, y compris le ratio du fonds de roulement (ratio de liquidité générale, ratio de solvabilité à court terme) et le ratio de liquidité relative que nous examinons dans la prochaine section.

Le ratio du fonds de roulement

OBJECTIF D'APPRENTISSAGE 2

Utiliser le ratio du fonds de roulement et le ratio de liquidité relative.

ANALYSONS LES RATIOS

Le ratio du fonds de roulement

1. Question d'analyse

La société a-t-elle suffisamment de ressources pour payer sa dette à court terme?

2. Ratio et comparaison

Le ratio du fonds de roulement est calculé comme suit.

$$\text{Ratio du fonds de roulement} = \frac{\text{Actif à court terme}}{\text{Passif à court terme}}$$

En 2005, le ratio de Cascades était le suivant :

$$\frac{1\,125\,\$}{595\,\$} = 1,89$$

a) L'analyse de la tendance dans le temps			b) La comparaison avec les compétiteurs	
CASCADES			DOMTAR	ABITIBI-CONSOLIDATED
2003	2004	2005	2005	2005
1,89	1,82	1,99	1,65	1,27

3. Interprétation des résultats

EN GÉNÉRAL ◊ Un ratio élevé indique que l'entreprise dispose d'un bon montant de liquidités ; par contre, un ratio trop élevé pourrait indiquer une utilisation non efficiente des ressources. Une ancienne règle dictait que le ratio devait être entre 1 et 2. Aujourd'hui, les sociétés utilisent des techniques sophistiquées afin de minimiser les fonds investis dans l'actif à court terme et, de ce fait, plusieurs affichent des ratios inférieurs à 1.

CASCADES ◊ Le ratio du fonds de roulement de Cascades est très élevé pour une entreprise de sa taille et de son secteur et montre un niveau de liquidité important. On note que le ratio a très peu varié au cours des trois derniers exercices. On pourrait même s'interroger sur l'efficacité de l'utilisation des actifs à court terme tellement le ratio est élevé ; la comparaison avec les compétiteurs qui montrent un ratio moins élevé bien que supérieur à 1 est un autre indice.

QUELQUES PRÉCAUTIONS ◊ En tant que mesure de liquidité, le ratio du fonds de roulement peut se révéler trompeur lorsque des fonds importants ont été investis dans des actifs difficilement transformables en espèces. Une entreprise qui présente un ratio de fonds de roulement élevé pourrait quand même avoir des problèmes de liquidité si la majorité de ses éléments d'actif à court terme était composée de stocks difficiles à écouler. Les analystes reconnaissent aussi qu'il est possible de manipuler un tel ratio en effectuant certaines opérations juste avant la fermeture de l'exercice. Dans la plupart des cas, par exemple, on réussit à l'améliorer en payant les créanciers immédiatement avant la préparation des états financiers.

Le ratio de liquidité relative

ANALYSONS LES RATIOS

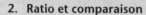

Le ratio de liquidité relative

1. **Question d'analyse**

   La société a-t-elle suffisamment de ressources liquides pour payer sa dette à court terme ?

2. **Ratio et comparaison**

   Le ratio de liquidité relative est calculé comme suit :

   $$\text{Ratio de liquidité relative} = \frac{\text{Actifs disponibles et réalisables*}}{\text{Passif à court terme}}$$

   * Trésorerie, placements à court terme et comptes clients

   En 2005, le ratio de Cascades était le suivant :

   $$\frac{588\,\$}{595\,\$} = 0{,}99$$

a) L'analyse de la tendance dans le temps		
CASCADES		
2003	2004	2005
1,01	0,90	0,99

b) La comparaison avec les compétiteurs	
DOMTAR	ABITIBI-CONSOLIDATED
2005	2005
0,54	0,53

3. **Interprétation des résultats**

EN GÉNÉRAL ◊ Le ratio mesure d'une façon plus sévère que le ratio du fonds de roulement, les liquidités disponibles pour honorer les dettes à court terme. Le numérateur exclut les stocks et autres actifs à court terme qui sont plus difficilement monnayables que la trésorerie, les placements et les comptes clients. Par exemple, les stocks sont exclus, car le moment où ils généreront des flux de trésorerie de leur vente est incertain.

Un ratio élevé indique que l'entreprise dispose de liquidités suffisantes pour rencontrer ses dettes à court terme ; par contre, un ratio trop élevé pourrait indiquer une utilisation non efficiente des ressources.

CASCADES ◊ Le ratio de liquidité relative de Cascades est très élevé comparativement à ses compétiteurs et il est stable dans le temps. Les remarques faites au niveau du ratio du fonds de roulement s'applique aussi ici. Cependant, nous pouvons remarquer que le ratio du fonds de roulement était de 1,89 en 2005, alors que le ratio de liquidité relative se situait à 0,99. La différence s'explique par l'analyse des composantes des actifs du fonds de roulement. Cette analyse révèle que Cascades a beaucoup de fonds investis dans les stocks. Il en est de même pour les compétiteurs.

QUELQUES PRÉCAUTIONS ◊ En tant que mesure de liquidité, ce ratio apporte une marge de sécurité que le ratio du fonds de roulement ne comble pas, en excluant les stocks. Cependant, il faut reconnaître que certaines opérations nécessitent un investissement important dans les stocks. Il pourrait aussi s'avérer nécessaire d'effectuer les achats de stocks en fin d'exercice pour profiter des escomptes offerts par les fournisseurs ou pour disposer de ressources afin de rencontrer les besoins en production de la prochaine période. Par ailleurs, la manipulation de ce ratio est également possible pour les mêmes raisons présentées au ratio du fonds de roulement.

Les passifs à court terme

Plusieurs passifs à court terme sont liés directement aux activités d'exploitation d'une société. En d'autres mots, des activités d'exploitation particulières sont financées en partie par un passif à court terme particulier. En comprenant bien les liens entre les activités d'exploitation et les passifs à court terme, les analystes peuvent facilement expliquer les changements qui surviennent dans les différents postes de passif à court terme.

Voici quelques exemples de liens:

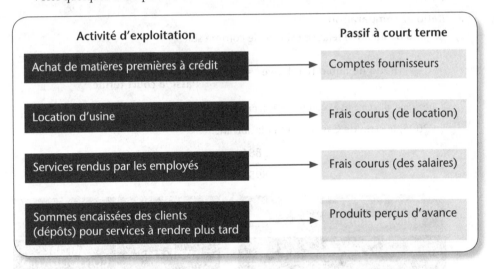

Les comptes fournisseurs

La plupart des entreprises ne produisent pas tous les biens et les services dont elles ont besoin pour leurs activités d'exploitation de base. Elles achètent plutôt ces biens et ces services à d'autres entreprises. En général, ces opérations incluent des conditions de règlement nécessitant des paiements en espèces après que les biens et les services ont été fournis. Il en résulte que ces opérations entraînent la création d'une dette. On désigne souvent cette forme de crédit par l'expression « crédit commercial ».

Nous n'avons pas de statistiques sur les termes les plus populaires qui sont utilisés pour désigner ce type de dette mais, au cours d'un examen rapide d'une dizaine d'entreprises, nous avons découvert que la plupart d'entre elles emploient les expressions « créditeurs » ou « fournisseurs ». De plus, des expressions telles que « fournisseurs et frais courus » ou « fournisseurs et charges à payer » sont très courantes. Dans ce cas, le montant des **comptes fournisseurs** n'est pas distinct, ce qui peut rendre impossible le calcul de certains ratios financiers.

Pour un grand nombre d'entreprises, le crédit commercial est une manière assez peu coûteuse de financer l'achat de stocks. Les comptes fournisseurs ne comportent généralement pas d'intérêts. Afin d'encourager leurs clients à acheter davantage, certains vendeurs offrent des modalités de paiement très généreuses qui donnent à l'acheteur la possibilité de revendre des marchandises et d'encaisser le produit avant de devoir rembourser l'achat initial.

Certains dirigeants sont parfois tentés de retarder les paiements dus à leurs fournisseurs autant que possible pour conserver des liquidités. Toutefois, cette stratégie n'est habituellement pas recommandable. La plupart des entreprises ayant réussi ont commencé par établir de bonnes relations de travail avec leurs fournisseurs pour s'assurer de recevoir des biens et des services de qualité. Ces bonnes relations peuvent se détériorer lorsqu'une entreprise ne paie pas ses comptes à temps. Par ailleurs, pour les analystes financiers, cette lenteur à payer indique souvent des difficultés financières. Les gestionnaires et les analystes utilisent le taux de rotation des comptes fournisseurs pour évaluer l'efficacité de leur gestion.

Le taux de rotation des fournisseurs

Le taux de rotation des fournisseurs

1. Question d'analyse

L'entreprise est-elle efficace lorsqu'elle doit respecter ses obligations envers ses fournisseurs?

2. Ratio et comparaison

Le taux de rotation des fournisseurs se calcule comme suit.

OBJECTIF D'APPRENTISSAGE 3

Analyser le taux de rotation des fournisseurs.

$$\text{Taux de rotation des fournisseurs} = \frac{\text{Coût des marchandises vendues}}{\text{Fournisseurs moyens}}$$

En 2005, le taux de Cascades était le suivant:

$$\frac{2\,890\,\$}{526\,\$*} = 5,5 \text{ fois}$$

a) L'analyse de la tendance dans le temps			b) La comparaison avec les compétiteurs	
CASCADES			**DOMTAR**	**ABITIBI-CONSOLIDATED**
2003	2004	2005	2005	2005
5,3**	5,6**	5,5**	6,7***	4,3***

3. Interprétation des résultats

EN GÉNÉRAL ◊ Un taux de rotation des fournisseurs mesure la rapidité de paiement des comptes fournisseurs. Un taux élevé indique qu'une entreprise paie promptement ses fournisseurs. On peut énoncer ce ratio de façon plus intuitive en le divisant par le nombre de jours dans une année.

$$\text{Délai moyen de remboursement des fournisseurs} = \frac{365 \text{ jours}}{\text{Taux de rotation des fournisseurs}}$$

En 2005, la période de remboursement des comptes fournisseurs de Cascades est impossible à déterminer de façon précise, car on ne peut isoler les fournisseurs des autres frais courus. La période de remboursement des fournisseurs était de 30,4 jours pour Domtar (365 jours ÷ 12) et de 38,4 jours pour Abitibi Consolidated (365 ÷ 9,5).

CASCADES ◊ Le taux de rotation des comptes fournisseurs (et frais courus) se situe entre celui de Domtar et d'Abitibi et il est relativement stable dans le temps. On ne peut l'évaluer avec précision, car le bilan ne dissocie pas les comptes fournisseurs des autres frais courus. Cette précision aurait pour effet d'augmenter le taux de rotation des comptes fournisseurs et de diminuer le délai moyen de remboursement. Si on examine un de ses compétiteurs (Domtar), le taux de 6,7 (calculé sur une base comparative incluant les frais courus) est porté à 12,0 lorsque les comptes fournisseurs sont isolés. Cela donne des délais moyens de remboursement des comptes fournisseurs respectifs de 55 jours (avec les frais courus) et de 30 jours (sans les frais courus), ce qui constitue une différence assez importante. En conservant ses espèces pendant une période de 30 à 60 jours, une société minimise ses emprunts et, par conséquent, le paiement des intérêts, ce qui prouve une bonne gestion des liquidités. Ce manque d'information des comptes fournisseurs chez Cascades et

---

* (543 $ + 509 $) ÷ 2 = 526 $ (comprend aussi les frais courus qu'il est impossible d'isoler, faute d'information aux états financiers).

** Ces taux sont sous-évalués, car les éléments de frais courus sont intégrés aux fournisseurs. Les états financiers ne dissocient pas l'information.

*** Les taux sont calculés sur une base comparative avec Cascades parce qu'on inclut les frais courus à ceux des fournisseurs. Le taux réel pour Domtar est de 12,0 et de 9,5 pour Abitibi, car l'information sur les comptes fournisseurs est donnée de façon distincte des frais courus.

l'impossibilité de calculer un taux adéquat et comparable avec les sociétés de son secteur démontrent comment il n'est pas toujours possible de comparer les sociétés entre elles.

QUELQUES PRÉCAUTIONS ◊ Le taux de rotation des comptes fournisseurs est une moyenne relative à tous les comptes fournisseurs. Il ne reflète pas nécessairement la réalité dans le cas où une entreprise paierait certains de ses fournisseurs dans les délais convenus et les autres en retard. Ce ratio peut aussi faire l'objet d'une manipulation. L'entreprise peut être en retard dans ses paiements pendant toute l'année mais se rattraper à la fin de l'exercice, de sorte que le taux se retrouve à un niveau acceptable. Aussi, un taux qui n'est pas très élevé peut indiquer soit des problèmes de liquidités (par exemple, la société ne peut produire suffisamment de trésorerie pour faire face à ses obligations), soit une gestion de trésorerie agressive (par exemple, la société maintient une montant minimal de trésorerie pour soutenir ses activités d'exploitation). Dans le premier cas, l'entreprise éprouve des difficultés, dans le second elle possède un atout de taille. Les analystes devraient donc étudier d'autres facteurs (tels que le ratio du fonds de roulement et le montant des flux de trésorerie provenant de l'exploitation) pour déterminer dans quelle situation la société se trouve.

Les frais courus

Dans de nombreuses circonstances, une entreprise engage une dépense au cours d'un exercice et en effectue le paiement comptant dans un exercice ultérieur. Les **frais courus** (aussi appelés les « charges courues » ou les « frais courus à payer ») sont comptabilisés lorsque des dépenses ont été engagées avant la fin d'un exercice, mais qu'elles ne sont pas encore payées. Parmi ces dépenses, mentionnons entre autres l'impôt foncier, l'électricité et les salaires. Aux états financiers de Domtar, on a enregistré plusieurs éléments dont la masse salariale, les indemnités de vacances et les intérêts courus.

Les frais courus sont comptabilisés sous forme d'écritures de régularisation à la fin de l'exercice. Il a été question des écritures de régularisation au chapitre 4.

> Les **frais courus** sont des dépenses qui ont été engagées, mais qui n'ont pas encore été payées à la fin de l'exercice.

Les impôts sur le bénéfice à payer

Comme les individus, les sociétés doivent payer des impôts sur leurs revenus. Les taux d'imposition des sociétés sont progressifs (ou régressifs), et les plus grandes ont un taux d'imposition fédéral et provincial combiné d'environ 36 % (2005), selon la province. Les sociétés paient parfois aussi des impôts sur leurs bénéfices à l'étranger. Dans les notes du rapport annuel de Domtar, on trouve les renseignements suivants concernant les impôts :

Extrait de la note 8 – Impôts sur les bénéfices (en millions de dollars)	2005	2004	2003
Taux de base combiné des gouvernements fédéral et provinciaux du Canada	33,6 %	33,7 %	35,2 %
Recouvrement net d'impôts sur les bénéfices selon le taux prévu par la loi	(206) $	(32) $	(92) $
Impôts des grandes sociétés	4	6	6
Activités de fabrication et transformation canadienne	5	1	5
Différence de taux applicable aux filiales étrangères	(23)	(25)	(18)
Redressements des exercices antérieurs	(10)	(4)	–
Effet de l'augmentation du taux d'imposition sur les impôts futurs	9	–	31
Autres	(4)	2	1
	(225) $	(52) $	(67) $
Impôts (recouvrement) sur les bénéfices :			
Exigibles	13 $	23 $	14 $
Futurs	(238)	(75)	(81)
	(225) $	(52) $	(67) $

Comme on peut le voir, divers ajustements du taux d'imposition de base s'appliquent selon les particularités des sociétés. C'est un sujet fort complexe qui est plutôt examiné dans des cours de fiscalité. Les impôts exigibles sont les impôts que l'entreprise doit payer pour l'exercice en cours. Les impôts futurs sont des impôts que l'entreprise devra probablement payer dans le futur, en fonction de la situation présente et des taux présents; nous aborderons ce sujet dans une annexe à la fin de ce chapitre.

Les salaires à payer et autres coûts liés

À la fin de chaque exercice, les employés ont généralement gagné des salaires qui n'ont pas encore été versés. Les éléments de passif associés aux salaires non versés peuvent être comptabilisés dans le même compte que les frais courus (comme le fait Cascades) ou encore sous forme d'élément séparé (comme le fait Domtar) qui affiche un montant de 119 millions de dollars de salaires à payer dans une note complémentaire au bilan. Outre les salaires à payer qui sont dus aux employés, les entreprises doivent aussi comptabiliser le coût des avantages sociaux à payer tels que les régimes de retraite, les vacances, le régime d'assurance-emploi, le régime d'assurance-maladie, etc.

À titre d'exemple, examinons la charge de vacances. Les entreprises accordent généralement à leurs employés des vacances payées d'après le nombre de mois durant lesquels ils ont travaillé (par exemple un jour de vacances pour chaque mois). Selon le principe du rapprochement des produits et des charges, elles doivent comptabiliser le coût du temps des vacances dans l'exercice où les employés ont rendu des services (c'est-à-dire qu'ils ont aidé à engendrer des produits) plutôt que dans l'exercice où ils prennent réellement ces vacances. Supposons que Cascades a estimé le coût des indemnités de vacances à 125 000 $, la charge de salaire devra être rectifiée de la façon suivante à la fin de l'exercice :

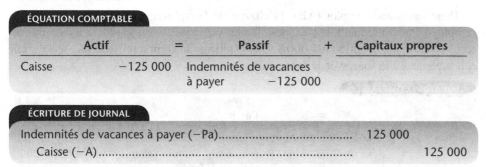

ÉQUATION COMPTABLE

Actif	=	Passif	+	Capitaux propres	
		Indemnités de vacances à payer +125 000		Salaires	−125 000

ÉCRITURE DE JOURNAL

Salaires (+C, −CP)	125 000	
Indemnités de vacances à payer (+Pa)		125 000

Lorsque les vacances sont prises (par exemple l'été suivant), le comptable enregistre les données suivantes :

ÉQUATION COMPTABLE

Actif	=	Passif	+	Capitaux propres
Caisse −125 000		Indemnités de vacances à payer −125 000		

ÉCRITURE DE JOURNAL

Indemnités de vacances à payer (−Pa).....................................	125 000	
Caisse (−A)..		125 000

Chez Cascades, les indemnités à payer pour les vacances n'apparaissent pas dans un poste distinct. Elles sont plutôt comptabilisées au bilan à l'intérieur des charges afférentes aux salaires. Il semble que pour la direction, le montant de ces indemnités ne constitue pas un facteur important dans l'analyse financière de l'entreprise. La plupart des analystes seraient probablement du même avis.

Les retenues sur les salaires

Les impôts sur le salaire des employés

Les lois fiscales fédérales et provinciales exigent qu'au cours de chaque période de paie, l'employeur déduise un montant approprié en impôts sur le revenu du salaire brut de chaque employé. Le montant d'impôts retenu à la source est comptabilisé par l'employeur à titre d'élément de passif à court terme entre la date de la déduction et la date où le montant retenu est remis au gouvernement. En somme, l'employeur n'est qu'un agent de perception pour le gouvernement.

D'autres éléments de passif liés aux salaires

Les rémunérations relatives aux services fournis par les employés englobent tous les montants que les employés ont gagnés en salaires ainsi que les montants qui doivent être versés à d'autres organismes en leur nom. En voici quelques exemples : le régime d'assurance-emploi, le régime de retraite de l'entreprise, le Régime de rentes du Québec, le régime d'assurance parentale, le régime d'assurance-maladie, les normes du travail (CNT), le programme de la Commission de la santé et sécurité au travail (CSST). La part que l'employeur verse à ces organismes (les avantages sociaux) s'ajoutent aux salaires et aux traitements des employés à titre de charge salariale et peut parfois atteindre 20 % du montant de salaires bruts.

À titre d'exemple, nous examinerons seulement deux déductions importantes ci-dessous. Toutefois, la comptabilisation est semblable pour chaque type de déduction salariale.

L'assurance-emploi et les impôts retenus à la source

Le gouvernement fédéral constitue la caisse d'assurance-emploi à laquelle l'employeur et les employés doivent contribuer. L'employeur est aussi tenu de retenir à la source des impôts sur le salaire. Un exemple de la comptabilisation d'une paie qui ne comporterait que ces deux éléments est donné à titre d'illustration. Ainsi, supposons que Cascades a recueilli les renseignements suivants dans son registre détaillé de la masse salariale pour les deux premières semaines de juin 2010 :

Salaires bruts	1 800 000 $
Impôts retenus à la source	(450 000)
Assurance-emploi (part des employés)	(105 000)
Salaires nets versés aux employés	1 245 000 $

Pour l'assurance-emploi (AE), la charge de l'employeur est de 1,4 fois celle de l'employé. Par conséquent, le total des éléments de passif correspondant à l'assurance-emploi s'élève à 252 000 $ (105 000 $ + 147 000 $). On comptabilise la masse salariale et les retenues à la source de la façon suivante :

ÉQUATION COMPTABLE

Actif		=	Passif		+	Capitaux propres	
Caisse	−1 245 000		AE à payer	+252 000			
			Impôts retenus à la source à payer	+450 000		Salaires	−1 947 000

ÉCRITURE DE JOURNAL

Salaires (+C, −CP)	1 947 000	
Impôts retenus à la source à payer (+Pa)		450 000
AE à payer (+Pa)		252 000
Caisse (−A)		1 245 000

Les effets à payer

Lorsqu'une entreprise contracte un emprunt, un document est rédigé en bonne et due forme. Les obligations constatées par ces notes écrites portent généralement le nom d'«effets à payer» ou «emprunt à payer». Un effet à payer précise des éléments tels que le montant emprunté, la date où il doit être remboursé et le taux d'intérêt exigé pour l'emprunt.

Les créanciers prêtent volontiers de l'argent parce qu'ils reçoivent des intérêts en compensation du fait qu'ils renoncent à l'utilisation de leur avoir pendant une période de temps déterminée. Ce concept simple est appelé la «**valeur temporelle de l'argent**». Dans cette expression, le terme «temporel» est important, car plus on prolonge la durée d'un emprunt, plus le montant de la charge (en dollars) des intérêts augmente. Les intérêts que rapporte un prêt de deux ans, à un taux donné, est plus important que les intérêts engendrés par un prêt de un an. Pour l'emprunteur, les intérêts constituent une charge mais, pour le créancier (ou le prêteur), il s'agit d'une source de revenu.

Dans le calcul des intérêts, il faut considérer trois variables: 1) le capital (c'est-à-dire le montant d'argent emprunté), 2) le taux d'intérêt annuel et 3) la durée du prêt. La formule pour calculer les intérêts s'écrit comme suit.

$$\text{Intérêts} = \text{Capital} \times \text{Taux d'intérêt} \times \text{Durée}$$

Pour illustrer la comptabilisation d'un effet à payer, supposons qu'en date du 1er novembre 2010, Cascades a emprunté 100 000$ en argent. La société a souscrit un effet à payer portant intérêt de 12% pour un an. Les intérêts sont payables le 30 avril 2011 et le 31 octobre 2011. Le capital doit être remboursé à la date d'échéance du billet, soit le 31 octobre 2011. Voici comment il faut comptabiliser cet effet.

ÉQUATION COMPTABLE

Actif		=	Passif		+	Capitaux propres
Caisse	+100 000		Effets à payer à court terme	+100 000		

ÉCRITURE DE JOURNAL

Caisse (+A).. 100 000
   Effet à payer à court terme (+Pa).. 100 000

Les intérêts sont une charge qui s'applique à l'exercice au cours duquel l'argent est utilisé. D'après le principe du rapprochement des produits et des charges, on enregistre la charge d'intérêts au moment où elle est engagée plutôt qu'à un moment où le montant en question est payé.

Comme l'entreprise a utilisé l'argent emprunté pendant 2 mois en 2010, elle comptabilise la charge d'intérêts (les intérêts débiteurs) pour 2 mois en 2010, même si elle ne débourse rien avant le 30 avril 2011. En 2011, elle utilise cet argent pendant 10 mois; par conséquent, elle devrait enregistrer la charge d'intérêts pour ces 10 mois en 2011.

Le calcul de la charge en 2010 se fait comme suit.

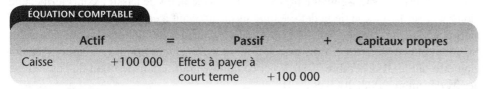

Intérêts	=	Capital	×	Taux d'intérêt	×	Durée
2 000$	=	100 000$	×	12%	×	2/12

Pour comptabiliser la charge d'intérêts, on modifie les comptes suivants le 31 décembre 2010:

ÉQUATION COMPTABLE

Actif	=	Passif		+	Capitaux propres	
		Intérêts à payer	+2 000		Charge d'intérêts	−2 000

---
3. *Loc. cit.*

OBJECTIF D'APPRENTISSAGE 4

Présenter les effets à payer et expliquer le concept de la valeur temporelle de l'argent.

La **valeur temporelle de l'argent** est une «notion exprimant la relation économique entre le temps et l'argent[3]».

Charge d'intérêts (+C, −CP)	2 000	
Intérêts à payer (+Pa)		2 000

Au 30 avril 2011, Cascades paierait 6 000 $ en intérêts, ce qui comprend les 2 000 $ en frais courus présentés en 2010, plus 4 000 $ d'intérêts courus pour les quatre premiers mois de 2011. On modifie les comptes suivants pour inscrire cette charge :

ÉQUATION COMPTABLE

Actif		=	Passif		+	Capitaux propres	
Caisse	−6 000		Intérêts à payer	−2 000		Charge d'intérêts	−4 000

ÉCRITURE DE JOURNAL

Charge d'intérêts (+C, −CP)	4 000	
Intérêts à payer (−Pa)	2 000	
Caisse (−A)		6 000

La partie à court terme de la dette à long terme

La distinction entre la dette à court terme et la dette à long terme est importante pour les dirigeants d'entreprises comme pour les analystes. En effet, la dette à court terme doit être remboursée au cours du prochain exercice. Une entreprise doit donc disposer de suffisamment de liquidités pour payer une dette qui vient à échéance à court terme. Si elle veut fournir des renseignements exacts sur ses éléments de passif à court terme, elle doit reclasser la portion de la dette à long terme arrivant à échéance à l'intérieur d'une période de un an dans la catégorie des dettes à court terme. Supposons que Cascades signe un effet à payer de 5 millions de dollars le 1er janvier 2008. Le remboursement doit être fait le 31 décembre 2011. Voici ce qui apparaîtra dans le bilan de l'entreprise les 31 décembre 2008, 2009 et 2010 :

31 décembre 2008 et 2009	
Passif à long terme	
Effet à payer	5 000 000 $
31 décembre 2010	
Passif à court terme	
Partie à court terme de la dette à long terme	5 000 000

Un exemple de ce type de présentation est illustré dans le tableau 9.1 (*voir la page 513*). Il faut noter qu'en 2005, Cascades a enregistré 8 millions de dollars à titre de partie à court terme de la dette à long terme qui sera remboursée en entier au cours de l'exercice suivant. Plutôt que de rembourser les montants, de nombreuses entreprises procèdent au refinancement de la dette à son échéance, comme en témoigne la situation présentée dans l'encart ci-après.

Le refinancement de la dette doit-il se faire à court terme ou à long terme ?

De nombreuses entreprises procèdent au refinancement de leur dette lorsque celle-ci vient à échéance. Au lieu de l'acquitter avec la trésorerie disponible, elles signent un nouveau contrat de prêt avec une nouvelle date d'échéance ou elles empruntent de l'argent à un autre créancier pour rembourser le premier. Le fait qu'une entreprise décide de refinancer une dette et qu'elle ait les moyens de le faire soulève une question de comptabilité intéressante. Une dette qui arrive à échéance à court terme et qui fera l'objet d'un refinancement devrait-elle être classée dans la catégorie des éléments de passif à court terme ou à long terme ?

Il ne faut pas oublier que les analystes s'intéressent aux éléments de passif à court terme d'une entreprise parce que ces éléments nécessitent des sorties de fonds dans l'exercice suivant. Lorsqu'il est clair qu'un élément de passif ne produira pas de sortie de fonds dans le prochain exercice, les principes comptables généralement reconnus exigent qu'on ne le classe pas dans la catégorie « à court terme ». La note suivante, tirée d'un rapport annuel de Domtar, illustre cette règle :

> **Extrait de la note 15 sur les dettes à long terme**
>
> Le 5 août 2005, la Société a émis 487 millions de dollars de billets portant intérêt à 7,125 % échéant en 2015 à un prix d'émission de 482 millions de dollars. La somme provenant de cette transaction a été utilisée pour racheter approximativement 176 millions de dollars de billets 8,75 % échéant en août 2006 et pour rembourser la majeure partie de la facilité de crédit renouvelable non garantie en suspens…

Coup d'œil sur

Domtar

RAPPORT ANNUEL

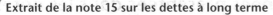

Les produits perçus d'avance

Dans la plupart des transactions d'affaires, on paie comptant après la livraison du produit ou la prestation du service. Dans certains cas, toutefois, on paie avant. Vous avez probablement déjà payé pour des revues que vous recevrez à différents moments dans le futur. L'éditeur recueille l'argent de votre abonnement avant de publier la revue. Lorsqu'une entreprise recouvre de l'argent pour un produit ou un service avant que celui-ci n'ait été réalisé, on parle de **produit perçu d'avance** (produit non réalisé, revenu reporté ou produit reçu d'avance) et cette somme est classée comme passif au bilan.

À titre d'exemple, les sociétés dans le domaine du transport aérien perçoivent souvent les produits de billets plusieurs mois avant le vol. Ces éléments constituent des produits perçus d'avance et figurent comme passif au bilan. Un montant de 82 millions de dollars a été comptabilisé par WestJet Airlines comme vente de billets à l'avance. Sa note sur les conventions comptables présentée ci-dessous, décrit cette pratique.

> **Constatation des produits**
>
> Les produits passages sont constatés lorsque le transport aérien est fourni. La valeur des billets vendus mais inutilisés est prise en compte au bilan consolidé à titre de ventes de billets à l'avance dans le passif à court terme.

Les **produits perçus d'avance** (ou les revenus différés ou reportés) sont les produits qui ont été encaissés mais non réalisés. Ils constituent des éléments de passif jusqu'à ce que les marchandises ou les services soient fournis.

Coup d'œil sur

WestJet Airlines Ltd

RAPPORT ANNUEL

D'après le principe de la constatation des produits, on ne peut comptabiliser un produit tant qu'il n'a pas été réalisé. On enregistre les produits perçus d'avance à titre d'éléments du passif parce que l'argent a été encaissé, mais sans que la machinerie correspondante ait été livrée ou que le service ait été rendu à la fin de l'exercice. Il existe alors une obligation de fournir, dans un avenir plus ou moins rapproché, les services ou les marchandises en cause. Ces obligations sont classées à court ou à long terme, selon le moment où elles doivent être satisfaites.

Les dettes provisionnées présentées au bilan

Certains passifs sont comptabilisés à partir d'estimations, car le montant exact ne pourra être déterminé avant une date future. Par exemple, un grand nombre d'entreprises offrent des garanties sur les produits qu'elles vendent, et il faut estimer le montant du passif à enregistrer. Le coût de l'exécution des travaux de réparation doit alors être estimé et comptabilisé comme un élément de passif (et une charge) dans l'exercice au cours duquel la vente du produit a eu lieu.

Les producteurs d'automobiles offrent des garanties sur les voitures que vendent les concessionnaires. Au moment de la vente des véhicules, ces sociétés (par exemple Ford, Toyota ou Honda) inscrivent une estimation du passif issu des garanties. L'estimation est basée sur l'expérience passée. Ce passif peut être présenté au bilan comme rubrique distincte en fonction de l'importance relative. Souvent, ce passif est regroupé avec les autres frais courus. On peut également trouver l'information distincte dans les notes aux états financiers. Dans le cas de plusieurs entreprises, on n'enregistre pas d'élément de passif pour ce type d'obligation, car il s'agit de montants négligeables.

Les dettes provisionnées présentées dans les notes

OBJECTIF D'APPRENTISSAGE 5

Présenter les éléments de passifs éventuels.

Le **passif éventuel** est une obligation potentielle résultant d'événements passés et dont l'existence ne sera confirmée que par la survenance ou la non-survenance d'un ou plusieurs événements futurs incertains qui échappent en partie au contrôle de l'entité[4].

Chacun des éléments de passif du bilan que nous avons analysés jusqu'ici comportait un montant déterminé avec certitude, car la cession future d'un avantage économique était probable. Il existe aussi des situations ou des conditions (indéterminables ou improbables) qui présentent de l'incertitude quant à l'utilisation d'une ressource économique future. Ces situations créent des **passifs éventuels**. Ces passifs sont des éléments de passif qui sont possibles à cause d'un événement passé. La transformation d'un élément de passif éventuel en élément de passif enregistré dépend d'un ou de plusieurs événements à venir. Une situation qui produit un élément de passif éventuel donne également lieu à une perte éventuelle.

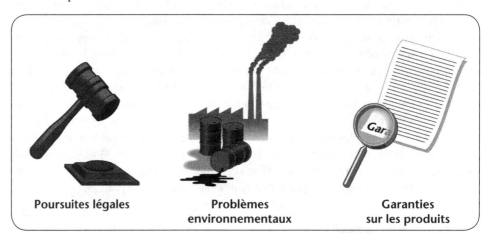

Poursuites légales — Problèmes environnementaux — Garanties sur les produits

Le fait qu'une situation entraîne un élément de passif enregistré ou un élément de passif éventuel dépend des deux facteurs suivants : 1) la probabilité de la cession à venir et 2) la capacité de la direction à estimer le montant de cet élément. Le tableau qui suit montre les différentes possibilités.

	Probable	Indéterminable	Improbable
Sujet à une estimation raisonnable	Enregistrement dans le passif	Présentation dans une note	Présentation non requise
Non sujet à une estimation raisonnable	Présentation dans une note	Présentation dans une note	Présentation non requise

4. *Loc. cit.*

Les probabilités liées à un événement se définissent comme suit.

1. Probable – la probabilité que l'événement ou les événements prévus se produisent dans l'avenir est élevée.
2. Indéterminable – la probabilité que l'événement ou les événements prévus se produisent ne peut être déterminée.
3. Improbable – la probabilité que l'événement ou les événements prévus se produisent est faible.

Lorsqu'une entreprise doit enregistrer des éléments de passif éventuel (probabilité élevée), elle doit déterminer si le montant peut être estimé de façon raisonnable. Les directives générales en matière de comptabilité sont les suivantes : 1) un élément de passif qui est probable et qui peut être estimé de façon raisonnable doit être enregistré et présenté au bilan ; 2) un élément de passif qui ne peut être déterminé doit être mentionné dans une note afférente aux états financiers ; 3) il n'est pas nécessaire de présenter de l'information sur les éléments de passif dont l'éventualité est improbable.

Parmi les notes afférentes au rapport annuel de Cascades, on trouve celle-ci.

> **Note 19**
> **c) engagements et éventualités**
>
> Dans le cours normal des activités, la Compagnie fait l'objet de diverses poursuites et d'éventualités reliées surtout à des différends contractuels, à des réclamations au titre d'environnement et de la garantie de produits ainsi qu'à des problèmes de main-d'œuvre. Bien qu'il soit impossible de prédire avec certitude l'issue des poursuites non réglées ou en suspens au 31 décembre 2005, la direction est d'avis que leur règlement n'aura pas d'effets importants sur sa situation financière consolidée, ses résultats ou ses flux de trésorerie.

L'entreprise n'avait pas à enregistrer un élément de passif dans son bilan, car le risque de subir une perte sur ces poursuites était indéterminable et le risque de perte importante, improbable. Voici comment Harley-Davidson a présenté une éventualité dans ses états financiers, il y a quelques années.

> **Note 7**
> **Engagements et éventualités**
>
> Le jury d'un tribunal de l'État de la Californie a reconnu que l'entreprise est tenue de verser des dommages-intérêts compensatoires et exemplaires de 7,2 millions de dollars, incluant les intérêts, dans une poursuite intentée par un fournisseur de systèmes d'échappement de marché secondaire. L'entreprise en a immédiatement appelé de ce jugement.

Dans ce cas, l'existence d'un élément de passif constituait un événement probable par suite du jugement défavorable prononcé. En conséquence, d'après les principes de comptabilité généralement reconnus au Canada, si la société Harley-Davidson avait pu estimer le montant du passif, elle aurait été tenue de l'inscrire au bilan. Les règles en matière de divulgation sont différentes aux États-Unis. L'existence d'une autre catégorie, appelée une « possibilité raisonnable », requiert la présentation par voie de note seulement, ce que l'entreprise a fait. L'entreprise a finalement conclu un arrangement à l'amiable de 5 millions de dollars. À ce stade, la perte a été enregistrée, car elle devenait probable ainsi que l'élément de passif qui y était lié.

L'étude des états financiers de 200 entreprises effectuée par Financial Reporting in Canada indique que les poursuites sont le type d'éléments de passif éventuel le plus couramment observé[5].

Une entreprise peut devoir remplir un autre type d'obligation relative à l'incidence possible de ses activités sur l'environnement. Certaines entreprises contractent d'importantes obligations de ce type. Prenons l'exemple de Domtar, société qui évolue dans le domaine

Éléments de passif éventuel (échantillon de 200 entreprises)

Poursuites

Environnement

Garantie de dette et autres

Impôts

Autres

25 50 75 100 150

---

5. Clarence BYRD, Ida CHEN et Joshua SMITH (2005), *Financial Reporting in Canada*, 30e éd., Toronto, ICCA, p. 343.

des pâtes et papiers. Elle doit restaurer les sols de certains sites exploités surtout en ce qui concerne la préservation du bois. Le processus d'extraction des ressources naturelles du sol employé par cette entreprise a des effets considérables sur l'environnement. Les exigences réglementaires l'obligent donc à reconstituer le sol lorsqu'elle a fini d'en extraire les ressources. Dans son bilan, Domtar enregistre un élément de passif de 47 millions de dollars pour la remise en état des lieux, comme l'indique la note suivante.

Note 17 : Engagement et éventualités
Environnement

Domtar est assujettie à des lois et à des règlements environnementaux promulgués par les autorités fédérales et provinciales, de même que par des États et des juridictions locales...

Au 31 décembre 2005, Domtar avait une provision de 63 millions de dollars (2004 − 57 millions de dollars) relativement aux questions environnementales et aux autres obligations liées à la mise hors service d'immobilisations. Des frais additionnels, encore inconnus ou indéterminables, pourraient être engagés au chapitre de la restauration des lieux. Compte tenu des politiques et des procédures existantes en matière de surveillance des risques environnementaux, la direction estime que les frais additionnels de restauration des lieux, le cas échéant, n'auront pas de répercussions défavorables importantes sur la situation financière, les résultats et les flux de trésorerie de Domtar.

Les éléments de passif relatifs à des obligations de services dans l'avenir sont souvent fondés sur des estimations difficiles à établir avec précision. Le coût de la protection de l'environnement dans les années qui viennent dépend d'un certain nombre de facteurs dont, entre autres, les progrès techniques et les normes gouvernementales. En Amérique du Nord, de nombreuses entreprises ont été acculées à la faillite pour avoir sous-estimé le coût de l'application des lois concernant l'environnement. Les dirigeants et les analystes doivent donc être très prudents dans leur évaluation des coûts potentiels liés aux activités ayant un effet sur l'environnement.

La gestion du fonds de roulement

Le **fonds de roulement net** est défini comme étant la différence, en dollars, entre l'actif à court terme et le passif à court terme. La gestion du fonds de roulement est une activité importante qui peut avoir un effet considérable sur la rentabilité et les flux de trésorerie d'une entreprise. Si le fonds de roulement net est insuffisant, l'entreprise risque de ne pouvoir satisfaire à ses obligations envers ses créanciers. De plus, des retards dans le recouvrement des comptes clients immobilisent la caisse et réduisent la rentabilité. D'un autre côté, un fonds de roulement net trop élevé démontre une inefficacité dans la gestion des actifs à court terme et entraîne des coûts additionnels. Un surplus de stocks, par exemple, retient des fonds qui pourraient être investis ailleurs d'une façon plus rentable et entraîne des coûts additionnels associés à l'entreposage et à la désuétude. Les entreprises prospères gèrent avec vigilance les comptes du fonds de roulement, et les analystes financiers les surveillent tout aussi étroitement. En effet, ces comptes ont une incidence directe sur les flux de trésorerie liés aux activités d'exploitation présentés à l'état des flux de trésorerie.

INCIDENCE SUR LES FLUX DE TRÉSORERIE

Plusieurs comptes du fonds de roulement net ont une relation directe avec les activités qui génèrent des bénéfices. Les comptes clients, par exemple, sont liés aux ventes : une augmentation dans les comptes clients (ou débiteurs) correspond à des ventes effectuées à crédit et donc sans mouvement de caisse. Le recouvrement des sommes a lieu chaque fois qu'un client règle sa facture. De même, une augmentation dans les comptes fournisseurs (ou créditeurs) correspond à une charge engagée sans qu'il y ait paiement au comptant. Le décaissement a lieu lors du règlement du compte. Les modifications aux divers comptes du fonds de roulement doivent être considérées lorsqu'on effectue le calcul des flux de trésorerie liés aux activités d'exploitation selon la méthode indirecte.

L'effet sur l'état des flux de trésorerie

EN GÉNÉRAL ◊ Les variations des comptes du fonds de roulement sont présentées à l'état des flux de trésorerie (méthode indirecte), comme le montre le tableau suivant:

	Effet sur l'état des flux de trésorerie
Activités d'exploitation (méthode indirecte)	
Bénéfice net	XXX $
Ajusté aux diminutions des actifs à court terme* ou aux augmentations des passifs à court terme	+
Ajusté aux augmentations des actifs à court terme* ou aux diminutions des passifs à court terme	−

* Autres que les éléments de trésorerie.

CASCADES ◊ Vous trouverez ci-dessous une partie de l'état des flux de trésorerie de Cascades, qui a été établi au moyen de la méthode indirecte. On remarque une diminution des flux de trésorerie liés à l'exploitation au cours de la dernière année, à cause de l'enregistrement d'une perte à l'état des résultats. Cascades devra accorder une attention particulière aux flux de trésorerie générés par l'exploitation au cours du prochain exercice.

État consolidé des flux de trésorerie (partiel)
pour les exercices terminés le 31 décembre
(en millions de dollars)

	2005	2004	2003
Activités d'exploitation			
Bénéfice net (perte nette) des activités maintenues	(87) $	20 $	51 $
Ajustement pour			
Amortissement	174	159	143
Gains inhabituels	(10)	(4)	–
Perte de valeur sur immobilisations corporelles	67	18	–
Frais de fermeture et de restructuration	16	–	–
Impôts futurs	(55)	(20)	(1)
Part des résultats des compagnies satellites	(7)	(2)	3
Autres*	(4)	(13)	(38)
	94	158	158
Variation des éléments hors caisse du fonds de roulement (note 17a)	(10)	(2)	(32)
Variation de la trésorerie provenant des activités d'exploitation	84 $	156 $	126 $

* Certains comptes ont été regroupés ici pour alléger la présentation.

Note 17a : Variation des éléments hors caisse du fonds de roulement (en millions de dollars):

	2005	2004	2003
Comptes débiteurs	(47) $	(16) $	6 $
Stocks	(23)	(24)	5
Comptes fournisseurs et charges à payer	60	38	(43)
	(10) $	(2) $	(32) $

TEST D'AUTOÉVALUATION

Supposez que le ratio du fonds de roulement de Cascades est de 2,0. Pour chacun des événements suivants, indiquez si ce ratio et le montant du fonds de roulement net augmentent ou diminuent.

1. Cascades contracte un passif à court terme de 250 000 $ sans qu'il y ait de changement dans les actifs à court terme.
2. L'entreprise emprunte 1 million de dollars à titre de dette à long terme.
3. L'entreprise paie 750 000 $ des impôts à payer.
4. L'entreprise finance un nouveau bâtiment grâce à une dette à long terme du contracteur.

Vérifiez vos réponses à l'aide des solutions présentées en bas de page*.

Les passifs à long terme

OBJECTIF D'APPRENTISSAGE 7

Présenter les passifs à long terme.

Les éléments de **passif à long terme** (ou la **dette à long terme** ou l'**obligation à long terme**) regroupent toutes les obligations d'une entité qui ne sont pas classées dans la catégorie des éléments de passif à court terme.

Les passifs à long terme comprennent toutes les dettes qui ne sont pas classées dans le passif à court terme telles que les effets à payer et les émissions d'obligations. En principe, une dette à long terme nécessite le remboursement sur plusieurs années à venir. Ces dettes peuvent résulter d'un emprunt de fonds ou d'autres activités.

La plupart des entreprises utilisent des éléments de **passif** (ou **dette**, ou **obligation**) **à long terme** pour produire les fonds nécessaires à l'achat d'actifs d'exploitation. En vue de diminuer le risque que courent les créanciers disposés à prêter de l'argent pour une longue période (ce qui, par le fait même, réduit le taux d'intérêt à payer), certaines entreprises acceptent par contrat que des actifs particuliers servent de garantie. Si l'emprunteur n'acquitte pas sa dette, le créancier peut alors prendre possession de ces actifs. Une dette fondée sur ce type de contrat (habituellement une hypothèque) porte le nom de « **dette garantie** » ou « **dette avec recours** ». Dans le cas de la dette non garantie (ou dette sans recours), le créancier compte principalement sur l'honnêteté de l'emprunteur et sur sa capacité en général de rapporter des bénéfices.

Dans le bilan, on enregistre les éléments de passif à long terme immédiatement après les éléments de passif à court terme. Examinez le bilan de Cascades présenté en exemple dans le tableau 9.1 (*voir la page 513*). Les comptes Dette à long terme et Autres passifs sont tous des éléments de passif à long terme, même si aucun sous-titre distinct ne les catégorise comme tels, car ils sont présentés sous le total des passifs à court terme.

Les effets à payer à long terme et les obligations

Les entreprises peuvent obtenir des fonds sous forme de dettes à long terme en s'adressant directement à des établissements qui offrent des services financiers tels que les banques, les compagnies d'assurances et les fiducies. Une dette contractée de cette façon porte souvent le nom d'« effet à payer », car il s'agit d'une promesse écrite de rembourser un montant donné à une ou à plusieurs dates à venir, dites « dates d'échéance ».

Dans bien des cas, les besoins d'une entreprise en capitaux d'emprunt dépassent la capacité financière d'un seul créancier. L'entreprise peut alors émettre des titres d'emprunt publics négociables appelés des « **obligations** ». Il est possible de négocier ces obligations sur des marchés établis, ce qui procure des liquidités aux créanciers

---

*	**Ratio du fonds de roulement**	**Montant du fonds de roulement (net)**
1.	Diminution	Diminution
2.	Augmentation	Augmentation
3.	Augmentation	Aucun changement
4.	Aucun changement	Aucun changement

obligataires (c'est-à-dire que les créanciers ont la capacité de vendre l'obligation et de recevoir rapidement de l'argent). Ces créanciers peuvent aussi vendre leurs obligations à d'autres investisseurs avant la date d'échéance s'ils ont un urgent besoin de liquidités. Nous discutons des obligations plus loin dans ce chapitre.

Les dettes à long terme sont comptabilisées selon les mêmes principes que dans le cas des effets à payer à court terme. Un passif est inscrit quand la dette est contractée, et la charge d'intérêts est inscrite avec le passage du temps. Cependant, rappelons qu'un passif financier à court terme est très près de sa valeur du marché, ce qui n'est pas le cas d'un passif à long terme. Dans ce cas, la valeur du marché représente la valeur actualisée des paiements futurs de capital et d'intérêts.

Au cours des dernières années, les entreprises ont étendu leurs activités à l'échelle planétaire. Les plus prospères commercialisent leurs produits dans de nombreux pays et installent des unités de production un peu partout dans le monde en se basant sur des considérations de coût et de productivité. Le financement des entreprises a également pris une envergure internationale, même lorsque les activités de ces entreprises ne dépassent pas les frontières nationales.

PERSPECTIVE INTERNATIONALE

Les emprunts en devises étrangères

De nombreuses sociétés qui poursuivent leurs activités dans d'autres pays choisissent de les financer à l'aide de capitaux étrangers pour réduire le risque de change. À cause de différents facteurs économiques, la valeur relative de la devise de chaque pays varie presque de manière quotidienne, ce qui entraîne un risque de change. Au moment de la rédaction de ce manuel, le dollar américain valait environ 1,15 $ CAN alors qu'une année plus tôt, il valait environ 1,30 $ CAN. Dans ces conditions, une entreprise canadienne qui a une dette en dollars des États-Unis enregistrerait un gain dû à la diminution de la valeur du dollar des États-Unis.

Une société canadienne qui fait des affaires aux États-Unis pourrait décider d'emprunter des dollars des États-Unis pour financer ses activités dans ce pays. Comme elle obtient un bénéfice net en dollars des États-Unis, elle s'en servirait pour rembourser sa dette qui est également en dollars des États-Unis. Si elle réalisait un bénéfice net en dollars des États-Unis, mais qu'elle remboursait sa dette en dollars canadiens, elle s'exposerait au risque de change parce que la valeur relative du dollar canadien par rapport au dollar des États-Unis fluctue.

Plusieurs sociétés étrangères installées en Amérique du Nord ont le même problème. Voici une note tirée d'un rapport annuel de l'entreprise japonaise Toyota.

> Le bénéfice net a diminué au cours de l'exercice qui se termine, l'appréciation du yen ayant empiré l'effet négatif d'une demande faible… La variation des taux de change a réduit le bénéfice d'exploitation de l'entreprise. Les pertes dues au taux de change ont ainsi presque annulé les économies réalisées sur les coûts.

Coup d'œil sur
Toyota

RAPPORT ANNUEL

Toyota a emprunté un important montant d'argent aux États-Unis pour réduire le risque de change auquel elle doit faire face. L'entreprise possède et exploite également un grand nombre d'usines dans ce pays.

Même si une entreprise n'a pas d'activités à l'échelle internationale, elle peut décider d'emprunter sur des marchés étrangers. Par exemple, dans les pays aux prises avec une récession, les taux d'intérêt sont souvent très bas. Un tel contexte permet aux entreprises d'emprunter de l'argent à un moindre coût.

Les comptables doivent convertir (ou traduire) la dette étrangère en dollars canadiens à des fins de présentation des états financiers. Les taux de conversion des principales devises sont publiés dans la plupart des journaux et dans Internet. Pour illustrer la conversion des devises, supposons que Cascades a emprunté 1 million d'euros (€). Dans le rapport annuel de l'entreprise, le comptable doit se servir du taux de conversion en date de l'établissement du bilan qu'on suppose être de 1,00 € pour 1,40 $ CAN. L'équivalent de la dette en dollars est donc de 1 400 000 $ (1 000 000 € × 1,40 = 1 400 000 $). Évidemment, l'équivalent en dollars de la dette en euros peut varier si le taux de change varie, même si aucun emprunt supplémentaire ni remboursement n'est effectué.

Les notes afférentes au bilan de Cascades indiquent que l'entreprise a emprunté principalement au Canada et aux États-Unis (et un peu en Europe). Par contre, voici l'extrait d'une note provenant d'un rapport annuel de Bombardier (en millions de dollars). Bombardier est une entreprise canadienne d'envergure internationale dont plus de 95 % de ses ventes et plus de 36 % de ses actifs immobilisés se trouvent à l'extérieur du Canada. L'entreprise emprunte beaucoup sur les marchés internationaux pour minimiser le risque associé aux variations dans les taux de change. Ce comportement est typique de la plupart des grandes sociétés.

10. DETTE À LONG TERME

La dette à long terme était comme suit au 31 janvier :

	Montant en monnaie d'origine 2006/2005	Monnaie	Fixe/ variable[2]	Taux d'intérêt[2] 2006/2005	Échéance	Paiement d'intérêt[3]	2006 Montant	2005 Montant
BOMBARDIER[1]								
Débentures	−/150	USD	Fixe	−%/6,58 %	Janv. 2006	S	− $	150 $
	175	GBP	Fixe	6,25 %	Févr. 2006	A	311	330
	150	CAD	Fixe	6,40 %	Déc. 2006	S	131	121
	500	EUR	Fixe	5,75 %	Févr. 2008	A	608	653
	150	CAD	Fixe	7,35 %	Déc. 2026	S	131	121
Billets	29/34	CAD	Fixe	7,00 %	2007-2012	A	26	27
	550	USD	Fixe	6,75 %	Mai 2012	S	550	550
	500	USD	Fixe	6,30 %	Mai 2014	S	500	500
	250	USD	Fixe	7,45 %	Mai 2034	S	250	250
Autres[4]	59/94	USD	Fixe/var.	4,92 %/5,54 %	2007-2027	Divers	59	94
	76/86[5]	Diverses	Fixe/var.	4,82 %/4,63 %	2007-2018	Divers	76	86
EDDV	80/246	USD	Fixe	5,98 %/8,59 %	2007-2014	Divers	80	246
							2 722 $	3 128 $
BC[1]								
Billets à moyen terme	−/300	USD	Variable	−%/5,44 %	Mai 2005	M	− $	300 $
	−/200	USD	Fixe	−%/7,50 %	Oct. 2005	S	−	200
	450	USD	Fixe	6,13 %	Juin 2006	S	450	450
	200	CAD	Fixe	6,35 %	Juillet 2006	S	175	162
	220	USD	Fixe	7,09 %	Mars 2007	S	220	220
Billets	500	EUR	Fixe	6,13 %	Mai 2007	A	608	653
	300	GBP	Fixe	6,75 %	Mai 2009	A	534	565
Autres	38/38[5]	Diverses	Fixe/var.	10,33 %/7,23 %	2007-2017	M	38	38
							2 025	2 588
							4 747 $	5 716 $

1. La dette à long terme liée aux deux secteurs manufacturiers de la Société (Aéronautique et Transport) est présentée sous le titre « Bombardier » alors que celle qui était liée à l'ancien secteur BC est présentée sous le titre « BC ».
2. Les taux d'intérêt ne tiennent pas compte de l'incidence des instruments financiers dérivés de couverture correspondants (voir la note 20 – Instruments financiers) et, pour la dette à taux variable, correspondent au taux moyen de l'exercice.
3. Mensuel (M), semestriel (S) et annuel (A).
4. Comprend 68 millions $ liés aux obligations en vertu des contrats de location-acquisition au 31 janvier 2006 (94 millions $ au 31 janvier 2005).
5. Les montants sont exprimés en dollars américains.

La dette découlant de contrats de location

Souvent, les entreprises louent des actifs plutôt que de les acheter. Par exemple, durant une période occupée, la location de camions de livraison supplémentaires est plus rentable que d'en avoir la propriété s'ils ne sont pas utilisés le reste de l'année. Lorsque la société loue un actif sur une base à court terme, il s'agit d'un contrat de **location-exploitation.** Aucun passif n'est inscrit lors de la création d'un tel contrat. La société inscrit une charge de location au fur et à mesure qu'elle utilise l'actif. Posons l'hypothèse qu'en date du 31 décembre 2009, Cascades signe un contrat de location-exploitation relativement à la location de cinq gros camions pour le mois d'août 2010. Aucun passif n'est inscrit en 2009. Une charge de location est inscrite en août 2010 lorsque les camions sont utilisés.

Pour diverses raisons, une société peut préférer la location d'actifs à *long terme* plutôt que leur achat. Les transactions doivent être enregistrées en fonction de leur substance et non de leur forme. Un grand nombre d'entreprises passent des contrats de location à long terme qui leur permettent d'utiliser un actif pendant toute la durée de sa vie utile. Il s'agit d'un contrat de **location-acquisition.** En réalité, ce type de contrats correspond à l'achat et au financement d'un bien même s'il s'agit, du point de vue juridique, d'une location. À l'opposé des contrats de location-exploitation, les contrats de location-acquisition sont comptabilisés comme s'il s'agissait de l'achat d'un bien à crédit (c'est-à-dire qu'on enregistre un actif et, du même coup, un passif). À cause de cette grande différence du traitement comptable, les PCGR donnent quatre règles pour distinguer les contrats de location-acquisition et les contrats de location-exploitation. Si l'un des critères est respecté, il s'agit d'un contrat de location-acquisition :

- Le bail couvre au moins 75 % de la durée de vie d'un actif.
- La propriété du bien est transférée au locataire à la fin du bail.
- Le contrat de location permet au locataire d'acheter le bien à un prix au-dessous de sa valeur du marché.
- La valeur actuelle des paiements contractuels représente 90 % ou plus de la valeur du marché de l'actif, au moment de la signature du bail.

Si on donnait le choix aux gestionnaires, la plupart préféreraient comptabiliser un contrat de location comme une location-exploitation. De cette façon, les passifs au bilan seraient minimisés. Plusieurs analystes financiers s'inquiètent que des sociétés peuvent éviter d'inscrire une dette associée à la location d'actif à long terme en structurant le bail de façon à ne pas respecter l'un des critères exigeant la comptabilisation comme un contrat de location-acquisition.

La valeur enregistrée d'un contrat de location-acquisition correspond à la valeur actuelle en espèces des paiements du bail. Dans la prochaine section sur les concepts de valeur actualisée, nous verrons comment calculer ce montant.

Les concepts de valeur actualisée

Notre discussion sur les contrats de location-acquisition a soulevé une question intéressante concernant les passifs. Le montant inscrit comme passif correspond-il au montant actuel en dollars qu'il faudra débourser dans le futur ? Par exemple, si je suis d'accord pour vous verser 10 000 $ dans cinq ans, dois-je inscrire une dette de 10 000 $ dans mon bilan personnel ? Pour répondre à cette question, on se sert de notions de mathématiques relativement simples : le **concept de valeur actualisée.** Ce concept occupera une place importante dans l'examen des emprunts obligataires un peu plus loin.

Le concept de **valeur actualisée** (ou **valeur présente**) met l'accent sur la valeur temporelle de l'argent. En d'autres mots, l'argent qu'on a en main aujourd'hui vaut plus que l'argent qu'on recevra dans un an (ou à tout autre moment dans l'avenir), car il peut servir à réaliser des intérêts. Si vous investissez 1 000 $ aujourd'hui à 10 %, vous aurez 1 100 $ dans un an. Par contre, si vous recevez ce montant de 1 000 $ seulement dans un an, jour pour jour, vous aurez raté l'occasion de réaliser 100 $ d'intérêts au cours de cette année. La différence entre 1 000 $ et 1 100 $ correspond aux intérêts que vous pouvez réaliser pendant l'année.

Un contrat de **location-exploitation** ne respecte pas les quatre critères établis par les PCGR et ne nécessite pas l'enregistrement d'un actif et d'un passif.

Un contrat de **location-acquisition** respecte au moins un des quatre critères établis par les PCGR et, par conséquent, il faut inscrire un actif et un passif.

OBJECTIF D'APPRENTISSAGE 8

Calculer la valeur actualisée.

La **valeur actualisée** (ou **valeur présente**) est la valeur actuelle d'un montant qu'on recevra dans le futur ; ce montant futur est actualisé en tenant compte des intérêts composés.

Vous avez probablement déjà résolu des problèmes où il était question de la valeur temporelle de l'argent. Par exemple, on vous disait qu'une somme avait été déposée dans votre compte d'épargne, à un taux d'intérêt précis. On vous demandait combien d'argent votre compte rapporterait après un certain nombre d'années. Maintenant, on vous demande plutôt de résoudre des problèmes qui présentent la situation inverse. Dans les problèmes de valeur actualisée, vous connaissez la somme d'argent que vous recevrez dans le futur (tel le solde d'un compte d'épargne après une période de cinq ans). On vous demande de déterminer la valeur actuelle du montant (qu'il faut déposer dans le compte d'épargne aujourd'hui pour avoir ce montant futur).

La valeur de l'argent varie avec le passage du temps parce qu'il peut rapporter des intérêts. Un problème de valeur actualisée (ou valeur présente) décrit une situation d'affaires où l'on connaît le montant (en dollars) d'un flux de trésorerie qui aura lieu dans l'avenir. On a besoin de déterminer sa valeur actuellement. Au contraire, lorsque l'on connaît le montant (en dollars) d'un flux de trésorerie qui se produit aujourd'hui et qu'on doit déterminer sa valeur à un moment donné dans l'avenir, il s'agit d'un problème de **valeur capitalisée** (ou valeur future). Les problèmes de valeur capitalisée sont discutés en annexe à la fin de ce chapitre.

La valeur actualisée d'un versement unique

La valeur actualisée d'un montant unique correspond à la valeur qu'on accorde aujourd'hui au fait de pouvoir encaisser ce montant à une date ultérieure. Supposons que vous avez l'occasion d'investir dans un instrument d'emprunt qui vous rapporterait 10 000 $ en 10 ans. Vous voudriez alors déterminer la valeur actuelle de l'instrument avant de prendre la décision d'investir ou non.

D'une façon imagée, la valeur actualisée de 1 $ qui est dû à la fin de la troisième période avec un taux d'intérêt de 10 % peut se présenter comme suit.

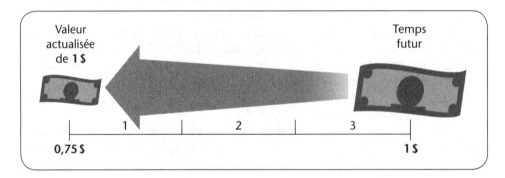

Pour calculer la valeur d'aujourd'hui d'un montant à encaisser dans l'avenir, on soustrait les intérêts gagnés dans le temps du montant à encaisser dans l'avenir. Supposons que vous déposez 100 $ dans un compte d'épargne. À un taux d'intérêt de 5 % par année, vous aurez 105 $ à la fin de la première année. Dans un problème de valeur actualisée, on vous dira que vous aurez 105 $ à la fin de la première année et que vous devez calculer le montant à déposer au début de l'année. Pour résoudre ce type de problème, on doit faire subir au montant une actualisation à un taux d'intérêt i pour n périodes. La formule mathématique pour calculer la valeur actualisée d'un versement unique est :

$$\text{Valeur actualisée} = \frac{1}{(1 + i)^n} \times \text{Montant}$$

La formule n'est pas difficile à utiliser, mais la plupart des analystes financiers utilisent des tables de valeur actualisée, des calculatrices ou un tableur comme Excel pour faire les calculs. On vous montrera comment utiliser les tables de valeur actualisée (une explication de l'utilisation d'Excel pour calculer les valeurs actualisées est présentée en annexe à la fin de ce chapitre). Supposons qu'aujourd'hui, le 1er janvier 2010, on vous donne l'occasion d'encaisser 1 000 $ comptant le 31 décembre 2012 (c'est-à-dire dans trois ans). À un taux d'intérêt de 10 % par année, quelle est la valeur de ce montant le 1ᵉʳ janvier 2010 ? Vous pourriez procéder à un calcul d'actualisation, année par année[6]. Pour simplifier ces calculs, référez-vous à la table A.1 (*voir l'annexe A à la fin de ce manuel*) intitulée « Valeur actualisée de 1 $ ». Pour $i = 10\%$ et $n = 3$, la valeur actualisée de 1 $ est de 0,7513. La valeur actualisée du montant de 1 000 $ que vous encaisserez à la fin des trois années peut se calculer comme suit.

$$1\ 000\$ \times 0,7513 = 751,30\$$$

De la table A.1
Intérêt = 10 %
n = 3

Pour calculer la valeur actualisée avec Excel, entrez :
= 1000/(1,1)^3

Vous apprendrez sans difficulté à calculer le montant d'une valeur actualisée, mais il est plus important encore de comprendre la signification de ce calcul. Le montant de 751,30 $ est ce que vous devriez verser aujourd'hui pour pouvoir encaisser 1 000 $ à la fin des trois années, si on suppose que le taux d'intérêt est de 10 %. Théoriquement, vous devriez être indifférent au fait d'avoir 751,30 $ aujourd'hui ou 1 000 $ dans trois ans. Si vous aviez 751,30 $ aujourd'hui, mais que vous préfériez avoir 1 000 $ dans trois ans, il vous suffirait de déposer ce montant dans un compte d'épargne vous rapportant 10 % d'intérêts annuels et d'attendre qu'il augmente jusqu'à 1 000 $ en trois ans. De même, si vous aviez en main un contrat qui vous promettait 1 000 $ dans trois ans, vous pourriez le vendre à un investisseur pour 751,30 $ comptant aujourd'hui parce que l'investisseur gagnerait la différence en intérêts.

TEST D'AUTOÉVALUATION

1. Dans un problème de valeur actualisée, si le taux d'intérêt augmente de 8 % à 10 %, la valeur actualisée augmentera-t-elle ou diminuera-t-elle ?
2. Quelle est la valeur actualisée d'un montant de 10 000 $ encaissable dans 10 ans jour pour jour si le taux annuel d'intérêt composé est de 5 % ?

Vérifiez vos réponses à l'aide des solutions présentées en bas de page*.

La valeur actualisée de versements périodiques

Au lieu d'un seul paiement, les entreprises doivent souvent effectuer de multiples paiements en espèces sur un certain nombre de périodes. Les **versements périodiques** ou les **annuités** comportent une série de paiements successifs et ils ont les caractéristiques suivantes :
1) des montants égaux (en dollars) versés à chaque période d'intérêt ;
2) des périodes d'intérêt de même longueur (une année, un semestre, un trimestre ou un mois) ;
3) un même taux d'intérêt pour chaque période d'intérêt.

Un ensemble de **versements périodiques** (ou **annuités**) consiste en une série d'encaissements ou de paiements périodiques de montants égaux à chaque période d'intérêt.

6.

Période	Intérêts annuels	Valeur actualisée*
1	1 000 $ − (1 000 $ × 1/1,10) = 90,91 $	1 000 $ − 90,91 $ = 909,09 $
2	909,09 − (909,09 × 1/1,10) = 82,65	909,09 − 82,65 = 826,44
3	826,44 − (826,44 × 1/1,10) = 75,14**	826,44 − 75,14 = 751,30

   * *Voir annexe A, table A.1.*
   ** Valeur arrondie.

---

* 1. La valeur actualisée sera moins élevée.
   2. 10 000 $ × 0,6139 = 6 139 $

On peut citer comme exemples les paiements mensuels sur une voiture ou une maison, les dépôts annuels dans un compte d'épargne et les prestations de retraite mensuelles provenant d'un fonds de pension.

La valeur actualisée des versements périodiques (ou annuités) correspond à la valeur aujourd'hui d'une série de montants égaux à recevoir (ou à payer) à chaque période, pour un nombre donné de périodes à venir. Afin de déterminer cette valeur, il faut procéder à l'actualisation de chacun des montants périodiques égaux. Un régime de retraite qui assure au retraité un revenu mensuel pendant une période de temps donnée constitue un bon exemple de ce type de problèmes.

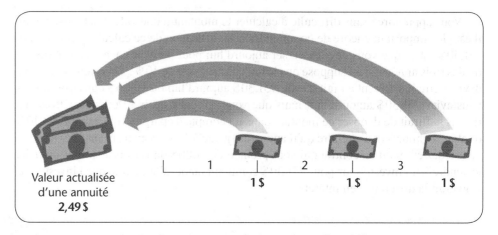

Valeur actualisée
d'une annuité
2,49 $

Pour illustrer ce propos, supposons que nous sommes le 1er janvier 2008 et que vous devez recevoir 1 000 $ comptant respectivement les 31 décembre 2008, 2009 et 2010. Quelle est la valeur au 1er janvier 2008 de la somme de ces trois versements de 1 000 $ à venir si le taux d'intérêt est de 10 % par an ? Il est possible de se servir de la table A.1 de l'annexe A pour calculer cette valeur actualisée comme suit.

Année	Montant		Valeur de la table A.1, annexe A, $i = 10\%$		Valeur actualisée
1	1 000 $	×	0,9091 ($n = 1$)	=	909,10 $
2	1 000	×	0,8264 ($n = 2$)	=	826,40
3	1 000	×	0,7513 ($n = 3$)	=	751,30
			Total de la valeur actualisée	=	2 486,80 $

On peut calculer la valeur actualisée de ces versements périodiques de façon plus simple encore en utilisant une des valeurs actualisées de la table A.2 (*voir l'annexe A à la fin de ce manuel*) comme suit.

$$1\ 000\ \$ \times 2,4869 = 2\ 487\ \$ \text{ (valeur arrondie)}$$

De la table A.2
Intérêt = 10 %
n = 3

Pour calculer la
valeur actualisée
avec Excel, entrez :
$f_x = $ VA(0,10;3;−1000)

Les taux d'intérêt et les périodes d'intérêt

Il faut noter que, dans les exemples précédents, on a utilisé des périodes annuelles pour la capitalisation des intérêts et l'actualisation. Même si les taux d'intérêt sont presque toujours indiqués sur une base annuelle, la plupart des périodes de capitalisation d'intérêts dont il est question dans les entreprises ont une durée de moins de un an (par exemple un semestre ou un trimestre). Lorsque les périodes d'intérêt sont plus courtes que un an, on doit traiter de nouveau les valeurs de n et de i conformément à leur durée.

Ainsi, pour un taux d'intérêt de 12 % composé annuellement pendant cinq ans, on utilise les valeurs $n = 5$ et $i = 12\%$. Si la capitalisation se fait par trimestre, la période d'intérêt correspond au quart de un an (c'est-à-dire qu'il y a quatre périodes ou trimestres par an), et le taux d'intérêt trimestriel équivaut au quart du taux d'intérêt annuel (c'est-à-dire à 3 % par trimestre). Par conséquent, dans le cas d'intérêts composés trimestriels de 12 % pendant cinq ans, on utilisera $n = 20$ et $i = 3\%$.

QUESTION D'ÉTHIQUE

La vérité dans la publicité

Un bon nombre de publicités qu'on trouve dans les journaux, les magazines et à la télévision peuvent facilement induire le consommateur en erreur s'il ne comprend pas le concept de la valeur actualisée. Examinons deux exemples.

La plupart des constructeurs d'automobiles offrent des rabais saisonniers accompagnés de programmes de financement incitant à l'achat. Ainsi, un concessionnaire peut annoncer un taux d'intérêt de 4 % sur les prêts pour l'achat d'une voiture lorsque les banques réclament 10 %. En réalité, le taux d'intérêt le plus bas n'est pas nécessairement le meilleur choix, car le concessionnaire peut avoir haussé le prix des voitures qu'il finance lui-même. Il est parfois préférable d'emprunter de l'argent à la banque et de payer le concessionnaire comptant de façon à pouvoir négocier un prix moins élevé. Les consommateurs devraient se servir des concepts de valeur actualisée décrits dans ce chapitre pour comparer des choix de financement.

Une autre publicité trompeuse, qui revient constamment, fait miroiter la chance de devenir millionnaire instantanément. On y précise, en caractères plus petits, que le gagnant recevra 25 000 $ pendant 40 ans, ce qui correspond effectivement à 1 million de dollars (40 × 25 000 $) mais, en réalité, la valeur actualisée de ces versements périodiques à 8 % atteint seulement 298 000 $. La plupart des gagnants sont heureux de recevoir cet argent, mais ils ne sont pas réellement millionnaires.

Certains défenseurs des droits des consommateurs critiquent les entreprises qui utilisent ce genre de publicité. Selon eux, les consommateurs ne devraient pas avoir à étudier les concepts de valeur actualisée pour comprendre les publicités qu'on leur présente. Il est probable que ces critiques sont justifiées. En fait, on constate que la qualité des renseignements contenus dans les publicités concernant les taux d'intérêt s'est améliorée au cours des dernières années.

Les applications comptables des valeurs actualisées

Un grand nombre de transactions d'affaires requièrent l'emploi des concepts de valeur actualisée (et de valeur capitalisée examinée en annexe). Nous vous présentons deux exemples pour que vous puissiez vérifier votre compréhension de ces concepts.

OBJECTIF D'APPRENTISSAGE 9

Appliquer les concepts relatifs à la valeur actualisée aux éléments de passif.

Cas A Le 1er janvier 2008, la société Cascades a acheté de nouveaux camions de livraison. L'entreprise a signé un effet à payer selon lequel elle s'engage à verser 200 000 $ pour ces camions le 31 décembre 2009. Le taux d'intérêt du marché sur cet effet est de 12 %. Le montant de 200 000 $ représente l'équivalent en espèces du prix des camions et des intérêts pour deux ans.

1. Comment le comptable devrait-il enregistrer cet achat ?

Réponse : Ce cas requiert l'application du concept de la valeur actualisée d'un versement unique. Conformément au principe du coût, le coût des camions correspond à leur prix actuel au comptant, c'est-à-dire à la valeur aujourd'hui de leur paiement dans l'avenir. On peut illustrer le problème de la façon suivante :

On calcule donc la valeur actualisée de 200 000 $ comme suit.

De la table A.1
Intérêt = 12%
n = 2

Pour calculer la
valeur actualisée
avec Excel, entrez:
=200000/(1,12)^2

$$200\ 000\$ \times 0,7972 = 159\ 440\$$$

Par conséquent, voici l'inscription de cette transaction.

ÉQUATION COMPTABLE

Actif	=	Passif	+	Capitaux propres
Camions de livraison +159 440		Effet à payer +159 440		

ÉCRITURE DE JOURNAL

Camions de livraison (+A)	159 440	
Effet à payer (+Pa)		159 440

2. Quels sont les effets de cette transaction à la fin de la deuxième année en ce qui concerne les charges d'intérêts?

Réponse: Chaque année, la charge d'intérêts due sur le montant est comptabilisée à l'aide d'une opération de régularisation comme suit.

ÉQUATION COMPTABLE   2008

Actif	=	Passif	+	Capitaux propres
		Effet à payer +19 132		Charge d'intérêts −19 132*

* 159 440 $ × 12% = 19 132 $

ÉCRITURE DE JOURNAL

Charge d'intérêts (+C, −CP)	19 132	
Effet à payer (+Pa)		19 132

ÉQUATION COMPTABLE   2009

Actif	=	Passif	+	Capitaux propres
		Effet à payer +21 428		Charge d'intérêts −21 428*

* (159 440 $ + 19 133 $) × 12% = 21 428 $

ÉCRITURE DE JOURNAL

Charge d'intérêts (+C, −CP)	21 428	
Effet à payer (+Pa)		21 428

3. Quels sont les incidences sur les éléments du bilan au 31 décembre 2009 à la suite du paiement de la dette?

Réponse: À cette date, le montant à payer correspond au solde de l'effet à payer qui est identique au montant dû à l'échéance (159 440 $ + 19 132 $ + 21 428 $ = 200 000 $). L'opération du paiement complet de la dette est inscrite comme suit.

ÉQUATION COMPTABLE

Actif	=	Passif	+	Capitaux propres
Caisse −200 000		Effet à payer −200 000		

ÉCRITURE DE JOURNAL

Effet à payer (−Pa)	200 000	
Caisse (−A)		200 000

Cas B Le 1er janvier 2008, Cascades a acheté du matériel d'impression neuf. L'entreprise a décidé de financer cet achat par un effet à payer qui sera acquitté en trois versements annuels égaux de 163 686 $. Chaque versement comprend une partie du capital et des intérêts de 11 % par an sur le solde non payé. Les versements annuels égaux sont payables respectivement les 31 décembre 2008, 2009 et 2010. Ce problème peut être présenté comme suit.

1er janvier 2008	31 décembre 2008	31 décembre 2009	31 décembre 2010
?	163 686 $	163 686 $	163 686 $

1. Quelle est la valeur de cet effet à payer au 1er janvier 2008 ?
Réponse : L'effet correspond à la valeur actualisée de chaque versement lorsque $i = 11 \%$ et $n = 3$. Il s'agit d'un ensemble de versements périodiques puisque le paiement se fait en trois versements égaux. On calcule le montant de l'effet comme suit.

$$163\ 686\ \$ \times 2,4437 = 400\ 000\ \$$$

On enregistre l'achat au 1er janvier 2008 comme suit.

De la table A.2
Intérêt = 11 %
n = 3

Pour calculer la valeur actualisée avec Excel, entrez :
f_x=VA(0,11;3;−163686)

ÉQUATION COMPTABLE

Actif	=	Passif	+	Capitaux propres
Matériel d'impression +400 000		Effet à payer +400 000		

ÉCRITURE DE JOURNAL

Matériel d'impression (+A)	400 000	
Effet à payer (+Pa)		400 000

2. À combien s'élève le montant total de la charge d'intérêts (en dollars) ?
Réponse :

$$163\ 686\ \$ \times 3 = 491\ 058\ \$ - 400\ 000\ \$ = 91\ 058\ \$$$

3. Enregistrez le paiement de cet effet à la fin de chaque exercice.
Réponse :

ÉQUATION COMPTABLE **31 décembre 2008**

Actif	=	Passif	+	Capitaux propres
Caisse −163 686		Effet à payer −119 686		Charge d'intérêts −44 000*

* 400 000 $ × 11 % = 44 000 $

ÉCRITURE DE JOURNAL

Effet à payer (−Pa)	119 686	
Charge d'intérêts (+C, −CP) (400 000 $ × 11 %)	44 000	
Caisse (−A)		163 686

ÉQUATION COMPTABLE **31 décembre 2009**

Actif	=	Passif	+	Capitaux propres
Caisse −163 686		Effet à payer −132 851		Charge d'intérêts −30 835*

* (400 000 $ − 119 686) × 11 % = 30 835 $

ÉCRITURE DE JOURNAL		
Effet à payer (−Pa)..	132 851	
Charge d'intérêts (+C, −CP)...	30 835	
Caisse (−A)...		163 686

ÉQUATION COMPTABLE **31 décembre 2010**

Actif	=	Passif	+	Capitaux propres
Caisse −163 686		Effet à payer −147 463		Charge d'intérêts −16 223*

* (400 000 \$ − 119 686 \$ − 132 851 \$) × 11 % = 16 223 \$
  (montant calculé en tenant compte des erreurs d'arrondissement)

ÉCRITURE DE JOURNAL		
Effet à payer (−Pa)..	147 463	
Charge d'intérêts (+C, −CP)...	16 223	
Caisse (−A)...		163 686

Les obligations

Parlons affaires

Au début de ce chapitre, nous avons employé l'expression « structure financière » afin de désigner une combinaison de capitaux d'emprunts et de capitaux propres pour financer les opérations d'une entreprise. Presque toutes les entreprises ont un certain pourcentage de capitaux empruntés dans leur structure financière. En fait, comme les grandes sociétés ont besoin d'emprunter des milliards de dollars, elles pourraient difficilement s'adresser à des créanciers individuels. Elles émettent plutôt des obligations qui leur permettent de réunir des capitaux d'emprunt.

Les obligations sont des titres que les sociétés et certaines entités gouvernementales (ou collectivités publiques) émettent lorsqu'elles veulent emprunter des montants d'argent importants. Après leur émission, les obligations peuvent être négociées sur le parquet de Bourses bien établies comme la Bourse de Toronto. La capacité de vendre une obligation sur le marché obligataire constitue un avantage important pour les créanciers parce qu'elle leur assure un certain niveau de liquidité, c'est-à-dire la possibilité de transformer leur investissement en argent. Si quelqu'un prêtait directement de l'argent à une société pour une période de 20 ans, il devrait attendre la fin de ce délai pour que son investissement lui soit remboursé. Par contre, lorsqu'il prête de l'argent en achetant une obligation, il peut, en cas de besoin, la revendre à un autre créancier avant qu'elle arrive à échéance.

La liquidité qu'offrent les obligations négociables en Bourse constitue également un avantage important pour les sociétés. La plupart des créanciers hésitent à prêter de l'argent pour de longues périodes de temps en sachant qu'ils ne recevront aucun montant en espèces avant la date d'échéance de la dette. Ils réclament donc un taux d'intérêt plus élevé en guise de compensation pour les prêts à long terme. La liquidité assurée par les obligations permet aux sociétés d'emprunter de l'argent pour de longues périodes de temps mais à un coût moindre.

Les caractéristiques des obligations

L'utilisation d'obligations pour mobiliser des capitaux à long terme offre aussi d'autres avantages précieux pour des entreprises comme Cascades.

1. **La propriété et le contrôle de l'entreprise restent entre les mains des actionnaires actuels.** Contrairement aux actionnaires, les créanciers obligataires (ou les détenteurs d'obligations) ne participent pas à la gestion de l'entreprise (ils n'ont pas de droit de vote) et ne reçoivent pas de quote-part des bénéfices cumulés.

2. **Les charges d'intérêts constituent une dépense déductible d'impôts,** contrairement aux dividendes versés aux actionnaires. La déductibilité des charges d'intérêts permet de réduire le coût net d'un emprunt.

3. **L'incidence sur les résultats est positive** lorsqu'il est possible d'emprunter des capitaux à un faible taux d'intérêt et de les investir à un taux plus élevé. Il s'agit d'un levier financier positif. Pour illustrer cet effet, prenons comme exemple la société Vidéo Maison inc., qui possède un magasin de location de vidéos. On suppose que le solde des capitaux propres de cette entreprise se chiffre à 100 000 $ investis dans le magasin et qu'elle n'a aucune dette. Le magasin lui rapporte un bénéfice net de 20 000 $ par an. La direction prévoit ouvrir un autre magasin qui coûtera également 100 000 $ et rapportera 20 000 $ par an. La société doit-elle émettre des actions ou emprunter l'argent à un taux d'intérêt de 8 % ? L'analyse suivante permettra de constater que l'utilisation de la dette augmentera le rendement des actionnaires (les propriétaires de l'entreprise).

	Option 1 Actions	Option 2 Dette
Bénéfice avant intérêts et impôts	40 000 $	40 000 $
Intérêts (8 % × 100 000 $)	–	8 000
Bénéfice avant impôts	40 000	32 000
Impôts (35 %)	14 000	11 200
Bénéfice net	26 000 $	20 800 $
Capitaux propres	200 000 $	100 000 $
Rendement sur les capitaux propres	13 %	20,8 %

Malheureusement, les obligations comportent un risque plus élevé que les actions. Voici certains inconvénients liés à l'émission d'obligations :

1. **Les risques de faillite.** Les intérêts payés par versements aux créanciers obligataires constituent des charges (ou des coûts) fixes qui doivent être versés périodiquement quoi qu'il arrive, c'est-à-dire que l'entreprise réalise des bénéfices ou qu'elle subisse des pertes.

2. **L'incidence négative sur les flux de trésorerie.** Il est nécessaire de rembourser le montant du capital, généralement considérable, à la date d'échéance. Les administrateurs doivent générer suffisamment de liquidités pour repayer la dette ou avoir la possibilité de la financer à nouveau.

Une obligation requiert généralement le paiement d'intérêts tout au long de sa durée et le remboursement du capital à la date d'échéance. Le **capital d'une obligation** est le montant 1) exigible à la date d'échéance et 2) d'après lequel on calcule les versements d'intérêts périodiques en espèces. Ce montant ne varie pas. On l'appelle aussi la « **valeur nominale** » ainsi que la « **valeur à l'échéance** » ou la « **valeur au pair** ». Toutes les obligations ont une valeur nominale correspondant au montant qui sera versé à leur propriétaire lorsqu'elles arriveront à échéance. La plupart des obligations ont une valeur nominale de 1 000 $, mais celle-ci peut être plus élevée. Normalement, les obligations se présentent sous forme de multiples de 1 000, par exemple 5 000 $, 10 000 $, etc.

Sur un certificat d'obligation, on trouve toujours le **taux d'intérêt contractuel** (ou le **coupon**) et les dates des versements périodiques des intérêts – généralement annuels ou semi-annuels. Pour calculer le montant de chaque versement d'intérêts, on multiplie le capital par le taux d'intérêt contractuel. Le prix de vente d'une obligation n'influe pas sur le versement périodique en espèces des intérêts. Par exemple, une obligation de 1 000 $ à 8 % rapportera toujours des intérêts en espèces 1) de 80 $ sur une base annuelle ou 2) de 40 $ sur une base semi-annuelle.

Il existe différents types d'obligations ayant chacun leurs caractéristiques propres pour des raisons économiques valables. Les préférences face au risque diffèrent d'un créancier à l'autre. Une personne à la retraite, par exemple, acceptera de recevoir un

Le **capital d'une obligation** est le montant a) remboursable à l'échéance de l'obligation et b) sur lequel on calcule les paiements d'intérêts périodiques en espèces.

La **valeur nominale** (ou **valeur au pair**) est une autre façon de désigner le capital d'une obligation ou le montant que représente cette obligation à sa date d'échéance.

Le **taux d'intérêt contractuel** (ou le **coupon**) est le taux d'intérêt périodique en espèces inscrit dans le contrat d'emprunt ou l'acte de fiducie.

faible taux d'intérêt en échange d'une sécurité accrue pour ses placements. Ce type de créancier pourrait opter pour une obligation hypothécaire en vertu de laquelle un actif en particulier est mis en gage à titre de garantie dans le cas où l'entreprise serait incapable de rembourser l'obligation (appelée aussi une « obligation garantie » ou une « obligation avec recours »). Un autre créancier pourrait se contenter d'un faible taux d'intérêt et de peu de garanties en échange de la possibilité de convertir l'obligation en actions ordinaires à un certain moment dans l'avenir si l'entreprise prospère. Les entreprises s'efforcent de créer des obligations dont les caractéristiques conviendront à différents types de créanciers. De la même façon, les fabricants d'automobiles essaient de concevoir des modèles qui plairont à divers groupes de consommateurs.

La prochaine illustration donne un aperçu d'un bon nombre des caractéristiques les plus courantes des obligations émises par des sociétés. À première vue, le nombre de types d'obligations différents peut paraître déconcertant, mais il y a une sérieuse raison économique à ce foisonnement.

Une obligation qui n'est pas garantie par la mise en gage d'un actif en particulier porte le nom de « débenture », d'« obligation non garantie » ou d'« obligation sans recours ».

Une **débenture** est une **obligation non garantie** (ou une **obligation sans recours**), c'est-à-dire qu'aucun actif n'est précisément donné en gage pour garantir un remboursement.

Une **obligation remboursable par anticipation** peut être remboursée avant l'échéance, au gré de l'émetteur.

Une **obligation convertible** peut se convertir en un autre titre de l'émetteur (normalement des actions ordinaires).

Un **contrat bilatéral** est un contrat lié à l'émission d'obligations et qui précise les clauses légales.

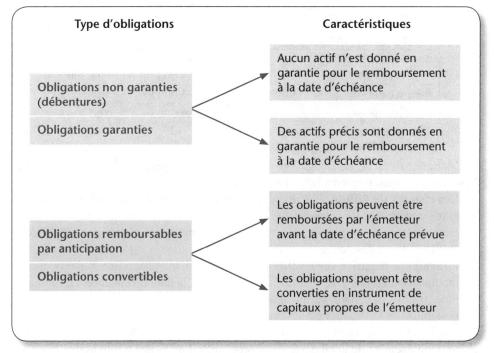

Lorsqu'une société décide d'émettre des obligations, elle dresse un **contrat bilatéral** qui précise les clauses juridiques relatives aux obligations. Il s'agit d'un acte de fiducie. Les clauses comprennent la date d'échéance, le taux d'intérêt à verser, la date de chaque versement d'intérêts et tout privilège de conversion. Dans ce contrat, on trouve également des clauses qui protègent le créancier, par exemple la restriction sur l'émission de dettes obligataires supplémentaires dans le futur. D'autres clauses limitatives peuvent empêcher le paiement de dividende ou exiger un minimum relatif à certains ratios financiers tel le fonds de roulement. À cause des effets contraignants de ce genre de clauses sur les activités d'une entreprise, la direction préfère des clauses moins restrictives. Par contre, les créanciers préfèrent des clauses plus restrictives qui réduisent leur risque. Comme toute opération d'affaires, les clauses se négocient. Les clauses restrictives relatives aux obligations sont normalement divulguées à l'intérieur d'une note aux états financiers. Dans une étude sur 200 entreprises canadiennes en 2004[7], toutes les sociétés qui avaient des clauses de remboursement par anticipation sur les obligations ou des clauses de convertibilité en divulguaient les détails.

_____

7. Clarence BYRD, Ida CHEN et Joshua SMITH, *op. cit.*, p. 306.

Domtar présentait la note relative aux débentures qui suit.

> **Extrait de la note 15**
>
> Les débentures 10 % et 10,85 % comportent des exigences relatives au fonds d'achat, selon lesquelles la Société fait tous les efforts raisonnables pour acheter à chaque trimestre, aux fins d'annulation, une partie du capital global des débentures à un prix n'excédant pas la valeur nominale des débentures. […]
>
> Les conventions d'emprunt de la société comportent des clauses restrictives […] qui exigent que la société soit conforme à certains ratios financiers, sur une base trimestrielle.

Une société prépare normalement un prospectus d'émission, c'est-à-dire un document juridique qui est remis aux acheteurs d'obligations potentiels. Ce document décrit l'entreprise, les obligations et la façon dont l'argent que rapportera la vente de ces obligations sera utilisé. Par exemple, une entreprise pourrait utiliser les produits de la vente d'obligations pour réduire sa dette.

Lorsqu'un investisseur se porte acquéreur d'une obligation, on lui remet un **certificat d'obligation.** Tous les certificats d'une même émission d'obligations sont identiques. On trouve au recto de chacun d'eux la date d'échéance, les taux d'intérêt, les dates de versements des intérêts et les autres clauses. Notons qu'avec les systèmes informatisés, les certificats papiers sont souvent omis. Une personne ou un organisme indépendant, appelé un « **fiduciaire** », est généralement nommé pour représenter les obligataires. Sa tâche consiste à s'assurer que la société émettrice respecte toutes les clauses de l'acte de fiducie.

En raison des problèmes complexes associés aux obligations, plusieurs agences ont été créées pour évaluer la probabilité qu'une société émettrice soit dans l'incapacité de satisfaire aux exigences stipulées dans l'acte de fiducie. Cette probabilité porte le nom de « risque de non-paiement ». Les sociétés Moody's, Standard & Poor's et Dun & Bradstreet se servent d'un classement par lettres dans leur évaluation de la qualité d'une obligation. Les cotes supérieures à Baa/BBB indiquent des valeurs de premier ordre en matière d'investissement. Tous les titres qui se voient attribuer des cotes inférieures à ce niveau sont considérés comme des valeurs de spéculation, et on les appelle souvent des « **obligations pourries** » (*junk bonds*). Un grand nombre de banques, de fonds mutuels de placement et de sociétés de fiducie n'ont le droit d'investir que dans des obligations évaluées comme étant des valeurs de premier ordre. Outre le fait d'évaluer le risque précis d'une obligation, les analystes financiers évaluent aussi le risque global de l'émetteur.

Un **certificat d'obligation** est le document remis à chaque obligataire.

Un **fiduciaire** est une personne indépendante désignée pour représenter les obligataires.

ANALYSE FINANCIÈRE

Quelques renseignements tirés de la presse financière sur les obligations

Les prix des obligations sont présentés chaque jour dans la presse financière d'après les opérations qui ont lieu sur le marché obligataire. Voici le type d'information que vous y trouverez.

Obligation	Coupon	Échéancier	Prix*	Rendement	Variation
Bombardier	7,35	22 déc. 26	87,50	8,66	–
Sears Can.	6,55	5 nov. 07	100,86	5,86	–
Bell Can.	7,00	24 sept 27	107,66	6,33	+0,29
* Prix de clôture de la journée consultée.					

Ce tableau indique que l'obligation de Bombardier porte un taux d'intérêt nominal de 7,35 % et arrivera à échéance en 2026. L'obligation a un taux de rendement actuel de 8,66 %, et son prix de vente représente 87,50 % de sa valeur nominale, soit 875 $ pour chaque tranche de 1 000 $. Ce jour-là, leur prix n'avait pas varié par rapport à la séance précédente.

Même si les analystes examinent les variations quotidiennes du prix des obligations, il ne faut pas oublier que ces variations ne modifient en rien les états financiers de la société émettrice. À des fins de communication de l'information financière, l'entreprise se sert des taux d'intérêt des obligations au moment où elle les a offertes pour la première fois au public.

Les opérations d'émission d'obligations

Lorsqu'une société émet des obligations, elle précise deux types de paiements en espèces dans son contrat d'émission (ou son acte de fiducie).

1. **Le remboursement du capital.** Il s'agit en général d'un seul paiement qui a lieu lorsque l'obligation arrive à échéance. On emploie aussi l'expression « **valeur nominale** » ou « **valeur au pair** ».

2. **Les paiements d'intérêts en espèces.** Ces paiements se font sous forme de versements périodiques, et on les calcule en multipliant le montant de la valeur nominale par le taux d'intérêt, appelé le « **taux d'intérêt nominal** », ou le « **taux d'intérêt contractuel** », ou le « **coupon** », qui figure dans le contrat. Le contrat d'émission (ou l'acte de fiducie) stipule à quels intervalles ces paiements seront effectués, soit par trimestre, par semestre ou par année.

Ni l'entreprise ni son preneur ferme ne fixent le prix de vente des obligations. C'est le marché qui détermine ce prix au moyen des concepts de valeur actualisée que nous avons abordés auparavant dans ce chapitre. Pour établir la valeur actualisée de l'obligation, on calcule la valeur actualisée du capital (un seul versement) et celle des paiements d'intérêts (des versements périodiques) et on additionne les deux montants.

Les créanciers réclament un certain taux d'intérêt pour compenser les risques inhérents aux obligations. Le taux d'intérêt qu'ils exigent porte le nom de **taux d'intérêt effectif** (ou **taux de rendement** ou **taux du marché**). Le taux effectif correspond au taux d'intérêt consenti sur une dette au moment où celle-ci est contractée. On devrait s'en servir pour calculer la valeur actualisée de l'obligation.

La valeur actualisée d'une obligation peut être identique à sa valeur nominale, supérieure à cette valeur (les **obligations émises à prime**) ou inférieure (les **obligations émises à escompte**). Si les taux d'intérêt nominal et du marché sont identiques, l'obligation se vend à sa valeur nominale ; lorsque le taux du marché est plus élevé que le taux nominal, l'obligation se vend avec un escompte à l'émission et lorsque le taux du marché est inférieur au taux nominal, elle est émise à prime. Ces rapports peuvent être illustrés comme suit.

La **prime d'émission d'obligations** est la différence entre le prix de vente et la valeur nominale lorsque les obligations sont vendues pour un montant supérieur à cette valeur.

L'**escompte d'émission d'obligations** est la différence entre le prix de vente et la valeur nominale lorsque les obligations sont vendues pour un montant inférieur à cette valeur.

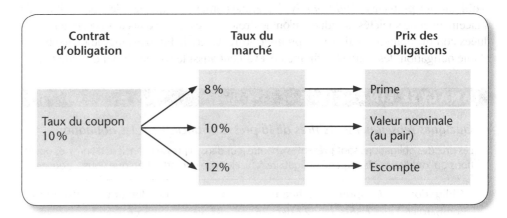

Selon la logique, si une entreprise offre à ses créanciers une obligation dont le taux d'intérêt est inférieur à celui du marché, ils refuseront de l'acheter à moins que son prix ne soit réduit (c'est-à-dire qu'un escompte ne leur soit consenti). Si, par contre, elle leur offre une obligation qui leur rapportera un taux d'intérêt supérieur au marché, ils seront prêts à verser une prime pour s'en procurer.

Lors de l'émission d'une obligation à sa valeur nominale, la société émettrice reçoit un montant en espèces égal à cette valeur. Lorsqu'une obligation est émise à escompte, la société émettrice reçoit un montant d'argent moindre que la valeur nominale. Et, enfin, dans le cas d'une obligation émise à prime, la société émettrice reçoit plus que la valeur nominale.

Fondamentalement, les sociétés et les créanciers ne se préoccupent pas de savoir si une obligation a été émise à sa valeur nominale, à escompte ou à prime parce que le prix des obligations est toujours fixé de façon qu'elles rapportent le taux d'intérêt du marché. Pour illustrer cette affirmation, considérons une société qui émet trois séries d'obligations différentes le même jour. Les obligations sont identiques, sauf que l'une porte un taux d'intérêt nominal de 8 %, la deuxième de 10 % et la troisième, de 12 %. Si le taux du marché (effectif) était de 10 %, la première serait émise à escompte, la deuxième à sa valeur nominale et la troisième à prime. Toutefois, le créancier qui achèterait n'importe laquelle des trois obtiendrait le taux d'intérêt du marché de 10 %.

Le prix du marché des obligations varie durant la période qui s'échelonne de la date d'émission à la date d'échéance, car les taux du marché varient. Bien que cette information soit divulguée dans la presse financière, les états financiers des sociétés ne sont pas touchés ni la façon dont les paiements d'intérêts sont comptabilisés d'une période à l'autre.

TEST D'AUTOÉVALUATION

L'étude des obligations vous paraîtra beaucoup plus facile si vous comprenez bien les nouveaux termes présentés jusqu'à maintenant. Passez quelques-uns de ces termes en revue.

1. Définissez le « taux d'intérêt effectif ».
2. Donnez des synonymes du « taux d'intérêt effectif ».
3. Définissez le « taux d'intérêt nominal ».
4. Donnez des synonymes du « taux d'intérêt nominal ».
5. Définissez l'« escompte d'émission ».
6. Définissez la « prime d'émission ».

Vérifiez vos réponses à l'aide des solutions présentées en bas de page*.

---

* 1. Le taux effectif est le taux d'intérêt exigé par les créanciers. On s'en sert dans les calculs visant à déterminer la valeur actualisée des flux de trésorerie à venir.
   2. On dit aussi le « taux de rendement », le « taux d'intérêt réel » ou le « taux du marché ».
   3. Le taux d'intérêt nominal est le taux précisé dans les certificats d'obligations.
   4. On dit aussi le « taux stipulé », le « taux contractuel » ou le « coupon » (dans les journaux).
   5. Une obligation vendue à un prix inférieur à sa valeur nominale est émise à escompte. C'est le cas lorsque le taux nominal est inférieur au taux du marché.
   6. Une obligation vendue à un prix supérieur à sa valeur nominale est émise à prime. C'est le cas lorsque le taux nominal est supérieur au taux du marché.

Les obligations émises à escompte

Comme nous l'avons mentionné, les obligations se vendent à escompte lorsque le taux du marché est plus élevé que le taux d'intérêt nominal. L'**escompte** est donc une compensation pour donner à l'acheteur un rendement égal au taux du marché.

Supposons que le taux du marché était de 12 % lorsque la société Fanfaron a émis des obligations d'une valeur nominale de 100 000 $ échéant dans 10 ans et dont les intérêts annuels de 10 % sont payables semi-annuellement. Le taux d'intérêt nominal de 10 % est moindre que le taux du marché à la date d'émission. Pour calculer le prix de vente des obligations, on doit utiliser la valeur actualisée des flux monétaires futurs au taux du marché. Il s'agit donc d'actualiser le capital et les versements semi-annuels des intérêts comme suit.

	Valeur actualisée
a) Paiement unique : 100 000 $ × 0,3220*	32 220 $
b) Versements périodiques : 5 000 $ × 11,4699**	57 350
	89 570 $***

* $n = 10$, $i = 12$ (table A.1)
** $n = 20$, $i = 6$ (table A.2)
*** Escompte : 100 000 $ − 89 570 $ = 10 430 $

Le prix de vente des obligations émises est de 89 570 $. On se réfère souvent à ce prix sous la forme 89,6 (valeur arrondie), ce qui veut dire que les obligations ont été vendues à 89,6 % de leur valeur nominale (89 570 $ ÷ 100 000 $).

Lorsqu'une obligation est émise à escompte, la valeur nominale est portée au compte de passif Dette obligataire, et l'escompte est inscrit dans un autre compte, Escompte sur dette obligataire, compte qui est porté en déduction de la dette obligataire. (Dans le cas d'une prime, le compte sera intitulé Prime sur dette obligataire, et il sera ajouté à la dette obligataire.)

Ainsi, Fanfaron présenterait l'émission d'obligation à escompte à la date d'émission comme suit.

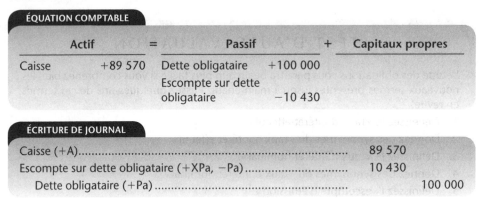

ÉQUATION COMPTABLE

Actif		=	Passif		+	Capitaux propres
Caisse	+89 570		Dette obligataire	+100 000		
			Escompte sur dette obligataire	−10 430		

ÉCRITURE DE JOURNAL

Caisse (+A)	89 570	
Escompte sur dette obligataire (+XPa, −Pa)	10 430	
Dette obligataire (+Pa)		100 000

Le bilan de Fanfaron présenterait la dette obligataire à sa valeur comptable, c'est-à-dire la valeur nominale moins l'escompte non amorti. Les deux montants ne sont généralement pas présentés séparément si le montant de l'escompte (ou de la prime) n'est pas important (selon l'importance relative des postes du bilan).

Bien que Fanfaron reçoive seulement 89 570 $ à l'émission des obligations, elle devra rembourser 100 000 $ à l'échéance. Le montant additionnel qu'elle doit verser est un ajustement de la charge d'intérêts pour assurer le taux du marché actuel aux créanciers. L'émetteur doit amortir l'escompte sur les obligations à chaque période d'intérêt ; il en résulte une charge qui vient augmenter la charge d'intérêts. Ainsi, l'amortissement de l'escompte des obligations augmente la charge d'intérêts des obligations (l'effet serait contraire dans le cas d'une émission à prime). La méthode des intérêts effectifs doit être utilisée pour amortir l'escompte (ou la prime). L'application de cette méthode dépasse les objectifs de ce cours. Il faut noter que, bien que cette méthode soit théoriquement la bonne méthode, certaines sociétés amortissent la prime ou l'escompte en ligne droite lorsque les montants en cause ne sont pas importants.

TEST D'AUTOÉVALUATION

Supposons que Cascades a émis des obligations pour un montant de 100 000 $ venant à échéance dans 10 ans. Les obligations donnent droit à des intérêts semi-annuels selon un taux annuel de 9 %. L'émission a été effectuée alors que le taux du marché était de 8 %. Déterminez le prix de vente des obligations.

Vérifiez vos réponses à l'aide des solutions présentées en bas de page*.

Les obligations émises à des taux d'intérêt variables

Après avoir discuté de plusieurs risques associés aux obligations, nous abordons maintenant l'inflation. Vous avez sûrement observé les effets de l'inflation sur l'économie. Vous aviez peut-être épargné dans le but d'acheter un bien important pour constater que le prix avait changé au moment où vous étiez prêt à l'acheter. L'inflation, qu'on définit comme une augmentation générale dans les prix d'une économie, joue un rôle important dans les ententes de financement à long terme. Si vous prêtez de l'argent durant une période active d'inflation, on vous remboursera avec des dollars qui auront perdu un certain pouvoir d'achat. Lorsque des créanciers prêtent de l'argent, ils veulent recevoir une compensation pour vous céder le droit d'utiliser leur argent et pour toute perte de pouvoir d'achat du dollar due à l'inflation. Les taux d'intérêt offerts sur les titres d'emprunts doivent donc offrir une compensation au créancier pour les deux facteurs. Malheureusement, il est impossible de prévoir l'inflation future avec précision. Les obligations sont en général émises avec un taux fixe pour la durée de la dette. Il s'ensuit que les créanciers ne recevront pas une compensation adéquate pour la perte de pouvoir d'achat du dollar lorsqu'une inflation imprévue survient. Certaines créances sont donc émises avec un **taux d'intérêt variable** pour offrir une compensation aux créditeurs dans le cas d'une inflation inattendue. L'acte de fiducie pour une dette à un taux d'intérêt variable fait référence à un index, tel le taux préférentiel (le taux d'intérêt demandé par une banque à ses clients de premier ordre). Lorsque le taux préférentiel varie, le taux d'intérêt sur la dette change. Si le taux d'intérêt augmente, la charge d'intérêts de l'emprunteur augmentera et, par conséquent, lorsque le taux d'intérêt baisse, la charge d'intérêts de l'emprunteur diminuera.

---

*   4 500 $ × 13,5903* = 61 156 $
   100 000   ×   0,4632** = 46 320
                            107 476 $

    * $n = 20$, $i = 4$ (table A.2)
  ** $n = 10$, $i = 8$ (table A.1)

Le ratio de couverture des intérêts

ANALYSONS LES RATIOS

Le ratio de couverture des intérêts

1. Question d'analyse

Les activités lucratives d'une entreprise produisent-elles suffisamment de ressources pour lui permettre de payer les intérêts courants sur ses obligations?

2. Ratio et comparaison

Le ratio de couverture des intérêts est calculé comme suit.

$$\text{Ratio de couverture des intérêts} = \frac{\text{Bénéfice net} + \text{Charge d'intérêts} + \text{Charge fiscale}}{\text{Charge d'intérêts}}$$

En 2005, le ratio de Cascades était (en millions de dollars) le suivant:

$$\frac{(97)\,\$ + 83\,\$ + (41)\,\$}{83\,\$} = -0{,}66 \text{ fois}$$

a) L'analyse de la tendance dans le temps			b) La comparaison avec les compétiteurs	
CASCADES			**DOMTAR**	**ABITIBI-CONSOLIDATED**
2003	2004	2005	2005	2005
1,81	1,31	−0,66	−2,83	−0,65

3. Interprétation des résultats

EN GÉNÉRAL ◊ Un ratio élevé est considéré plus favorablement qu'un ratio peu élevé. En principe, il indique la quantité de ressources produites pour chaque dollar de charge d'intérêts. Un ratio de couverture des intérêts élevé est l'indice d'une certaine marge de sécurité dans le cas où la rentabilité diminuerait. Les analystes s'intéressent tout particulièrement à la capacité des entreprises à effectuer les paiements d'intérêts pour lesquels elles se sont engagées, car le fait d'y manquer pourrait les acculer à la faillite.

CASCADES ◊ Les activités en 2005 ont engendré 0,66 $ de perte pour chaque dollar d'intérêts. Cette situation risquée pour l'entreprise est due à la perte importante enregistrée en 2005. Lorsqu'une entreprise travaille à perte, elle doit trouver des sources de financement externes pour subvenir à ses besoins d'exploitation. Toutefois, cette situation doit être temporaire. Une société ne saurait procéder de cette façon à long terme sans compromettre sa viabilité financière. Si Cascades ne trouve pas le chemin du profit l'an prochain, elle pourrait avoir des problèmes à effectuer ses paiements d'intérêts à même les ressources produites par son exploitation. Cependant, il faut noter que ses compétiteurs semblent être dans la même situation. Une entreprise telle que Domtar est dans une situation encore plus périlleuse.

QUELQUES PRÉCAUTIONS ◊ Le ratio de couverture des intérêts peut souvent être trompeur dans le cas d'entreprises nouvelles ou en pleine croissance. La direction de ces entreprises investit souvent des ressources pour les activités futures. Le ratio de couverture des intérêts reflète alors des montants de charges d'intérêts importants liés à la croissance acquise, et les opérations en cours n'ont pas encore atteint les niveaux de rentabilité prévus. Les analystes devraient donc s'assurer de bien comprendre la stratégie de l'entreprise à long terme avant de se prononcer. Bien que ce ratio soit fréquemment utilisé, certains analystes préfèrent comparer la charge d'intérêts au montant de trésorerie engendré par l'entreprise. Ils soulignent qu'on ne peut payer des créanciers avec les «bénéfices» produits; il faut les payer avec de l'argent comptant.

Le ratio des capitaux empruntés
sur les capitaux propres

Le ratio des capitaux empruntés sur les capitaux propres

1. **Question d'analyse**

   Quelle est la relation entre le montant des capitaux que fournissent les propriétaires et le montant des capitaux que fournissent les créanciers?

2. **Ratio et comparaison**

   Le ratio des capitaux empruntés sur les capitaux propres est calculé comme suit.

OBJECTIF
D'APPRENTISSAGE **13**

Analyser le ratio des capitaux empruntés sur les capitaux propres.

$$\text{Ratio des capitaux empruntés sur les capitaux propres} = \frac{\text{Passif total}}{\text{Capitaux propres}}$$

En 2005, le ratio des capitaux empruntés sur les capitaux propres de Cascades était le suivant (en millions de dollars):

$$\frac{2\ 149\ \$}{897\ \$} = 2,40$$

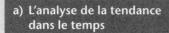

a) L'analyse de la tendance dans le temps			b) La comparaison avec les compétiteurs	
CASCADES			DOMTAR	ABITIBI-CONSOLIDATED
2003	2004	2005	2005	2005
1,77	1,97	2,40	2,35	2,22

3. **Interprétation des résultats**

EN GÉNÉRAL ◊ Un ratio élevé indique que l'entreprise compte grandement sur les capitaux que fournissent ses créanciers. Plus sa dépendance envers les créanciers est forte, plus une entreprise risque de ne pas pouvoir remplir les obligations financières auxquelles elle s'est engagée en cas de ralentissement de ses activités.

CASCADES ◊ Le ratio de Cascades a augmenté au cours des trois dernières années et, en 2005, il se situe près de celui de ses compétiteurs, quoique plus élevé. Ce résultat est dû en partie à la diminution de la rentabilité de l'entreprise et à la diminution des flux de trésorerie générés par les activités d'exploitation. Elle doit obtenir de plus en plus de financement de l'extérieur. Ainsi, la plupart des analystes financiers verraient d'un mauvais œil les augmentations du ratio de Cascades, même si le ratio est comparable à celui de ses compétiteurs.

QUELQUES PRÉCAUTIONS ◊ Le ratio des capitaux empruntés sur les capitaux propres ne dévoile qu'une partie de la situation en ce qui a trait aux risques associés à une dette. Il constitue une bonne indication de la capacité d'emprunt (ou d'endettement), mais il n'aide pas l'analyste à savoir si les activités de l'entreprise lui permettent de composer avec le montant des dettes qu'elle a accumulées. Il ne faut pas oublier qu'une dette comporte l'obligation d'effectuer des paiements en espèces pour payer les intérêts et rembourser le capital. La plupart des analystes préfèrent donc évaluer ce ratio en tenant compte du montant de liquidités que l'entreprise est en mesure de produire grâce à ses activités et le ratio de couverture des intérêts.

Les marchés internationaux des capitaux

Nous avons vu que certaines entreprises empruntent de l'argent sur les marchés mondiaux, ce qui parfois les expose au risque de change. Étant donné l'importance des marchés internationaux, les institutions canadiennes ne jouent plus un rôle prédominant dans les accords d'emprunt. Voici une note tirée d'un rapport annuel de Bombardier.

> Des montants peuvent être empruntés sur la facilité canadienne en dollars canadiens ou américains, à des taux variables fondés sur le taux préférentiel canadien, le taux de base américain, le LIBOR ou le taux d'escompte des acceptations bancaires.

Il faut noter qu'il s'agit d'une dette à taux variable. Même si l'accord d'emprunt concerne des organismes canadiens, il mentionne un indice international pour la détermination des variations des taux d'intérêt à venir. Le LIBOR (London Interbank Offer Rate – taux interbancaire offert à Londres) est le taux d'intérêt que les banques internationales exigent les unes des autres pour des prêts d'un jour. Ainsi, le LIBOR est devenu un point de référence largement reconnu dans la détermination des taux d'intérêt variables pour les entreprises et les gouvernements qui empruntent.

OBJECTIF D'APPRENTISSAGE **14**

Présenter les activités de financement à l'état des flux de trésorerie.

Comparons

Flux de trésorerie affectés aux activités de financement (en millions de dollars) en 2005

Domtar	226 $
Abitibi-Consolidated	(797) $
Cascades	86 $

INCIDENCE SUR LES FLUX DE TRÉSORERIE

Les activités de financement

La structure financière d'une société a un effet considérable sur le risque et le rendement. En raison de l'importance des décisions qui touchent la structure financière, une grande partie de l'état des flux de trésorerie (EFT) porte sur des opérations qui modifient les flux de trésorerie provenant des activités de financement. La section intitulée Flux de trésorerie liés aux activités de financement sert à enregistrer les rentrées et les sorties de fonds attribuables aux moyens par lesquels l'entreprise a obtenu des fonds de sources extérieures (les propriétaires et les créanciers) pour financer son fonctionnement et ses activités. L'émission d'un emprunt obligataire constitue un exemple de rentrée de fonds provenant des activités de financement; le remboursement d'une dette est un exemple de sortie de fonds. Beaucoup d'étudiants sont surpris d'apprendre que le paiement des intérêts sur les obligations n'entre pas dans la section Activités de financement de l'état des flux de trésorerie. En fait, ces paiements sont directement liés à la réalisation des bénéfices et sont donc enregistrés dans la section Flux de trésorerie liés aux activités d'exploitation de l'EFT. En outre, les entreprises sont tenues de divulguer le montant d'argent qu'elles versent à titre de charges d'intérêts à chaque exercice.

EN GÉNÉRAL ◊ Comme nous l'avons vu au début du chapitre, les opérations pour lesquelles l'entreprise recourt à des fournisseurs influent sur le fonds de roulement. Les variations des comptes du fonds de roulement sont présentées dans la section des activités d'exploitation de l'état des flux de trésorerie à l'exception des emprunts à court terme. L'argent reçu des créanciers apparaît sous forme de rentrées de fonds dans la section des activités de financement. Les sommes remises en espèces aux créanciers en guise de remboursement du capital sont inscrites comme des sorties de fonds dans la section des activités de financement. En voici quelques exemples.

	Effet sur les flux de trésorerie
Activités de financement	
Émission d'obligations	+
Remboursement d'un emprunt (court terme ou long terme)	−
Remboursement du capital d'une obligation à l'échéance	−

CASCADES ◊ Vous trouverez ci-dessous une partie de l'état des flux de trésorerie de Cascades (en millions de dollars).

Activités de financement	2005	2004
Emprunts et avances bancaires	(2) $	3 $
Émission de billets subordonnés	–	156
Évolution des crédits bancaires rotatifs	174	(8)
Augmentation des autres dettes à long terme	4	10
Versements sur les autres dettes à long terme	(71)	(49)
Primes payées au rachat de dettes échéant à long terme	–	(1)
Produit net de l'émission d'actions	–	2
Rachat d'actions ordinaires et des actions privilégiées d'une filiale	(6)	(7)
Dividendes	(13)	(13)
	86 $	93 $

Coup d'œil sur

Cascades

RAPPORT ANNUEL

Il peut paraître surprenant qu'une entreprise rembourse 71 millions de dollars en dettes anciennes et contracte une nouvelle dette de 174 millions de dollars au cours du même exercice. Cette situation montre que, même si les entreprises empruntent normalement pour financer l'acquisition d'actifs à long terme, elles empruntent aussi pour modifier leur structure financière. Cascades a remplacé une dette d'environ 26 millions de dollars portant intérêt à un taux de 7,25 % par une autre dette portant intérêt à un taux de 4,38 %, ce qui représente des économies annuelles de plus de 746 000 $ en coûts d'intérêts.

Les analystes s'intéressent particulièrement à la section des activités de financement de l'état des flux de trésorerie, car cette section fournit des renseignements importants sur la structure financière à venir d'une entreprise. Les entreprises en plein essor enregistrent généralement de gros montants de fonds dans cette section.

TEST D'AUTOÉVALUATION

Supposons une société qui a un ratio élevé de capitaux empruntés sur les capitaux propres et un ratio élevé de couverture des intérêts et une deuxième société qui a un faible ratio de capitaux empruntés sur les capitaux propres et un faible ratio de couverture des intérêts. Laquelle des sociétés comporte un plus haut risque associé à la dette ?

Vérifiez vos réponses à l'aide des solutions présentées en bas de page*.

---

* Une société peut être amenée à la faillite si elle ne verse pas les intérêts aux créanciers. Plusieurs sociétés à succès empruntent de très grosses sommes d'argent sans créer de risque indu ou non fondé, puisqu'elles produisent suffisamment de fonds à partir de leurs opérations d'exploitation pour respecter leurs obligations. Même un très petit montant de dette peut susciter des problèmes si la société ne peut produire suffisamment de fonds pour payer les intérêts courants. Normalement, la situation est moins risquée lorsqu'une société a un ratio élevé de capitaux empruntés sur les capitaux propres et un ratio de couverture des intérêts élevé.

La fiscalité, les impôts futurs et les avantages sociaux

La fiscalité

Une entreprise peut être constituée en entreprise individuelle, en société de personnes ou en société de capitaux (ou société par actions). Les deux premières formes d'entreprises ne sont pas tenues de payer des impôts sur le revenu, mais leurs propriétaires doivent produire un rapport et payer des impôts dans leurs déclarations personnelles de revenus. Les sociétés de capitaux, à titre de personnes morales distinctes, doivent payer des impôts sur leurs bénéfices.

Les sociétés de capitaux doivent établir une déclaration de revenus des sociétés (T2 au fédéral et C17 au provincial [Québec]). Le montant d'impôts exigible est basé sur le bénéfice comptable présenté aux états financiers et converti en bénéfice imposable dans la déclaration fiscale. Le bénéfice imposable diffère, la plupart du temps, du bénéfice net qui apparaît à l'état des résultats. En effet, ce dernier document est établi conformément aux principes comptables généralement reconnus, tandis que la déclaration de revenus est préparée suivant les directives de la Loi de l'impôt sur le revenu.

Le calcul des impôts exigibles

Dans la plupart des cas, on détermine le montant combiné des impôts fédéral et provincial qu'une grande société par actions devrait payer en multipliant son bénéfice imposable par un pourcentage global. En 2005, le montant combiné des impôts fédéral et provincial de base au Québec se situait aux environs de 36 %. Toutefois, les taux sont échelonnés de manière telle que les très petites sociétés à capitaux sont assujetties à des taux moins élevés que les grandes sociétés. Le taux minimal combiné pour les petites entreprises au Québec se situait aux environs de 20 %. Plusieurs facteurs viennent influer sur le taux, par exemple le secteur d'activité, la transformation des marchandises, le montant de capital de l'entreprise, etc.

La constatation des produits et des charges à des fins fiscales

Il existe de nombreuses différences entre les principes comptables généralement reconnus et les règles qui régissent la préparation des déclarations de revenus. En voici quelques exemples courants :

1. À des fins fiscales, la charge d'amortissement est généralement établie à l'aide de méthodes d'amortissement plus ou moins accélérées comparativement aux méthodes comptables qui sont établies en fonction de la vie utile d'un actif et du principe de rapprochement des produits et des charges. Mentionnons aussi que l'amortissement fiscal se fait par catégorie de biens, tandis que l'amortissement comptable se fait sur chaque bien considéré individuellement.

2. Pour les entreprises publiques, les revenus de dividendes d'autres sociétés canadiennes n'entrent pas dans le bénéfice imposable, mais ils sont inclus dans le résultat comptable dès qu'ils sont déclarés.

3. Du point de vue fiscal, les crédits d'impôts à l'investissement utilisés sont déduits des impôts à payer d'une année et portés en diminution de l'actif immobilisé l'année suivante. Du point de vue comptable, les crédits d'impôts sont portés en diminution de l'actif immobilisé immédiatement.

4. Les frais de développement sont considérés comme des charges. Ils sont donc déductibles du point de vue fiscal. Du point de vue comptable, on peut les capitaliser comme des éléments d'actif si certaines conditions sont respectées.

5. Du point de vue fiscal, 50 % des gains en capital sont imposables tandis que, du point de vue comptable, la totalité des gains en capital est considérée à l'état des résultats.

La cotisation minimale ou l'évasion fiscale

La plupart des grandes sociétés par actions consacrent beaucoup de temps et d'argent à élaborer des stratégies pouvant leur permettre de **minimiser** le montant d'impôts qu'elles doivent payer aux gouvernements. Cette démarche n'est pas condamnable puisque les tribunaux ont statué qu'il n'y a aucune obligation légale à payer plus d'impôts que la loi ne l'exige. Même si vous ne souhaitez pas obtenir un diplôme en comptabilité, vous avez intérêt à suivre un cours de fiscalité parce qu'il est important, pour la plupart des gestionnaires, de connaître les lois fiscales. Ce type de connaissance permet d'économiser des montants d'argent substantiels.

Par contre, l'évasion (ou la fraude) fiscale consiste à recourir à des moyens illégaux pour éviter de payer des impôts exigibles. L'utilisation de la méthode de l'amortissement accéléré est un exemple de minimisation des impôts. Par contre, le fait de ne pas enregistrer des ventes en espèces constitue un exemple d'évasion fiscale. Les efforts déployés pour **minimiser les impôts** à payer sont considérés comme essentiels à une bonne pratique des affaires, tandis que l'**évasion fiscale** est une faute morale et juridique. Les personnes qui cherchent à frauder le fisc risquent des sanctions financières graves et même des peines d'emprisonnement.

Les impôts futurs

La comptabilité des impôts sur les bénéfices peut donner lieu à la création soit d'un actif, soit d'un passif. Dans la plupart des états financiers, il s'agit d'éléments de passif, de sorte que nous les étudions avec les autres éléments de passif.

Comme nous l'avons vu plus tôt, le montant des impôts calculés en fonction des bénéfices enregistrés à l'état des résultats diffère généralement du montant d'impôts calculé d'après les bénéfices imposables déterminés dans la déclaration de revenus. Pour refléter cette différence, les sociétés inscrivent un compte d'impôts futurs. En pratique, on considère les éléments d'**impôts futurs** soit comme des éléments d'actifs (par exemple les impôts relatifs au montant recouvré auprès d'un client qui est imposable avant d'être enregistré comme un produit à l'état des résultats), soit comme des éléments de passif (comme les impôts relatifs à l'amortissement des biens qui est enregistré dans la déclaration de revenus avant d'être comptabilisé à l'état des résultats). Cascades présente des actifs et des passifs d'impôts futurs.

Les éléments d'impôts futurs sont attribuables en grande partie aux **écarts temporaires** qui découlent des différentes normes de mesure des produits et des charges mises de l'avant par les PCGR. Les PCGR servent à dresser l'état des résultats, et la Loi de l'impôt sur le revenu sert à rédiger les déclarations fiscales. Ces différences se renversent toujours. Par exemple, à un point donné dans le futur, l'amortissement calculé pour les déclarations fiscales (la méthode accélérée) sera moindre que l'amortissement comptable (la méthode linéaire). Il faut se rappeler que, comme nous l'avons vu au chapitre 8, la méthode de l'amortissement accéléré a pour effet de produire des charges plus élevées au début de la durée de vie utile d'un actif et, par la suite, de produire des charges moins élevées que celles qu'on obtient avec la méthode de l'amortissement linéaire. Lorsqu'un écart temporaire se résorbe, le montant du passif d'impôts futurs diminue, et la société paiera plus d'impôts aux agences fiscales que le montant rapporté comme charge fiscale à son état des résultats.

Le calcul des passifs et des actifs d'impôts futurs comporte certaines notions complexes que vous étudierez dans des cours de comptabilité avancés. À ce stade, il vous suffit de comprendre que les économies (l'actif) et les charges (le passif) liées à des reports d'impôts sont attribuables à des écarts temporaires (ou à des décalages dans le temps) entre la valeur fiscale d'un bien et sa valeur comptable. Chacun de ces écarts a un effet sur l'état des résultats d'un exercice et la déclaration de revenus d'un autre exercice.

Les éléments d'**impôts futurs** existent à cause des différences temporaires provenant de la présentation des produits et des charges à l'état des résultats selon les PCGR et la préparation des déclarations d'impôts selon les lois fiscales.

Les **écarts temporaires** sont des différences de temps (ou des décalages dans le temps) entraînant un passif (ou un actif) d'impôts qui va se résorber ou disparaître progressivement dans l'avenir.

Les avantages sociaux futurs

La plupart des employeurs offrent un régime de retraite à leurs employés. Dans un **régime de retraite à cotisations déterminées,** l'employeur effectue des versements en espèces dans une caisse de retraite (ou un fonds de pension) gérée par un organisme qui investit l'argent de ce fonds et réalise des bénéfices. Lorsque les employés prennent leur retraite, ils ont droit à une partie des fonds ainsi accumulés. Plus la stratégie d'investissement du fonds est efficace, plus la pension de retraite des employés est importante. Par contre, si cette stratégie échoue, la pension sera moindre. L'employeur n'a qu'une seule obligation : verser la cotisation annuelle requise à ce fonds, un montant qu'il enregistre à titre de charge de retraite.

Certains employeurs offrent plutôt des **régimes de retraite à prestations déterminées.** Dans de tels régimes, les prestations de retraite (ou la rente de retraite) de l'employé sont établies d'après un pourcentage du salaire reçu au moment où il prend sa retraite. Les prestations peuvent aussi correspondre à un montant déterminé pour chaque année durant laquelle l'employé fournit des services. Chaque année, l'employeur doit enregistrer la charge de retraite. En gros, le montant de cette charge, qui doit être constaté par régularisation à la fin de chaque exercice, est la variation de la valeur courante en espèces du plan de pension de l'employé. La valeur actuelle en espèces varie chaque année pour différentes raisons. Par exemple, elle varie 1) lorsque l'employé se rapproche de l'âge de la retraite ; 2) lorsque les prestations de retraite augmentent par suite d'une hausse de salaire ou d'un accroissement des années de service ; 3) lorsque l'espérance de vie d'un employé change. L'entreprise doit enregistrer une charge de retraite en se basant sur toute fraction de la valeur courante en espèces du régime de retraite qui n'a pas été financée à ce jour. Par exemple, si l'entreprise a transféré 8 millions de dollars au gestionnaire du fonds de pension, mais que la valeur courante en espèces de ce régime, calculée par des experts (des actuaires), est de 10 millions de dollars, elle doit enregistrer un passif de 2 millions de dollars dans son bilan.

L'obligation financière relative aux régimes de retraite à prestations déterminées peut être assez considérable dans certaines entreprises, en particulier lorsque la main-d'œuvre est syndiquée. Voici ce que révélait un état financier récent de la société Ford Motor.

Note 12	
Avantages sociaux futurs (en millions de dollars américains)	
Obligation accumulée (passif) des avantages sociaux futurs :	
Retraités	7 035,0 $
Employés actifs éligibles à la retraite	2 269,6
Autres employés actifs	5 090,6
Total de l'obligation accumulée	14 395,2 $*

* Cette obligation est soutenue par les actifs des régimes. Seul l'écart entre les obligations accumulées et les actifs des régimes font l'objet d'une comptabilisation aux états financiers de Ford.

Pour avoir une idée juste de la taille de l'obligation accumulée, imaginez que celle-ci représente un montant presque aussi élevé que les capitaux propres de l'entreprise. La charge relative aux régimes de retraite pour l'exercice considéré était de 1,3 milliard de dollars, ce qui excède le bénéfice net de Ford pour les trois derniers exercices. Ces renseignements sont importants pour les analystes qui tentent de prévoir les flux de trésorerie à venir d'une entreprise. Dans ses états financiers, Cascades présente les deux sortes de régimes avec une charge annuelle de 62 millions $ CAN. À cet égard, Ford a des engagements beaucoup plus contraignants que Cascades en matière de transferts de liquidités dans les fonds de retraite.

Au cours des dernières années, les bénéfices en matière de santé assurés par les employeurs ont fait l'objet de discussions intéressantes. Plusieurs grandes sociétés paient une portion des coûts d'assurance-maladie pour leurs employés. Ces coûts sont inscrits comme charge à l'état des résultats. De plus, certains employeurs continuent de payer pour l'assurance-maladie de leurs employés après leur retraite. Le coût de ces avantages sociaux futurs doivent être estimés au moment où l'employé est en service et une charge imputée durant cette période. L'enregistrement des avantages sociaux futurs est un excellent exemple de l'utilisation d'estimations en comptabilité. Pouvez-vous imaginer le niveau de difficulté à estimer ces coûts futurs quand on ignore combien d'années les employés vivront, quel sera leur état de santé à la retraite et combien les hôpitaux et les médecins factureront pour leurs services dans le futur?

La comptabilisation des prestations de retraite est un sujet complexe dont il sera question plus en détail dans des cours de comptabilité ultérieurs. Nous avons traité ce sujet ici pour illustrer encore une fois l'application du principe du rapprochement des produits et des charges, où les dépenses doivent être enregistrées dans l'exercice au cours duquel les services sont rendus. C'est aussi un bon exemple de la façon dont la comptabilité évite de créer des mesures d'incitation non appropriées pour les dirigeants. Si le coût des prestations de retraite à venir n'était pas enregistré dans l'exercice au cours duquel le travail est effectué, les gestionnaires pourraient être tentés d'offrir aux employés des augmentations de ces prestations plutôt que des augmentations de salaires. Ils pourraient ainsi sous-évaluer le coût réel des services des employés et donner l'impression que leur entreprise est plus rentable qu'elle ne l'est en réalité.

Le calcul des valeurs actualisées à l'aide du tableur Excel

Annexe 9-B

Les tables de valeurs actualisées à la fin de ce manuel sont utiles à des fins pédagogiques. La grande majorité des problèmes de valeur actualisée sont résolus à l'aide d'une calculatrice ou d'un tableur électronique tel Excel. À cause de la grande popularité d'Excel, nous vous présentons un exemple permettant de résoudre les problèmes de valeur actualisée à l'aide de ce tableur. Il existe des versions légèrement différentes d'Excel selon l'âge de votre ordinateur. Les illustrations de ce texte sont faites à l'aide de Microsoft Office 2003.

La valeur actualisée d'un versement unique

Le calcul de la valeur actualisée est basé sur une formule mathématique fort simple:

$$VA = Paiement \div (1 + i)^n$$

Selon cette formule, le paiement est le montant versé en espèces à un moment dans le futur, i est le taux d'intérêt de chaque période et n, le nombre de périodes. On peut utiliser cette formule pour résoudre tous les problèmes de valeur actualisée. Il semble plus facile d'utiliser les tables présentées à la fin du manuel afin de résoudre des problèmes de valeur actualisée pour divers taux d'intérêt et périodes. Il est cependant irréel de penser que des tables existent pour tous les niveaux des taux d'intérêt et de période qui sont applicables dans les entreprises. Il existe une formule d'interpolation, mais il est beaucoup plus simple d'utiliser un tableur comme le font la plupart des comptables et des analystes financiers.

Pour calculer la valeur actualisée d'un paiement unique avec Excel, vous entrez la formule de la valeur présente dans une cellule en utilisant le format requis dans Excel. Vous devez choisir une cellule et entrer la formule suivante:

$$= Paiement/(1+i)\verb|^|n$$

Par exemple, si vous désirez résoudre la valeur actualisée d'un paiement de 100 000 $ à être fait dans cinq ans, avec un taux d'intérêt de 10 %, vous devez entrer ce qui suit dans la cellule :

$$= 100000/(1,10)^5$$

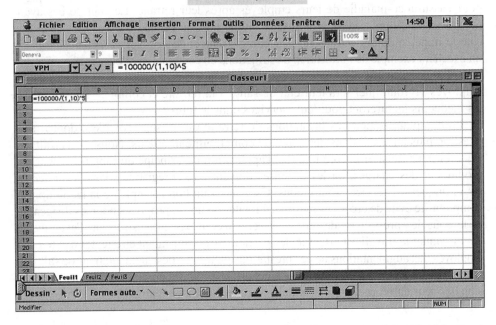

Avec cette entrée, Excel pourra calculer la valeur actualisée de 62 092,13 $. Cette réponse est légèrement différente de celle qui est obtenue avec l'utilisation des tables à la fin de ce manuel. Les tables du manuel sont arrondies à quatre décimales. Excel n'arrondit pas et donne ainsi des calculs plus précis.

La valeur actualisée de versements périodiques

La formule pour le calcul de la valeur actualisée des versements périodiques est un peu plus complexe que celle d'un versement unique. Pour cette raison, Excel a été programmé pour vous donner la formule sans que vous ayez à l'entrer vous-même.

Pour calculer la valeur actualisée de versements périodiques (des annuités) avec Excel, sélectionnez une cellule et cliquez sur le bouton d'insertion des fonctions (f_x). La boîte de dialogue suivante s'affichera :

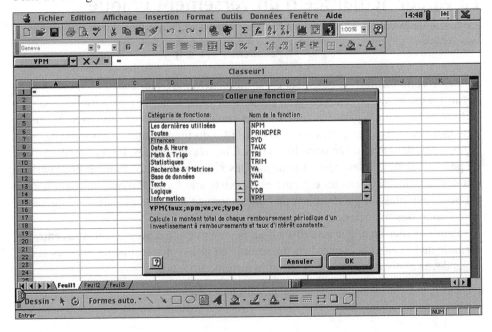

Sous la liste des choix à faire, vous devez choisir la catégorie « Financier » et dans l'option du choix d'une fonction, sélectionnez « VA ». En cliquant sur OK, vous verrez une nouvelle boîte de sélection apparaître :

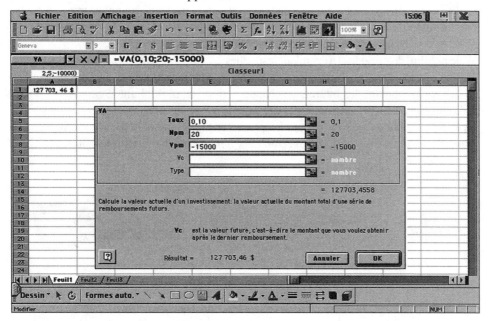

Dans cette boîte, vous devez inscrire le taux d'intérêt (par exemple 10 %) dans le champ « Taux ». Vous devez entrer le taux sous forme décimale (0,10). Entrez ensuite le nombre de périodes (par exemple 20) sous la rubrique Npm. Pour le paiement (par exemple 15 000 $), vous devez entrer un montant négatif (−15000) dans le champ « Vpm ». Remarquez aussi qu'aucun espace n'est inclus dans le chiffre. Lorsque vous cliquez sur OK, Excel entre la formule dans la cellule que vous avez choisie. La valeur calculée par Excel est 127 703,46 $, ce qui représente la valeur actualisée de 20 versements annuels de 15 000 $ à 10 % d'intérêt annuel.

Les concepts de la valeur capitalisée

Annexe 9-C

Les problèmes de **valeur capitalisée** (ou **valeur future**) sont semblables à ceux de la valeur actualisée. En effet, tous les deux portent sur la valeur temporelle de l'argent. Comme nous l'avons déjà vu, les problèmes de valeur actualisée déterminent un montant d'argent actuel équivalent pour une somme à recevoir ou à verser dans le futur. De son côté, une valeur capitalisée représente la somme future lorsqu'on additionne les intérêts composés que le montant investi rapportera.

La **valeur capitalisée** (ou **valeur future**) correspond à la somme que représente un montant investi lorsqu'on y additionne les intérêts composés qu'il rapportera.

Le tableau suivant montre la différence fondamentale entre la valeur actualisée et la valeur capitalisée.

	Aujourd'hui	Dans l'avenir
Valeur actualisée	?	1 000 $
Valeur capitalisée	1 000 $	?

La valeur capitalisée d'un versement unique

Dans les problèmes concernant la valeur capitalisée d'un versement unique, on vous demande de calculer la somme d'argent que vous aurez en main dans le futur après avoir investi un certain montant aujourd'hui. Supposons que vous receviez un cadeau de 10 000 $. Vous pouvez décider de le déposer dans un compte d'épargne afin de l'utiliser comme acompte (ou versement initial) sur l'achat d'une maison lorsque vous aurez terminé vos études. Grâce au calcul de la valeur capitalisée, vous pouvez connaître le montant d'argent dont vous disposerez lorsque vous aurez votre diplôme.

Pour résoudre un problème de valeur capitalisée, vous devez connaître trois éléments :
1) le montant à investir ;
2) le taux d'intérêt (i) que rapporte le montant investi ;
3) le nombre de périodes (n) pendant lesquelles ce montant vous rapportera des intérêts.

Le concept de valeur capitalisée est basé sur les intérêts composés. Par conséquent, on calcule le montant des intérêts de chaque période en multipliant le capital, auquel on additionne les intérêts accumulés des périodes productives précédentes (qui n'ont pas été versés) par le taux d'intérêt. On peut représenter graphiquement le calcul d'une valeur future de 1 $ pour trois périodes avec un taux d'intérêt de 10 % comme suit.

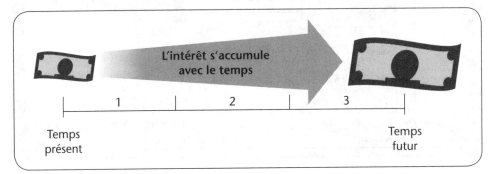

Pour illustrer ce propos, supposons que le 1er janvier 2008, vous déposez 10 000 $ dans un compte d'épargne à un taux d'intérêt annuel de 5 %, composé annuellement. Au bout de trois ans, le montant initial est passé à 11 576 $ de la façon suivante :

Année	Montant au début de l'année	+	Intérêts au cours de l'année	=	Montant à la fin de l'année
1	10 000 $	+	10 000 $ × 5 % = 500 $	=	10 500 $
2	10 500	+	10 500 $ × 5 % = 525	=	11 025
3	11 025	+	11 025 $ × 5 % = 551	=	11 576

Pour éviter le calcul détaillé visant à obtenir ce résultat, consultez la table A.3 de l'annexe A à la fin de ce manuel, intitulée « Valeur capitalisée de 1 $ ». Pour $i = 5\%$ et $n = 3$, on obtient 1,1576. À la fin de la troisième année, on peut calculer le solde comme étant :

De la table A.3
Intérêt = 10 %
n = 3

$$10\ 000\ \$ \times 1,1576 = 11\ 576\ \$$$

L'augmentation de 1 576 $ est attribuable à la valeur temporelle de l'argent. Il s'agit d'un revenu d'intérêts (ou d'un produit financier ou des intérêts créditeurs) pour le propriétaire du compte d'épargne et de charge d'intérêts (ou des intérêts débiteurs) pour l'établissement bancaire.

La valeur capitalisée de versements périodiques (les annuités)

Si vous économisez de l'argent dans un but quelconque, par exemple pour acheter une nouvelle voiture ou faire un voyage en Europe, vous pourriez décider de déposer chaque mois un montant d'argent fixe dans un compte d'épargne. Le calcul de la valeur capitalisée de ces versements périodiques vous indiquerait alors combien il y aura d'argent dans votre compte d'épargne à un moment donné dans l'avenir.

La valeur capitalisée d'un ensemble de versements périodiques inclut les intérêts composés sur chaque versement, de la date du premier paiement jusqu'à la fin des versements.

Chaque versement accumule moins d'intérêts que les versements précédents, uniquement parce que le nombre de périodes qui restent pour accumuler des intérêts diminue. La valeur capitalisée de versements périodiques de 1 $ pour trois périodes à 10 % d'intérêt peut être illustrée comme suit.

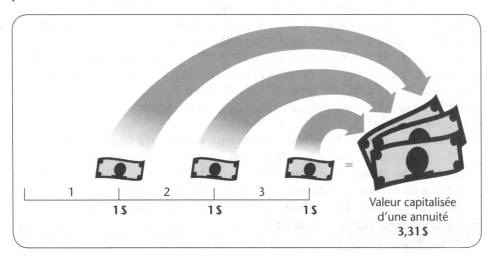

Supposons qu'on dépose 1 000 $ en espèces dans un compte d'épargne chaque année pendant trois ans à un taux d'intérêt de 10 % par an (c'est-à-dire que le capital est de 3 000 $ au total). On effectue le premier dépôt le 31 décembre 2008, le deuxième se fait le 31 décembre 2009 et le troisième, le 31 décembre 2010. Le premier dépôt de 1 000 $ rapporte des intérêts composés pendant deux ans (le total du capital et des intérêts est de 1 210 $) ; le deuxième rapporte des intérêts pendant un an (le total du capital et des intérêts est de 1 100 $), tandis que le troisième ne rapporte aucun intérêt puisqu'on le dépose le jour où la banque calcule le solde. Par conséquent, le montant total dans le compte d'épargne à la fin de trois ans s'élève à 3 310 $ (1 210 $ + 1 100 $ + 1 000 $).

On pourrait aussi calculer les intérêts sur chaque dépôt pour déterminer la valeur capitalisée de ces versements périodiques. En se référant à la table A.4 de l'annexe A à la fin de ce manuel, intitulée « Valeur capitalisée de versements périodiques égaux de 1 $ » pour $i = 10$ % et $n = 3$, on trouve 3,3100. Ainsi, le total des trois dépôts de 1 000 $ chacun se chiffre à :

$$1\ 000\ \$ \times 3,31 = 3\ 310\ \$$$

> De la table A.4
> Intérêt = 10 %
> n = 3

La puissance de la capitalisation

Les intérêts composés constituent un instrument économique remarquablement puissant. La capacité de réaliser des intérêts sur des intérêts est la clé de la richesse économique. Si vous épargnez 1 000 $ par an pendant les 10 premières années de votre carrière, vous aurez plus d'argent à votre retraite que si vous épargnez 15 000 $ par an au cours de vos 10 dernières années de travail. Ce résultat surprenant s'explique du fait que l'argent que vous économisez au début de votre carrière a la possibilité de rapporter plus d'intérêts que l'argent que vous économisez à la fin de vos années de service. Si vous commencez tôt, la plus grande partie de votre avoir proviendra non pas de l'argent que vous aurez épargné, mais des intérêts réalisés grâce à cet argent. Le graphique ci-contre illustre la puissance de la capitalisation sur un bref intervalle de 10 ans. On suppose, au départ, que vous déposez 1 $ par année dans un compte d'épargne qui porte un taux d'intérêt de 10 %. À la fin de 10 ans exactement, seulement 64 % du solde de votre compte est constitué de l'argent économisé, le reste provient des intérêts réalisés. Après 20 ans, seulement 35 % du solde provient de l'argent épargné. La leçon à tirer de cet exemple est fort claire : malgré les difficultés que cela comporte, il faut commencer à épargner dès maintenant si on veut profiter au maximum des intérêts composés.

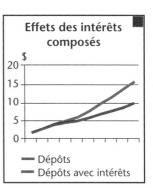

Effets des intérêts composés

— Dépôts
— Dépôts avec intérêts

Le calcul des obligations à l'aide d'Excel

Au lieu d'utiliser les tables présentées à la fin de ce chapitre, la plupart des comptables et des analystes financiers utilisent le tableur Excel pour faire les calculs nécessaires lorsqu'il est question d'obligations. On peut illustrer la procédure avec Excel en utilisant l'exemple de la société Fanfaron présenté dans le chapitre. Posez l'hypothèse que Fanfaron a émis pour 100 000 $ en obligations venant à échéance dans 5 ans avec 10 000 $ de charge d'intérêts annuelle. Lors de l'émission des obligations, le taux du marché était de 12 %. La valeur actualisée de ces obligations peut se calculer à l'aide des étapes suivantes[8] :

1. **La détermination de la valeur actualisée du versement à la date d'échéance**

   Dans la cellule A1, entrez la formule pour calculer la valeur actualisée d'un paiement unique. Dans le format utilisé par Excel, la formule est =10000/(1,12)^5, où 100000 est la valeur à l'échéance, 1,12 est 1 + le taux du marché par année et ^5, le nombre de périodes. Excel calculera cette valeur comme étant 56 742,69 $.

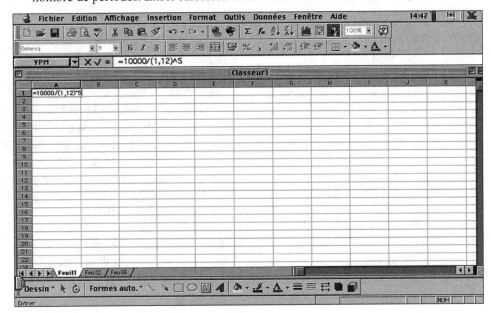

2. **La détermination de la valeur actualisée des versements périodiques**

   La valeur actualisée des versements périodiques peut être calculée à l'aide du bouton des fonctions d'Excel (f_x) sans que vous ayez à entrer la formule vous-même. En cliquant sur le bouton f_x, une boîte de dialogue apparaît. Choisissez « Financier » comme catégorie et « VA » pour les options de fonctions. Cliquez sur OK. Une autre boîte de dialogue apparaît. Vous devez y entrer le taux du marché (Taux : 0,12) et le nombre de périodes (Npm : 5). « Vpm » est le montant d'intérêts versés pour chaque période, qui est −10000 dans notre cas (ne pas oublier la convention d'Excel qui exige un signe négatif devant le chiffre et aucun espace entre les chiffres). Excel calculera la valeur comme étant 36 047,76 $.

---

8. Nous avons utilisé la version Microsoft Office 2003. Les étapes peuvent être légèrement différentes avec une autre version d'Office.

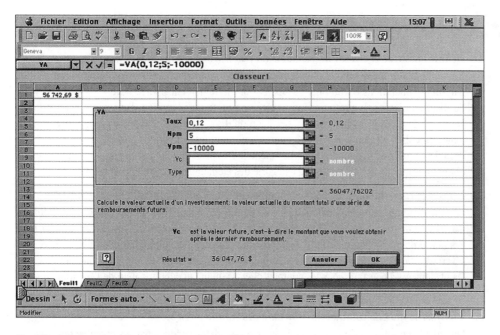

3. L'addition des deux valeurs actualisées

Dans la cellule A3, additionnez les valeurs des cellules A1 et A3 en utilisant la fonction des sommes d'Excel ( ) de la barre d'outils. Excel fera le calcul du montant de 92 790,45 $. Plus tôt dans ce chapitre, nous avons calculé la valeur actualisée des obligations à 92 788 $. La petite différence résulte de l'arrondissement qui se produit avec les tables de valeurs à la fin du chapitre. La réponse que donne Excel est plus précise, ce qui explique pourquoi les entreprises utilisent les tableurs et les calculatrices au lieu des tables de valeurs actualisées qu'on utilise à des fins pédagogiques.

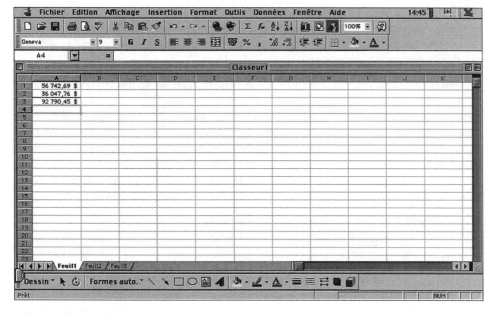

1. **Définir, mesurer et classer les éléments du passif** (*voir la page 515*).

   Les comptables définissent les éléments de passif comme des obligations qui incombent à l'entité par suite d'opérations ou de faits passés, et dont le règlement pourra nécessiter le transfert ou l'utilisation d'actifs, la prestation de services ou toute autre cession d'avantages économiques. Dans le bilan, ces éléments sont classés selon qu'il s'agit de passif à court terme ou de passif à long terme. Les éléments de passif à court terme sont des obligations qui doivent être payées en deçà de 12 mois de la date du bilan. Les éléments de passif à long terme comprennent toutes les obligations qui n'entrent pas dans la catégorie des éléments de passif à court terme.

2. **Utiliser le ratio du fonds de roulement et le ratio de liquidité relative** (*voir la page 516*).

   Le ratio du fonds de roulement (ou le ratio de liquidité générale) permet de comparer les éléments d'actif à court terme et les éléments de passif à court terme. Les analystes s'en servent pour évaluer le degré de liquidité d'une entreprise. Le ratio de liquidité relative est une mesure plus sévère des liquidités disponibles car le numérateur de l'équation ne comprend que la trésorerie, les placements à court terme et les comptes clients ; quant au dénominateur de l'équation, il s'agit toujours des éléments de passif à court terme.

3. **Analyser le taux de rotation des fournisseurs** (*voir la page 519*).

   On calcule ce ratio en divisant le coût des marchandises vendues par les comptes fournisseurs moyens. Il indique avec quelle rapidité les entreprises paient leurs fournisseurs. On considère ce ratio comme une mesure de liquidité.

4. **Présenter les effets à payer et expliquer le concept de la valeur temporelle de l'argent** (*voir la page 523*).

   Un effet à payer précise le montant emprunté, la date de remboursement et le taux d'intérêt. Les comptables doivent présenter la dette et les intérêts courus. La valeur temporelle de l'argent est une notion selon laquelle les intérêts sur les fonds empruntés s'accumulent avec le passage du temps.

5. **Présenter les éléments de passifs éventuels** (*voir la page 526*).

   Un élément de passif éventuel est une dette potentielle qui a pris naissance à la suite d'un événement passé. L'entreprise présente les renseignements concernant ce type d'élément de passif dans une note lorsqu'il s'agit d'une obligation probable, mais qu'on ne peut évaluer, ou lorsqu'il s'agit d'une obligation indéterminable.

6. **Déterminer l'effet des variations du fonds de roulement net sur les flux de trésorerie** (*voir la page 528*).

   Le montant du fonds de roulement net est utilisé pour financer les activités d'exploitation d'une entreprise. Les variations dans les comptes relatifs au fonds de roulement net ont des effets sur les flux de trésorerie provenant de l'exploitation. Ainsi, les flux de trésorerie augmentent lorsque les éléments d'actif à court terme (autres que la caisse) diminuent ou que les éléments de passif à court terme augmentent. Les flux de trésorerie diminuent lorsque les éléments d'actif à court terme (autres que la caisse) augmentent ou que les éléments de passif à court terme diminuent.

7. **Présenter les passifs à long terme** (*voir la page 530*).

   Normalement, les passifs à long terme sont remboursés sur plus d'une année à venir. La comptabilisation des passifs à long terme repose sur les mêmes concepts que ceux qui sont élaborés pour les passifs à court terme.

8. **Calculer la valeur actualisée** (*voir la page 533*).

   Le concept de la valeur actualisée est fondé sur la valeur temporelle de l'argent. Pour simplifier, on peut dire que 1 $ à recevoir dans l'avenir vaut moins que 1 $ disponible aujourd'hui (la valeur actualisée). Ce concept s'applique soit à un paiement unique, soit à des paiements multiples appelés des « versements périodiques » ou des « annuités ». On peut se servir de tables, d'une calculatrice ou d'un tableur tel Excel pour déterminer la valeur actualisée.

9. **Appliquer les concepts relatifs à la valeur actualisée aux éléments de passif** (*voir la page 537*).

Les comptables se servent des concepts de valeur actualisée pour déterminer les montants de passif à enregistrer. Un élément de passif suppose un paiement quelconque à une date ultérieure. Toutefois, l'élément que l'on comptabilise n'est pas le montant du paiement à venir. On enregistre plutôt le montant de la valeur actualisée de ce paiement.

10. **Décrire les caractéristiques des obligations** (*voir la page 540*).

Les obligations présentent différentes caractéristiques conçues pour satisfaire aux besoins de la société émettrice et des créanciers. Plusieurs caractéristiques des obligations sont décrites dans le chapitre.

Les sociétés se servent d'obligations pour mobiliser des capitaux à long terme. Les obligations offrent plusieurs avantages par rapport aux actions, entre autres la possibilité de rapporter un rendement plus élevé aux actionnaires, la déductibilité fiscale des intérêts et le fait que le contrôle de l'entreprise ne subit pas de dilution. Elles comportent néanmoins un risque additionnel, car le paiement des intérêts et du capital n'est pas laissé à la discrétion des dirigeants comme le sont les dividendes.

11. **Décrire les événements liés aux emprunts obligataires et les caractéristiques des émissions à escompte et à prime** (*voir la page 544*).

On doit enregistrer trois types d'événements pendant la durée de vie d'une obligation : 1) la réception d'argent lorsque l'obligation est émise pour la première fois, 2) le versement périodique des intérêts en espèces et 3) le remboursement du capital lorsque l'obligation arrive à échéance. Les obligations sont présentées à la valeur actualisée des flux monétaires futurs (intérêts et remboursement de capital inscrits au contrat). Les obligations sont vendues à la valeur nominale lorsque leur taux d'intérêt nominal est égal au taux d'intérêt du marché.

Les obligations sont vendues à escompte lorsque leur taux d'intérêt nominal est inférieur au taux d'intérêt du marché. L'escompte correspond à la différence (en dollars) entre la valeur nominale de l'obligation et son prix de vente.

Les obligations sont vendues à prime lorsque leur taux d'intérêt nominal est supérieur au taux d'intérêt du marché. Cette prime correspond à la différence (en dollars) entre le prix de vente de l'obligation et sa valeur nominale.

12. **Analyser le ratio de couverture des intérêts** (*voir la page 548*).

Ce ratio mesure la capacité d'une entreprise à s'acquitter de ses paiements d'intérêts avec des ressources provenant de ses activités d'exploitation. On le calcule en comparant la charge d'intérêts avec le bénéfice net auquel on ajoute la charge d'intérêts et la charge fiscale.

13. **Analyser le ratio des capitaux empruntés sur les capitaux propres** (*voir la page 549*).

Le ratio des capitaux empruntés sur les capitaux propres permet de comparer le montant de capital que fournissent les créanciers avec le montant que fournissent les propriétaires. Il s'agit d'une mesure de la capacité d'emprunt de l'entreprise. C'est un ratio important en raison du niveau élevé de risque associé au capital emprunté dont le remboursement comporte des paiements obligatoires.

14. **Présenter les activités de financement à l'état des flux de trésorerie** (*voir la page 550*).

On enregistre les flux de trésorerie associés aux opérations qui mettent en cause les créanciers dans la section des activités de financement de l'état des flux de trésorerie. La charge d'intérêts, par contre, entre dans la section des activités d'exploitation.

Le **ratio du fonds de roulement** (ou le ratio de liquidité générale) mesure la capacité d'une entreprise à remplir ses obligations à court terme. On le calcule comme suit (*voir la page 516*).

$$\text{Ratio du fonds de roulement} = \frac{\text{Actif à court terme}}{\text{Passif à court terme}}$$

Le **ratio de liquidité relative** est une mesure plus sévère de la capacité d'une entreprise à rencontrer ses obligations à court terme. On le calcule comme suit (*voir la page 517*).

$$\text{Ratio de liquidité relative} = \frac{\text{Actifs disponibles et réalisables*}}{\text{Passif à court terme}}$$

* La trésorerie, les placements à court terme et les comptes clients.

Le **taux de rotation des fournisseurs** mesure la vitesse à laquelle une entreprise paie ses créanciers. On le calcule comme suit (*voir la page 519*).

$$\text{Taux de rotation des fournisseurs} = \frac{\text{Coût des marchandises vendues}}{\text{Comptes fournisseurs moyens}}$$

Le **ratio de couverture des intérêts** permet de mesurer la capacité d'une entreprise à produire des ressources grâce à ses opérations courantes pour faire face à ses obligations en matière d'intérêts. On le calcule comme suit (*voir la page 548*).

$$\text{Ratio de couverture des intérêts} = \frac{\text{Bénéfice net} + \text{Charge d'intérêts} + \text{Charge fiscale}}{\text{Charge d'intérêts}}$$

Le **ratio des capitaux empruntés sur les capitaux propres** sert à mesurer l'équilibre entre la dette et les capitaux propres. On considère généralement que les capitaux empruntés représentent un niveau de risque plus élevé que les capitaux propres. Ce ratio se calcule comme suit (*voir la page 549*).

$$\text{Ratio des capitaux empruntés sur les capitaux propres} = \frac{\text{Passif total}}{\text{Capitaux propres}}$$

Pour trouver
L'INFORMATION FINANCIÈRE

BILAN

Sous le terme Passif à court terme

Les passifs sont énumérés selon le titre du compte, par exemple

Comptes fournisseurs

Frais courus

Effets à payer

Partie à court terme de la dette à long terme

Sous le terme Passif à long terme

Les passifs sont énumérés selon le titre du compte, par exemple

Dette à long terme

Impôts futurs

Obligations

Débentures

ÉTAT DES RÉSULTATS

Les éléments de passif apparaissent seulement au bilan, jamais à l'état des résultats.

Les opérations qui modifient les éléments de passif ont souvent un effet sur un compte de l'état des résultats. Par exemple, le calcul des salaires influe sur un compte de l'état des résultats (Charge de salaires) et sur un compte du bilan (Salaires à payer).

On y inscrit aussi la charge d'intérêts associée aux obligations. Les entreprises sont tenues d'enregistrer cette charge dans une catégorie à part de l'état des résultat ou dans une note aux états financiers.

ÉTAT DES FLUX DE TRÉSORERIE

Sous la rubrique Activités d'exploitation (méthode indirecte)

Bénéfice net

+ Augmentation de la plupart des éléments de passif à court terme

− Diminution de la plupart des éléments de passif à court terme

Sous la rubrique Activités de financement

+ Rentrées de fonds provenant des créanciers à long terme et des emprunts à court terme

− Sorties de fonds affectés aux créanciers à long terme et aux emprunts à court terme

NOTES COMPLÉMENTAIRES

Sous le terme Principales conventions comptables

Description des renseignements pertinents concernant le traitement comptable des éléments de passif. Normalement, les renseignements sont limités au minimum.

Dans une note distincte

La plupart des entreprises ajoutent une note distincte appelée « Dette à long terme », dans laquelle elles donnent des renseignements concernant chacune des émissions d'emprunts importantes, y compris les montants et les taux d'intérêt. Cette note fournit aussi de l'information sur les clauses restrictives de leurs contrats de prêt.

Les renseignements concernant des éléments de passif éventuel se retrouvent aussi dans les notes.

Mots clés

Questions

1. Définissez le passif. Expliquez la différence entre un passif à court terme et un passif à long terme.

2. Comment des personnes de l'extérieur peuvent-elles se renseigner sur les passifs d'une entreprise ?

3. On mesure et on enregistre les éléments de passif à un montant égal à leur valeur équivalente en espèces. Expliquez cet énoncé.

4. Un passif est une obligation constatée à un montant défini ou estimé. Expliquez cet énoncé.

5. Définissez l'expression « fonds de roulement net ». Comment pouvez-vous le calculer ?

6. Qu'est-ce que le « ratio du fonds de roulement » ou le « ratio de solvabilité à court terme » ? Quel est son lien avec le classement des éléments de passif ?

7. Quelle différence y a-t-il entre le ratio du fonds de roulement et le ratio de liquidité relative ?

8. Définissez l'expression « frais courus ». Quel type d'écriture utilise-t-on généralement pour décrire de tels frais ?

9. Définissez l'expression « produit perçu d'avance ». Pourquoi considère-t-on ce produit comme un passif ?

10. Définissez l'expression « effet à payer ». Établissez la distinction entre un billet garanti et un autre qui ne l'est pas.

11. Qu'est-ce qu'un passif éventuel ? Comment enregistre-t-on ce type de passif ?

12. Calculez la charge d'intérêts en 2010 pour l'effet suivant : valeur nominale de 4 000 $; taux d'intérêt de 12 %, date de l'effet le 1er avril 2010.

13. Expliquez la notion de valeur temporelle de l'argent.

14. Expliquez la différence fondamentale entre la valeur capitalisée (ou valeur future) et la valeur actualisée (ou valeur présente).

15. Si vous détenez un contrat vous permettant de recevoir 8 000 $ comptant dans 10 ans et que le taux d'intérêt en vigueur est de 10 %, quelle est sa valeur actualisée ? Présentez tous vos calculs.

16. Qu'est-ce qu'un ensemble de versements périodiques (ou annuité) ?

17. Remplissez le tableau qui suit.

Concept	Valeurs des tables		
	$n = 4$, $i = 5\%$	$n = 7$, $i = 10\%$	$n = 10$, $i = 14\%$
VA d'un versement unique de 1 $			
VA de versements périodiques de 1 $			

18. Vous avez acheté une voiture à 18 000 $. Vous avez déboursé 3 000 $ comptant et devez payer le reste en six versements semi-annuels à un taux d'intérêt de 12 % annuel. Présentez clairement les calculs du montant de chaque versement.

19. Quelles sont les principales caractéristiques d'une obligation ? Pour quelles raisons émet-on généralement des obligations ?

20. Quelle est la différence entre un acte de fiducie et un certificat d'obligation ?

21. Expliquez la distinction entre les obligations garanties et les obligations non garanties.

22. Faites la distinction entre les obligations remboursables par anticipation et les obligations convertibles.

23. Du point de vue de la société émettrice, quels avantages y a-t-il à émettre des obligations plutôt que des actions ?

24. À mesure que le taux d'imposition augmente, le coût net des emprunts diminue. Expliquez cette affirmation.

25. À la date de l'émission, on enregistre les obligations au montant équivalant à leur valeur courante en espèces. Expliquez cette affirmation.

26. Quelle est la nature de l'escompte et de la prime sur les emprunts obligataires ? Expliquez votre réponse.

27. Quelle est la différence entre le taux d'intérêt contractuel et le taux d'intérêt effectif d'une obligation ?

28. Établissez la distinction entre le taux d'intérêt contractuel et effectif d'une obligation a) vendue à sa valeur nominale, b) vendue à escompte et c) vendue à prime.

29. Quelle est la valeur comptable d'un emprunt obligataire ?

Questions à choix multiples

1. Quelle est la valeur actualisée de cinq versements périodiques à un taux d'intérêt de 10 % ?
   a) 1,6105
   c) 3,7908
   b) 6,1051
   d) 7,7217

2. L'équipe de football de l'université a besoin d'une camionnette pour transporter son matériel. Un concessionnaire de Montréal vous propose ce qui suit : un versement de 4 000 $ immédiatement plus 20 versements mensuels de 750 $. Un concessionnaire de Laval vous propose un versement de 1 000 $ immédiatement plus 20 versements mensuels de 850 $. Actuellement, la banque prête à un taux d'intérêt annuel de 12 % pour les prêts de voiture. Quelle est la meilleure offre ?
   a) L'offre de Laval est meilleure, car le paiement total de 18 000 $ est moindre que le paiement de 19 000 $ à faire au concessionnaire de Montréal.
   b) L'offre de Montréal est meilleure car le coût, en ce qui concerne la valeur actualisée, est moindre que le coût de Laval, également en valeur actualisée.
   c) L'offre de Montréal est meilleure, car les paiements mensuels sont moins élevés.
   d) L'offre de Laval est meilleure, car le montant d'acompte à verser est moindre.
   e) L'offre de Laval est meilleure car le coût, valeur actualisée, est moindre que le coût de Montréal, également en valeur actualisée.

3. Parmi les énoncés suivants, lequel décrit le mieux des frais courus ?
   a) Les dettes à long terme.
   b) Les montants courants dus aux fournisseurs de marchandises.
   c) Les passifs à court terme qu'on doit reconnaître à titre de produits dans le futur.
   d) Les montants courants dus à diverses parties à la fin d'un exercice, reconnus le plus souvent comme charge par régularisation.

4. La société X a emprunté 100 000 $ de la banque qu'elle doit rembourser au cours des cinq prochaines années. Le premier versement se fait dans un mois. Parmi les énoncés suivants, lequel décrit le mieux la présentation de cette dette au bilan d'aujourd'hui (date de l'emprunt) ?
   a) 100 000 $ dans la section du passif à long terme.
   b) 100 000 $ plus les intérêts à payer au cours des cinq prochains exercices dans la section du passif à long terme.
   c) Une portion du 100 000 $ dans la section du passif à court terme et le reste du capital emprunté dans la section du passif à long terme.
   d) Une portion du 100 000 $ avec les intérêts dans la section du passif à court terme et le reste du capital plus les intérêts dans la section du passif à long terme.

5. Une société fera face à un recours collectif contre l'un de ses produits dans l'année qui vient pour une somme de 2 000 000 $. Selon les avocats de la société, la possibilité que la société doive compenser les plaignants est indéterminable en ce moment. Comment un tel événement doit-il être présenté dans les états financiers qui seront émis au cours du prochain mois ?
   a) 2 000 000 $ dans la section du passif à court terme.
   b) 2 000 000 $ dans la section du passif à long terme.
   c) Une description narrative dans les notes aux états financiers.
   d) Aucune divulgation n'est nécessaire.

6. Laquelle des transactions suivantes ferait normalement augmenter le taux de rotation des comptes fournisseurs ?
   a) Le paiement comptant aux fournisseurs.   c) L'achat de stocks à crédit.
   b) L'encaissement des clients.   d) Aucun des énoncés ci-dessus.

7. Comment calcule-t-on le fonds de roulement net ?
   a) L'actif à court terme multiplié par le passif à court terme.
   b) L'actif à court terme plus le passif à court terme.
   c) L'actif à court terme moins le passif à court terme.
   d) L'actif à court terme divisé par le passif à court terme.

8. À quelle valeur présente-t-on les passifs à long terme aux états financiers ?
   a) La valeur contractuelle.   c) La valeur future.
   b) La valeur actualisée.   d) La valeur des flux monétaires.

9. Parmi les énoncés suivants, lequel mesure les liquidités de l'entreprise d'une façon plus conservatrice ?
   a) Le ratio de liquidité générale.
   b) La couverture des intérêts.
   c) Le taux de rotation des fournisseurs.
   d) Le ratio de liquidité relative.

10. Parmi les énoncés suivants, lequel ne constitue pas un avantage d'émettre des obligations comparativement à l'émission de actions ordinaires supplémentaire pour obtenir du capital?
    a) Les droits de vote des actionnaires ne sont pas dilués.
    b) La charge d'intérêts réduit les impôts sur le revenu.
    c) Le moment du paiement des intérêts est flexible.
    d) Tous les éléments ci-dessus sont des avantages associés aux obligations.

11. Parmi les éléments suivants, lequel n'a aucun incidence sur le calcul des versements d'intérêts à faire aux obligataires?
    a) La valeur nominale des obligations.   c) Le taux d'intérêt effectif.
    b) Le taux d'intérêt nominal.   d) La fréquence des paiements.

12. Parmi les comptes suivants, lequel serait exclu du calcul du ratio des capitaux empruntés sur les capitaux propres?
    a) Les produits différés.   c) Les impôts à payer.
    b) Les bénéfices non répartis.   d) Tous les comptes ci-dessus sont inclus.

13. Parmi les éléments suivants, lequel est faux lors d'une émission d'obligations à prime?
    a) Les obligations seront émises à un montant supérieur à leur valeur nominale.
    b) La valeur nominale des obligations sera inscrite au compte Obligations à payer.
    c) La charge d'intérêts sera supérieure au montant d'intérêts payé.
    d) Tous les éléments ci-dessus sont faux.

14. Afin de déterminer si une émission d'obligations sera faite à prime, à escompte ou à la valeur nominale, quel groupe d'informations suivantes doit être connu?
    a) La valeur nominale et le taux d'intérêt nominal à la date d'émission des obligations.
    b) La valeur nominale et le taux d'intérêt effectif à la date d'émission des obligations.
    c) Le taux d'intérêt nominal et le taux d'intérêt effectif à la date d'émission des obligations.
    d) Le taux d'intérêt nominal et le taux d'intérêt du coupon à la date d'émission des obligations.

15. Parmi les éléments suivants, lequel n'apparaît pas dans la section des activités de financement à l'état des flux de trésorerie?
    a) Le versement comptant des intérêts aux obligataires.
    b) Le montant de capital remboursé aux obligataires.
    c) Le montant de capital obtenu des obligataires.
    d) Tous les éléments ci-dessus sont des activités de financement.

Mini-exercices

 OA4

M9-1   Calculer la charge d'intérêts

L'entreprise Jacob a emprunté 500 000$ en signant un billet de 90 jours à un taux d'intérêt de 9%. L'argent a été emprunté pour 30 jours en 2009 et pour 60 jours en 2010. Le montant du billet et les intérêts doivent être remboursés à l'échéance, en 2010. Quels montants de charge d'intérêts, s'il y en a, devraient être enregistrés en 2009 et en 2010?

OA4

M9-2   Enregistrer un effet à payer

La société Pharand a emprunté 100 000$ le 1er novembre 2010. Le billet, qui porte un taux d'intérêt de 12% annuel, précise que le capital et les intérêts sont remboursables le 1er juin 2011. À l'aide de l'équation comptable et des écritures de journal, présentez l'enregistrement de ce billet au 1er novembre 2010. Présentez de la même façon les intérêts courus en date du 31 décembre 2010.

OA1
OA3
OA6

M9-3   Pour trouver l'information financière

Pour chacun des cinq éléments ci-dessous, précisez si l'information pertinente se trouve dans le bilan, l'état des résultats, l'état des flux de trésorerie, les notes complémentaires aux états financiers ou nulle part.
1. Le montant du fonds de roulement net.
2. Le montant total du passif à court terme.
3. Des renseignements concernant les régimes de retraite d'une entreprise.
4. Le taux de rotation des comptes fournisseurs.
5. Des renseignements concernant l'effet des variations du fonds de roulement sur les flux de trésorerie pour l'exercice considéré.

M9-4   Calculer des mesures de liquidité   ■OA2

Le bilan de la société Chabert contient les renseignements suivants : le total de l'actif, 250 000 $; l'actif à long terme, 150 000 $; le passif à court terme, 40 000 $; le total des capitaux propres, 90 000 $. Calculez le ratio du fonds de roulement et le fonds de roulement net de l'entreprise.

M9-5   Analyser l'effet de certaines opérations sur la liquidité   ■OA2

BSO inc. a un ratio du fonds de roulement de 2,0 et le montant de son fonds de roulement net s'élève à 1 240 000 $. Pour chacune des opérations suivantes, déterminez si le ratio et le fonds de roulement net lui-même augmenteront, diminueront ou resteront inchangés.

a)   Le paiement des comptes fournisseurs pour un montant total de 50 000 $.

b)   L'enregistrement de salaires courus pour un montant total de 100 000 $.

c)   Un emprunt de 250 000 $ à une banque locale, remboursable dans 90 jours.

d)   L'achat de stocks pour un montant total de 20 000 $ à crédit.

M9-6   Calculer les ratios de liquidité et les analyser   ■OA2

Voici un extrait du bilan de la société Trouvetout pour l'exercice financier 2008 :

Actif à court terme :	
Caisse	50 000 $
Placements à court terme	25 000
Clients	180 000
Stocks	230 000
Frais payés d'avance	20 000
Impôts futurs	15 000
	520 000 $
Passif à court terme (total)	350 000 $

Calculez le ratio du fonds de roulement et le ratio de liquidité relative. Expliquez pour-quoi l'un des ratios est moins élevé que l'autre.

M9-7   Comptabiliser des éléments de passif éventuel   ■OA5

Le café La Brûlerie 6 a la réputation de servir de généreuses tasses de café très chaud. Après un procès retentissant contre McDonald's, l'avocat de La Brûlerie 6 a prévenu la direction (en 2005) que l'entreprise risquait d'être poursuivie si un de ses clients se brûlait en renversant du café chaud sur lui. « Compte tenu de la température élevée de votre café, je peux vous assurer que, tôt ou tard, vous aurez une poursuite de 1 million de dollars à régler. » Malheureusement, en 2007, cette prédiction s'est réalisée. Un client a intenté une action en justice contre l'entreprise, et le procès a eu lieu en 2008. Le jury a accordé au plaignant 400 000 $ en dommages-intérêts. L'en-treprise a immédiatement porté ce jugement en appel. Au cours de 2009, le client et l'entreprise ont réglé leur litige à l'amiable pour une somme de 150 000 $. Comment faut-il comptabiliser cet élément de passif pour chaque exercice ?

M9-8   Calculer la valeur actualisée d'un versement unique   ■OA8

Quelle est la valeur actualisée d'un montant de 500 000 $ qui doit être remboursé dans 10 ans à un taux d'intérêt de 8 % ?

M9-9   Calculer la valeur actualisée d'un ensemble de versements périodiques (annuités)   ■OA8

Quelle est la valeur actualisée de 10 paiements égaux de 15 000 $ à un taux d'intérêt de 10 % ?

M9-10   Calculer la valeur actualisée d'un contrat complexe   ■OA8

Par suite d'un ralentissement de leurs opérations, les magasins Mercator offrent aux employés qui ont été mis à pied une indemnité de départ de 100 000 $ comptant. Ils re-cevront de nouveau 100 000 $ dans un an, puis des versements périodiques de 30 000 $ chaque année pendant 20 ans, à partir de la deuxième année. Quelle est la valeur actualisée de cette indemnité si on suppose que le taux d'intérêt est de 8 % ?

M9-11   Calculer la valeur capitalisée d'un ensemble de versements périodiques (Annexe 9-C)

Vous projetez de prendre votre retraite dans 20 ans. Vaut-il mieux épargner 25 000 $ par an pendant les 10 dernières années de votre carrière ou 15 000 $ par an pendant 20 ans ? Supposez que vous pouvez obtenir un taux d'intérêt de 10 % sur vos investissements.

M9-12 Effectuer un calcul complexe pour déterminer une valeur capitalisée (Annexe 9-C)

Vous voulez accumuler un fonds de pension de 500 000 $ pour votre retraite dans 20 ans. Si vos investissements peuvent vous rapporter des intérêts au taux de 10 %, quel montant devriez-vous déposer chaque année pour constituer ce fonds ?

M9-13 Pour trouver l'information comptable

Pour chacun des éléments suivants, précisez si l'information devrait se retrouver au bilan, à l'état des résultats, à l'état des flux de trésorerie, dans les notes des états financiers ou nulle part dans ces états.

1. Le montant des obligations à payer.
2. La charge d'intérêts pour la période.
3. Le décaissement relatif aux intérêts.
4. Le taux d'intérêt pour les dettes obligataires.
5. Le nom des principaux détenteurs des obligations.
6. La date d'échéance pour chacune des dettes obligataires.

M9-14 Calculer le prix d'émission des obligations

La société Bolduc désire émettre 500 000 $ en obligations le 1er janvier 2008 pour une période de 10 ans à un taux d'intérêt de 10 % annuel. Les intérêts doivent être versés **semi-annuellement** les 30 juin et 31 décembre de chaque année. Calculez le prix d'émission des obligations lorsque le taux du marché est de 8 %.

M9-15 Calculer le prix d'émission des obligations

La société Riveraine planifie l'émission de 300 000 $ en obligations le 1er janvier 2008 pour une période de 10 ans à un taux d'intérêt de 10 % annuel. Les intérêts doivent être versés semi-annuellement les 30 juin et 31 décembre de chaque année. Calculez le prix d'émission des obligations lorsque le taux du marché est de 12 %.

M9-16 Comprendre les ratios financiers

Le ratio de l'endettement et le ratio de couverture des intérêts ont été présentés dans ce chapitre. Lequel est le meilleur indicateur à l'effet qu'une société peut assumer les versements d'intérêts sur sa dette ? Expliquez votre réponse.

M9-17 Présentation des flux monétaires

Dans quelle section de l'état des flux de trésorerie les éléments suivants se trouvent-ils ?

a) Le décaissement pour rembourser les obligations.
b) Le décaissement pour payer les intérêts sur la dette à long terme.

Exercices

E9-1 Calculer et expliquer le fonds de roulement net, le ratio du fonds de roulement et le ratio de liquidité relative

La société Hilaire dresse son bilan de 2010. Ses registres renferment les montants suivants à la fin de l'exercice, le 31 décembre 2010.

Total des actifs	695 100 $
Total des actifs à long terme	525 000
Passif :	
Effets à payer (8 %, échéance dans 5 ans)	78 000
Fournisseurs	60 000
Impôts sur le bénéfice à payer	12 000
Déductions à la source à payer	3 000
Produits perçus d'avance	14 000
Obligations à payer (échéance dans 15 ans)	100 000
Salaires à payer	7 800
Impôt foncier à payer	2 000
Effet à payer (10 %, échéance dans 6 mois)	10 000
Intérêts courus	400
Capitaux propres	100 000

OA10
OA11
OA11
OA11
OA12
OA13
OA14
OA1
OA2
OA5
OA6

Travail à faire

1. Calculez a) le fonds de roulement net et b) le ratio du fonds de roulement (présentez vos calculs). Pourquoi le fonds de roulement net est-il important pour la direction ? Comment les analystes financiers se servent-ils du ratio du fonds de roulement ?
2. Vos calculs seraient-il différents si la société avait rapporté un passif éventuel de 250 000 $ dans les notes aux états financiers. Expliquez votre réponse.
3. Calculez le ratio de liquidité relative en assumant que les actifs à court terme sont comme suit :

Caisse	20 000 $
Placements à court terme	15 000
Clients	41 000
Stocks	85 100
Frais payés d'avance	10 000
	171 100 $

Pourquoi ce ratio est-il inférieur au ratio du fonds de roulement ?

E9-2 **Enregistrer et analyser les coûts de main-d'œuvre** OA1 OA3

L'entreprise Magloire a mis à jour son livre de paie pour le mois de mars 2008. Voici quelques-uns des renseignements qu'il contient.

Salaires bruts gagnés	230 000 $
Retenue d'impôts à la source	46 000
Cotisations syndicales prélevées	3 000
Retenue de prime d'assurance	1 200
Retenue pour régime des rentes*	8 900
Retenue pour l'assurance-emploi**	4 125
Cotisation de l'employeur à différents fonds (FSS, CNT, CSST)	1 610

* Part de l'employé seulement. L'employeur doit fournir le même montant.
** Part de l'employé seulement. L'employeur doit verser 1,4 fois la contribution de l'employé.

Travail à faire

1. Comptabilisez les salaires pour le mois de mars, y compris les déductions relatives aux employés. Présentez votre réponse à l'aide de l'équation comptable.
2. Comptabilisez les avantages sociaux payés par l'employeur sur les salaires à l'aide de l'équation comptable.
3. Comptabilisez les éléments combinés pour indiquer le paiement des montants dus aux organismes gouvernementaux et à d'autres organismes à l'aide de l'équation comptable.
4. Quel est le coût total de la main-d'œuvre pour l'entreprise ? Expliquez votre réponse.

E9-3 **Calculer les coûts de la masse salariale – une analyse des coûts de la main-d'œuvre** OA1 OA3

L'entreprise Clémenceau a mis à jour son livre de paie pour le mois de janvier 2008. Voici certaines données qui s'y trouvent.

Salaires bruts gagnés	82 000 $
Retenues d'impôts à la source	15 500
Cotisations syndicales prélevées	1 200
Cotisations au régime de rentes*	3 013
Cotisations à l'assurance-emploi**	1 375
Cotisations de l'employeur à divers fonds (FSS, CNT, CSST)	589

* Part de l'employé seulement. L'employeur doit fournir le même montant.
** Part de l'employé seulement. L'employeur doit fournir 1,4 fois la contribution de l'employé.

Travail à faire

1. Quel montant de charge additionnelle relative à la main-d'œuvre l'entreprise doit-elle payer en selon les exigences légales ? Quel est le montant du salaire net des employés ?
2. Dressez la liste des éléments de passif et des montants correspondants qui apparaissent dans le bilan de l'entreprise en date du 31 janvier 2008 en supposant que les employés ont été payés.
3. Les employeurs réagiraient-ils différemment à la proposition d'augmenter leur participation au Régime de rentes du Québec (RRQ) de 10 % ou à la proposition d'augmenter le salaire de base de leurs employés de 10 % ? Les analystes financiers réagiraient-ils différemment ?

■ OA1
■ OA4

Sears Canada ◆

E9-4 Déterminer les répercussions d'opérations produisant des effets à payer sur les états financiers

Lorsque leurs activités commerciales augmentent, de nombreuses entreprises empruntent de l'argent pour financer leur stock de marchandises et leurs comptes clients. Sears est un des plus importants magasins généraux de détail au Canada. Chaque année, avant Noël, l'entreprise augmente son stock pour répondre à la demande de ses clients. Une grande partie des ventes du temps des fêtes se fait par la carte de crédit Sears. Il en résulte que l'entreprise recouvre souvent l'argent des clients plusieurs mois après Noël. Supposez que le 31 octobre 2009, Sears a emprunté 4,5 millions de dollars à la Banque de Montréal pour son fonds de roulement et qu'elle a signé un effet à payer portant intérêt qui arrivera à échéance dans six mois. Le taux d'intérêt est de 10 % par an, payable à l'échéance, et l'exercice se termine le 31 décembre.

Travail à faire

1. Déterminez les répercussions de chacun des éléments ci-après sur les états financiers :
   a) l'émission d'un effet le 31 octobre 2009 ;
   b) l'incidence de la régularisation à la fin de l'exercice le 31 décembre 2009 ;
   c) le remboursement de l'effet et des intérêts le 30 avril 2010.
   Indiquez ces répercussions (par exemple Caisse + ou −) en vous servant du modèle suivant :

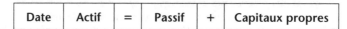

Date	Actif	=	Passif	+	Capitaux propres

2. Si l'entreprise a besoin de liquidités supplémentaires chaque année pour la période des fêtes, la direction devrait-elle emprunter de l'argent à long terme pour éviter d'avoir à négocier chaque fois un nouveau prêt à court terme ?

■ OA1
■ OA4
Sears Canada ◆

E9-5 Enregistrer un effet à payer de la date d'emprunt jusqu'à son échéance

À l'aide des données fournies dans le problème précédent, résolvez les problèmes qui suivent.

Travail à faire

1. Passez l'écriture de journal qui enregistre l'effet à payer le 31 octobre 2009.
2. Passez toutes les écritures de régularisation nécessaires à la fin de l'exercice le 31 décembre 2009.
3. Passez l'écriture de journal qui comptabilise le paiement de l'effet et des intérêts à la date d'échéance, le 30 avril 2010.

■ OA1
■ OA2
■ OA3
■ OA4
■ OA6

E9-6 Déterminer l'incidence de deux opérations et analyser les flux de trésorerie

La société Pontbriand vend un vaste éventail de marchandises par l'intermédiaire de deux magasins de détail établis dans deux villes voisines. La plupart des achats de marchandises pour revente lui sont facturés. Parfois, l'entreprise se procure de la trésorerie pour les dépenses courantes par la signature d'un effet de commerce à court terme. Voici deux des opérations effectuées au cours de l'exercice 2009.

   a) Le 10 janvier 2009, achat de marchandises à crédit pour un total de 18 000 $; l'entreprise utilise la méthode de l'inventaire périodique.
   b) Le 1er mars 2009, emprunt de 40 000 $ comptant de la Banque Nationale contre un effet à payer portant intérêt. La valeur nominale, soit 40 000 $, doit être remboursée au bout de six mois, et les intérêts au taux de 8 % sont payables à l'échéance.

Travail à faire

1. À la date de la transaction, décrivez l'incidence de chaque opération sur l'équation du bilan. Indiquez cette incidence (par exemple caisse + ou −) et le montant en vous servant du modèle suivant :

Date	Actif	=	Passif	+	Capitaux propres

2. Quel sera le montant versé à la date d'échéance de l'effet à payer ?
3. Analysez l'incidence de chaque opération sur les flux de trésorerie de l'entreprise.
4. Analysez l'incidence de chaque opération sur le ratio du fonds de roulement.

E9-7   Comptabiliser un élément de passif

◆ Cascades ■OA7

Cascades, la société décrite dans ce chapitre, a inscrit la note suivante à son rapport annuel de 2005 (en millions de dollars).

Note 9 f)

Au 31 décembre 2005, les paiements minimaux exigibles à l'égard des engagements en vertu de contrats de location-exploitation sont les suivants :

2006 :	6 $;
2007 :	5 ;
2008 :	1 ;
Total	12 $

Travail à faire

D'après les renseignements fournis ci-dessus, croyez-vous que Cascades devrait présenter cette obligation de 12 millions de dollars dans son bilan ? Expliquez votre réponse. Si l'entreprise doit comptabiliser cette obligation à titre de passif, comment devrait-elle en évaluer le montant ?

E9-8   Évaluer les options de locations

■OA7

À titre de nouveau vice-président de la société Fabrication Tout-aller, vous discutez d'un sérieux problème de livraison de marchandises à vos clients. Bob Tremblay, le directeur de la logistique, vous résume le problème : « C'est facile à comprendre. À cause de notre récente croissance, nous n'avons tout simplement pas assez de camions de livraison. » Alice Bison, du service de comptabilité, répond : « C'est peut-être facile à comprendre, mais il est impossible de faire quoi que ce soit. À cause du souci que se font les actionnaires à l'égard de notre dette au bilan, il nous est impossible d'emprunter pour l'achat de nouveaux actifs. Il n'y a rien à faire sur ce point. »

Après cette réunion, alors que vous vous dirigez à votre bureau, votre assistant vous fait une suggestion : « Pourquoi ne pas tout simplement louer les camions qu'il nous faut ? De cette façon, on peut obtenir les actifs nécessaires sans devoir inscrire une dette au bilan. »

Travail à faire

Comment réagiriez-vous à cette suggestion ?

E9-9   Enregistrer et analyser un élément de passif (Annexe 9-A)

◆ La société Ford Motor

Il y a quelques années, le rapport annuel de la société Ford Motor renfermait les renseignements suivants :

Les avantages de l'assurance-maladie et de l'assurance-vie après la retraite

L'entreprise et certaines de ses filiales parrainent des régimes de retraite non capitalisés. Ces régimes sont destinés à fournir des avantages particuliers en matière de soins de santé et d'assurance-vie à leurs employés à la retraite. Les employés de l'entreprise pourraient avoir droit à de tels avantages s'ils prennent leur retraite alors qu'ils sont à l'emploi de l'entreprise. Toutefois, il est possible que ces avantages et les règles d'admission soient modifiés en tout temps.

Travail à faire

L'entreprise devrait-elle comptabiliser ces avantages comme des éléments de passif dans son bilan ? Expliquez votre réponse.

E9-10 **Comprendre les impôts futurs : un écart temporaire – l'analyse (Annexe 9-A)**

L'état des résultats comparatif de la société Martin, en date du 31 décembre 2007, comporte (sous forme abrégée) les données avant impôts suivantes :

	Exercice 2006	Exercice 2007
Chiffre d'affaires	65 000 $	72 000 $
Charges d'exploitation (sauf les impôts sur les bénéfices)	50 000	54 000
Bénéfices avant impôts	15 000 $	18 000 $

Dans les données de l'exercice 2007, on trouve aussi une dépense de 2 800 $ déductible seulement dans la déclaration de revenus de 2006 (et non dans celle de 2007). Le taux moyen d'imposition est de 30 %.

Travail à faire

1. Pour chaque exercice, indiquez si les impôts futurs constituent un élément de passif ou d'actif. Expliquez votre réponse.
2. Pour chaque exercice, indiquez quels montants liés aux impôts sur le revenu doivent être présents à l'état des résultats et au bilan. Supposez que les impôts sont payés le 15 avril de l'année suivante.
3. Expliquez pourquoi la charge fiscale ne correspond pas simplement au montant d'argent versé en impôts au cours d'un exercice.

E9-11 **Comprendre les impôts futurs : un écart temporaire – l'analyse de la stratégie de la direction (Annexe 9-A)**

Voici, sous forme abrégée, des données avant impôts fournies à l'état des résultats comparatif de la société Chung en date du 31 décembre 2008.

	Exercice 2007	Exercice 2008
Chiffre d'affaires	80 000 $	88 000 $
Charges d'exploitation (sauf les impôts sur les bénéfices)	65 000	69 000
Bénéfices avant impôts	15 000 $	19 000 $

Dans ces données, on trouve également un montant de 5 000 $ du chiffre d'affaires imposable uniquement dans la déclaration de revenus de 2007. Le taux moyen d'imposition des bénéfices est de 32 %.

Travail à faire

1. Pour chaque exercice, indiquez si les impôts futurs sont un élément de passif ou d'actif. Expliquez votre réponse.
2. Pour chaque exercice, indiquez quels montants liés aux impôts sur le revenu doivent être présents à l'état des résultats et au bilan. Supposez que les impôts sont payés le 15 avril de l'année suivante.
3. Pourquoi la direction choisirait-elle d'assumer le coût de la tenue de registres séparés pour les impôts et la comptabilité générale dans le but de différer le paiement de ses impôts ?

E9-12 **Présenter les impôts futurs (Annexe 9-A)**

Les renseignements suivants (en millions de dollars) ont été tirés d'un rapport annuel de Colgate-Palmolive.

Travail à faire

1. Déterminez si la charge fiscale est plus élevée ou moins élevée que les impôts exigibles pour chaque exercice.
2. Donnez la raison la plus probable pour laquelle l'amortissement fiscal est plus élevé que l'amortissement comptable.
3. La charge d'impôts futurs est-elle de 49,4 millions de dollars dans le bilan de 2010? Expliquez votre réponse.

E9-13 Calculer quatre types de valeurs actualisées   ☐ OA8

Le 1er janvier 2007, l'entreprise Levasseur a effectué les opérations qui suivent. (Supposez que le taux d'intérêt annuel est de 10%.)

a) Achat d'un camion de livraison pour 50 000 $ qui sera payé en totalité à la fin de trois ans.

b) Location d'un bâtiment à bureaux avec deux options: i) paiement de 10 000 $ à la fin de chacune des trois prochaines années ou ii) paiement de 28 000 $ immédiatement.

c) Établissement d'un compte d'épargne avec le dépôt d'un montant unique qui aura atteint la somme de 40 000 $ à la fin de la septième année.

d) Décision de déposer un montant unique à la banque pour effectuer 10 versements annuels égaux de 15 000 $ à la fin de chaque année, à un employé à la retraite. (Les versements débutent le 31 décembre 2007).

Travail à faire (Présentez les calculs et arrondissez au dollar près.)

1. Quel sera le coût du camion inscrit à la date d'achat?
2. Quelle option la société devra-t-elle choisir en ce qui concerne le bâtiment à bureaux?
3. Quel montant unique doit-on déposer dans ce compte d'épargne le 1er janvier 2007?
4. Quel montant unique doit-on déposer à la banque le 1er janvier 2007?

E9-14 Utiliser les concepts de la valeur actualisée pour prendre des décisions   ☐ OA8

Vous venez de gagner à la loterie et on vous offre deux choix pour récupérer vos gains. Vous pouvez obtenir la somme de 100 000 $ maintenant ou bien 11 000 $ par mois pour les 10 prochaines années. Un analyste financier vous informe que vous pouvez espérer obtenir un rendement de 8% sur vos investissements à long terme. Quelle option devez-vous choisir?

E9-15 Calcul d'un fonds de retraite   ☐ OA8

En tant qu'analyste financier, vous travaillez avec une cliente qui désire prendre sa retraite dans 10 ans. La cliente a un compte d'épargne qui lui donne un taux d'intérêt annuel de 6% et elle veut déposer un montant qui lui donnera 500 000 $ à sa retraite. À l'heure actuelle, elle a 200 000 $ dans son compte. Quelle somme additionnelle doit-elle déposer maintenant pour obtenir 500 000 $ à sa retraite?

E9-16 Calculer le dépôt requis pour un fonds éducatif   ☐ OA8

Le 1er janvier 2008, Alain Roy a décidé de déposer un montant dans un compte d'épargne où la somme devra atteindre 80 000 $ dans quatre ans pour qu'il puisse envoyer ses filles à l'université. Le compte d'épargne lui rapportera des intérêts de 8% qui seront additionnés à son solde à la fin de chaque année.

Travail à faire (Présentez vos calculs et arrondissez au dollar près.)

1. Quel montant M. Roy doit-il déposer le 1er janvier 2008 ?
2. Quels intérêts aura-t-il reçu pour ces quatre années ?

E9-17 Déterminer la valeur d'un actif

La société Roger Bontemps inc. a fait l'acquisition d'un édifice à bureaux. Selon l'entente avec le constructeur, la société devra verser 50 000 $ par année pour les prochains 10 ans.

Travail à faire

Utilisez les concepts de la valeur actualisée afin de déterminer le coût de l'actif à la date d'acquisition. Supposez que le taux d'intérêt annuel est de 6 %.

E9-18 Calculer la valeur d'un actif d'après sa valeur actualisée

On vous offre l'occasion d'acheter une partie des redevances d'une concession pétrolière. Au mieux, vous estimez que le produit net de ces redevances se chiffrera en moyenne à 25 000 $ par an pendant cinq ans. La valeur résiduelle de votre part sera nulle à la fin de cette période. Supposez que la rentrée de fonds se fait à la fin de chaque année et que, compte tenu de l'incertitude de votre estimation, cet investissement devrait vous rapporter seulement 15 % par an. Quel montant accepteriez-vous de débourser pour cet investissement le 1er janvier 2008 ?

E9-19 Calculer la croissance d'un compte d'épargne – un montant unique (Annexe 9-C)

Le 1er janvier 2008, vous déposez 6 000 $ dans un compte d'épargne portant intérêt. Le taux d'intérêt composé annuellement est de 10 %. Les intérêts seront additionnés au solde du fonds à la fin de chaque année.

Travail à faire (Arrondissez au dollar près.)

1. Quel sera le solde de votre compte d'épargne au bout de 10 ans ?
2. Quel est le montant total des intérêts pour ces 10 ans ?
3. Quel est le montant du revenu des intérêts que rapportera ce compte en 2008 ? en 2009 ?

E9-20 Enregistrer la croissance d'un compte d'épargne due au versement de dépôts périodiques égaux (Annexe 9-C)

Vous prévoyez déposer un montant de 2 000 $ dans un compte d'épargne le 31 décembre de chaque année. Ce compte doit vous rapporter des intérêts, à un taux annuel de 9 %, qui s'ajouteront au solde du fonds à la fin de l'année. Vous effectuez le premier dépôt le 31 décembre 2007 (la fin de l'exercice).

Travail à faire (Présentez vos calculs et arrondissez au dollar près.)

1. Comptabilisez la transaction en date du 31 décembre 2007 en vous servant de l'équation comptable.
2. Quel sera le solde de votre compte d'épargne à la fin de la dixième année (c'est-à-dire après 10 dépôts) ?
3. Quels intérêts les 10 dépôts rapporteront-ils ?
4. Quel montant de revenu d'intérêts vos épargnes rapporteront-elles en 2008 ? en 2009 ?
5. Comptabilisez tous les éléments requis à la fin de 2008 et de 2009. Utilisez l'équation comptable, puis passez les écritures de journal.

E9-21 Calculer la croissance d'un fonds d'épargne due au versement de dépôts périodiques (Annexe 9-C)

Le 1er janvier 2008, vous planifiez un voyage autour du monde que vous entreprendrez à la fin de vos études, dans quatre ans. Votre grand-père veut déposer suffisamment d'argent dans un compte d'épargne pour vous payer ce voyage si vous terminez vos études. En établissant votre budget, vous estimez que ce voyage vous coûterait aujourd'hui 15 000 $. Dans sa générosité, votre grand-père décide de déposer 3 500 $ dans un compte en fiducie à la fin de chacune des quatre prochaines années, en commençant le 31 décembre 2008. Ce compte rapporte 6 % d'intérêts annuels qui seront ajoutés au solde à la fin de chaque année.

Travail à faire (Présentez vos calculs et arrondissez au dollar près.)

1. De combien d'argent disposerez-vous pour votre voyage à la fin de la quatrième année (c'est-à-dire après quatre dépôts) ?

2. Quels intérêts ce fonds vous rapportera-t-il en quatre ans ?
3. Quel montant de revenu d'intérêts ce fonds vous rapportera-t-il en 2008 ? en 2009 ? en 2010 ? en 2011 ?

E9-22 **Interpréter l'information rapportée dans *La Presse***

◆ Bell Canada ■OA10

Au moment où ce chapitre a été écrit, le journal *La Presse* rapportait l'information suivante relative aux obligations de Bell Canada :

Émetteur	Coupon	Échéance	Prix	Rendement
Bell Can.	7,00	24 sept. 27	88,23	8,09

Travail à faire

Expliquez la signification de l'information présentée. Si vous achetez des obligations de Bell Canada d'une valeur nominale de 10 000 $, combien cela vous coûterait-il (en fonction de l'information présentée) ? Supposez que les obligations ont été vendues à leur valeur nominale à la date de leur émission. Une diminution de la valeur des obligations de Bell Canada aurait-elle une incidence sur ses états financiers ?

E9-23 **Expliquer pourquoi les obligations sont émises à escompte**

◆ Apple ■OA11

Le rapport annuel de la société Apple contenait la note qui suit.

> **Dette à long terme**
>
> Le 10 février 1994, la société a émis 300 millions de dollars en billets non garantis portant intérêt à 6,4 %. Les billets ont été vendus à 99,925 % de leur valeur nominale au taux effectif de 6,5 %. Les billets offrent des intérêts semi-annuels et viennent à échéance le 15 février 2004.

Après lecture de cette note, une étudiante demande pourquoi Apple n'a pas vendu les billets au taux de 6,5 %. La société aurait ainsi évité d'avoir à comptabiliser un petit escompte sur les 10 prochains exercices.

Travail à faire

Rédigez une réponse à cette question.

E9-24 **Expliquer la terminologie relative aux obligations**

■OA11

Le bilan de Musicorama pour tous présente la mention « note convertible subordonnée à coupon 0 ». Dans vos propres mots, expliquez les caractéristiques de cette dette. Le bilan ne rapporte aucun escompte (ou prime) associé à cette dette. Croyez-vous que cette dette est enregistrée à la valeur nominale ?

E9-25 **Évaluer les caractéristiques des obligations**

◆ PepsiCo et, ■OA10
The Walt Disney Company ■OA11

Vous êtes conseiller en planification financière. Parmi vos clients, vous avez un couple marié au début de la quarantaine qui veut investir 100 000 $ dans des obligations de sociétés. Vous avez trouvé deux titres qui pourraient intéresser vos clients. L'un est une obligation à coupon 0 émise par PepsiCo avec un taux effectif d'intérêt de 9 % venant à échéance en 2015. Cette obligation peut être remboursée par anticipation au gré de la société émettrice à la valeur nominale. L'autre titre est une obligation émise par la société Walt Disney qui vient à échéance en 2093. Le taux effectif d'intérêt est de 9,5 %, et les obligations peuvent être remboursées par anticipation au gré de la société à 105 % de la valeur nominale. Lequel des deux titres recommanderiez-vous et pourquoi ? Votre réponse serait-elle différente si vous vous attendiez à une chute dramatique des taux d'intérêt au cours des prochaines années ? Préféreriez-vous un autre titre si le couple était dans la soixantaine et à la retraite ?

E9-26 **Expliquer une transaction internationale**

◆ The Walt Disney ■OA10
Company ■OA11

La note suivante figurait à un rapport annuel de la société Walt Disney.

> La société a émis une obligation de 100 milliards de yens japonais (environ 920 millions de dollars des États-Unis) à travers une offre publique au Japon. Les obligations sont prioritaires et sans recours, et elles viennent à échéance en juin 1999. Les intérêts sont payables semi-annuellement au taux de 5 % par année. Le capital sera remboursé en dollars des États-Unis, et les intérêts seront payés en yens japonais.

Travail à faire

1. Décrivez comment la société a présenté ces obligations au bilan.
2. Expliquez pourquoi la direction de la société a emprunté de cette façon.

E9-27   Analyser les ratios financiers

Vous venez d'entreprendre un nouveau travail comme analyste financier pour une grande société de courtage. Votre patronne, une analyste principale, vient de terminer un rapport détaillé concernant l'émission d'obligations de deux sociétés. Elle s'arrête à votre bureau et vous demande de l'aide : « J'ai comparé des ratios pour deux sociétés et j'ai trouvé quelque chose d'intéressant. » Elle explique alors que le ratio des capitaux empruntés sur les capitaux propres pour Agence de voyage Aller-Aller est beaucoup plus bas que celui de l'industrie, et que celui de Voyage Sécur est beaucoup plus élevé. D'un autre côté, le ratio de couverture des intérêts de l'Agence de voyage Aller-Aller est beaucoup plus élevé que celui de l'industrie, et celui de Voyage Sécur est beaucoup plus bas. Votre patronne vous demande de réfléchir à la signification de ces ratios au sujet des deux sociétés pour qu'elle l'ajoute à son rapport. Comment répondrez-vous à sa demande ?

Problèmes

P9-1   Déterminer les effets financiers des opérations relatives aux éléments de passif à court terme et analyser leur incidence sur les flux de trésorerie (PS9-1)

La société Corbeau a effectué les opérations suivantes au cours de 2009. L'exercice se termine le 31 décembre 2009.

08-01   Achat de marchandises à crédit destinées à la revente à un coût facturé de 25 000 $. (On suppose que l'entreprise emploie la méthode de l'inventaire périodique.)

17-01   Paiement de la facture du 8 janvier.

01-04   Emprunt de 40 000 $ à la Banque Nationale pour des dépenses générales ; signature d'un effet à payer de 12 mois portant intérêt à 12 %.

03-06   Achat de marchandises à crédit pour la revente à un coût facturé de 18 000 $.

05-07   Paiement de la facture du 3 juin.

01-08   Location à un client d'un petit bureau dans un immeuble appartenant à l'entreprise et recouvrement de six mois de loyer pour un total de 5 100 $ dont un mois s'appliquant en 2010. (Enregistrez ce recouvrement de façon à ne pas devoir faire de régularisation à la fin de l'exercice.)

20-12   Réception d'un dépôt de 500 $ d'un client en garantie d'une autocaravane empruntée pour 30 jours.

31-12   Calcul des salaires gagnés mais non payés en date du 31 décembre, au montant de 10 000 $. (Ne tenez pas compte des charges sociales.)

Travail à faire

1. Indiquez les effets (par exemple caisse + ou −) et le montant de chacune des opérations (y compris les éléments de régularisation) énumérées ci-dessus en vous servant du modèle suivant :

Date	Actif	=	Passif	+	Capitaux propres

2. Pour chacune des opérations, indiquez si les liquidités liées à l'exploitation augmentent, diminuent ou ne subissent aucun effet.
3. Pour chacune des opérations, indiquez si le fonds de roulement augmente, diminue ou demeure inchangé.

P9-2   Comptabiliser et présenter des éléments de passif à court terme et analyser leurs répercussions sur les flux de trésorerie (PS9-2)

Référez-vous aux données de l'exercice précédent pour résoudre les problèmes qui suivent.

Travail à faire

1. Passez les écritures de journal correspondant à chacune de ces opérations.
2. Passez toutes les écritures de régularisation requises en date du 31 décembre 2009.

3. Indiquez comment tous les éléments de passif qui résultent de ces opérations sont enregistrés dans le bilan en date du 31 décembre 2009.

4. Pour chaque opération, indiquez si le ratio du fonds de roulement augmente, diminue ou demeure inchangé.

5. Pour chacune des opérations, indiquez si les flux de trésorerie liés à l'exploitation augmentent, diminuent ou ne subissent aucun effet.

P9-3 **Déterminer les effets des opérations donnant lieu à des frais courus et à des produits comptabilisés d'avance sur les états financiers** □OA1 □OA3

Au cours de l'exercice 2009, l'entreprise Larrivée a effectué les deux opérations suivantes. L'exercice se termine le 31 décembre.

a) Payer et enregistrer un montant de 130 000 $ en salaires au cours de 2009 ; toutefois, à la fin de décembre 2009, trois jours de salaires ne sont ni payés ni enregistrés parce que les salaires hebdomadaires ne seront pas versés avant le 6 janvier 2010. Le montant de ces trois jours de salaires s'élève à 3 600 $.

b) Recouvrer un revenu locatif au montant de 2 400 $ le 10 décembre 2009 pour un local de bureau loué par l'entreprise à une autre entité. Ce loyer couvre 30 jours du 10 décembre 2009 au 10 janvier 2010 et a été entièrement comptabilisé au poste Revenu locatif.

Travail à faire

1. Déterminez les effets de chacun des éléments suivants sur les états financiers :
   a) les salaires non payés en décembre 2009 ;
   b) le versement des salaires au 6 janvier 2010 ;
   c) le recouvrement du loyer le 10 décembre 2009 ;
   d) tout autre élément de régularisation au 31 décembre 2009.

Indiquez leur effet (par exemple Caisse + ou −) à l'aide du modèle suivant :

Date	Actif	=	Passif	+	Capitaux propres

2. Expliquez pourquoi la méthode de la comptabilité d'exercice fournit aux analystes financiers des renseignements plus pertinents que la méthode de la comptabilité de caisse.

P9-4 **Enregistrer et comptabiliser les frais courus et le produit perçu d'avance** □OA1

Référez-vous aux données fournies dans l'exercice précédent pour résoudre les problèmes qui suivent.

Travail à faire

1. Passez a) l'écriture de régularisation requise au 31 décembre 2009 et b) l'écriture de journal du 6 janvier 2010 concernant le versement des salaires non payés en décembre 2009.

2. Passez a) l'écriture de journal concernant le recouvrement du loyer le 10 décembre 2009 et b) l'écriture de régularisation du 31 décembre 2009.

3. Indiquez comment l'entreprise devrait enregistrer tout élément de passif relatif à ces opérations dans son bilan du 31 décembre 2009.

P9-5 **Déterminer les effets de différents éléments de passif sur les états financiers (PS9-3)** ◇ Polaroïd □OA1 □OA5

Polaroïd conçoit, fabrique et met en marché des produits qui servent principalement dans le domaine de l'enregistrement instantané de l'image. Voici une note qu'on trouve dans le rapport annuel de l'entreprise.

> **La garantie sur les produits**
>
> Les coûts estimatifs des garanties sur les produits sont constatés par régularisation (ou inscrits comme charges) au moment où les produits sont vendus.

1. Supposez que les coûts estimatifs de garantie sont de 2 millions de dollars pour l'exercice 2008 et que le travail relatif à cette garantie est effectué au cours de 2009. Décrivez les effets de cette situation sur les états financiers de chaque exercice.

La société Reader's Digest est une maison d'édition de magazines, de livres et de collections de musique. La note suivante est tirée d'un de ses rapports annuels.

> **Les produits d'exploitation**
>
> Les ventes d'abonnement aux magazines sont enregistrées sous forme de produits d'exploitation non réalisés au moment de la réception de chaque commande. On constate des fractions proportionnelles du prix d'abonnement à titre de produits d'exploitation à mesure que la livraison est effectuée.

2. Supposez que Reader's Digest a recueilli 10 millions de dollars en 2008 pour des magazines qui seront livrés dans les années à venir. Au cours de 2009, l'entreprise a livré des magazines sur abonnements pour un montant de 8 millions de dollars. Décrivez les effets de cette situation sur les états financiers de chaque exercice.

Brunswick Corporation est une société multinationale qui fabrique et vend des produits liés à la navigation en mer et aux loisirs. Un de ses rapports annuels renferme les renseignements qui suivent.

> **Litige**
>
> Un jury a accordé 44,4 millions de dollars en dommages-intérêts dans une poursuite intentée par Independant Boat Builders inc., une centrale d'achat regroupant des fabricants de bateaux et ses 22 membres. En vertu des lois antitrust, le montant des dommages-intérêts accordés a été triplé, et les plaignants auront droit aux honoraires de leurs avocats avec les intérêts.
>
> L'entreprise en a appelé de ce verdict en prétextant que, du point de vue légal, ce verdict était erroné, autant quant à la responsabilité que pour les dommages-intérêts.

3. Comment la société Brunswick devrait-elle comptabiliser les effets de ce litige ?

D'après un rapport annuel de la société Coca-Cola, ses actifs à court terme s'élevaient à 7 171 millions de dollars des États-Unis et ses éléments de passif à court terme à 8 429 millions de dollars des États-Unis.

4. Compte tenu du ratio du fonds de roulement, croyez-vous que l'entreprise éprouvait des difficultés financières ?

La société Alcan est spécialisée dans l'extraction minière et la fabrication de l'aluminium. Sa gamme de produits s'étend de l'alliage à la fine pointe de la technologie qu'on trouve dans les ailes des gros avions jusqu'au matériau de fabrication de la canette de boisson non alcoolisée recyclable. Voici un extrait d'un rapport annuel récent de l'entreprise.

> **Les charges relatives à l'environnement**
>
> Des charges à payer ont été inscrites pour des circonstances particulières où il est probable que des dettes ont été contractées et où ces dettes peuvent être estimées de façon raisonnable.

5. Dans vos propres mots, expliquez la convention comptable de l'entreprise en matière de dépenses relatives à l'environnement. Comment peut-on justifier cette convention ?

P9-6   **Déterminer les effets des flux de trésorerie (PS9-4)**
Pour chacune des opérations suivantes, déterminez si les flux de trésorerie liés à l'exploitation augmenteront, diminueront ou demeureront inchangés.
a) L'achat de marchandises à crédit.
b) Le paiement d'un compte fournisseur en espèces.
c) L'inscription des salaires courus pour le mois ; aucun paiement n'a été effectué.
d) L'emprunt d'argent à la banque ; le billet vient à échéance dans 90 jours.
e) Le reclassement d'un effet à long terme parmi les éléments de passif à court terme.
f) Le paiement des intérêts courus.

Reader's Digest ◆

Brunswick Corporation ◆

Coca-Cola Company ◆

Alcan ◆

◻OA6

g) L'enregistrement d'un élément de passif éventuel basé sur un procès en instance.

h) Le remboursement de l'argent emprunté à la banque en d). (Ignorez les intérêts.)

i) L'encaissement d'un montant en espèces reçu d'un client pour des services dont la prestation aura lieu dans le prochain exercice (l'enregistrement de produits perçus d'avance).

P9-7 **Analyser et reclasser la dette (PS9-8)**

◆ PepsiCo ■OA2
                                                      ■OA7

La société Pepsi fabrique plusieurs produits qui font partie de la vie courante, tels que les chips et les boissons gazeuses. Les revenus annuels de la société dépassent les 22 milliards de $ US. Un rapport annuel récent rapportait la note suivante:

> À la fin de l'exercice, 3,6 milliards de dollars en prêts à court terme ont été reclassés dans les prêts à long terme, ce qui reflète l'intention et la possibilité actuelle de la société à refinancer ces emprunts sur une base à long terme par l'émission de dette à long terme ou par l'extension de ses facilités de crédit à court terme.

Travail à faire

À la suite de ce nouveau classement, le ratio du fonds de roulement de PepsiCo est passé de 0,51 à 0,79. Croyez-vous que ce reclassement est correct? Pourquoi croyez-vous que la direction de PepsiCo a fait ce reclassement? À titre d'analyste financière, allez-vous vous servir du ratio du fonds de roulement avant ou après le reclassement pour évaluer la liquidité de PepsiCo? Le ratio de liquidité relative est-il affecté par ce nouveau classement? Expliquez votre réponse.

P9-8 **Calculer la valeur actualisée (PS9-5)**

◆ EXCEL ■OA8
                                                   ■OA9

Le 1er janvier 2008, l'entreprise Plumeau a effectué les opérations suivantes. (Considérez que le taux d'intérêt annuel est de 8% pour toutes les opérations.)

a) Emprunt de 100 000$ pour 10 ans. Les intérêts sont versés à la fin de chaque année, et le capital sera remboursé à la fin de la 10e année.

b) Établissement d'un fonds de 400 000$ pour la construction d'un ajout à l'usine. Ce fonds sera disponible à la fin de la cinquième année. Le montant unique qui devra atteindre cette somme sera déposé le 1er janvier 2008.

c) Une prime de séparation sera versée aux employés comme suit: paiement de 50 000$ à la fin de la première année, 75 000$ à la fin de la deuxième année et 100 000$ à la fin de la troisième année.

d) Achat d'une machine le 1er janvier 2008 au coût de 180 000$ dont 60 000$ ont été versés comptant. Un effet à payer de quatre ans a été signé pour le reste de la somme. Cet effet sera remboursé en quatre versements égaux effectués respectivement à la fin de chaque exercice. Le premier versement se fait le 31 décembre 2008.

Travail à faire (Présentez vos calculs et arrondissez au dollar près.)

1. Dans l'opération a), quelle est la valeur actualisée de la dette?

2. Dans l'opération b), quel montant unique l'entreprise doit-elle déposer le 1er janvier 2008? Quel sera le montant total des produits d'intérêts?

3. Dans l'opération c), quelle est la valeur actualisée de la dette?

4. Dans l'opération d), quel est le montant de chacun des versements annuels destinés à rembourser l'effet à payer? Quel sera le montant total des charges d'intérêts?

P9-9 **Comparer des choix à l'aide des concepts relatifs à la valeur actualisée (PS9-6)**

◆ EXCEL ■OA8

On sonne à votre porte. Surprise! C'est l'équipe des concours d'une grosse entreprise bien connue de vente de magazines par abonnements. Vous apprenez que vous avez gagné un grand prix de 20 millions de dollars. Plus tard, en consultant un avocat, vous découvrez que vous avez trois choix: 1) recevoir 1 million de dollars par an pendant les 20 prochaines années; 2) encaisser 8 millions de dollars aujourd'hui même ou 3) recevoir 2 millions de dollars aujourd'hui même, puis 700 000$ par an pendant les 20 prochaines années. Votre avocat vous assure qu'il est raisonnable de penser que vos investissements vous rapporteront 10% par an. Quel choix ferez-vous? Quels facteurs influeront sur votre décision? Celle-ci serait-elle la même si le taux d'intérêt que rapporte votre investissement était de 8%? Ou de 12%?

P9-10 **Calculer les valeurs capitalisées (Annexe 9-C) – (PS9-7)**

Le 31 décembre 2006, l'entreprise Pomainville a placé de l'argent pour constituer un fonds en vue de rembourser le capital d'une dette de 140 000 $ exigible en date du 31 décembre 2009. L'entreprise effectuera quatre dépôts annuels de montants égaux les 31 décembre 2006, 2007, 2008 et 2009. Le fonds rapportera des intérêts annuels au taux de 7 % qui s'ajoutera au solde du compte à la fin de chaque exercice. Le gestionnaire du fonds paiera le capital du prêt (au créancier) lorsqu'il aura reçu le dernier dépôt. L'exercice de l'entreprise se termine le 31 décembre.

Travail à faire (Présentez vos calculs et arrondissez au dollar près.)

1. Quelle somme l'entreprise doit-elle déposer le 31 décembre de chaque année ?
2. Quel montant d'intérêts le fonds rapportera-t-il ?
3. Quels seront les produits financiers (les revenus d'intérêts) du fonds en 2006, en 2007, en 2008 et en 2009 ?

■OA10
■OA13

P9-11 **Analyser l'utilité de la dette**

La société Criquet présente les états financiers suivants :

État des résultats	
Produits	300 000 $
Charges	(198 000)
Intérêts	(2 000)
Bénéfice avant impôts	100 000
Impôts (30 %)	(30 000)
Bénéfice net	70 000 $
Bilan	
Actifs	300 000 $
Passif (taux moyen d'intérêt, 10 %)	20 000 $
Actions ordinaires (20 000 actions)	200 000
Bénéfices non répartis	80 000
	300 000 $

Il faut noter que la société n'a qu'une dette de 20 000 $ comparativement à un total d'actions ordinaires de 200 000 $. Un consultant a recommandé la structure suivante : un passif de 100 000 $ (à un taux d'intérêt de 10 %) au lieu de 20 000 $ et des actions ordinaires en circulation s'élevant à 120 000 $ (12 000 actions) au lieu de 200 000 $ (20 000 actions). Ainsi, la société serait financée d'une façon plus importante avec la dette et d'une façon moins importante avec la contribution des propriétaires.

Travail à faire (Arrondissez au pourcentage le plus près)

1. On vous demande de comparer a) les résultats actuels et b) les résultats selon la recommandation du consultant. Utilisez le tableau suivant pour faire votre analyse.

Élément	Résultats actuels pour 2006	Résultats avec une augmentation de la dette de 80 000 $ et une réduction des capitaux propres de 80 000 $
a) Dette totale		
b) Actif total		
c) Total des capitaux propres		
d) Charge d'intérêts (10 %)		
e) Bénéfice net		
f) Rendement sur l'actif total		
g) Bénéfices disponibles aux actionnaires		
(1) Montant		
(2) Par action		
(3) Rendement des capitaux propres		

2. Selon les résultats en (1), faites une analyse comparative des résultats actuels et proposés, et interprétez-les.

P9-12 Comparer des obligations émises à la valeur nominale, à prime et à escompte ■OA11

La société Solaplus, dont la fin d'exercice est le 31 décembre, a émis les obligations suivantes :

Date d'émission : 1er janvier 2006

Valeur nominale et date d'échéance : 100 000 $ échéant dans 10 ans (en date du 31 décembre 2015)

Intérêts : taux de 10 % par année, payables le 31 décembre de chaque année

Travail à faire

1. Déterminez les montants qui suivent.

	Obligations émises à la valeur nominale Cas A	Obligations émises à 96 Cas B	Obligations émises à 102 Cas C
Recette de l'émission des obligations			
Coupon			
Paiement d'intérêts annuels			

2. Vous êtes conseiller financier, et une personne à la retraite vous dit : « Pourquoi acheter des obligations à prime quand je peux en trouver à escompte ? N'est-ce pas stupide ? C'est comme payer le prix de détail d'une voiture sans négocier pour obtenir un escompte. » Répondez brièvement à cette question.

P9-13 Comparer la valeur comptable et la valeur marchande ❖ Les hôtels Hilton ■OA11

Le nom Hilton est bien connu dans l'industrie hôtelière. Le rapport annuel de la société Hilton rapportait l'information suivante dans une note concernant la dette à long terme.

> **La dette à long terme**
>
> La valeur marchande de la dette à long terme est estimée en fonction du taux du marché pour des émissions identiques ou semblables. La valeur comptable de la dette à long terme est de 1 132,5 millions de dollars, et sa valeur marchande est de 1 173,5 millions de dollars.

Travail à faire

Expliquez pourquoi il y a une différence entre la valeur comptable et la valeur marchande de la dette à long terme de la société Hilton.

P9-14 Expliquer une note aux états financiers ❖ Federal Express ■OA10 ■OA11

Vous reconnaissez le nom de Federal Express comme synonyme de livraison d'importants colis en une seule journée. Le rapport annuel de FedEx comportait la note suivante :

> Une entente d'émission de 45 millions de dollars en obligations de la City of Indianapolis Airport Facility Refunding a été conclue en août 1998. L'émission, qui aura lieu en septembre 1998, servira à rembourser les obligations de série 1984 portant un taux d'intérêt de 11,25 % originalement émise en novembre 1984 pour financer l'acquisition, la construction et l'équipement d'une sortie expresse à l'aéroport international d'Indianapolis. Les obligations de refinancement ont une échéance en 2017 et porte intérêt à 6,85 %.

Travail à faire

1. Dans vos propres mots, expliquez la signification de cette note.
2. Pourquoi la direction de l'entreprise a-t-elle décidé de rembourser l'obligation originale avant l'échéance ?

PS9-1 **Déterminer les effets financiers des opérations relatives aux éléments de passif à court terme et analyser leur incidence sur les flux de trésorerie (P9-1)**

La société Cromaire a effectué les opérations suivantes au cours de l'exercice 2007. Son exercice se termine le 31 décembre 2007.

15-01   Enregistrement d'un montant de 125 000$ à titre de charge fiscale pour l'exercice en cours. Les impôts exigibles de l'exercice s'élevaient à 93 000$.

31-01   Paiement des intérêts courus au montant de 52 000$.

30-04   Emprunt de 550 000$ à la Banque Toronto Dominion; signature d'un effet à payer portant intérêt au taux de 12% et exigible dans 12 mois.

03-06   Achat de marchandises à crédit pour la revente; la facture s'élève à 75 820$ (système d'inventaire périodique).

05-07   Paiement de la facture du 3 juin.

31-08   Signature d'un contrat relatif à un service de sécurité dans un petit immeuble d'appartements et encaissement à l'avance des frais des six premiers mois pour un total de 12 000$. (Enregistrez cet encaissement de manière à éviter toute inscription de régularisation à la fin de l'exercice.)

31-12   Reclassement d'un élément de passif à long terme au montant de 100 000$ pour l'inclure dans les éléments de passif à court terme.

31-12   Détermination d'un montant de 85 000$ en salaires et rémunérations qui sont gagnés mais non payés au 31 décembre (ne tenez pas compte des charges sociales).

Travail à faire

1. Indiquez les effets (par exemple caisse + ou −) et le montant de chacune des opérations (y compris les régularisations) décrites ci-dessus en vous servant du modèle suivant:

Date	Actif	=	Passif	+	Capitaux propres

2. Pour chacune des opérations, indiquez si les flux de trésorerie provenant de l'exploitation augmentent, diminuent ou demeurent inchangés.

PS9-2 **Comptabiliser et présenter les éléments de passif à court terme et analyser les effets sur les flux de trésorerie (P9-2)**

En vous référant aux données de l'exercice précédent, résolvez les problèmes qui suivent.

Travail à faire

1. Passez l'écriture de journal correspondant à chacune de ces opérations.
2. Passez toutes les écritures de régularisation requises en date du 31 décembre 2007.
3. Indiquez comment on doit présenter tous les éléments de passif relatifs à ces opérations dans le bilan au 31 décembre 2007.
4. Pour chacune de ces opérations, indiquez si les flux de trésorerie provenant de l'exploitation augmentent, diminuent ou demeurent inchangés.

PS9-3 **Déterminer les effets de différents éléments de passif sur les états financiers (P9-5)**

Future Shop, maintenant une filiale exclusive de Best Buy, est le plus important détaillant de matériel informatique au Canada. Plusieurs produits en vente comportent des plans de garanties supplémentaires. Voici la façon dont la société comptabilise les provisions pour garanties:

> **Provision pour garanties**
>
> Les coûts estimés relatifs aux garanties sur les produits sont inscrits au moment de la vente des contrats de garanties supplémentaires. La direction révise ces coûts anticipés annuellement pour déterminer les ajustements nécessaires, s'il y a lieu.

1. Supposez que les coûts de garanties estimés pour l'exercice 2010 s'élèvent à 8,5 millions de dollars et que les services rendus en vertu de ces garanties ont lieu en 2011. Décrivez les effets de ces hypothèses sur les états financiers de chaque exercice.

◆ Carnival Cruise Lines

Carnival Cruise Lines exploite des bateaux de croisière en Alaska, dans les Caraïbes, dans le sud de l'océan Pacifique ainsi que dans la Méditerranée. Certaines croisières sont courtes ; d'autres peuvent durer des semaines. L'entreprise a un chiffre d'affaires de plus de 1 milliard de dollars par an. La note suivante provient d'un de ses rapports annuels :

Produits d'exploitation

Les acomptes versés par les clients, qui constituent un produit comptabilisé d'avance, sont incorporés au bilan au moment de leur réception et sont constatés comme des produits d'exploitation lorsque les croisières sont terminées, dans le cas des voyages qui durent 10 jours ou moins, et proportionnellement au nombre de jours de croisière écoulés, dans le cas de voyages de plus de 10 jours.

2. Dans vos propres mots, expliquez comment Carnival présente un produit perçu d'avance à son bilan. Supposez que l'entreprise a recueilli 19 millions de dollars en 2008 pour des croisières qui seront effectuées dans l'exercice suivant. De ce montant, 4 millions de dollars ont servi à payer des croisières de 10 jours ou moins qui ne sont pas terminées ; 8 millions de dollars proviennent de croisières de plus de 10 jours dont la durée est écoulée en moyenne à 60 % et 7 millions de dollars correspondent à des croisières qui n'ont pas encore commencé. Quel montant de produit comptabilisé d'avance l'entreprise devrait-elle enregistrer dans son bilan de l'exercice 2008 ?

◆ Sunbeam

Sunbeam était une société spécialisée dans les produits de grande consommation. Elle fabriquait et mettait sur le marché différents produits ménagers tels que des fers à repasser, des grille-pain, des malaxeurs et des marques de commerce connues dont Coleman et Osterizer. Son chiffre d'affaires annuel dépassait les 2 milliards de dollars. L'information suivante a été tirée d'un des rapports annuels de l'entreprise avant sa faillite :

Litiges

De temps à autres, Sunbeam et ses filiales sont impliquées dans divers procès que l'entreprise considère comme des litiges prévisibles découlant de ses activités normales. D'après l'entreprise, le règlement de ces affaires de routine n'aura pas d'effets négatifs importants sur sa situation financière, les résultats de ses activités ou de ses flux de trésorerie. À la fin de l'exercice courant, elle a établi des provisions destinées à régler des litiges qui se chiffrent à 31,2 millions de dollars.

Dans un exercice antérieur, l'entreprise avait enregistré une charge de 12,0 millions de dollars relativement à une poursuite dont les résultats semblaient peu encourageants pour la société. Toutefois, dans le quatrième trimestre de l'exercice en question, l'affaire s'est réglée de façon avantageuse et, par conséquent, une charge de 8,1 millions de dollars a été annulée et transformée en bénéfice.

3. Dans vos propres mots, expliquez la signification de ces notes. Décrivez comment le litige en question a modifié les états financiers de l'entreprise.

◆ La Compagnie Pétrolière Impériale (l'Impériale)

Dans un rapport annuel récent de l'Impériale, société qui arbore la bannière Esso, on constate que le ratio de solvabilité à court terme de l'entreprise est de 0,88. Pour l'exercice précédent, ce ratio était de 1,02.

4. À partir de cette information, croyez-vous que l'Impériale éprouve des difficultés financières ? Quels autres renseignements devriez-vous analyser pour pouvoir effectuer une telle évaluation ?

Brunswick est une multinationale qui fabrique et vend des produits concernant la navigation en mer et les loisirs. Un de ses rapports annuels renferme les renseignements suivants :

> **Législation et environnement**
>
> L'entreprise est mise en cause dans de nombreux projets de mesures correctives et de nettoyage en matière d'environnement, lesquels représentent au total un risque estimé d'environ 21 à 42 millions de dollars. Elle constate d'avance les activités reliées à des mesures correctives de l'environnement pour lesquelles des engagements ou des plans de nettoyage ont été élaborés et dont il est possible d'estimer les coûts de façon raisonnable.

5. Dans vos propres mots, expliquez la convention comptable de l'entreprise en matière de dépenses relatives à l'environnement. Comment peut-on justifier cette convention ?

OA6

PS9-4   Déterminer les effets des flux de trésorerie (P9-6)

Pour chacune des opérations suivantes, déterminez si les flux de trésorerie provenant de l'exploitation vont augmenter, diminuer ou demeurer inchangés.

a)   L'achat de marchandises au comptant.

b)   Le paiement des salaires et des rémunérations du dernier mois de l'exercice précédent.

c)   Le paiement des impôts au gouvernement fédéral.

d)   Un emprunt bancaire ; le billet arrive à échéance dans deux ans.

e)   La retenue des sommes destinées au RRQ (Régime de rentes du Québec) sur les salaires des employés et versement immédiat de ces montants au gouvernement.

f)   L'enregistrement de la charge d'intérêts courus.

g)   Le paiement comptant à la suite de réclamations de garanties.

h)   Le paiement en espèces des salaires et les rémunérations du mois en cours.

i)   La prestation de services déjà payés par un client au cours de l'exercice précédent (le produit perçu d'avance est maintenant réalisé).

OA8
OA9

PS9-5   Calculer la valeur actualisée (P9-8)

Le 1er janvier 2010, la société de Montbrun a effectué les opérations suivantes. (Supposez que le taux d'intérêt annuel du marché est de 10 % pour toutes les opérations.)

a)   Emprunt de 2 000 000 $ qui seront remboursés dans cinq ans. Les intérêts annuels relatifs à l'emprunt sont de 150 000 $.

b)   Établissement d'un fonds de 1 million de dollars pour la construction d'ajouts à l'usine. Ce fonds sera disponible à la fin de la dixième année lorsque le montant unique déposé le 1er janvier 2010 atteindra cette somme.

c)   Achat d'une machine au coût de 750 000 $ le 1er janvier 2010 dont 400 000 $ ont été versés comptant. Un effet à payer exigible dans quatre ans a été signé pour le reste de la somme. Cet effet sera remboursé en quatre paiements égaux effectués respectivement à la fin de chaque exercice. Le premier paiement se fait le 31 décembre 2010.

Travail à faire (Présentez vos calculs et arrondissez au dollar près.)

1. Dans l'opération a), quelle est la valeur actualisée de la dette ?

2. Dans l'opération b), quel montant unique l'entreprise doit-elle déposer le 1er janvier 2010 ? Quel sera le montant total des intérêts gagnés ?

3. Dans l'opération c), quel est le montant de chacun des versements annuels égaux destinés à rembourser l'effet à payer ? Quel sera le montant total de la charge d'intérêts engagée ?

OA8

PS9-6   Comparer des choix à l'aide des concepts relatifs à la valeur actualisée (P9-9)

Après une longue et fructueuse carrière comme vice-président directeur d'une grande banque, vous songez à la retraite. En consultant le service des ressources humaines, vous apprenez que différents choix s'offrent à vous. Vous pourriez recevoir 1) 1 million de dollars en argent comptant immédiatement, 2) 60 000 $ par an pour le reste de votre vie (votre espérance de vie est de 20 ans) ou 3) 50 000 $ par an pendant 10 ans puis 70 000 $ par an pour le reste de votre vie (ce choix a pour but de vous assurer une certaine protection contre l'inflation). D'après vos calculs, vous pouvez obtenir un taux d'intérêt de 8 % sur vos investissements. Quel choix préférez-vous ? Expliquez votre réponse.

PS9-7 **Calculer des montants pour un fonds à l'aide d'écritures de journal (Annexe 9-C) – (P9-10)**

Le 1er janvier 2006, la société Strapontin inc. a décidé de constituer un fonds qui servira à payer la construction d'une nouvelle aile à son usine. L'entreprise déposera donc 320 000 $ dans le fonds à la fin de chaque exercice, en commençant le 31 décembre 2006. Ce fonds rapportera des intérêts au taux de 9 % qui seront ajoutés au solde à la fin de chaque exercice, c'est-à-dire le 31 décembre.

Travail à faire

1. Quel sera le solde de ce fonds juste après le dépôt du 31 décembre 2008 ?
2. Remplissez le calendrier d'accroissement du fonds décrit ci-après.

Date	Paiement en argent	Produit d'intérêts	Augmentation du fonds	Solde du fonds
31-12-2006				
31-12-2007				
31-12-2008				
Total				

PS9-8 **Analyser et reclasser la dette (P9-7)**

◇ General Mills ☐OA7

General Mills est une société milliardaire qui fabrique et vend des produits utilisés dans les cuisines de plusieurs d'entre nous. Dans son rapport annuel, elle mentionne la note suivante :

> Nous avons des ententes de crédits renouvelables qui expirent dans deux ans et qui nous fournissent une marge de crédit nous permettant d'emprunter au besoin. Cette entente nous permet de refinancer les dettes à court terme sur une base à long terme.

General Mills devrait-elle classer ses emprunts à court terme dans le court terme ou le long terme si vous considérez sa capacité d'emprunter au besoin pour refinancer la dette ? Si vous étiez membre de la direction, expliquez ce que vous voudriez faire et pourquoi. Votre réponse serait-elle différente si vous étiez analyste financier ?

PS9-9 **Présenter des obligations émises à la valeur nominale**

☐OA11

Le 1er janvier 2010, Trucks R Us inc. a émis 2 000 000 $ en obligations dont l'échéance est dans cinq ans. Le taux d'intérêt stipulé est de 10 % et les intérêts sont payés le 31 décembre de chaque année. Lors de la vente des obligations, le taux d'intérêt du marché était de 10 %.

Travail à faire

1. Quel a été le prix de l'émission au 1er janvier 2010 ?
2. Quel montant d'intérêts doit-on inscrire au 31 décembre 2010 ? au 31 décembre 2011 ?
3. Quel montant d'intérêts doit être versé comptant le 31 décembre 2010 ? le 31 décembre 2011 ?
4. Quel est la valeur aux livres des obligations au 31 décembre 2010 ? au 31 décembre 2011 ?

Cas et projets

Cas – Rapports annuels

CP9-1 Pour trouver l'information financière

OA1
OA7
OA10

Reitmans (Canada) ◆
limitée

Référez-vous aux états financiers de la société Reitmans (Canada) limitée (*voir l'annexe C à la fin de ce manuel*). Pour toutes les réponses, indiquez l'endroit du rapport annuel où vous avez trouvé l'information. Si l'information n'a pas été trouvée, indiquez où vous avez cherché (assurez-vous qu'il s'agit d'un endroit pertinent).

Travail à faire

1. Dans l'exercice en cours, quel est le montant des rémunérations et des charges sociales courues à payer ?
2. Dans le compte Créditeurs et charges à payer, comment des variations ont-elles modifié les flux de trésorerie liés à l'exploitation dans l'exercice en cours ?
3. Quels sont les éléments qui composent le solde du passif à long terme pour l'exercice en cours ? Quel montant doit être remboursé dans le prochain exercice ?
4. Quels éléments composent le passif d'impôt futur à long terme ?
5. L'entreprise a-t-elle un régime de retraite pour ses employés ? De quel genre de programme s'agit-il, s'il y a lieu ?
6. Décrivez les éléments qui font partie de la dette à long terme.
7. Quel est le montant de la charge d'intérêts sur la dette à long terme pour l'exercice le plus récent ? Ce montant est-il différent des intérêts versés au comptant ? Si oui, indiquez ce dernier montant.

CP9-2 Pour trouver l'information financière

OA1
OA4
OA5
OA6
OA7
OA10
OA11

Le Château inc. ◆

Référez-vous aux états financiers de la société Le Château (*voir l'annexe B à la fin de ce manuel*). Pour toutes les réponses, indiquez l'endroit du rapport annuel où vous avez trouvé l'information. Si l'information n'a pas été trouvée, indiquez où vous avez cherché (assurez-vous qu'il s'agit d'un endroit pertinent).

Travail à faire

1. Quel est le montant des rémunérations ou des salaires courus à payer pour l'exercice en cours ?
2. Dans le poste Créditeurs et charges à payer, comment la variation a-t-elle modifié les flux de trésorerie liés à l'exploitation dans l'exercice le plus récent ?
3. Décrivez et indiquez les éléments du passif à long terme pour l'exercice le plus récent.
4. Pouvez-vous déterminer les composantes précises des frais courus pour l'exercice considéré ? Si oui, énumérez-les.
5. L'entreprise constate-t-elle des éléments de passif éventuel ?
6. Décrivez les facilités de crédit de l'entreprise, s'il y a lieu.
7. Quel est le montant de la charge d'intérêts pour l'exercice le plus récent ? Ce montant diffère-t-il des intérêts versés au comptant ?
8. Quel est le montant des paiements futurs minimaux relativement aux locations en vigueur à la fin du plus récent exercice ?
9. La société a-t-elle une dette obligataire ? Expliquez votre réponse.

CP9-3 Comparer des entreprises d'un même secteur d'activité

OA2
OA3
OA12
OA13

Reitmans (Canada) ◆
limitée et Le Château inc.

Référez-vous aux états financiers de la société Reitmans (Canada), à ceux de la société Le Château en annexes à la fin de ce manuel ainsi qu'aux ratios de ce secteur d'activité (*voir l'annexe D à la fin de ce manuel*). Pour les ratios, montrez tous vos calculs.

Travail à faire

1. Calculez le ratio du fonds de roulement (le ratio de liquidité générale) de chacune des entreprises pour chaque exercice présenté.
2. Calculez le ratio de liquidité relative de chacune des entreprises pour chaque exercice présenté. À quoi attribuez-vous le fait que ce ratio est inférieur au ratio du fonds de roulement ?

3. Comparez le ratio du fonds de roulement de l'exercice le plus récent de chaque entreprise à la moyenne du secteur d'activité (*voir l'annexe D à la fin de ce manuel*). En vous basant uniquement sur leur ratio du fonds de roulement, diriez-vous que le degré de liquidité des deux entreprises est plus ou moins élevé que celui de la moyenne des entreprises de ce secteur ?

4. Calculez le taux de rotation des fournisseurs de chacune des entreprises pour chaque exercice fourni.

5. À l'aide de ces renseignements et d'autres données contenues dans les rapports annuels, rédigez une brève évaluation du degré de liquidité des deux entreprises.

6. En fonction de vos connaissances sur cette industrie et de votre analyse des rapports annuels, expliquez pourquoi les sociétés ont choisi la structure de capital actuelle.

7. Pour les deux entreprises et chaque exercice présenté, calculez le ratio des capitaux empruntés sur les capitaux propres et le ratio de couverture des intérêts. Pour l'année la plus courante, comparez vos résultats à ceux du secteur (*voir l'annexe D à la fin de ce manuel*). À la lumière de ces informations, faites une analyse complète de la situation.

CP9-4 Interpréter la presse financière

□ OA5
□ OA7

Les entreprises prennent de plus en plus conscience des questions environnementales rattachées à leurs activités. Elles commencent à reconnaître que certaines de leurs opérations peuvent avoir des effets nuisibles sur l'environnement dont personne ne pourra mesurer l'ampleur avant des années, sinon des décennies. Elles découvrent aussi les problèmes complexes liés à l'enregistrement de tels éléments de passif éventuel. Vous trouverez un article de Paule des Rivières à ce sujet, intitulé « Pollution extrême », dans le numéro du 23 janvier 2001 du journal *Le Devoir*. L'article est également accessible sur le site Web de Chenelière Éducation à l'adresse www.cheneliere.ca.

Lisez cet article et rédigez un bref rapport sur la façon dont les entreprises devraient rendre compte des questions environnementales dans leurs états financiers. Comment Bombardier est-elle touchée ?

CP9-5 Analyser des intérêts cachés dans une vente de biens immobiliers – la valeur actualisée

□ OA8

Bon nombre de publicités renferment des offres trop alléchantes pour être vraies. Il y a quelques années, on pouvait lire l'annonce suivante dans un journal : « Maison à vendre pour 150 000 $ avec prêt hypothécaire financé à 0 % d'intérêts ». Si l'acheteur acceptait d'effectuer des versements mensuels de 3 125 $ pendant quatre ans (150 000 $ ÷ 48 mois), il n'aurait pas d'intérêts à payer. À l'époque où l'offre a été faite, les taux d'intérêt hypothécaires étaient de 12 %. La valeur actualisée lorsque $n = 48$ et $i = 1\%$ est de 37,9740.

Travail à faire

1. L'entreprise de construction accordait-elle vraiment un prêt hypothécaire à 0 % d'intérêts ?

2. Estimez le prix véritable de la maison offerte dans l'annonce. Supposez que le paiement mensuel a été calculé d'après un taux d'intérêt implicite de 12 %.

CP9-6 Analyser des obligations à coupon zéro d'une vraie société

◆ JCPenney □ OA11
□ OA12

La société JCPenney a été l'une des premières à émettre des obligations à coupon zéro. Elle a émis des obligations dont la valeur nominale est de 400 millions de dollars avec une date d'échéance 8 ans après la date d'émission. Lors de l'émission des obligations, le taux d'intérêt effectif du marché était de 15 %. Un article dans le magasine *Forbes* concernait les obligations de JCPenney. On pouvait y lire ce qui suit : « Il est facile de comprendre pourquoi une société voudrait émettre des obligations qui ne paient aucun intérêt. Mais pourquoi voudrait-on acheter une telle obligation ? »

Travail à faire

1. Expliquez pourquoi un investisseur achèterait des obligations avec un taux d'intérêt de 0 % ?

2. Si un investisseur pouvait obtenir un taux d'intérêt de 15 % sur des placements similaires, combien JCPenney a-t-elle reçu lors de l'émission des obligations ayant une valeur nominale de 400 millions de dollars ?

Cas – Analyse critique

CP9-7   Prendre une décision à titre de gestionnaire – le degré de liquidité

Dans certains cas, un gestionnaire peut effectuer des opérations qui vont améliorer l'apparence des rapports financiers de son entreprise sans en modifier la réalité économique sous-jacente. Dans ce chapitre, nous avons vu l'importance de la liquidité dont le niveau est mesuré avec le ratio du fonds de roulement (le ratio de liquidité générale) et le fonds de roulement (net). Pour chacune des opérations ci-dessous, a) déterminez s'il y a augmentation des liquidités enregistrées et b) indiquez si, à votre avis, le degré de liquidité véritable de l'entreprise est amélioré. Supposez que l'entreprise a un fonds de roulement positif et un ratio de solvabilité à court terme de 2.

Vous pouvez présenter les effets de la façon suivante :

Ratio du fonds de roulement	Fonds de roulement net	Degré de liquidité

a)   Emprunt bancaire de 1 million de dollars, remboursable dans 90 jours.

b)   Emprunt de 10 millions de dollars au moyen d'un effet à payer à long terme, remboursable dans cinq ans.

c)   Reclassement de la partie à court terme de la dette à long terme dans les éléments de passif à long terme à la suite d'une nouvelle entente avec la banque qui garantit la capacité de l'entreprise à refinancer sa dette lorsqu'elle viendra à échéance.

d)   Paiement de 100 000 $ sur les comptes fournisseurs de l'entreprise.

e)   Enregistrement d'un contrat d'emprunt qui garantit la capacité de l'entreprise d'emprunter jusqu'à 10 millions de dollars lorsqu'elle en aura besoin.

f)   Obligation pour tous les employés de prendre les jours de congé annuels accumulés pour permettre une diminution du passif de l'entreprise en matière d'indemnités de congés payés.

CP9-8   Évaluer une question d'éthique – la gestion des résultats enregistrés

La présidente d'une entreprise régionale de commerce de gros prévoit emprunter une forte somme d'argent à une banque locale au début du prochain exercice fiscal. Elle sait que cette banque accorde beaucoup d'importance au degré de liquidité de ses emprunteurs potentiels. Pour améliorer le ratio du fonds de roulement de son entreprise, elle demande à ses employés d'interrompre l'expédition de nouvelles marchandises aux clients et de cesser d'accepter de la marchandise des fournisseurs pendant les trois dernières semaines de l'exercice. S'agit-il d'un comportement conforme à l'éthique ? Votre réponse changerait-elle si la présidente s'était préoccupée des profits enregistrés et avait demandé à tous ses employés de faire du travail supplémentaire pour expédier les marchandises qui avaient été commandées à la fin de l'exercice ?

CP9-9   Prendre une décision à titre de vérificateur – des éléments de passif éventuel

Pour chacune des situations suivantes, déterminez si l'entreprise devrait : enregistrer un élément de passif dans le bilan, mentionner par voie de note un élément de passif éventuel ou ne pas faire état de la situation. Expliquez vos conclusions.

1.   Un fabricant d'automobiles met un nouveau modèle sur le marché. À la lumière d'expériences passées, il sait qu'aussitôt qu'une voiture de ce modèle sera en cause dans un accident, des poursuites seront engagées contre lui. L'entreprise peut avoir la certitude qu'au moins un jury accordera des dommages-intérêts à des personnes blessées dans un accident.

2.   Une recherche scientifique démontre que le produit de l'entreprise A qui se vend le mieux est peut-être le résultat d'une contrefaçon d'un brevet de l'entreprise B. Si l'entreprise B découvre la contrefaçon et intente un procès à l'entreprise A, celle-ci pourrait perdre des millions de dollars.

3.   Au cours de l'aménagement d'un terrain en vue de réaliser un nouveau projet domiciliaire, une entreprise a pollué un lac naturel. Selon la législation en cours, elle devra nettoyer le lac lorsque ses travaux seront terminés. Le projet de développement s'échelonne sur cinq à huit ans. D'après les estimations actuelles, il faudra débourser de 2 à 3 millions de dollars pour nettoyer le lac.

4. Une entreprise vient d'être avisée qu'elle a perdu un procès relativement à la responsabilité sur ses produits, qui lui coûtera 1 million de dollars. Elle prévoit en appeler de ce jugement. La direction est convaincue que l'entreprise gagnera en appel, mais les avocats croient plutôt qu'elle perdra.

5. Une cliente importante n'est pas satisfaite de la qualité d'un projet de construction. L'entreprise croit que cette cliente a des exigences déraisonnables mais, pour conserver son fonds commercial, elle décide de procéder à des réparations au coût de 250 000 $ l'année suivante.

CP9-10 Évaluer une question d'éthique – la publicité véridique

OA8

La New York State Lottery Commission a fait paraître la publicité suivante dans un certain nombre de journaux new-yorkais : « Le gros lot de la loterie du mercredi 25 août sera de 3 millions de dollars incluant des intérêts gagnés sur une période de paiement de 20 ans. Des versements de montants égaux seront effectués chaque année. »

Travail à faire

1. Dans vos propres mots, expliquez le sens de cette publicité. Évaluez sa véracité.
2. Cette publicité pourrait-elle tromper certaines personnes ?
3. Êtes-vous d'accord sur le fait que la personne gagnante recevra 3 millions de dollars ? Sinon, quel montant serait plus exact ? Indiquez les hypothèses sur lesquelles vous vous basez.

CP9-11 Évaluer une question d'éthique

OA10

Vous travaillez pour une petite entreprise qui investit dans des nouvelles sociétés Internet. Selon les prévisions financières, la société pourra obtenir un rendement de 40 000 000 $ par année sur un investissement de 100 000 000 $. Le président de la société suggère d'emprunter cette somme au moyen de l'émission d'obligations à un taux d'intérêt de 7 %. Il affirme : « ceci est mieux que d'imprimer de l'argent ! Il n'est pas nécessaire qu'on investisse un sou de notre capital et on obtient 33 000 000 $ par année après le paiement des intérêts aux obligataires. » Après mûres réflexions sur cette transaction, vous commencez à vous sentir mal à l'aise de soutirer de tels avantages des créanciers. Vous croyez que ce n'est pas bien de gagner un retour aussi élevé en utilisant des fonds qui appartiennent à d'autres personnes. Cette transaction respecte-t-elle les règles de l'éthique ?

CP9-12 Évaluer une question d'éthique

Assumez le rôle d'un gestionnaire de portefeuille d'une grande société d'assurances. La plus grande part des fonds que vous gérez provient d'enseignants à la retraite qui dépendent du revenu sur l'investissement que vous leur procurez. Vous avez investi un montant important dans les obligations d'une société ; vous venez de recevoir un appel du président de cette société qui vous explique que les intérêts courants sur les obligations ne seront pas payés car l'augmentation de la compétition internationale a causé une baisse importante de ses résultats. Le président de la société a un plan de redressement qui prendra au moins 2 ans à réaliser. Pendant ce temps, le société ne pourra pas payer les intérêts sur les obligations. Elle admet aussi que si le plan ne fonctionne pas, les obligataires perdront probablement la moitié de leur investissement.

À titre de créditeur, vous pouvez acculer la société à la faillite et récupérer ainsi près de 90 % de la valeur des obligations pour vos clients. Vous savez aussi que votre décision peut amener 10 000 personnes au chômage si la société cesse ses opérations. Étant donné que vous avez deux choix, lequel feriez-vous ?

CP9-13 Analyser une société dans le temps

OA11
OA12

L'information financière suivante a été rapportée par Platon inc. :

	2009	2008	2007
Ratio de couverture des intérêts	3,32	3,46	3,05
Ratio des capitaux empruntés sur des capitaux propres	1,26	1,24	1,29
Passif à long terme (en millions de dollars)	924 $	889 $	753 $

À titre d'analyste financier, quelles conclusions pouvez-vous tirer de cette information ?

CP9-14 Utiliser les concepts relatifs à la valeur actualisée

Même s'il peut vous paraître un peu tôt pour planifier votre retraite, servez-vous du moteur de recherche de votre navigateur Web pour trouver un site qui offre un logiciel de planification de retraite. Répondez aux questions qu'on vous pose et élaborez un plan de retraite. Lorsque vous aurez terminé, expliquez comment le planificateur de retraite utilise les concepts relatifs à la valeur actualisée dont il a été question dans ce chapitre.

Projets – Information financière

CP9-15 Projet en équipe – examiner des rapports annuels

En équipe, choisissez un secteur d'activité à analyser. Chaque membre de l'équipe doit se procurer le rapport annuel d'une société ouverte de ce secteur, différente de celles qui sont choisies par les autres membres. (Consultez, par exemple, le site Web de la société ou le service SEDAR à www.sedar.com).

Travail à faire

De manière individuelle, chacun doit analyser la société choisie et ensuite rédiger un bref rapport. Celui-ci doit répondre aux questions qui suivent :

1. Dressez la liste des comptes avec les montants des éléments de passif de l'entreprise choisie au cours des trois derniers exercices et répondez aux questions suivantes :
    a) Quel est le pourcentage de chaque élément en rapport avec le passif total de l'année ?
    b) Que suggèrent les résultats de votre analyse face à la stratégie adoptée concernant les fonds empruntés ?
    c) La société divulgue-t-elle des passifs découlant de location d'actifs dans ses notes aux états financiers ? Si oui, calculez le pourcentage des engagements des locations par rapport au passif total.

2. L'entreprise a-t-elle des éléments de passif éventuels ? Si oui, évaluez le risque associé à chacune des éventualités.

3. Analyse au moyen des ratios :
    a) Calculez le ratio du fonds de roulement pour les trois derniers exercices.
    b) Que suggèrent vos résultats à propos de la société ?
    c) S'il est disponible, trouvez le ratio du secteur d'activité pour l'année en cours. Comparez ce ratio à vos résultats et discutez des raisons pour lesquelles le ratio de votre société est similaire ou diffère du ratio du secteur.
    d) Calculez le ratio de liquidité relative pour les trois derniers exercices et faites l'analyse de vos résultats.

4. Analyse au moyen des ratios :
    a) Calculez le taux de rotation des comptes fournisseurs pour les trois derniers exercices.
    b) Que suggèrent vos résultats à propos de l'entreprise ?
    c) S'il est disponible, trouvez le ratio du secteur d'activité pour l'année en cours. Comparez ce ratio à vos résultats et discutez des raisons pour lesquelles le ratio de votre société est similaire ou diffère du ratio du secteur.

5. Quel est l'effet d'une variation des comptes fournisseurs sur les flux de trésorerie des activités d'exploitation pour l'exercice le plus récent (en d'autres mots, la variation a-t-elle augmenté ou diminué les flux monétaires des activités d'exploitation) ? Expliquez votre réponse.

6. Votre société a-t-elle émis des obligations ou des effets à long terme ? Si oui, lisez les notes aux états financiers et notez toute caractéristique particulière (convertibilité, garantie par des actifs particuliers, etc.).

7. Si votre société a émis des obligations, ont-elles été émises à prime ou à escompte ?

8. Analyse au moyen des ratios :
    a) Calculez le ratio de couverture des intérêts pour les trois derniers exercices.
    b) Que suggèrent vos résultats au sujet de votre société ?
    c) S'il est disponible, trouvez le ratio du secteur d'activité pour l'année en cours. Comparez-le à vos résultats et discutez des raisons pour lesquelles le ratio de votre société est similaire ou diffère du ratio du secteur.

9. Analyse au moyen des ratios :
   a) En général, quelle information fournit le ratio des capitaux empruntés sur les capitaux propres ?
   b) Calculez ce ratio pour les trois derniers exercices.
   c) Que suggèrent vos résultats au sujet de votre société ?
   d) S'il est disponible, trouvez le ratio du secteur d'activité pour l'année en cours. Comparez-le à vos résultats et discutez des raisons pour lesquelles le ratio de votre société est similaire ou diffère du ratio du secteur.

10. La société a-t-elle émis des obligations en devises étrangères ? Si oui, pouvez-vous expliquer pourquoi ?

11. Dans le plus récent exercice, quel montant d'argent la société a-t-elle encaissées sur l'émission de dette ? Combien a-t-elle remboursé de capital sur la dette ? Quelles raisons la direction a-t-elle invoquées pour émettre ou rembourser la dette au cours de l'exercice ?

12. Analysez toute répétition des mêmes caractéristiques que vous observez de l'une à l'autre des entreprises choisies par les membres de l'équipe. Rédigez ensuite ensemble un bref rapport dans lequel vous soulignerez les ressemblances et les différences.

10

Les capitaux propres

Objectifs d'apprentissage

Au terme de ce chapitre, l'étudiant sera en mesure :

1. d'expliquer le rôle des actions dans la structure du capital d'une société de capitaux (*voir la page 601*) ;

2. de calculer et d'analyser le résultat par action (*voir la page 604*) ;

3. de décrire les caractéristiques des actions ordinaires et d'analyser des opérations s'y rapportant (*voir la page 605*) ;

4. d'examiner les dividendes et d'analyser des opérations s'y rapportant (*voir la page 611*) ;

5. d'analyser le taux de rendement par action (*voir la page 613*) ;

6. d'expliquer le but du versement du dividende en actions et du fractionnement d'actions et d'examiner la présentation de ces opérations (*voir la page 614*) ;

7. de décrire les caractéristiques des actions privilégiées et d'analyser des opérations s'y rapportant (*voir la page 617*) ;

8. de discuter de l'incidence de certaines opérations sur les capitaux propres à l'état des flux de trésorerie (*voir la page 619*) ;

9. de présenter les autres éléments des capitaux propres (*voir la page 621*).

ALCAN INC.

Alcan inc.

Le financement grâce à la croissance du nombre de propriétaires actionnaires

Si vous buvez une boisson quelconque offerte en canette, le contenant est un produit de l'aluminium qui vient d'Alcan. Il en est de même du papier aluminium qui sert notamment à la cuisson des pommes de terres au four ou à l'emballage des cadeaux de Noël. En fait, la société multinationale occupe la première place dans les emballages de produits alimentaires, pharmaceutiques et cosmétiques. Fondée en 1901 à Shawinigan (Québec), Alcan inc. est aujourd'hui le deuxième producteur mondial d'aluminium de première fusion. L'entreprise figure parmi les leaders dans les technologies de ce secteur. Outre le fait de produire des canettes, elle est l'un des principaux producteurs de produits usinés qui approvisionnent des marchés clés comme l'aéronautique et l'automobile. Alcan, dont le siège social est situé à Montréal, est aussi l'un des principaux négociants en métal du monde.

Au cours des cinq dernières années, la société Alcan a enregistré une croissance phénoménale grâce à une stratégie d'acquisition et de vente d'entreprises et à une restructuration de ses activités à l'échelle mondiale. De 2000 à 2005, le chiffre d'affaires d'Alcan est passé de 9 237 $ (tous les montants sont en millions de dollars des États-Unis) à 20 320 $, et le total de ses actifs est passé de 17 846 $ à 26 638 $. La stratégie de croissance d'Alcan s'est matérialisée au fil des ans en grande partie à cause du financement obtenu par l'émission d'actions. Les actions ordinaires en circulation sont passées de 218 millions en 1999 à 372 millions en 2005. Véritable succès canadien dans l'industrie de l'aluminium, Alcan compte 65 000 employés et exerce ses activités dans 59 pays et régions.

Les propriétaires ont bénéficié de la croissance du titre d'Alcan, qui est passé de 27,63 $ US (en 1997) à 46,25 $ US (15 août 2006) au cours des 10 dernières années, soit une augmentation de 67,4 %. Les actions d'Alcan sont maintenant négociées aux Bourses de Toronto, de New York, de Londres, de Paris et de Zurich.

Dans ce chapitre, nous discuterons du rôle que joue le capital social dans le succès d'une entreprise aussi bien en ce qui concerne son établissement que sa croissance.

Parlons affaires

Pour certaines personnes, les expressions « sociétés de capitaux » et « compagnies » sont presque synonymes. Il est normal d'établir un lien entre les sociétés de capitaux et les compagnies, car cette forme d'entreprise commerciale est prédominante quand il est question de volume d'affaires. Si vous deviez jeter sur papier le nom de 25 entreprises qui vous sont familières, ces dernières seraient sans doute toutes des sociétés de capitaux.

La popularité de la société de capitaux comme forme d'entreprise est attribuable au net avantage qu'elle possède par rapport à l'entreprise individuelle ou à la société de personnes. De telles sociétés peuvent attirer des montants importants de capital, car autant les petits comme les grands investisseurs ont la possibilité de devenir propriétaires. Trois facteurs principaux permettent d'investir facilement dans les sociétés de capitaux :

- On peut devenir partiellement propriétaire d'une société en achetant une petite quantité de ses actions. Par exemple, si on achète une seule action d'Alcan pour environ 46,25 $ US (15 août 2006), on devient l'un des propriétaires-actionnaires de cette vaste entreprise multinationale.
- La société de capitaux facilite le transfert des participations. En effet, on peut vendre aisément ses actions à d'autres investisseurs sur des marchés établis comme la Bourse de Toronto ou de New York.
- Dans les sociétés de capitaux, les actionnaires – n'ont qu'une responsabilité limitée[1].

Bon nombre d'individus détiennent des actions, soit directement ou indirectement à cause de leur participation à des fonds mutuels ou à un régime de retraite. D'après le Toronto Stock Exchange[2], le pourcentage des adultes canadiens qui détiennent des actions et des placements est passé de 37 % en 1996 à 49 % en 1999. La détention d'actions donne l'occasion d'obtenir des rendements souvent plus élevés que ceux qui sont offerts avec les dépôts bancaires ou les obligations d'entreprises. D'un autre côté, la détention d'actions comporte, la plupart du temps, des risques plus élevés. La recherche d'un équilibre entre les risques et les rendements attendus est fonction des attentes de chacun.

Le tableau 10.1 (*voir la page 598*) présente un extrait de l'information financière tiré du rapport annuel d'Alcan. Il faut noter que la section des capitaux propres du bilan présente deux sources de fonds :

1) le **capital social**, soit les actions préférentielles et les actions ordinaires. Il s'agit des sommes que versent les actionnaires pour l'achat des actions ;
2) les **bénéfices non répartis** créés grâce aux activités de l'entreprise. Il s'agit du montant cumulé des bénéfices nets gagnés par l'entreprise depuis sa création moins les dividendes qu'elle a versés depuis.

Pour la majorité des entreprises, les bénéfices non répartis constituent l'apport le plus important des capitaux propres. Ce n'est pas le cas pour Alcan, dont les bénéfices non répartis représentent près du tiers des capitaux-propres.

---

1. Dans le cas d'insolvabilité d'une société de capitaux, les créanciers n'ont de recours que par rapport aux actifs de la société. Ainsi, les actionnaires ne peuvent perdre, au maximum, que le capital investi dans la société. Dans le cas d'une société de personnes ou d'une entreprise individuelle, les créanciers peuvent accéder aux actifs personnels des propriétaires si les actifs de l'entreprise sont insuffisants pour rembourser les dettes impayées.
2. *The Globe and Mail*, 27 mai 2000.

Structure du chapitre

La propriété d'une société de capitaux

Les avantages de détenir des actions

Le capital social autorisé, émis et en circulation

Le résultat par action

Les actions ordinaires

La première émission d'actions

La vente des actions sur les marchés secondaires

Les actions émises pour rémunérer les employés

Le rachat d'actions

Les dividendes sur les actions ordinaires

Le taux de rendement par action

Le dividende en actions et le fractionnement d'actions

Le dividende en actions

Le fractionnement d'actions

Les actions privilégiées

Les dividendes sur les actions privilégiées

Les autres éléments des capitaux propres

Le surplus d'apport

Les bénéfices non répartis

Le résultat étendu

TABLEAU 10.1 | Extraits du bilan consolidé et de l'état des capitaux propres consolidés

Coup d'œil sur

Alcan inc.

RAPPORT ANNUEL

**Extrait du bilan consolidé
au 31 décembre**
(en millions de dollars des État-Unis,
sauf indication contraire)

Capitaux-propres	2005	2004	2003
Actions préférentielles rachetables au gré de l'émetteur mais non au gré du détenteur, émissibles en série; nombre illimité d'actions autorisées (note 25)			
Série C: valeur attribuée de 106 $, nombre d'actions autorisées 5 700 000; en circulation 5 699 900 en 2005; 5 700 000 en 2004 et en 2003	106 $	106 $	106 $
Série E: valeur attribuée de 54 $, nombre d'actions autorisées 3 000 000; en circulation 2 999 000 en 2005; 3 000 000 en 2004 et en 2003	54	54	54

Capitaux propres attribuables aux détenteurs d'actions ordinaires	2005	2004	2003
Actions ordinaires, nombre illimité d'actions autorisées, en circulation (en milliers) 371 921 en 2005 ; 369 930 en 2004 ; 365 181 en 2003 (note 26)	6 181	6 670	6 461
Surplus d'apport (notes 8 et 27)	683	112	128
Bénéfices non répartis (note 28)	3 048	3 362	3 331
Actions ordinaires détenues par une filiale (note 26)	(31)	(35)	(56)
Cumul des autres éléments du résultat étendu	(397)	457	253
Total des capitaux-propres – actions ordinaires	9 484	10 566	10 117
Total des capitaux propres	9 644 $	10 726 $	10 277 $

Extrait de l'état des capitaux propres consolidés
exercice terminé le 31 décembre
(en millions de dollars US)

	Résultat étendu	Actions préférentielles – séries C et E	Actions ordinaires	Surplus d'apport	Bénéfices non répartis	Actions ordinaires détenues par une filiale	Cumul des autres éléments du résultat étendu	Total des capitaux propres
Solde à la fin de 2002		160	4 731	42	3 467	–	(108)	8 292
Bénéfice net 2003	64				64			64
Autres éléments du résultat étendu	361						361	361
Résultat étendu*	425							
Dividendes :								
Actions préférentielles					(7)			(7)
Actions ordinaires					(193)			(193)
Charge au titre des options d'achat d'actions				13				13
Options d'achat d'actions exercées			7	(7)				–
Coût des options de Pechiney**				80				80
Actions ordinaires détenues par une filiale						(56)		(56)
Actions ordinaires émises au comptant :								
Régime d'options sur titres pour les dirigeants d'Alcan			22					22
Régimes de réinvestissement des dividendes et d'achat d'actions			20					20
Actions ordinaires émises contre la remise des titres de Pechiney**			1 681					1 681
Solde à la fin de 2003		160	6 461	128	3 331	(56)	253	10 277

(suite)	Résultat étendu	Actions préférentielles – séries C et E	Actions ordinaires	Surplus d'apport	Bénéfices non répartis	Actions ordinaires détenues par une filiale	Cumul des autres éléments du résultat étendu	Total des capitaux propres
Bénéfice net 2004	258				258			258
Autres éléments du résultat étendu	204						204	204
Résultat étendu*	462							
Dividendes :								
Actions préférentielles					(6)			(6)
Actions ordinaires					(221)			(221)
Charge au titre des options d'achat d'actions				11				11
Options d'achat d'actions exercées			27	(27)				–
Actions ordinaires détenues par une filiale						21		21
Actions ordinaires émises au comptant :								
Régime d'options sur titres pour les dirigeants d'Alcan			60					60
Régimes de réinvestissement des dividendes et d'achat d'actions			28					28
Contrat de liquidité			12					12
Actions ordinaires émises contre la remise des titres de Pechiney**			82					82
Solde à la fin de 2004		160	6 670	112	3 362	(35)	457	10 726
Distribution de Novelis*** (note 7)			(576)	572	(214)	4	(71)	(285)
Bénéfice net 2005	129				129			129
Autres éléments du résultat étendu	(783)						(783)	(783)
Résultat étendu*	(654)							
Dividendes :								
Actions préférentielles					(7)			(7)
Actions ordinaires					(222)			(222)
Charge au titre des options d'achat d'actions				19				19
Options d'achat d'actions exercées			20	(20)				–
Actions ordinaires émises au comptant :								
Régime d'options sur titres pour les dirigeants d'Alcan			46					46
Régimes de réinvestissement des dividendes et d'achat d'actions			17					17
Contrat de liquidité			4					4
Solde à la fin de 2005		160	6 181	683	3 048	(31)	(397)	9 644

* Les éléments du résultat étendu ont été présentés séparément (ci-après) afin d'alléger la présentation.

** Considération partielle du prix d'achat de Pechiney, société acquise.

*** Novelis est une société qui a été créée à l'occasion d'une scission partielle à la suite de l'acquisition de Pechiney.

Résultat étendu :	2005	2004	2003
Bénéfice net de l'exercice	129 $	258 $	64 $
Autres éléments du résultat étendu :			
Variation nette des écarts de conversion	(695)	454	404
Variation nette de l'excédent de la valeur de marché sur la valeur comptable des titres disponibles à la vente	(4)	2	8
Reclassement au bénéfice net	–	–	(8)
Variation nette du passif minimal au titre des régimes de retraite, déduction faite des impôts (2005 : 21 $; 2004 : 82 $; 2003 : 8 $)	67	(200)	(31)
Variation nette des gains et pertes non réalisés sur les dérivés, déduction faite d'impôts (2005 : 78 $; 2004 : 24 $; 2003 : 5 $) :			
Variation nette provenant des réévaluations périodiques	(196)	(65)	(12)
Montant net reclassé au bénéfice	45	13	–
Résultat étendu (présenté à l'état des capitaux propres)	(654) $	462 $	425 $

La propriété d'une société de capitaux

La société de capitaux est une forme d'entreprise que la loi reconnaît comme une entité distincte. Au sens de la loi, la société est désignée comme étant une « personne morale ». En tant que telle, la société de capitaux jouit d'une existence continue, séparée et distincte de ses propriétaires. Elle peut être propriétaire d'actifs, contracter des dettes, augmenter ou diminuer sa taille, entamer des procédures judiciaires contre d'autres entreprises, être poursuivie en justice et conclure des contrats indépendamment des actionnaires.

Pour protéger les droits de tous, la création et la gouvernance des sociétés de capitaux sont réglementées. Ces règles subissent continuellement des modifications afin de tenir compte de l'environnement économique qui évolue avec le temps. Pour créer une société de capitaux, il faut soumettre une demande de charte auprès d'un agent officiel de l'État. Au niveau fédéral, on peut obtenir les **statuts constitutifs** de la Loi canadienne sur les sociétés par actions (LCSA) en s'adressant à Industrie Canada, Direction générale des corporations. Si on veut obtenir des statuts constitutifs québécois, il faut s'adresser au Registraire des entreprises. La société Alcan est incorporée selon la Loi canadienne sur les sociétés par actions (sa charte est donc fédérale). Au moment de l'approbation de la demande, l'État émet une charte. L'organisme directeur de la société de capitaux est le conseil d'administration élu par les actionnaires.

Les avantages de détenir des actions

Lorsque vous investissez dans une société de capitaux, vous devenez un **actionnaire**. À ce titre, vous recevez des actions (un certificat d'action) que vous pouvez par la suite vendre sur le marché d'une Bourse établie.

OBJECTIF D'APPRENTISSAGE 1

Expliquer le rôle des actions dans la structure du capital d'une société de capitaux.

À titre de propriétaire d'actions ordinaires, vous jouissez des droits suivants.

1. **Un droit de vote.** Au cours des assemblées des actionnaires vous pouvez voter au sujet des principaux enjeux concernant la direction de la société. Vous participez donc à l'élection des membres du conseil d'administration qui dirige la société.

2. **Des dividendes.** Vous pouvez partager proportionnellement avec les autres actionnaires la distribution des bénéfices de la société.

3. **Des droits résiduels.** Vous pouvez partager proportionnellement avec les autres actionnaires la distribution des actifs de la société au moment de sa liquidation.

Les propriétaires, contrairement aux créanciers, peuvent voter au cours de l'assemblée annuelle des actionnaires. Normalement, le nombre de votes correspond au nombre d'actions détenues. L'avis d'assemblée annuelle des actionnaires présenté ci-après a été envoyé à tous les détenteurs d'actions d'Alcan.

Coup d'œil sur

Alcan inc.

**AVIS DE CONVOCATION
À L'ASSEMBLÉE ANNUELLE
DES ACTIONNAIRES D'ALCAN INC.**

La 104e assemblée annuelle des détenteurs d'actions ordinaires d'Alcan inc. se tiendra le jeudi 27 avril 2006, à 10 h, dans l'Auditorium du Centre Mont-Royal, 2200, rue Mansfield, Montréal (Québec) Canada. L'ordre du jour sera le suivant :

1. présentation des états financiers et du rapport des vérificateurs pour l'exercice clos le 31 décembre 2005 ;

2. élection des administrateurs ;

3. nomination des vérificateurs et autorisation donnée au conseil d'administration de fixer leurs honoraires ;

4. considération de la proposition d'actionnaire telle que décrite dans la présente circulaire de sollicitation de procurations.

Les actionnaires qui ne pourront être présents à l'assemblée annuelle peuvent soumettre leur procuration selon les procédures établies dans la circulaire de sollicitation de procurations ci-jointe.

L'avis d'assemblée annuelle est normalement accompagné d'informations financières sur la société ainsi que sur les personnes qui ont été nommées membres du conseil d'administration. Pour les grandes sociétés, les détenteurs d'actions sont très nombreux et dispersés ; la plupart d'entre eux ne se présentent pas aux assemblées annuelles. Pour permettre à ces personnes de voter, l'avis inclut une carte, laquelle permet de voter ou de déléguer son droit de vote par procuration[3]. Chaque actionnaire peut remplir la carte et la poster à la société. Elle sera alors incluse dans les votes lors de l'assemblée annuelle.

Le tableau 10.2 montre que les actionnaires ont l'ultime responsabilité dans l'entreprise. Le conseil d'administration, et indirectement tous les employés, sont redevables envers les actionnaires. La plupart des sociétés adoptent une structure organisationnelle semblable à celle qui est présentée au tableau 10.2. La structure particulière que choisit une entreprise dépend de la nature de ses opérations.

---

3. La procuration de vote est une entente écrite en vertu de laquelle un actionnaire donne à une autre partie le pouvoir d'exercer le droit de vote afférant aux actions qu'il détient dans une société au cours de l'assemblée annuelle des actionnaires. Généralement, le président de la société sollicite et obtient les procurations.

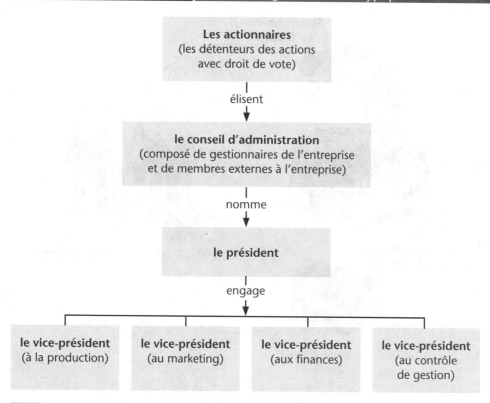

Le capital social autorisé, émis et en circulation

La charte de l'entreprise précise le nombre maximal d'actions que celle-ci peut vendre au grand public. Les états financiers doivent donner l'information sur le nombre d'actions vendu à la date du bilan. Examinons l'information qu'a présentée Alcan au 31 décembre 2005 (*voir le tableau 10.1 à la page 598*). Pour Alcan, le nombre maximal d'actions ordinaires qui peut être vendu (le nombre d'**actions autorisées**) est illimité ; pour les actions préférentielles de Série C, le nombre d'actions autorisées est de 5 700 000 et pour la Série E, il est de 3 000 000. Au 31 décembre 2005, 371 921 000 actions ordinaires ont été émises, tandis que 5 699 900 actions de Série C et 2 999 000 actions de série E l'ont été. Les **actions émises** sont les actions vendues au public.

En général, la charte de la société autorise un nombre d'actions plus grand que ce que la société prévoit émettre au départ. Plusieurs sociétés choisissent donc d'autoriser un nombre illimité d'actions. C'est le cas de sociétés nouvellement constituées et de sociétés qui ont demandé des modifications de leurs statuts pour accroître le nombre d'actions autorisées. Cette stratégie offre une souplesse future à la société dans le cas où elle voudrait émettre des actions supplémentaires pour faire face à ses besoins futurs, sans qu'elle ait à modifier sa charte.

Pour diverses raisons, une société peut décider de racheter des actions qu'elle a déjà émises. Ces actions deviennent alors des actions *autodétenues*. Lorsqu'une société rachète de ses actions, il existe une différence entre les actions émises et les **actions en circulation** ou actions détenues par les actionnaires. Les actions en circulation se calculent donc ainsi :

> Actions émises
> − Actions autodétenues
> = Actions en circulation

Les **actions autorisées** comprennent le nombre maximal d'actions qu'une société peut émettre en vertu de sa charte pour chacune des catégories d'actions décrites.

Les **actions émises** comprennent le nombre total d'actions vendues.

Les **actions en circulation** désignent le nombre total d'actions que possèdent les actionnaires à une date particulière.

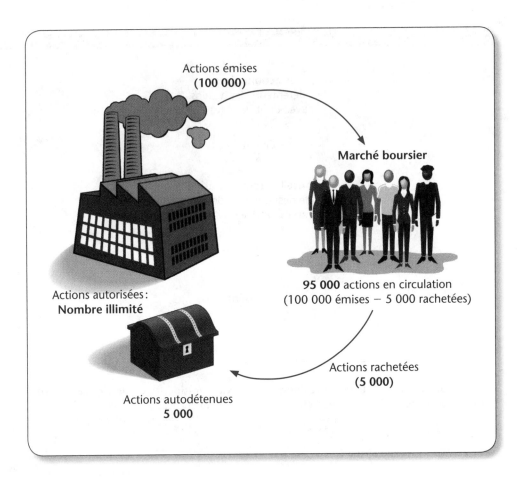

Actions émises
(100 000)

Marché boursier

Actions autorisées :
Nombre illimité

95 000 actions en circulation
(100 000 émises − 5 000 rachetées)

Actions rachetées
(5 000)

Actions autodétenues
5 000

Selon les lois canadiennes, les actions rachetées doivent être éliminées et peuvent reprendre le statut d'actions autorisées dans le cas où les statuts limiteraient le nombre d'actions autorisées. Cependant, les actions rachetées peuvent être conservées au titre d'actions autodétenues dans certaines circonstances prévues par la loi fédérale. Aux États-Unis, les actions rachetées ne sont pas éliminées ; elles font l'objet d'une comptabilisation séparée où elles sont considérées comme étant « déjà émises mais non en circulation ». Cette banque d'actions autodétenues sert souvent à offrir une compensation aux employés sous forme d'actions sans devoir procéder à une nouvelle émission d'actions, opération très coûteuse.

Le nombre d'actions en circulation est très important pour calculer certains montants sur la base d'une action. Il sert notamment à calculer le résultat par action.

Le résultat par action

OBJECTIF D'APPRENTISSAGE **2**

Calculer et analyser le résultat par action.

ANALYSONS LES RATIOS

Le résultat par action

1. **Question d'analyse**
   La société est-elle rentable ?

2. **Ratio et comparaison**
   Le résultat par action (le bénéfice par action) est calculé ainsi (les nombres sont en millions) :

$$\text{Résultat par action} = \frac{\text{Bénéfice net*}}{\text{Moyenne pondérée des actions ordinaires en circulation}}$$

---

* On doit déduire du bénéfice net, les dividendes versés sur les actions privilégiées, le cas échéant.

Pour Alcan, le ratio de 2005 est :

$$129\$ - 7\$ = \frac{122\$}{370 \text{ actions}} = 0,33\$ \text{ US}$$

a) L'analyse de la tendance dans le temps		
ALCAN		
2003	2004	2005
0,18 $ US	0,69 $ US	0,33 $ US

b) La comparaison avec les compétiteurs	
ALCOA	**DOFASCO**
2005	2005
1,41 $ US	1,88 $ CAN

3. Interprétation des résultats

EN GÉNÉRAL ◊ Tous les analystes et investisseurs s'intéressent aux résultats d'une société. Vous avez sans doute remarqué les titres dans les journaux annonçant les résultats de sociétés. Il faut noter que, dans la presse, les sociétés rapportent toujours leur résultat sur la base d'une action. La raison en est fort simple : les chiffres se comparent plus facilement sur la base d'une action. Par exemple, en 2005, Alcan a rapporté un bénéfice net de 129 $ US comparativement à 258 $ US en 2004. Si la comparaison se fait sur la base d'une action, on peut affirmer que le résultat par action a diminué, passant de 0,69 $ US à 0,33 $ US. Le résultat par action (RPA) est aussi un outil intéressant pour comparer des entreprises de tailles différentes. Dofasco, une société plus petite qu'Alcan (environ un cinquième de la taille d'Alcan) a réalisé un bénéfice net de 145,6 millions de dollars canadiens en 2005, ce qui est très près du bénéfice net de 129 millions $ US d'Alcan. Pourtant, son résultat par action est supérieur à celui d'Alcan à cause d'un plus petit nombre d'actions en circulation.

ALCAN ◊ En 2005, le RPA d'Alcan a diminué comparativement à 2004 par suite de la diminution de son bénéfice net de moitié (258 $ US à 129 $ US). La diminution du bénéfice net provient des charges de restructuration et de dévaluation d'actifs. Ces charges ne sont pas récurrentes et font partie du plan de restructuration mondial de la société pour augmenter sa rentabilité.

QUELQUES PRÉCAUTIONS ◊ Bien que le RPA soit un ratio efficace et très utile pour mesurer la rentabilité d'une entreprise, il peut être trompeur s'il existe des différences importantes dans la valeur boursière des sociétés comparées. Un résultat par action identique de 1,50 $ par action peut sembler comparable à première vue. Toutefois, si les actions d'une société se transigent à 10 $ tandis que les actions de l'autre se transigent à 175 $, elles ne sont pas comparables.

Les actions ordinaires

La majorité des entreprises émettent deux types d'actions : les actions ordinaires et les actions privilégiées (préférentielles). Toutes les sociétés doivent émettre des actions ordinaires, mais elles ne sont pas tenues d'émettre des actions privilégiées. Dans cette section, nous discuterons des actions ordinaires. Les actions privilégiées seront abordées plus loin.

Les **actions ordinaires** sont détenues par des investisseurs considérés comme les « propriétaires » de l'entreprise, car ils ont le droit de vote et partagent les bénéfices sous forme de dividendes. Le conseil d'administration détermine le taux de dividende pour les actions ordinaires en fonction de la rentabilité de la société.

Les dividendes sur les actions ordinaires peuvent augmenter lorsque la rentabilité de la société s'accroît. C'est l'une des raisons pour lesquelles les investisseurs peuvent faire de l'argent à la Bourse. Essentiellement, on peut penser au prix d'une action comme s'il

OBJECTIF D'APPRENTISSAGE **3**

Décrire les caractéristiques des actions ordinaires et analyser des opérations s'y rapportant.

Les **actions ordinaires** sont les actions de base avec droit de vote émises par les sociétés de capitaux.

s'agissait de la valeur actualisée de tous ses dividendes futurs. Si la rentabilité d'une entreprise s'améliore de sorte qu'elle est en mesure de distribuer des dividendes plus élevés, la valeur actualisée de ses actions ordinaires s'accroît.

La **valeur nominale** (ou **valeur au pair**) est la valeur d'une action établie dans la charte d'une société de capitaux. Elle est arbitraire et n'a aucun lien avec la valeur marchande des actions qui, dans la plupart des cas, est beaucoup plus élevée que la valeur nominale. Par exemple, les actions ordinaires de la société Wal-Mart ont une valeur nominale de 0,10 $ US par action et une **valeur boursière** de 45,15 $ US (14 août 2006). Les actions vendues par une société aux investisseurs à un prix supérieur à leur valeur nominale sont vendues avec prime d'émission. Le prix d'émission en sus de la valeur nominale (la prime à l'émission) est présenté à titre de « surplus d'apport ».

Au Canada, les chartes fédérales interdisent l'émission d'actions avec valeur nominale, tandis que les chartes québécoises (et certaines chartes d'autres provinces) le permettent. De nos jours, très peu d'entreprises canadiennes présentent des actions ordinaires avec valeur nominale. À l'origine, la valeur nominale visait à protéger le créancier, car il s'agissait d'un montant permanent du capital (le capital légal) que les propriétaires ne pouvaient retirer tant et aussi longtemps que la société existait. Par conséquent, les propriétaires ne pouvaient retirer tout leur capital s'ils anticipaient une faillite, ce qui aurait laissé les créanciers sans fonds. Aujourd'hui, cet argument est moins valable quand on pense aux restrictions légales pouvant exister au sujet de la distribution des dividendes et de la possibilité qui revient aux créanciers d'imposer d'autres restrictions diverses. Aux États-Unis, la majorité des États requièrent l'émission d'actions avec valeur nominale.

Dans les états financiers d'entreprises canadiennes, on trouve principalement des **actions sans valeur nominale.** D'après les états financiers de 200 sociétés analysées par Byrd, Chen et Smith[4] en 2004, on rapportait qu'une seule entreprise au Canada faisait référence à des valeurs nominales pour ses actions ordinaires. Avec la mondialisation des marchés et l'effort d'uniformisation des normes comptables, on peut espérer que les lois seront uniformisées. En attendant, nous croyons qu'il est important de connaître et de comprendre tous les types d'actions permis légalement, du moins dans un contexte nord-américain.

La première émission d'actions

Les opérations comportant la vente des actions d'une société au grand public peuvent être divisées en deux catégories : 1) la première émission et 2) les émissions subséquentes. Le **premier appel public à l'épargne** constitue la toute première vente des actions d'une société au grand public (c'est-à-dire lorsque la société s'inscrit en Bourse). On se souvient d'événements concernant des actions de sociétés, dans le domaine des nouvelles technologies de l'information, dont la valeur s'est considérablement accrue la journée même du premier appel public à l'épargne. Bien qu'on puisse parfois obtenir des rendements considérables par suite du premier appel, ce dernier comporte souvent des risques importants. Lorsque les actions d'une société se négocient sur des marchés établis, l'expression qui décrit les ventes supplémentaires de nouvelles actions au public est l'« émission de **titres acclimatés** » (*seasoned new issues*). Cette expression « se dit d'un titre qui se négocie depuis longtemps sur le marché secondaire et qui a fait ses preuves en termes de volume de transactions et de stabilité des cours, bénéficiant ainsi d'une certaine notoriété auprès des investisseurs[5] ».

4. Clarence BYRD, Ida CHEN et Joshua SMITH (2005), *Financial Reporting in Canada*, 30e éd., Toronto, ICCA, p. 320.
5. Louis MÉNARD, et collab. (2004), *Dictionnaire de la comptabilité et de la gestion financière*, 2e éd., Toronto, ICCA, p. 1058.

La **valeur nominale** (ou **valeur au pair**) est la valeur par action précisée dans la charte de la société, le cas échéant.

La **valeur boursière** est la valeur du marché d'une action établie par les Bourses. Cette valeur fluctue en fonction des transactions journalières du titre.

Les **actions sans valeur nominale** sont des actions dont la valeur nominale n'est pas précisée dans la charte de la société.

La plupart des ventes d'actions au public sont des opérations au comptant. Pour illustrer la comptabilisation d'une vente initiale d'actions, on suppose qu'une société vend 100 000 actions ordinaires sans valeur nominale pour 22 $ l'action. L'incidence de cette transaction sur les postes du bilan de la société ainsi que l'écriture de journal s'inscrivent ainsi :

On inscrit la vente d'actions ordinaires au bilan sous la forme suivante :

ÉQUATION COMPTABLE

Actif	=	Passif	+	Capitaux propres
Caisse + 2 200 000				Actions ordinaires + 2 200 000

ÉCRITURE DE JOURNAL

Caisse (+A) (100 000 × 22 $)... 2 200 000
    Actions ordinaires (+CP)..   2 200 000

On inscrit la vente d'actions ordinaires au bilan sous la forme qui suit.

Capitaux propres :	
Actions ordinaires (note X[6])	2 200 000 $
Bénéfices non répartis	–
Total	2 200 000 $

La majorité des sociétés de capitaux au Canada ne donnent pas de valeur nominale pour leurs actions ordinaires, comme c'est le cas d'Alcan. Cependant, certaines sociétés québécoises donnent des valeurs nominales et c'est aussi le cas de la majorité des sociétés américaines.

On doit alors créer un compte « Surplus d'apport » pour comptabiliser l'excédent des recettes sur la valeur nominale de l'action.

À partir de l'exemple précédent, supposons qu'on émet 100 000 actions ordinaires avec une valeur nominale de 0,10 $ l'action pour 22 $ l'action (la valeur boursière). Cette émission aurait produit les effets et l'écriture qui suivent (avec le compte Surplus d'apport).

ÉQUATION COMPTABLE

Actif	=	Passif	+	Capitaux propres
Caisse + 2 200 000				Actions ordinaires + 10 000
				Surplus d'apport + 2 190 000

ÉCRITURE DE JOURNAL

Caisse (+A) (100 000 × 22 $)... 2 200 000
    Actions ordinaires (+CP) (100 000 × 0,10 $)........................   10 000
    Surplus d'apport − Prime à l'émission d'actions ordinaires (+CP)   2 190 000

On inscrit la vente d'actions ordinaires au bilan sous la forme suivante :

Capitaux propres :	
Actions ordinaires (note X)	10 000 $
Surplus d'apport[7]	2 190 000
Bénéfices non répartis	–
Total	2 200 000 $

---

6. On peut décrire les catégories d'actions au bilan. Toutefois, on trouve souvent cette information dans les notes aux états financiers.

7. Les livres de la société tiennent compte de chaque source de surplus d'apport. Il est rare qu'on trouve l'information détaillée dans ce poste, à moins que le montant soit important et que plusieurs transactions aient eu lieu à ce compte durant l'exercice.

espèces versées

Johanne Lyon

Jean Dragon

La vente des actions sur les marchés secondaires

Lorsqu'une société vend des actions au grand public, l'opération est conclue entre la société émettrice et l'acheteur. Par conséquent, la société inscrit la vente dans ses livres de la manière décrite précédemment. Par la suite, un investisseur peut vendre ses actions à un autre investisseur sans qu'il y ait de conséquence directe sur les livres comptables de la société. C'est ce qu'on appelle le « marché secondaire ». Par exemple, si l'investisseur Jean Dragon vend 1 000 actions de la société Alcan à Johanne Lyon, Alcan n'avait rien dans ses livres comptables. Jean Dragon a reçu de l'argent pour les actions qu'il a vendues, et Johanne Lyon a obtenu des actions en contrepartie de l'argent qu'elle a versé à M. Dragon. La société Alcan n'a pas reçu ou versé d'argent par suite de cette opération.

Chaque jour de la semaine, *La Presse, The Globe and Mail* et *The Financial Post,* en somme tous les journaux importants, font état des résultats de milliers d'opérations conclues entre des investisseurs sur les marchés secondaires. Ces marchés englobent notamment la Bourse de Toronto, la Bourse de New York, l'American Stock Exchange (AMEX), la NASDAQ ainsi que le marché hors cote.

Les gestionnaires des sociétés de capitaux suivent de très près le mouvement du cours des actions de leur société. Les actionnaires s'attendent à faire de l'argent sur leurs placements grâce aux dividendes et à l'augmentation du cours des actions. Il s'avère souvent que des membres de la haute direction d'une entreprise soient remplacés à cause du faible rendement des actions de celle-ci sur les marchés secondaires. Bien que les gestionnaires surveillent le cours des actions quotidiennement, il ne faut pas oublier que les opérations conclues entre les investisseurs n'influent pas sur les états financiers de la société.

Les actions émises pour rémunérer les employés

La société de capitaux a pour avantage de séparer la fonction de gestionnaire et la fonction de propriétaire (ou actionnaire). Cette séparation peut aussi constituer un désavantage, car certains directeurs peuvent ne pas agir dans le meilleur intérêt de l'entreprise. On peut surmonter ce problème de différentes manières. On peut élaborer des régimes de rémunération pour récompenser les directeurs qui atteignent les objectifs considérés comme importants par les actionnaires. Une autre stratégie consiste à offrir aux directeurs des options d'achat d'actions, qui leur permettent d'acheter des actions à un prix prédéterminé. Le porteur d'une option d'achat d'actions a un intérêt dans le rendement de l'entreprise au même titre que le propriétaire (actionnaire). Les régimes d'option d'achat d'actions sont devenus une forme de plus en plus courante de rémunération au cours de la dernière décennie. En effet, 100 % des sociétés de capitaux sondées par Financial Reporting in Canada en 2003 et en 2004[8] offrent des régimes d'option d'achat d'actions à leurs employés.

La société Alcan a créé divers plans pour rémunérer ses employés et ses dirigeants. Un extrait de la note 27, qui décrit un sommaire du plan des dirigeants, est présenté ci-après.

---

8. Clarence BYRD, Ida CHEN et Joshua SMITH, *op. cit.,* p. 488.

Extrait de la note 27, Régime d'options sur titres pour les dirigeants

Le nombre d'actions sous option en circulation et le prix d'exercice moyen ont évolué comme suit.

	Nombre d'actions sous option (en milliers)			Prix d'exercice moyen pondéré ($ CAN)		
	2005	2004	2003	**2005**	2004	2003
En circulation à l'ouverture de l'exercice	**10 410**	9 566	8 687	**50,96**	47,49	46,08
Incidence nette de la distribution à Novelis	**(100)**	–	–	**S.O.**	–	–
Attribuées	**2 866**	2 679	1 609	**38,26**	58,13	52,58
Exercées (note 26)	**(1 354)**	(1 760)	(699)	**39,84**	43,25	41,85
Éteintes	**(527)**	(75)	(31)	**45,11**	45,95	45,29
En circulation à la clôture de l'exercice	**11 295**	10 410	9 566	**43,40**	50,96	47,49
Pouvant être exercées à la clôture de l'exercice	**3 411**	4 285	5 852	**40,59**	45,98	44,98

Cette note indique qu'il y a actuellement 11 295 000 actions sous option (réservées dans le cadre d'un régime d'option d'achat d'actions) à la fin de 2005 dont le prix d'exercice moyen est de 43,40 $. Par contre, à cette même date, seulement 3 411 000 actions pouvaient être exercées à un prix moyen de 40,59 $. Il faut savoir que l'émission d'options d'achat d'actions peut comporter certaines restrictions. Par exemple, l'employé doit détenir les options d'achat d'actions pendant une période minimale de deux ans avant de pouvoir les exercer.

Le fait d'octroyer une option d'achat d'actions constitue une forme de rémunération, même si le prix d'octroi et le cours actuel des actions sont les mêmes. Si une personne vous accorde une option d'achat d'actions, vous pouvez la considérer comme un investissement sans risque. Si vous détenez une option d'achat d'actions lorsque le prix des actions chute, vous ne perdez rien car vous gardez tout simplement les options en attendant des jours meilleurs. Si le cours des actions augmente, vous pouvez lever cette option à son prix d'octroi qui est alors plus faible que celui du marché, puis vendre les actions au prix du marché (plus élevé), ce qui rapporte alors un profit sur la transaction.

Les sociétés doivent estimer et présenter une charge de compensation associée aux options d'achat d'actions, basé sur la valeur du marché. La procédure étant complexe, ce sujet sera abordé dans des cours plus avancés.

Le rachat d'actions

Une société pourrait vouloir racheter les actions ordinaires détenues par ses actionnaires et les détenir en vue de les émettre à nouveau. Elle pourrait les racheter soit pour les annuler quand elle dispose de liquidités et qu'elle estime que la valeur boursière du titre est sous estimée par les investisseurs, soit pour augmenter le pourcentage de contrôle d'un groupe d'actionnaires.

Au Canada, la loi exige généralement que les actions rachetées soient annulées, sauf dans certaines conditions où elles peuvent être détenues pendant deux ans. Les actions rachetées qui ne sont pas annulées portent le nom d'**actions autodétenues.** Les actions devront être annulées après deux ans si elles sont toujours autodétenues. Durant ces deux années, les actions peuvent être revendues. Au Canada, en 2004, 69 sociétés sur 200 ont annulé les actions rachetées durant la période, alors que seulement 13 sociétés sur 200 rapportent des actions autodétenues[9].

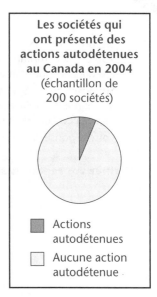

Les sociétés qui ont présenté des actions autodétenues au Canada en 2004 (échantillon de 200 sociétés)

■ Actions autodétenues
□ Aucune action autodétenue

Les **actions autodétenues** sont des actions déjà émises qu'une société rachète sur le marché en vue de les annuler ou de les revendre[10].

---

9. Clarence BYRD, Ida CHEN et Joshua SMITH, *op. cit.*, p. 321.
10. Louis MÉNARD, et collab., *op.cit.*, p. 26.

Aux États-Unis, on rachète des actions pour les offrir aux employés dans le cadre de programmes de primes de rémunération. En effet, à cause des règlements de la Security and Exchange Commission (SEC) concernant les actions nouvellement émises, la plupart des entreprises estiment qu'il est moins coûteux de donner des actions rachetées auprès des actionnaires à leurs employés que d'émettre de nouvelles actions.

Pour chaque catégorie d'actions, on réduit le compte de capital social pour tenir compte des actions rachetées et annulées. Les actions rachetées et autodétenues apparaissent à la section des capitaux propres. On les présente en déduction du compte de capital social auquel elles sont rattachées, à leur coût d'acquisition.

Supposons qu'Alcan a racheté 100 000 actions sur le marché boursier alors que celles-ci se vendaient 40 $ l'action. Cette transaction serait comptabilisée de la façon suivante :

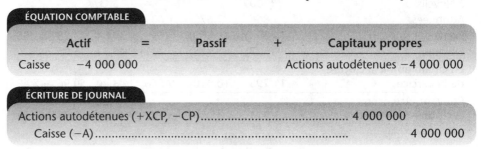

ÉQUATION COMPTABLE

Actif		=	Passif	+	Capitaux propres	
Caisse	−4 000 000				Actions autodétenues	−4 000 000

ÉCRITURE DE JOURNAL

Actions autodétenues (+XCP, −CP)...	4 000 000	
Caisse (−A)..		4 000 000

De façon instinctive, plusieurs étudiants seraient portés à comptabiliser ces actions comme actif au bilan. Tel n'est pas le cas, car une société ne peut créer un actif en investissant dans sa propre société. Le compte Actions autodétenues est un compte en contrepartie des capitaux propres, ce qui signifie qu'il est soustrait des capitaux propres. Cette pratique est très valable. En effet, les actions autodétenues étant des actions qui ne sont plus en circulation, elles ne devraient pas être incluses dans le capital social. Il est important de noter que les actions autodétenues ne donnent pas le droit de vote ni la possibilité d'obtenir des dividendes.

TEST D'AUTOÉVALUATION

1. Supposez que la Société de technologie appliquée a émis 10 000 actions ordinaires sans valeur nominale pour 150 000 $ comptant. Montrez l'incidence de cette opération sur l'équation comptable, puis passez l'écriture de journal correspondante.

2. Supposez que la Société de technologie appliquée a racheté 5 000 de ses actions ordinaires sur le marché boursier au moment où l'action se vendait 12 $. Montrez l'incidence de cette opération sur l'équation comptable, puis passez l'écriture de journal correspondante.

3. Votre réponse en 1 serait-elle différente si les actions ordinaires avaient une valeur nominale de 2 $ l'action ?

Vérifiez vos réponses à l'aide des solutions présentées en bas de page*.

---

*   1. Équation comptable :

Actif		=	Passif	+	Capitaux propres	
Caisse	+150 000				Actions ordinaires	+150 000

Écriture de journal :

Caisse (+A)..	150 000	
Actions ordinaires (+CP)......................................		150 000

2. Équation comptable :

Actif		=	Passif	+	Capitaux propres	
Caisse	−60 000				Actions autodétenues	−60 000

Écriture de journal :

Actions autodétenues (+XCP, −CP).............................	60 000	
Caisse (−A)...		60 000

3. Oui, l'excédent des recettes (150 000 $) sur la valeur nominale des actions (10 000 actions × 2 $ = 20 000 $) serait porté à un compte de surplus d'apport (130 000 $).

Les dividendes sur les actions ordinaires

Les investisseurs achètent des actions ordinaires, car ils s'attendent à obtenir un rendement sur leur placement. Ce rendement peut revêtir deux formes : l'appréciation du cours des actions et les dividendes. Certains investisseurs préfèrent acheter des actions pour lesquelles peu de dividendes sont versés, voire aucun. Les sociétés qui ne déclarent pas de dividende réinvestissent alors leur bénéfice et tendent à accroître leur potentiel de bénéfice futur. En accroissant leur potentiel de bénéfice futur, ces sociétés connaissent souvent une augmentation du prix de leurs actions en Bourse. Les riches investisseurs qui doivent payer des impôts élevés préfèrent recevoir leur rendement sous forme d'appréciation du cours de l'action, car les gains en capital générés par la vente des actions sont habituellement imposés à un taux plus faible que les revenus de dividendes.

D'autres investisseurs, comme les retraités, préfèrent recevoir leur rendement sous forme de dividendes, car ils ont besoin de revenus stables. Ces personnes recherchent souvent des actions pour lesquelles des dividendes très élevés seront versés. Beaucoup de retraités détiennent des actions dans les entreprises de services publics, car il s'agit souvent de placements prudents qui offrent de gros dividendes.

À cause de l'importance des dividendes pour un grand nombre d'investisseurs, les analystes financiers calculent le taux de rendement par action pour évaluer la politique de dividende de l'entreprise, que nous verrons un peu plus loin.

Sur son site Internet[11], la société Alcan présente l'information suivante :

Dividendes déclarés		
Date d'enregistrement	Date de paiement	Dividende
19 mai 2006	20 juin 2006	0,15 $ US
22 févr. 2006	20 mars 2006	0,15 $ US
21 nov. 2005	20 déc. 2005	0,15 $ US
19 août 2005	20 sept. 2005	0,15 $ US
20 mai 2005	20 juin 2005	0,15 $ US
21 févr. 2005	21 mars 2005	0,15 $ US

Par ailleurs, au 2 août 2006, Alcan a émis le communiqué de presse suivant[12] :

> « Montréal, Canada – 2 août 2006 – Alcan inc. (NYSE, TSX : AL) […] En outre, la Société a annoncé une augmentation de 33 % de son dividende trimestriel, qui passera de 0,15 $ à 0,20 $ US. Le dividende de 0,20 $ US par action ordinaire est payable le 20 septembre 2006 aux actionnaires inscrits à la fermeture des bureaux le 18 août 2006. »

Ces informations nous fournissent trois dates importantes :

1. La **date de déclaration** – le 2 août 2006. La date de déclaration est la date à laquelle le conseil d'administration a officiellement approuvé la distribution d'un dividende. Aussitôt que le dividende est déclaré, un dividende à payer est créé (un passif).

2. La **date d'inscription** – le 18 août 2006. La date d'inscription représente la date de clôture du registre des actionnaires et elle suit la date de déclaration. Il s'agit de la date à laquelle la société dresse la liste des actionnaires actuels en fonction du registre des actionnaires. Le dividende ne peut être distribué qu'aux personnes figurant sur le registre à la date d'inscription. Aucune écriture de journal n'est passée à cette date.

OBJECTIF D'APPRENTISSAGE 4

Examiner les dividendes et analyser des opérations s'y rapportant.

Dans l'actualité

COMMUNIQUÉ DE PRESSE

La **date de déclaration** est la date à laquelle le conseil d'administration approuve la distribution d'un dividende.

La **date d'inscription** est la date à laquelle la société dresse la liste des actionnaires actuels en fonction du registre des actionnaires. Le dividende sera distribué aux personnes qui possèdent des actions à cette date.

---

11. *ALCAN,* [en ligne], www.alcan.com, (page consultée le 15 août 2006).
12. *SEDAR,* [en ligne], www.sedar.com, (page consultée le 15 août 2006).

La **date de paiement** est la date à laquelle la société verse un dividende aux actionnaires inscrits.

3. La **date de paiement** – le 20 septembre 2006. La date de paiement est la date à laquelle se fait le décaissement pour payer le dividende. Elle suit la date d'inscription aux registres des actionnaires précisée dans la déclaration du dividende.

Ces trois dates s'appliquent à tous les dividendes en espèces, ce qu'on peut l'illustrer de la façon suivante :

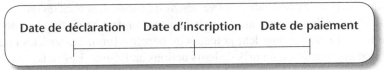

Le **2 août**, date de déclaration, la société inscrit un passif relatif au dividende. En posant l'hypothèse qu'il y a 371 921 000 actions en circulation à cette date (même nombre qu'au 31 décembre 2005), le dividende à verser serait de 74 384 200 $ (0,20 $ × 3 71 921 000). Selon l'hypothèse précédente et aux fins d'illustration, la société Alcan aurait inscrit la transaction suivante :

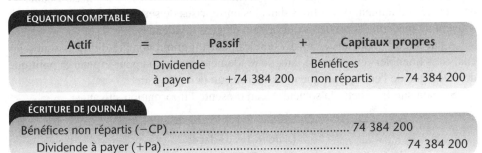

Il faut remarquer qu'il s'agit d'un dividende trimestriel, le dividende annuel passant maintenant de 0,60 $ US à 0,80 $ US.

Le **18 août**, date d'inscription : aucune écriture comptable n'est passée.

Le **20 septembre** : on comptabilise le paiement subséquent de la dette comme suit.

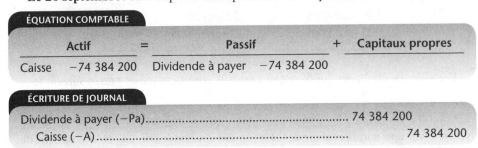

Il faut noter que la déclaration et le versement d'un dividende en espèces ont comme conséquence : la réduction de l'actif (Caisse) ainsi que des capitaux propres (les bénéfices non répartis) du même montant. Cette observation permet de comprendre les deux exigences fondamentales pour le versement du dividende en espèces :

1. **Un solde suffisant de bénéfices non répartis**. La société doit présenter un solde suffisant de bénéfices non répartis pour couvrir le montant du dividende.

2. **Un montant suffisant de liquidités**. La société doit avoir accès à une quantité suffisante de liquidités pour verser le dividende et répondre aux besoins continus de l'entreprise. Le simple fait que le compte des bénéfices non répartis comporte un important solde créditeur ne signifie pas que le conseil d'administration puisse déclarer et verser un dividende en espèces. L'argent généré dans le passé par les revenus présentés dans le compte des bénéfices non répartis peut avoir été consacré à l'achat de stocks, à l'acquisition d'actifs d'exploitation et au remboursement du passif. Conséquemment, il n'existe pas de relations nécessaires entre le solde des bénéfices non répartis et le solde de la caisse à une date particulière. Les bénéfices non répartis ne sont pas des liquidités.

Les lois sur les sociétés de capitaux imposent habituellement des restrictions sur le dividende en espèces. Par exemple, selon la LCSA, une société ne peut verser un dividende en espèces lorsque, par la suite, elle ne pourrait « acquitter son passif à échéance ou bien la valeur de réalisation de son actif serait, de ce fait, inférieur au total de son passif et de son capital » (LCSA, article 42, novembre 2001).

ANALYSE FINANCIÈRE

Les conséquences du dividende sur le cours des actions

Une date supplémentaire est importante pour comprendre en quoi consistent les dividendes, mais elle n'a aucune conséquence sur le plan comptable. La date qui se situe deux jours ouvrables avant la date d'inscription s'appelle la « **date de l'ex-dividende** ou **du dividende détaché** ». Cette date est établie par les Bourses pour s'assurer que les chèques des dividendes sont envoyés aux bonnes personnes. En effet, il existe un délai entre le moment où l'investisseur achète les actions et le moment où son nom est inscrit dans le registre des actionnaires. Si vous achetez des actions avant la date d'ex-dividende, vous recevrez le dividende (le prix de l'action reflète ce montant). Si vous acquérez des actions à la date de l'ex-dividende ou plus tard, le propriétaire précédent recevra le dividende.

En suivant le mouvement du cours de certaines actions, on remarque que le prix des actions chute souvent à la date de l'ex-dividende. La raison en est simple. À cette date, les actions valent moins, car l'actionnaire qui en fait l'acquisition à ce moment-là n'aura pas le droit de recevoir le dividende qui sera versé à la date de paiement prévue.

TEST D'AUTOÉVALUATION

Répondez aux questions suivantes concernant les dividendes :

1. À quelle date un passif est-il créé ?
2. À quelle date un décaissement se produit-il ?
3. Quelles sont les deux exigences fondamentales pour le paiement d'un dividende ?

Vérifiez vos réponses à l'aide des solutions présentées en bas de page*.

Le taux de rendement par action

ANALYSONS LES RATIOS

Le taux de rendement par action

1. **Question d'analyse**

   Quel est le rendement sur investissement provenant des dividendes ?

2. **Ratio et comparaison**

   Le taux de rendement par action se calcule ainsi :

$$\text{Taux de rendement par action} = \frac{\text{Dividende par action}}{\text{Cours de l'action*}}$$

* Tous les calculs sont faits avec le cours de clôture de l'exercice.

Alcan 2005 :
$$\frac{0{,}60\,\$\,\text{US}}{40{,}95\,\$\,\text{US}} = 1{,}5\,\%$$

OBJECTIF D'APPRENTISSAGE 5

Analyser le taux de rendement par action.

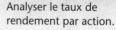

---

* 1. À la date de déclaration.
   2. À la date de paiement.
   3. Une société ne peut verser les dividendes que si elle a accumulé assez de bénéfices non répartis et qu'elle dispose des liquidités suffisantes.

a) L'analyse de la tendance dans le temps			b) La comparaison avec les compétiteurs	
ALCAN			**ALCOA**	**DOFASCO**
2003	2004	2005	2005	2005
1,3 %	1,2 %	1,5 %	2 %	2 %

3. Interprétation des résultats

EN GÉNÉRAL ◊ Les personnes qui investissent dans les actions ordinaires obtiennent un rendement à partir des dividendes et de l'appréciation du titre (les augmentations de la valeur marchande des actions qu'ils possèdent). Les entreprises en quête de croissance versent souvent de très faibles dividendes et se fient à l'accroissement de la valeur marchande de leur titre pour offrir un rendement à leurs investisseurs. D'autres distribuent de gros dividendes, mais la valeur marchande est plus stable. Chaque type d'actions convient à différents types d'investisseurs ayant des préférences de risque et de rendement diverses.

ALCAN ◊ Le taux de rendement par action d'Alcan n'est pas très important, et c'est le cas depuis plusieurs années. Cette situation permet de conclure que les investisseurs d'Alcan ne recherchent pas un revenu de dividende. C'est plutôt l'accroissement de la valeur du titre qui les intéresse. Au cours des deux derniers exercices, le cours des actions d'Alcan a fluctué entre 30 $ US et 58 $ US. Bien que chacune des sociétés ait versé des dividendes, les taux de rendement sont minimes. Les compétiteurs offrent un rendement par action légèrement plus élevé qu'Alcan. Ces actions n'intéresseraient probablement pas les investisseurs qui désirent une source importante de revenu stable. Il faut noter qu'Alcan présente ses états financiers en fonction des PCGR américains, ce qui rend la comparaison avec Alcoa possible. En ce qui concerne la comparaison avec Dofasco, les différences entre les PCGR américains et canadiens doivent être considérées si on veut obtenir une comparaison valable.

QUELQUES PRÉCAUTIONS ◊ Il ne faut pas oublier que le taux de rendement par action n'indique qu'une partie du rendement de l'investissement. Généralement, l'appréciation potentielle du titre est une considération beaucoup plus importante. Lorsqu'on analyse les changements qui surviennent dans le taux, il est important d'en comprendre la cause. Par exemple, une société peut distribuer 2 $ l'action en dividendes chaque année. Si la valeur marchande des actions est de 100 $ l'action, le taux est de 2 %. Si la valeur des actions chute à 25 $ l'année suivante et que la société continue de verser un dividende de 2 $ l'action, le taux de rendement par action s'améliorera en atteignant 8 %.

Le dividende en actions et le fractionnement d'actions

Le dividende en actions

Sans qualificatif, le mot « **dividende** » signifie « dividende en espèces ». Il est également possible de verser des dividendes sous forme d'actions ordinaires supplémentaires. Le **dividende en actions** consiste en une distribution d'actions supplémentaires, sans frais, par une société, à partir de son propre capital social à ses actionnaires, et ce, **au prorata de leur participation.** « Au prorata » signifie que chaque actionnaire reçoit une quantité d'actions supplémentaires égale au pourcentage d'actions qu'il détient déjà. Un actionnaire possédant 10 % des actions en circulation recevra 10 % des actions supplémentaires émises à titre de dividende en actions.

Il faut être attentif lorsqu'on lit les rapports annuels des entreprises ainsi que les articles dans les journaux d'affaires. L'expression «**dividende en actions**» est parfois utilisée à tort. Un article tiré du *Wall Street Journal* annonçait qu'une société venait de déclarer un «dividende en actions». Toutefois, une lecture attentive de l'article révélait que la société avait déclaré un dividende en espèces sur les actions.

La valeur d'un dividende en actions fait l'objet de nombreux débats. En réalité, un dividende en actions n'a aucune valeur économique en soi. Tous les actionnaires ont droit à une distribution au prorata des actions. Cela signifie que chacun d'eux possède exactement la même portion de l'entreprise avant et après le versement du dividende en actions. On détermine la valeur d'un investissement en se basant sur le pourcentage de la société qui est détenu et non sur le nombre d'actions possédées. Si vous demandez de la monnaie pour 1 $, vous n'êtes pas plus riche parce que vous possédez quatre 25 ¢ plutôt que 1 $. De même, si vous possédez une participation de 10 % dans une entreprise, vous n'êtes pas plus riche simplement parce que la société déclare un dividende en actions et qu'elle vous émet (ainsi qu'à tous les autres actionnaires) un plus grand nombre d'actions.

Les marchés boursiers réagissent immédiatement à l'émission d'un dividende en actions, et le cours des actions chute proportionnellement. En théorie, si le prix des actions est de 60 $ avant la distribution d'un dividende en actions (en l'absence d'événements qui influent sur la société), le prix chute normalement à 30 $ si le nombre d'actions a doublé. Par conséquent, un investisseur pourrait posséder 100 actions qui valent 6 000 $ avant le dividende en actions (100 × 60 $) et 200 actions qui valent 6 000 $ après le dividende en actions (200 × 30 $). En réalité, le cours d'une action ne baisse pas tout à fait proportionnellement au nombre des nouvelles actions émises. Dans certains cas, le dividende en actions est associé à une augmentation du dividende en espèces, ce qui attire certains investisseurs. Normalement, le dividende en actions est moins important que dans l'exemple présenté ci-dessus et, par conséquent, l'incidence sur le prix des actions est moindre.

Le dividende en actions entraîne une diminution des bénéfices non répartis et une augmentation du capital social relatif aux actions, du même montant. Le dividende en actions est évalué en fonction du nombre d'actions émises et de la valeur des actions. Selon les lois canadiennes, les actions doivent être émises à un montant équivalant au montant qu'on aurait obtenu pour l'action si elle avait été émise au comptant. Autrement dit, on doit évaluer les actions émises en dividendes à leur prix du marché (ou cote boursière) à la date de la déclaration du dividende.

Pour illustrer ce qui précède, posons l'hypothèse qu'une entreprise a versé un dividende en actions de 100 000 actions d'une valeur marchande de 10 $ l'action pour une valeur totale de 1 000 000 $.

ÉQUATION COMPTABLE

Actif	=	Passif	+	Capitaux propres	
				Actions ordinaires	+1 000 000
				Bénéfices non répartis	−1 000 000

ÉCRITURE DE JOURNAL

Bénéfices non répartis (−CP) 1 000 000		
Actions ordinaires (+CP)		1 000 000

Cette opération implique le déplacement du montant des bénéfices non répartis dans le compte des actions ordinaires de la société. Le dividende en actions n'a pas fait changer le total des capitaux propres, uniquement les soldes de certains comptes qui le constituent.

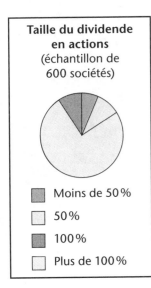

**Taille du dividende
en actions**
(échantillon de
600 sociétés)

- ▨ Moins de 50 %
- ▢ 50 %
- ▦ 100 %
- ▢ Plus de 100 %

Un **fractionnement d'actions** est une augmentation du nombre total d'actions en circulation selon un ratio prédéterminé; il ne fait pas diminuer le montant des bénéfices non répartis.

Il est évident qu'un dividende en actions peu important aura vraisemblablement peu d'effet sur la valeur boursière des actions. Par contre, une émission d'actions importante dans le cas d'un dividende en actions pourrait influer sur la valeur boursière des actions. C'est ainsi que les normes américaines ont retenu deux modes d'évaluation du dividende en actions. On recommande d'évaluer à la juste valeur marchande les actions émises lorsque le dividende en actions n'excède pas 25 % du nombre d'actions déjà en circulation. Pour ce qui est du dividende en actions qui excède 25 % du nombre d'actions en circulation, la valeur nominale ou la valeur attribuée[13] doit être utilisée pour évaluer le montant du dividende en actions.

L'illustration en marge montre la répartition des pourcentages de dividende en actions déclaré par 600 entreprises américaines, comme le rapporte l'Accounting Trends and Techniques. Nous n'avons pas trouvé de données similaires au Canada.

Le fractionnement d'actions

Le **fractionnement d'actions** ne correspond pas à un versement de dividendes. Bien que ces deux opérations semblent similaires, leur effet est très différent sur les comptes de capital social. Dans un fractionnement d'actions, le nombre total d'actions en circulation augmente d'un montant précis. Par exemple, dans le cas d'un fractionnement d'actions de deux pour un, chacune des actions détenues est remplacée par deux nouvelles actions. Une entreprise utilise le fractionnement d'actions pour réduire la valeur marchande de ses actions quand celle-ci devient trop élevée. Cette baisse du prix à la Bourse rend les actions plus attrayantes pour les investisseurs. Il est aussi plus facile pour la société d'émettre de nouvelles actions à un prix plus abordable. La réduction de la valeur boursière de l'action est inversement proportionnelle à l'ordre de grandeur du fractionnement. En effet, par suite d'un fractionnement de deux pour un, la valeur des actions a diminué de moitié.

En réalité, le cours d'une action ne baisse pas tout à fait proportionnellement au nombre des nouvelles actions émises. Le fractionnement d'actions rend les actions plus attrayantes pour les nouveaux investisseurs. Plusieurs investisseurs préfèrent acheter des actions par lot de taille normale, ou lot régulier, c'est-à-dire par multiples de 100 actions. Un investisseur possédant 10 000 $ n'achèterait peut-être pas une action se vendant 150 $ parce qu'il ne peut se permettre d'acheter 100 actions. Cependant, il pourrait acquérir les actions si le prix était inférieur à 100 $ l'action par suite du fractionnement d'actions.

Contrairement à un dividende en actions, le fractionnement d'actions n'entraîne pas le transfert d'un montant en dollars dans le compte des actions ordinaires. Aucun transfert n'est nécessaire, car la réduction de la valeur nominale ou de la valeur attribuée par action compense l'augmentation du nombre d'actions. Qu'il soit question d'un versement de dividende en actions ou d'un fractionnement d'actions, les actionnaires reçoivent un plus grand nombre d'actions et ils ne déboursent pas d'actifs supplémentaires pour acquérir les actions. Le dividende en actions exige la passation d'une écriture de journal, alors que le fractionnement n'en nécessite pas. Le fractionnement d'actions est divulgué dans les notes afférentes aux états financiers.

---

13. La valeur attribuée est égale à la valeur nominale des actions. S'il n'y a aucune valeur nominale, la valeur attribuée est égale à l'apport reçu en contrepartie des actions émises.

Les actions privilégiées

En plus des actions ordinaires, certaines sociétés de capitaux émettent des **actions privilégiées** (ou **préférentielles**), soit des actions qui confèrent des droits particuliers. Les actions privilégiées peuvent avoir ou non une valeur nominale. Voici les différences les plus importantes entre les actions ordinaires et les actions privilégiées:

1. **Aucun droit de vote.** En général, les actions privilégiées n'accordent pas un droit de vote. Il en résulte que les actions privilégiées n'attirent pas les investisseurs qui souhaitent exercer un certain contrôle sur les activités d'exploitation de la société. C'est l'une des principales raisons pour laquelle certaines entreprises émettent des actions privilégiées dans le but d'obtenir des capitaux propres. Les actions privilégiées leur permettent d'amasser des fonds sans diluer le contrôle des détenteurs d'actions ordinaires de la société. La figure présentée en marge montre le pourcentage des sociétés, sondées par Financial Reporting in Canada[14], qui utilisent des actions privilégiées dans leur structure du capital en 2004.

2. **Un risque moins élevé.** Généralement, les actions privilégiées sont moins risquées que les actions ordinaires en raison de la priorité qu'elles accordent sur le versement des dividendes et la distribution des actifs lors de la liquidation. Les actions privilégiées comportent habituellement un montant précis par action qui doit être versé aux porteurs d'actions privilégiées au moment de la dissolution, et ce, avant que les actifs ne soient distribués aux porteurs d'actions ordinaires.

3. **Un taux de dividende fixe.** La plupart des actions privilégiées offrent un taux de dividende fixe. Par exemple, des «actions privilégiées à 6 %, avec valeur nominale de 10 $ l'action» offrent un dividende annuel de 6 % de la valeur nominale ou de 0,60 $ l'action. Si les actions privilégiées n'ont pas de valeur nominale, le dividende privilégié est établi à un prix par action, soit 0,60 $ l'action dans le cas présent. Le taux de dividende fixe est intéressant pour certains investisseurs qui recherchent une source de revenu stable de leurs placements.

OBJECTIF D'APPRENTISSAGE

Décrire les caractéristiques des actions privilégiées et analyser des opérations s'y rapportant.

Les **actions privilégiées** (ou **préférentielles**) sont les actions qui confèrent des droits précis par rapport aux actions ordinaires, c'est-à-dire une priorité pour le paiement des dividendes et en cas de liquidation des actifs.

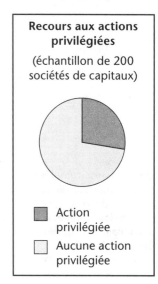

Recours aux actions privilégiées

(échantillon de 200 sociétés de capitaux)

■ Action privilégiée

☐ Aucune action privilégiée

---

* 1.

Actif	=	Passif	+	Capitaux propres
				Actions ordinaires +3 000 000
				Bénéfices non répartis −3 000 000

2. Oui, car le montant transféré du compte Bénéfices non répartis au compte Actions ordinaires serait basé sur la valeur attribuée des actions (la valeur d'une action reçue en contrepartie lors de l'émission) et non sur la valeur marchande.

3. Aucune écriture de journal n'est requise et il n'y a aucune incidence sur les postes du bilan, car il s'agit d'un cas de fractionnement d'actions.

14. Clarence BYRD, Ida CHEN et Joshua SMITH, *op. cit.*, p. 320.

Les **actions privilégiées convertibles** sont des actions privilégiées que le porteur peut convertir en actions ordinaires à son gré.

Certaines sociétés de capitaux émettent des **actions privilégiées convertibles** que le porteur peut, à sa discrétion, échanger contre des actions ordinaires de la société. Les conditions stipulées dans le contrat d'émission mentionnent les dates ainsi qu'un taux de conversion.

Les dividendes sur les actions privilégiées

Les investisseurs qui achètent des actions privilégiées renoncent à certains avantages offerts aux porteurs d'actions ordinaires. Pour compenser le manque subi par ces investisseurs, les actions privilégiées offrent certains avantages dont ne jouissent pas les détenteurs d'actions ordinaires. L'avantage le plus important est sans doute celui du droit prioritaire sur les dividendes. Il existe souvent des droits prioritaires sur 1) les dividendes courants et 2) les dividendes cumulatifs.

Les droits prioritaires sur les dividendes courants des actions privilégiées

Les **droits prioritaires sur les dividendes courants** sont une caractéristique des actions privilégiées qui accordent la priorité au versement des dividendes aux actionnaires privilégiés sur les dividendes aux actionnaires ordinaires.

Les actions privilégiées offrent toujours des droits prioritaires sur les dividendes courants. Les dividendes privilégiés courants doivent être versés avant que des dividendes ne soient distribués aux porteurs d'actions ordinaires. Lorsque les **droits prioritaires sur les dividendes courants** sont satisfaits et qu'aucun autre droit n'est en suspens, il est possible de verser des dividendes aux porteurs d'actions ordinaires.

Les dividendes déclarés doivent être répartis entre les actions privilégiées et les actions ordinaires. Premièrement, il faut satisfaire aux droits prioritaires sur les actions privilégiées et, ensuite, distribuer le reste des dividendes sur les actions ordinaires. Pour illustrer cette situation, posons l'hypothèse que la société Sophie présente l'information suivante sur ses actions en circulation.

> **Sophie**
>
> Actions privilégiées en circulation, 6 %, sans valeur nominale ;
> 2 000 actions émises = 40 000 $
>
> Actions ordinaires en circulation, sans valeur nominale,
> 5 000 actions émises = 50 000 $

Si on suppose seulement un dividende courant préférentiel, le dividende est alloué ainsi :

Exemple	Dividende total	Actions privilégiées 6 %*	Actions ordinaires
N° 1	3 000 $	2 400 $	600 $
N° 2	18 000	2 400	15 600

* Dividendes sur actions privilégiées : 40 000 $ × 6 % = 2 400 $.

Un **dividende cumulatif** sur les actions privilégiées est le dividende qu'une société doit verser aux actionnaires privilégiés et il est calculé à un taux annuel fixe. En cas de non-versement, les dividendes arriérés se cumulent et devront être versés en priorité aux actionnaires privilégiés lors du versement futur de dividendes.

Les droits prioritaires sur les dividendes cumulatifs des actions privilégiées

Les actions privilégiées cumulatives comportent des droits prioritaires sur les **dividendes cumulatifs.** Cette caractéristique signifie que si une partie ou la totalité du dividende courant n'est pas entièrement versée, le montant impayé s'appelle un «**arriéré de dividendes**». Le montant d'un arriéré de dividendes doit être versé prioritairement aux porteurs d'actions à dividendes cumulatifs avant tout autre dividende. Bien entendu, si les actions privilégiées ne sont pas cumulatives, les dividendes ne peuvent jamais être arriérés. Par conséquent, les dividendes passés (autrement dit les dividendes non déclarés) sont irrévocablement perdus par les porteurs d'actions privilégiées. Puisque les détenteurs d'actions privilégiées n'acceptent pas cette situation désavantageuse, les actions privilégiées sont habituellement cumulatives. Pour illustrer cette caractéristique, posons l'hypothèse que la société Sophie a les mêmes actions en circulation que celles qui ont été présentées ci-dessus. Supposons que les dividendes étaient arriérés de deux ans.

Un **arriéré de dividendes** comprend les dividendes sur les actions privilégiées cumulatives qui n'ont pas été versés au cours des exercices précédents.

Exemple	Dividende total	Actions privilégiées 6 %*	Actions ordinaires
N° 1	8 000 $	7 200 $	800 $
N° 2	30 000	7 200	22 800

* Dividendes courants sur actions privilégiées : 40 000 $ × 6 % = 2 400 $
Dividendes arriérés : 2 ans × 2 400 $ = 4 800
Total 7 200 $

ANALYSE FINANCIÈRE

L'effet de l'arriéré de dividende

L'arriéré de dividende constitue une information importante, car cette situation limite la capacité d'une société à verser des dividendes à ses porteurs d'actions ordinaires. De plus, elle a des conséquences sur les flux de trésorerie futurs de l'entreprise. Parce que les dividendes ne sont pas considérés comme un passif avant la date de déclaration par le conseil d'administration, les dividendes arriérés ne sont pas présentés au bilan. Ils sont divulgués dans les notes aux états financiers. La note suivante, tirée de Lone Star Industries, est typique pour une société qui a un arriéré de dividende :

Le total de l'arriéré de dividende sur les actions privilégiées à 13,50 $ à la fin de l'exercice était de 11 670 000 $. Le montant global de ce dividende doit être versé avant que des dividendes ne soient versés aux porteurs d'actions ordinaires.

Coup d'œil sur

Lone Star Industries

RAPPORT ANNUEL

INCIDENCE SUR LES FLUX DE TRÉSORERIE

Les activités de financement

Les opérations portant sur les actions ont des conséquences directes sur la structure du capital d'une entreprise. En raison de l'importance de ces opérations, la section des flux de trésorerie liés aux activités de financement de l'état des flux de trésorerie présente les encaissements ainsi que les décaissements obtenus à partir de sources externes (les propriétaires et les créanciers) pour financer l'entreprise et ses activités.

Le tableau 10.3 (*voir la page 620*) présente la section des activités de financement de l'état des flux de trésorerie de la société Alcan. Il faut noter que la société a émis des actions ordinaires et qu'elle a versé un dividende en espèces.

OBJECTIF D'APPRENTISSAGE 8

 Discuter de l'incidence de certaines opérations sur les capitaux propres à l'état des flux de trésorerie.

TABLEAU 10.3 | Extrait de l'état des flux de trésorerie consolidés

**Flux de trésorerie consolidés
des exercices terminés le 31 décembre**
(en millions de dollars US)

	2005	2004	2003
Activités de financement			
Produit de l'émission de nouveaux titres d'emprunt	1 272	1 768	3 638
Remboursements d'emprunts	(1 695)	(1 615)	(593)
Emprunt à court terme – montant net	(2 056)	(540)	577
Actions ordinaires émises	67	100	42
Dividendes			
—Actionnaires d'Alcan (y compris les détenteurs d'actions préférentielles)	(229)	(227)	(200)
—Part des actionnaires sans contrôle	(2)	(13)	(11)
Divers	(4)	(11)	–
Flux de trésorerie liés aux activités de financement des activités poursuivies	(2 647)	(538)	3 453
Flux de trésorerie liés aux activités de financement des activités abandonnées	(55)	(38)	(29)
Flux de trésorerie liés aux activités de financement	(2 702)	(576)	3 424

Incidence sur l'état des flux de trésorerie

EN GÉNÉRAL ◊ L'argent reçu des propriétaires est comptabilisé à titre d'encaissement. Les versements en espèces effectués aux propriétaires sont inscrits à titre de décaissements. Le tableau ci-après présente des exemples.

Activités de financement	Effet sur les flux de trésorerie
Émission d'actions	+
Rachat d'actions	−
Versement de dividende en espèces	−

ALCAN ◊ Il faut noter qu'au cours du dernier exercice, la société Alcan a émis des actions ordinaires. Durant les trois derniers exercices, il fut question de petites émissions. Celles-ci visaient à rémunérer les dirigeants d'Alcan quant au régime d'options d'achat d'actions et à compenser les investisseurs participant au régime de réinvestissement des dividendes et d'achat d'actions.

Il faut noter que la société a une politique de dividende stable. Depuis 1996 et chaque année, le dividende a été de 0,60 $ US par action. C'est souvent le cas des grosses entreprises « *blue chip* » comme Alcan. Le dividende versé en 2005 s'est maintenu malgré la diminution des résultats. Bien que le paiement des dividendes soit laissé à la discrétion du conseil d'administration, la majorité des entreprises sont réticentes à réduire le dividende. La réduction d'un dividende est souvent considérée comme un signe de difficultés financières. Il en résulte que les analystes financiers portent une attention particulière au flux de trésorerie engendrés par le versement de dividendes.

Les autres éléments des capitaux propres

Le surplus d'apport

Le **surplus d'apport** est un compte de capitaux propres provenant d'opérations relatives au capital. Chaque source de surplus d'apport doit faire l'objet d'un compte distinct dans les livres de la société. Voici quelques exemples d'opérations qui sont inscrites dans un compte de surplus d'apport:

- une prime à l'émission d'actions avec valeur nominale (les frais d'émission d'actions le diminuent);
- l'excédent du prix de vente d'actions rachetées sur leur coût;
- les biens reçus gratuitement des propriétaires ou d'autre provenance.

Chaque type de surplus d'apport doit être comptabilisé de manière séparée. Ainsi, on peut facilement retracer l'origine de chaque opération et divulguer les variations survenues durant l'exercice. Souvent, il y a peu d'opérations qui touchent les comptes de surplus. De ce fait, la plupart des sociétés regroupent toutes les sources de surplus en un seul poste aux états financiers.

OBJECTIF D'APPRENTISSAGE 9

Présenter les autres éléments des capitaux propres.

Le **surplus d'apport** est un compte de capitaux propres qui provient d'opérations relatives au capital. Chaque source doit faire l'objet d'un compte distinct.

Les bénéfices non répartis

Les bénéfices non répartis représentent les revenus gagnés déduits des dividendes versés depuis la première journée d'exploitation de l'entreprise. Dans le tableau 10.1 (*voir la page 598*), on constate les changements survenus dans les bénéfices non répartis d'Alcan au cours de chacun des trois exercices couverts par les états financiers. L'état des capitaux propres doit montrer les éléments ayant fait varier le solde du compte, en l'occurrence les bénéfices nets et les dividendes de l'exercice.

Dans de rares cas, on trouvera un ajustement apporté au solde d'ouverture des bénéfices non répartis. Ce redressement s'appelle un « **ajustement sur exercices antérieurs** » (ou un redressement sur exercices antérieurs). Il peut avoir pour origine une correction d'erreur comptable produite dans les états financiers au cours d'un exercice précédent. Ces redressements peuvent également résulter d'une modification de convention comptable. Ces sujets seront traités en profondeur dans des cours de comptabilité avancés.

Un **ajustement sur exercices antérieurs** est le montant qu'on affecte directement aux bénéfices non répartis pour corriger une erreur comptable commise dans un exercice précédent ou pour illustrer l'effet d'une modification de convention comptable sur les exercices antérieurs.

Les restrictions sur les bénéfices non répartis

Par suite de plusieurs types d'opérations commerciales, on peut imposer des restrictions sur les bénéfices non répartis afin de limiter la capacité d'une entreprise de distribuer des dividendes à ses propriétaires. L'exemple le plus typique se produit quand une entreprise emprunte de l'argent auprès d'une banque. À des fins de sécurité supplémentaire, certaines banques incluent une clause restrictive qui limite le montant des dividendes qu'une société pourra déclarer en imposant une restriction sur ses bénéfices non répartis.

Le principe de bonne information exige que les restrictions sur les bénéfices non répartis soient inscrites dans les états financiers ou dans une note afférente aux états financiers. Les analystes s'intéressent tout particulièrement à l'information concernant ces restrictions en raison des conséquences qu'elles ont sur la politique en matière de dividendes d'une entreprise. La note devrait décrire toutes les restrictions qui ont été imposées par les clauses restrictives incluses dans les contrats de prêts. Ces restrictions limitent souvent les emprunts qu'une société pourra contracter et nécessitent des soldes minimaux d'argent ou d'actif net à court terme. Si les clauses restrictives sont violées, le créancier peut exiger le remboursement immédiat de la dette. C'est pour cette raison que les analystes souhaitent examiner ces instructions afin de s'assurer que les entreprises ne sont pas sur le point d'enfreindre des contrats de prêts.

Le résultat étendu

Comme nous l'avons vu au tableau 10.1 (*voir la page 598*), l'état des capitaux propres comprend une section relative au **résultat étendu.** Le résultat étendu s'obtient à partir du bénéfice net de l'entreprise. Il présente tous les éléments de variation des capitaux propres découlant d'opérations et d'autres événements et circonstances sans rapport avec les propriétaires et qui se sont déroulés durant l'exercice. Ces éléments sont énumérés sous le titre « autres éléments du résultat étendu ».

De façon plus concrète, les autres éléments du résultat étendu comprennent les produits, les charges, les gains et les pertes qui sont exclus du résultat net et qui font partie du résultat étendu. Par exemple, si une entreprise détient des titres dans des actions d'une autre société qu'elle classe comme disponibles à la vente[15], il faut évaluer ces titres à leur valeur du marché. Chaque année, le compte de ces placements est redressé et un gain (ou une perte) est comptabilisé. Comme ce gain (ou cette perte) n'est pas matérialisé (les titres ne sont pas vendus), on ne saurait les présenter à l'état des résultats. Ce gain (ou cette perte) est classé comme « latent » et fait partie du résultat étendu. Il en va de même des gains et des pertes découlant de la conversion des états financiers de filiales étrangères autonomes dressés en devises étrangères. Alcan présente, entre autres, ces deux éléments. La plupart des éléments de cet état traitent de sujets assez complexes qui seront abordés dans des cours de comptabilité intermédiaire et avancée.

On peut présenter le résultat étendu dans un état distinct (l'état du résultat étendu). Le résultat étendu peut aussi être présenté à la suite de l'état des résultats ; dans ce cas, le total des « autres éléments du résultat étendu » est reporté à l'état des capitaux propres. L'entreprise peut aussi décider, comme Alcan, de présenter le résultat étendu à l'intérieur de l'état des capitaux propres.

ANALYSONS UN CAS

Essayez de résoudre ce problème avant de consulter la solution qui lui fait suite.

Ce cas met l'accent sur la formation et les activités d'exploitation pour le premier exercice de la société Sylvie, laquelle a été constituée le 1er janvier 2010. La loi fédérale canadienne stipule que le capital légal pour les actions sans valeur nominale constitue le montant total de la vente. La société a été formée par 10 entrepreneurs de la région afin de vendre différentes fournitures aux hôtels. La charte autorise les actions suivantes :

Actions ordinaires, sans valeur nominale, 20 000 actions.

Actions privilégiées, 5 %, valeur nominale (VN) de 100 $, 5 000 actions (cumulatives, non convertibles et sans droit de vote ; rachetables au gré de la société à la valeur du marché).

Voici un résumé des opérations choisies en 2010 et terminées au mois ou à la date indiquée.

a) Janvier Vente totale au comptant de 8 000 actions ordinaires (AO) sans valeur nominale aux 10 entrepreneurs pour 50 $ l'action.

b) Février Vente de 2 000 actions privilégiées (AP) à 102 $ l'action ; montant encaissé en totalité.

c) Mars Déclaration d'un dividende en espèces de 25 000 $.

d) Juillet Rachat de 800 actions ordinaires qui avaient été vendues plus tôt par un entrepreneur qui s'est retiré. La société Sylvie a payé 45 $ par action à cet actionnaire. Elle a décidé de garder ces actions durant un certain temps en vue de satisfaire un investisseur potentiel.

e) Août Émission de 10 actions privilégiées à M. Châtelain pour le paiement complet des services juridiques rendus relativement à la constitution de la société. Supposez que les actions privilégiées se vendent régulièrement 102 $ l'action. Affectez le montant au compte Frais de constitution.

---

15. Un placement offert à la vente est un titre acheté en vue de le revendre.

Travail à faire

1. Décrivez les incidences sur l'actif, le passif et les capitaux propres de chacune de ces opérations.
2. Passez les écritures de journal appropriées avec une brève explication.
3. Dressez la section des capitaux propres du bilan de la société Sylvie en date du 31 décembre 2010. Supposez que les bénéfices non répartis à cette date sont de 23 000 $.

Solution suggérée

1. Incidences des transactions :

ÉQUATION COMPTABLE

	ACTIF	=	PASSIF	+	CAPITAUX PROPRES	
a)	Caisse +400 000				Actions ordinaires	+400 000
b)	Caisse +204 000				Actions privilégiées	+200 000
					Surplus d'apport − Prime AP	+4 000
c)			Dividende à payer AP +10 000		Bénéfices non répartis	−25 000
			Dividende à payer AO +15 000			
d)	Caisse −36 000				Actions autodétenues	−36 000
e)	Frais de constitution +1 020				Actions privilégiées	+1 000
					Surplus d'apport − Prime AP	+20

2. Écritures de journal en 2010 :

a)	Janvier	Caisse (+A)	400 000	
		Actions ordinaires (+CP)		400 000
		Vente d'actions ordinaires sans valeur nominale : (50 $ × 8 000 actions = 400 000 $)		
b)	Février	Caisse (+A)	204 000	
		Actions privilégiées (+CP)		200 000
		Surplus d'apport −Prime sur émission (+CP)		4 000
		Vente d'actions privilégiées : 2 000 × 100 $ VN = 200 000 $ Prime : 2 000 × 2 $ = 4 000 $		
c)	Mars	Bénéfices non répartis (−CP)	25 000	
		Dividende à payer −AP (+Pa)		10 000
		Dividende à payer − AO (+Pa)		15 000
		Priorité aux actions privilégiées : 200 000 $ × 5 % = 10 000 $ Solde aux actions ordinaires : 25 000 $ −10 000 $ = 15 000 $		
d)	Juillet	Actions autodétenues (+XCP, −CP)	36 000	
		Caisse (−A)		36 000
		Rachat des actions ordinaires : 45 $ × 800 actions		
e)	Août	Frais de constitution (+A)	1 020	
		Actions privilégiées (+CP)		1 000
		Surplus d'apport −Prime sur émission (+CP)		20
		Frais de constitution (services juridiques) payés par l'émission de 10 actions privilégiées. La valeur marchande sous-entendue est 102 $ × 10 actions = 1 020 $ (VN = 100 $ × 10 = 1 000 $).		

3.

Sylvie
Bilan (partiel) au 31 décembre 2010

Capitaux propres	
Actions privilégiées, 5 % (VN de 100 $; 5 000 actions autorisées, 2 010 actions émises)	201 000 $
Actions ordinaires (sans VN, 20 000 actions autorisées, 8 000 actions émises)	400 000
Surplus d'apport :	
Prime à l'émission d'actions privilégiées	4 020
Moins : Actions autodétenues (800 actions ordinaires)	(36 000)
	569 020
Bénéfices non répartis	23 000
Total des capitaux propres	592 020 $

La comptabilisation des capitaux propres pour les entreprises individuelles et les sociétés en nom collectif

Les capitaux propres pour une entreprise individuelle

Une **entreprise individuelle** est une société non constituée en société de capitaux qui appartient à une seule personne. Les seuls comptes de capitaux propres nécessaires sont 1) le compte du capital pour le propriétaire (F. Rose, capital) et 2) le compte des prélèvements du propriétaire (F. Rose, prélèvements). On utilise le compte de capital du propriétaire pour deux raisons: afin de comptabiliser les investissements effectués par ce dernier et pour accumuler les bénéfices ou les pertes périodiques. Le compte des prélèvements sert à comptabiliser les retraits d'argent ou d'autres actifs du propriétaire dans l'entreprise. Le compte des prélèvements est fermé au compte de capital à la fin de chaque exercice. Les capitaux propres reflètent donc le total cumulatif de tous les investissements effectués par le propriétaire, additionné du bénéfice de l'entreprise et déduit de tous les prélèvements par le propriétaire.

À tout autre égard, la comptabilisation d'une entreprise individuelle est la même que celle d'une société de capitaux. Le tableau 10.4 montre la comptabilisation des capitaux propres pour l'entreprise individuelle. On y présente la comptabilisation de différentes opérations ainsi que la section des capitaux propres au bilan du magasin de vente au détail F. Rose.

TABLEAU 10.4 | Comptabilisation des capitaux propres pour une entreprise individuelle

Opérations sélectionnées en 2010

1er janvier 2010

F. Rose a ouvert un magasin en investissant 150 000 $ à partir de ses épargnes personnelles. L'incidence sur les comptes de bilan et l'écriture de journal pour l'entreprise sont décrites comme suit.

ÉQUATION COMPTABLE

Actif		=	Passif	+	Capitaux propres	
Caisse	+150 000				Capital F. Rose	+150 000

ÉCRITURE DE JOURNAL

Caisse (+A)...	150 000	
Capital F. Rose (+CP)		150 000

Au cours de 2010

Chaque mois au cours de l'exercice, F. Rose a retiré 1 000 $ en espèces du compte bancaire de l'entreprise pour ses dépenses personnelles. Par conséquent, chaque mois, on comptabilise cette opération de la façon suivante:

ÉQUATION COMPTABLE

Actif		=	Passif	+	Capitaux propres	
Caisse	−1 000				Prélèvements F. Rose	−1 000

Prélèvements F. Rose (−CP)	1 000	
Caisse (−A)		1 000

Remarque : Au 31 décembre 2010, après les derniers prélèvements, le compte des prélèvements reflétera un solde de 12 000 $.

Au 31 décembre 2010

Les écritures de journal habituelles pour l'exercice, y compris les écritures de régularisation et de clôture pour les comptes des produits et des charges, ont produit un bénéfice net de 18 000 $, qui est fermé au compte de capital. L'écriture de clôture se présente comme suit.

ÉQUATION COMPTABLE

Actif	=	Passif	+	Capitaux propres	
				Sommaire des résultats	−18 000
				Capital F. Rose	+18 000

ÉCRITURE DE JOURNAL

Sommaire des résultats (−Pr et −C)	18 000	
Capital F. Rose (+CP)		18 000

31 décembre 2010

La comptabilisation à cette date pour fermer le compte des prélèvements est présentée comme suit.

ÉQUATION COMPTABLE

Actif	=	Passif	+	Capitaux propres	
				Capital F. Rose	−12 000
				Prélèvements F. Rose	+12 000

ÉCRITURE DE JOURNAL

Capital F. Rose (−CP)	12 000	
Prélèvements F. Rose (+CP)		12 000

**Bilan (partiel)
au 31 décembre 2010**

Capitaux propres

Capital F. Rose, 1er janvier 2010	150 000 $
Plus : Bénéfice net pour 2010	18 000
	168 000
Moins : Prélèvements pour 2010	(12 000)
Capital F. Rose, 31 décembre 2010	156 000 $

Une entreprise individuelle ne paie pas d'impôts, car ce n'est pas une personne morale au sens de la loi. Par conséquent, ses états financiers ne reflètent pas la charge d'impôts ou les impôts à payer. Le bénéfice net d'une entreprise individuelle est imposé lorsqu'il est inclus dans la déclaration de revenus personnelle du propriétaire. Puisqu'il ne peut exister de relation contractuelle entre l'employeur et l'employé lorsqu'il n'y a qu'une partie, le « salaire » du propriétaire n'est pas constaté à titre de charge pour une entreprise individuelle. Le salaire du propriétaire est inscrit à titre de distribution des profits (c'est-à-dire de prélèvement).

Les capitaux propres pour une société de personnes

Les lois provinciales peuvent différer sur la législation concernant les sociétés de personnes. Au Québec, le registraire des entreprises stipule que le but d'une société de personnes est «d'exploiter une entreprise afin de réaliser des bénéfices et de les répartir entre les associés[16]». Les petites entreprises et les spécialistes tels que les comptables, les médecins et les avocats utilisent la société en nom collectif comme forme d'entreprise. Celle-ci est constituée de deux ou de plusieurs personnes qui concluent une entente mutuelle au sujet des modalités de l'entreprise. La loi n'exige pas une demande de charte comme dans le cas d'une société de capitaux. Sa constitution relève du Code civil du Québec. Aussi, la Loi sur la publicité légale des entreprises individuelles, des sociétés et des personnes morales exige que le nom soit «descriptif et distinctif pour permettre d'identifier le genre d'entreprise exploitée par la société et aussi pour la différencier des autres[17]». Ainsi, la forme juridique d'une société en nom collectif est indiquée dans son nom par l'ajout de «SENC».

Le contrat conclu entre les associés permet de créer la société et lui donne son existence juridique; il doit être fait par écrit. Le contrat de société doit préciser des questions comme la mise en commun d'apport (les biens, les connaissances, les activités), la division du bénéfice, les responsabilités de la direction, le transfert ou la vente des participations, la disposition des actifs en cas de liquidation ainsi que les procédures à respecter en cas de décès d'un associé. Il doit précisément indiquer l'intention des associés de former une société.

La société de personnes a pour principaux avantages 1) sa facilité de constitution, 2) le partage des responsabilités et des apports entre les associés et 3) la non-imposition de l'entreprise elle-même. Elle a pour principal désavantage la responsabilité illimitée de chacun des associés par rapport au passif. À cause de la responsabilité illimitée, les créanciers d'une société de personnes peuvent saisir les biens personnels des associés si l'entreprise ne dispose pas de suffisamment d'actifs pour rembourser les dettes non réglées.

Comme pour l'entreprise individuelle, la comptabilisation d'une société de personnes respecte les mêmes fondements comptables que toutes les autres formes d'entreprises commerciales, sauf pour les éléments qui influent directement sur les capitaux des associés. La comptabilisation des capitaux propres des associés respecte les mêmes principes qui ont déjà été décrits pour l'entreprise individuelle; les capitaux propres sont composés de l'ensemble des comptes distincts de capital de chaque associé. Les investissements effectués par un associé sont affectés à son compte de capital. Il en est de même de ses prélèvements dans la société. Le bénéfice net (ou la perte nette) pour une société de personnes est divisé entre les associés selon le ratio stipulé dans le contrat de société. Par conséquent, après le processus de clôture, le compte de capital de chaque associé reflète le total cumulatif de tous ses investissements ainsi que sa part de tous les bénéfices de l'entreprise, déduits de ses prélèvements et de sa quote-part des pertes.

Le tableau 10.5 présente les incidences sur les comptes de bilan, les écritures de journal ainsi que les états financiers partiels de la société de personnes AB en vue d'illustrer la comptabilisation de la distribution du bénéfice et la répartition des capitaux propres des associés.

---

16. Inspecteur général des Institutions financières (2000), *Les principales formes juridiques de l'entreprise au Québec*, Québec, Publications du Québec, Gouvernement du Québec, p. 9.
17. *Ibid.*

TABLEAU 10.5 | Comptabilisation des capitaux propres des associés

Opérations sélectionnées en 2010

Le 1er janvier 2010

A. Allaire et B. Bélanger ont formé la société en nom collectif AB à cette date. A. Allaire a apporté une contribution de 60 000 $ et B. Bélanger, de 40 000 $ en espèces dans la société de personnes. Ils ont convenu de diviser le bénéfice net (et la perte nette) selon des ratios respectifs de 60 % et de 40 %. Les incidences et les écritures de journal pour l'entreprise en vue de comptabiliser l'investissement sont les suivantes :

ÉQUATION COMPTABLE

Actif	=	Passif	+	Capitaux propres	
Caisse +100 000				Capital A. Allaire	+60 000
				Capital B. Bélanger	+40 000

ÉCRITURE DE JOURNAL

Caisse (+A)..	100 000	
Capital A. Allaire (+CP)......................................		60 000
Capital B. Bélanger (+CP)...................................		40 000

Au cours de 2010

Les associés ont convenu que A. Allaire retirerait 1 000 $ et B. Bélanger 650 $ par mois en espèces. Donc, chaque mois, les comptes de bilan affectés pour les prélèvements se présentent ainsi (l'écriture de journal suivante est passée) :

ÉQUATION COMPTABLE

Actif	=	Passif	+	Capitaux propres	
Caisse −1 650				Prélèvements A. Allaire	−1 000
				Prélèvements B. Bélanger	−650

ÉCRITURE DE JOURNAL

Prélèvements A. Allaire (−CP)............................	1 000	
Prélèvements B. Bélanger (−CP).........................	650	
Caisse (−A)..		1 650

Au 31 décembre 2010

Supposez que les produits et les charges comptabilisés ont entraîné un bénéfice net de 30 000 $. Pour une répartition respectant les ratios de 60 % et de 40 %, la comptabilisation se présente comme suit.

On divise le bénéfice net ainsi :

A. Allaire, 30 000 $ × 60 %	=	18 000 $
B. Bélanger, 30 000 × 40 %	=	12 000
Total		30 000 $

ÉQUATION COMPTABLE

Actif	=	Passif	+	Capitaux propres	
				Sommaire des résultats	−30 000
				Capital A. Allaire	+18 000
				Capital B. Bélanger	+12 000

ÉCRITURE DE JOURNAL

Sommaire des résultats (−Pr et −C)...................................	30 000	
Capital A. Allaire (+CP)......................................		18 000
Capital B. Bélanger (+CP)...................................		12 000

Au 31 décembre 2010

Fermeture des comptes de prélèvements :

ÉQUATION COMPTABLE

Actif	=	Passif	+	Capitaux propres	
				Capital A. Allaire	−12 000
				Capital B. Bélanger	−7 800
				Prélèvements A. Allaire	+12 000
				Prélèvements B. Bélanger	+7 800

ÉCRITURE DE JOURNAL

Capital A. Allaire, capital (−CP)...	12 000	
Capital B. Bélanger, capital (−CP)...	7 800	
Prélèvements A. Allaire (+CP)		12 000
Prélèvements B. Bélanger (+CP)		7 800

Pour compléter le bilan, on dresse habituellement un état distinct du capital des associés similaire au suivant :

Société en nom collectif AB
État du capital des associés
pour l'exercice terminé le 31 décembre 2010

	A. Allaire	B. Bélanger	Total
Capitaux propres, 1er janvier 2010	60 000 $	40 000 $	100 000 $
Plus : Apports durant l'exercice	0	0	0
Bénéfice net pour l'exercice	18 000	12 000	30 000
	78 000	52 000	130 000
Moins : Prélèvements durant l'exercice	(12 000)	(7 800)	(19 800)
Capitaux propres, 31 décembre 2010	66 000 $	44 200 $	110 200 $

Les états financiers d'une société de personnes respectent le même format que celui pour les sociétés de capitaux sauf que 1) l'état des capitaux présente la « distribution du bénéfice net entre les associés », 2) la section des capitaux propres des associés du bilan est détaillée pour chaque associé, conformément au principe de bonne information, 3) la société de personnes n'a aucune charge d'impôts, car elle ne paie pas d'impôts (chaque associé doit présenter sa part des profits de la société dans sa déclaration de revenus individuelle) et 4) les salaires versés aux associés ne sont pas comptabilisés à titre de charges, mais ils sont traités comme des distributions des bénéfices (ou prélèvements).

Points saillants du chapitre

1. **Expliquer le rôle des actions dans la structure du capital d'une société de capitaux** (*voir la page 601*).

   La loi considère que les sociétés de capitaux sont des entités juridiques distinctes. Les propriétaires investissent dans une société et reçoivent des actions qu'ils peuvent négocier sur les Bourses établies. Les actions accordent plusieurs droits, y compris le droit de recevoir des dividendes.

2. **Calculer et analyser le résultat par action** (*voir la page 604*).

   Le ratio du résultat par action permet de comparer rapidement la rentabilité de plusieurs sociétés. Il permet aussi d'apprécier l'évolution des résultats d'une même société dans le temps. Lorsqu'on exprime le rendement sur la base d'une action, la différence de taille des entreprises devient moins importante.

3. **Décrire les caractéristiques des actions ordinaires et analyser des opérations s'y rapportant** (*voir la page 605*)

Les actions ordinaires sont les actions de base avec droit de vote émises par une société de capitaux. En général, elles n'ont pas de valeur nominale, mais certaines juridictions provinciales permettent l'émission d'actions avec une valeur nominale. Les actions ordinaires permettent d'obtenir des droits qui attirent certains investisseurs.

Plusieurs opérations portent sur les actions : 1) la vente initiale d'actions, 2) les opérations relatives aux actions rachetées, 3) le dividende en espèces et 4) le dividende en actions et le fractionnement d'actions. Chacune de ces opérations est illustrée dans le présent chapitre.

4. **Examiner les dividendes et analyser des opérations s'y rapportant** (*voir la page 611*).

Le rendement associé à un investissement dans les actions d'une société provient de deux sources : l'accroissement du titre et les dividendes. Les dividendes à verser sont inscrits à titre de passif à court terme au moment où le conseil d'administration les déclare (c'est-à-dire à la date de déclaration). Le passif est éliminé quand les dividendes sont versés (autrement dit à la date de paiement des dividendes).

5. **Analyser le taux de rendement par action** (*voir la page 613*).

Le taux de rendement par action permet de mesurer le pourcentage du rendement sur le capital investi provenant des dividendes. Pour la plupart des entreprises, surtout celles en pleine croissance, le rendement associé aux dividendes est très faible.

6. **Expliquer le but du versement du dividende en actions et du fractionnement d'actions et examiner la présentation de ces opérations** (*voir la page 614*).

Le dividende en actions est une distribution au prorata des actions d'une entreprise aux propriétaires actuels. L'opération comporte le transfert d'un montant additionnel dans le compte des actions ordinaires à partir des bénéfices non répartis. Un fractionnement d'actions fait également intervenir la distribution d'actions supplémentaires aux propriétaires, mais aucun montant supplémentaire n'est transféré dans le compte des actions ordinaires.

7. **Décrire les caractéristiques des actions privilégiées et analyser des opérations s'y rapportant** (*voir la page 617*).

Les actions privilégiées sont émises par certaines sociétés de capitaux. Ces actions confèrent des droits particuliers tels que le droit prioritaire aux dividendes et le droit prioritaire sur la distribution des actifs lors d'une liquidation de l'entreprise. Normalement, elles ne comportent pas de droit de vote.

8. **Discuter de l'incidence de certaines opérations sur les capitaux propres à l'état des flux de trésorerie** (*voir la page 619*).

Les encaissements (par exemple l'émission d'actions) et les décaissements (comme le rachat d'actions) sont inscrits dans la section Activités de financement à l'état des flux de trésorerie. Le versement des dividendes est comptabilisé à titre de décaissement dans cette section.

9. **Présenter les autres éléments des capitaux propres** (*voir la page 621*).

Les comptes de surplus d'apport proviennent d'opérations relatives au capital telles que la prime à l'émission d'actions avec valeur nominale, les gains et les pertes au rachat et à la revente d'actions, les biens donnés à l'entreprise, etc. Chaque source de surplus d'apport doit être précisée pour faciliter le traitement comptable.

Le compte des bénéfices non répartis englobe les bénéfices qui ont été gagnés depuis la formation de la société, déduits de tous les dividendes versés. Le montant des bénéfices non répartis est important, car les dividendes ne sont normalement versés que si un solde est suffisant dans ce compte (et dans le compte de caisse). Certaines restrictions peuvent s'appliquer à la distribution de dividendes. Parfois, le solde d'ouverture des bénéfices non répartis est redressé pour corriger des erreurs dans les exercices précédents ou présenter les effets de modifications de conventions comptables.

Les autres éléments du résultat étendu sont présentés dans l'état des capitaux propres. Ces éléments comprennent la variation des capitaux propres découlant d'opérations, d'événements ou de circonstances sans rapport avec les propriétaires.

Ce chapitre conclut une importante section de ce volume. Dans les chapitres précédents, nous avons abordé différentes sections du bilan. Nous nous concentrerons maintenant sur une opération commune qui influe sur bon nombre de comptes figurant dans chacun des états financiers. Pour plusieurs raisons stratégiques, les entreprises investissent souvent dans d'autres entreprises. Au prochain chapitre, vous apprendrez pourquoi ces entreprises investissent dans d'autres entreprises et comment ces investissements influent sur les états financiers.

RATIOS CLÉS

Le ratio du résultat par action présente le bénéfice net d'une société sur la base d'une action ordinaire. Le ratio est calculé ainsi (*voir la page 604*) :

$$\text{Résultat par action} = \frac{\text{Bénéfice net*}}{\text{Moyenne pondérée des actions ordinaires en circulation}}$$

* Lorsqu'un dividende sur actions privilégiées est déclaré, on le soustrait du bénéfice net.

Le taux de rendement par action mesure le rendement du dividende par rapport au prix actuel de l'action. Le taux se calcule ainsi (*voir la page 613*) :

$$\text{Taux de rendement par action} = \frac{\text{Dividende par action}}{\text{Cours de l'action}}$$

Pour trouver
L'INFORMATION FINANCIÈRE

BILAN

Sous le passif à court terme

Les dividendes, une fois déclarés par le conseil d'administration, sont inscrits à titre de passif (habituellement à court terme).

Sous le passif à long terme

Les opérations portant sur les actions ne génèrent pas de passif à long terme.

Sous les capitaux propres

Les comptes typiques sont les suivants :

Actions privilégiées

Actions ordinaires

Surplus d'apport

Bénéfices non répartis

Actions autodétenues

Autres éléments du résultat étendu

ÉTAT DES RÉSULTATS

Les comptes d'actions ne sont jamais présentés à l'état des résultats. Il en est de même pour les dividendes déclarés, qui ne constituent pas une charge. Le versement de dividendes correspond plutôt à une distribution du bénéfice ; ces dividendes ne sont donc pas inscrits à l'état des résultats.

ÉTAT DES CAPITAUX PROPRES

Cet état rapporte des informations détaillées relatives aux capitaux propres, y compris :

1) les montants de chaque compte de capitaux propres ;

2) les éléments de variations survenues à chacun des comptes au cours des exercices présentés ;

3) le nombre d'actions en circulation.

ÉTAT DES FLUX DE TRÉSORERIE

Parmi les activités liées au financement :

+ Encaissement provenant de l'émission d'actions

+ Encaissement provenant de la vente d'actions rachetées

− Décaissement pour les dividendes

− Décaissement pour le rachat d'actions

NOTES COMPLÉMENTAIRES

Dans le résumé des principales conventions comptables

Ce résumé contient habituellement très peu d'informations concernant les actions.

Dans une note distincte

En général, on trouve les informations suivantes :

1) les montants décrivant chacun des comptes d'actions ;

2) le nombre d'actions autorisées et en circulation de chaque catégorie d'actions ;

3) les éléments de variation des comptes de capital durant l'exercice en cours ;

4) l'incidence des opérations comme l'acquisition d'actions rachetées et la présence d'actions autodétenues ;

5) l'existence de dividende arriéré ;

6) les restrictions sur la distribution des bénéfices non répartis, s'il y a lieu ;

7) les variations dans les programmes d'options d'achat d'actions des employés (le nombre d'options données, utilisées, annulées), le prix du marché et le prix moyen pondéré du marché des actions.

Mots clés

Questions

1. Définissez la société de capitaux et précisez ses principaux avantages.

2. Qu'est-ce que la charte d'une société de capitaux ?

3. Expliquez chacune des expressions suivantes :
   a) les actions autorisées ;
   b) les actions émises ;
   c) les actions en circulation.

4. Expliquez la distinction entre les actions ordinaires et les actions privilégiées.

5. Expliquez la distinction entre les actions avec valeur nominale et les actions sans valeur nominale.

6. Quelles sont les caractéristiques habituelles des actions privilégiées ?

7. Quelles sont les deux principales sources des capitaux propres ? Expliquez chacune d'elles.

8. Les capitaux propres sont comptabilisés selon la source. Que signifie le mot « source » ?

9. Définissez l'expression « actions autodétenues ». Pourquoi les sociétés rachètent-elles des actions déjà émises ? Comment ces actions sont-elles présentées aux états financiers ?

10. Quelles sont les deux exigences principales permettant de soutenir un dividende en espèces ? Quels sont les effets des dividendes en espèces sur l'actif et les capitaux propres ?

11. Expliquez la distinction entre les actions privilégiées cumulatives et les actions privilégiées non cumulatives.

12. Définissez l'expression «surplus d'apport». Expliquez la comptabilisation des comptes touchés.

13. Définissez l'expression «dividende en actions». En quoi ce dividende est-il différent du dividende en espèces?

14. Quels sont les principaux objectifs de l'émission d'un dividende en actions?

15. Précisez les trois principales dates qui concernent les dividendes et expliquez leur importance.

16. Définissez l'expression «bénéfices non répartis». Quelles sont les principales composantes des bénéfices non répartis à la fin de chaque exercice?

17. Que signifie l'expression «restrictions sur bénéfices non répartis»?

Questions à choix multiples

1. Parmi les caractéristiques suivantes, laquelle ne s'applique pas aux détenteurs d'actions ordinaires?
   a) Le droit de recevoir des dividendes avant les détenteurs d'actions privilégiées.
   b) Le droit de participer à la gestion à travers les administrateurs qu'ils élisent.
   c) Le droit de recevoir les actifs résiduels lors de la liquidation de l'entreprise.
   d) Tous les éléments ci-dessus sont des caractéristiques d'un investissement en actions ordinaires.

2. Parmi les affirmations suivantes concernant les actions autodétenues, laquelle est fausse?
   a) Les actions autodétenues sont considérées comme émises mais non en circulation.
   b) Les actions autodétenues ne donnent aucun droit de vote, aucun droit aux dividendes et aucun droit lors de la liquidation de l'entreprise.
   c) Les actions autodétenues réduisent le montant des capitaux propres au bilan.
   d) Toutes les réponses ci-dessus sont bonnes.

3. Parmi les affirmations suivantes relatives au dividende en actions, laquelle est vraie?
   a) Le dividende en actions est présenté à l'état des flux de trésorerie.
   b) Le dividende en actions diminue les bénéfices non répartis.
   c) Le dividende en actions augmente les capitaux propres.
   d) Le dividende en actions diminue les capitaux propres.

4. Parmi les ordres suivants, lequel décrit le mieux la séquence du plus grand nombre d'actions au plus petit nombre d'actions?
   a) Les actions autorisées, les actions émises, les actions en circulation.
   b) Les actions émises, les actions en circulation, les actions autorisées.
   c) Les actions autorisées, les actions en circulation, les actions émises.
   d) Les actions autodétenues, les actions en circulation, les actions émises.

5. Parmi les combinaisons suivantes, laquelle serait la meilleure pour un investisseur qui recherche un nouveau titre en actions?
   a) Un taux de rendement par action élevé, un résultat par action élevé.
   b) Un taux de rendement par action faible, un résultat par action élevé.
   c) Un taux de rendement par action élevé, un résultat par action faible.
   d) Un taux de rendement par action faible, un résultat par action faible.

6. Parmi les dates suivantes, laquelle n'implique aucune entrée comptable?
   a) La date de déclaration.
   b) La date d'inscription.
   c) La date du paiement.
   d) Une entrée comptable doit être faite à toutes ces dates.

7. Parmi les sections de l'état des flux de trésorerie, dans quelle section trouve-t-on le décaissement en vue de racheter les actions?
   a) L'exploitation.
   b) L'investissement.
   c) Le financement.
   d) Cette opération n'apparaît que dans les notes aux états financiers.

8. Parmi les affirmations suivantes se rapportant aux dividendes, laquelle est fausse ?
   a) Les dividendes représentent la distribution d'une partie des bénéfices de l'entreprise aux actionnaires.
   b) Le dividende en actions et le dividende en espèces : tous les deux réduisent les bénéfices non répartis.
   c) Le dividende en espèces payé aux actionnaires réduit le bénéfice net.
   d) Aucun des énoncés ci-dessus n'est faux.

9. Quelle est l'incidence d'un rachat d'actions contre espèces sur l'équation comptable ?
   a) Aucune incidence : la réduction de l'actif Caisse contrebalance l'ajout d'un actif Actions autodétenues.
   b) L'actif diminue, et les capitaux propres augmentent.
   c) L'actif augmente, et les capitaux propres diminuent.
   d) L'actif diminue, et les capitaux propres diminuent.

10. Le dividende en actions augmente-il immédiatement la richesse personnelle d'un investisseur ?
   a) Non, car le prix de l'action chute lors de l'émission d'un dividende en actions.
   b) Oui, car l'investisseur a plus d'actions.
   c) Oui, car l'investisseur obtient plus d'actions sans devoir débourser des frais de courtage.
   d) Oui, car l'investisseur recevra plus de dividendes en espèces parce qu'il détient plus d'actions.

Mini-exercices

M10-1 L'évaluation des droits des détenteurs d'actions (ou actionnaires) `☐OA1`
Nommez trois droits que donnent les actions ordinaires à leur détenteur. Selon vous, quel est le plus important ? Expliquez votre réponse.

M10-2 Le calcul du nombre d'actions en circulation `☐OA1`
La charte de la société Camille prévoit un nombre illimité d'actions ordinaires. Les états financiers de la société présentaient 200 000 actions ordinaires émises et 10 000 actions autodétenues. Calculez le nombre d'actions en circulation. Votre réponse serait-elle différente si les actions rachetées avaient été annulées ?

M10-3 La comptabilisation de la vente d'actions ordinaires `☐OA3`
Dans le but de prendre de l'expansion, la société Services de consultation Aragon a émis 100 000 actions ordinaires d'une valeur nominale de 1 $. Le prix de vente des actions était de 75 $ l'action. À l'aide de l'équation comptable, présentez la vente de ces actions. Votre réponse serait-elle différente si la valeur nominale était de 2 $ l'action ? Le cas échéant, comptabilisez la vente des actions ayant une valeur nominale de 2 $. Quelle serait votre réponse si les actions étaient sans valeur nominale ?

M10-4 La comparaison des actions ordinaires et des actions privilégiées `☐OA1` `☐OA3` `☐OA7`
Vos parents viennent de prendre leur retraite et vous ont demandé des conseils financiers. Ils ont décidé d'investir 100 000 $ dans une entreprise similaire à Alcan et ils hésitent sur le type d'actions à acheter. La société a émis des actions privilégiées et des actions ordinaires. Quels facteurs analyseriez-vous pour leur donner des conseils ? Quel type d'actions leur recommanderiez-vous ?

M10-5 La détermination du montant d'un dividende `☐OA4`
La société Jacob possède 1 000 000 d'actions ordinaires autorisées, 270 000 actions émises dont 50 000 actions sont autodétenues. Le conseil d'administration de la société déclare un dividende de 0,50 $ l'action. Quel est le montant total du dividende qui sera versé ?

M10-6 La comptabilisation des dividendes `☐OA4`
Le 15 avril 2010, le conseil d'administration de la société Action.com a déclaré un dividende en espèces de 0,20 $ l'action payable aux actionnaires inscrits le 20 mai. Les dividendes seront distribués le 14 juin. La société possède 500 000 actions ordinaires en circulation. À l'aide de l'équation comptable, indiquez les incidences sur les postes de bilan et passez toutes les écritures de journal nécessaires à chaque date.

M10-7 **La détermination du montant des dividendes privilégiés**

Colliers inc. possède 200 000 actions privilégiées à dividende cumulatif en circulation. Les actions privilégiées donnent droit à un dividende de 2 $ l'action mais, en raison de problèmes de liquidités, la société n'a pas versé le dividende l'an dernier. Le conseil d'administration prévoit distribuer des dividendes de 1 million de dollars cette année. Quel montant sera distribué aux actionnaires privilégiés ?

M10-8 **La détermination de l'incidence d'un dividende en actions et d'un fractionnement d'actions**

La société Outils Durand prévoit annoncer un dividende en actions de 10 %. Déterminez l'incidence (l'augmentation, la diminution ou aucune variation) de ce dividende sur les éléments suivants :

1. Le total de l'actif ;
2. Le total du passif ;
3. Les actions ordinaires ;
4. Le total des capitaux propres ;
5. La valeur marchande par action des actions ordinaires.

Supposez que la société a annoncé un fractionnement d'actions de deux pour un. Déterminez l'incidence du fractionnement d'actions sur chacun des éléments ci-dessus.

M10-9 **La comptabilisation d'un dividende en actions**

La société Systèmes alimentaires Desroches prévoit verser un dividende en actions de 20 %. La société possède un nombre illimité d'actions ordinaires autorisées ainsi que 200 000 actions ordinaires en circulation. La valeur nominale des actions est de 5 $ l'action et leur valeur marchande, de 20 $ l'action. Déterminez l'incidence du paiement du dividende en actions sur l'équation comptable et présentez l'écriture de journal pour l'inscrire aux livres. Quelle serait votre réponse si les actions ordinaires étaient sans valeur nominale ?

Exercices

E10-1 **Le calcul des actions en circulation**

Le rapport annuel de la société Home Depot inc., au 29 janvier 2006, déclarait que 10 milliards d'actions ordinaires avaient été autorisées. Au 30 janvier 2005 (date de fin de l'exercice précédent), 2 385 000 000 actions avaient été émises, et le nombre d'actions autodétenues était de 200 000 000. Durant l'exercice terminé le 29 janvier 2006, 16 000 000 d'actions ordinaires supplémentaires ont été émises, et la variation nette des actions autodétenues a été une augmentation de 77 000 000 d'actions.

Travail à faire

Déterminez le nombre d'actions en circulation au 29 janvier 2006.

E10-2 **La détermination des effets de l'émission d'actions ordinaires et privilégiées**

La société Louise a obtenu une charte, le 15 janvier 2007, qui lui autorisait le capital social suivant :

Actions ordinaires sans valeur nominale, nombre illimité ;
Actions privilégiées, 7 % cumulatif, valeur nominale de 10 $ l'action, nombre illimité d'actions.

En 2007, les opérations suivantes ont été effectuées dans l'ordre donné :

a) Vente au comptant et émission de 20 000 actions ordinaires à 19 $ l'action.
b) Vente au comptant et émission de 3 000 actions privilégiées à 22 $ l'action.

À la fin de 2007, l'état des résultats présentait un bénéfice net de 38 000 $ et aucun dividende ne fut déclaré durant l'exercice.

Travail à faire

1. Établissez la section des capitaux propres figurant au bilan au 31 décembre 2007.
2. Supposez que vous êtes un détenteur d'actions ordinaires. Si la société Louise avait besoin de capital supplémentaire, préféreriez-vous qu'elle émette des actions ordinaires supplémentaires ou des actions privilégiées supplémentaires ? Expliquez votre réponse.

Home Depot inc. ◇

OA7
OA6
OA6
OA1
OA1
OA3
OA7

E10-3 Les éléments des capitaux propres

Les informations suivantes ont été sélectionnées dans les états financiers de la société Caire au 31 décembre 2007 :

Actions ordinaires	1 500 000 $
Bénéfices non répartis	850 000 $
Bénéfice net	1 200 000 $
Dividendes déclarés et payés durant l'exercice	414 000 $
Actions émises	100 000
Actions en circulation	90 000

Les actions ordinaires ont été émises au prix de 20 $ l'action. La valeur marchande des actions à la fin de 2007 est de 50 $ l'action.

Travail à faire

1. Quel est le montant du surplus d'apport provenant de l'émission des actions ordinaires ?
2. Quel était le montant des bénéfices non répartis au début de l'exercice ?
3. Combien d'actions sont autodétenues ?
4. Calculez le résultat par action.
5. Calculez le taux de rendement par action.

E10-4 L'inscription des capitaux propres et la détermination de la politique de la société en matière de dividendes

La société Samson a été constituée en 2006 à titre de société de consultation financière. La charte autorise le capital social suivant : un nombre illimité d'actions ordinaires, sans valeur nominale. Au cours de la première année, les opérations ci-après ont été effectuées.

a) Vente au comptant et émission de 6 000 actions ordinaires pour 20 $ l'action.
b) Vente au comptant et émission de 2 000 actions ordinaires pour 23 $ l'action.
c) À la fin de l'exercice, la société affichait une perte d'exploitation de 7 000 $. Puisqu'une perte a été subie, aucune charge d'impôts n'a été inscrite.

Travail à faire

1. À l'aide de l'équation comptable, décrivez les incidences sur les postes du bilan et passez l'écriture de journal requise pour chacune de ces opérations.
2. Établissez la section des capitaux propres telle qu'elle devrait être inscrite au bilan de fin d'exercice.
3. La société Samson peut-elle verser des dividendes à cette date ? Expliquez votre réponse.

E10-5 Trouver l'information manquante dans la section des capitaux propres

La section des capitaux propres de la société Production de volailles inc., au 31 décembre 2007, se présente comme suit.

Capitaux propres	
Actions ordinaires, sans valeur nominale*, autorisées en nombre illimité, nombre d'actions émises : ? actions	350 000 $
Bénéfices non répartis	200 000
Actions autodétenues (1 000 actions)	(50 000)

* La valeur attribuée est de 35 $ par action.

Travail à faire

Complétez les énoncés suivants. Présentez vos calculs.

1. Le nombre d'actions ordinaires émises est de _____.
2. Le nombre d'actions ordinaires en circulation est de _____.
3. Quelle est la valeur marchande des actions au moment de l'émission ? _____ $
4. Les transactions d'actions autodétenues ont-elles fait augmenter ou diminuer les ressources de l'entreprise ? _____ De combien ? _____ $
5. Les transactions concernant les actions autodétenues ont-elles fait augmenter ou diminuer les capitaux propres ? _____ De combien ? _____ $
6. Le total des capitaux propres est de _____ $.

OA1
OA3

OA1
OA3
OA4

OA1
OA3

E10-6 **La présentation des capitaux propres**

L'entreprise Travis, une société états-unienne, a été fondée en 2006 afin d'exploiter un service d'aide pour la déclaration des impôts sur le revenu. La charte autorise un nombre illimité d'actions ordinaires sans valeur nominale. Les transactions suivantes ont été effectuées durant le premier exercice :

a) Émission de 10 000 actions ordinaires contre espèces à 50 $ l'action.

b) Rachat de 1 000 actions ordinaires à 45 $ l'action, paiement en espèces.

Travail à faire

1. À l'aide de l'équation comptable, décrivez les incidences de ces transactions sur les postes du bilan et passez l'écriture de journal requise pour chacune de ces opérations.

2. Établissez la section des capitaux propres telle qu'elle devrait être inscrite au bilan de fin d'exercice.

E10-7 **La détermination des effets des opérations portant sur les capitaux propres**

La société Julie a été constituée en janvier 2008 par 10 actionnaires à titre d'entreprise de vente de climatiseurs et de service de réparation. La charte autorise les actions suivantes :

Actions ordinaires, sans valeur nominale, en nombre illimité ;

Actions privilégiées, valeur nominale de 10 $, 6 %, en nombre illimité.

En janvier et février 2008, les opérations portant sur les actions, décrites ci-après, ont été effectuées.

a) Recouvrement de 40 000 $ en espèces auprès de chacun des 10 fondateurs et émission de 2 000 actions ordinaires à chacun d'eux.

b) Vente au comptant de 15 000 actions privilégiées à 25 $ l'action.

Travail à faire

Le bénéfice net pour 2008 s'élevait à 40 000 $; le dividende en espèces déclaré et versé à la fin de l'exercice était de 10 000 $. Établissez la section des capitaux propres du bilan au 31 décembre 2008.

E10-8 **La détermination des effets des opérations portant sur les capitaux propres**

La société Cartier a été fondée en janvier 2007 afin d'exploiter plusieurs commerces de réparation de véhicules dans une grande ville québécoise. La charte autorise l'émission des actions suivantes :

Actions ordinaires, sans valeur nominale, en nombre illimité ;

Actions privilégiées en nombre illimité, valeur nominale de 50 $, 8 % de dividendes cumulatifs.

Durant les mois de janvier et février 2007, les opérations de capital suivantes ont été effectuées :

a) Vente de 80 000 actions ordinaires à 25 $ l'action contre espèces.

b) Vente de 15 000 actions privilégiées à 75 $ l'action contre espèces.

c) Rachat de 5 000 actions ordinaires d'un actionnaire pour 30 $ l'action, payé en espèces.

Travail à faire

Le bénéfice net pour 2007 s'élevait à 80 000 $; le dividende en espèces déclaré et versé à la fin de l'exercice était de 30 000 $. Établissez la section des capitaux propres du bilan au 31 décembre 2007.

E10-9 **L'enregistrement d'opérations sur les capitaux propres**

La société Enseignement électronique inc. a obtenu sa charte au début de son exploitation en 2008. Cette charte autorisait un nombre illimité d'actions ordinaires sans valeur nominale et un nombre illimité d'actions privilégiées d'une valeur nominale de 10 $ l'action. Quatre personnes ont créé la société et ont reçu des actions ordinaires de la société. Au cours de 2008, les opérations suivantes ont été effectuées :

a) Encaissement de 15 $ l'action de la part des quatre organisateurs et émission de 4 000 actions ordinaires à chacun.

b) Émission de 6 000 actions ordinaires à des investisseurs à 40 $ l'action contre espèces.

c) Émission de 8 000 actions privilégiées à des investisseurs à 20 $ l'action.

1. À l'aide de l'équation comptable, décrivez les incidences sur les postes du bilan et passez l'écriture de journal requise pour chacune de ces opérations.

2. Est-il acceptable, du point de vue éthique, de vendre des actions aux investisseurs extérieurs à un prix plus élevé que celui qu'ont payé les organisateurs ?

E10-10 **La recherche des montants absents dans la section des capitaux propres**

Au 31 décembre 2009, la section des capitaux propres du bilan de la société Chimie rapide se présente comme suit.

Capitaux propres	
Actions privilégiées (valeur nominale de 20 $, actions autorisées en nombre illimité, ? actions émises)	104 000 $
Actions ordinaires (sans valeur nominale ; autorisées en nombre illimité, 20 000 actions émises desquelles 500 actions sont autodétenues par suite d'un rachat)	600 000
Surplus d'apport – prime sur l'émission d'actions privilégiées	14 300
Bénéfices non répartis	30 000
Actions ordinaires autodétenues (500 actions)	12 500

Travail à faire

Complétez les énoncés suivants et présentez vos calculs.

1. Le nombre d'actions privilégiées émises s'élève à _____. Le prix d'émission de l'action est de _____ $.

2. Le nombre d'actions ordinaires en circulation totalise _____.

3. Le prix de vente d'une action ordinaire à la suite de sa première émission était de _____ $ l'action.

4. Les opérations portant sur les actions rachetées ont-elles fait augmenter ou diminuer les actifs de l'entreprise ? _____ De quel montant ? _____ $

5. À quel prix par action a-t-on racheté les actions ordinaires ? _____ $

6. Les opérations portant sur les actions rachetées ont fait augmenter ou diminuer les capitaux propres ? _____ De quel montant ? _____ $

7. Le total des capitaux propres est de_____ $.

E10-11 **La recherche des informations manquantes dans un rapport annuel**

La société Gigantesque est une société d'une valeur de 38 milliards de dollars. Elle vend des produits qui font partie de la vie quotidienne, par exemple des nettoyants, du dentifrice, des croustilles, du shampoing, du rince-bouche et du café. Le rapport annuel de Gigantesque contenait les informations suivantes :

a) Les bénéfices non répartis à la fin de 2007 totalisaient 13 611 millions de dollars.

b) Le bénéfice net pour 2008 s'élevait à 6 481 millions de dollars.

c) La valeur nominale des actions ordinaires est de 1 $ l'action.

d) Le dividende en espèce déclaré à la fin de 2008 était de 0,934 $ l'action.

e) Le compte Actions ordinaires totalisait 2 544 millions de dollars à la fin de 2008 et 2 494 millions de dollars à la fin de 2007.

Travail à faire

(Supposez qu'aucune autre information concernant les capitaux propres n'est pertinente.)

1. Estimez le nombre d'actions en circulation à la fin de 2008.

2. Calculez le montant des bénéfices non répartis à la fin de 2008.

3. Le nombre d'actions en circulation a-t-il varié durant 2008 ?

E10-12 **L'analyse du rachat d'actions**

Winnebago est un nom familier de véhicules qui circulent sur les routes canadiennes et américaines. La société fabrique et vend de grandes maisons motorisées pour les voyages. Grâce à leur marque de commerce, « W », celles-ci sont facilement reconnaissables. Un article de journal contenait l'information qui suit.

OA1
OA3
OA7

OA1
OA2
OA4

♦ Winnebago   OA3
OA4

Les profits de la société ont doublé cette année, les bénéfices augmentant de 27 % au cours du deuxième trimestre et les commandes en attente s'élevant à 2 229 unités. Ce genre de statistiques de croissance donne confiance aux membres du conseil d'administration. La société a annoncé qu'elle prévoyait consacrer 3,6 millions de dollars à l'agrandissement de ses installations de fabrication et a récemment autorisé le rachat de 15 millions de dollars de ses propres actions, soit le troisième rachat en deux ans. Les actions de la société se vendent maintenant 25 $ l'action.

Travail à faire

1. Quelles sont les conséquences du rachat d'actions sur les états financiers ?
2. Pourquoi croyez-vous que le conseil a décidé de racheter les actions ?
3. Quelles sont les conséquences de ce rachat sur les montants futurs de dividendes de Winnebago ?

E10-13 L'établissement de l'état des bénéfices non répartis et l'évaluation de la politique en matière de dividendes

Les soldes des comptes suivants ont été sélectionnés dans les livres de la société Blanc, le 31 décembre 2010, après avoir passé toutes les écritures d'ajustement nécessaires :

Actions ordinaires (sans valeur nominale, autorisées en nombre illimité, 35 000 actions émises, dont 1 000 actions sont autodétenues par suite d'un rachat)	700 000 $
Dividendes déclarés et versés au cours de l'exercice	18 000
Bénéfices non répartis, 1er janvier 2010	86 000
Actions autodétenues (1 000 actions)	20 000
Bénéfice net de l'exercice	28 000

Une restriction sur les bénéfices non répartis de 20 000 $ est liée à des emprunts bancaires. Le prix des actions est actuellement de 22,43 $ l'action.

Travail à faire

1. Calculez le solde des bénéfices non répartis au 31 décembre 2010.
2. Établissez la section des capitaux propres du bilan au 31 décembre 2010.
3. Calculez et évaluez le taux de rendement par action. Déterminez le nombre d'actions pour lesquelles un dividende a été versé.

E10-14 L'analyse de l'incidence de la politique en matière de dividendes

Malraux et associés est une société de capitaux. Il s'agit d'un petit fabricant de connexions électroniques pour les réseaux locaux. Considérez les situations indépendantes qui suivent.

Cas 1 La société Malraux et associés augmente de façon imprévue son dividende en espèces de 50 %. Toutefois, aucun autre changement ne se produit dans les activités de l'entreprise.

Cas 2 Le bénéfice et les flux de trésorerie de la société ont augmenté de 50 %, mais cette augmentation ne modifie pas son dividende.

Cas 3 La société émet un dividende en actions de 50 %, mais aucun autre changement ne se produit.

Travail à faire

1. Comment croyez-vous que chacune de ces situations influera sur le cours des actions de la société ?
2. Si la société modifiait ses conventions comptables et inscrivait un bénéfice net plus élevé, le changement aurait-il des conséquences sur le cours des actions ?

E10-15 Le calcul des dividendes sur les actions privilégiées et l'analyse des différences

Les livres de la société Hoffman inc. reflétaient les soldes suivants dans les comptes des capitaux propres au 31 décembre 2008 :

Actions ordinaires, sans valeur nominale, 40 000 actions en circulation	800 000 $
Actions privilégiées, 8 %, sans valeur nominale, 6 000 actions en circulation	60 000
Bénéfices non répartis	220 000

Le 1er septembre 2009, le conseil d'administration envisageait de distribuer un dividende en espèces de 62 000 $. Aucun dividende n'avait été payé durant les deux années précédentes.

Hypothèses : a) Les actions privilégiées sont non cumulatives.
b) Les actions privilégiées sont cumulatives.

Travail à faire

1. À partir de deux hypothèses distinctes, déterminez le total du dividende et le montant par action qui serait versé aux porteurs d'actions ordinaires et aux porteurs d'actions privilégiées (présentez vos calculs).

2. Rédigez une note brève afin d'expliquer la raison pour laquelle le dividende par action ordinaire était inférieur selon la deuxième hypothèse.

3. Quel facteur pourrait causer un rendement par action plus favorable pour les porteurs d'actions ordinaires ?

E10-16 L'incidence des dividendes

La société Moyenne possède les actions en circulation suivantes à la fin de 2010 :

| Actions privilégiées, 6 %, sans valeur nominale, 8 000 actions en circulation | 120 000 $ |
| Actions ordinaires, sans valeur nominale, 30 000 actions en circulation | 800 000 |

Le 1er octobre 2010, le conseil d'administration a déclaré les dividendes suivants :
   Actions privilégiées : montant complet versé en vertu des droits prioritaires, payable le 20 décembre 2010 ;
   Actions ordinaires : dividende en actions ordinaires de 10 % (donc, une action supplémentaire pour chaque 10 actions détenues) à émettre le 20 décembre 2010.
Le 20 décembre 2010, les valeurs marchandes étaient les suivantes :
   Actions privilégiées, 40 $;
   Actions ordinaires, 32 $.

Travail à faire

Expliquez l'effet global de chacun des dividendes (en espèces et en actions) sur l'actif, le passif et les capitaux propres de la société.

E10-17 La comptabilisation du versement des dividendes

◆ Sears, Roebuck and Company

Un ancien rapport annuel de Sears, Roebuck and Company expliquait que la société avait versé un dividende sur les actions privilégiées de l'ordre de 119,9 millions de dollars. Elle a aussi déclaré et versé un dividende de 2 $ l'action sur les actions ordinaires. Durant l'exercice courant de ce rapport, la société possédait 1 milliard d'actions ordinaires autorisées ; 387 514 300 actions avaient été émises et 41 670 000 actions étaient des actions rachetées et autodétenues. Supposez que l'opération s'est déroulée le 15 juillet.

Travail à faire

À l'aide de l'équation comptable, décrivez les incidences de la déclaration et du versement des dividendes sur les postes du bilan de la société.

E10-18 L'évaluation du taux de rendement par actions

◆ Cinergy et Starbucks

Cynergy est une entreprise de services publics qui fournit du gaz et de l'électricité en Ohio, au Kentucky et en Indiana. Le taux de rendement par action de l'entreprise est de 6,6 %. La société Starbucks, un détaillant bien connu de produits du café, ne verse pas de dividende, ce qui donne un taux de rendement des actions de 0,0 %. Les deux sociétés sont semblables sur le plan de la taille, et elles ont une valeur marchande de 5 milliards de dollars chacune.

Travail à faire

1. En fonction de cette information limitée, pourquoi croyez-vous que la politique en matière de dividendes des deux sociétés est autant différente ?
2. Les deux sociétés attireront-elles différents types d'investisseurs ? Expliquez votre réponse.

E10-19 L'analyse du dividende en actions

Le 31 décembre 2007, la section des capitaux propres du bilan de la société ABC comportait l'information suivante :

Actions ordinaires (sans valeur nominale ; actions autorisées en nombre illimité, 25 000 actions en circulation)	262 000 $
Bénéfices non répartis	75 000

En date du 1er février 2008, le conseil d'administration a déclaré un dividende en actions de 12 % à émettre le 30 avril 2008. La valeur marchande des actions le 1er février 2008 était de 18 $ l'action.

Travail à faire

1. À des fins comparatives, établissez la section des capitaux propres du bilan : a) immédiatement avant le versement du dividende en actions ; b) immédiatement après le versement du dividende en actions. (Conseil : Utilisez deux colonnes pour inscrire les montants.)
2. Expliquez les effets de ce dividende en actions sur l'actif, le passif et les capitaux propres.

E10-20 La comptabilisation des dividendes

La société Black & Decker est l'un des principaux fabricants internationaux et distributeurs d'outils motorisés, de quincaillerie et de produits d'amélioration de la maison. Un communiqué de presse du 8 septembre 2006 contenait la déclaration suivante :

La société Black & Decker a annoncé aujourd'hui que son conseil d'administration avait déclaré un dividende en espèces trimestriel de 38 ¢ l'action sur les actions ordinaires en circulation de la société payable le 29 septembre 2006 aux actionnaires inscrits à la fermeture des affaires le 15 septembre 2006.

Au moment de cette déclaration, supposez que la société Black & Decker avait 80 100 000 actions émises et en circulation.

Travail à faire

À l'aide de l'équation comptable, décrivez les incidences sur l'actif, le passif et les capitaux propres pour chacune des dates mentionnées plus haut et passez les écritures de journal appropriées.

E10-21 La comparaison du dividende en actions et du fractionnement d'actions

Le 1er juillet 2008, la société Joachim disposait de la structure de capital suivante :

Actions ordinaires (sans valeur nominale, actions autorisées en nombre illimité, 200 000 actions émises)	288 000 $
Bénéfices non répartis	192 000
Actions autodétenues	Aucune

Travail à faire

Complétez les énoncés des questions 1 à 3.

1. Le nombre d'actions non émises est de _____.
2. Le nombre d'actions en circulation est de _____.
3. Le total des capitaux propres est de _____ $.
4. Supposez que le conseil d'administration a déclaré et émis un dividende en actions de 20 % lorsque les actions se vendaient 4 $ l'action. À l'aide de l'équation comptable, décrivez les incidences sur les comptes du bilan et passez l'écriture de journal appropriée. Si aucune écriture n'est requise, expliquez pourquoi.

5. Ne tenez pas compte du dividende en actions décrit en 4. Supposez que le conseil d'administration a voté un fractionnement d'actions de six pour cinq (autrement dit une augmentation de 20 % du nombre d'actions). La valeur marchande avant le fractionnement était de 4 $ l'action. À l'aide de l'équation comptable, décrivez les incidences sur les comptes du bilan et passez l'écriture de journal appropriée. Si aucune écriture n'est requise, expliquez pourquoi.

6. Remplissez le tableau comparatif suivant en inscrivant vos commentaires sur les effets comparatifs :

Élément	Avant le dividende et le fractionnement	Après le dividende en actions	Après le fractionnement
Actions ordinaires	_____ $	_____ $	_____ $
Bénéfices non répartis	_____ $	_____ $	_____ $
Total des capitaux propres	_____ $	_____ $	_____ $
Actions en circulation	_____	_____	_____

E10-22 L'évaluation de la politique en matière de dividendes

◆ REUTERS ■ OA4
H&R Block

La société H&R Block est un nom très familier, surtout durant la période de déclaration des revenus. La société vend ses services à plus de 18 millions de contribuables dans plus de 10 000 bureaux aux États-Unis, au Canada, en Australie et en Angleterre. L'information suivante provient de *REUTERS Business News*[18].

La société annonce une perte nette de 131,4 $ millions ou 0,41 $ par action pour son premier trimestre, une augmentation de la perte de 28 $ millions (0,08 $ l'action) inscrite l'année précédente [...] Pour l'année entière, la société prévoit un résultat par action entre 1,60 $ et 1,85 $. La société génère la majeure partie de ses produits et bénéfices durant le trimestre terminé le 30 avril, qui inclut la période achalandée de production des déclarations d'impôts.

Malgré cette perte, le 7 septembre 2006, la société a déclaré un dividende de 0,134 $ par action.

Travail à faire

1. Expliquez la raison pour laquelle la société H&R Block peut tout de même verser un dividende en dépit de sa perte.
2. Quels facteurs le conseil d'administration a-t-il considéré lorsqu'il a déclaré le dividende ?

E10-23 L'analyse de l'arriéré de dividende

◆ Mission Critical ■ OA7
Software, inc.
(maintenant NetIQ
Corporation)

La société Mission Critical Software, inc. (acquise par NetIQ Corporation en 2000 – NASDAQ), était et continue d'être le chef de file dans la fabrication de logiciels de gestion de système pour Windows NT et les infrastructures Internet. Au cours de ses premières années d'exploitation, comme bon nombre d'entreprises à leurs débuts, Mission Critical Software a fait face à des problèmes de liquidités en tentant de tirer profit des nouvelles occasions d'affaires. Un état financier de la société incluait ce qui suit :

L'augmentation de l'arriéré de dividende sur les actions privilégiées était de 264 000 $.

Après avoir lu la note aux états financiers, un étudiant a pensé que les actions privilégiées de Mission Critical Software constituaient un bon placement. En raison de l'important montant de produits tirés des dividendes qui seraient gagnés lorsque la société commencerait à verser des dividendes de nouveau, il a émis l'opinion suivante : « À titre de porteur d'actions, je recevrai un dividende pour l'exercice au cours duquel je détiens des actions en plus des exercices précédents pendant lesquels je ne possédais même pas d'actions. » Êtes-vous d'accord avec ce raisonnement ? Expliquez votre réponse.

---

18. *REUTERS* (traduction libre), [en ligne], (page consultée le 31 août 2006).

Problèmes

P10-1 **La recherche des montants manquants (PS10-1)**

Au 31 décembre 2009, les livres de la société Nortech contenaient les données suivantes, qui sont incomplètes :

> Actions ordinaires (sans valeur nominale ; aucune modification durant l'exercice) ;
>
> Actions autorisées en nombre illimité ;
>
> Actions émises : _____ ; prix d'émission de 17 $ l'action ; argent recouvré en totalité, 2 125 000 $;
>
> Actions autodétenues, 3 000 actions au coût de 20 $ l'action ; montant : _____ ;
>
> Bénéfice net de l'exercice, 118 000 $;
>
> Dividendes déclarés et versés durant l'exercice, 73 200 $;
>
> Ajustements sur exercices antérieurs, correction d'une erreur comptable de 2006, 9 000 $ (une augmentation des bénéfices non répartis, net d'impôts) ;
>
> Solde des bénéfices non répartis*, 1er janvier 2009, 155 000 $.

* Une restriction de 60 000 $ existait sur la distribution des bénéfices non répartis à la fin de 2009 ; elle concernait un prêt bancaire.

Travail à faire

1. Calculez :
   le nombre d'actions autorisées : _____ ;
   le nombre d'actions émises : _____ ;
   le nombre d'actions en circulation : _____.
2. Le RPA (résultat par action) est de _____ $.
3. Le dividende versé par action ordinaire est de _____ $.
4. Les ajustements sur exercices antérieurs doivent être inscrits aux _____ à titre d'ajout ou de déduction _____ au montant de _____ $.
5. Les actions autodétenues doivent être inscrites au bilan sous le titre principal _____ à titre d'ajout ou de déduction _____ au montant de _____ $.
6. Le montant des bénéfices non répartis disponibles pour les dividendes le 31 décembre 2009 était de _____ $.
7. Posez l'hypothèse que le conseil d'administration a voté un fractionnement d'actions de 100 % (le nombre d'actions doublera). Après le fractionnement d'actions, le nombre d'actions en circulation sera de _____, et les bénéfices non répartis seront de _____ $.
8. En supposant le fractionnement d'actions précédent, décrivez l'incidence de cette opération sur les postes du bilan et passez l'écriture de journal requise. S'il n'y en a pas, expliquez pourquoi.
9. Ne tenez pas compte du fractionnement d'actions (supposé en 7 et 8). Supposez plutôt qu'un dividende en actions de 10 % a été déclaré et émis quand la valeur marchande des actions ordinaires était de 21 $. À l'aide de l'équation comptable, décrivez les incidences sur les postes du bilan de la société. Passez l'écriture de journal requise.

P10-2 **L'établissement de la section des capitaux propres du bilan**

La société Leblanc a reçu une charte en 2007 qui autorise le capital social suivant :
   Actions privilégiées : 8 %, sans valeur nominale, actions autorisées en nombre illimité ;
   Actions ordinaires : sans valeur nominale, actions autorisées en nombre illimité.

Durant 2007, les opérations suivantes se sont déroulées dans l'ordre donné :

a) Émission d'un total de 40 000 actions ordinaires à quatre fondateurs à 11 $ l'action.
b) Émission de 5 000 actions privilégiées à 18 $ l'action.

c) Émission de 3 000 actions ordinaires à 14 $ l'action et de 1 000 actions privilégiées à 28 $ l'action.

d) Le total des produits pour 2007 s'élevait à 310 000 $ et le total des charges (y compris les impôts), à 262 000 $.

Travail à faire

Établissez la section des capitaux propres du bilan au 31 décembre 2007.

P10-3 **La comptabilisation des opérations influant sur les capitaux propres (PS10-2)**

☐ OA3
☐ OA7

La société Kerr a ouvert son entreprise en janvier 2006. La charte a autorisé le capital social suivant :

Actions privilégiées : 9 %, sans valeur nominale, actions autorisées en nombre illimité ;

Actions ordinaires : actions autorisées en nombre illimité, sans valeur nominale.

Durant l'exercice 2006, les opérations suivantes se sont déroulées dans l'ordre donné :

a) Émission de 20 000 actions ordinaires sans valeur nominale à chacun des trois fondateurs à 9 $ en espèces par action.

b) Émission de 6 000 actions privilégiées à 18 $ l'action.

c) Émission de 500 actions privilégiées à 20 $ et de 1 000 actions ordinaires à 12 $ l'action.

Travail à faire

À l'aide de l'équation comptable, décrivez les incidences sur les postes du bilan et passez les écritures de journal requises pour chacune de ces opérations.

P10-4 **La comptabilisation des opérations et la comparaison des actions sans valeur nominale et des actions avec valeur nominale**

☐ OA1
☐ OA3

En janvier 2010, la société Magenta a obtenu une charte qui autorisait l'émission d'un nombre illimité d'actions ordinaires. Durant l'exercice 2010, les opérations suivantes se sont déroulées dans l'ordre donné :

a) Émission de 9 000 actions au comptant à 60 $ l'action.

b) Émission de 600 actions au comptant à 54 $ l'action.

Le bénéfice net pour 2010 était de 48 000 $.

Deux cas indépendants sont présentés à des fins comparatives.

Cas A Supposez que les actions ordinaires ont une valeur nominale de 25 $ l'action.

Cas B Supposez que les actions ordinaires n'ont aucune valeur nominale et que le prix de vente total est crédité au compte Actions ordinaires.

Travail à faire

1. À l'aide de l'équation comptable, décrivez les incidences sur les postes du bilan et passez les écritures de journal pour chacun des deux cas.

2. Le total des capitaux propres doit-il être le même dans les deux cas ? Expliquez votre réponse.

3. Un actionnaire doit-il se soucier du fait qu'une société émet des actions avec valeur nominale ou sans valeur nominale ? Expliquez votre réponse.

P10-5 **La présentation des capitaux propres à la suite des opérations choisies**

☐ OA1
☐ OA3

La société Grandmonde a obtenu sa charte québécoise le 1er janvier 2006. Celle-ci autorisait la société à émettre un nombre illimité d'actions ordinaires, sans valeur nominale. Trente résidents locaux sont devenus les actionnaires. Au cours du premier exercice, la société a réalisé un bénéfice net de 38 200 $, et certaines opérations se sont déroulées dans l'ordre donné.

a) Émission de 60 000 actions ordinaires à l'ensemble des 30 investisseurs à 12 $ l'action.

b) Achat de 2 000 actions à 15 $ par action de l'un des 30 actionnaires qui avait besoin d'argent et qui voulait vendre ses actions à la société. Cette dernière a choisi de garder les actions.

c) Vente de 1 000 actions autodétenues à un investisseur, deux mois après la transaction en b), pour 15 $ l'action.

Travail à faire

Préparez la section des capitaux propres du bilan de la société au 31 décembre 2006.

P10-6 La comptabilisation des opérations portant sur les capitaux propres (PS10-4)

La société Halliburton est une importante multinationale évoluant dans des secteurs liés à l'énergie. Le rapport annuel de Halliburton déclarait les opérations suivantes qui influent sur les capitaux propres:

a) Déclaration et distribution d'un dividende en espèces de 254,2 millions de dollars.

b) Émission d'un dividende en actions ordinaires de 20%. Il en résulte une émission de 89 millions d'actions supplémentaires avec une valeur totale de 222,5 millions de dollars.

Travail à faire

À l'aide de l'équation comptable, décrivez les incidences sur les postes du bilan pour chacune des opérations. Passez les écritures de journal pour comptabiliser chacune de ces opérations.

P10-7 La comparaison du dividende en actions et du dividende en espèces (PS10-5)

Au 31 décembre 2009, la société Aquatic ltée présente des actions en circulation et des bénéfices non répartis comme suit.

Actions ordinaires (sans valeur nominale, 30 000 actions en circulation)	240 000 $
Actions privilégiées, 7% (sans valeur nominale, 6 000 actions en circulation)	60 000
Bénéfices non répartis	280 000

Le conseil d'administration prévoit distribuer un dividende en espèces aux deux groupes d'actionnaires. Aucun dividende n'a été déclaré durant les deux exercices précédents. On suppose trois cas distincts:

Cas A Les actions privilégiées sont non cumulatives; le montant total des dividendes est de 30 000 $.

Cas B Les actions privilégiées sont cumulatives; le montant total des dividendes est de 12 600 $.

Cas C Comme dans le cas B, sauf que le montant est de 66 000 $.

Travail à faire

1. Calculez le montant des dividendes, au total et par action, qui serait payable à chacune des classes d'actionnaires dans chaque cas. Présentez vos calculs.

2. Supposez que la société a émis un dividende en actions ordinaires de 10% sur les actions en circulation lorsque leur valeur marchande par action était de 24 $ au lieu d'un dividende en espèces de 66 000 $. Remplissez le tableau comparatif suivant en expliquant les différences relevées.

Poste	Montant de l'augmentation (ou de la diminution) en dollars	
	Dividende en espèces – Cas C	**Dividende en actions**
Actif	$	$
Passif	$	$
Capitaux propres	$	$

P10-8 L'analyse de la politique en matière de dividendes

Anna et David, deux jeunes analystes financiers, ont examiné les états financiers de Compaq, un des plus grands fabricants d'ordinateurs personnels au monde. Anna a remarqué que la société n'avait pas comptabilisé de dividendes dans la section des activités d'investissement de l'état des flux de trésorerie. Elle a déclaré: «Le magazine *Forbes* avait nommé Compaq comme une des entreprises les plus performantes. Si cette entreprise est si performante, je me demande pourquoi elle ne verse pas de dividendes.» David n'était pas convaincu qu'Anna examinait la bonne source d'information pour les dividendes, mais il n'a rien répondu.

Anna a poursuivi: «Quand *Forbes* l'a sélectionnée comme société très performante, les ventes de Compaq ont doublé par rapport aux deux exercices précédents, tout comme elles avaient doublé au cours des deux exercices précédant ces deux années.

Son bénéfice net ne s'élevait qu'à 789 millions de dollars cette année, comparativement à 867 millions de dollars l'année précédente. Toutefois, le flux de trésorerie provenant de l'exploitation s'élevait à 43 millions de dollars comparativement à un décaissement de 101 millions de dollars pour l'exercice précédent. »

À ce moment-là, David a remarqué que l'état des flux de trésorerie mentionnait que Compaq avait investi 703 millions de dollars dans l'achat d'actifs immobilisés cette année comparativement à 408 millions de dollars dans l'exercice précédent. Il a également été étonné de constater que les stocks et les comptes clients avaient augmenté respectivement de 1 milliard de dollars et de près de 2 milliards de dollars l'année précédente. David a donc répliqué : « C'est pour cela qu'elle n'est pas en mesure de verser un dividende ; elle a généré moins de 1 milliard de dollars de ses activités d'exploitation et a dû les réinvestir dans les comptes clients et les stocks. »

Travail à faire

1. Corrigez les erreurs commises par Anna ou David. Expliquez votre réponse.
2. Parmi les facteurs présentés dans ce cas, lequel vous aide à comprendre la politique en matière de dividendes de Compaq ?

P10-9 **Les effets des dividendes sur les états financiers**

La société Lyne compte 60 000 actions ordinaires en circulation sans valeur nominale pour un total de 600 000 $ et 25 000 actions privilégiées sans valeur nominale de 8 % pour un total de 500 000 $. Le 1er décembre 2008, le conseil d'administration a voté un dividende en espèces de 8 % sur les actions privilégiées et un dividende en actions ordinaires de 10 % sur les actions ordinaires. À la date de déclaration, les actions ordinaires se vendaient 35 $ et les actions privilégiées, 20 $ l'action. Les dividendes doivent être versés ou émis le 15 février 2009. L'exercice annuel se termine le 31 décembre.

Travail à faire

Comparez et expliquez les effets des deux dividendes sur l'actif, le passif et les capitaux propres :

a) jusqu'au 31 décembre 2008 ;
b) le 15 février 2009 ;
c) les effets globaux du 1er décembre 2008 au 15 février 2009.

Poste	Comparaison et explication des effets des dividendes	
	Dividende en espèces sur les actions privilégiées	Dividende en actions sur les actions ordinaires
a) Jusqu'au 31 décembre 2008 : Actif, etc.	$	$
	$	$

P10-10 **La comptabilisation du dividende en actions et en espèces**

Adobe Systems met au point et commercialise des logiciels, notamment Adobe Acrobat. Celui-ci permet aux utilisateurs d'accéder à des données sous forme de publications imprimées et électroniques. Un communiqué de presse pourrait contenir l'information ci-après.

> **Le 16 septembre 2006**
>
> Adobe Systems, une société états-unienne, déclare des produits et des profits d'exploitation jamais atteints pour le troisième trimestre. Le conseil d'administration annonçait un dividende en actions de 100 % qui serait versé le 26 octobre aux actionnaires inscrits le 4 octobre. Le conseil déclarait aussi un dividende en espèces pour le trimestre de 0,0065 $ l'action (une hausse de 3 %), payable le 12 octobre aux actionnaires inscrits depuis le 28 septembre.

Travail à faire

1. À l'aide de l'équation comptable, décrivez les incidences sur les postes du bilan et passez les écritures de journal requises en tenant compte des données présentées dans le rapport précédent. Supposez que la société a 1 million d'actions en circulation avec une valeur nominale de 0,50 $ l'action et que la valeur marchande est de 40 $ l'action.

2. Selon vous, qu'est-il advenu du cours des actions de la société après la déclaration du 16 septembre ?

3. Quels facteurs le conseil d'administration a-t-il considérés en prenant cette décision ?

P10-11 **La comparaison des sections des capitaux propres pour diverses formes d'entreprises (Annexe 10-A)**

Dans chacun des cas suivants, posez l'hypothèse que l'exercice annuel se termine le 31 décembre 2010 et que le compte sommaire des résultats à cette date reflète une perte nette de 20 000 $.

Cas A Supposez que la société est une entreprise individuelle qui appartient au propriétaire A. Avant que les écritures de clôture ne soient passées, le compte Capital reflétait un solde (créditeur) de 50 000 $ et le compte Prélèvements, un solde (débiteur) de 8 000 $.

Cas B Supposez que l'entreprise est une société de personnes qui appartient aux associés A et B. Avant que les écritures de clôture ne soient passées, les comptes Capitaux des associés présentaient les soldes suivants : A, capital, 40 000 $, prélèvements, 5 000 $; B, capital, 38 000 $, prélèvements, 9 000 $. Les profits et les pertes sont divisés également.

Cas C Supposez maintenant que l'entreprise est une société de capitaux. Avant que les écritures de clôture ne soient passées, les comptes Capitaux propres se lisaient comme suit : Actions ordinaires, sans valeur nominale, actions autorisées en nombre illimité, 15 000 actions en circulation pour une valeur totale de 155 000 $; bénéfices non répartis au 1er janvier 2010, 65 000 $.

Travail à faire

1. Décrivez les incidences sur les postes du bilan et passez toutes les écritures de clôture nécessaires au 31 décembre 2010 dans chacun de ces cas.

2. Montrez comment la section des capitaux propres du bilan devrait apparaître au 31 décembre 2010 dans chacun des cas.

Problèmes supplémentaires

□ OA1
□ OA2
□ OA3
□ OA4
□ OA6

PS10-1 **La recherche des montants manquants (P10-1)**

Les livres de la société Bruno contenaient les données partielles suivantes :

> **AVANT LE FRACTIONNEMENT D'ACTIONS**
> Actions ordinaires (sans valeur nominale ; aucun changement en 2008)
>   Actions autorisées en nombre illimité
>   Actions émises, 300 000 ; prix d'émission de 50 $ l'action
> Bénéfice net pour 2008 : 800 000 $
> Dividendes déclarés et versés durant 2008 : 2,50 $ l'action
> Solde des bénéfices non répartis, 1er janvier 2008 : 2 900 000 $
> **APRÈS LE FRACTIONNEMENT D'ACTIONS**
> Actions autodétenues, 5 000 actions : 130 000 $
> Les actions autodétenues ont été rachetées après l'émission du fractionnement.

Travail à faire

AVANT LE FRACTIONNEMENT D'ACTIONS

1. Le nombre d'actions ordinaires en circulation est de _____.
   Le RPA est de _____ $.

2. Le dividende versé en 2008 est de _____ $.

3. Considérez qu'un dividende en actions de 10 % est déclaré et émis, en plus du dividende versé en espèces, quand la valeur marchande des actions ordinaires était de 21 $. Expliquez comment chacun des comptes des capitaux propres changera. Après cette transaction, les bénéfices non répartis seront de _____ $.

APRÈS LE FRACTIONNEMENT D'ACTIONS

Ne tenez pas compte du dividende en actions (supposé en 3).

4. Supposez plutôt que le conseil d'administration a voté, en plus du dividende versé en espèces, un fractionnement d'actions de 100 % (le nombre d'actions doublera). Après le fractionnement d'actions :

le nombre d'actions en circulation sera de _____ ;

la valeur attribuée par action sera de_____ $;

les bénéfices non répartis seront de _____ $.

5. Le rachat subséquent de 5 000 actions sera présenté comme (nom du poste) _____ dans la section _____ au montant total de _____ $ en _____ (diminution ou augmentation). Le prix de rachat par action est de _____ $.

PS10-2 **La comptabilisation des opérations influant sur les capitaux propres (P10-3)**

La société Arnold a obtenu une charte lui autorisant le capital social suivant :

Actions ordinaires en nombre illimité, sans valeur nominale ;

Actions privilégiées à 8 %, sans valeur nominale, en nombre illimité.

Durant la première année, en 2006, les opérations suivantes se sont déroulées dans l'ordre donné.

a) Émission de 30 000 actions ordinaires à 40 $ l'action au comptant et de 5 000 actions privilégiées à 26 $ l'action au comptant.

b) Émission de 2 000 actions privilégiées au moment où l'action se vend 32 $.

c) Rachat de 3 000 actions ordinaires à 38 $ l'action et annulation subséquente.

Travail à faire

1. À l'aide de l'équation comptable, décrivez les incidences de chacune de ces opérations sur les postes du bilan.

2. Combien d'actions seront émises après le rachat et l'annulation ?

PS10-3 **L'établissement de la section des capitaux propres**

En janvier 2007, la société Marine mondiale a obtenu une charte provinciale québécoise. Celle-ci autorise un nombre illimité d'actions ordinaires, sans valeur nominale. Durant le premier exercice, les opérations suivantes se sont produites dans l'ordre donné :

a) Émission de 700 000 actions ordinaires à 54 $ l'action.

b) Déclaration et émission d'un dividende en actions de 5 % le 1er décembre 2007, alors que la valeur boursière était de 40 $ l'action.

c) Le 31 décembre 2007, soit à la fin de la première année d'exploitation, on a déterminé que les comptes affichaient un bénéfice de 2 429 000 $.

Travail à faire

Établissez la section des capitaux propres du bilan au 31 décembre 2007.

PS10-4 **La comptabilisation des opérations portant sur les capitaux propres (P10-6)**

Le rapport annuel de Marchand décrivait les opérations suivantes qui influent sur les capitaux propres :

a) Déclaration d'un dividende en espèces pour un montant de 374 millions de dollars.

b) Émission d'actions privilégiées de série B (sans valeur nominale) pour 157 millions de dollars.

c) Émission de 1 million d'actions ordinaires sans valeur nominale pour 10 millions de dollars.

d) Émission d'un dividende en actions ordinaires de 10 % alors que la valeur marchande de une action est de 12 $ et la valeur attribuée est de 10 $.

Travail à faire

1. À l'aide de l'équation comptable, décrivez les incidences de chacune de ces opérations sur les postes du bilan.

2. Passez les écritures de journal pour comptabiliser chacune de ces opérations.

OA3
OA7

OA1
OA3

OA3
OA4
OA6
OA7

PS10-5 La comparaison du dividende en actions et du dividende en espèces (P10-7)

La société Ritz dispose des actions en circulation et des bénéfices non répartis suivants au 31 décembre 2009 :

Actions ordinaires (sans valeur nominale, 50 000 actions)	500 000 $
Actions privilégiées, 8 % (sans valeur nominale, 21 000 actions en circulation)	210 000
Bénéfices non répartis	900 000

Le conseil d'administration prévoit distribuer un dividende en espèces aux deux groupes d'actionnaires. Aucun dividende n'a été déclaré durant les deux exercices précédents. On suppose trois cas distincts.

Cas A Les actions privilégiées sont non cumulatives ; le montant total du dividende est de 25 000 $.

Cas B Les actions privilégiées sont cumulatives ; le montant total du dividende est de 25 000 $.

Cas C Même situation qu'en B, sauf que le montant du dividende est de 75 000 $.

Travail à faire

1. Calculez le montant du dividende, au total et par action, qui serait payable à chacune des classes d'actionnaires dans chaque cas. Présentez vos calculs.

2. Supposez que la société a émis un dividende en actions ordinaires de 15 % sur les actions en circulation, au lieu d'un dividende en espèces, lorsque leur valeur marchande par action était de 13 $. Remplissez le tableau comparatif suivant en expliquant les différences entre un dividende en espèces et un dividende en actions.

	Montant de l'augmentation (ou de la diminution) en dollars	
Poste	Dividende en espèces – Cas C	Dividende en actions
Actif	$	$
Passif	$	$
Capitaux propres	$	$

Cas et projets

Cas – Rapport annuels

CP10-1 La recherche d'informations financières

Reitmans (Canada) limitée ◆

Reportez-vous aux états financiers de la société Reitmans (*voir l'annexe C à la fin de ce manuel*). Pour chacune des questions, indiquez l'endroit où vous avez trouvé l'information ou l'endroit où vous avez cherché l'information si elle n'était pas disponible.

Travail à faire

1. Quel est le nombre d'actions en circulation de chaque catégorie à la fin de l'exercice courant ?

2. La société a-t-elle versé des dividendes durant l'exercice courant ? Si oui, combien en a-t-elle versé par action et au total, et pour chaque catégorie d'actions ?

3. La société a-t-elle racheté des actions ? Si oui, combien, à quelle valeur et comment a-t-elle comptabilisé la transaction ?

4. La société a-t-elle émis un dividende par actions ou effectué un fractionnement d'actions ? Si oui, décrivez-le.

5. Quelle est la valeur nominale des actions ordinaires ?

6. Combien d'actions ordinaires sont autorisées ?

7. La société a-t-elle des options d'achat d'actions en circulation ? Si oui, combien en a-t-elle et à quel prix ?

8. La société a-t-elle émis des actions au cours du dernier exercice présenté ?

9. En vous référant aux données publiées sur le Web ou dans les journaux, déterminez le cours des actions aujourd'hui.

CP10-2 La recherche d'informations financières

Reportez-vous aux états financiers de la société Le Château (*voir l'annexe B à la fin de ce manuel*). Pour chacune des questions, indiquez l'endroit où vous avez trouvé l'information ou l'endroit où vous avez cherché l'information si elle n'était pas disponible.

◆ Le Château inc. ▢ OA1
▢ OA3
▢ OA4
▢ OA6

Travail à faire

1. La société possède-t-elle des actions autodétenues ? Si oui, combien en possède-t-elle ?

2. Décrivez chaque catégorie autorisée d'actions ordinaires et d'actions privilégiées.

3. La société a-t-elle versé un dividende au cours de l'exercice le plus récent ? Si oui, de combien et de quel type ?

4. La société a-t-elle émis des actions au cours des exercices couverts par les états financiers ? Si oui, combien, à quel montant et quelles étaient les raisons de l'émission ?

5. Y a-t-il eu conversion d'actions au cours de l'exercice le plus récent ? Si oui, décrivez-la.

6. Décrivez la politique en matière de dividendes de l'entreprise au cours des cinq dernières années et faites le lien avec les résultats et les acquisitions de l'entreprise ainsi qu'avec l'évolution du prix de l'action.

7. Durant la période couverte par les états financiers, la société a-t-elle émis un dividende en actions ou effectué un fractionnement d'actions ? Si oui, décrivez-le. Sinon, à quoi le voyez-vous ?

8. La société possède-t-elle un régime d'options d'achat d'actions ? Si oui, combien d'options pouvaient être exercées à la fin de l'exercice courant et à quel prix ?

CP10-3 La comparaison de sociétés évoluant dans le même secteur d'activité

Reportez-vous aux états financiers de la société Reitmans, aux états financiers de la société Le Château ainsi qu'aux ratios industriels (*voir les annexes B, C, et D à la fin de ce manuel*).

◆ Reitmans (Canada) limitée ▢ OA3
et Le Château inc. ▢ OA4

Travail à faire

1. Il faut noter que les sociétés Reitmans et Le Château ont versé un dividende au cours de chacun des exercices précisés. Pourquoi croyez-vous que ces deux entreprises ont établi des politiques semblables en matière de dividendes ?

2. Pour l'année courante, calculez les taux de rendement par action pour les deux sociétés. Utilisez le cours de l'action le plus élevé durant le dernier trimestre de l'année la plus récente pour faire vos calculs.

3. Examinez le taux de rendement par action du secteur de la vente de vêtements au détail (*voir l'annexe D à la fin de ce manuel*). Quelle semble être la norme en matière de politique de dividende dans ce secteur d'activité ? Examinez les états financiers de Sears, La Baie, Magasins Hart. À la suite de ces comparaisons, que pouvez-vous conclure au sujet de la norme en matière de politique de dividendes dans ce secteur d'activité au Canada ?

4. À titre d'investisseur, achèteriez-vous les actions d'entreprises qui n'ont pas l'intention de verser de dividendes dans un avenir rapproché ? Expliquez votre réponse.

5. En utilisant les informations qui figurent dans le tableau ci-dessous, comparez le taux de rendement par action dans le secteur de la vente de vêtements au détail à celui du secteur des sociétés pharmaceutiques et des entreprises de services publics telle la distribution de gaz. Quel type d'investisseur serait intéressé à acheter des actions dans une entreprise de services publics plutôt que dans un magasin de vente au détail ? Expliquez votre réponse.

Le taux de rendement par action dans divers secteurs (Dividende ÷ Cours d'une action)

Vente de vêtements au détail	Sociétés pharmaceutiques	Services publics – distribution de gaz
0,33 %	2,6 %	3,8 %

Cas – Analyse financière

CP10-4 Le calcul des dividendes pour une société réelle

Le rapport annuel récent de la société Halliburton, une société américaine, contenait les informations suivantes (en millions de dollars des États-Unis) :

Capitaux propres	Exercice actuel	Exercice précédent
Actions ordinaires, valeur nominale de 2,50 $, 2 000 actions autorisées	298,3 $	298,4 $
Surplus d'apport – prime à l'émission d'actions ordinaires	130,5	129,9
Bénéfices non répartis	2 080,8	2 052,3
Actions autodétenues (12,8 et 13,0)	382,2	384,7

Au cours de l'exercice, Halliburton a déclaré et versé un dividende en espèces de 1 $ par action. Quel serait le montant total du dividende déclaré et versé si celui-ci avait été basé sur le montant des actions en circulation à la fin de l'exercice ? Quel est le total des capitaux propres ?

CP10-5 L'interprétation de la presse financière

Comme nous l'avons vu dans ce chapitre, il arrive que les sociétés rachètent leurs propres actions pour plusieurs raisons. Un article à ce sujet est disponible sur le site www.cheneliere.ca. Lisez d'abord l'article « Stock Market Time Bomb », puis rédigez un résumé de cet article. En général, croyez-vous qu'un important rachat d'actions est intéressant pour les investisseurs ?

Cas – Analyse critique

CP10-6 La prise de décision à titre d'analyste financier

Supposez que vous êtes conseiller en placement et que vous avez deux clients. Le premier est un récent diplômé universitaire et le second, un couple de retraités. Vous avez récemment examiné le rapport annuel de la société Philip Morris, qui vend des produits populaires, du tabac et de la bière ainsi que les marques d'aliments Kraft. Vous avez été impressionné par l'augmentation de 22 % du bénéfice net de la société. Vous avez aussi remarqué que la société générait plus de 8 milliards de dollars en flux de trésorerie provenant de l'exploitation et qu'elle versait 1,68 $ l'action en dividende. Le taux de rendement des actions était de 6,7 %, un des plus élevés que vous avez pu trouver parmi les grandes sociétés bien connues. À partir de cette information et de vos connaissances actuelles sur la société Philip Morris, recommanderiez-vous ces actions à l'un de vos clients ?

CP10-7 L'évaluation d'un problème d'éthique

Vous êtes membre du conseil d'administration d'une importante entreprise en affaires depuis plus de 100 ans. La société est fière parce qu'elle verse des dividendes chaque année, et ce, depuis sa constitution. En raison de sa stabilité, bon nombre de retraités ont investi de fortes sommes de leurs épargnes dans les actions ordinaires de cette entreprise. Malheureusement, la société est aux prises avec des difficultés financières depuis quelques années, car elle a tenté d'introduire de nouveaux produits et prévoit maintenant ne pas verser de dividende cette année. Le président souhaite ne pas distribuer de dividende afin de disposer de plus de liquidités pour investir dans le développement des produits : « Si nous n'investissons pas ces sommes maintenant, ces produits ne seront pas introduits sur le marché et nous ne pourrons sauver l'entreprise. Je ne veux pas que des milliers de salariés perdent leur emploi. » Un des plus anciens membres du conseil d'administration s'est ensuite exprimé : « Si nous ne versons pas de dividende, des millions de retraités seront aux prises avec des difficultés financières. Même si vous ne vous en faites pas pour eux, vous devez être conscient du fait que le cours de nos actions chutera quand ils vendront leurs actions. » Le trésorier de l'entreprise propose une solution de rechange: «Ne distribuons pas le dividende en espèces et versons un dividende en actions. Nous pourrons alors toujours affirmer que nous avons versé un dividende chaque année.» Tout le conseil se tourne maintenant vers vous pour connaître votre opinion. Que devrait faire l'entreprise?

CP10-8 L'évaluation d'un problème d'éthique

OA4

Vous êtes le président d'une entreprise très prospère qui a connu une année remarquablement fructueuse. Vous avez déterminé que la société possédait plus de 10 millions de dollars en flux de trésorerie provenant de l'exploitation qui n'étaient pas nécessaires pour l'entreprise. Vous pensez les verser aux actionnaires à titre de dividendes particuliers. Vous avez discuté de cette idée avec votre vice-président qui réagit négativement à votre suggestion: «Le cours de nos actions a augmenté de 200% au cours de la dernière année. Que devons-nous faire de plus pour les actionnaires? Les gens qui méritent réellement cet argent sont nos employés qui travaillent 12 heures par jour, de six à sept jours par semaine pour rendre cette entreprise prospère. La plupart d'entre eux n'ont même pas pris de vacances l'an dernier. J'estime que nous devons leur verser des primes et ne rien distribuer aux actionnaires.» À titre de président, vous savez que c'est le conseil d'administration qui vous a engagé, et que ce dernier est élu par les actionnaires. Quelles sont vos responsabilités à l'égard des deux groupes d'intérêt? À quel groupe verseriez-vous les 10 millions de dollars?

CP10-9 L'évaluation d'un problème d'éthique

OA4

Vous êtes membre du conseil d'administration d'une entreprise de fabrication de taille moyenne cotée à la Bourse de Toronto. Le président de l'entreprise a recommandé que l'entreprise rachète 5% des actions en circulation au cours des 10 prochains jours. Le rachat est recommandé, car la société dispose de beaucoup de liquidités dont elle n'a pas besoin. Plus tôt dans la journée, vous avez appris que la société annoncera l'amélioration d'un produit au cours du mois. Cette amélioration aura des conséquences très importantes sur la rentabilité de l'entreprise et le cours de ses actions. Vous vous inquiétez du fait que la société souhaite racheter une grande quantité de ses actions avant de faire la déclaration concernant le produit amélioré. Le président a assuré le conseil qu'il n'y avait pas de problème, car la société ne pouvait déclarer de profits sur les opérations portant sur les actions rachetées et que, s'il a un gain économique, tous les actionnaires en profiteront. Rédigez une note brève pour le conseil d'administration dans laquelle vous recommandez l'action à entreprendre que vous jugez appropriée.

Projets – Information financière

CP10-10 Projet en équipe – examiner des rapports annuels

OA1
OA3
OA4
OA7

En équipe, choisissez un secteur d'activité à analyser. Chaque membre de l'équipe doit se procurer le rapport annuel d'une société ouverte de ce secteur, différente de celles que choisissent les autres membres. (Consultez, par exemple, le site Web de la société ou le service SEDAR à www.sedar.com).

Travail à faire

Individuellement, chacun rédige un bref rapport afin de répondre aux questions suivantes concernant l'entreprise choisie. En équipe, discutez des similarités que vous avez relevées entre les sociétés. Ensuite, écrivez un bref rapport d'équipe où vous relevez les similitudes et les différences entre ces entreprises.

1. a) Énumérez les comptes et leurs montants dans la section des capitaux propres.
   b) En examinant la note pertinente au capital social des états financiers, relevez tout aspect particulier des actions (par exemple les actions privilégiées convertibles, les actions ordinaires sans valeur nominale, etc.), le cas échéant.
2. La société a-t-elle émis des actions au cours du plus récent exercice? Si oui, combien et à quel montant? (Vous aurez besoin de l'état des flux de trésorerie pour connaître le montant qui provient de l'émission, le cas échéant).
   a) Quelle a été la valeur moyenne par action de cette émission?
   b) Présentez l'écriture de journal de l'émission ainsi que le tableau des incidences sur les états financiers.

3. La société a-t-elle racheté de ses actions au cours de l'exercice? Si oui, comment la société a-t-elle comptabilisé le rachat?

4. Quels types de dividendes, le cas échéant, la société a-t-elle déclaré au cours de l'exercice? Combien ont été versés en espèces? Si la société n'a pas payé de dividende durant l'exercice, expliquez pourquoi.

5. Calculez le taux de rendement par action dans le cas de chaque société pour les trois derniers exercices. Faites l'analyse comparative dans le temps et entre les compétiteurs, et tirez vos conclusions quant à la politique de dividende des sociétés et du secteur d'activité.

Les placements

ROGERS
COMMUNICATIONS INC.

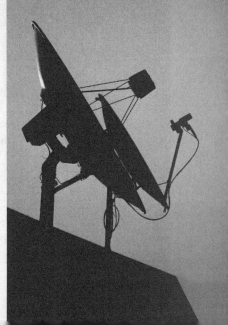

Rogers Communications inc.

De père en fils – Stratégie d'investissement dans l'industrie de la communication

Edward S. (Ted) Rogers, père, rêvait de voir la radio dans chaque foyer pour divertir, informer et éduquer. Il inventa la première lampe de radio à courant alternatif en 1925. Son fils, Edward S. (Ted) Rogers, a poursuivi son œuvre et réussi à créer un empire dans le domaine des télécommunications.

Aujourd'hui, le nom Rogers Communications est bien connu dans les domaines de la câblodistribution, des médias, de la téléphonie cellulaire et par câble. Avec plus de 7 milliards de dollars de chiffre d'affaires, la société Rogers (dont le siège social se situe à Toronto) est devenue un conglomérat canadien de la communication. Elle exploite divers secteurs d'activité connexes par l'entremise de ses quatre filiales : Rogers Sans-fil inc., Rogers Câble inc., Rogers Media inc. et Rogers Telecom Holdings inc. La vente de vidéos, l'exploitation de stations de radio et de télévision, et la production de nombreuses revues comptent aussi parmi les activités de l'entreprise.

Plus précisément, Rogers Media exploite plus de 46 stations de radio AM et FM réparties à travers le Canada et des stations de télévision telles que CFMT (une station multiculturelle), Sportsnet (une station consacrée aux sports) et The Shopping Channel (une station de télévente). En outre, elle publie environ 70 magazines grand public dont *Maclean's*, *Châtelaine*, *Flare*, *L'Actualité*, *Marketing* et *Canadian Business*. Les sites Internet Quicken.ca, ElectricLibraryCanada et Excite.ca lui appartiennent. Elle rapporte également les résultats financiers de l'équipe de base-ball les Blue Jays de Toronto.

Quant à Rogers Sans-fil, c'est le plus important fournisseur de services sans fil de transmission de la voix et de données au Canada. Cette société compte plus de 5,5 millions d'abonnés et près de 0,2 million d'abonnés au service de télémessagerie unidirectionnelle. Son réseau GSM-GPRS (groupe spécial mobile – service radio commuté par paquets) doté de la technologie EDGE (service de données évolué pour réseau GSM) touche environ 93 % de la population canadienne. L'accès au marché américain est aussi possible grâce à des ententes de déplacement conclues avec divers exploitants de service sans-fil aux États-Unis. Sur la scène internationale, l'accès est également possible dans plus de 170 pays.

De son côté, Rogers Câble domine le marché de la câblodiffusion au Canada en offrant l'accès à la haute vitesse, à la téléphonie et à la vente de vidéocassettes au détail.

Rogers Telecom fournit des solutions de transmission de la voix et de données ainsi que des solutions Internet et sans-fil aux particuliers et aux entreprises de toutes tailles.

Le domaine de la technologie progresse à un rythme fulgurant. Pour tenir le coup, les entreprises dans ce domaine ont grandi grâce à l'acquisition d'autres entreprises dont la technologie était à la fine pointe. Ces acquisitions offraient aussi l'opportunité d'augmenter la clientèle, ce qui permettait une meilleure absorption des coûts importants de recherche et développement. Cette situation s'est produite lorsque Rogers a fait l'acquisition de Microcell Telecom inc. (Fido) à la fin de 2004. Pour réduire la compétition et augmenter leur rentabilité, les entreprises continueront probablement à se regrouper. Ainsi, elles bénéficient des économies d'échelle. Verra-t-on un jour la fusion de Rogers avec Québecor, Bell Canada ou un autre géant de la communication ?

Parlons affaires

Bon nombre de facteurs stratégiques incitent les gestionnaires à faire des investissements dans les valeurs mobilières. Une société peut investir un excédent de trésorerie dans les actions ou les obligations d'autres sociétés de façon transitoire ou à long terme afin d'obtenir un rendement durant l'intervalle où ils sont placés. Ces placements sont dits « non stratégiques », car les gestionnaires ne sont pas intéressés à influencer ou à contrôler les autres sociétés. Le bilan de Rogers ne présente pas de placements à court terme, mais on y trouve plutôt un compte de placement à long terme (138 212 000 $). La note 7 explique ces placements, qui ne sont pas présentés selon les nouvelles normes en vigueur pour les exercices débutant le 1er octobre 2006 (*voir le tableau 11.1a ci-dessous*). Nous avons donc modifié la présentation de la note 7 pour refléter les nouvelles normes de présentation en fonction de l'information fournie par Rogers (*voir le tableau 11.1b à la page suivante*).

TABLEAU 11.1a	Note afférente aux investissements

Note afférente aux états financiers consolidés
Pour l'exercice terminé le 31 décembre 2005

7. Investissements (en milliers de dollars)*

			2005		2004	
	Nombre	Description	Valeur du marché	Valeur comptable	Valeur du marché	Valeur comptable
Placements comptabilisés à la valeur de consolidation				9 047 $		9 348 $
Placements comptabilisés à la valeur d'acquisition, net des dévaluations :						
Sociétés ouvertes						
Cogeco Câble	6 595 675 (2004 – 6 595 675)	Ordinaires, votantes, subordonnées	161 594 $	68 884	169 179 $	68 884
Cogeco inc.	3 399 800 (2004 – 3 399 800)	Ordinaires, votantes, subordonnées	81 595	44 438	76 190	44 438
Autres sociétés ouvertes cotées en Bourse			11 998	2 845	23 772	3 551
			255 187 $	116 167	269 141 $	116 873
Sociétés privées				12 998		12 949
				138 212 $		139 170 $

* Présentation publiée par la société

Au moment de la publication de ce manuel, les sociétés n'étaient pas encore tenues d'adopter les nouvelles normes comptables sur les placements. Ces nouvelles normes s'appliquent pour les exercices financiers débutant le 1er octobre 2006 (2007 dans le cas des petites entreprises). En toute probabilité, Rogers ne présentera ses placements selon les nouvelles normes qu'aux états financiers de 2007. Nous avons cependant modifié la présentation de la note 7 ci-dessus pour refléter les nouvelles normes de comptabilisation et de présentation (*voir le tableau 11.1b à la page suivante*).

Rogers Communication inc.
Note afférente aux états financiers consolidés
pour l'exercice terminé le 31 décembre 2005

Présentation modifiée pour tenir compte des nouvelles normes de présentation

7. Investissements (en milliers de dollars)

	2005	2004
Placements comptabilisés à la valeur de consolidation	9 047 $	9 348 $
Placements non stratégiques disponibles à la vente*		
Évalués à la valeur du marché		
Cogeco Câble	161 594	169 179
Cogeco inc.	81 595	76 190
Autres sociétés ouvertes cotées en Bourse	11 998	23 772
Évalués à la valeur d'acquisition		
Sociétés privées	12 998	12 949
Montant présenté au bilan selon les nouvelles normes	277 232	291 438
Montant présenté au bilan selon les anciennes normes	138 212	139 170
Gains latents sur les placements (à présenter comme *Autres éléments du résultat étendu*, dans la section des capitaux propres)	139 020 $	152 268 $

* Nous avons posé l'hypothèse que tous les placements non stratégiques sont des titres disponibles à la vente et non des titres détenus à des fins de transaction (ces expressions vous seront expliquées dans ce chapitre).

Il arrive parfois qu'une société décide d'investir dans une autre société avec l'intention d'influencer les politiques et les activités de cette entreprise. Rogers présente de tels placements comme le montre la note 7 sous la rubrique Placements comptabilisés à la valeur de consolidation. Finalement, la direction d'une entreprise peut décider de contrôler une autre société (ou plusieurs autres sociétés) en l'achetant directement ou en devenant son actionnaire majoritaire : cette société devient alors la filiale. Dans ce cas, les états financiers des deux entreprises sont additionnés et sont alors désignés comme des états financiers consolidés. La note 1 annexée au rapport annuel énumère les filiales de Rogers qui ont été consolidées. De plus, la note 3 décrit les récentes acquisitions de Rogers dont Call-Net Enterprises inc. en 2005 et Microcell Telecommunications inc. (Fido) en 2004.

Dans ce chapitre, nous discuterons de la comptabilisation de quatre types de placements. Nous présenterons d'abord les placements non stratégiques dans les obligations. Nous examinerons les placements non stratégiques dans les actions d'autres sociétés (les instruments de capitaux propres). Nous présenterons ensuite les placements stratégiques dans les actions d'autres sociétés détenues dans le but d'exercer une influence sur leurs activités. Enfin, le chapitre se termine par une discussion sur la comptabilisation des acquisitions d'entreprises et des états financiers consolidés.

Les types de placements et les méthodes comptables

La méthode comptable utilisée pour comptabiliser les placements est directement liée à l'intention de la direction en ce qui concerne la période durant laquelle elle prévoit les détenir. Pour ce qui est des placements en actions, la quantité d'actions détenues est aussi importante.

Les placements non stratégiques dans les instruments de passif et de capitaux propres

Les placements non stratégiques (les instruments financiers) sont effectués en vue d'obtenir un rendement sur des fonds. Ils sont de nature transitoire ou à long terme en fonction des besoins et des objectifs de l'entreprise. Cette catégorie comprend à la fois les placements dans des instruments de dette (les obligations, les hypothèques, etc.) et dans des valeurs mobilières (les actions).

Les placements dans des instruments de dette sont toujours considérés comme non stratégiques. Si l'intention de la direction est de conserver ces investissements jusqu'à la date d'échéance, les placements sont mesurés et présentés au coût. Si on prévoit les vendre avant la date d'échéance, ils seront présentés à la valeur du marché.

Pour ce qui est des placements dans les valeurs mobilières, on présume qu'ils ne sont pas stratégiques si la société participante détient moins de 20 % des actions ordinaires avec droit de vote en circulation de la société émettrice. La **société participante** est la société qui détient des actions avec droit de vote d'une autre société que nous appelons « **société émettrice** ». Les placements non stratégiques dans les actions d'une autre société sont présentés à la valeur du marché.

Les placements dans les actions en vue d'exercer une influence notable

L'**influence notable** donne à la société participante la possibilité d'influer sur les politiques stratégiques en matière d'exploitation, de financement et d'investissement de la société émettrice. Il existe une présomption d'influence notable lorsque la société participante détient entre 20 % et 50 % des actions avec droit de vote de la société émettrice (qu'on nomme société « satellite »). Cependant, d'autres facteurs pourraient également indiquer que l'influence notable existe, par exemple la participation au conseil d'administration de la société satellite, la participation à l'élaboration de ses politiques, l'évidence d'opérations importantes entre les deux sociétés, l'échange de cadres ou de technologies. Pour ce genre de placements, la méthode de la valeur de consolidation (ou méthode de la mise en équivalence) est utilisée en ce qui a trait à la mesure et à la présentation. Cette méthode est définie un peu plus loin dans le texte.

Les placements dans les actions en vue d'obtenir le contrôle

Le contrôle est l'habileté à déterminer les politiques stratégiques en matière d'exploitation, d'investissement et de financement d'une autre société pour laquelle on détient des actions avec droit de vote. En pratique, la présomption du contrôle existe lorsque la société participante détient plus de 50 % des actions avec droit de vote de la société émettrice. Les règles en matière de consolidation prévalent dans cette situation.

Voici le résumé des catégories de placements et de leur méthode de comptabilisation que nous examinerons dans les sections suivantes.

La **société participante** est la société qui détient des actions avec droit de vote d'une autre société.

La **société émettrice** est la société qui a émis les actions détenues par une autre société.

L'**influence notable** est présente lorsque la société participante peut influencer les décisions stratégiques de la société émettrice.

Placements dans les instruments d'autres sociétés

Instruments de passif
Non stratégiques

< 20 % des actions en circulation
Non stratégiques

20–50 % des actions en circulation
Influence notable

> 50 % des actions en circulation
Contrôle

Catégorie de placement	Placement dans des instruments de passif d'une autre société		Placement dans les actions ordinaires avec droit de vote d'une autre société (instruments de capitaux propres)		
	Non stratégique		Non stratégique	Influence notable	Contrôle
Niveau de propriété	Détenu jusqu'à l'échéance	Non détenu jusqu'à l'échéance	< 20 % des actions en circulation	20–50 % des actions en circulation	> 50 % des actions en circulation
Méthode de comptabilisation	Coût amorti	Valeur du marché		Valeur de consolidation	Consolidation des états financiers

Les instruments de passif détenus jusqu'à l'échéance : la méthode du coût amorti

OBJECTIF D'APPRENTISSAGE **1**

Analyser et présenter les placements en obligations détenus jusqu'à leur échéance.

Les placements détenus jusqu'à l'échéance sont des placements dans des obligations que l'entreprise a l'intention et la capacité de conserver jusqu'à leur échéance.

La méthode du coût amorti présente les placements dans les obligations détenus jusqu'à l'échéance à leur coût ajusté en tenant compte de toute prime ou de tout escompte.

Lorsque la direction décide de garder des titres d'obligations jusqu'à leur date d'échéance (lorsque le capital est dû), on comptabilise ces titres dans le compte **Placements détenus jusqu'à l'échéance.** On enregistre ces placements dans des instruments de passif selon la **méthode du coût amorti,** c'est-à-dire le coût d'acquisition ajusté en tenant compte de l'amortissement de toute prime ou de tout escompte à l'achat et non à la valeur du marché. La raison est fort simple : les fluctuations de la valeur du marché n'affectent nullement les liquidités que touchera la société à l'échéance des obligations.

L'achat d'obligations

À la date d'acquisition, les obligations peuvent être acquises à leur **valeur nominale** ou à un montant plus élevé (**à prime**) ou moins élevé (**à escompte**)[1]. Le coût total de l'obligation, y compris les frais d'acquisition tels que les frais de transfert ou les frais de courtage, est porté au compte Placements détenus jusqu'à l'échéance.

L'exemple suivant présente l'achat d'un placement en obligations. Supposons que Rogers a payé la valeur nominale de 100 000 $[2] le 1er juillet 2010 pour des obligations portant un intérêt de 8 % et venant à échéance le 30 juin 2015. Les intérêts de 8 % sont payés semi-annuellement, soit le 30 juin et le 31 décembre. La direction de l'entreprise a l'intention de garder ces obligations de cinq ans jusqu'à l'échéance.

Voici l'incidence sur l'équation comptable ainsi que l'écriture pour inscrire cette transaction :

ÉQUATION COMPTABLE

Actif	=	Passif	+	Capitaux propres
Caisse −100 000				
Placements détenus jusqu'à l'échéance +100 000				

ÉCRITURE DE JOURNAL

Placements détenus jusqu'à l'échéance (+A)	100 000	
Caisse (−A)		100 000

Les produits de placement

Dans notre exemple, les obligations ont été achetées à la valeur nominale ou au pair. Puisqu'il n'est pas nécessaire d'amortir une prime ou un escompte, la valeur aux livres (la valeur comptable) des obligations demeure constante durant toute la durée du placement. Dans cette situation, le produit du placement constaté pour chaque période est soit le montant d'intérêts reçu en espèces, soit le montant à recevoir à la fin de l'exercice. Voici l'incidence sur l'équation comptable ainsi que l'écriture de journal pour inscrire les intérêts reçus le 31 décembre :

---

1. Plusieurs analystes font référence au prix d'une obligation en terme de pourcentage de la valeur nominale. Par exemple, si le journal *La Presse* rapporte que les obligations de Sears Canada se vendent au prix de 102, cela veut dire qu'il en coûterait 1 020 $ pour chaque tranche de 1 000 $ achetée, soit une prime de 20 $. Par contre, si l'obligation se vend à 98, c'est-à-dire 980 $ pour chaque tranche de 1 000 $, elle est vendue à escompte.

2. Lorsque le prix payé pour les obligations est égal à leur valeur nominale, cela signifie que le taux d'intérêt offert sur les obligations est le même que le taux du marché à ce moment-là. On dit alors que les obligations sont vendues au pair ou à 100 (100 % de leur valeur nominale).

ÉQUATION COMPTABLE

Actif		=	Passif	+	Capitaux propres
Caisse	+4 000				Produits de placement +4 000

ÉCRITURE DE JOURNAL

Caisse (+A) (100 000 $ × 8 % × ½)... 4 000
    Produits de placement (+Pr, +CP).......................................   4 000

L'incidence sur l'équation comptable ou l'écriture de journal est la même à chaque période d'encaissement des intérêts.

La valeur nominale à la date d'échéance

Lorsque les obligations viennent à échéance le 30 juin 2015, l'incidence sur l'équation comptable ainsi que l'écriture de journal pour inscrire le montant de capital reçu se présentent comme suit.

ÉQUATION COMPTABLE

Actif		=	Passif	+	Capitaux propres
Caisse	+100 000				
Placements détenus jusqu'à l'échéance	−100 000				

ÉCRITURE DE JOURNAL

Caisse (+A).. 100 000
    Placements détenus jusqu'à l'échéance (−A)........................   100 000

Si le placement dans les obligations doit être vendu avant la date d'échéance, toute différence entre la valeur du marché (le produit de la vente) et la valeur comptable est présentée comme un gain ou une perte sur la vente. Si la direction de l'entreprise a **l'intention** de vendre les obligations avant la date d'échéance, ce placement sera alors présenté à la valeur du marché, de la même façon qu'un placement dans des titres de capitaux propres disponibles à la vente (*voir la prochaine section*).

OBJECTIF D'APPRENTISSAGE **2**

Analyser et présenter les placements non stratégiques en actions à l'aide de la méthode de la valeur du marché.

Les **placements non stratégiques** sont des placements dans des titres de sociétés qui ne permettent pas d'exercer une influence ou un contrôle sur les politiques stratégiques d'une entreprise.

La **méthode de la valeur du marché** présente les placements à leur juste valeur à une date donnée.

Les placements non stratégiques dans les actions : la méthode de la valeur du marché

Les **placements non stratégiques** sont des placements dans des titres de sociétés où l'influence notable et le contrôle ne peuvent être exercés par la société participante. Lorsque la société participante détient moins de 20 % des actions ordinaires en circulation avec droit de vote[3] de la société émettrice, il y a présomption à l'effet que le placement est non stratégique. La **méthode de la valeur du marché** est utilisée et présente ces placements à leur juste valeur à la date du bilan. Cette méthode passe outre au principe du coût d'acquisition (*voir le chapitre 5*).

Avant de discuter plus en détail de la méthode, considérons d'abord les incidences de l'utilisation de la valeur du marché.

---

3. Les placements dans des actions qui ne comportent pas de droit de vote sont comptabilisés selon la méthode de la valeur du marché, sans égard au niveau de participation.

1. **Pourquoi les placements non stratégiques sont-ils comptabilisés à la valeur du marché au bilan ?** Pour répondre à cette question, deux facteurs importants doivent être considérés.

   - **La pertinence** – Les analystes qui étudient les états financiers tentent souvent de prédire les flux de trésorerie futurs d'une entreprise. Ils veulent savoir comment une société peut générer des flux de trésorerie afin de répondre aux besoins de croissance de son exploitation, au paiement des dividendes ou à la survie durant une période de récession économique prolongée. Une des sources de trésorerie est la vente des actions de son portefeuille de placements non stratégiques. La meilleure estimation du montant de trésorerie que pourrait engendrer la vente de ces titres est leur valeur sur le marché financier.

   - **La mesure** – Les comptables n'inscrivent que les élément qui peuvent être mesurés en dollars avec un degré élevé de fiabilité (la mesure objective et vérifiable). La détermination de la juste valeur est très difficile pour la plupart des actifs, car ils ne font pas l'objet de transactions boursières. Par exemple, le Rogers Centre (autrefois Skydome), le domicile des Blue Jays, est un important centre de Toronto. Rogers comptabilise cet actif à son coût moins l'amortissement cumulé en partie à cause du degré de difficulté à déterminer sa juste valeur de façon objective. On peut comparer le degré de difficulté à déterminer la juste valeur du Rogers Centre avec la facilité à déterminer la juste valeur de titres activement négociés sur le marché boursier. Il suffit de consulter le journal ou Internet pour obtenir immédiatement la juste valeur des actions de Bombardier ou de Loblaws, par exemple, car leurs titres sont activement négociés à une Bourse reconnue.

2. **Lorsque le placement est ajusté (augmenté ou diminué) pour refléter les changements dans la valeur du marché, quel autre compte doit-on toucher ?**
   Selon le système comptable d'entrée à partie double, chaque opération touche deux comptes. Pour présenter la valeur au marché des titres, on créera un compte nommé « Plus/moins-values – placements » qui variera en fonction des fluctuations du marché. Le solde de ce compte est ajouté ou soustrait du compte de placement, tenu au coût.

   L'autre compte (en contrepartie) est celui des gains ou pertes non réalisés sur la détention des titres qui proviennent de la même variation de la juste valeur des placements. On les dit « non réalisés », car aucune vente n'a eu lieu : la valeur a simplement changé à cause de la détention du titre. Si la valeur des titres de placement augmente de 100 000 $ durant l'exercice, une entrée augmente le compte Plus/moins-values – placements de 100 000 $, et un gain non réalisé pour le même montant est comptabilisé. Si la valeur des titres du placement diminue de 75 000 $ durant l'exercice, une entrée diminue le compte Plus/moins-values – placements, et on comptabilise une perte non réalisée de 75 000 $.

   L'inscription d'un gain non réalisé est contraire aux principes de prudence et de la constatation des produits. Ces principes exigent de comptabiliser les gains une fois que la transaction est complétée ou réalisée. Le traitement aux états financiers des gains ou pertes non réalisés dépend du classement des titres de placement non stratégiques que nous examinons ci-dessous.

Le classement des placements non stratégiques dans les actions

Selon l'intention de la direction, les placements non stratégiques dans des instruments de capitaux propres peuvent être classés soit comme des titres de placement disponibles à la vente, soit comme des titres de placement détenus à des fins de transaction.

Les placements dans des titres détenus à des fins de transaction sont les titres qu'on acquiert et qu'on détient principalement dans le but de réaliser une plus-value pour les revendre ensuite dans un délai relativement court[4].

Les placements dans des titres disponibles à la vente sont tous des placements non stratégiques autres que des placements dans des titres détenus à des fins de transaction. Ils peuvent être classés comme étant à court ou à long terme.

Les titres détenus à des fins de transaction

Les **placements dans des titres détenus à des fins de transaction** sont activement négociés avec l'objectif de générer des profits sur les variations à court terme de leur prix. Cette approche est celle qu'adoptent plusieurs sociétés de fonds mutuels. Le gestionnaire du portefeuille recherche activement des opportunités d'achat et de vente des titres. Les titres détenus à des fins de transaction sont classés comme un **actif à court terme** au bilan.

Les titres disponibles à la vente

La majorité des entreprises ne transigent pas activement les titres d'autres sociétés. À la place, elles investissent dans le but d'obtenir un rendement sur des fonds qu'elles auront sans doute besoin pour des transactions futures. Ces placements sont désignés comme **placements dans des titres disponibles à la vente**. Ils sont classés soit comme des actifs à court terme, soit comme des actifs à long terme au bilan, selon l'intention de la direction quant à la vente de ces titres durant le prochain exercice financier.

Les titres détenus à des fins de transaction (TT) sont plutôt présentés par les établissements financiers qui achètent et vendent activement les valeurs mobilières dans le but de maximiser le rendement. La plupart des entreprises investissent dans des placements à court et à long terme de titres disponibles à la vente (TDV). Nous porterons donc une attention particulière à ce dernier genre de placement dans la prochaine section lorsque nous analyserons les activités d'investissement de Rogers.

Les placements dans des titres disponibles à la vente

Si Rogers avait présenté ses placements en 2005 et en 2004 selon les nouvelles normes de comptabilisation des instruments financiers, nous aurions sans doute trouvé l'information suivante concernant les placements non stratégiques dans les notes afférentes aux états financiers.

Note 1.
Sommaires des principales conventions comptables

Les PLACEMENTS dans les instruments de capitaux propres négociables, tous classés comme des titres disponibles à la vente, sont présentés à leur valeur du marché dans le bilan consolidé. Les gains ou pertes non réalisés de ces placements sont présentés aux capitaux propres comme autre élément du résultat étendu. Toute diminution de la valeur au marché sous le coût original d'un placement qui est considéré comme une baisse de valeur durable ainsi que les gains ou pertes réalisés sont constatés à l'état des résultats de l'exercice.

Pour simplifier, on suppose que Rogers n'a aucun placement non stratégique à la fin de 2009. Dans l'exemple qui suit, nous allons appliquer la norme comptable décrite dans la note ci-dessus.

L'achat d'actions

Au début de l'exercice 2010, Rogers achète 10 000 actions ordinaires, avec droit de vote, de Nouvelles financières Internet[5] (NFI) à 60 $ l'action. NFI a 100 000 actions ordinaires avec droit de vote en circulation, ce qui donne à Rogers une participation de 10 % (10 000 ÷ 100 000), qui sera traité comme un placement non stratégique. À la date d'acquisition, ce placement est inscrit au coût, soit 600 000 $, comme suit:

---

4. Louis MÉNARD, et collab. (2004), *Dictionnaire de la comptabilité et de la gestion financière*, 2e éd., Toronto, ICCA, p. 1199.
5. La société Nouvelles financières Internet est fictive.

Actif	=	Passif	+	Capitaux propres
Caisse −600 000				
Placement dans NFI +600 000				

Placement dans NFI (+A)..	600 000	
Caisse (−A)..		600 000

Les produits de placement : le dividende

Les placements dans des actions peuvent produire un rendement provenant de deux sources : 1) l'augmentation du prix de l'action et 2) le produit de dividende. L'augmentation (ou la diminution) du prix est examinée à la fin de la période et à la vente des titres. Le revenu de dividende est inscrit comme produits de placement à l'état des résultats et fait partie de la détermination du bénéfice net de l'exercice. Supposons que Rogers a reçu 1 $ de dividende par action de NFI, ce qui donne des produits de placement totalisant 10 000 $ (1 $ $\times$ 10 000 actions).

Actif	=	Passif	+	Capitaux propres
Caisse +10 000				Produits de placement +10 000

Caisse (+A)..	10 000	
Produits de placement (+Pr, +CP)...........................		10 000

Cette entrée est la même pour les titres détenus à des fins de transaction et pour les titres disponibles à la vente.

Évaluation en fin d'exercice

À la fin de l'exercice financier, les placements non stratégiques sont présentés au bilan à la valeur du marché. La différence entre la valeur du marché d'une année à l'autre est portée au compte **Gains ou pertes latents**[6] **(non réalisés) sur les placements.** Supposons que la valeur boursière de NFI en fin d'exercice est de 58 $ l'action, chaque action ayant perdu 2 $ de valeur durant l'exercice. Puisque les titres n'ont pas été vendus, il s'agit bien sûr d'une perte non réalisée sur la détention des titres disponibles à la vente.

La présentation des placements dans des TDV à la juste valeur nécessite l'ajustement à la valeur du marché à la fin de chaque période à l'aide du compte Plus/moins-values – placements TDV (une diminution dans notre cas) avec une entrée équivalant au compte Gains ou pertes latents – placements TDV (diminution dans notre cas pour inscrire une perte non réalisée). En fin d'exercice, le solde du compte Plus/moins-values – placements TDV sera porté en déduction (si le solde est créditeur ; il sera ajouté si le solde est débiteur) du poste Placements TDV pour ensuite le présenter au bilan. Le solde du compte Gains ou pertes latents – placements TDV est présenté dans la section des capitaux propres du bilan comme Autre élément du résultat étendu (RE), ce qui permet de garder un bilan équilibré. Puisqu'on s'attend à détenir les TDV dans le futur, la perte latente ne fait pas partie du résultat net de l'exercice. Les gains ou pertes seront portés aux résultats nets dans l'année de la vente des placements en question (ils sont alors réalisés).

Les gains ou pertes latents (non réalisés) sur les placements sont les montants associés à la variation de la juste valeur des titres que détient l'entreprise. Ces gains ou pertes ne sont pas réalisés (ils sont latents).

6. La terminologie relative aux gains ou pertes non réalisés ou latents peut varier d'une entreprise à l'autre. Dans les états financiers de quelques entreprises ouvertes, nous avons relevé les termes suivants : *variation nette des plus/moins-values non réalisés des placements, gains ou pertes non réalisés sur les placements, ajustement de juste valeur sur les placements.* Ce qui importe le plus, c'est le traitement comptable de ces gains ou pertes non réalisés comme élément des capitaux propres (pour les placements dans des titres disponibles à la vente).

Le tableau suivant est utilisé pour calculer les gains ou pertes latents dans les placements TDV :

Année	Valeur du marché	−	Coût	=	Solde du compte *Plus/moins-values − placements* à la fin de la période	−	Solde du compte *Plus/moins-values − placements* au début de la période	=	Montant de l'ajustement
2010	580 000 $ (58 $ × 10 000 actions)	−	600 000 $ (60 $ × 10 000 actions)	=	(20 000 $)	−	0 $ (Nous posons l'hypothèse qu'il n'y avait pas de placements non stratégiques à la fin de l'année précédente.)	=	(20 000 $) (perte latente pour la période)

Les entrées à la fin de 2010 se présentent comme suit.

ÉQUATION COMPTABLE

Actif	=	Passif	+	Capitaux propres
Plus/moins-values − placements TDV −20 000				Gains ou pertes latents − TDV −20 000

ÉCRITURE DE JOURNAL

Gains ou pertes latents − TDV (−RE, −CP)................................. 20 000
    Plus/moins-values − placements TDV (−A) 20 000

+/− values − placements TDV	
0	01-01-10
20 000	Ajustement
20 000	31-12-10

Au bilan

Actif
  Placements TDV 600 000 $
  +/− values − TDV (20 000)
  Placements nets 580 000 $
Capitaux propres
  Autre élément
  du résultat étendu
    Gains ou pertes
    latents − TDV (20 000) $

Au bilan de 2010, Rogers présenterait un compte de placement dans des titres disponibles à la vente de 580 000 $ (coût de 600 000 $ et moins-value sur les placements de 20 000 $). Elle présenterait aussi, sous la rubrique Autres éléments du résultat étendu, la perte latente sur les titres de placement disponibles à la vente de 20 000 $. Le seul élément présenté à l'état des résultats de 2010 provient des produits de placement de 10 000 $ à la suite de la distribution du dividende par NFI.

Maintenant, posons l'hypothèse que les titres de NFI ont été détenus durant tout l'exercice 2011. À la fin de 2011, le titre affichait une valeur boursière par action de 61 $. L'ajustement pour 2011 serait calculé ainsi :

Année	Valeur du marché	−	Coût	=	Solde du compte *Plus/moins-values − placements* à la fin de la période	−	Solde du compte *Plus/moins-values − placements* au début de la période	=	Montant de l'ajustement
2011	610 000 $ 61 $ × 10 000 actions)	−	600 000 $ (60 $ × 10 000 actions)	=	10 000 $	−	(20 000 $)	=	30 000 $ (gain latent pour la période)

Les entrées à la fin de 2011 se présentent comme suit.

ÉQUATION COMPTABLE

Actif	=	Passif	+	Capitaux propres
Plus/moins-values − placements TDV +30 000				Gains ou pertes latents − TDV +30 000

Plus/moins-value – placements TDV (+A)	30 000	
Gains ou pertes latents – TDV (+RE, +CP)		30 000

+/− values – placements TDV		
	20 000	01-01-11
Ajustement	30 000	
31-12-11	10 000	

Vente des actions

Lorsqu'on vend des titres disponibles à la vente, **trois** comptes du bilan sont touchés (hormis le compte Caisse) :

- Placements dans des titres disponibles à la vente ;
- Plus/moins-values – placements TDV ;
- Gains ou pertes latents – placements TDV (égal à la plus ou moins-value).

Supposons qu'en 2012 Rogers a vendu son placement TDV dans NFI pour 62,50 $ l'action. La société recevrait ainsi un produit de disposition de 625 000 $ (62,50 $ × 10 000 actions) pour les actions payées 600 000 $ en 2010 (60 $ × 10 000 actions). En premier lieu, on doit inscrire un gain réalisé sur la vente de 25 000 $ (625 000 $ – 600 000 $) et éliminer les comptes relatifs à ce placement (Plus/moins-value – placements TDV et Gains ou pertes latents – placements TDV).

	Actif	=	Passif	+	Capitaux propres	
1)	Caisse +625 000				Gain sur vente de	
	Placements TDV −600 000				placements – TDV +25 000	
2)	Plus/moins-value –				Gains ou pertes	
	placements TDV −10 000				latents – TDV −10 000	

1)	Caisse (+A)	625 000	
	Placements – TDV (−A)		600 000
	Gains sur vente de placements – TDV (+G, +CP)		25 000
2)	Gains ou pertes latents – TDV (−RE, −CP)	10 000	
	Plus/moins-values – placements TDV (−A)		10 000

La comparaison des placements dans des titres détenus à des fins de transaction et des titres disponibles à la vente

L'incidence de la présentation des gains ou pertes non réalisés sur la détention des placements dépend de leur classification.

Les titres disponibles à la vente

Comme nous l'avons vu à la section précédente, le solde des gains ou pertes latents sur la détention de Placements – TDV est présenté comme élément distinct des capitaux propres (comme **autre élément du résultat étendu**). Il n'est pas présenté à l'état des résultats et n'influe pas sur le bénéfice net. Au moment de la vente, la différence entre les produits de la vente et le coût original des Placements – TDV est inscrite à titre de gains ou pertes sur la vente de Placements – TDV, à l'état des résultats. Au même moment, les comptes de gains ou pertes latents sur les Placements – TDV et l'allocation de valeur du marché de ces placements (plus/moins-values) sont éliminés.

Les titres détenus à des fins de transaction

Les titres détenus à des fins de transaction (TT) doivent également être évalués à la valeur du marché. Cependant, le montant du redressement nécessaire à l'enregistrement des gains ou pertes non réalisés[7] est inclus à l'état des résultats de chaque période. Il va de soi que les gains non réalisés augmentent le résultat net et que les pertes non réalisées le diminuent. Cela veut aussi dire que le montant net du compte de gains ou pertes non réalisés sur ces placements est viré aux bénéfices non répartis en fin de période. Ainsi, lorsqu'un titre détenu à des fins de transaction – TT est vendu, **trois** comptes sont touchés : Caisse, Placements – TT et Plus/moins-values placements – TT.

Le tableau 11.2 présente les entrées de journal et les soldes des comptes aux états financiers relatifs aux opérations fictives de Rogers dans NFI de 2010 à 2011 décrites ci-dessus en supposant que les titres sont détenus à des fins de transaction ou disponibles à la vente. Cette comparaison nous permettra de mieux relever les différences dans le traitement comptable.

TABLEAU 11.2	Comparaison de la comptabilisation des placements dans des titres détenus à des fins de transaction et disponibles à la vente

Partie A – enregistrement	Titres à des fins de transaction		Titres disponibles à la vente	
2010				
Achat (pour 600 000 $ au comptant)	Placements (TT) (+A) .... 600 000 Caisse (−A)	600 000	Placements (TDV) (+A) .... 600 000 Caisse (−A)	600 000
Encaissement du dividende (10 000 $)	Caisse (+A) .... 10 000 Produits de placement (+Pr, +CP)	10 000	Caisse (+A) .... 10 000 Produits de placement (+Pr, +CP)	10 000
Ajustement de fin d'exercice à la valeur du marché (marché = 580 000 $)	Gains ou pertes non réalisés – TT (+Pe, −CP) .... 20 000 Plus/moins-value – placements TT (−A)......	20 000	Gains ou pertes latents – TDV (−RE, −CP) .... 20 000 Plus/moins-value – placements TDV (−A) ...	20 000
2011				
Ajustement de fin d'exercice à la valeur du marché (marché = 610 000 $)	Plus/moins-value – placements TT (+A) .... 30 000 Gains ou pertes non réalisés – TT (+G, +CP)	30 000	Plus/moins-value – placements TDV (+A) .... 30 000 Gains ou pertes latents – TDV (, +CP)..................	30 000
2012				
Vente (625 000 $)	*Deux postes du bilan sont éliminés* Caisse (+A) .... 625 000 Plus/moins-value – placements TT (−A) ..... Placements – TT (−A)........ Gains sur vente de placement (+G, +CP)	 10 000 600 000 15 000	*Trois postes du bilan sont éliminés* Caisse (+A)........................... 625 000 Placements TDV (−A) .... Gains sur vente de placement (+G, +CP) .... Gains ou pertes latents – TDV (−RE, −CP) .... 10 000 Plus/moins-value – placements TDV (−A)...	 600 000 25 000 10 000

---

7. Encore une fois, la terminologie peut varier d'une entreprise à l'autre. Nous avons ici adopté le terme «gains ou pertes non matérialisés – placements TT» pour le distinguer du terme «gains ou pertes latents – placements TDV». Ce qui importe le plus, c'est le traitement comptable où les gains ou pertes non matérialisés – placements TT sont présentés à l'état des résultats et non aux capitaux propres, comme c'est le cas des gains ou pertes latents – placements TDV.

Bilan	Titres détenus à des fins de transaction (TT)				Titres disponibles à la vente (TDV)			
	Actif	2012	2011	2010	Actif	2012	2011	2010
	Placements TT	–	600 000	600 000	Placements TDV	–	600 000	600 000
	Plus/moins-values	–	10 000	(20 000)	Plus/moins-values	–	10 000	(20 000)
	Placements nets	–	610 000	580 000	Placements nets	–	610 000	580 000
					Capitaux Propres Autres éléments du résultat étendu Gains ou pertes latents – TDV		10 000	(20 000)

État des résultats		2012	2011	2010		2012	2011	2010
	Produits de placement	–	–	10 000	Produits de placement	–	–	10 000
	Gains sur vente	15 000	–	–	Gains sur vente	25 000	–	–
	Gains ou pertes non réalisés – TT	–	30 000	(20 000)				

Il faut noter que le total des résultats présentés pour les trois exercices est le même pour les TT et les TDV, soit 35 000$. Seul le solde des plus/moins-values sur les placements diffère pendant les trois exercices.

Résultat en	Titres détenus à des fins de transaction (TT)		Titres disponibles à la vente (TDV)	
2010	10 000$	dividendes	10 000$	dividendes
	(20 000)	perte non réalisée	–	
2011	30 000	gains non réalisés	–	
2012	15 000	gains réalisés	25 000	gains réalisés
Total des produits	35 000$		35 000$	

ANALYSE FINANCIÈRE

Titres négociables et la gestion des rendements

La plupart des gestionnaires préfèrent que leur placement dans des titres non stratégiques soient traités comme des titres disponibles à la vente. Ce traitement comptable diminue la variation du résultat net présenté chaque trimestre, car les gains ou pertes non réalisés (latents) ne sont pas présentés à l'état des résultats. Ainsi, les gestionnaires peuvent aussi effectuer un certain nivellement des bénéfices par la vente de titres qui présentent des gains latents lorsque les résultats d'exploitation sont à la baisse et par la vente des titres présentant des pertes latentes lorsque les résultats de l'exercice sont à la hausse. Les analystes diligents peuvent déceler ces stratégies en examinant la note exigée aux états financiers sur les normes comptables relatives aux placements.

TEST D'AUTOÉVALUATION

L'entreprise Dow Jones & Co est reconnue pour son indice sur le prix des actions, le Dow Jones Industrial Average. Elle est aussi un important fournisseur d'information d'affaires publiée sur papier et par voie électronique. Dans l'exemple ci-dessous, il faut reconstruire les activités que Dow Jones a effectuées dans un exercice récent. Nous avons dû poser des hypothèses sur certaines transactions. Répondez aux questions suivantes en utilisant les comptes en T pour vous aider à déterminer les montants manquants. Les chiffres sont en milliers de dollars des États-Unis.

> **Coup d'œil sur**
>
> **Dow Jones & Co**
>
> RAPPORT ANNUEL

Comptes du bilan

Placements TDV			
01-01	4 022		
Achat	19 000	?	Vente
31-12	8 875		

Plus/moins-value – placements TDV			
01-01	1 565		
Ajustement	?	1 092	Vente
31-12	5 683		

Gains ou pertes latents TDV			
		1 565	01-01
Vente	?	?	Ajustement
		5 683	31-12

Compte du résultat étendu

Comptes de l'état des résultats

Produits de placement		
	?	constatés
	7 771	31-12

Gains sur vente de placement		
	2 384	Vente
	2 384	31-12

a) Achat de titres disponibles à la vente au comptant. Passez l'écriture de journal.		
b) Encaissement d'un dividende sur le placement. Passez l'écriture de journal.		
c) Vente de TDV avec gain. Passez l'écriture de journal.		
d) À la fin de l'exercice, les TDV avaient une valeur du marché de 14 558 $. Passez l'écriture de journal.		
e) Au 31 décembre, que présenterait-on au bilan en ce qui concerne les TDV ? Et à l'état des résultats ?		
f) Si les placements étaient classés comme TT au lieu de TDV, quels changements verrait-on dans les comptes à la fin de l'exercice ?		

Vérifiez vos réponses à l'aide des solutions présentées en bas de page*.

---

* a) Placements – TDV (+A) 19 000
  Caisse (−A) 19 000
b) Caisse (+A)... 7 771
  Produits de placement (+Pr, +CP)......................... 7 771
c) (1) Caisse (+A) 16 531
  Gains sur vente de placement (+G, +CP)........ 2 384
  Placements TDV (−A) 14 147
(2) Gains ou pertes latents – TDV (−RE, −CP).............. 1 092
  Plus/moins-values – placements TDV (−A)........ 1 092
d) Plus/moins-values – placements TDV (+A)................... 5 210
  Gains ou pertes latents – TDV (+RE, +CP)............. 5 210

Valeur du marché	−	Coût	=	Solde dans le compte Plus/moins-values – placements à la fin de la période	−	Solde non ajusté dans le compte Plus/moins-values – placements	=	Montant de l'ajustement
14 558 $	−	8 875 $ =		+5 683 $	−	473 $ (1 565 $ solde au début − 1 092 $ vente)	=	+5 210 $

e) **Bilan**
Actif
  Placement ..... 14 558 $
Capitaux propres
  Gains ou pertes latents 5 683
  (dans Autres éléments du résultat étendu)

État des résultats
Éléments hors exploitation
  Gain sur vente de placement ..... 2 384 $
  Produits de placement 7 771

f) Si les placements avaient été traités comme des titres détenus aux fins de transaction, nuls gains ou pertes latents n'apparaîtraient au bilan. Ainsi, lorsque les titres sont vendus en c), aucun débit ne serait porté au compte de gains ou pertes latents. À la place, il y aurait des gains sur la vente de 1 292 $ (16 531 $ comptant − (14 147 $ coût + 1 092 allocation) inscrits à l'état des résultats. Par la suite, les gains non réalisés de 5 210 $ en fin d'exercice seraient présentés à l'état des résultats (non comme un élément du résultat étendu présenté aux capitaux propres).

Les placements en vue d'exercer une influence notable : la méthode à la valeur de consolidation

OBJECTIF
D'APPRENTISSAGE **3**

Analyser et présenter les placements qui permettent d'exercer une influence notable à l'aide de la méthode de comptabilisation à la valeur de consolidation.

Lorsqu'une société participante détient un nombre suffisant d'actions avec droit de vote d'une société émettrice lui permettant d'exercer une influence notable à long terme sur celle-ci, la société émettrice porte le nom de **société satellite** (ou **société affiliée,** ou **société associée**). L'influence notable est présente lorsque la société participante peut influencer les décisions stratégiques de la société émettrice en matière d'exploitation, d'investissement et de financement.

Pour diverses raisons, une investisseur peut vouloir exercer seulement une influence notable (entre 20 % et 50 % des actions avec droit de vote) sur la société émettrice plutôt que de la contrôler (ce qui est présumé lorsque plus de 50 % des actions avec droit de vote sont détenues). Voici quelques exemples :

- Une société peut souhaiter influencer un fabricant pour s'assurer d'obtenir certains produits conçus selon ses exigences.
- Un fabricant peut souhaiter influencer un fabricant de puces d'ordinateur pour pouvoir intégrer cette technologie de pointe dans ses procédés de fabrication.
- Un grossiste peut constater qu'une entreprise de service manque de gestionnaires expérimentés et qu'elle pourrait prendre de l'expansion grâce au soutien de gestionnaires supplémentaires.

Il convient de comptabiliser les placements dans les sociétés satellites selon la **méthode à la valeur de consolidation** (aussi appelée la « **méthode de la mise en équivalence** »). Cette méthode permet de comptabiliser comme produits de placement, la quote-part de la société participante dans le bénéfice net de la société émettrice.

À la fin de 2005, Rogers inscrivait une participation dans les sociétés satellites suivantes :

Les placements dans des **sociétés satellites (affiliées ou associées)** sont des placements à long terme dans les actions d'une société, détenues dans le but d'exercer une influence sur ses stratégies d'exploitation, d'investissement et de financement. La société émettrice porte souvent le nom de « société satellite ».

La **méthode à la valeur de consolidation** (aussi appelée la « **méthode de la mise en équivalence** ») est utilisée lorsque la société participante peut exercer une influence notable sur la société émettrice (satellite) : cette méthode permet d'inscrire comme produits de placement, la quote-part de la société participante dans le bénéfice net de la société émettrice.

TABLEAU 11.3 | Notes afférentes aux états financiers consolidés

Coup d'œil sur :

**Rogers
Communications inc.**

RAPPORT ANNUEL

Note 2 : Principales conventions comptables

Les placements dans les entreprises sur lesquelles la Société peut exercer une influence marquée sont comptabilisés à la valeur de consolidation.

	2005	2004
Note 7 : Placements (en milliers de dollars)		
Placements comptabilisés à la valeur de consolidation	9 047*$	9 348 $
À l'état des résultats		
Autres revenus	2,951 $	3 783 $

* À la lecture des détails de la note 7, on apprend que le club de base-ball des Blue Jays de Toronto, qui faisait l'objet d'un placement comptabilisé à la valeur de consolidation en 2003, est consolidé depuis juillet 2004 puisque le contrôle a été obtenu à cette date. On ne donne pas d'information supplémentaire sur les placements dans les sociétés satellites ni sur les autres revenus dans cette note.

Par contre, dans la section Analyse financière par les gestionnaires du rapport annuel, Rogers indique qu'elle détient des participations dans des sociétés satellites comptabilisées à la valeur de consolidation : il s'agit d'une entreprise de location de films (de type paiement à la carte) et de certaines chaînes de télévision spécialisées telles que Viewers Choice Canada, le Biography Channel Canada et autres. Cette section indique également que les Autres revenus à l'état des résultats comprennent des produits et des pertes de participation tenues à la valeur de consolidation et les pertes de valeur durable de certains autres placements.

La comptabilisation des placements à la valeur de consolidation

Une société participante qui détient une influence notable sur une société satellite participe aux décisions qui permettront à la société satellite de produire des résultats et de déclarer des dividendes. Ce qui précède suggère que la société participante devrait comptabiliser les résultats de sa participation pour refléter cette situation. Lorsque la société satellite réduit ses bénéfices non répartis à la déclaration d'un dividende, la société participante devrait réduire son placement de sa quote-part du dividende pour refléter ce que fait la société satellite (puisque le dividende n'est pas une charge pour la société satellite, elle ne devrait pas être un produit pour la société participante). Il en est de même lorsque la société satellite augmente (réduit) ses bénéfices non répartis par le bénéfice net (perte nette) de l'exercice : la société participante devrait augmenter (diminuer) sa participation et inscrire sa quote-part des résultats de l'exercice de la société satellite à ses propres résultats.

- ***Les résultats nets de la société satellite*** – Si la société satellite rapporte un bénéfice net pour l'exercice, la société participante doit inscrire un produit de placement à l'état des résultats, égal à sa quote-part du bénéfice net de la société satellite et augmenter son compte de placement à l'actif. À l'opposé, si la société satellite rapporte une perte nette pour l'exercice, la société participante diminue son placement à l'actif et inscrit une perte de placement à l'état des résultats.

- ***Les dividendes payés par la société satellite*** – Si la société satellite déclare et paie des dividendes en espèces durant l'exercice (une décision financière), la société participante réduit son compte Placement au bilan et augmente son compte Caisse à la réception de sa quote-part du dividende.

Placements – sociétés satellites (A)

Solde d'ouverture	
Achats	Ventes
Quote-part des bénéfices nets des sociétés satellites (en contrepartie, le poste Produits de placement est présenté à l'état des résultats)	Quote-part des pertes nettes des sociétés satellites (en contrepartie, le poste Perte de placement est présenté à l'état des résultats)
	Quote-part des dividendes en espèces déclarés par la société satellite (en contrepartie, le compte Caisse est augmenté)
Solde de clôture	

D'autres redressements sont nécessaires, mais à cause de leur complexité, ils seront abordés dans des cours de comptabilité spécialisés.

Achat d'actions

Pour illustrer la méthode de comptabilisation des placements à la valeur de consolidation et pour simplifier, supposons que Rogers n'a aucun placement dans des entreprises sur lesquelles elle exerce une influence notable. Supposons aussi qu'elle achète les titres fictifs présentés ci-dessous.

En 2010, Rogers a acquis 40 000 actions ordinaires avec droit de vote dans Nouvelles financières Internet (NFI) au coût de 400 000 $ au comptant. Puisque NFI avait 100 000 actions ordinaires avec droit de vote en circulation, on suppose alors qu'avec une participation de 40 % Rogers exerce une influence notable sur NFI et qu'elle doit utiliser la méthode à la valeur de consolidation pour comptabiliser ce placement. L'achat de l'actif est inscrit au coût d'acquisition.

ÉQUATION COMPTABLE

Actif	=	Passif	+	Capitaux propres
Placements – sociétés satellites +400 000				
Caisse –400 000				

ÉCRITURE DE JOURNAL

Placements – sociétés satellites (+A)	400 000	
Caisse (–A)		400 000

Produits de placement tirés de la société satellite

Puisque Rogers peut exercer une influence sur l'exploitation et donc sur les résultats de la société satellite, Rogers calcule ses produits de placement à partir des résultats de la société satellite et non sur les dividendes qu'elle reçoit. Durant 2010, NFI a réalisé un bénéfice net de 500 000 $ pour l'exercice. La quote-part de Rogers dans ce bénéfice est de 200 000 $ (40 % × 500 000 $) et s'inscrit comme suit.

ÉQUATION COMPTABLE

Actif	=	Passif	+	Capitaux propres
Placements – sociétés satellites +200 000				Produits de placement – société satellite +200 000 $

ÉCRITURE DE JOURNAL

Placements – sociétés satellites (+A)	200 000	
Produits de placement – sociétés satellites (+Pr, +CP)		200 000

Si la société satellite avait présenté des pertes nettes pour la période, Rogers aurait inscrit sa quote-part des pertes en réduisant son compte de placement et en inscrivant une perte de placements à l'état des résultats. La quote-part de la société participante dans les bénéfices (pertes) de la société satellite est présentée à l'état des résultats après les activités d'exploitation au même titre que les produits d'intérêts, les charges d'intérêts et les gains ou pertes sur l'aliénation d'actifs.

Les dividendes encaissés

Puisque Rogers peut exercer une influence sur la politique relative aux dividendes des sociétés satellites, les dividendes qu'elle reçoit ne doivent pas être inscrits comme des produits de placement. Les dividendes reçus viennent plutôt réduire le compte de placement. Durant 2010, NFI a déclaré et payé à ses actionnaires des dividendes en espèces de 2 $ l'action. Rogers a donc reçu 80 000 $ de NFI (2 $ × 40 000 actions).

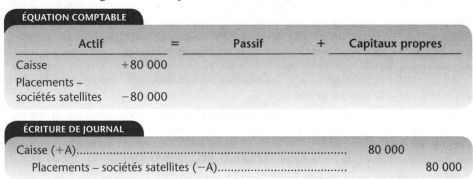

ÉQUATION COMPTABLE

Actif	=	Passif	+	Capitaux propres
Caisse +80 000				
Placements – sociétés satellites –80 000				

ÉCRITURE DE JOURNAL

Caisse (+A)..	80 000	
Placements – sociétés satellites (–A).....................		80 000

Voici le sommaire des effets des transactions de 2010 :

Placements – sociétés satellites				Produit de placement – sociétés satellites		
01-01-2010	0				0	01-01-2010
Achats	400 000					
Quote-part des résultats	200 000	(80 000)	Quote-part des dividendes		200 000	Quote-part des résultats
31-12-2010	520 000				200 000	31-12-2010

La présentation des placements à la valeur de consolidation

Les placements dans des sociétés satellites (associées ou affiliées) sont présentés au bilan comme actif à long terme. Cependant, comme le montre l'exemple précédent, le compte de placement ne reflète ni la valeur d'acquisition ni la valeur du marché. Au lieu de cela, voici ce qui détermine la valeur comptable du placement[8] :

- Le compte de placement augmente du montant du coût des actions achetées et de la quote-part de la société participante des bénéfices nets cumulatifs de la société satellite depuis l'acquisition.

- Le compte est réduit du montant des dividendes reçus et de la quote-part de la société participante des pertes nettes cumulatives de la société satellite depuis l'acquisition.

À la fin de l'exercice, les comptables **n'ajustent pas le compte de placement dans les sociétés satellites pour refléter les changements survenus dans la juste valeur des titres détenus.** Seules les pertes de valeur durable des placements seraient reconnues : la détermination de ces pertes de valeur durable est une question de jugement qui dépend des faits économiques. Par contre, si les titres étaient vendus, la différence entre l'argent reçu et la valeur comptable du placement (comptabilisé à la valeur de consolidation) serait inscrite à titre de gain ou perte sur la vente.

QUESTION D'ÉTHIQUE

Une influence inappropriée

Une des principales hypothèses à la base de la comptabilité est que toutes les opérations sont conclues sans lien de dépendance. Autrement dit, chaque partie prenant part à l'opération agit dans son propre intérêt. Quand une entité est en mesure d'exercer une influence notable sur une autre (autrement dit quand elle possède de 20 % à 50 % de ses actions ordinaires), il n'est pas raisonnable de supposer que les opérations conclues entre les entités se font sans lien de dépendance. On utilise la méthode de comptabilisation à la valeur de consolidation pour résoudre ce problème.

Considérez ce qui risquerait de se produire si une entité participante pouvait influer sur la politique de dividende d'une entité émettrice. Si l'entité participante pouvait inscrire les dividendes versés par l'entité émettrice à titre de produits de placement, l'entité participante pourrait manipuler ses bénéfices en influant sur la politique de dividende de l'autre entité. Au cours d'un exercice déficitaire, l'entité participante pourrait exiger d'importants versements de dividendes pour accroître ses bénéfices. Dans une bonne année, elle pourrait tenter de réduire les versements de dividendes pour accroître les bénéfices non répartis de l'entité émettrice, et ce, pour soutenir la déclaration de dividendes plus importants dans l'avenir au besoin.

La méthode de comptabilisation à la valeur de consolidation empêche ce type de manipulation, car elle ne permet pas de constater les dividendes comme des produits financiers. Au contraire, les produits tirés du placement sont fonction d'un pourcentage des résultats (bénéfice net ou perte nette) réalisés par la société satellite.

---

8. Il existe également d'autres types de redressement assez complexes qui seront étudiés dans des cours de comptabilité plus avancés.

Examinons les activités de Rogers relativement à ses placements dans les sociétés satellites en supposant quelques opérations. Afin de répondre aux questions suivantes, utilisez les comptes en T pour vous aider à déduire le montant manquant. Les montants sont exprimés en milliers de dollars.

Compte du bilan

Placements – sociétés satellites			
01-01-2010	46 064	13 178	Quote-part du dividende – sociétés satellites
Achat	29 240	?	Quote-part des pertes nettes – sociétés satellites
31-12-2010	40 479		

Compte de l'état des résultats

Produits de placement – sociétés satellites		
01-01-2010	0	
Quote-part des pertes nettes – sociétés satellites	21 647	
31-12-2010	21 647	

Pour les questions a) à c), présentez les effets sur l'équation comptable et les écritures de journal.
a) Achat de placements supplémentaires dans des sociétés satellites au comptant.
b) Réception de dividendes en espèces sur les placements.
c) À la fin de l'exercice, les placements dans les sociétés satellites avaient une valeur du marché de 45 000 $. Ces sociétés ont également inscrit 50 000 $ de pertes nettes pour l'exercice.
d) Que doit-on inscrire au bilan relativement aux placements dans les sociétés satellites le 31 décembre 2010 et à l'état des résultats pour l'exercice 2010?

Vérifiez vos réponses à l'aide des solutions présentées en bas de page*.

---

* **Équation comptable**

	Actif		=	Passif	+	Capitaux propres	
a)	Placements – sociétés satellites	+29 240					
	Caisse	−29 240					
b)	Caisse	+13 178					
	Placements – sociétés satellites	−13 178					
c)	Placements – sociétés satellites	−21 647				Quote-part des pertes nettes des sociétés satellites	−21 647

Écriture de journal

a) Placements – sociétés satellites (+A) 29 240
    Caisse (−A) 29 240

b) Caisse (+A).. 13 178
    Placements – sociétés satellites (−A)... 13 178

c) Quote-part des pertes nettes – sociétés satellites (+PE, −CP).......... 21 647
    Placements – sociétés satellites (−A)... 21 647

d) **Bilan**   **État des résultats**
Actif   Quote-part des pertes nettes –
Placements – sociétés satellites   40 479 $ sociétés satellites   21 647 $

Le choix de la méthode de comptabilisation

Pour les stocks ou les actifs immobilisés, les gestionnaires peuvent librement choisir entre les méthodes PEPS, DEPS et du coût moyen ou entre l'amortissement accéléré et l'amortissement linéaire. Dans le cas des placements avec participation sans contrôle (moins de 50 % des actions), les gestionnaires ne peuvent choisir entre la méthode à la valeur du marché et la méthode à la valeur de consolidation. Les placements de moins de 20 % dans les actions ordinaires d'une société sont normalement comptabilisés à la valeur du marché, et les placements dans des sociétés satellites (de 20 % à 50 %) le sont selon la valeur de consolidation.

Lorsqu'il est question de placement à long terme, les gestionnaires peuvent, dans certains cas, structurer l'acquisition des actions de manière à pouvoir recourir à la méthode de comptabilisation de leur choix. Par exemple, une entreprise qui souhaite utiliser la méthode de comptabilisation à la valeur du marché pourrait acheter uniquement 19,9 % des actions en circulation d'une autre entreprise et avancer qu'elle n'a pas d'influence notable. Pourquoi les gestionnaires voudraient-ils éviter d'utiliser la méthode de comptabilisation à la valeur de consolidation ? Une explication typique concerne la volatilité des bénéfices. La plupart des gestionnaires préfèrent réduire au minimum les variations dans les bénéfices inscrits. Si une entité achetait des actions dans une entreprise qui comptabilise d'importants bénéfices au cours de certains exercices et d'importantes pertes au cours d'un autre, elle préférerait utiliser la méthode de comptabilisation à la valeur du marché. En effet, elle n'aurait pas besoin de comptabiliser sa quote-part des bénéfices et des pertes de l'entité émettrice, comme c'est le cas avec la méthode à la valeur de consolidation. De même, une entité participante pourrait préférer la méthode de comptabilisation à la valeur de consolidation si l'entité émettrice enregistrait des revenus relativement stables. Rappelons cependant que les seuls pourcentages de participation ne sont pas suffisants pour conclure à la présence ou à l'absence d'une influence notable. Il faut toujours examiner les circonstances entourant la transaction.

Les analystes qui comparent plusieurs sociétés doivent comprendre les choix que font les gestionnaires pour présenter les résultats. Ils doivent aussi savoir comment la différence entre les méthodes de la valeur du marché et de la valeur de consolidation peut influer sur les résultats.

Les placements

L'application des méthodes de comptabilisation des placements (la valeur du marché pour les placements non stratégiques et la valeur de consolidation pour les placements dans les sociétés satellites) peut produire des effets différents sur le bénéfice net de la société participante, mais n'influe pas sur les flux de trésorerie. Ces éléments entraînent des ajustements au bénéfice net, selon la méthode indirecte, à l'état des flux de trésorerie lorsque l'on convertit le bénéfice net en flux de trésorerie provenant de l'exploitation.

EN GÉNÉRAL ◊ **La vente de titres** nécessite un certain nombre d'ajustements :

1. Tout gain sur la vente est soustrait du bénéfice net dans la section des activités d'exploitation (méthode indirecte).

2. Toute perte sur la vente est ajoutée dans la section des activités d'exploitation (méthode indirecte).

3. Les encaissements (décaissements) résultant de la vente (achat) sont présentés dans la section des activités d'investissement.

Le bénéfice enregistré selon la méthode à la valeur de consolidation nécessite aussi des ajustements. Rappelons que les dividendes encaissés de la société satellite ne sont pas inscrits à titre de revenu par la société participante. En effet, la société participante inscrit comme revenu sa quote-part des bénéfices de la société satellite, même si cela ne met en cause aucun comptant. Il en résulte ce qui suit :

1. Les dividendes encaissés sont ajoutés au bénéfice net dans la section des opérations d'exploitation (méthode indirecte).

2. Toute quote-part des bénéfices nets de la société satellite inscrite par la société participante doit être soustraite dans la section des activités d'exploitation (méthode indirecte).

3. Toute quote-part des pertes nettes de la société satellite inscrite par la société participante doit être ajoutée dans la section des activités d'exploitation (méthode indirecte).

Effet sur l'état des flux de trésorerie

	Effet sur les flux de trésorerie
Activités d'exploitation (méthode indirecte)	
Bénéfice net	XXX $
Redressements :	
Profits ou pertes sur la vente de placements	−/+
Quote-part des bénéfices ou des pertes des sociétés satellites	−/+
Dividendes reçus des sociétés satellites	+
Pertes sur dévaluation de placement	+
Gains ou pertes sur TT	−/+
Activités d'investissement	
Achats de placement	−
Ventes de placement	+

DOW JONES* ◊ Un état des flux de trésorerie partiel de Dow Jones pour l'année 2005 est présenté ci-dessous. Dow Jones a soustrait les résultats des sociétés satellites et a ajouté les dividendes encaissés de celles-ci, démontrant ainsi un effet net sur les flux de trésorerie. Dow Jones a aussi soustrait les gains sur la vente de titres durant l'exercice (les pertes auraient été ajoutées) dans la section des activités d'exploitation pour chacun des placements (sociétés satellites et TDV). Elle a également rajouté la perte de dévaluation des placements à la valeur de consolidation durant l'exercice. Dow Jones a ajusté son bénéfice net en fonction de tous ces éléments.

Dans les sections des activités d'exploitation et d'investissement, les effets découlant de la comptabilisation des placements a une incidence importante sur les flux de trésorerie de Dow Jones.

État des flux de trésorerie consolidé (partiel) pour l'exercice terminé le 31 décembre 2005 (en milliers de dollars)	
Activités d'exploitation	
Bénéfice net consolidé	60 395 $
Éléments ne nécessitant pas de mouvement de fonds	
Gain sur la disposition de placements	−22 862
Quote-part des résultats de sociétés satellites net des dividendes	+2 600
Perte durable de placements à la valeur de consolidation	+35 865
Autres ajustements (non détaillés ici)	121 531
Flux de trésorerie liés à l'exploitation	**197 529**
Activités d'investissement	
Acquisition de filiales et investissements	(438 568)
Produit de la vente de filiales et d'investissements	48 669
Autres activités d'investissement (non détaillées ici)	(82 565)
Flux de trésorerie liés à l'investissement	**(472 464)**

* Il faut noter que nous avons utilisé l'exemple d'une société américaine. Celle-ci comptabilise déjà ses placements selon les normes qui seront adoptées au Canada en 2007 en ce qui concerne Rogers (pour les exercices commençant le 1er octobre 2006). Ces normes sont actuellement en vigueur aux États-Unis depuis bon nombre d'années. Par ailleurs, les placements aux états financiers de Rogers de 2005 ne sont pas détaillés, ce qui nous empêche d'illustrer les effets des placements sur l'état des flux de trésorerie.

L'obtention du contrôle : les fusions et les acquisitions

Avant d'étudier les questions relatives à la présentation de l'information financière dans le cas d'une entreprise qui possède plus de 50 % des actions ordinaires en circulation d'une autre entité, il serait pertinent d'examiner les raisons qui incitent la direction à acquérir ce type de participation. Voici certaines raisons pour lesquelles une entité acquiert le contrôle d'une autre entreprise.

1. **L'intégration verticale** Dans ce type d'acquisition, une société en acquiert une autre, qui se situe à un niveau différent dans les réseaux de distribution. Par exemple, Rogers possède des stations de télévision lui permettant de diffuser sur son réseau de câblodistribution. Elle peut ainsi offrir à ses membres des émissions nouvelles et exclusives pour les fidéliser et aussi pour attirer de nouveaux clients.

2. **L'intégration horizontale** Ces acquisitions comportent des entreprises qui se situent au même niveau dans les réseaux de distribution. Par exemple, Rogers a pris de l'expansion en créant ou en acquérant des entreprises de câblodistribution dans plusieurs provinces canadiennes et aux États-Unis. Elle a aussi diminué le niveau de compétition en faisant l'acquisition de Fido.

3. **La diversification et la synergie** L'exploitation dans des secteurs connexes peut entraîner une meilleure rentabilité combinée que celle de chacun des secteurs distincts. En plus de la câblodistribution, Rogers exploite le secteur du téléphone sans fil et publie des revues. La diversification des activités permet également de répartir le risque et de se faire connaître dans un domaine d'activité. Le regroupement et le partage des coûts peuvent aussi permettre des économies d'échelle.

4. **La visibilité** L'exploitation de certaines entreprises peut amener une meilleure visibilité et ainsi avoir un effet favorable sur les opérations d'une entreprise. Rogers a acheté les Blue Jays de Toronto, probablement dans le but de s'attirer la faveur des partisans pour accroître ses ventes dans les divers domaines qu'elle exploite.

Il est essentiel de savoir pourquoi une entreprise a investi dans d'autres entreprises afin de comprendre sa stratégie d'affaires globale. Les analystes étudient souvent les acquisitions récentes dans le but de prédire les acquisitions futures. Par exemple, si une entreprise de vente au détail a acquis des détaillants régionaux dans chaque région du pays sauf en Alberta, il est raisonnable de supposer qu'elle cherchera à acquérir une société dont le siège social se situe en Alberta. De même, si une entreprise pointcom comme AOL (America On Line) achète une entreprise médiatique traditionnelle comme Time Warner, les analystes s'attendent à ce que des acquisitions similaires se produisent entre d'autres entreprises pointcom et des entreprises médiatiques traditionnelles.

Les états financiers consolidés : que sont-ils ?

La **société mère** est celle qui détient le contrôle d'une autre société : la filiale.

La **filiale** est la société dont la majorité des titres comportant des droits de vote est détenue par la société mère.

Les **états financiers consolidés** sont les états combinés de deux ou de plusieurs entreprises (société mère et filiales) en un seul ensemble d'états financiers, comme si les sociétés n'en constituaient qu'une seule.

Toute acquisition d'entreprise comporte deux parties. La **société mère** (la société participante) est celle qui acquiert le contrôle d'une autre société. La **filiale** (la société émettrice) est la société dont la majorité des titres comportant des droits de vote appartient à la société mère. Quand une entreprise acquiert une participation majoritaire (plus de 50 % des actions avec droit de vote) d'une autre entreprise, il faut dresser des états financiers consolidés. Ces états combinent les activités de deux ou de plusieurs entreprises (société mère et filiales) en un seul ensemble d'états financiers. Essentiellement, on peut considérer les **états financiers consolidés comme la combinaison des états financiers distincts de deux ou de plusieurs entreprises pour faire comme si une seule entité économique existait.** Ainsi, les comptes de caisse pour chacune des entreprises sont combinés, tout comme le sont les comptes des stocks, des terrains et autres.

Les notes afférentes au rapport annuel de Rogers fournissent les données ci-après.

> **Notes afférentes aux états financiers consolidés**
> **Note 1.**
> **Principales conventions comptables**
>
> Les états financiers consolidés sont dressés conformément aux principes comptables généralement reconnus (PCGR) du Canada et ils comprennent les comptes de Rogers Communications inc. (RCI) et ceux de ses filiales (collectivement, la Société). Les opérations et les soldes intersociétés ont été annulés lors de la consolidation.

Comme l'indique la note de Rogers, l'élimination des soldes intersociétés est nécessaire au moment où on dresse des états financiers consolidés. Les soldes intersociétés sont des montants réciproques découlant d'opérations transigées entre la société mère et la filiale, qui figurent aux états financiers distincts des deux sociétés. Ces soldes sont éliminés au cours du processus de consolidation. *Il ne faut pas oublier que les états financiers consolidés sont dressés comme s'il n'existait qu'une seule entreprise (une entité économique) alors qu'en fait, il existe deux entités juridiques distinctes ou plusieurs.* Les postes intersociétés existent aux états financiers individuels de chaque société, mais ils n'existent pas pour la seule entité économique que forment la société mère et ses filiales. Par exemple, dans les états financiers non consolidés de la société mère, si on constate une dette envers la filiale, on trouvera aux états financiers de la filiale un montant à recevoir de la société mère du même montant. Par contre, dans les états financiers consolidés, cette dette intersociétés est éliminée. Ainsi, la dette que doit Rogers (la société mère) à sa filiale Sportsnet n'est pas inscrite au bilan consolidé, puisque la société ne peut se devoir de l'argent à elle-même, car les deux sociétés ne forment qu'une seule entité économique du point de vue de la consolidation. Nous discutons de la préparation des états financiers consolidés d'une façon plus détaillée à l'annexe 11-A à la fin de ce chapitre.

La comptabilisation d'une fusion d'entreprises

Nous avons appris que les états financiers consolidés sont présentés de telle sorte qu'en apparence les deux entreprises (la société mère et la filiale) ne font qu'une. La façon la plus simple d'illustrer ce propos résultant du processus de consolidation est de considérer une situation simple de **fusion.** Dans ce cas, une société (l'acquéreur) achète l'actif net d'une autre société qui est dissoute légalement par la suite (la **société englobée** ou absorbée). Il s'ensuit que l'acquéreur comptabilise les actifs nets de la société englobée en fonction du prix d'achat, ce qui respecte le principe du coût d'acquisition.

Une **fusion** a lieu lorsqu'une société achète tout l'actif net d'une autre entreprise et que cette dernière est dissoute.

La **société englobée** est la société qui disparaît à la suite d'une fusion.

Pour faciliter la discussion, nous utiliserons les données fictives et simplifiées de Rogers (la société mère) et de NFI (la filiale hypothétique acquise), comme le montre le tableau 11.4. Ce tableau présente les bilans de Rogers et NFI ainsi que les données sur la valeur marchande des actifs et des passifs de NFI, immédiatement **avant** la fusion.

| **TABLEAU 11.4** | Bilans fictifs immédiatement **avant** la fusion |

		NFI	
(en millions de dollars)	**Rogers**	**Valeur comptable**	**Valeur au marché**
Actif			
Caisse et autres actifs à court terme	123 $		
Usine et équipement	689	30 $	35 $
Autres actifs	492	60	60
Total de l'actif	1 304 $	90 $	
Passif et capitaux propres			
Passif à court terme	613 $	10 $	10 $
Passif à long terme	561		
Capitaux propres	130	80	
Total du passif et des capitaux propres	1 304 $	90 $	

Supposons qu'au 1er janvier 2010, Rogers verse 100 $ en espèces (tous les montants sont exprimés en millions de dollars) pour acheter toutes les actions de NFI[9]. Par la suite, Rogers a intégré (fusionné) les actifs nets de NFI à ses opérations, et NFI est dissoute légalement.

Il faut noter que Rogers a versé 100 $ pour acquérir 100 % de NFI, bien que la valeur comptable totale de NFI n'ait été que de 80 $ (Actif de 90 $ – Passif de 10 $). Cette situation n'est pas surprenante, *car la valeur comptable d'un actif est différente de sa juste valeur marchande.* Rogers a dû payer la valeur marchande pour acquérir NFI. Les anciens propriétaires n'auraient pas voulu vendre leurs actions à la valeur comptable seulement.

Supposons que l'analyse des éléments d'actif et de passif de NFI à la date d'acquisition révèle les faits suivants :

- L'usine et l'équipement de NFI avaient une juste valeur de 35 $ (valeur comptable nette 30 $).
- Les valeurs aux livres des Autres actifs (60 $) et du Passif à court terme (10 $) figurant au bilan de NFI étaient égales à leur juste valeur.
- NFI s'est taillé une bonne réputation auprès d'un important groupe d'investisseurs en ligne, ce qui a fait augmenter sa valeur globale. Pour cette raison, Rogers est prête à payer 15 $ de plus que la juste valeur pour acquérir NFI. La différence de 15 $ entre le prix d'achat de la société et la juste valeur de son actif net (l'actif déduit du passif) acquis s'appelle l'« **écart d'acquisition** » (la **survaleur** ou le **fonds commercial** et parfois, mais à tort, l'**achalandage**). On peut l'analyser l'écart d'acquisition ainsi :

Prix d'achat pour NFI	100 $
Moins : Juste valeur de l'actif net acquis (35 $ + 60 $ – 10 $)	85
Écart d'acquisition payé	15 $

L'**écart d'acquisition** (la **survaleur**, le **fonds commercial**, l'**achalandage**) est l'excédent du prix d'achat sur la juste valeur de l'actif net d'une entreprise.

Le principe du coût exige qu'à la date d'acquisition, les actifs et les passifs de NFI soient comptabilisés dans les registres de Rogers à leur prix d'achat (le prix payé par Rogers est égal à la **juste valeur**). Cette méthode de comptabilisation des fusions et des acquisitions se nomme la **méthode de l'acquisition** : elle est la seule méthode permise par les PCGR canadiens et américains.

La **juste valeur** est le montant pour lequel un actif pourrait être échangé, ou un passif réglé, entre des parties bien informées et consentantes dans des conditions normales de concurrence[10].

La **méthode de l'acquisition** exige que les actifs et les passifs acquis lors d'une fusion ou d'une acquisition soient comptabilisés à leur juste valeur.

Rogers comptabiliserait donc cette fusion comme suit.

ÉQUATION COMPTABLE

Actif		=	Passif		+	Capitaux propres
Usine et équipement (net)	+35		Passif à court terme	+10		
Autres actifs	+60					
Écart d'acquisition	+15					
Caisse	−100					

ÉCRITURE DE JOURNAL

Usine et équipement (+A)	35	
Autres actifs (+A)	60	
Écart d'acquisition (+A)	15	
Caisse (−A)		100
Passif à court terme (+Pa)		10

Il est important de se rappeler que l'écart d'acquisition ne peut être présenté au bilan *que s'il a fait l'objet d'une acquisition dans une opération de regroupement d'entreprises.*

---

9. L'achat de 100 % des actions en circulation d'une société permet d'acquérir la propriété exclusive. L'achat de moins de 100 % et de plus de 50 % des actions dénote la présence d'actionnaires sans contrôle.
10. Louis MÉNARD, *op. cit.*, p. 485.

La présentation d'une fusion d'entreprises

Le bilan après la fusion

Le bilan après la fusion (*voir le tableau 11.5*) a été préparé en combinant l'opération inscrite ci-dessus avec le bilan de Rogers présenté au tableau 11.4 (*voir la page 677*). Il faut se rappeler les éléments suivants:

1. Les actifs et passifs de NFI sont enregistrés à leur juste valeur et non à leur valeur comptable.
2. L'écart d'acquisition = Prix d'achat – Actif net acquis (à sa juste valeur).
3. Les espèces utilisées pour effectuer l'acquisition sont soustraites de la caisse au bilan. Si on avait fait l'acquisition au moyen d'une émission d'actions, on aurait alors augmenté le poste Actions ordinaires.
4. Si NFI avait poursuivi son existence au lieu d'être dissoute légalement, le bilan combiné serait le même que celui qui est présenté ci-dessous. Dans ce cas, NFI serait une filiale de Rogers, et on aurait alors préparé des états financiers consolidés.

TABLEAU 11.5 | Bilan fictif de Rogers immédiatement **après** la fusion

(en millions de dollars)	Rogers
Actif	
Caisse et autres actifs à court terme (123 $ − 100 $)	23 $
Usine et équipement (net) (689 $ + 35 $)	724
Autres actifs (492 $ + 60 $)	552
Écart d'acquisition	15
Total de l'actif	1 314 $
Passif et capitaux propres	
Passif à court terme (613 $ + 10 $)	623 $
Passif à long terme	561
Capitaux propres	130
Total du passif et des capitaux propres	1 314 $

L'état des résultats après la fusion

Après la fusion, le système comptable de Rogers va dorénavant capter tous les produits et toutes les charges de NFI: les sociétés sont alors regroupées. L'état des résultats qui s'ensuit est présenté au tableau 11.6. Les montants regroupés comprennent les éléments suivants:

TABLEAU 11.6 | État des résultats fictifs de Rogers pour l'exercice **qui suit** l'acquisition

(en millions de dollars)	Rogers
Produits (2 158 $ + 120 $)	2 278 $
Charges (2 150 $ + 106 $ + 1 $)	2 257
Bénéfice net	21 $

1. Les produits qui auraient été comptabilisés dans les systèmes comptables séparés si la fusion n'avait pas eu lieu (Rogers 2 158 $ + NFI 120 $ = 2 278 $).
2. Les charges qui auraient été comptabilisées dans les systèmes comptables séparés si la fusion n'avait pas eu lieu (Rogers 2 150 $ + NFI 106 $ = 2 256 $).
3. Des charges additionnelles dues à la comptabilisation des actifs et des passifs de NFI à leur juste valeur: 1 $ d'amortissement supplémentaire si on suppose une vie

utile estimative restante de cinq ans (5 $ de plus-value de l'usine et équipement ÷ 5 ans = 1 $ par année)[11].

Encore une fois, il est important de se rappeler que si NFI n'avait pas été dissoute légalement et qu'elle était plutôt devenue la filiale de Rogers, l'état des résultats combiné avec le processus de consolidation aurait été le même. Nous illustrons la consolidation des états financiers à l'annexe 11-A à la fin de ce chapitre.

Comme nous l'avons mentionné au chapitre 8, l'écart d'acquisition a une vie indéfinie. Il est donc normal que cet actif ne soit pas amorti. À la place, un **test de dépréciation**, effectué à la fin de chaque exercice, permet à la direction de l'entreprise de vérifier s'il y a eu perte de valeur. Par conséquent, l'inscription de la perte de valeur de l'écart d'acquisition est nécessaire : l'actif sera réduit de cette perte de valeur, et une charge distincte sera portée à l'état des résultats. Les règles d'application de ce test de dépréciation étant fort complexes, ce sujet sera abordé dans des cours de comptabilité avancée. Jetons un regard sur la divulgation aux états financiers de Rogers concernant la convention sur l'écart d'acquisition.

Le **test de dépréciation** consiste à comparer la juste valeur de l'écart d'acquisition avec sa valeur comptable pour constater une perte de valeur s'il y a lieu.

> **Notes afférentes aux états financiers**
> **Note 1 : Principales conventions comptables**
>
> **f) Écart d'acquisition et autres actifs incorporels**
>
> **i) Écart d'acquisition**
>
> L'écart d'acquisition équivaut au montant résiduel constaté lorsque le prix d'achat d'une entreprise est supérieur à la somme des montants attribués aux actifs corporels et incorporels acquis moins les passifs pris en charge, selon leur juste valeur. La méthode comptable de l'acquisition est appliquée pour comptabiliser un regroupement d'entreprises. L'écart d'acquisition est réparti, à la date du regroupement des entreprises, entre les unités d'exploitation susceptibles de profiter du regroupement.
>
> L'écart d'acquisition n'est pas amorti mais il fait l'objet d'un test de dépréciation, annuellement ou plus souvent, si des événements ou des changements de circonstances laissent supposer une baisse de valeur des actifs. Le test de dépréciation s'effectue en deux étapes. [...]
>
> [...] La société a effectué des tests de dépréciation des écarts d'acquisition et des actifs incorporels à durée indéfinie en 2005 et en 2004 et elle a déterminé que ces éléments n'ont subi aucune baisse de leur valeur comptable à ces dates.

ANALYSE FINANCIÈRE

Le traitement comptable de l'écart d'acquisition

Avant 2001, les PCGR exigeaient l'amortissement annuel de l'écart d'acquisition sur une période n'excédant pas 40 ans. À partir de juillet 2001, les sociétés ont dû cesser l'amortissement des écarts d'acquisition existants et des nouveaux écarts d'acquisition. Pour les sociétés qui avaient des montants très élevés d'écart d'acquisition, ce changement a permis d'augmenter le bénéfice net de façon substantielle. Les états financiers de Rogers de 2000 présentaient une charge d'amortissement de l'écart d'acquisition de 2 491 000 $ alors qu'en 2001, année de la mise en vigueur des nouvelles recommandations, elle était nulle, car le test de dépréciation n'a révélé aucune baisse de sa valeur comptable. Le traitement comptable de l'écart d'acquisition est important pour les analystes financiers parce qu'il peut représenter plusieurs milliers de dollars. La liberté de jugement laissée à la direction des entreprises quant à la décision de déprécier sa valeur est considérable, et elle influe sur les résultats de l'entreprise. Les analystes devront être vigilants lors de la comparaison des entreprises. Dans les situations où une baisse de valeur sera constatée, le fait que la charge relative à la dépréciation soit montrée séparément à l'état des résultats attirera l'attention des lecteurs. Puisque la dépréciation de l'écart d'acquisition n'est pas une charge impliquant un décaissement, la décision de déprécier ou non n'influe d'aucune façon sur les flux monétaires liés aux opérations.

---

11. Pour simplifier, nous avons ignoré les impôts et les différences de vie utile que peuvent avoir l'usine et la machinerie.

Le taux de rendement de l'actif

Le taux de rendement de l'actif

1. Question d'analyse

Avec quelle efficacité la direction a-t-elle utilisé les ressources ou le capital investi (fourni par les créanciers et les actionnaires) de l'entreprise durant l'exercice?

2. Ratio et comparaison

$$\text{Taux de rendement de l'actif} = \frac{\text{Bénéfice net*}}{\text{Actif total moyen**}}$$

OBJECTIF D'APPRENTISSAGE 5

Analyser et interpréter le taux de rendement de l'actif.

Le taux de 2005 pour Rogers est le suivant:

$$\frac{(44\,558)\,\$}{(13\,834\,289\,\$ + 13\,272\,738\,\$) \div 2} = -0,3\%$$

a) L'analyse de la tendance dans le temps			b) La comparaison avec les compétiteurs	
ROGERS			QUEBECOR	THOMSON CORPORATION
2003	2004	2005	2005	2005
0,9%	−0,6%	−0,3%	0,5%	4,8%

3. Interprétation des résultats

EN GÉNÉRAL ◊ Le taux de rendement de l'actif mesure le bénéfice gagné d'une entreprise pour chaque dollar investi. Il s'agit de la mesure la plus vaste de la rentabilité et de l'efficacité de la direction, indépendamment des stratégies de financement. Ce taux permet aux investisseurs de comparer la performance de la direction sur le plan des investissements par rapport à des opérations d'investissement de rechange. Les sociétés ayant un taux de rendement de l'actif plus élevé choisissent mieux leurs nouveaux investissements, toutes choses étant égales par ailleurs. Les gestionnaires calculent souvent la mesure en fonction des divisions de l'entreprise et l'utilisent pour évaluer le rendement relatif de ses cadres.

Comparons

Taux de rendement de l'actif pour 2005

Cott	2,2%
Cascades	−3,1%
Metro	6,9%

ROGERS ◊ Le taux de rendement de l'actif n'a pas beaucoup varié au cours des trois derniers exercices (environ 1%) et, bien qu'en 2005 Rogers présente une performance moins élevée que son plus gros compétiteur, Quebecor, la différence n'est pas très élevée (0,8%). La perte de 2005 s'explique par une charge d'intégration des nouvelles acquisitions. S'il n'avait pas été question de cette charge de plus de 66 millions, Rogers aurait affiché un bénéfice net de 22 millions, et le taux serait passé à 0,2%, ce qui est très près de celui de Quebecor. Puisque ce genre de charges n'influera pas sur les rendements des exercices futurs, lorsque les analystes utilisent le taux pour prédire l'avenir, ils éliminent souvent les postes non récurrents. D'autres éléments ont contribué au taux de rendement faible: la charge d'amortissement a augmenté de plus de 385 millions de dollars à la suite d'investissements importants au cours des dernières années ainsi que les intérêts sur la dette à long terme. Rogers devra engendrer davantage de produits pour couvrir ces charges additionnelles au cours des exercices subséquents. Toutefois, comme elle a renouvelé sa technologie pour faire face au marché futur, elle semble prête à relever ce défi.

QUELQUES PRÉCAUTIONS ◊ Comme le taux de rendement sur les capitaux propres, le taux de rendement sur l'actif peut être plus détaillé si on décortique l'information ainsi:

$$\text{Taux de rendement de l'actif} = \text{Marge bénéficiaire nette} \times \text{Taux de rotation de l'actif} \qquad \blacklozenge$$

---

* Dans les analyses du taux de rendement de l'actif plus complexes, les intérêts débiteurs (nets d'impôts) et les participations sans contrôle sont ajoutés au bénéfice net dans le numérateur du taux, puisque la mesure évalue le rendement du capital indépendamment de ses sources.

** Actif total moyen = (Total de l'actif au début de l'exercice + Total de l'actif à la fin de l'exercice) ÷ 2

$$\frac{\text{Bénéfice net}}{\text{Actif total moyen}} = \frac{\text{Bénéfice net}}{\text{Chiffres d'affaires net}} \times \frac{\text{Chiffre d'affaires net}}{\text{Actif total moyen}}$$

Comme dans le cas du taux de rendement des capitaux propres, une analyse efficace du taux de rendement de l'actif exige aussi une compréhension de la raison pour laquelle le taux de rendement de l'actif diffère des niveaux précédents et de celui de la concurrence. Les éléments précédents ainsi qu'une analyse plus détaillée des composantes de la marge bénéficiaire nette et du taux de rotation de l'actif peuvent contribuer à améliorer cette compréhension. Il faut décortiquer l'information, isoler les éléments non récurrents et analyser les opportunités futures. Certes, les changements dans les conditions de compétition doivent aussi être considérés. L'analyse nécessite, encore une fois, une bonne connaissance du secteur d'activité.

PERSPECTIVE INTERNATIONALE

L'harmonisation des normes comptables

Au cours des dernières années, plusieurs pays ont participé à l'élaboration de normes harmonisées en matière de comptabilisation des placements et des regroupements d'entreprises et du traitement comptable de l'écart d'acquisition. La mondialisation des marchés et l'ouverture des frontières ont multiplié les regroupements d'entreprises. La présence de normes comptables différentes dans chaque pays rendait difficile la comparaison et l'interprétation de l'information financière. Depuis juillet 2001, une seule méthode est reconnue pour la comptabilisation des regroupements au Canada et aux États-Unis: la méthode à la valeur d'acquisition. Aussi, l'écart d'acquisition n'est plus amorti sur une période arbitraire, mais déprécié lorsque sa valeur baisse par suite d'un test de dépréciation.

Nous avons vu, durant l'année 2005, la modification du traitement comptable des placements non stratégiques. De plus, sur la scène internationale, on révise actuellement les règles en matière de regroupements d'entreprise et de consolidation des états financiers. Ainsi, l'harmonisation des normes comptables entre différents pays se poursuivra en ce qui concerne plusieurs autres sujets dans les années à venir.

TEST D'AUTOÉVALUATION

La société Lexis a acheté 100% de l'entreprise Nexis pour 10 millions de dollars, société qui a été par la suite dissoute et intégrée à Lexis. À la date de la fusion, la juste valeur des autres actifs de Nexis était de 11 $, et la valeur comptable des passifs de Nexis était égale à leur juste valeur. Les bilans récapitulatifs pour les deux entreprises (les chiffres sont en millions de dollars), à la date d'acquisition immédiatement **avant** la fusion, étaient les suivants:

	Lexis	Nexis
Caisse	10 $	
Autres actifs	90	10 $
Passifs	30	4
Capitaux propres	70	6

À la suite de la comptabilisation de la fusion, quels seraient les soldes suivants au bilan?

1. L'écart d'acquisition.
2. Les capitaux propres.
3. Les autres actifs (hormis l'écart d'acquisition).

Vérifiez vos réponses à l'aide des solutions présentées en bas de page*.

---

* 1. $\dfrac{\text{Prix d'achat}}{10\,\$} - \dfrac{\text{Valeur marchande de l'actif net}}{(11\,\$ - 4\,\$)} = \dfrac{\text{Écart d'acquisition}}{3\,\$}$

2. Les capitaux propres de Lexis restent inchangés, soit 70 $.

3. $\dfrac{\text{Les autres actifs de Lexis}}{90\,\$} + \dfrac{\text{Les autres actifs de Nexis (valeur marchande)}}{11\,\$} = 101\,\$$

CAS A

(Répondez aux questions avant de consulter la solution qui suit l'exemple.)

La société de matériel Milard vend une importante ligne de matériel agricole, et elle offre des services de réparation. Les activités de vente et de service ont été profitables. Les opérations suivantes ont eu lieu au cours de l'exercice 2010:

a) 1er janvier   Achat de 2 000 actions ordinaires de la société Marchand à 40 $ l'action. Il s'agit de 1 % des actions en circulation. La direction a l'intention de transiger activement ces actions.

b) 28 décembre   Réception d'un dividende en espèces de 4 000 $ sur les actions de la société Marchand.

c) 31 décembre   Valeur boursière d'une action de la société Marchand: 39 $.

Travail à faire

1. Présentez les effets de chacune de ces opérations sur les postes du bilan à l'aide de l'équation comptable.
2. Passez l'écriture de journal pour chacune de ces opérations.
3. Quels comptes et quels montants seront inscrits au bilan à la fin de l'exercice 2010? À l'état des résultats pour l'exercice 2010?

Solution suggérée pour le cas A

1. Équation comptable

	Actif	=	Passif	+	Capitaux propres	
a)	Placements – TT +80 000					
	Caisse –80 000					
b)	Caisse +4 000				Produits de placement +4 000	
c)	Plus/moins-values – placements TT –2 000				Perte non réalisée – placements TT –2 000	

2. Écritures de journal

a) 1er janvier	Placements TT (+A)...	80 000	
	Caisse (–A)...		80 000
	2 000 actions × 40 $ l'action		
b) 28 décembre	Caisse (+A)...	4 000	
	Produits de placement (+Pr, +CP).....................		4 000
c) 31 décembre	Perte non réalisée – placements TT (+Pe, –CP).......	2 000	
	Plus/moins-values – placements TT (–A)............		2 000

Année	Valeur du marché	–	Coût	=	Solde du compte *Plus/moins-values – placements* à la fin de la période	–	Solde du compte *Plus/moins-values – placements* au début de la période	=	Montant de l'ajustement
2010	78 000 $ (39 $ × 2 000 actions)	–	80 000 $	=	(2 000 $)	–	0 $	=	(2 000 $) (perte non réalisée pour l'exercice)

3.

Au bilan		À l'état des résultats	
Actif à court terme		Éléments hors exploitation	
Placements TT	78 000 $	Produits de placement	4 000 $
(Coût 80 000 – Moins-value 2 000)		Perte non réalisée – placements TT	(2 000)

CAS B

Reprenez les mêmes données que dans le cas A, hormis le fait que les actions ont été achetées comme des titres disponibles à la vente (TDV) au lieu de titres détenus à des fins de transaction (TT).

Travail à faire

1. Présentez les effets de chacune de ces opérations sur les postes du bilan à l'aide de l'équation comptable.
2. Passez l'écriture de journal pour chacune de ces opérations.
3. Quels comptes et quels montants seront inscrits au bilan à la fin de l'exercice 2010? À l'état des résultats pour l'exercice 2010?

Solution suggérée pour le cas B

1. Équation comptable

	Actif	=	Passif	+	Capitaux propres	
a)	Placements TDV +80 000					
	Caisse −80 000					
b)	Caisse +4 000				Produits de placement	+4 000
c)	Plus/moins-values – placements TDV −2 000				Perte latente – placements TDV	−2 000

2. Écritures de journal

a)	1er janvier	Placements TDV (+A)	80 000	
		Caisse (−A)		80 000
		2 000 actions × 40 $ l'action		
b)	28 décembre	Caisse (+A)..	4 000	
		Produits de placement (+Pr, +CP).............		4 000
c)	31 décembre	Perte latente – placements TDV (−RE, −CP)....	2 000	
		Plus/moins-values – placements TT (−A).....		2 000

Année	Valeur du marché	−	Coût	=	Solde du compte Plus/moins-values – placements à la fin de la période	−	Solde du compte Plus/moins-values – placements au début de la période	=	Montant de l'ajustement
2010	78 000 $ (39 $ × 2 000 actions)	−	80 000 $	=	(2 000 $)	−	0 $	=	(2 000 $) (perte latente pour l'exercice)

3.

Au bilan		À l'état des résultats	
Actif à court terme ou long terme		Éléments hors exploitation	
Placements – TDV	78 000 $	Produits de placement	4 000 $
(Coût 80 000 − Moins-value 2 000)			
Capitaux propres			
Autres éléments du résultat étendu			
Perte latente – placements TDV	(2 000)		

CAS C

Le 1er janvier 2010, la société Buron a acheté 40 % des actions avec droit de vote en circulation de la société Londres sur le marché libre au prix de 85 000 $. La société Londres a déclaré un dividende en espèces de 10 000 $ et un bénéfice net de 60 000 $ durant l'exercice.

Travail à faire

1. Déterminez les incidences de ces opérations sur les postes du bilan pour l'exercice 2010 à l'aide de l'équation comptable.

2. Passez les écritures de journal pour l'exercice 2010.
3. Quels comptes ont été présentés au bilan de la société Buron à la fin de l'exercice 2010 et à quels montants? À l'état des résultats pour l'exercice 2010?

Solution suggérée pour le cas C

1. **Équation comptable**

	Actif	=	Passif	+	Capitaux propres
a) Placements – sociétés satellites	+ 85 000				
Caisse	−85 000				
b) Caisse	+4 000				Placements – sociétés satellites −4 000
c) Placements – sociétés satellites	+24 000				Produits de placement* – sociétés satellites +24 000

* Il s'agit de la quote-part de la société participante dans les résultats de la société satellite: 40% × 60 000 $.

2. **Écritures de journal**

a) 1er janvier   Placements – sociétés satellites (+A) 85 000

                    Caisse (−A) 85 000

                    2 000 actions × 40 $ l'action

b) Dividendes   Caisse (+A) (40% × 10 000 $) 4 000

                    Placements – sociétés satellites (−A) 4 000

c) 31 décembre   Placements – sociétés satellites (+A)

                    (40% × 60 000 $) 24 000

                    Produits de placement – sociétés satellites

                    (+Pr, +CP) 24 000

3. **Au bilan**

Actif à long terme

Placements – sociétés satellites   105 000 $

À l'état des résultats

Autres postes

Quote-part des résultats – sociétés satellites   24 000 $

CAS D

Le 1er janvier 2010, la société Buron a acheté 100% des actions avec droit de vote en circulation de la société Londres sur le marché libre au prix de 85 000 $ et, par la suite, Londres a été fusionnée avec Buron. À la date d'acquisition, la valeur marchande de l'usine et de l'équipement s'élevait à 79 000 $ (valeur comptable nette de 70 000 $). La société Londres n'avait ni passif ni autre actif.

Travail à faire

1. Analysez la fusion pour déterminer l'écart d'acquisition.
2. Déterminez les incidences de cette transaction sur les postes du bilan de Buron à la date de la fusion à l'aide de l'équation comptable. S'il n'y a aucune incidence, expliquez pourquoi.
3. Passez l'écriture de journal que la société Buron devrait inscrire à la date d'acquisition. Si aucune écriture n'est requise, expliquez pourquoi.
4. Les actifs de la société Londres devraient-ils être inclus au bilan de Buron à la valeur comptable ou à la valeur marchande? Expliquez votre réponse.

Solution suggérée pour le cas D

1.

Prix d'achat pour la société Londres	85 000 $
Valeur marchande de l'actif net acheté	79 000
Écart d'acquisition	6 000 $

2. **Équation comptable**

Actif		=	Passif	+	Capitaux propres
Usine et équipement	+79 000				
Écart d'acquisition	+ 6 000				
Caisse	−85 000				

3. **Écritures de journal, 1er janvier 2010**

Usine et équipement (+A)	79 000	
Écart d'acquisition (+A)	6 000	
Caisse (−A)		85 000

4. À la date de la fusion, le bilan de Buron doit inclure l'actif de la société Londres à la juste valeur. Le principe de la valeur d'acquisition s'applique comme tout autre achat d'actif.

Annexe 11-A

La préparation des états financiers consolidés

Comme nous l'avons déjà dit dans ce chapitre, lorsqu'une entité fait l'acquisition d'une autre entité et que **chacune continue son existence légale, la préparation d'états financiers consolidés** est nécessaire par la suite. Ces états regroupent les états financiers de la société mère (l'acquéreur) et de ses filiales en un seul jeu d'états financiers, comme si toutes les sociétés du groupe ne constituaient qu'une seule société.

La comptabilisation de l'acquisition du contrôle d'une société

Une société peut obtenir le contrôle d'une autre société en procédant de la façon suivante : la société A ltée offre aux actionnaires de B ltée des espèces ou des nouvelles actions de la société A ltée (ou une combinaison des deux). En retour, A ltée obtient la majorité des actions de B ltée en circulation. Lorsque les actionnaires de B ltée acceptent l'offre et qu'on procède à l'échange, la société mère (A ltée) inscrit un placement dans ses états financiers : ce placement est évalué selon la méthode de l'acquisition. Lorsque les deux entreprises maintiennent leur existence légale à la suite du regroupement, il existe alors une **relation mère-filiale.** Puisque les deux entreprises continuent d'exister, chacune a son propre système comptable pour inscrire ses opérations et préparer ses états financiers.

En utilisant les mêmes données lors de l'acquisition par Rogers de NFI (la filiale hypothétique), on suppose qu'au 1er janvier 2010 Rogers a payé 100 $ (tous les montants sont en millions de dollars) en espèces pour l'acquisition de toutes les actions de NFI[12]. La société Rogers inscrirait alors cette acquisition de la façon suivante :

ÉQUATION COMPTABLE

Actif		=	Passif	+	Capitaux propres
Placement dans NFI	+100				
Caisse	−100				

ÉCRITURE DE JOURNAL

Placement dans NFI (+A)	100	
Caisse (−A)		100

---

12. Par l'achat de 100 % des actions en circulation de NFI, cette dernière devient la filiale exclusive de Rogers. Lorsque moins de 100 % des actions en circulation de NFI (mais plus de 50 %) sont acquises, une **participation sans contrôle** existe (intérêts minoritaires) et est comptabilisée aux états financiers consolidés.

Puisque la transaction s'est faite avec les actionnaires de NFI (les actionnaires de NFI ont échangé leurs actions de NFI pour des actions de Rogers), il n'y a pas d'entrée dans les registres comptables de NFI. Le tableur (*voir le tableau 11.7*) montre les bilans de Rogers et de NFI immédiatement après l'inscription de l'acquisition dans les registres comptables de Rogers. Le compte Placement dans NFI figure alors au bilan de Rogers.

TABLEAU 11.7 Feuille de calcul électronique de consolidation pour le bilan consolidé à la date d'acquisition

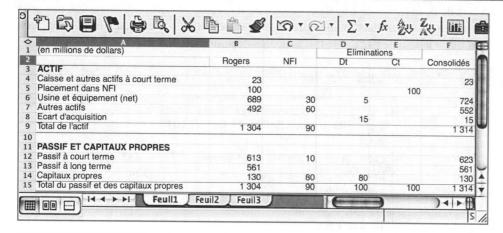

(en millions de dollars)	Rogers	NFI	Eliminations Dt	Eliminations Ct	Consolidés
ACTIF					
Caisse et autres actifs à court terme	23				23
Placement dans NFI	100			100	
Usine et équipement (net)	689	30	5		724
Autres actifs	492	60			552
Ecart d'acquisition			15		15
Total de l'actif	1 304	90			1 314
PASSIF ET CAPITAUX PROPRES					
Passif à court terme	613	10			623
Passif à long terme	561				561
Capitaux propres	130	80	80		130
Total du passif et des capitaux propres	1 304	90	100	100	1 314

La préparation des états financiers consolidés après l'acquisition

Le bilan Dans une consolidation, les états financiers distincts de la société mère (Rogers) sont combinés avec ceux des filiales (ici une seule filiale NFI) en un seul jeu d'états financiers consolidés. Il faut éliminer le compte de placement dans la filiale pour éviter une double comptabilisation des actifs et des passifs de la filiale et l'investissement de la société mère dans ces actifs. Rogers a payé 100 $ pour acquérir toutes les actions de NIF, même si la valeur comptable des actions de NFI n'était que de 80 $. Ainsi, le solde du compte de placement de 100 $ dans les livres de Rogers représente la juste valeur de l'actif net de NFI (Actif – Passif) à la date d'acquisition. Rogers a donc payé 20 $ de plus que la valeur comptable pour les raisons suivantes :

- L'usine et l'équipement de NFI avaient une juste valeur marchande de 35 $ et une valeur comptable nette de 30 $. (La valeur comptable de tous les autres actifs et passifs déjà au bilan de NFI était égale à leur juste valeur.)
- NFI s'est taillé une bonne réputation auprès d'un important groupe d'investisseurs en ligne, ce qui a fait augmenter sa valeur globale. Pour cette raison, Rogers est prête à payer 15 $ de plus que la juste valeur pour acquérir NFI. La différence de 15 $ entre le prix d'achat de la société et la juste valeur de son actif net (l'actif déduit du passif) acquis s'appelle l'« écart d'acquisition ». On peut l'analyser ainsi :

Prix d'achat pour une participation de 100 % dans NFI	100 $
Moins : Juste valeur de l'actif net acquis (80 $ + 5 $)	85
Écart d'acquisition payé	15 $

Pour achever le processus de consolidation de Rogers et de NFI, il faut éliminer le compte Placement dans NFI et ajouter à sa place les actifs et les passifs de NFI avec l'écart d'acquisition payé. L'écart d'acquisition est présenté séparément, et les actifs et passifs de NFI doivent être redressés à leur juste valeur, là où la valeur du marché est différente de la valeur comptable, par exemple en ce qui concerne l'usine et l'équipement dans ce cas-ci. Pour ce faire, il faut suivre les cinq étapes suivantes :

1) soustraire le solde du compte de placement de 100 $ (ct) ;
2) additionner l'écart d'acquisition payé de 15 $ à titre d'actif (dt) ;
3) additionner 5 $ (la plus-value) à l'usine et à l'équipement pour les présenter à leur juste valeur (dt) ;
4) soustraire des capitaux propres de NFI (dt) ;
5) combiner le reste des bilans de Rogers et de NFI (*voir encadré en marge*).

Une fois ces opérations accomplies, on obtient l'état financier présenté au tableau 11.8. Il faut noter qu'il s'agit du même bilan consolidé (*voir le tableau 11.5 à la page 679*) à la suite de la fusion de Rogers et de NFI en une seule entreprise. Cela ne doit pas vous surprendre, car les états financiers consolidés présentent un seul jeu d'états financiers, comme si la société mère et la filiale ne faisaient qu'une société.

TABLEAU 11.8 Bilan consolidé à la date d'acquisition (en millions de dollars)

Rogers et ses filiales **Bilan consolidé au 1ᵉʳ janvier 2010**	
Actif	
Caisse et autres actifs à court terme	23 $
Usine et équipement (net)	724
Autres actifs	552
Écart d'acquisition	15
Total de l'actif	1 314 $
Passif et capitaux propres	
Passif à court terme	623 $
Passif à long terme	561
Capitaux propres	130
Total du passif et des capitaux propres	1 314 $

État des résultats regroupés

Lorsqu'on dresse le bilan consolidé, on combine les bilans séparés comme s'il n'existait qu'une seule entreprise. La consolidation de l'état des résultats distinct des entreprises requiert un processus similaire pour les résultats engendrés après la date d'acquisition.

Pour l'exercice se terminant le 31 décembre 2010, Rogers et NFI ont présenté chacun l'état des résultats suivant :

États des résultats fictifs et simplifiés distincts pour l'exercice terminé le 31 décembre 2010, une année après l'acquisition		
(en millions de dollars)	**Rogers**	**NFI**
Produits	2 158 $	120
Moins : Charges	2 150	106
Plus : Produits de placement – filiale	14	
Bénéfice net	22 $	14 $

Les produits et les charges engendrés par les propres activités de la société mère (hormis les produits tirés des placements de la filiale) sont combinés avec les produits et les charges de la filiale. La réévaluation des actifs à la valeur du marché doit aussi être considérée lors de la consolidation. L'augmentation de la valeur de l'actif doit être amortie dans le processus de consolidation.

Dans l'exemple fictif de Rogers et NFI, l'établissement de l'état des résultats consolidé exige alors trois étapes (sans tenir compte des impôts) :
1) la combinaison des produits de Rogers de 2 158 $ et des produits de NFI de 120 $;
2) la combinaison des charges de Rogers de 2 150 $ et des charges de NFI de 106 $;

3) l'ajout d'une charge de 1$ d'amortissement si on pose l'hypothèse qu'il reste cinq années de vie utile à l'usine et à l'équipement. (5$ de plus-value ÷ 5 ans = 1$ par année).

Notez que les produits de placement tirés de la filiale ne sont pas repris afin de ne pas considérer les résultats de la filiale deux fois.

En raison de la simplicité de cet exemple, vous pouvez directement dresser l'état des résultats consolidé simplifié du tableau 11.9. Des ajustements complexes et des éliminations feraient normalement partie du processus de consolidation et, par conséquent, seraient présentés dans la feuille de calcul.

TABLEAU 11.9 | État des résultats consolidé

> **Rogers (et filiales)**
> **État des résultats consolidé fictif**
> **pour l'exercice terminé le 31 décembre 2010**
> (en millions de dollars)
>
> | | |
> |---|---:|
> | Produits (2158$ + 120$) | 2 278$ |
> | Charges (2150$ + 106$ + 1$) | 2 257 |
> | Bénéfice net | 21$ |

ANALYSONS UN CAS

CAS E

Le 1er janvier 2010, la société Buron a acheté 100% des actions avec droit de vote en circulation de la société Londres sur le marché libre au prix de 85 000$. À la date d'acquisition, la valeur marchande des actifs opérationnels s'élevait à 79 000$.

Travail à faire

1. Déterminez les incidences de ces opérations sur les postes du bilan de Buron à la date d'acquisition à l'aide de l'équation comptable. Si aucune incidence n'a eu lieu, expliquez pourquoi.
2. Passez l'écriture de journal que la société Buron devrait inscrire à la date d'acquisition. Si aucune écriture n'est requise, expliquez pourquoi.
3. Passez l'écriture de journal que la société Londres devrait inscrire à la date d'acquisition. Si aucune écriture n'est requise, expliquez pourquoi.
4. Analysez l'acquisition pour déterminer le montant de l'écart d'acquisition issu du regroupement.
5. Les actifs de la société Londres devraient-ils être inclus au bilan consolidé à la valeur comptable ou à la valeur marchande? Expliquez votre réponse.

Solution suggérée

1. **Équation comptable**

Actif		=	Passif	+	Capitaux propres
Placements – filiales	+85 000				
Caisse	−85 000				

2. **Écritures de journal, 1er janvier 2008**

Placements – filiales (+A)	85 000	
Caisse (−A)		85 000

3. La société Londres ne passe pas d'écriture de journal pour l'achat de ses actions par la société Buron. L'opération a été conclue entre la société Buron et les actionnaires de la société Londres. Elle ne faisait pas directement intervenir la société Londres.

4.

Prix d'achat pour la société Londres	85 000$
Valeur marchande de l'actif net acheté	79 000
Écart d'acquisition	6 000$

5. Selon la méthode de l'acquisition, l'actif de la société Londres doit être inclus au bilan consolidé à sa juste valeur à la date d'acquisition. Le principe de la valeur d'acquisition s'applique ici comme dans toute opération d'achat d'actif.

Points saillants du chapitre

1. **Analyser et présenter les placements en obligations détenus jusqu'à leur échéance** (*voir la page 659*).

   Lorsque la direction a l'intention de détenir des placements en obligations jusqu'à la date d'échéance, les obligations sont inscrites au coût à la date d'acquisition. Par la suite, les obligations sont présentées au bilan à leur coût amorti. Tous les produits de placement tirés des intérêts réalisés durant l'exercice sont présentés à l'état des résultats.

2. **Analyser et présenter les placements non stratégiques en actions à l'aide de la méthode de la valeur du marché** (*voir la page 660*).

   - L'acquisition de moins de 20 % des actions en circulation avec droit de vote d'une autre société (émettrice) est classée comme un investissement non stratégique. Les placements non stratégiques sont classés ainsi :
     - les titres détenus à des fins de transaction (transigés activement pour maximiser le rendement) ;
     - les titres disponibles à la vente (dans le but d'obtenir un rendement, mais non transigés de façon active), selon l'intention de la direction.
   - Les placements sont comptabilisés au coût et redressés à la fin de l'exercice à leur valeur du marché. Un poste Plus/moins-values – placements, créé à cet effet, augmente ou diminue les placements pour les présenter à la valeur du marché. Il en résulte également des gains ou pertes non réalisés qu'on présente ainsi :
     - Pour les titres détenus aux fins de transactions, les gains ou pertes non matérialisés sont présentés à l'état des résultats.
     - Pour les titres disponibles à la vente, les gains ou pertes latents sont présentés dans les autres éléments du résultat étendu, aux Capitaux propres.
   - Les dividendes gagnés sont présentés comme des produits de placements, et tous les gains ou pertes sur les ventes de placements non stratégiques sont présentés à l'état des résultats.

3. **Analyser et présenter les placements qui permettent d'exercer une influence notable à l'aide de la méthode de comptabilisation à la valeur de consolidation** (*voir la page 669*).

   Lorsqu'une entreprise détient entre 20 % et 50 % des actions avec droit de vote d'une autre société, on présume que la société participante exerce une influence notable sur les politiques stratégiques en matière d'exploitation, d'investissement et de financement de la société émettrice (le satellite). Dans ce cas, la méthode à la valeur de consolidation doit être utilisée pour comptabiliser le placement par la société participante. Selon la méthode de comptabilisation à la valeur de consolidation, l'entité participante comptabilise le placement au coût à la date d'acquisition. Pour tous les exercices suivants, la valeur du placement augmente (ou diminue) du montant de la quote-part de la société participante dans les bénéfices (les pertes) de l'entité émettrice et diminue du montant de la quote-part de la société participante dans les dividendes déclarés par l'entité émettrice.

   La section des activités d'investissement de l'état des flux de trésorerie présente les achats et les ventes de placements. Dans la section des activités d'exploitation présentée avec la méthode indirecte, on ajuste le bénéfice net en fonction des gains ou pertes sur les ventes de placements, de la quote-part dans les résultats des sociétés satellites (nette des dividendes reçus) et des pertes découlant de la baisse de valeur durable des placements.

4. **Analyser et présenter les placements dans des entreprises contrôlées** (*voir la page 676*).

   La fusion survient lorsqu'une entreprise achète tous les actifs d'une autre société, et la société englobée cesse d'exister comme entité légale distincte. Les fusions et la détention d'une participation majoritaire dans une autre société (plus de 50 % des actions avec droit de vote en circulation) doivent être comptabilisées avec la méthode de l'acquisition. Selon le principe du coût, les actifs et les passifs de la société émettrice sont évalués à leur juste valeur. Tout montant versé en sus de la valeur du marché des actifs nets est présenté comme un écart d'acquisition par l'investisseur.

Le concept de consolidation est basé sur l'idée qu'une société mère et ses filiales constituent une seule entité économique. Par conséquent, il faut combiner les états des résultats, les bilans et les états des flux de trésorerie distincts de la société mère et de ses filiales à chaque exercice. On le fait en additionnant, un poste à la fois, les éléments des états financiers pour ne former qu'un seul ensemble d'états financiers consolidés, tout en éliminant les soldes réciproques (les intersociétés). Quand on achète 100 % des actions en circulation avec droit de vote d'une autre société et que cette dernière continue à exister, les états financiers consolidés sont les mêmes que lorsque l'on comptabilise une fusion avec l'acquisition de tous les actifs et passifs de la société englobée.

5. **Analyser et interpréter le taux de rendement de l'actif** (*voir la page 681*).

Le taux de rendement de l'actif mesure le bénéfice gagné par l'entreprise pour chaque dollar d'actif investi. Il procure des informations sur la rentabilité et l'efficacité de la direction. Si le taux augmente dans le temps, c'est que l'efficacité de la direction s'améliore. On le calcule en divisant le bénéfice net par l'actif total moyen.

Chaque année, bon nombre d'entreprises déclarent des bénéfices importants, mais elles déclarent aussi faillite. Certains investisseurs considèrent que cette situation est paradoxale. Cependant, les analystes comprennent pourquoi cela se produit. Ils savent qu'on dresse l'état des résultats en vertu du principe de constatation (on inscrit les produits quand ils sont réalisés ou gagnés, et on rapproche les charges connexes avec les produits). L'état des résultats ne présente pas les recouvrements en espèces et les paiements au comptant. Les sociétés en proie à des difficultés financières déclarent faillite, car elles ne sont pas en mesure de satisfaire à leurs obligations en matière de liquidités (par exemple, elles ne peuvent payer leurs fournisseurs ou verser les intérêts exigibles). L'état des résultats n'aide pas les analystes à évaluer les flux de trésorerie d'une entreprise. L'état des flux de trésorerie, que nous aborderons dans le chapitre 12, est conçu pour aider les utilisateurs des états financiers à évaluer les encaissements et les décaissements d'une entreprise.

RATIOS CLÉS

Le taux de rendement de l'actif mesure le bénéfice gagné par l'entreprise pour chaque dollar d'actif investi au cours de l'exercice. Un taux qui augmente ou qui est élevé laisse entendre que la direction gère ses actifs avec efficacité. On le calcule comme suit (*voir la page 681*):

$$\text{Taux de rendement de l'actif} = \frac{\text{Bénéfice net}}{\text{Actif total moyen*}}$$

* (Actif total au début de l'exercice + Actif total à la fin de l'exercice) ÷ 2

Pour trouver **L'INFORMATION FINANCIÈRE**

BILAN

Actif à court terme
  Placements dans des titres détenus à des fins de transaction (nets des plus ou moins-values)
  Placements dans des titres disponibles à la vente (nets des plus ou moins-values)

Actif à long terme
  Placements dans des titres disponibles à la vente (nets des plus ou moins-values)
  Placements dans les sociétés satellites
  Placements dans des obligations détenues jusqu'à l'échéance

Capitaux propres
  Autres éléments du résultat étendu :
    Gains ou pertes latents sur titres disponibles à la vente

ÉTAT DES FLUX DE TRÉSORERIE

Activités d'exploitation (méthode indirecte)
  Bénéfice net ajusté pour :
    Gains ou pertes (réalisés) sur la vente de placements
    Quote-part des résultats de sociétés satellites, net du dividende reçu de sociétés satellites
    Gains ou pertes non réalisés sur titres détenus à des fins de transaction
    Pertes sur dévaluation de placements

ÉTAT DES RÉSULTATS

Autres postes

Produits de placement

Gains ou pertes sur vente de placements

Gains ou pertes non réalisés sur les titres détenus aux fins de transaction

Perte sur dévaluation de placements

Quote-part des résultats de sociétés satellites

NOTES COMPLÉMENTAIRES

Dans plusieurs notes

Conventions comptables sur les placements et les principes de consolidation

Détails sur les titres détenus à des fins de transaction et sur les titres disponibles à la vente et les placements dans les sociétés associées

Détails sur les acquisitions de sociétés

Mots clés

Questions

1. Expliquez la différence qui existe entre un placement à court terme et un placement à long terme.

2. Expliquez la différence qui existe entre les méthodes de comptabilisation utilisées pour les placements non stratégiques, les placements permettant d'exercer une influence notable et les placements qui permettent d'obtenir le contrôle de la société émettrice.

3. Expliquez comment les placements en obligations détenues jusqu'à la date d'échéance sont présentés au bilan de l'investisseur. Pourquoi?

4. Expliquez l'application du principe du coût à l'achat d'actions dans une autre entreprise.

5. Selon la méthode de la valeur du marché, quand et comment la société participante mesure-t-elle les produits de placement dans des actions d'autres sociétés?

6. Selon la méthode de la comptabilisation à la valeur de consolidation, pourquoi l'entité participante mesure-t-elle les produits de placement sur la base de sa quote-part des résultats de l'entité émettrice plutôt que sur la base de sa quote-part des dividendes déclarés?

7. Selon la méthode de la comptabilisation à la valeur de consolidation, les dividendes reçus de l'entité émettrice ne sont pas comptabilisés comme produits, car une telle inscription entraîne une double comptabilisation des produits. Expliquez pourquoi.

8. Que veut dire un regroupement d'entreprises comptabilisé selon la méthode de l'acquisition?

9. Qu'est-ce qu'un écart d'acquisition et quel en est le traitement comptable?

10. Quelle est la relation entre une société mère et sa filiale?

11. Pourquoi consolide-t-on les états financiers de la société mère et de ses filiales?

12. Quel élément de base doit-il exister avant que des états financiers soient consolidés?

13. En quoi consistent les éliminations intersociétés? (Annexe 11-A)

Questions à choix multiples

1. La société A détient 40 % de la société B. Elle exerce une influence notable sur la direction de la société B. Quelle méthode la société A utilise-t-elle pour comptabiliser son placement dans la société B ?
   a) La méthode du coût amorti.
   b) La méthode de la valeur du marché.
   c) La méthode à la valeur de consolidation.
   d) La consolidation des états financiers des sociétés A et B.

2. La société A achète 10 % de la société X et a l'intention de détenir ces actions au moins cinq ans. Comment la société A va-t-elle présenter son placement dans la société X au bilan de fin d'exercice ?
   a) Au coût original à l'actif à court terme.
   b) À la valeur du marché de fin d'exercice dans l'actif à court terme.
   c) Au coût original à l'actif à long terme.
   d) À la valeur du marché de fin d'exercice dans l'actif à long terme.

3. Parmi les affirmations suivantes, laquelle permet de bien comptabiliser le produit de dividende de placement dans des titres disponibles à la vente et détenus à long terme ?
   a) Une augmentation du compte Caisse et une diminution du compte Placement – TDV.
   b) Une augmentation du compte Caisse et une perte latente au bilan.
   c) Une augmentation du compte Caisse et une augmentation des produits de placement.
   d) Une augmentation du compte Caisse et un gain non réalisé à l'état des résultats.

4. Parmi les affirmations suivantes, laquelle permet de présenter adéquatement à l'état des résultats les gains ou pertes réalisés concernant des titres détenus à des fins de transaction et des titres disponibles à la vente ?
   a) Lors du redressement d'un titre détenu à des fins de transaction à sa valeur du marché.
   b) Lors du redressement d'un titre disponible à la vente à sa valeur du marché.
   c) Seulement lors de la vente d'un titre de placement détenu à des fins de transaction.
   d) Lors de la comptabilisation de la vente d'un titre détenu à des fins de transaction ou d'un titre disponible à la vente.

5. Parmi les affirmations suivantes, laquelle permet de comptabiliser adéquatement un dividende reçu d'une société satellite ?
   a) L'actif total augmente, et le bénéfice net augmente.
   b) L'actif total augmente, et les capitaux propres augmentent.
   c) L'actif total diminue, et les capitaux propres diminuent.
   d) L'actif total et les capitaux propres restent inchangés.

6. À quel moment inscrit-on des produits de placement dans les registres de la société participante lorsque cette dernière utilise la méthode à la valeur de consolidation pour comptabiliser son placement ?
   a) Lorsque la valeur du marché des actions de la société émettrice augmente.
   b) Lorsqu'elle reçoit un dividende de la société émettrice.
   c) Lorsque la société émettrice comptabilise un bénéfice net.
   d) À la fois b) et c).

7. Lors de la vente d'un placement, lequel des éléments suivants est présenté dans la section des activités d'investissement à l'état des flux de trésorerie ?
   a) La soustraction d'un gain sur la vente d'un actif.
   b) L'addition d'une perte sur la vente d'un actif.
   c) L'addition des produits en espèces de la vente.
   d) Toutes les réponses ci-dessus.

8. Parmi les affirmations suivantes concernant l'écart d'acquisition, laquelle est fausse ?
   a) L'écart d'acquisition apparaît dans la section des actifs à long terme de l'actif au bilan.
   b) Lorsque l'amortissement de l'écart d'acquisition a cessé en 2001, les flux monétaires des sociétés qui présentaient un écart d'acquisition a augmenté en conséquence.
   c) Quand une entreprise produit un écart d'acquisition à l'interne plutôt que dans le contexte d'un regroupement, l'écart d'acquisition n'est pas présenté au bilan.
   d) Aucune des réponses ci-dessus.

9. Parmi les affirmations suivantes concernant le taux de rendement de l'actif, laquelle est vraie?
   a) Ce ratio est utilisé pour évaluer l'efficacité d'une société selon un montant donné de capital investi par les propriétaires.
   b) Le ratio est utilisé pour évaluer la stratégie de financement d'une société.
   c) Le taux de rendement de l'actif peut se séparer en deux composantes: la marge bénéficiaire nette et le taux de rotation des stocks.
   d) Ce ratio sert à évaluer l'efficacité des gestionnaires à gérer les actifs.

10. Parmi les circonstances énumérées ci-dessous, dans quelle circonstance la consolidation des états financiers est-elle nécessaire?
   a) Seulement lorsqu'une société peut exercer une influence notable sur une autre société.
   b) Seulement lorsqu'une société paie pour la survaleur lors de l'acquisition d'une autre entreprise.
   c) Seulement lorsque la société-mère exerce la contrôle sur la filiale.
   d) Seulement lorsqu'une société achète une autre société par intégration verticale.

Mini-exercices

OA1
OA2
OA3
OA4

M11-1 **La correspondance entre les méthodes de comptabilisation des placements et la présentation de l'information financière**

Établissez un lien entre les éléments suivants: les éléments de droite peuvent être utilisés plusieurs fois.

Méthode de comptabilisation

A. La méthode à la valeur du marché	_____	Plus de 50% des actions ordinaires
	_____	Les obligations détenues jusqu'à l'échéance
B. La méthode à la valeur de consolidation	_____	Moins de 20% des actions ordinaires
C. La consolidation	_____	Entre 20% et 50% des actions ordinaires
D. La méthode du coût amorti	_____	Le coût original moins l'amortissement de toute prime ou de tout escompte associé à l'achat
	_____	Le coût original plus ou moins une quote-part des résultats de la société émettrice moins une quote-part des dividendes déclarés par la société émettrice
	_____	Le coût original ajusté en fonction des variations de la valeur boursière des actions

OA1

M11-2 **L'enregistrement d'un placement en obligations**

Le 1er janvier 2009, la société Piedpur a acheté 1 000 000$ (valeur nominale) d'obligations de la société Mainchaude. Ces obligations portent un taux d'intérêt de 8%, et les intérêts sont versés semi-annuellement les 30 juin et 31 décembre de chaque année. Le coût d'acquisition de ces obligations s'est élevé à 1 070 000$. La direction de l'entreprise a l'intention de conserver les obligations jusqu'à l'échéance.

Travail à faire

Inscrivez l'achat des obligations au 1er janvier 2009:
a) à l'aide de l'équation comptable;
b) à l'aide de l'écriture de journal.

OA2

M11-3 **La détermination des effets sur les états financiers des opérations de placement dans des titres détenus à des fins de transaction**

Au cours de décembre 2008, la société Princeton a acquis quelque 50 000 actions ordinaires en circulation de la société Cox comme titres détenus à des fins de transaction. L'exercice des deux sociétés se termine le 31 décembre. Voici les opérations sur ces titres durant le mois de décembre 2008.

	2 décembre	Achat de 8 000 actions ordinaires de la société Cox au prix de 28 $ l'action.
	15 décembre	Déclaration et versement de dividendes en espèces de 2 $ l'action par la société Cox.
	31 décembre	Prix du marché des actions de Cox évalué à 25 $ l'action.

Travail à faire

À l'aide des catégories suivantes, indiquez les effets des opérations. (Inscrivez un « + » pour une augmentation, un « – » pour une diminution et indiquez les montants.)

Bilan			État des résultats		
Actif	Passif	Capitaux propres	Produits et gains	Charges et pertes	Bénéfice net

M11-4 **La détermination des effets sur les états financiers des opérations de placement dans des titres disponibles à la vente**

Utilisez les données de l'exercice M11-3 et supposez que la direction de la société Princeton a acheté les actions de Cox pour son portefeuille de titres disponibles à la vente plutôt que son portefeuille de titres détenus à des fins de transaction.

Travail à faire

À l'aide des catégories suivantes, indiquez les effets des opérations. (Inscrivez + pour une augmentation et – pour une diminution, et indiquez les montants.)

Bilan			État des résultats		
Actif	Passif	Capitaux propres	Produits et gains	Charges et pertes	Bénéfice net

M11-5 **L'enregistrement des opérations de placement dans des titres détenus à des fins de transaction**

Pour chacune des opérations de l'exercice M11-3 conclues au cours de l'exercice 2008, passez l'écriture de journal correspondante.

M11-6 **La comptabilisation des opérations portant sur les placements dans des titres disponibles à la vente**

Utilisez les données de l'exercice M11-4. Passez l'écriture de journal pour chaque opération.

M11-7 **La détermination des effets sur les états financiers des titres dans des sociétés satellites**

Le 1er janvier 2009, Achète.com a acquis 25 % (10 000 actions) des actions ordinaires de la société E-Net. L'exercice pour les deux sociétés se termine le 31 décembre.

Le 2 juillet 2009, E-Net a déclaré et versé un dividende en espèces de 3 $ l'action.

Le 31 décembre 2009, E-Net a inscrit un bénéfice net de 200 000 $.

Travail à faire

À l'aide des catégories suivantes, indiquez les effets des opérations du 2 juillet et du 31 décembre 2009. (Inscrivez + pour une augmentation et – pour une diminution, et indiquez les comptes qui subiront une influence ainsi que les montants.)

Bilan			État des résultats		
Actif	Passif	Capitaux propres	Produits et gains	Charges et pertes	Bénéfice net

M11-8 **L'enregistrement des opérations portant sur les titres dans des sociétés satellites**

Passez les écritures de journal pour chacune des opérations données à l'exercice M11-7 effectuées en 2009.

M11-9 **L'enregistrement d'une fusion**

La société Textile beaufil a acquis la société Tissus soyeux pour 600 000 $ versés comptant alors que l'actif unique de Tissus soyeux, soit l'usine et l'équipement, avait une valeur comptable de 590 000 $ et une juste valeur de 630 000 $.

□ OA2

□ OA2

□ OA2

□ OA3

□ OA3

□ OA4

Textile beaufil a également pris en charge les obligations à payer de 100 000 $ de Tissus soyeux. À la suite de cette acquisition, la société Tissus soyeux cessera d'exister en tant que société distincte et sera fusionnée avec Textile beaufil.

Travail à faire

1. Calculez l'écart d'acquisition, le cas échéant.
2. Comptabilisez cette acquisition à l'aide de l'équation comptable et de l'écriture de journal.

M11-10 Le calcul et l'interprétation du taux de rendement de l'actif

F.O.U. inc. a inscrit les informations suivantes à la fin de chaque exercice :

Année	Bénéfice net	Actif total
2009	152 000 $	52 000 $
2010	195 000	68 000
2011	201 000	134 000
2012	212 000	145 000

Travail à faire

1. Calculez le taux de rendement de l'actif pour 2010, 2011 et 2012.
2. Comment interprétez-vous les résultats obtenus en 1 ?

M11-11 L'interprétation des informations fournies sur l'écart d'acquisition (Annexe 11-A)

La société Disney possède des parcs à thème, des studios de cinéma, des stations de radio et de télévision, des journaux et des réseaux de télévision comme ABC et ESPN. Dernièrement, son bilan présentait un écart d'acquisition de 17 milliards de dollars. Cet actif représente plus de 33 % de l'actif total de l'entreprise, ce qui est un pourcentage très important si on le compare à celui de nombreuses sociétés. À votre avis, pourquoi Disney inscrit-elle un écart d'acquisition aussi important à son bilan ? Expliquez votre réponse.

Exercices

E11-1 L'enregistrement des placements en obligations détenues jusqu'à la date d'échéance

La société Alimentation Couche-Tard exploite plus de 4 845 magasins sous les bannières Couche-Tard, Mac's et Circle K. Elle attire plus de 25 millions de consommateurs à travers le Canada et les États-Unis. Le chiffre d'affaires de la société s'élève à plus de 10 milliards de dollars en 2005.

Supposez que le 1er juillet 2007, les gestionnaires de la trésorerie ont effectué l'achat d'un placement en obligations à la valeur nominale de 10 millions de dollars. Les obligations portent un taux d'intérêt de 10 %. Les intérêts sont payables semi-annuellement les 30 juin et 31 décembre, et les obligations viennent à échéance dans 10 ans. Alimentation Couche-Tard prévoit conserver ce placement jusqu'à la date d'échéance.

Travail à faire

1. À l'aide de l'équation comptable, présentez les opérations suivantes :
   a) l'achat des obligations le 1er juillet 2007 ;
   b) l'encaissement des intérêts le 31 décembre 2007.
2. Présentez chacune des opérations ci-dessus à l'aide des écritures de journal.

E11-2 La comparaison des méthodes de comptabilisation à la valeur du marché et à la valeur de consolidation

La société A a acheté une certaine quantité d'actions avec droit de vote en circulation de la société B à 19 $ l'action comme placement à long terme. La société B avait 20 000 actions en circulation sans valeur nominale. Sur une feuille distincte, remplissez la matrice suivante concernant la mesure et la présentation de l'information financière pour la société A après l'acquisition des actions de la société B.

Questions	La méthode à la valeur du marché	La méthode à la valeur de consolidation
a) Quel niveau de participation dans la société B la société A doit-elle détenir pour appliquer cette méthode?	_____ %	_____ %

Pour les questions b), e), f) et g), supposez ce qui suit.		
Nombre d'actions acquises de la société B	1 000	5 000
Bénéfice net inscrit par la société B au cours du premier exercice	50 000 $	50 000 $
Dividendes déclarés par la société B au cours du premier exercice	10 000 $	10 000 $
Valeur boursière de l'action de la société B à la fin de l'exercice	15 $	15 $

Questions	La méthode à la valeur du marché	La méthode à la valeur de consolidation
b) Déterminez le montant du compte de placement qui figure dans les livres de la société A à la date d'acquisition.	_____ $	_____ $
c) À quel moment et sur quelle base la société A doit-elle constater les produits de placement relatifs aux actions qu'elle détient de la société B? Expliquez votre réponse.	_____	_____
d) Après la date d'acquisition, quelles raisons amèneraient la société A à modifier le solde de son compte de placement dans les actions de la société B (autre que pour la vente)? Expliquez votre réponse.	_____	_____
e) Quel est le montant des produits de placement dans la société B à la fin du premier exercice?	_____ $	_____ $
f) Quel est le solde du compte de placement dans les livres de la société A à la fin du premier exercice?	_____ $	_____ $
g) Quel est le montant de la perte non réalisée que la société A doit présenter à la fin du premier exercice?	_____ $	_____ $

E11-3 **Les effets sur les états financiers et l'enregistrement des opérations portant sur les placements dans des titres détenus à des fins de transaction**

OA2

Le 30 juin 2006, MétroMédia inc. a acquis 10 000 actions ordinaires de Mitek au prix de 20 $ l'action. La direction a acheté les actions dans le but de spéculer et elle a inscrit les actions dans son portefeuille de titres détenus à des fins de transaction. Les données suivantes concernent le prix par action de Mitek : Le 14 février 2009, MétroMédia a vendu toutes ses actions dans Mitek au prix de 22 $ l'action.

	Prix
31-12-2006	24 $
31-12-2007	31
31-12-2008	25

Travail à faire
1. Déterminez les incidences de cette opération à la date d'acquisition et à chaque fin d'exercice sur les postes du bilan, et ce, à l'aide de l'équation comptable.
2. Passez les écritures de journal requises pour les opérations présentées dans ce cas.

E11-4 **Les effets sur les états financiers et l'enregistrement des opérations portant sur les placements dans des titres disponibles à la vente**

OA2

À l'aide des données de l'exercice E11-3, supposez que la direction de MétroMédia achète les actions de Mitek pour son portefeuille de titres disponibles à la vente plutôt que détenus à des fins de transaction.

Travail à faire
1. Déterminez les incidences de cette opération à la date d'acquisition et à chaque fin d'exercice sur les postes du bilan, et ce, à l'aide de l'équation comptable.
2. Passez les écritures de journal requises pour les opérations présentées dans ce cas.

E11-5 **La présentation des gains et des pertes sur les placements dans des titres détenus à des fins de transaction**

Le 10 mars 2008, Solutions générales inc. a acheté 5 000 actions ordinaires de Micro-Tech au prix de 50 $ l'action. La direction a acheté les actions dans l'intention de les revendre afin de réaliser un gain à la suite de l'augmentation éventuelle de la valeur du titre. Elle a donc classé les titres comme détenus à des fins de transaction. Les données suivantes concernent le prix par action de MicroTech :

	Prix
31-12-2008	55 $
31-12-2009	40
31-12-2010	42

Le 12 septembre 2011, Solutions générales a vendu toutes ses actions dans MicroTech au prix de 39 $ l'action.

Travail à faire

1. Déterminez les incidences de cette opération à la date d'acquisition et à chaque fin d'exercice sur les postes du bilan, et ce, à l'aide de l'équation comptable.
2. Passez les écritures de journal requises par les opérations présentées dans cet exemple.

E11-6 **La présentation des gains et des pertes sur les placements dans des titres disponibles à la vente**

À l'aide des données de l'exercice E11-5, supposez que la direction de Solutions générales achète les actions de Mitek dans l'intention de les garder durant cinq ans. La société a classé ces titres comme « disponibles à la vente » au lieu de « détenus à des fins de transaction ».

Travail à faire

1. Déterminez les incidences de cette opération à la date d'acquisition et à chaque fin d'exercice sur les postes du bilan, et ce, à l'aide de l'équation comptable.
2. Passez les écritures de journal requises par les opérations présentées dans cet exemple.

E11-7 **L'inscription et la présentation d'un titre comptabilisé à la valeur de consolidation**

La société Félicia a acquis quelques-unes des 60 000 actions ordinaires en circulation (sans valeur nominale) de la société Nueces durant l'exercice 2007 à titre de placement à long terme. L'exercice annuel des deux sociétés se termine le 31 décembre. Les opérations suivantes ont été conclues durant l'exercice 2007 :

10 janvier	Achat de 21 000 actions ordinaires de Nueces au prix de 12 $ l'action.
15 juillet	Nueces a déclaré et versé des dividendes en espèces de 0,60 $ l'action.
31 décembre	Réception des états financiers de Nueces pour l'exercice 2007, qui présentaient un bénéfice net de 90 000 $.
31 décembre	La valeur boursière des actions de Nueces est de 11 $ l'action.

Travail à faire

1. Quelle méthode comptable la société Félicia doit-elle utiliser pour comptabiliser son placement dans Nueces ? Expliquez votre réponse.
2. Déterminez les incidences sur les postes du bilan pour chacune de ces opérations. Si aucun effet ne s'applique, expliquez pourquoi.
3. Passez les écritures de journal pour chacune de ces opérations. Si aucune écriture n'est requise, expliquez pourquoi.
4. Montrez la manière dont les placements à long terme et les produits connexes doivent être présentés aux états financiers de Félicia pour l'exercice 2007.

E11-8 **L'interprétation des effets des placements comptabilisés à la valeur de consolidation à l'état des flux de trésorerie**

À l'aide des données de l'exercice E11-7, répondez aux questions ci-après.

Travail à faire

1. À l'état des flux de trésorerie de l'exercice en cours, comment ces opérations influeront-elles sur la section des activités d'investissement ?

2. À l'état des flux de trésorerie de l'exercice en cours (avec la méthode indirecte), comment la quote-part des résultats et des dividendes des sociétés satellites influera-t-elle sur la section des activités d'exploitation ? Expliquez les raisons de ces effets.

E11-9 **La détermination du traitement comptable approprié pour une acquisition**

◆ George Weston ltée ■ OA4

L'entreprise George Weston est une société canadienne dans le domaine de la transformation et de la distribution d'aliments. Elle atteint plus de 31 milliards de dollars de chiffre d'affaires annuel. Les notes qui accompagnaient ses états financiers contenaient les informations qui suivent.

---

6. Acquisitions d'entreprises (en millions de dollars)

Le 27 septembre 2004, Weston a acheté toutes les actions ordinaires émises et en circulation de Boulangerie Gadoua ltée [...] pour une contrepartie de 52 $ comprenant une somme en espèces de 46 $ et l'émission d'actions ordinaires de Weston de 6 $ [...]. Voici les éléments de l'actif net de Gadoua ltée à leur juste valeur marchande à la date de l'acquisition :

Actifs à court terme	11 $
Immobilisations	29
Actifs incorporels	21
Passifs à court terme*	16
Dette à long terme	7

* Nous avons regroupé les passifs d'impôts futurs avec le passif à court terme pour simplifier la présentation.

Posez l'hypothèse que les valeurs comptables sont égales aux valeurs du marché, à l'exception des immobilisations et des actifs incorporels dont les valeurs comptables sont respectivement de 25 $ et de 15 $.

Travail à faire
1. Faites le calcul de l'écart d'acquisition, le cas échéant.
2. Passez l'écriture de journal pour inscrire cette acquisition en supposant qu'il s'agit d'une fusion.

E11-10 **L'analyse et l'interprétation du taux de rendement de l'actif**

◆ Bombardier ■ OA5

La société Bombardier est un important fabricant de produits de transport aéronautique et terrestre reconnue mondialement. Au cours d'un exercice récent, elle présentait les chiffres consolidés qui suivent (en millions de dollars).

	Exercice en cours	Exercice précédent
Produits	14 726 $	15 546 $
Bénéfice net	249	(85)
Total de l'actif	17 482	20 130
Total des capitaux propres	2 425	2 298

Travail à faire
1. Déterminez le taux de rendement de l'actif pour l'exercice en cours.
2. Expliquez la signification de ce taux de rendement.

E11-11 **L'interprétation de la convention en matière de consolidation (Annexe 11-A)**

◆ La Senza

Le rapport annuel de la société La Senza, entreprise de vente au détail de vêtements féminins, comprend la déclaration suivante : « Toutes les opérations et tous les soldes intersociétés d'importance ont été exclus lors de la consolidation. » Expliquez, dans vos propres mots, la signification de cet énoncé. Pourquoi doit-on éliminer tous les comptes et toutes les opérations intersociétés lors de la consolidation ?

E11-12 **L'analyse de l'écart d'acquisition et l'établissement du bilan consolidé (Annexe 11-A)**

Le 1er janvier 2008, la société P a acheté, sur le marché libre, 100 % des actions avec droit de vote de la société S au prix de 80 000 $ payés en espèces. Voici les bilans (simplifiés) des deux entreprises tels qu'ils ont été dressés ce même jour.

	Immédiatement après l'acquisition au 1er janvier 2008	
	Société P	Société S
Caisse	12 000 $	18 000 $
Placement dans la société S (au coût)	80 000	
Immobilisations (nettes)	48 000	42 000
Total de l'actif	140 000 $	60 000 $
Total du passif	40 000 $	9 000 $
Actions ordinaires :		
Société P (sans valeur nominale)	90 000	
Société S (valeur nominale de 10 $)		40 000
Bénéfices non répartis	10 000	11 000
Total du passif et des capitaux propres	140 000 $	60 000 $

À la date d'acquisition, on a déterminé que la juste valeur des éléments de l'actif et du passif de la société S était égale à leur valeur comptable.

Travail à faire

1. Analysez l'acquisition afin de déterminer le montant de l'écart d'acquisition.
2. Déterminez les incidences de ces opérations sur les postes du bilan à l'aide de l'équation comptable.
3. Dressez un bilan consolidé immédiatement après l'acquisition.

E11-13 La détermination du bénéfice net consolidé (Annexe 11-A)

Supposez que la société Alpha a acquis la société Gamma le 1er janvier 2010 pour 200 000 $ payés comptant. À cette date, la valeur comptable nette de la société Gamma était de 190 000 $. La juste valeur de l'équipement était de 96 000 $: ce dernier affichait une plus value de 6 000 $. L'équipement avait une vie utile estimative de trois ans au 1er janvier 2010 et l'amortissement est linéaire, sans valeur résiduelle.

Durant l'exercice 2010, les entreprises ont déclaré les résultats qui suivent.

	Société Alpha	Société Gamma
Produits rattachés à leurs propres activités	500 000 $	75 000 $
Charges se rapportant à leurs propres activités	350 000	50 000

Travail à faire

1. Faites le calcul de l'écart d'acquisition, le cas échéant.
2. Calculez le bénéfice net consolidé pour l'exercice se terminant le 31 décembre 2010.
3. Quel traitement comptable se rapporte à l'écart d'acquisition ?

Problèmes

■ OA1

P11-1 La détermination des effets sur les états financiers de placement en obligations détenues jusqu'à la date d'échéance (PS11-1)

Starbucks, une société qui vend du café de bonne qualité, a pris rapidement de l'expansion. Posez l'hypothèse que sa stratégie d'expansion comprend l'ouverture, dans cinq ans, de plusieurs restaurants-cafés au Mexique. La société détient 5 millions de dollars pour soutenir cette expansion, et elle a décidé d'investir ces fonds dans des obligations d'entreprises jusqu'à ce qu'elle ait besoin des fonds. Supposez également qu'avec ces fonds, Starbucks a acheté pour 5 millions d'obligations, à la valeur nominale, le 1er juillet 2009 avec date d'échéance dans cinq ans, le 1er juillet 2014. Les intérêts que portent ces obligations sont de 8 %, payables semi-annuellement les 30 juin et 31 décembre. Starbucks prévoit détenir ce placement en obligations jusqu'à la date d'échéance.

Travail à faire

1. Quels comptes sont touchés au moment de l'achat des obligations le 1er juillet 2009 et de combien ?
2. Quels comptes sont touchés au moment de la réception des intérêts le 31 décembre 2009 et de combien ?
3. Que doit inscrire Starbucks dans ses registres comptables lorsque la valeur du marché des obligations diminue à 4 000 000 $ au 31 décembre 2010 ? Expliquez votre réponse.

P11-2 **La comptabilisation des placements non stratégiques (PS11-2)**   ■OA2

Le 1er mars 2007, la société HiTech Industries a acheté 10 000 actions de la Société de services intégrés qu'elle a payées 20 $ l'action. Les renseignements qui suivent concernent le prix des actions de la Société de services intégrés.

	Prix
31-12-2007	17 $
31-12-2008	24
31-12-2009	31

Travail à faire

1. Déterminez les incidences sur les postes du bilan à l'aide de l'équation comptable et passez les écritures de journal pour la société. Supposez que HiTech a acheté les actions comme titres détenus à des fins de transaction.
2. Déterminez les incidences sur les postes du bilan à l'aide de l'équation comptable et passez les écritures de journal pour la société. Supposez que HiTech a acheté les actions comme titres disponibles à la vente.

P11-3 **La présentation des placements non stratégiques (PS11-3)**

 ◆ EXCEL ■OA2

Au cours du mois de janvier 2008, la société Cristal a acheté les actions suivantes comme placements à long terme :

Actions	Nombre d'actions en circulation	Actions achetées	Prix par action
Actions ordinaires de la société Q (sans valeur nominale)	90 000	12 600	5 $
Actions privilégiées de la société R sans droit de vote (valeur nominale de 10 $)	20 000	12 000	30 $

Après l'acquisition, les données suivantes étaient disponibles :

	2008	2009
Bénéfice net inscrit au 31 décembre :		
Société Q	30 000 $	36 000 $
Société R	40 000	48 000
Dividendes déclarés et versés par action au cours de l'exercice :		
Actions ordinaires de la société Q	0,85 $	0,90 $
Actions privilégiées de la société R	1,00	1,10
Valeur boursière de l'action au 31 décembre :		
Actions ordinaires de la société Q	4,00 $	4,00 $
Actions privilégiées de la société R	29,00	30,00

Travail à faire

1. Quelle méthode comptable la société Cristal devrait-elle utiliser pour comptabiliser les placements dans les actions ordinaires de la société Q et dans les actions privilégiées de la société R ? Expliquez votre réponse.

2. Pour chaque exercice, présentez les effets des éléments ci-après sur la société Cristal à l'aide de l'équation comptable et ensuite avec les écritures de journal.
   a) L'achat des placements.
   b) Les bénéfices présentés par les sociétés Q et R.
   c) Les dividendes reçus des sociétés Q et R.
   d) Les effets de la valeur du marché à la fin des exercices.
3. Pour chaque exercice, indiquez comment les montants ci-après devraient être inscrits aux états financiers de Cristal.
   a) Les placements à long terme.
   b) Les capitaux propres – gains ou pertes latents.
   b) Les produits de placement.

■ OA2
■ OA3

P11-4 **L'enregistrement des placements non stratégiques et des placements avec une influence notable.**

Le 4 août 2008, la société Collin a acheté 1 000 actions de la société Isabelle au prix de 45 000 $ et a l'intention de les conserver quelques années. Les renseignements suivants concernant la société Isabelle ont été recueillis :

	Prix
31-12-2008	52 $
31-12-2009	47
31-12-2010	38

Le 1er juin de chaque année, Isabelle verse un dividende en espèces de 2 $ l'action.

Travail à faire

1. Supposez qu'il s'agit d'un placement dans des titres détenus à des fins de transaction. Déterminez les incidences sur les postes du bilan à l'aide de l'équation comptable à la date d'acquisition et à chaque fin d'exercice. Si aucun effet ne s'applique, expliquez pourquoi. Présentez le solde du poste Placement à chaque fin d'exercice et indiquez toute autre divulgation nécessaire aux états financiers.

2. Supposez maintenant qu'il s'agit d'un placement dans des titres disponibles à la vente. Déterminez les incidences sur les postes du bilan à l'aide de l'équation comptable à la date d'acquisition et à chaque fin d'exercice. Si aucun effet ne s'applique, expliquez pourquoi. Présentez le solde du poste Placement à chaque fin d'exercice et indiquez toute autre divulgation nécessaire aux états financiers.

3. Effectuez le même travail qu'à la question 2, mais supposez que l'acquisition des actions d'Isabelle donne une participation de 30 % à Collin avec le pouvoir d'exercer une influence notable. Le bénéfice net d'Isabelle a été de 50 000 $ à chacun des exercices présentés, et ce bénéfice a été gagné de façon uniforme durant chaque exercice.

■ OA2 EXCEL ◆
■ OA3

P11-5 **La comparaison des méthodes de comptabilisation des placements pour divers niveaux de participation**

La société Rochon a 30 000 actions ordinaires en circulation, sans valeur nominale. Le 1er janvier 2008, la société Georges acquiert une partie de ces actions au prix de 25 $ l'action. À la fin de l'exercice 2008, Rochon a présenté un bénéfice net de 50 000 $ et, durant l'exercice 2008, elle a déclaré et payé des dividendes pour un montant de 25 500 $. La valeur boursière des actions de Rochon à la fin de 2008 se situait à 22 $ l'action. Les données s'appliquent aux deux cas isolés suivants :

Cas A 3 600 actions achetées ;
Cas B 10 500 actions achetées.

Travail à faire

1. Pour chacun des cas présentés, déterminez la méthode comptable que devrait utiliser Georges pour comptabiliser son placement dans Rochon. Présentez les explications à l'appui.

2. Pour chacun des cas présentés, déterminez les incidences sur les postes du bilan de Georges à l'aide de l'équation comptable en supposant que le placement est à long terme. Si aucun effet ne s'applique, expliquez pourquoi.

3. Remplissez le tableau ci-après qui montre le solde de certains postes aux états financiers de Georges pour l'exercice 2008.

	Montant	
	Cas A	Cas B
Bilan		
Placements		
Capitaux propres		
État des résultats		
Produits de placement		

4. Expliquez pourquoi l'actif, les capitaux propres et les produits de placement sont différents dans les deux cas.

P11-6 **La comparaison des méthodes de la valeur du marché et de la valeur de consolidation (PS11-4)**

◇ EXCEL ■ OA2
■ OA3

Lafond inc. a 100 000 actions ordinaires en circulation. Le 10 janvier 2009, Lanthier inc. a acheté un bloc de ces actions sur le marché à 20$ l'action pour des besoins de trésorerie à long terme. À la fin de 2009, Lafond a rapporté un bénéfice net de 300 000$ et, durant l'exercice 2009, elle a versé un dividende en espèces de 0,60$ l'action. Au 31 décembre 2009, les actions se transigeaient en Bourse à 18$ l'action. Ces données s'appliquent aux deux cas isolés suivants:

Cas A Achat de 10 000 actions ordinaires de Lafond;
Cas B Achat de 40 000 actions ordinaires de Lafond.

Travail à faire

1. Pour chaque cas, déterminez la méthode comptable que devrait utiliser Lanthier afin de comptabiliser son placement dans Lafond. Présentez les explications à l'appui.
2. Pour chaque cas, présentez les effets des éléments suivants sur la société Lanthier à l'aide de l'équation comptable et ensuite avec les écritures de journal. (Si aucun effet et aucune écriture de journal ne sont requis, expliquez pourquoi.)
   a) L'acquisition.
   b) La constatation des produits.
   c) Les dividendes reçus.
   d) Les effets de la valeur du marché.
3. Pour chaque cas, indiquez les montants qui devraient être présentés aux états financiers de 2009 pour les postes qui suivent.
   a) Les placements.
   b) Les capitaux propres.
   b) Les produits.
4. Expliquez pourquoi les montants présentés à la question 3 sont différents d'un cas à l'autre.

P11-7 **La détermination des effets sur l'état des flux de trésorerie des placements permettant d'exercer une influence notable (PS11-5)**

■ OA3

Durant l'exercice 2010, la société Rousseau a acheté, à titre de placement à long terme, une partie des 90 000 actions ordinaires de Thon de mer inc. L'exercice des deux sociétés se termine le 31 décembre. Les opérations suivantes ont été effectuées au cours de l'exercice 2010:

1er janvier	Achat de 40 500 actions de Thon de mer au prix de 33$ l'action.
31 décembre	Réception des états financiers de Thon de mer pour l'exercice 2010, qui comptabilisait un bénéfice net de 220 000$.
31 décembre	Déclaration et versement par Thon de mer de dividendes en espèces de 2$ l'action.
31 décembre	La valeur du marché des actions de Thon de mer est de 40$ l'action.

Travail à faire

Présentez l'incidence de chacune des opérations ci-dessus sur la section des activités d'exploitation et d'investissement de l'état des flux de trésorerie.

P11-8 **L'analyse de l'écart d'acquisition et la présentation d'une fusion (PS11-6)**

◇ EXCEL ■ OA4

Le 4 janvier 2009, la société Pronti a acquis tout l'actif net de la société Verner pour une somme de 120 000$ payés comptant. Les deux sociétés se sont fusionnées avec Pronti comme société absorbante. Voici les bilans des deux sociétés avant la fusion.

Bilans au 4 janvier 2009	Pronti	Verner
Caisse	118 000 $	23 000 $
Immobilisations (nettes)	132 000	65 000*
Total de l'actif	250 000 $	88 000 $
Passif total	27 000 $	12 000 $
Actions ordinaires	120 000	40 000
Bénéfices non répartis	103 000	36 000
Total du passif et des capitaux propres	250 000 $	88 000 $

* Selon la société Pronti, la juste valeur des immobilisations à la date d'acquisition est de 72 000 $.

Travail à faire

1. Déterminez le montant de l'écart d'acquisition, le cas échéant. Présentez tous vos calculs.
2. Passez l'écriture que doit faire la société Pronti pour comptabiliser la fusion.
3. Dressez le bilan de Pronti immédiatement après l'acquisition.

P11-9 L'interprétation du taux de rendement de l'actif (PS11-7)

Verizon Communications inc (VCI) a été formée à la suite de la fusion des sociétés Bell Atlantic et GTE en 2000. Cette société est le plus grand fournisseur de communication par fil et sans fil aux États-Unis et elle est présente dans plus de 40 pays. L'information suivante a été présentée à un rapport annuel récent:

	En millions de dollars			
	20D	**20C**	**20B**	**20A**
Bénéfice net	3 077 $	4 079 $	389 $	11 797 $
Actif total	165 968	167 468	170 795	164 735

Travail à faire

1. Calculez le taux de rendement de l'actif pour 20D, 20C et 20B.
2. Que suggèrent les résultats de la question 1 à propos de VCI?

P11-10 L'analyse de l'écart d'acquisition et la présentation du bilan consolidé (Annexe 11-A)

Le 4 janvier 2009, la société Penn a acquis la totalité des 8 000 actions en circulation de la société Syracuse qu'elle a payées 12 $ l'action. Par la suite, Syracuse continue d'exister en devenant la filiale de Penn. Immédiatement après l'acquisition, on pouvait lire ce qui suit dans les bilans des deux sociétés.

Bilans au 4 janvier 2009	Société Penn	Société Syracuse
Caisse	22 000 $	23 000 $
Placements dans Syracuse	96 000	
Immobilisations (nettes)	132 000	65 000*
Total de l'actif	250 000 $	88 000 $
Passif total	27 000 $	12 000 $
Actions ordinaires	120 000	40 000
Bénéfices non répartis	103 000	36 000
Total du passif et des capitaux propres	250 000 $	88 000 $

* Selon la société Penn, la juste valeur à la date d'acquisition est de 72 000 $.

Travail à faire

1. Déterminez les incidences sur les postes du bilan de Penn découlant de l'acquisition.
2. Analysez l'acquisition afin de déterminer le montant de l'écart d'acquisition.
3. Au bilan consolidé, l'actif immobilisé de la société Syracuse doit-il être inscrit à la valeur comptable ou à la juste valeur? Expliquez votre réponse.
4. Dressez un bilan consolidé immédiatement après l'acquisition. (Conseil: Tenez compte de la réponse donnée en 3.)

Problèmes supplémentaires

PS11-1 **La détermination des effets sur les états financiers des placements en obligations détenues jusqu'à la date d'échéance (P11-1)**

Pharmacies Jean Coutu (PJC) est le quatrième plus important réseau de pharmacies en Amérique du Nord. Son expansion est due en grande partie à cause des acquisitions et des fusions avec d'autres entreprises dans le même domaine. Supposez que PJC dispose de 10 millions de dollars en vue d'acquisitions futures qu'elle a planifiées dans quatre ans. Elle a décidé d'investir cette somme dans des placements en obligations d'entreprises d'une valeur nominale de 10 000 000 $ et portant un taux d'intérêt de 8 % : les intérêts sont payables semi-annuellement les 30 juin et 31 décembre. Le prix payé pour ces obligations qui viennent à échéance dans quatre ans est de 10 300 000 $. PJC prévoit garder les obligations jusqu'à la date d'échéance.

Travail à faire

1. Quels comptes ont été touchés à la date de l'achat ? Indiquez les montants.
2. Quels comptes ont été touchés lors de la réception des intérêts à la fin de la première année. Indiquez les montants.
3. Au 31 décembre de la deuxième année, si la valeur du marché des obligations se situe à 9 880 000 $, passez l'écriture de journal que doit faire PJC. Expliquez votre réponse.

PS11-2 **La comptabilisation des placements non stratégiques (P11-2)**

Le 15 septembre 2007, la société James Média inc. a acquis 5 000 actions de la société Diffusar inc. au prix de 32 $ l'action. Les renseignements suivants présentent la valeur boursière des actions de Diffusar :

	Prix
31-12-2007	34 $
31-12-2008	25
31-12-2009	21

Travail à faire

1. À l'aide de l'équation comptable, déterminez les incidences sur les postes du bilan relatifs aux opérations présentées dans ce cas. Supposez que les actions ont été achetées comme titres de placement détenus à des fins de transaction. Présentez ensuite les écritures de journal relatives à ces placements.
2. Effectuez le même travail qu'à la question 1 en supposant que les actions seront classées comme titres disponibles à la vente.

PS11-3 **La présentation des placements non stratégiques (P11-3)**

Durant l'exercice 2008, la société Hexagone a acquis 12 000 actions des 200 000 actions ordinaires en circulation de la société Sept inc. au prix de 30 $ l'action comme placement à long terme. Supposez que la fin de l'exercice est le 31 décembre. Voici les renseignements disponibles après la date d'acquisition.

	2008	2009
Bénéfice net de Sept inc. au 31 décembre	40 000 $	60 000 $
Dividendes en espèces payés par Sept inc. au cours de l'exercice	60 000	80 000
Valeur boursière d'une action ordinaire de Sept inc. au 31 décembre	28	29

Travail à faire

1. Quelle méthode comptable doit être utilisée pour comptabiliser le placement dans Sept inc. ? Expliquez votre réponse.

2. Pour chacun des exercices, déterminez les incidences sur les postes des états financiers de la société Hexagone des éléments qui suivent (s'il n'y a aucune incidence, expliquez pourquoi).
   a) L'acquisition des actions de Sept.
   b) Le bénéfice net présenté par Sept.
   c) Les dividendes reçus de Sept.
   d) L'effet de la valeur boursière à la fin de l'exercice.
3. Présentez le solde des postes qui suivent aux états financiers de la société Hexagone de chaque exercice.
   a) Placements à long terme.
   b) Capitaux propres – gains ou pertes latents.
   c) Produits de placement.

■OA2
■OA3

PS11-4 La comparaison de la méthode de valeur du marché et la méthode à la valeur de consolidation (P11-6)

La société Packer a acheté une partie des 200 000 actions en circulation de Barbier comme placement à long terme. La fin d'exercice des deux sociétés est le 31 décembre. Les transactions suivantes ont eu lieu en 2010 :

10 janvier   Achat des actions ordinaires de Barbier à 15 $ l'action comme suit :
              Cas A :   30 000 actions ;
              Cas B :   80 000 actions.

31 décembre a) Réception des états financiers de Barbier pour 2010. Le bénéfice net présenté est de 90 000 $.
            b) Réception d'un dividende de Barbier de 0,60 $ l'action.
            c) La valeur du marché des actions de Barbier est de 9 $ l'action.

Travail à faire
1. Pour chaque cas, déterminez la méthode comptable que Packer doit utiliser pour comptabiliser son placement. Expliquez votre réponse.
2. À l'aide de l'équation comptable, présentez les effets de ces opérations. S'il n'y a aucun effet, expliquez pourquoi. (Conseil : Utilisez des colonnes parallèles pour présenter chacun des cas.)
3. Donnez les montants de chacun des éléments suivants qu'on trouve aux états financiers de 2010 de Packer, et ce, pour chacun des cas. Utilisez le format suivant :

	Montant	
	Cas A	Cas B
Bilan partiel		
Actifs		
Placements à long terme		
Capitaux propres		
Autres éléments du résultat étendu		
État des résultats partiels		
Produits de placement		

■OA2
■OA3

PS-11-5 La détermination des effets sur l'état des flux de trésorerie des placements permettant d'exercer une influence notable (P11-7)

Pour chacune des transactions présentées au problème précédent (PS11-4), indiquez comment la section des activités d'exploitation (selon la méthode indirecte) et la section des activités d'investissement seront touchées.

■OA4

PS11-6 L'analyse de l'écart d'acquisition et la présentation d'une fusion (P11-8)

Le 1er juin 2009, la société Kappa a acquis tout l'actif net de la société Delta pour 120 000 $ payés comptant. Les deux sociétés se sont fusionnées, et Kappa est la société survivante. Voici les bilans des deux sociétés **avant** la fusion.

Bilans au 1er juin 2009	Kappa	Delta
Caisse	176 000 $	13 000 $
Immobilisations (nettes)	352 000	165 000*
Total de l'actif	528 000 $	178 000 $
Passif total	93 000 $	82 000 $
Actions ordinaires	250 000	65 000
Bénéfices non répartis	185 000	31 000
Total du passif et des capitaux propres	528 000 $	178 000 $

* Selon la société Kappa, la juste valeur des immobilisations corporelles à la date d'acquisition est de 180 000 $.

Travail à faire

1. Déterminez le montant de l'écart d'acquisition, le cas échéant. Présentez tous vos calculs.
2. Passez l'écriture que doit faire la société Kappa pour comptabiliser la fusion le 1er juin 2009.
3. Dressez le bilan de Kappa immédiatement après l'acquisition.

PS11-7 L'interprétation du taux de rendement de l'actif (P11-9)

◆ Marriott International ◻OA5

Marriott International est un leader mondial dans l'industrie hôtelière qui exploite ce secteur d'activité dans plus de 68 pays. L'information suivante a été obtenue d'un rapport annuel récent de la société :

	En millions de dollars			
	20D	**20C**	**20B**	**20A**
Bénéfice net	502 $	277 $	236 $	479 $
Actif total	8 177	8 296	9 107	8 237

Travail à faire

1. Calculez le taux de rendement de l'actif pour 20D, 20C et 20B.
2. Que suggèrent les résultats obtenus à la question 1 à propos de Marriott ?

Cas et projets

Cas – Rapports annuels

CP11-1 La recherche de l'information financière

◆ Reitmans (Canada) limitée ◻OA1 ◻OA2 ◻OA4 ◻OA5

Reportez-vous aux états financiers de la société Reitmans (*voir l'annexe C à la fin de ce manuel*).

1. Quel type de placement la société Reitmans inscrit-elle ? Quelles méthodes de mesure et de présentation de l'information financière sont utilisées pour ces placements ? Où avez-vous trouvé cette information ?
2. La société Reitmans comptabilise-t-elle la valeur du marché des placements ? Quelle relation existe-t-il entre le coût et la valeur du marché ?
3. Pouvez-vous nommer les filiales de la société ? S'agit-il de filiales en propriété exclusive ou à contrôle majoritaire ? Comment pouvez-vous le déterminer ? Les notes complémentaires indiquent-elles que la société élimine les opérations intersociétés durant la consolidation ? Expliquez votre réponse.
4. Quel était le solde de l'écart d'acquisition présenté dans le rapport annuel le plus récent ? L'écart d'acquisition a-t-il varié d'un exercice à l'autre et quelle en est la signification ? Que représente cet écart d'acquisition au bilan de la société ?
5. La société a-t-elle amélioré sa performance mesurée par le taux de rendement de l'actif en 2006 et en 2005 ? L'actif total en 2004, en milliers de dollars, était de 469 865 $.

6. Si la société avait utilisé les normes de présentation décrites dans ce chapitre (qui entrent en vigueur pour les exercices débutant le 1er octobre 2007), l'évaluation des placements aurait-elle changé ? Expliquez votre réponse.

OA1
OA2
OA3
OA4
OA5

CP11-2 La recherche de l'information financière

Reportez-vous aux états financiers de la société Le Château (*voir l'annexe B à la fin de ce manuel*).

Travail à faire

1. Quel est le solde des placements pour son exercice terminé le 28 janvier 2006 ? Quels genres de placement font partie de ce compte ? (Indice : Examinez les notes aux états financiers pour obtenir l'information.)
2. Combien d'espèces la société a-t-elle utilisées durant le plus récent exercice pour l'acquisition de placements à court terme ? Où le voyez-vous ?
3. Les états financiers présentent-ils les plus récentes acquisitions ou dispositions d'entreprises durant les deux exercices présentés ? À quoi le voyez-vous ?
4. La société a-t-elle des filiales ? À quoi le voyez-vous ? Si la société possède des filiales, quel est le pourcentage détenu ? À quoi le voyez-vous ?
5. La société a-t-elle investi dans des sociétés où elle exerce une influence notable ? À quoi le voyez-vous ?
6. L'entreprise a-t-elle amélioré sa performance si le taux de rendement de l'actif est mesuré d'une année à l'autre ? L'actif total pour l'année 2004, en milliers de dollars, se chiffre à 94 546 $.

OA5

CP11-3 La comparaison de sociétés évoluant dans le même secteur d'activité

Reportez-vous aux états financiers des sociétés Reitmans et Le Château ainsi qu'aux ratios industriels présentés à l'annexe D à la fin de ce manuel.

Travail à faire

1. Calculez la marge bénéficiaire nette, le taux de rotation de l'actif et le taux de rendement de l'actif des deux sociétés pour l'exercice en cours. Quelle société a offert le rendement le plus élevé sur le total de ses actifs au cours de cet exercice ?
2. La différence entre le taux de rendement de l'actif des deux sociétés provient-elle essentiellement des distinctions sur le plan de la rentabilité ou de l'efficacité ? Comment le savez-vous ?
3. Le rendement de l'actif de la société Reitmans est-il plus ou moins élevé que la moyenne pour ce secteur d'activité ? Et celui de la société Le Château ?

Cas – Information financière

OA2
OA3

CP11-4 L'utilisation des rapports financiers : l'analyse des effets financiers des méthodes de comptabilisation à la valeur du marché et à la valeur de consolidation

Le 1er janvier 2010, la société Tremblay a acheté 30 % des actions ordinaires en circulation de la société Marilou pour un coût total de 560 000 $. La direction a l'intention de conserver ces actions à long terme. Dans le bilan du 31 décembre 2010, le placement dans la société Marilou s'élevait à 720 000 $, et aucune autre action de la société Marilou n'a été achetée. La société a reçu de la société Marilou des dividendes de 80 000 $ en espèces. Les dividendes ont été déclarés et versés durant l'exercice 2010. La société a utilisé la méthode de comptabilisation à la valeur de consolidation pour inscrire son placement dans la société Marilou. La valeur boursière des actions de Marilou a augmenté durant l'exercice 2010 pour atteindre une valeur totale de 600 000 $.

Travail à faire

1. Expliquez pourquoi le solde du compte de placement est passé de 560 000 $ à 720 000 $ au cours de l'exercice 2010.
2. Quels produits de placement ont été comptabilisés durant l'exercice 2010 ?
3. Si la société Tremblay n'avait pas d'influence notable sur Marilou et avait utilisé la méthode de comptabilisation à la valeur du marché, quel montant aurait été comptabilisé à titre de produits de placement durant l'exercice 2010 ?
4. Si la société Tremblay n'avait pas d'influence notable sur Marilou et avait utilisé la méthode de comptabilisation à la valeur du marché, quel montant aurait été inscrit à titre de placement au bilan de la société Tremblay au 31 décembre 2010 ?

CP11-5 L'utilisation de rapports financiers : l'interprétation des informations relatives aux écarts d'acquisition sur le plan international

La société Interbrew est une entreprise belge qui s'est portée acquéreur de John Labatt en 1995. Elle est le deuxième brasseur au monde au chapitre du volume. De plus, elle exerce ses activités en Europe, en Amérique du Nord et dans la région Asie-Pacifique. Un ancien rapport annuel contenait les informations qui suivent sur ses conventions comptables.

> **Principe de consolidation :**
>
> La méthode de consolidation par intégration globale est retenue pour les filiales dans lesquelles le Groupe détient, directement ou indirectement, plus de la moitié des droits de vote.
>
> [...] Les entreprises mises en équivalence sont celles dans lesquelles le Groupe détient une influence significative sur les décisions financières et opération-nelles, sans les contrôler. Ceci est prouvé, en général, si le groupe détient entre 20 % et 50 % des droits de vote. La méthode de la mise en équivalence est utilisée depuis la date où l'influence significative commence jusqu'à la date où elle s'achève.
>
> [...] Toutes les transactions, les soldes et les pertes et profits non réalisés entre entreprises du groupe ont été éliminés.
>
> **Goodwill**
>
> Le goodwill est amorti linéairement sur une période correspondant à sa durée de vie économique utile. Le goodwill généré par l'acquisition de brasseries est généralement amorti sur une durée de 20 ans. Le goodwill généré par l'acqui-sition d'entreprises de distribution est généralement amorti sur une période de 5 ans. Le goodwill provenant des acquisitions de Labatt Brewing Company Ltd., Interbrew UK Ltd. [...] est amorti sur une période de 40 ans. Ceci est dû à l'importance stratégique de ces acquisitions pour le développement à long terme du groupe, pour la nature et la stabilité des marchés dans lesquels ces entreprises opèrent et pour leurs positions sur ces marchés.
>
> Le goodwill est repris au bilan à la valeur d'acquisition diminuée des amortis-sements cumulés et des dépréciations. »

Travail à faire

Interbrew a utilisé l'expression « mise en équivalence » pour valeur de consolidation et le terme « goodwill » pour écart d'acquisition. Comparez cette pratique comptable avec les méthodes utilisées dans notre pays.

Cas – Analyse critique

CP11-6 L'évaluation d'une question d'éthique : l'utilisation d'informations internes

Vous êtes membre du conseil d'administration d'une entreprise. Celle-ci a décidé d'ache-ter, dans les trois ou quatre prochains mois, 80 % des actions en circulation d'une autre société. Les nombreuses discussions sur le sujet vous ont convaincu qu'il s'agit d'une ex-cellente occasion d'investissement. Par conséquent, vous décidez d'acheter pour 10 000 $ d'actions de la société en question. Voyez-vous un problème d'éthique dans cette déci-sion ? Réagiriez-vous différemment s'il s'agissait d'un investissement de 500 000 $? Les considérations d'ordre éthique sont-elles différentes si vous n'achetez pas vous-même les actions, mais que vous conseillez à votre frère ou à votre sœur de le faire ?

CP11-7 L'évaluation d'une acquisition à titre d'analyste financier

Supposez que vous êtes l'analyste financier d'une importante entreprise d'investis-sement. Votre tâche consiste à analyser des entreprises du secteur de la vente au détail. Vous venez d'apprendre qu'un important détaillant de l'Ouest du pays a acheté une chaîne de magasins de vente au détail de l'Est du pays pour un prix supérieur à la valeur comptable nette de la société acquise. Vous avez analysé les états financiers de chaque entreprise avant l'annonce de l'acquisition. Écrivez un bref rapport expliquant ce qui se produira lorsque les résultats financiers des entreprises seront consolidés, y compris les conséquences sur le taux de rendement de l'actif.

Projets – Information financière

CP11-8 Projet d'équipe : l'examen d'un rapport annuel

Formez une équipe et choisissez un secteur d'activité à analyser. Chaque membre de l'équipe doit se procurer le rapport annuel d'une société ouverte dans ce secteur qui comporte des placements. Chaque membre doit choisir une société différente. (Vos sources de recherche peuvent être le site SEDAR ou le site des entreprises elles-mêmes.) Ensuite, chaque membre de l'équipe doit écrire individuellement un bref rapport répondant aux questions qui suivent au sujet de la société choisie.

1. Cette société a-t-elle dressé des états financiers consolidés ? Si oui, énumère-t-elle les filiales qu'elle possède et le degré de contrôle qu'elle exerce sur elles ?

2. Cette société utilise-t-elle la méthode de comptabilisation à la valeur de consolidation pour un de ses placements ? À quoi le voyez-vous ?

3. La société a-t-elle effectué des placements non stratégiques ? Le cas échéant, quelle est leur valeur du marché ? Cette société a-t-elle inscrit des gains ou pertes latents sur ses placements ? A-t-elle dévalué ses placements ? Expliquez chaque réponse.

4. Déterminez les produits ou services exploités de cette entreprise. Pourquoi la direction souhaite-t-elle s'engager dans ces activités ?

5. Calculez le taux de rendement de l'actif pour les deux exercices les plus récents. Que suggèrent vos résultats concernant la société choisie ? Ces résultats sont-ils comparables à l'un des compétiteurs ?

6. Discutez ensemble des similarités ou des différences que vous observez dans les sociétés analysées. Donnez des explications possibles pour les différences que vous avez relevées. Ensuite, l'équipe doit rédiger un court rapport.

CHAPITRE 12

L'état des flux de trésorerie

Objectifs d'apprentissage

Au terme de ce chapitre, l'étudiant sera en mesure :

1. de classer les éléments de l'état des flux de trésorerie selon qu'il s'agit de flux de trésorerie liés aux activités d'exploitation, d'investissement ou de financement (*voir la page 715*) ;

2 A. de présenter et d'interpréter les flux de trésorerie liés aux activités d'exploitation en utilisant la méthode indirecte (*voir la page 723*) ;

B. de présenter et d'interpréter les flux de trésorerie liés aux activités d'exploitation en utilisant la méthode directe (*voir la page 730*) ;

3. d'analyser et d'interpréter le ratio de la qualité du bénéfice (*voir la page 737*) ;

4. de présenter et d'interpréter les flux de trésorerie liés aux activités d'investissement (*voir la page 739*) ;

5. d'analyser et d'interpréter le ratio d'acquisition de capitaux (*voir la page 741*) ;

6. de présenter et d'interpréter les flux de trésorerie liés aux activités de financement (*voir la page 742*) ;

7. d'expliquer l'incidence d'autres éléments qui influent sur la trésorerie (*voir la page 745*).

LES COMPAGNIES LOBLAW LIMITÉE

Les Compagnies Loblaw limitée

L'excellente gestion des flux monétaires !

« Au menu, saveurs et services pour toutes les fourchettes ! » Que vous recherchiez les produits biologiques du Choix du Président parmi les produits alimentaires ou des produits connexes tels que les batteries de cuisine et ustensiles, la literie, la photographie, l'électronique, vous trouverez tout sous un même toit chez Les Compagnies Loblaw limitée (Loblaw).

Loblaw est la plus grande entreprise de distribution alimentaire au Canada avec un chiffre d'affaires annuel de plus de 26 milliards de dollars, et elle est présente à travers le pays tout entier. Ses magasins offrent une vaste gamme de services et de produits de marchandise générale qui connaissent une croissance et un succès constants. Alors que l'alimentation demeure au cœur de ses activités, Loblaw a transformé la perception des Canadiens quant à l'image de ce que peut être un supermarché. En effet, outre les produits de marchandise générale, elle exploite d'autres produits répondant aux besoins de sa clientèle, par exemple les services financiers qui offrent des services bancaires de base, la carte de crédit MasterCard, un programme de fidélisation de points PC et des assurances habitation et auto. Filiale à 62 % de George Weston limitée, Loblaw exploite son entreprise sous différentes bannières de l'est à l'ouest du pays. On peut citer par exemple Dominion, Loblaws, Provigo, Valu-Mart, Zehrs Makets, Fortinos, Independent et Superstore. Au Québec, Loblaw regroupe au-delà de 250 magasins dont 110 Provigo, 93 Maxi, 13 Maxi & Cie et 37 Loblaws. Au Québec, Loblaw privilégie trois concepts de magasins pour répondre à différentes clientèles, soit un supermarché de proximité (Supermarché Provigo), une grande surface à escompte (Maxi et Maxi & Cie) et une grande surface qui met l'accent sur la variété et les produits frais (Loblaws).

Loblaw (qui a acquis Provigo inc. en 1998) a poursuivi, en 2004, un programme de dépenses en immobilisations à travers le pays. Elle a investi plus de 1,3 milliard de dollars (1,3 milliard de dollars en 2003 également) afin d'assurer la croissance des nouveaux magasins et la revitalisation des magasins existants. En 2004, ses ventes ont augmenté de 4 % par rapport à l'année précédente et son bénéfice net, qui se situe à 968 millions de dollars, a augmenté de 14,5 %. Ces succès proviennent de sa capacité à s'adapter aux changements, de sa passion pour l'innovation et de la force de son personnel qui compte plus de 130 000 employés au Canada. La majorité des ventes au détail de cette industrie se faisant au comptant, il n'est pas surprenant que Loblaw soit devenue maître dans la gestion des flux de trésorerie. On ne saurait cependant confondre les rentrées et les sorties de fonds avec les produits et les charges qui composent le bénéfice net. En effet, des opérations d'exploitation qui produisent des millions de profits peuvent créer en même temps des flux monétaires négatifs. La gestion des profits et des flux monétaires étant très différente, Loblaw doit se soucier des deux. Pour les mêmes raisons, les analystes financiers sont tenus aussi bien de considérer l'information de l'état des flux de trésorerie que celle de l'état des résultats ou du bilan.

Parlons affaires

De toute évidence, le chiffre du bénéfice net est très important, mais on ne peut négliger les flux de trésorerie qui sont tout aussi essentiels. Certes, les flux de trésorerie permettent à une entreprise d'accroître ses activités, de remplacer les actifs dont elle a besoin, de tirer profit des possibilités que lui offre le marché et de verser des dividendes à ses actionnaires. Certains analystes financiers n'hésitent pas à affirmer que le flux de trésorerie est « roi et maître » ! Les gestionnaires et les analystes doivent donc bien comprendre les diverses provenances et les différents usages des flux monétaires qui sont associés aux activités des entreprises.

L'état des flux de trésorerie met en lumière la capacité d'une entreprise à produire des liquidités et l'efficacité de sa gestion des actifs et des passifs à court terme. Il donne également le détail de ses investissements (les immobilisations, les placements, etc.) et de son financement (les dettes, les émissions d'actions, etc.). Il est conçu pour aider les gestionnaires et les analystes à répondre à des questions fondamentales relatives aux flux monétaires telles que :

- L'entreprise aura-t-elle suffisamment de liquidités à court terme pour rembourser les montants dus à ses fournisseurs et à d'autres créanciers sans devoir emprunter davantage ?
- L'entreprise gère-t-elle de façon appropriée ses comptes clients et ses stocks ?
- L'entreprise a-t-elle fait les investissements nécessaires pour accroître ou maintenir sa capacité de production ?
- L'entreprise a-t-elle produit suffisamment de flux de trésorerie par elle-même pour financer les investissements nécessaires ou se fie-t-elle à un financement externe ?
- L'entreprise a-t-elle modifié la composition de son financement externe ?

L'exemple de Loblaw illustre bien l'importance de l'état des flux de trésorerie pour trois raisons. Premièrement, comme c'est le cas de toutes les entreprises de ce secteur d'activité, une grande partie des ventes au détail se fait au comptant et il existe des événements qui produisent des flux de trésorerie plus importants, par exemple Noël et d'autres fêtes. Ces événements ont des répercussions importantes sur la gestion des flux monétaires et le bénéfice net. Deuxièmement, la stratégie d'affaires de Loblaw comprend l'amélioration de ses magasins par l'établissement de rayons et de services non traditionnels, le réinvestissement de ses flux de trésorerie dans l'entreprise et la détention du titre de propriété de ses biens immobiliers. En 2004, Loblaw a réinvesti plus de 1,3 milliard de dollars (montant qui dépasse largement le bénéfice net de l'exercice) pour agrandir et rénover des magasins existants et en construire d'autres. Elle a également investi dans des systèmes informatiques et son réseau d'entrepôts et de distribution. Elle a pu le faire grâce aux flux monétaires qu'elle a produits à partir de ses activités d'exploitation (1,4 milliard de dollars) et en recourant très peu à du financement externe. Troisièmement, Loblaw doit s'assurer d'avoir les liquidités suffisantes pour verser des dividendes à ses actionnaires. Ces dividendes sont passés de 0,60 $ l'action en 2003 à 0,84 $ l'action en 2005. Le tableau 12.1 (*voir la page 716*) présente l'état des flux de trésorerie tiré d'un rapport trimestriel récent de Loblaw. Nous allons analyser les renseignements contenus dans ce document.

Structure du chapitre

Le classement des éléments de l'état des flux de trésorerie	La présentation et l'interprétation des flux de trésorerie liés aux activités d'exploitation	La présentation et l'interprétation des flux de trésorerie liés aux activités d'investissement	La présentation et l'interprétation des flux de trésorerie liés aux activités de financement	Les autres éléments des flux de trésorerie

Le classement des éléments de l'état des flux de trésorerie

- Les flux de trésorerie liés aux activités d'exploitation
- Les flux de trésorerie liés aux activités d'investissement
- Les flux de trésorerie liés aux activités de financement
- L'augmentation (la diminution) nette de la trésorerie
- Les relations de l'état des flux de trésorerie avec le bilan et l'état des résultats

La présentation et l'interprétation des flux de trésorerie liés aux activités d'exploitation

- **Partie A :** La présentation des flux de trésorerie liés aux activités d'exploitation – la méthode indirecte

OU

- **Partie B :** La présentation des flux de trésorerie liés aux activités d'exploitation – la méthode directe
- L'interprétation des flux de trésorerie liés aux activités d'exploitation
- Le ratio de la qualité du bénéfice

La présentation et l'interprétation des flux de trésorerie liés aux activités d'investissement

- La présentation des flux de trésorerie liés aux activités d'investissement
- L'interprétation des flux de trésorerie liés aux activités d'investissement
- Le ratio d'acquisition de capitaux

La présentation et l'interprétation des flux de trésorerie liés aux activités de financement

- La présentation des flux de trésorerie liés aux activités de financement
- L'interprétation des flux de trésoreries liés aux activités de financement

Les autres éléments des flux de trésorerie

- Les activités d'investissement et de financement hors trésorerie
- Les renseignements supplémentaires sur les flux de trésorerie
- Épilogue

Le classement des éléments de l'état des flux de trésorerie

Fondamentalement, l'état des flux de trésorerie sert à expliquer comment le solde de la trésorerie au début de l'exercice devient le solde de la trésorerie à la fin de l'exercice tel qu'il apparaît au bilan. Le terme « **trésorerie** » englobe « l'ensemble des actifs liquides dont peut aisément disposer l'entité, comprenant les fonds en caisse et les dépôts à vue auxquels s'ajoutent certains placements à court terme très liquides (les **équivalences de trésorerie**) qui sont détenus dans le but de faire face aux engagements de trésorerie à court terme, et non à des fins de placements ou à d'autres fins[1] ». « Par souci de commodité, on peut employer le terme « trésorerie » seul sans qu'il soit nécessaire d'ajouter la précision « et équivalents » pour désigner l'ensemble des actifs liquides de l'entité. Au Canada, on trouve l'expression « **espèces et quasi-espèces** » pour désigner cette notion dans la version française du *Manuel de l'ICCA*. Cette expression reflète un usage abusif du mot « espèces[2] ». À l'heure actuelle, on trouve souvent l'expression « espèces et quasi-espèces » dans les états financiers de plusieurs sociétés, dont Loblaw. Parfois, on trouve l'expression « Caisse » au lieu de « Trésorerie » ; il s'agit alors d'une situation où seul le poste Caisse constitue la trésorerie de l'entreprise, car cette dernière n'a pas de dépôts à vue ni de placements très liquides.

Parmi les éléments de la trésorerie, les placements à court terme très liquides sont des titres de placement à la fois :
1) facilement convertibles en un montant d'argent connu d'espèces ;
2) si près de leur échéance que la valeur ne risque pas de changer de façon significative si les taux d'intérêt varient.

En conséquence, d'après cette définition, seuls les placements dont l'échéance est proche au moment de leur acquisition, par exemple une échéance inférieure ou égale à trois mois, sont considérés comme de la trésorerie[4]. On peut mentionner notamment les placements suivants : les bons du Trésor (émis par le gouvernement à court terme), les titres de créance du marché monétaire et les effets commerciaux (émis par de grandes sociétés). Les passifs suivants viennent réduire le solde de la trésorerie : les découverts bancaires et parfois les prêts bancaires (à demande ou avec marge bancaire). Les éléments « hors trésorerie » (ou hors caisse) comprennent tous les autres postes qui ne sont pas inclus dans la trésorerie.

Comme on peut le voir au tableau 12.1 à la page suivante, l'état des flux de trésorerie présente des rentrées et des sorties de fonds liées à trois grandes catégories d'activités : 1) les activités d'exploitation, 2) les activités d'investissement et 3) les activités de financement. Ensemble, ces trois catégories de flux de trésorerie expliquent le changement entre le solde du début et de la fin de l'exercice de la trésorerie (des espèces et des quasi-espèces dans le cas de Loblaw) tels qu'ils sont présentés au bilan. Nous examinerons chacune de ces catégories dans les sections suivantes.

OBJECTIF D'APPRENTISSAGE 1

Classer les éléments de l'état des flux de trésorerie selon qu'il s'agit de flux de trésorerie liés aux activités d'exploitation, d'investissement ou de financement.

La **trésorerie** (ou **espèces et quasi-espèces**, ou **trésorerie et équivalences de trésorerie**) comprend l'ensemble des actifs liquides dont peut aisément disposer l'entité, comprenant les fonds en caisse et les dépôts à vue auxquels s'ajoutent certains placements à court terme très liquides (les équivalences de trésorerie). Ces placements sont détenus dans le but de faire face aux engagements de trésorerie à court terme, et non à des fins de placements ou à d'autres fins[3].

---

1. Louis MÉNARD, et collab. (2004), *Dictionnaire de la comptabilité et de la gestion financière*, 2e éd., Toronto, ICCA, p. 189.
2. *Ibid.*
3. *Ibid.*
4. Par exemple, un bon du Trésor de trois mois émis par l'État et une obligation de trois ans, achetée trois mois avant qu'elle n'échoit, constituent des éléments de trésorerie. Par contre, une obligation achetée il y a trois ans n'entre pas dans les éléments de la trésorerie, même s'il ne reste que trois mois avant son échéance.

TABLEAU 12.1 | État consolidé des flux de trésorerie

Les Compagnies Loblaw limitée
État consolidé des flux de trésorerie*
pour les 16 semaines terminées le 8 octobre 2005

(non vérifié) (en millions de dollars)		**2005** **16 semaines**
ACTIVITÉS D'EXPLOITATION		
Bénéfice net		192 $
Éléments ne nécessitant pas de mouvements de fonds :		
Amortissement des immobilisations		172
Dépréciation de l'écart d'acquisition		40
		404
Variation du fonds de roulement hors caisse**		(28)
Flux de trésorerie liés aux activités d'exploitation		376
ACTIVITÉS D'INVESTISSEMENT		
Acquisitions d'immobilisations		(385)
Produits tirés de la vente d'immobilisations		16
Variation nette des autres actifs		(87)
Flux de trésorerie liés aux activités d'investissement		(456)
ACTIVITÉS DE FINANCEMENT		
Dette bancaire		(36)
Effets commerciaux		(23)
Dette à long terme	– émise	23
	– remboursée	(12)
Augmentation des autres passifs		54
Actions ordinaires	– émises	14
	– rachetées	(16)
Dividendes		(73)
Flux de trésorerie liés aux activités de financement		(69)
Variation des espèces et quasi-espèces***		(149)
Espèces et quasi-espèces au début de la période		1 034
Espèces et quasi-espèces à la fin de la période		885 $

* Pour répondre aux objectifs d'un premier cours de comptabilité, nous avons dû simplifier la présentation en modifiant certains chiffres de l'état de la société. Les flux de trésorerie réels sont : exploitation 494 $, investissement (419 $) et financement (180 $) avec l'effet des variations des taux de change sur la caisse de (44 $). Quant à la variation du fonds de roulement hors caisse présentée par Loblaw, elle est de 36 $, et aucun détail sur sa composition n'est donné. Ci-dessus est présentée notre version à partir du bilan simplifié.

** **Variation du fonds de roulement hors caisse**

Diminution des comptes clients	38 $
Augmentation du stock	(84)
Augmentation des frais payés d'avance	(49)
Diminution des comptes fournisseurs	(33)
Augmentation des frais courus à payer	100
	(28) $

*** Le terme « espèces et quasi-espèces » signifie « trésorerie ». Selon Louis Ménard (*Dictionnaire de la comptabilité*), cette expression reflète un usage abusif du mot « espèces ».

Les flux de trésorerie liés aux activités d'exploitation

Les **flux de trésorerie liés aux activités d'exploitation** (ou **flux de trésorerie liés à l'exploitation**) sont des rentrées et des sorties de fonds directement liées aux principales activités de l'entreprise engendrant des produits et des charges ; ces activités sont présentées à l'état des résultats. Comme nous l'avons vu aux chapitres 3 et 5, il est possible de choisir deux méthodes différentes pour présenter les données de la section des activités d'exploitation.

1. La **méthode directe** consiste à présenter les composantes des flux de trésorerie provenant des activités d'exploitation sous forme de montants bruts des principales catégories de rentrées et de sorties de fonds.

Rentrées de fonds	Sorties de fonds
Trésorerie provenant des	**Trésorerie affectée aux**
Clients	Achats de marchandises pour revente et paiements des services (électricité, etc.)
Dividendes et intérêts sur les investissements	Salaires et rémunérations
	Impôts
	Intérêts sur les dettes

À partir des sommes reçues et des sommes versées, cette méthode permet de calculer les rentrées (ou les sorties) nettes de fonds liées aux activités d'exploitation. La différence entre les rentrées et les sorties de fonds se nomme « encaissement (ou décaissement) net lié à l'exploitation » ou marge brute d'autofinancement, ou capacité d'autofinancement. Dans le cas d'un décaissement, on emploie parfois l'expression « flux de trésorerie négatifs » ou « flux monétaires négatifs ». Le comité des normes comptables (CNC) de l'ICCA ainsi que les normes comptables du FASB américain recommandent l'emploi de la méthode directe mais, en pratique, peu d'entreprises suivent cette recommandation. En outre, plusieurs pays exigent la méthode directe de présentation. Nombre de directeurs de services financiers des grandes entreprises expliquent qu'ils ne la produisent pas parce qu'elle coûte plus cher à appliquer que la méthode indirecte.

2. La **méthode indirecte** consiste à ajuster le résultat net en éliminant les éléments sans effet sur la trésorerie dans le calcul des rentrées (ou des sorties) de fonds nettes découlant de l'exploitation comme suit :

	Bénéfice net
+/−	Redressements des éléments ne nécessitant pas de mouvements de fonds
	Rentrées nettes (sorties nettes) des activités d'exploitation

D'après le *Financial Reporting in Canada*, 99,5 % des entreprises étudiées utilisent la méthode indirecte[6], y compris Loblaw (*voir le tableau 12.1*). Il en est de même aux États-Unis où on rapporte que près de 99 % des grandes entreprises utilisent la méthode indirecte[7].

Pour Loblaw, notons que pour le troisième trimestre de 2005 l'épicier canadien a enregistré un bénéfice net de 192 millions de dollars et des flux de trésorerie liés à l'exploitation positifs de 376 millions de dollars. Au premier trimestre de 2005, il s'agissait d'un bénéfice net de 143 millions de dollars et des flux de trésorerie négatifs liés à l'exploitation de (210) millions de dollars. Pourquoi le bénéfice net d'une entreprise et ses flux de trésorerie provenant de l'exploitation sont-ils si différents ? Il faut se

Les **flux de trésorerie liés aux activités d'exploitation** (ou **flux de trésorerie liés à l'exploitation**) sont des rentrées et des sorties de fonds directement liées aux principales activités de l'entreprise qui engendrent des produits.

La **méthode directe** de présentation de la section des activités d'exploitation de l'état des flux de trésorerie consiste à présenter « les montants bruts des principales catégories de rentrées et de sorties de fonds[5] ».

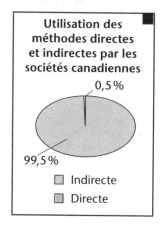

Utilisation des méthodes directes et indirectes par les sociétés canadiennes

0,5 %

99,5 %

▢ Indirecte
▢ Directe

La **méthode indirecte** de présentation de la section des activités d'exploitation de l'état des flux de trésorerie consiste à effectuer, sur le résultat net, les ajustements nécessaires au calcul des flux de trésorerie provenant de l'exploitation.

---

5. *Manuel de l'ICCA*, chap. 1540, paragr. 21.
6. Clarence BYRD, Ida CHEN et Joshua SMITH (2005), *Financial Reporting in Canada,* 30e éd., Toronto, ICCA, p. 108.
7. American Institute of CPA's (2003) *Accounting Trends and Techniques,* New York.

rappeler qu'on dresse l'état des résultats suivant la méthode de la comptabilité d'exercice. Autrement dit, on enregistre les produits d'exploitation lorsqu'ils sont gagnés, sans considération du moment où les rentrées de fonds relatives à ces produits auront lieu. Parallèlement, on rapproche les charges des produits et on les enregistre dans la même période que les produits d'exploitation, sans tenir compte du moment où les sorties de fonds correspondantes ont lieu.

La chose la plus importante à retenir pour le moment concernant ces deux méthodes, c'est qu'il s'agit simplement de deux façons différentes de calculer le même nombre. Le montant total des **flux de trésorerie liés à l'exploitation est toujours identique** (dans le cas de Loblaw, un encaissement net de 376 millions de dollars), **qu'on utilise la méthode directe ou la méthode indirecte pour le calculer.**

Les flux de trésorerie liés aux activités d'investissement

Les **flux de trésorerie liés aux activités d'investissement** sont des rentrées et des sorties de fonds liées à l'acquisition et à la cession d'actifs à long terme utilisés par l'entreprise. Ils sont aussi liés aux investissements qui ne sont pas inclus dans la trésorerie, par exemple les placements dans des titres d'autres entreprises, qu'ils soient à court terme ou à long terme.

Voici des exemples typiques de flux de trésorerie liés aux activités d'investissement.

> Les **flux de trésorerie liés aux activités d'investissement** sont des rentrées et des sorties de fonds liées à l'acquisition ou à la cession d'actifs à long terme et des placements qui ne sont pas inclus dans les équivalences de trésorerie.

Rentrées de fonds	Sorties de fonds
Trésorerie provenant des	**Trésorerie affectée aux**
Ventes ou cessions d'immobilisations	Achats d'immobilisations
Vente d'entreprises	Acquisitions d'entreprises
Ventes ou échéances de placements dans des titres (exclus de la trésorerie)	Achats de placements dans des titres (exclus de la trésorerie)

La différence entre ces rentrées et ces sorties de fonds constitue l'encaissement (ou le décaissement) net des fonds liés aux activités d'investissement ou les flux de trésorerie nets liés aux activités d'investissement.

Dans le cas de Loblaw, il s'agit d'un décaissement net de fonds se chiffrant à 456 millions de dollars pour le troisième trimestre de 2005. La principale activité est liée à l'achat d'actifs immobilisés. Puisque les achats d'actifs dépassent les ventes d'actifs, il y a une sortie nette de fonds ou un décaissement lié aux activités d'investissement.

Les flux de trésorerie liés aux activités de financement

Les **flux de trésorerie liés aux activités de financement** comprennent les échanges de trésorerie avec les créanciers et les propriétaires (les actionnaires). Voici des exemples typiques de flux de trésorerie liés à des activités de financement.

> Les **flux de trésorerie liés aux activités de financement** sont des rentrées et des sorties de fonds liées aux « activités qui entraînent des changements quant à l'ampleur et à la composition des capitaux propres et des capitaux empruntés de l'entreprise[8] ».

Rentrées de fonds	Sorties de fonds
Trésorerie provenant des	**Trésorerie affectée aux**
Emprunts sur des effets à payer, des hypothèques, des obligations, etc., à des créanciers	Remboursements du capital aux créanciers (hormis les intérêts dont le remboursement est une activité d'exploitation)
Émissions d'actions aux actionnaires	Rachats d'actions auprès des actionnaires
	Versements de dividendes aux actionnaires

---

8. *Manuel de l'ICCA*, chap. 1540, paragr. 6.

La différence entre ces rentrées et ces sorties constitue l'encaissement (ou le décaissement) net des fonds liés aux activités de financement ou les flux de trésorerie nets liés aux activités de financement. Dans le cas de Loblaw, ce montant est un décaissement net de fonds de (69) millions de dollars pour le troisième trimestre de 2005. La section Activités de financement à l'état des flux de trésorerie indique que, durant cette période, une grande partie des liquidités de l'entreprise a été affectée au versement d'un dividende de 73 millions de dollars à ses actionnaires.

L'augmentation (la diminution) nette de la trésorerie

La somme des encaissements (décaissements) des opérations liés aux activités d'exploitation, d'investissement et de financement doit être égale à la variation (augmentation ou diminution) de la trésorerie pour la période de présentation. En ce qui concerne le troisième trimestre de 2005, Loblaw a présenté une diminution de la trésorerie de (149) millions de dollars. Ce montant représente la variation du solde de la trésorerie (espèces et quasi-espèces selon Loblaw) entre le début de la période, soit 1 034 millions de dollars, et la fin de la période, soit 885 millions de dollars. Voici le sommaire (en millions de dollars) :

Flux de trésorerie liés aux activités d'exploitation	376 $
Flux de trésorerie liés aux activités d'investissement	(456)
Flux de trésorerie liés aux activités de financement	(69)
Variation des espèces et quasi-espèces	(149)
Espèces et quasi-espèces au début de la période	1 034
Espèces et quasi-espèces à la fin de la période	885 $

Pour vous aider à mieux comprendre ce qu'est un état des flux de trésorerie, nous allons maintenant étudier plus en détail celui de Loblaw ainsi que la nature de ses liens avec le bilan et l'état des résultats. À mesure que nous progresserons dans l'analyse de ce document, nous ferons ressortir la manière dont chaque section décrit un ensemble de décisions importantes prises par la direction de l'entreprise. Nous décrirons ensuite la façon dont les analystes financiers se servent de chaque section pour évaluer l'entreprise. À des fins d'analyse, nous formulerons certaines hypothèses, car les détails relatifs à certaines opérations de Loblaw ne sont pas dévoilés.

TEST D'AUTOÉVALUATION

◆ **Metro inc.**

Metro inc., qui exerce ses activités sous plusieurs bannières, par exemple Metro Plus, Super C, Loeb, Dominion, A&P, Marché Richelieu, pharmacies Brunet, est un important épicier canadien qui évolue en Ontario et au Québec. Vous trouverez ci-dessous des éléments inclus dans son état des flux de trésorerie pour l'exercice le plus récent. Dans chaque cas, indiquez si on doit présenter l'élément en question dans la section des activités d'exploitation (E), des activités d'investissement (I) ou des activités de financement (F) du document. (*Consultez le tableau 12.1 à la page 716, s'il y a lieu.*)

a) _____ La variation nette des placements

b) _____ Le bénéfice net

c) _____ La variation du fonds de roulement hors caisse

d) _____ L'acquisition nette d'immobilisations

e) _____ Le rachat des actions

f) _____ Les dividendes versés

g) _____ Les acquisitions d'entreprises

h) _____ L'amortissement

i) _____ L'émission d'actions

j) _____ Le remboursement de la dette à long terme

Vérifiez vos réponses à l'aide des solutions présentées en bas de page*.

---

*   a) I; b) E; c) E; d) I; e) F; f) F; g) I; h) E; i) F; j) F.

Les relations de l'état des flux de trésorerie avec le bilan et l'état des résultats

L'établissement et l'interprétation de l'état des flux de trésorerie requièrent l'analyse des comptes du bilan et de l'état des résultats qui ont un lien avec les trois sections de l'état des flux de trésorerie. Comme nous l'avons vu dans les chapitres précédents, les entreprises enregistrent leurs opérations sous forme d'écritures de journal qui sont reportées dans des comptes du grand livre (ou comptes en T). Elles se servent de ces comptes pour dresser l'état des résultats et le bilan. Toutefois, elles ne peuvent utiliser les montants enregistrés dans ces comptes pour dresser l'état des flux de trésorerie parce que ces montants sont déterminés d'après les principes de la comptabilité d'exercice. Ces entreprises doivent plutôt analyser les montants enregistrés selon la comptabilité d'exercice et les ajuster en fonction de la méthode de la comptabilité de caisse. Par conséquent, pour établir l'état des flux de trésorerie, les entreprises ont besoin des données suivantes :

1. Les bilans comparatifs qui servent à établir les flux de trésorerie liés à tous les types d'activités (l'exploitation, l'investissement et le financement).
2. Un état des résultats complet qui sert principalement à établir les flux de trésorerie liés à l'exploitation.
3. Des renseignements supplémentaires concernant certains comptes pour reconnaître les différents types d'opérations et d'événements qui ont eu lieu durant l'exercice. Une analyse des comptes individuels s'impose parce qu'il arrive souvent que le montant total de variation du solde d'un compte au cours d'un exercice ne révèle pas la nature sous-jacente des flux de trésorerie.

La démarche que nous privilégions[9] pour élaborer et comprendre l'état des flux de trésorerie porte principalement sur les variations des comptes du bilan. En fait, elle s'appuie sur une manipulation algébrique simple de l'équation du bilan.

$$\text{Actif} = \text{Passif} + \text{Capitaux propres}$$

On doit d'abord distinguer les actifs liquides (la trésorerie ou la caisse) et ceux qui sont non liquides (hors liquidités ou hors trésorerie, ou hors caisse). L'actif est donc scindé en deux comme suit :

$$\text{Trésorerie} + \text{Actif hors trésorerie} = \text{Passif} + \text{Capitaux propres}$$

Si on déplace l'actif hors trésorerie à la droite de l'équation, on obtient le résultat suivant :

$$\text{Trésorerie} = \text{Passif} + \text{Capitaux propres} - \text{Actif hors trésorerie}$$

Étant donné cette relation, la variation (Δ) de la trésorerie entre le début et la fin de l'exercice doit être égale aux variations (Δ) des montants du côté droit de l'équation entre le début et la fin de l'exercice.

$$\Delta \text{ Trésorerie} = \Delta \text{ Passif} + \Delta \text{ Capitaux propres} - \Delta \text{ Actif hors trésorerie}$$

Par conséquent, toute variation de la trésorerie s'accompagne d'une variation des éléments de passif (Pa), de capitaux propres (CP) ou d'actif hors trésorerie (A). Le tableau 12.2 présente bien ce concept pour certaines transactions sélectionnées.

---

9. Il existe plusieurs méthodes toutes aussi valables pour expliquer l'état des flux de trésorerie. Nous choisissons la méthode qui porte sur la variation des postes du bilan, car elle nous semble la plus systématique et logique. En outre, elle repose sur l'équation comptable, notion que les lecteurs comprennent bien maintenant.

TABLEAU 12.2 — Quelques transactions impliquant des mouvements de fonds et leurs effets sur les autres postes du bilan

Catégorie	Transaction	Effet sur la trésorerie	Autre compte du bilan touché
Exploitation	Encaissement d'un compte client	+ Caisse	− Clients (A)
	Paiement d'un compte fournisseur	− Caisse	− Fournisseurs (Pa)
	Paiement à l'avance du loyer	− Caisse	+ Frais payés d'avance (A)
	Vente au comptant	+ Caisse	+ Bénéfices non répartis (CP)
	Paiement des intérêts	− Caisse	− Bénéfices non répartis (CP)
Investissement	Achat d'équipement au comptant	− Caisse	+ Équipement (A)
	Vente de placement au comptant	+ Caisse	− Placements (A)
Financement	Remboursement de la dette bancaire	− Caisse	− Dette bancaire (Pa)
	Émission d'actions au comptant	+ Caisse	+ Actions ordinaires* (CP)

* Ou actions privilégiées.

Ainsi, on calcule la variation de chaque poste du bilan (Solde à la fin − Solde au début), puis on le classe selon sa relation avec les activités d'exploitation (E), les activités d'investissement (I) ou les activités de financement (F). *Les éléments du bilan liés à l'état des résultats relèvent des activités d'exploitation et seront repérés avec la lettre (E).* Ces comptes comprennent les éléments suivants :

- Actif à court terme (à l'exclusion des placements à court terme qui relèvent des activités d'investissement ou de la trésorerie) ;
- Passif à court terme (à l'exception des emprunts[10] qui relèvent des activités de financement) ;
- Bénéfices non répartis, car ce poste augmente ou diminue à cause du montant du résultat net qui constitue le point de départ de la section des activités d'exploitation selon la méthode indirecte. Il faut noter que les bénéfices non répartis diminuent aussi à cause du montant du dividende qui relève des activités de financement.

Au tableau 12.3 (*voir la page 722*), tous les actifs et passifs à court terme de Loblaw ont été repérés avec un « E ». Ces éléments comprennent :

- Clients ;
- Stocks ;
- Frais payés d'avance ;
- Fournisseurs ;
- Frais courus.

Comme nous venons de le dire, les bénéfices non répartis sont également liés aux activités d'exploitation à cause du chiffre du bénéfice net.

Les postes du bilan liés aux activités d'investissement sont repérés avec un « I ». Il s'agit de tous les autres actifs du bilan. Au tableau 12.3, ce sont :

- Placements à court terme ;
- Immobilisations ;
- Écarts d'acquisition ;
- Autres actifs.

Les postes du bilan liés aux activités de financement sont repérés avec un « F ». Il s'agit de tous les autres postes du passif et des capitaux-propres du bilan. Au tableau 12.3, ce sont :

- Dette bancaire ;
- Effets commerciaux ;
- Dette à long terme, y compris la portion à court terme ;

---

10. Par exemple, les comptes exclus peuvent être les dividendes à payer, les dettes à court terme aux établissements financiers ou la portion à court terme de la dette à long terme.

- Autres passifs;
- Actions ordinaires;
- Bénéfices non répartis (diminution résultant du dividende).

Par la suite, cette information permettra de préparer chaque section de l'état des flux de trésorerie.

TABLEAU 12.3 | Les Compagnies Loblaw limitée: bilans comparatifs et état des résultats

Coup d'œil sur

Les Compagnies Loblaw limitée

RAPPORT TRIMESTRIEL

Les Compagnies Loblaw limitée
Bilans consolidés*

Section: flux de trésorerie	(non vérifiés) (en millions de dollars)	Au 8 octobre 2005	Au 18 juin 2005	Variation
	Actif			
	Actif à court terme			
Δ Caisse	Espèces et quasi-espèces**	885 $	1 034 $	−149
I	Placements à court terme	4	4	aucun
E	Comptes clients	535	573	−38
E	Stocks	1 987	1 903	+84
E	Frais payés d'avance	223	174	+49
		3 634	3 688	
I et E***	Immobilisations	7 611	7 414	+197
I	Écarts d'acquisition	1 587	1 627	−40
I	Autres actifs	810	723	+87
		13 642 $	13 452 $	
	Passif			
	Passif à court terme			
F	Dette bancaire	48 $	84 $	−36
F	Effets commerciaux	692	715	−23
E	Comptes fournisseurs	1 042	1 075	−33
E	Frais courus à payer	1 200	1 100	+100
F	Tranche de la dette à long terme échéant à moins d'un an	159	156	+3
		3 141	3 130	
F	Dette à long terme	4 205	4 197	+8
F	Autres passifs	554	500	+54
		7 900	7 827	
	Capitaux propres			
F	Actions ordinaires	1 192	1 194	−2
E et F	Bénéfices non répartis	4 550	4 431	+119
		5 742	5 625	
		13 642 $	13 452 $	

 * Certains montants ont été ajustés ou fusionnés pour simplifier la présentation.

 ** Ce terme qu'utilise Loblaw signifie la trésorerie (il s'agit de la caisse dans notre exemple).

 *** L'amortissement cumulé est aussi lié à l'exploitation (selon la méthode indirecte), car l'amortissement annuel qui est ajouté au bénéfice net, en fait partie.

Les Compagnies Loblaw limitée
État consolidé des résultats*

(non vérifiés) En millions de dollars	16 semaines terminées le 8 octobre 2005
Chiffre d'affaires	8 653 $
Charges d'exploitation	
Coût des marchandises vendues	7 355
Frais de vente et d'administration	707
Amortissement des immobilisations	172
Dépréciation de l'écart d'acquisition	40
	8 274
Bénéfice d'exploitation	379
Intérêts sur la dette à long terme	78
Bénéfice avant impôts	301
Impôts sur les bénéfices	109
Bénéfice net	192 $

* Certains montants ont été ajustés ou fusionnés pour simplifier la présentation. Nous avons posé l'hypothèse que la marge brute est de 15 % pour séparer le coût des marchandises vendues des frais de vente et d'administration aux fins d'analyse et d'illustration. La marge brute de la société n'est pas divulguée.

Les Compagnies Loblaw limitée
État consolidé des bénéfices non répartis*

(non vérifiés) En millions de dollars	16 semaines terminées le 8 octobre 2005
Solde au début de la période	4 431 $
Bénéfice net	192
Dividendes	(73)
Solde à la fin de la période	4 550 $

* Certains montants ont été ajustés ou fusionnés pour simplifier la présentation.

La présentation et l'interprétation des flux de trésorerie liés aux activités d'exploitation

Puisque la section des activités d'exploitation peut être présentée au moyen de deux formats, nous en discuterons de façon distincte. La partie A portera sur la méthode indirecte et la partie B, sur la méthode directe. Votre enseignant peut choisir l'une ou l'autre des méthodes ou les deux. Après avoir étudié la méthode désignée, l'étudiant peut passer à la section de l'interprétation des activités d'exploitation.

Il convient de retenir les éléments suivants :

1. Le total des flux de trésorerie liés à l'exploitation est toujours le même, quelle que soit la méthode choisie (indirecte ou directe).
2. Les sections des activités d'investissement et de financement sont indépendantes de la section des activités d'exploitation et toujours présentées de la même manière, quel que soit le format utilisé pour la section des activités d'exploitation.

OBJECTIF D'APPRENTISSAGE 2A

Présenter et interpréter les flux de trésorerie liés aux activités d'exploitation en utilisant la méthode indirecte.

Partie A: La présentation des flux de trésorerie liés aux activités d'exploitation – la méthode indirecte

Le tableau 12.3 (*voir la page 722*) présente le bilan consolidé comparatif de Loblaw ainsi que l'état consolidé des résultats et l'état consolidé des bénéfices non répartis. Rappelons que la méthode indirecte débute avec le chiffre du bénéfice net qui est, par la suite, converti en flux de trésorerie liés aux activités d'exploitation. Cette opération permet de convertir le bénéfice net, qui est calculé selon la comptabilité d'exercice, pour qu'il convienne à la comptabilité de caisse. Dans la majorité des cas, les ajustements nécessaires sont classés selon qu'il s'agit d'éléments ne nécessitant pas de mouvements de fonds et d'éléments constituant la variation du fonds de roulement hors trésorerie ou hors caisse. Voici la structure générale de la section des activités liées à l'exploitation :

Activités d'exploitation

Bénéfice net

Éléments ne nécessitant pas de mouvement de fonds :

+ Amortissement et dépréciation

− Gain sur vente d'actifs

+ Perte sur vente d'actifs

Variation des éléments du fonds de roulement hors caisse :

+ Diminution des actifs à court terme

+ Augmentation des passifs à court terme

− Augmentation des actifs à court terme

− Diminution des passifs à court terme

Flux de trésorerie liés aux activités d'exploitation

Pour tenir compte de toutes les additions et soustractions effectuées en vue de convertir le bénéfice net en flux de trésorerie liés à l'exploitation, il est pratique de dresser un tableau explicatif dans lequel sont présentés ces calculs. C'est ce que nous avons fait dans le cas de Loblaw (*voir le tableau 12.4*).

On commence par la section des activités d'exploitation avec un bénéfice net de 192 millions de dollars enregistré à l'état des résultats de l'entreprise (*voir le tableau 12.3 à la page 722*). On doit convertir ce bénéfice net en flux de trésorerie liés aux activités d'exploitation. Ce processus comporte les deux étapes décrites ci-après.

Étape 1 **L'ajustement du bénéfice net pour l'amortissement, la dépréciation, les gains et les pertes sur la disposition d'actifs (E).** La constatation de l'amortissement et de la dépréciation se fait par régularisation, ce qui n'influe d'aucune façon sur la caisse ou les comptes d'actifs et de passifs à court terme. Les comptes touchés sont des actifs à long terme (par exemple l'équipement). Puisque l'amortissement et la dépréciation sont soustraits des produits pour calculer le bénéfice net et qu'ils n'impliquent pas de sortie de fonds, on les additionne toujours au bénéfice net pour convertir celui-ci afin qu'il convienne à une comptabilité de caisse. Dans le cas de Loblaw, on doit éliminer l'effet de l'amortissement et de la dépréciation en rajoutant respectivement 172 millions dollars et 40 millions de dollars au bénéfice net (*voir le tableau 12.4*). Il aurait fallu aussi rajouter les pertes et soustraire les gains constatés sur la vente d'actifs, car le produit de disposition (qui comprend les gains et les pertes) apparaît dans la section des activités liées à l'investissement. Pour ce qui est de Loblaw, on suppose qu'il n'y a pas de tels ajustements, faute d'information. Ces ajustements comportent certains éléments complexes (*voir l'annexe 12-A*). L'enseignant déterminera si vous devez étudier cette matière dans votre cours.

Conversion du bénéfice net en flux de trésorerie liés à l'exploitation*

Éléments	Montant	Explication
Bénéfice net, selon la comptabilité d'exercice	192	Provenant de l'état des résultats
Éléments ne nécessitant pas de mouvements de fonds		
Amortissement des immobilisations	172	Réintégré (additionné) parce que la charge d'amortissement n'implique pas une sortie de fonds
Dépréciation de l'écart d'acquisition	40	Réintégré (additionné) parce que la charge de dépréciation n'implique pas une sortie de fonds
Sous-total	404	
Variation des éléments du fonds de roulement hors caisse		Il s'agit ici de la variation des comptes de l'actif et du passif à court terme, hormis la caisse, les placements et les dettes dues** à des établissements financiers
Diminution des comptes clients	38	Additionné, car le montant recouvré auprès des clients est supérieur aux produits obtenus selon la comptabilité d'exercice
Augmentation des stocks	(84)	Soustrait, car le coût des ventes est inférieur aux achats
Augmentation des frais payés d'avance	(49)	Soustrait, car les charges selon la comptabilité d'exercice sont inférieurs au montant payé d'avance pour les charges
Diminution des comptes fournisseurs	(33)	Soustrait, car les achats à crédit sont inférieurs aux montants versés aux créanciers
Augmentation des frais courus à payer	100	Additionné, car les paiements pour les charges sont inférieurs aux charges provisionnées selon la comptabilité d'exercice
Sous-total	(28)	
Flux de trésorerie liés à l'exploitation	376	Tel qu'il apparaît à l'état des flux de trésorerie

* Il faut se rappeler que nous avons modifié l'état réel des flux de trésorerie de la société Loblaw pour simplifier sa présentation, et ce, afin d'atteindre les objectifs d'un cours de base. L'état actuel de la société présente des difficultés qui seront abordées dans des cours de comptabilité avancée.

** Comprend le solde à découvert de la caisse et les prêts à demande. Les autres dettes à court terme dues à des établissements financiers sont présentées dans la section des activités liées au financement.

Étape 2 **L'ajustement du bénéfice net pour la variation dans les éléments du fonds de roulement hors caisse liés aux activités d'exploitation (E).** La variation dans chacun des éléments d'actif à court terme (autres que la caisse et les investissements à court terme) et des éléments de passif à court terme (autres que les emprunts à court terme aux établissements financiers et la tranche de la dette à long terme échéant dans moins d'un an qui sont liés au financement) cause des différences entre le bénéfice net et les flux de trésorerie liés aux activités d'exploitation. Lorsqu'on doit convertir le bénéfice net en flux monétaires liés aux activités d'exploitation, souvenez-vous des règles générales suivantes :

- ajouter la variation quand un actif à court terme diminue ou qu'un passif à court terme augmente ;
- soustraire la variation quand un actif à court terme augmente ou qu'un passif à court terme diminue.

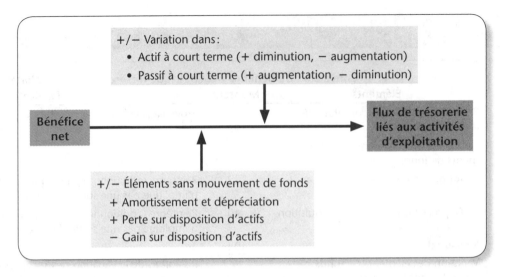

Quand on comprend bien ce qui fait augmenter ou diminuer un actif et un passif à court terme, les additions et les soustractions ci-dessus deviennent logiques.

La variation des éléments du fonds de roulement est souvent présentée comme un seul poste à l'état des flux de trésorerie. Dans ce cas, la plupart du temps, les entreprises font référence à une note complémentaire où le détail est donné. Malheureusement, ce n'est pas le cas pour Loblaw. Nous avons donc posé des hypothèses et modifié la présentation du bilan et de l'état des flux de trésorerie (*voir le tableau 12.3 à la page 722*) pour en présenter le détail aux fins de l'illustration.

Une variation dans les comptes clients

L'analyse de la variation des comptes clients de Loblaw permet de mieux comprendre la logique de ces opérations mathématiques. Il faut rappeler que l'état des résultats reflète le produit des ventes, tandis que l'état des flux de trésorerie doit indiquer les ventes perçues des clients sous forme de caisse. Examinez les comptes clients : lorsqu'on enregistre des ventes à crédit, ils augmentent et, lorsqu'on recouvre l'argent dû, ils diminuent. On a posé l'hypothèse que le chiffre d'affaires de Loblaw qui s'est fait à crédit s'élève à 10 %, faute d'information. Cette estimation semble raisonnable, comte tenu que la majorité des ventes de cette entreprise se font au comptant.

Clients (A)		
(en millions de dollars)		
	Montant	Variation
Solde initial du bilan	573	
+ Chiffre d'affaires à crédit (10 %)	865	
− Recouvrement auprès des clients*	(903)	
Solde final au bilan	535	−38
* S'obtient par différence, car on connaît les trois autres montants.		

Dans l'exemple de Loblaw, le chiffre d'affaires enregistré à l'état des résultats et provenant des ventes à crédit est inférieur au recouvrement des sommes dues auprès des clients de 38 millions de dollars (865 millions − 903 millions). Puisqu'une somme supérieure aux ventes à crédit a été recouvrée, on doit rajouter ce montant au bénéfice net pour le convertir en flux de trésorerie provenant de l'exploitation. Il faut noter que ce montant est lui aussi identique à la variation dans les comptes clients (Solde final de 535 $ − Solde initial de 573 $ = −38 $).

Cette même logique est utilisée pour déterminer les ajustements des autres actifs et passifs à court terme.

En résumé, l'état des résultats comprend les produits de la période, mais les flux de trésorerie des activités d'exploitation doivent refléter les sommes recouvrées des clients.

Les ventes à crédit augmentent le solde des comptes clients, et le recouvrement des sommes des clients diminue le même solde.

Clients (A) (en millions de dollars)	Montant
Solde initial du bilan	573
− Diminution	(38)
Solde final au bilan	535

Le bilan de Loblaw (*voir le tableau 12.3 à la page 722*) indique une **diminution** des comptes clients de 38 $ pour la période. Cela signifie que les montants encaissés des clients dépassent le chiffre des ventes à crédit. Pour convertir les flux de trésorerie liés aux activités d'exploitation, le montant de la diminution (la perception en plus) doit être **ajouté** au tableau 12.4 (*voir la page 725*). Dans le cas inverse, on aurait soustrait une augmentation.

Une variation dans les stocks

L'état des résultats présente le coût des marchandises vendues pour la période, tandis que les flux de trésorerie liés aux activités d'exploitation doivent refléter les achats au comptant. Comme on peut le voir dans le compte ci-dessous (en millions de dollars), l'achat de marchandises augmente le solde des stocks et la vente de marchandises le diminue.

Stocks (A)		Stocks (A)	
Solde au début		Solde au début	1 903
+ Achats		Augmentation (achats supérieurs	84
− Coût des marchandises vendues		au coût desmarchandises vendues)	
= Solde à la fin		Solde à la fin	1 987

Le bilan de Loblaw (*voir le tableau 12.3 à la page 722*) indique que les stocks ont **augmenté** de 84 millions de dollars, ce qui veut dire que le montant des achats dépasse le montant du coût des marchandises vendues. Cette augmentation (l'excédent des achats) doit être **soustraite** du bénéfice net afin de le convertir en flux de trésorerie affectés aux activités d'exploitation (*voir le tableau 12.4 à la page 725*). Dans le cas inverse, on aurait additionné une diminution.

Une variation dans les frais payés d'avance

L'état des résultats présente les charges de la période, tandis que les flux de trésorerie liés aux activités d'exploitation doivent refléter les paiements au comptant. Comme on peut le voir dans le compte ci-dessous (en millions de dollars), les prépaiements au comptant augmentent le solde des frais payés d'avance et la constatation des charges le diminue.

Frais payés d'avance (A)		Frais payés d'avance (A)	
Solde au début		Solde au début	
+ Prépaiements au comptant		Augmentation	174
− Services utilisés (charges)		(paiements supérieurs aux charges)	49
= Solde à la fin		Solde à la fin	223

Le bilan de Loblaw (*voir le tableau 12.3 à la page 722*) indique que le solde des frais payés d'avance a **augmenté** de 49 millions de dollars, ce qui veut dire que le montant des nouveaux paiements dépasse le montant des charges. Cette augmentation (l'excédent des prépaiements) doit être **soustraite** du bénéfice net (*voir le tableau 12.4 à la page 725*). Dans le cas inverse, on aurait additionné une diminution.

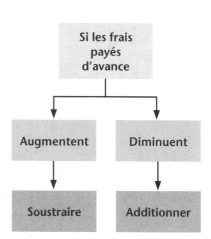

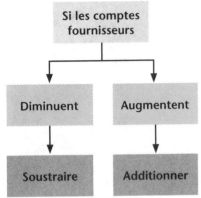

Une variation dans les comptes fournisseurs

Les flux de trésorerie liés aux activités d'exploitation doivent refléter les achats. Cependant, ce ne sont pas tous les achats qui sont payés comptant. Les achats à crédit augmentent le solde des comptes fournisseurs, et les paiements aux fournisseurs le diminuent.

Fournisseurs (Pa)
Solde au début
+ Achats à crédit
− Paiements aux fournisseurs
= Solde à la fin

Fournisseurs (Pa)	
Solde au début	1 075
Diminution (paiements supérieurs aux achats à crédit)	(33)
Solde à la fin	1 042

Les comptes fournisseurs de Loblaw ont diminué de 33 millions de dollars, ce qui veut dire que les paiements aux fournisseurs sont supérieurs aux achats à crédit. Cette **diminution** (l'excès des paiements) doit être **soustraite** du bénéfice net (*voir le tableau 12.4 à la page 725*). Dans le cas inverse, on aurait additionné une augmentation.

Une variation des frais courus à payer

L'état des résultats présente toutes les charges courues de la période, tandis que les flux de trésorerie liés aux activités d'exploitation doivent refléter les paiements réels effectués pour ces charges. Comme on peut le voir dans le compte ci-dessous (en millions de dollars), l'inscription des frais courus augmente le solde du compte de frais courus au passif, et les paiements au comptant de ces frais le diminuent.

Frais courus à payer (Pa)
Solde au début
+ Inscription des frais courus (charges)
− Paiements des frais courus
= Solde à la fin

Frais courus à payer (Pa)	
Solde au début	1 100
Augmentation (paiements inférieurs aux charges courues)	100
Solde à la fin	1 200

Le bilan de Loblaw (*voir le tableau 12.3 à la page 722*) indique que le solde des frais courus à payer a **augmenté** de 100 millions de dollars, ce qui veut dire que le montant des paiements au comptant sont inférieurs au montant des charges courues. Cette augmentation (l'excédent des charges) doit être **additionnée** au bénéfice net (*voir le tableau 12.4 à la page 725*). Dans le cas inverse, on aurait soustrait une diminution.

Sommaire

On peut résumer l'emploi des additions et des soustractions généralement requises pour rapprocher le bénéfice net et les flux de trésoreries liés à l'exploitation comme suit.

Élément	Additions et soustractions permettant de rapprocher le bénéfice net des flux de trésorerie liés à l'exploitation	
	En cas d'augmentation	En cas de diminution
Amortissement et dépréciation	+	s.o.
Clients	−	+
Stocks	−	+
Frais payés d'avances	−	+
Fournisseurs	+	−
Frais courus à payer	+	−

Afin de réconcilier le bénéfice net aux flux de trésorerie liés aux activités d'exploitation, il faut à nouveau remarquer que le tableau permet de dégager les deux règles suivantes :

- **ajouter la variation quand un actif à court terme diminue ou qu'un passif à court terme augmente ;**
- **soustraire la variation quand un actif à court terme augmente ou qu'un passif à court terme diminue.**

L'état de flux de trésorerie de Loblaw (*voir le tableau 12.1 à la page 716*) présente les mêmes additions et soustractions visant à rapprocher le bénéfice net des flux de trésorerie liés aux activités d'exploitation que celles qui ont été décrites dans le tableau 12.4 (*voir la page 725*).

PERSPECTIVE INTERNATIONALE

Les devises étrangères et l'état des flux de trésorerie

Les états financiers d'une entreprise peuvent inclure des filiales situées dans des pays étrangers dont les états financiers sont dressés dans une autre devise que le dollar canadien (par exemple le dollar des États-Unis ou l'euro). Le processus de conversion de ces états financiers en dollars canadiens rend difficile la comparaison des variations des postes à court terme du bilan et celles qui sont présentées à l'état des flux de trésorerie. L'acquisition ou la vente de filiales au cours de l'exercice peut avoir des effets semblables. L'illustration de ces concepts dépasse largement les objectifs d'un manuel de base en comptabilité. Il en était ainsi avec les états financiers de Loblaw. Nous avons modifié le bilan et l'état des flux de trésorerie afin d'éviter ces éléments complexes qui seront abordés dans des cours de comptabilité avancée.

◇ **Metro inc.**

TEST D'AUTOÉVALUATION

Indiquez quels éléments tirés de l'état des flux de trésorerie de la société Metro seraient ajoutés (+), soustraits (−) ou non inclus (0) lors de la conversion du bénéfice net en flux de trésoreries liés à l'exploitation.

_____ a) Augmentation des stocks

_____ b) Augmentation du découvert bancaire

_____ c) Charge d'amortissement

_____ d) Diminution des comptes clients

_____ e) Augmentation des comptes fournisseurs

_____ f) Augmentation des frais payés d'avance

Vérifiez vos réponses à l'aide des solutions présentées en bas de page*.

---

*   a) − ; b) 0 ; c) + ; d) + ; e) + ; f) −.

Si votre enseignant vous a demandé d'étudier seulement la méthode indirecte, vous devriez ignorer la prochaine section et poursuivre votre lecture avec la section qui porte sur l'interprétation des flux de trésoreries liés aux activités d'exploitation.

Partie B: La présentation des flux de trésorerie liés aux activités d'exploitation – la méthode directe

La méthode directe présente un sommaire de toutes les transactions qui ont augmenté ou diminué la trésorerie. On prépare ce sommaire en ajustant chaque élément de l'état des résultats d'une comptabilité d'exercice pour qu'il convienne à une comptabilité de caisse. Ce processus a été effectué au tableau 12.5, et ce, pour tous les produits et toutes les charges présentées à l'état des résultats de Loblaw (*voir le tableau 12.3 à la page 722*).

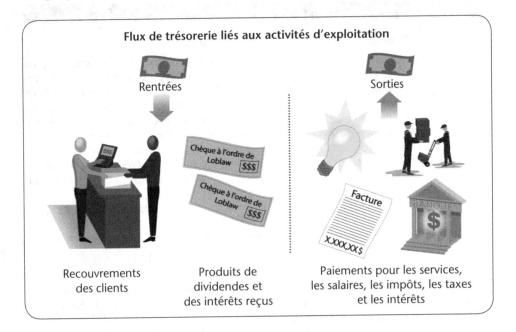

Flux de trésorerie liés aux activités d'exploitation

Rentrées

Sorties

Recouvrements des clients

Produits de dividendes et des intérêts reçus

Paiements pour les services, les salaires, les impôts, les taxes et les intérêts

TABLEAU 12.5 Les Compagnies Loblaw limitée – tableau des flux monétaires liés aux activités d'exploitation, méthode directe

Flux de trésorerie liés aux activités d'exploitation	En millions de dollars
Encaissements des clients	8 691
Paiements aux fournisseurs	(7 472)
Paiements des charges	(656)
Paiements des intérêts	(78)
Paiements des impôts	(109)
Flux de trésorerie liés aux activités d'exploitation	376

La conversion des produits en flux de trésorerie

Lorsqu'on inscrit des ventes ou des produits, le solde des comptes clients augmente et il diminue lorsqu'on recouvre les sommes des clients. Par conséquent, la formule suivante permet de convertir les produits tirés des ventes calculés selon une comptabilité d'exercice pour qu'ils conviennent à une comptabilité de caisse:

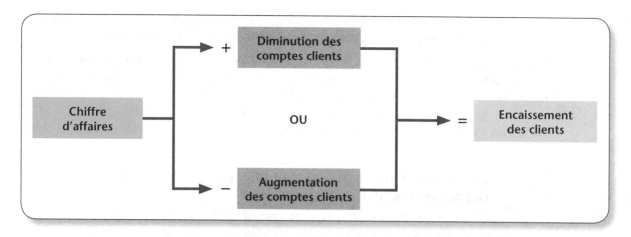

À partir de l'information de l'état des résultats et du bilan de Loblaw (*voir le tableau 12.3 à la page 722*), on peut calculer les encaissements des clients comme suit (en millions de dollars).

Ventes nettes	8 653
+ Diminution des comptes clients	38
Montants encaissés des clients	8 691

Clients (A)	
Solde initial du bilan	573
− Diminution	(38)
Solde final au bilan	535

La conversion du coût des marchandises vendues en flux de trésorerie (les paiements aux fournisseurs)

Le coût des marchandises vendues représente le coût des produits vendus durant la période. Il se peut que le total de ce compte soit moins élevé ou plus élevé que le montant versé aux fournisseurs durant la même période. Dans le cas de Loblaw, les stocks ont augmenté durant le trimestre, car la société a acheté plus de marchandises de ses fournisseurs qu'elle n'en a vendu à ses clients. Les montants versés aux fournisseurs de marchandises ont sans doute été plus importants que le coût des marchandises vendues. Ainsi, l'augmentation du compte Stocks de la période doit être ajoutée au calcul des sommes versées aux fournisseurs.

Généralement, les sociétés doivent des sommes à leurs fournisseurs (un solde des comptes fournisseurs apparaît au bilan). Afin de convertir le coût des marchandises vendues en sommes versées aux fournisseurs, les crédits et les paiements représentés par les comptes fournisseurs doivent également être considérés. Un emprunt augmente la caisse et les comptes fournisseurs et, inversement, son remboursement diminue la caisse et les comptes fournisseurs. Ainsi, la diminution des comptes fournisseurs de Loblaw doit aussi être ajoutée au calcul. Le coût des marchandises vendues peut donc se calculer selon une comptabilité de caisse de la façon suivante :

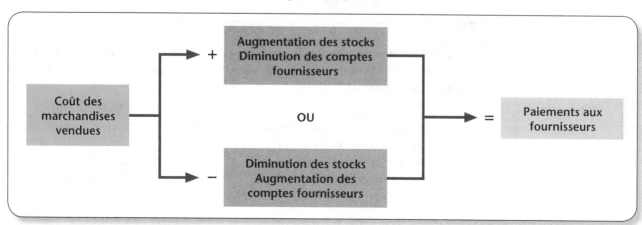

Avec l'information présentée au tableau 12.3 (*voir la page 722*), on peut calculer les sommes versées aux fournisseurs de la façon suivante (en millions de dollars):

Stocks (A)					Fournisseurs (Pa)	
Solde du début	1 903		Coût des ventes	7 355	Solde du début	1 075
+ Augmentation	84	→	+ Augmentation des stocks	84		
			+ Diminution des fournisseurs	33	← − Diminution	(33)
Solde de la fin	1 987		Paiements aux fournisseurs	7 472	Solde de la fin	1 042

La conversion des frais d'exploitation en flux de trésorerie (les décaissements)

Le montant total des frais de vente et d'administration à l'état des résultats peut différer des décaissements associés à cette activité. Certaines dépenses sont payées avant qu'elles ne soient reconnues comme charges de la période (par exemple le loyer payé d'avance). Lorsqu'on fait des paiements à l'avance, le solde du compte Frais payés d'avance du bilan augmente, et ce même solde diminue quand la charge est constatée à l'état des résultats. Lorsque le solde des frais payés d'avance de Loblaw a augmenté de 49 millions de dollars durant le trimestre, les décaissements ont été plus élevés que la constatation des charges. Cette augmentation doit être ajoutée au calcul des décaissements pour les frais de vente et d'administration.

D'autres charges sont payées après avoir été constatées (par exemple les frais courus). Dans ce cas, le solde des frais courus augmente quand les charges sont constatées; inversement, le solde diminue quand un paiement est effectué. Lorsque le solde des frais courus de Loblaw a diminué de 100 millions de dollars, les paiements ont été supérieurs aux charges constatées durant le trimestre. Cette diminution doit être ajoutée au calcul des décaissements pour les frais de vente et d'administration.

De façon générale, les frais de vente et d'administration peuvent être convertis sous forme de comptabilité de caisse de la façon suivante:

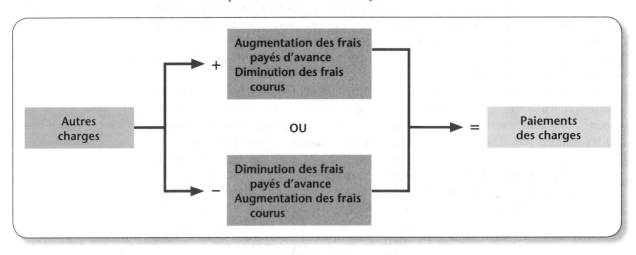

Avec l'information présentée au tableau 12.3 (*voir la page 722*), on peut calculer les décaissements pour les frais de vente et d'administration de Loblaw de la façon suivante (en millions de dollars):

Frais payés d'avance (A)					Frais courus (Pa)	
Solde du début	174		Frais de vente et d'administration	707	Solde du début	1 100
+ Augmentation	49	→	+ Augmentation des frais payés d'avance	49		
			− Augmentation des frais courus	(100)	← + Augmentation	100
Solde de la fin	223		Paiements pour les charges	656	Solde de la fin	1 200

La même logique s'applique aux impôts sur les bénéfices de 109 millions de dollars. Puisqu'on n'a pas relevé de compte d'impôts à payer ou à recouvrer ni d'impôts futurs[11] en actif ou en passif, on présume que la charge est égale au décaissement.

	En millions de dollars
Charge d'impôts	109
Aucune variation des impôts à payer ou à recouvrer, ni des impôts futurs	0
Paiement des impôts	109

Il en est de même pour la charge d'intérêts. Loblaw présente une charge d'intérêts de 78 millions de dollars. Ce montant aurait été redressé de la variation des intérêts à payer, le cas échéant. Par manque d'information, on suppose qu'il n'y a pas d'intérêts à payer à la fin de la période.

	En millions de dollars
Charge d'intérêts	78
Aucune variation des intérêts à payer	0
Paiement des intérêts	78

Les sommes d'impôts et d'intérêts sont présentées au tableau 12.5 (*voir la page 730*) comme décaissements.

Un sommaire des redressements qu'on doit généralement effectuer pour convertir les éléments de l'état des résultats est présenté en flux de trésorerie :

Poste de l'état des résultats	+/− Variation des postes du bilan	Flux de trésorerie
Chiffre d'affaires	+ Diminution des comptes clients (A) − Augmentation des comptes clients (A)	= Recouvrement des clients
Produits d'intérêts	+ Diminution des intérêts à recevoir (A) − Augmentation des intérêts à recevoir (A)	= Encaissement des intérêts sur les placements
Produits de dividende	+ Diminution du dividende à recevoir (A) − Augmentation du dividende à recevoir (A)	= Encaissement des dividendes sur les placements
Coût des marchandises vendues	+ Augmentation des stocks (A) − Diminution des stocks (A) − Augmentation des comptes fournisseurs (Pa) + Diminution des comptes fournisseurs (Pa)	= Paiements aux fournisseurs de marchandises
Autres frais	+ Augmentation des frais payés d'avance (A) − Diminution des frais payés d'avance (A) − Augmentation des frais courus (Pa) + Diminution des frais courus (Pa)	= Paiements des charges aux fournisseurs de services (loyer, électricité, salaires, etc.)
Frais d'intérêts	− Augmentation des intérêts à payer + Diminution des intérêts à payer	= Paiements des intérêts
Charge d'impôts sur les bénéfices	+ Augmentation des impôts payés d'avance (impôts futurs) (A) − Diminution des impôts payés d'avance (impôts futurs) (A) − Augmentation des impôts à payer (impôts futurs) (Pa) + Diminution des impôts à payer (impôts futurs) (Pa)	= Paiements des impôts

Il est important de noter à nouveau que le montant des flux de trésorerie liés aux activités d'exploitation est le même quelle que soit la méthode de présentation utilisée, soit la méthode directe ou la méthode indirecte (dans le cas de Loblaw, il s'agit d'un encaissement net de 376 millions de dollars). Les deux méthodes diffèrent seulement au point de vue de l'information fournie dans l'état financier.

---

11. Pour simplifier la présentation et ne pas avoir à les traiter, les comptes d'impôts et d'impôts futurs ont été regroupés. Ces comptes sont complexes et seront abordés dans des cours de comptabilité avancée.

PERSPECTIVE INTERNATIONALE

Les méthodes australiennes

Coles Myer Ltd est une multinationale australienne qui exploite des supermarchés, des magasins à escompte et des magasins à rayons. Les aliments et les boissons ont produit 53 % de ses revenus en 2005. Conformément aux principes comptables généralement reconnus en Australie, qui requièrent l'utilisation de la méthode directe de présentation, l'entreprise a classé les renseignements sur ses flux de trésorerie liés à l'exploitation comme suit.

État partiel des flux de trésorerie
pour l'exercice terminé le 31 juillet 2005
(en millions de dollars)

Flux monétaires des activités d'exploitation	
Sommes reçues des clients	
(y compris les taxes sur les biens et services)	39 251 $
Sommes payées aux fournisseurs et aux employés	
(y compris les taxes sur les biens et services)	(37 660)
Sommes reçues des sociétés affiliées	10
Intérêts reçus	29
Sommes versées pour le coût des emprunts	(71)
Sommes versées pour les impôts	(402)
Flux de trésorerie nets liés aux activités d'exploitation	1 157 $

Il faut noter que Coles Myer regroupe les paiements à ses fournisseurs et à ses employés, alors que d'autres entreprises enregistrent ces montants séparément. Comme les entreprises américaines qui choisissent la méthode directe, l'entreprise australienne présente ses résultats d'après la méthode indirecte dans une note au bas de l'état des flux de trésorerie. Cette exigence n'est pas requise au Canada.

TEST D'AUTOÉVALUATION

Parmi les éléments suivants, indiquez lesquels devraient être additionnés (+), soustraits (−) ou sans effet (0) dans la section des flux de trésorerie liés à l'exploitation de l'état des flux de trésorerie, lorsque la méthode directe est utilisée.

a) _____ L'augmentation des stocks

b) _____ Le paiement du dividende aux actionnaires

c) _____ Les sommes recouvrées des clients

d) _____ L'achat au comptant d'une bâtisse et d'équipements

e) _____ Le paiement des intérêts aux créditeurs

f) _____ Le paiement des impôts au gouvernement

Vérifiez vos réponses à l'aide des solutions présentées en bas de page*.

---

*   a) 0; b) 0; c) +; d) 0; e) −; f) −.

L'interprétation des flux de trésorerie liés aux activités d'exploitation

La section des activités d'exploitation de l'état des flux de trésorerie permet d'évaluer l'habileté de l'entreprise à produire des flux monétaires à l'interne à travers ses opérations et à évaluer la gestion des actifs et des passifs à court terme (le montant du fonds de roulement). La plupart des analystes financiers croient que cette section de l'état est la plus importante car, à long terme, les activités d'exploitation sont la seule source de trésorerie. Cela signifie que les investisseurs n'investiront pas dans une société s'ils ne croient pas que les opérations produiront suffisamment de liquidités pour leur payer des dividendes ou accroître la valeur de la société. De même, les créditeurs ne prêteront pas d'argent s'ils ne croient pas que les flux monétaires provenant des activités d'exploitation seront disponibles pour rembourser leurs prêts. Par exemple, plusieurs sociétés point.com se sont écroulées lorsque les investisseurs ont perdu confiance en leur habileté de transformer leurs idées d'entreprise en flux de trésorerie générés par leurs activités d'exploitation.

En principe, les analystes financiers et les agents de crédit tentent d'éviter les entreprises qui démontrent une croissance du bénéfice net en même temps qu'une diminution des flux de trésorerie de l'exploitation. Un niveau de stocks qui grimpe rapidement ou un solde des comptes clients qui fait de même sont souvent des indices d'une chute prochaine des profits et d'un besoin de financement externe. Une véritable compréhension de cette différence requiert une compréhension détaillée des causes.

Au premier trimestre de 2005, Loblaw a rapporté un bénéfice net de 143 millions de dollars et des flux de trésorerie de l'exploitation négatifs de (210) millions de dollars. Au troisième trimestre, la situation s'est grandement améliorée avec un bénéfice net de 192 millions de dollars et des flux de trésorerie de l'exploitation positifs de 494 millions de dollars (le chiffre actuel et non retouché comme dans nos exemples simplifiés). Comment Loblaw a-t-elle organisé un tel virement? Pour répondre à cette question, il faut analyser attentivement les éléments des activités d'exploitation à l'état des flux de trésorerie. Afin de mieux analyser cette information, il faut en apprendre plus sur l'industrie de l'alimentation au détail.

L'analyse de la variation des comptes clients

Voici un tableau comparatif des comptes clients, des ventes, du bénéfice net et des flux de trésorerie de Loblaw pour les quatre derniers trimestres comparatifs (en millions de dollars):

	4e trimestre		1er trimestre		2e trimestre		3e trimestre	
	2003	2004	2004	2005	2004	2005	2004	2005
Clients	588	665	573	533	587	573	587	535
Ventes	6 373	6 329	5 677	6 124	6 069	6 436	8 134	8 653
Flux de trésorerie (exploitation)	553	894	(206)	(210)	360	375	395	494
Bénéfice net	294	337	176	143	197	209	258	192

Comme on peut le voir, le niveau des comptes clients est assez stable. La majorité des ventes se font au comptant ou par carte de crédit. Les sommes à recevoir sur cartes de crédit sont titrisées par la Banque le Choix du Président, filiale en propriété exclusive de la société. La titrisation consiste à regrouper les soldes de cartes de crédit et à les céder à une tierce partie. Cette dernière les achète et les finance par l'émission de titres négociables sur le marché des capitaux. Cette pratique de Loblaw lui permet d'obtenir des liquidités de façon rapide. À la fin du troisième trimestre, 225 millions de dollars de soldes de cartes de crédit avaient été titrisés à ce jour.

On remarque également que le premier trimestre de l'année de Loblaw est toujours celui qui génère le moins de ventes, car il fait suite à la période du temps des fêtes. Selon un dirigeant de la société, il s'agit d'un phénomène cyclique. La diminution des ventes et des profits du premier trimestre dans le secteur de l'alimentation sont des fluctuations saisonnières. C'est un phénomène bien connu des analystes financiers.

En général, lorsqu'une diminution des ventes est accompagnée d'une croissance des comptes clients, les dirigeants d'entreprises tentent parfois de relancer des ventes décroissantes en prolongeant les délais de paiement (par exemple de 30 à 60 jours) ou en assouplissant leurs critères d'accessibilité au crédit (par exemple en prêtant à des clients plus à risque). L'augmentation des comptes clients qui en résulte peut avoir pour effet d'accroître le bénéfice net par rapport aux flux de trésorerie liés à l'exploitation. En conséquence, un grand nombre d'analystes interprètent ce résultat comme un avertissement. Pour Loblaw, il s'agit d'un phénomène cyclique qui ne se produit qu'au premier trimestre de chaque année.

Une variation dans les stocks

Un accroissement inattendu des stocks peut également avoir pour effet d'augmenter l'écart entre le bénéfice net et les flux de trésorerie provenant de l'exploitation (une augmentation des stocks à la fin diminue le coût des marchandises vendues et augmente donc le bénéfice net). Un tel accroissement peut indiquer que la croissance prévue dans les ventes ne s'est pas concrétisée. Une diminution des stocks peut signifier que l'entreprise s'attend à des ventes moins importantes pour le trimestre suivant.

Loblaw	4e trimestre		1er trimestre		2e trimestre		3e trimestre	
	2003	2004	2004	2005	2004	2005	2004	2005
Stocks (en millions de dollars)	1 778	**1 821**	1 841	**1 886**	1 829	1 903	1 877	1 987

Dans l'ensemble, les stocks varient peu d'un trimestre à un autre. En effet, à la fin du dernier trimestre de 2004, les stocks sont à 1 821 millions de dollars à la suite des activités du temps des fêtes. Les stocks sont restés à ce même niveau au premier trimestre 2005 (1 886 millions de dollars) à cause des activités ralenties de ce trimestre. L'un des dirigeants de la société affirme qu'il s'agit également de stockage d'articles non alimentaires en prévision des activités futures, sinon les stocks à la fin du premier trimestre seraient plus bas. L'importance évidente de connaître en détail un secteur pour pouvoir interpréter correctement les états financiers des entreprises qui en font partie explique le fait que la plupart des analystes se spécialisent dans un nombre restreint de secteurs.

Une variation dans les comptes fournisseurs

Les sociétés tentent parfois d'augmenter leur fonds de roulement à la fin de l'exercice en diminuant les comptes fournisseurs. Cette opération a pour conséquence de diminuer les flux de trésorerie. Au cours du premier trimestre de 2005, Loblaw enregistrait un bénéfice net de 143 millions de dollars, alors que ses flux de trésorerie liés aux activités d'exploitation se chiffraient à −210 millions de dollars, partiellement en raison d'une diminution importante des comptes fournisseurs de 357 millions de dollars. Faut-il croire que l'entreprise aurait tenté d'augmenter son ratio du fonds de roulement pour ce trimestre ?

Loblaw	4e trimestre		1er trimestre		2e trimestre		3e trimestre	
	2003	2004	2004	2005	2004	2005	2004	2005
Fournisseurs (en millions de dollars)	2 227	**2 387**	1 948	**2 030**	2 002	2 175	1 996	2 242

Les analystes qui s'intéressent au secteur de l'alimentation sont conscients qu'il s'agit du résultat de fluctuations saisonnières normales qu'on remarque au premier trimestre de l'année. Premièrement, ils savent que presque tous les achats aux fournisseurs se font à crédit et que l'entreprise est en mesure de payer ses comptes du dernier trimestre de l'année, ces comptes étant plus importants à cause des activités accrues de la période des fêtes. En effet, les fortes ventes de décembre et les achats qui en découlent font augmenter les comptes fournisseurs, mais le paiement en espèces ne se fait pas avant le mois de janvier. Il en résulte que le total des montants payés aux fournisseurs en janvier est supérieur au chiffre d'affaires et que les comptes fournisseurs diminuent entre la fin du quatrième trimestre (le 31 décembre) et la fin du premier trimestre (le 31 mars). Deuxièmement, ils ont observé que les ventes sont plus faibles au premier trimestre de l'année à la suite de la période des fêtes. À l'état des flux de trésorerie, ces résultats ont un effet négatif sur les flux de trésorerie provenant de l'exploitation au cours du premier trimestre. Troisièmement, ils ont déjà constaté que les ventes remontent progressivement d'un trimestre à l'autre pour atteindre leur plus haut niveau au troisième trimestre. Les fluctuations saisonnières normales des ventes ne sont pas, de toute évidence, un signe de problèmes financiers chez Loblaw.

Le ratio de la qualité du bénéfice

ANALYSONS LES RATIOS

Le ratio de la qualité du bénéfice

1. **Question d'analyse**
   Combien de dollars de trésorerie produit chaque dollar de bénéfice net ?

2. **Ratio et comparaisons :**

$$\text{Ratio de la qualité du bénéfice} = \frac{\text{Flux de trésorerie liés à l'exploitation}}{\text{Bénéfice net}}$$

Pour l'année 2004*, le ratio de Loblaw était le suivant :

$$\frac{1\ 443\ \$}{968\ \$} = 1,49\ (149\ \%)$$

OBJECTIF D'APPRENTISSAGE 3

Analyser et interpréter le ratio de la qualité du bénéfice.

a) L'analyse de la tendance dans le temps			b) La comparaison avec les compétiteurs	
LOBLAW (ANNUELLEMENT)			**METRO**	**SOBEYS**
2002	2003	2004	2004	2005
1,36	1,22	1,49	1,83	2,35

3. **Interprétation des résultats**

EN GÉNÉRAL ◊ Le ratio de la qualité du bénéfice sert à mesurer la partie du bénéfice net généré sous forme de liquidités. Toutes choses étant égales par ailleurs, un ratio de la qualité du bénéfice plus élevé que la moyenne indique une plus grande capacité à financer les activités d'exploitation et les autres besoins en liquidités à même les rentrées de fonds découlant de l'exploitation**. Il indique également une probabilité moindre que l'entreprise utilise des méthodes de constatation des produits agressives pour augmenter son bénéfice net et, par conséquent, il est improbable qu'on observe une diminution future du bénéfice net***. Lorsque ce ratio est différent de 1,0, les analystes doivent établir la source de l'écart pour déterminer l'importance de leurs résultats. Il y a quatre causes potentielles pour expliquer un tel écart.

Comparons	
Taux annuels	
Cascades	7,80
Rona	0,78
Van Houtte	2,80

1. **Le cycle d'exploitation de l'entreprise (l'augmentation ou la diminution du chiffre d'affaires).** Lorsque les ventes augmentent, les comptes clients et les stocks s'accroissent normalement plus vite que les comptes fournisseurs. Il en résulte souvent une diminution des flux de trésorerie liés à l'exploitation au-dessous du niveau du bénéfice, ce qui abaisse le ratio. Lorsque les ventes diminuent, le contraire se produit et le ratio augmente.

* Pour éliminer l'effet cyclique, on analyse le ratio annuel.

** Lorsqu'une perte nette est constatée, un ratio plus négatif indique que l'entreprise a une meilleure capacité de se financer à même ses activités d'exploitation.

*** Voir S. Richardson, « Earnings Quality and Short Sellers », *Accounting Horizons*, supplément 2003, p 49-61, pour une discussion relative au sujet de recherche.

2. **Le caractère saisonnier des activités.** Les variations saisonnières dans les ventes et les achats de stocks peuvent entraîner un écart du ratio par rapport à 1,0. C'est le cas de Loblaw à la fin du premier trimestre de 2005 alors que le ratio était de −1,47 (−210 $ ÷ 143 $).

3. **Des variations dans la constatation des produits et des charges.** Une constatation agressive des produits ou le fait d'omettre des charges courues à payer peuvent gonfler le bénéfice net et diminuer le ratio.

4. **Des variations dans la gestion des actifs et des passifs liés à l'exploitation.** Une gestion inefficace peut entraîner une augmentation des actifs et une diminution des passifs liés à l'exploitation, ce qui contribue à réduire les flux de trésorerie liés à l'exploitation et, par conséquent, le ratio. Une gestion efficace aura l'effet contraire.

LOBLAW ◊ Durant les trois dernières années, le ratio annuel de la qualité du bénéfice de Loblaw a varié légèrement, passant de 1,36 en 2002 à 1,49 en 2004 (avec une diminution en 2003). Comme nous l'avons mentionné auparavant, le ratio négatif du premier trimestre de 2005 est récurrent et présente une situation cyclique où le paiement des comptes fournisseurs est plus élevé. Cette situation est due aux achats accrus du dernier trimestre pour satisfaire la demande des produits durant la période des fêtes. Sur une base annuelle, le ratio de Loblaw est inférieur à celui de Metro et de Sobeys. Ainsi, les analystes financiers seront incités à lire le rapport de gestion inclus au rapport annuel de Loblaw pour en déterminer les causes. Ce rapport présente une analyse et une discussion de la direction sur les événements financiers de l'exercice.

QUELQUES PRÉCAUTIONS ◊ On ne peut interpréter le ratio de la qualité du bénéfice qu'à la condition de bien comprendre les activités d'une entreprise et sa stratégie. Par exemple, un faible ratio est parfois simplement attribuable à des variations saisonnières normales, comme c'est le cas de Loblaw au premier trimestre de 2005. Toutefois, il peut aussi indiquer un vieillissement des stocks, un ralentissement des ventes ou l'échec de plans de croissance. Les analystes considèrent souvent ce ratio en relation avec le taux de rotation des comptes clients et le taux de rotation des stocks pour tenir compte de ces possibilités.

Dans l'actualité

Investors Chronicle

QUESTION D'ÉTHIQUE

Les erreurs, les irrégularités et les flux de trésorerie liés à l'exploitation

L'état des flux de trésorerie donne souvent aux observateurs un premier indice à l'effet que les états financiers d'une entreprise pourraient contenir des erreurs et des irrégularités. On tient davantage compte de l'importance de ce document à titre d'indicateur prévisionnel dans les normes de vérification, comme le révèle un article d'*Investors Chronicle*, qui rapporte une fraude comptable par une société commerciale de crédit. En voici un extrait:

« [...] un examen de l'état des flux de trésorerie de Versailles – un outil essentiel à l'identification des méthodes de comptabilité créative – devrait avoir fait retentir l'alarme. Dans le dernier rapport émis par la société en 1999, Versailles a présenté un profit d'exploitation [...] de 25 millions de dollars, mais un flux de trésorerie négatif de ses activités d'exploitation de 24 millions de dollars [...] de tels chiffres devraient [...] avoir servi d'alarme. Après tout, à quoi sert une société si elle rapporte seulement des profits comptables qui ne seront jamais réalisés sous forme de trésorerie? » (traduction libre).

Comme nous l'avons vu dans des chapitres précédents, certains dirigeants peu scrupuleux tentent parfois d'atteindre le profit net qu'ils visent en falsifiant les comptes de régularisation (les frais courus et reportés). Ils jouent ainsi sur la démarcation des produits et des charges de façon à gonfler le bénéfice. Étant donné que ces écritures de régularisation ne modifient pas le compte de caisse, elles n'ont aucune incidence sur l'état des flux de trésorerie. Une différence croissante entre le bénéfice net et les flux de trésorerie liés à l'exploitation peut constituer un indice de ce type de falsification. Il s'agit d'un signe avant-coureur qui a déjà été observé avant certaines faillites retentissantes comme celle de W.T. Grant. Cette entreprise avait gonflé son bénéfice en omettant de passer les écritures de régularisation requises concernant des charges relatives à des comptes clients irrécouvrables et à des stocks obsolètes. Les analystes les plus perspicaces avaient observé la différence croissante entre le bénéfice net et les flux de trésorerie provenant de l'exploitation qui en a résulté, et ils ont recommandé la vente des actions de l'entreprise bien avant que celle-ci fasse faillite.

Source: James CHAPMAN (2001), «Creative Accounting: Exposed!», *Investors Chronicle*, 3 février 2001.

La présentation et l'interprétation des flux de trésorerie liés aux activités d'investissement

La présentation des flux de trésorerie liés aux activités d'investissement

Dans cette section, il convient d'analyser les comptes relatifs à l'achat et à la vente d'immobilisations corporelles et incorporelles utilisées par les entreprises et ceux qui sont liés aux investissements dans des titres d'autres entreprises. Normalement, les comptes du bilan qui correspondent à cette description comprennent les comptes de placement à court terme et les comptes d'actifs à long terme tels que les placements à long terme et les immobilisations corporelles et incorporelles. Voici les relations qu'on observe le plus couramment.

OBJECTIF D'APPRENTISSAGE **4**

Présenter et interpréter les flux de trésorerie liés aux activités d'investissement.

Compte correspondant du bilan	Activité d'investissement	Effet sur les flux de trésorerie
Immobilisations corporelles (terrain, bâtisse, équipement) et incorporelles (brevets, etc.)	Achat d'immobilisations au comptant	Sortie de fonds
	Vente d'immobilisations au comptant	Rentrée de fonds
Placements à court ou à long terme (actions et obligations d'autres entreprises)	Achat de titres de placement au comptant	Sortie de fonds
	Vente au comptant ou arrivée à échéance des titres de placement	Rentrée de fonds

Flux de trésorerie des activités d'investissement

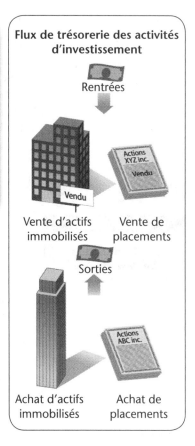

Rentrées

Vente d'actifs immobilisés — Vente de placements

Sorties

Achat d'actifs immobilisés — Achat de placements

Il faut se rappeler les éléments suivants:
- **seulement les achats faits avec la trésorerie sont inclus;**
- **le montant des espèces reçues de la vente est inclus, que la vente ait été effectuée avec un gain ou une perte.**

Dans le cas de Loblaw, l'analyse des variations des comptes du bilan (*voir le tableau 12.6 à la page 740*) montre que trois des quatre actifs indiqués par la lettre «I» ont varié au cours du trimestre. Il y a donc eu des activités d'investissement relatives aux trois comptes suivants: Immobilisations, Écarts d'acquisition et Autres actifs. Le compte Placements à court terme n'a pas varié et, par conséquent, il ne faut pas en tenir compte. On doit examiner les livres de l'entreprise pour déterminer les causes de ces variations. Le détail de la variation dans les comptes est présenté ci-après.

Placements à court terme

L'analyse des registres comptables de Loblaw indique que la société n'a pas fait d'achat ni disposé de placements à court terme durant le trimestre. Le solde est demeuré le même, soit 4 millions de dollars. Ainsi, l'état des flux de trésorerie n'indique pas d'élément relatif à ce compte à l'état des flux de trésorerie liés aux activités d'investissement.

Immobilisations

L'entreprise a acheté de nouvelles immobilisations qu'elle a payées comptant, au montant de 385 millions de dollars, ce qui constitue une sortie de fonds. Elle a vendu des immobilisations au comptant pour une somme de 16 millions de dollars, ce qui représente une rentrée de fonds. Le montant de 172 millions de dollars de charge d'amortissement, réintégrée à la section Exploitation, est également un élément qui explique la variation nette dans le compte Immobilisations au troisième trimestre de 2005. La variation s'explique donc ainsi:

Immobilisations (A) (en millions de dollars)	
Solde d'ouverture	7 414 $
+ Acquisitions	385
− Cession (produit des ventes)	(16)
− Amortissement	(172)
Solde de fermeture	7 611 $

L'écart d'acquisition

L'analyse des registres dévoile qu'il n'y a eu aucune acquisition ou disposition en ce qui concerne cet actif. La différence entre le solde du début et de la fin représente une diminution de 40 millions de dollars, somme égale à la dépréciation de l'actif qui figure à la section des activités liées à l'exploitation.

Les autres actifs

L'analyse des registres comptables aurait sans doute expliqué la variation des comptes inclus dans le poste Autres actifs au bilan, information qui n'est pas disponible. À la note 10 du rapport annuel, on apprend que le poste Autres actifs comprend divers comptes dont les franchises. On a également regroupé sous ce compte les impôts futurs dans le but de simplifier l'état. Ainsi, la variation qui représente une sortie nette de fonds de 87 millions de dollars n'est pas détaillée. Le tableau 12.6 ci-dessous présente un décaissement net des activités d'investissement de 456 millions de dollars.

TABLEAU 12.6	Tableau explicatif des flux de trésorerie liés aux activités d'investissement (en millions de dollars)

Coup d'œil sur

Les Compagnies Loblaw limitée

Éléments tirés du bilan et de l'analyse des comptes	Rentrées (sorties) de fonds	Explication
Achat d'immobilisations	(385)	Somme versée pour l'achat d'immobilisations
Vente d'immobilisations	16	Somme reçue de la vente des immobilisations
Variation nette des autres actifs	(87)	Variation nette des sommes reçues et versées pour les éléments du poste Autres actifs; il s'agit d'une sortie nette
Flux de trésorerie liés aux activités d'investissement	(456)	Tels qu'ils sont présentés à l'état des flux de trésorerie

L'interprétation des flux de trésorerie liés aux activités d'investissement

À l'aide de deux calculs, on peut évaluer l'habileté d'une société à financer ses besoins d'expansion à l'interne. Il s'agit du ratio d'acquisition de capitaux et des flux de trésorerie disponibles.

Le ratio d'acquisition de capitaux

ANALYSONS LES RATIOS

1. Question d'analyse

Jusqu'à quel point l'entreprise est-elle capable de financer l'achat d'immobilisations corporelles avec la trésorerie provenant de ses activités d'exploitation?

2. Ratio et comparaisons

$$\text{Ratio d'acquisition de capitaux} = \frac{\text{Flux de trésorerie liés à l'exploitation}}{\text{Acquisition en espèces d'immobilisations corporelles}}$$

Pour la période 2002 à 2004*, le ratio de Loblaw était le suivant:

$$\frac{3\ 456\$}{3\ 608\$} = 0,96$$

OBJECTIF D'APPRENTISSAGE 5

Analyser et interpréter le ratio d'acquisition de capitaux.

a) L'analyse de la tendance dans le temps	
LOBLAW	
1999-2001	2002-2004
0,79	0,96

b) La comparaison avec les compétiteurs	
METRO	**SOBEYS**
2002-2004	2003-2005
2,46	1,24

Comparons

Ratio d'acquisition de capitaux 2002-2004

Cascades	1,62
Rogers Communications	0,91
Van Houtte	1,86

3. Interprétation des résultats

EN GÉNÉRAL ◊ Le ratio d'acquisition de capitaux reflète la partie des achats d'immobilisations corporelles qui est financée grâce aux activités d'exploitation sans recours à une dette externe, à un financement par l'émission d'actions ou à la vente d'autres placements ou d'actifs immobilisés. Un ratio élevé indique que l'entreprise a moins besoin de financement externe pour sa croissance présente et à venir. Cette situation est avantageuse, car elle permet aux entreprises d'effectuer des acquisitions stratégiques, d'éviter le coût d'une dette supplémentaire ou d'une émission d'actions et de réduire les risques de faillite qui accompagnent l'accroissement du levier financier (*voir les chapitres 9 et 10*).

LOBLAW ◊ Le ratio d'acquisition de capitaux de Loblaw s'est amélioré au cours des six dernières années. Un taux inférieur à 1 indique qu'elle n'a pas réussi à autofinancer, à même ses opérations, les investissements importants qu'elle a faits au cours des derniers exercices, investissements qu'elle projette de poursuivre dans le futur. L'objectif d'être propriétaire des bâtiments nécessite des fonds importants pour leur acquisition. Par ailleurs, pour faire face à la compétition (Wal-Mart, Sobeys, etc.) et répondre aux besoins de sa clientèle, elle a exploité une gamme de produits non alimentaires, ce qui nécessite des investissements importants dans les stocks et leur entreposage. Ce n'est pas le cas de Metro, qui a peu développé la vente d'articles non alimentaires; par conséquent, son ratio est plus élevé. Sobeys exploite davantage la vente d'articles non alimentaires; ainsi, son taux est plus près de 1. Il faut noter que le chiffre d'affaires de Loblaw est le double de celui de Sobeys, et ses investissements ont été plus importants. Son ratio étant près de 1 (0,96), Loblaw a dû recourir à très peu de fonds extérieurs pour ◈

financer ses activités d'expansion mais elle s'avère, à court terme, plus à risque que Metro qui affiche un ratio de 2,46. Toutefois, Loblaw est prête à affronter les compétiteurs américains et détient ainsi un avantage économique futur sur ses compétiteurs locaux.

QUELQUES PRÉCAUTIONS ◊ Comme les besoins d'investissement en matière d'immobilisations corporelles varient considérablement d'un secteur d'activité à l'autre (on ne peut comparer, par exemple, les entreprises de papiers et cartons comme Cascades aux entreprises de communication comme Rogers), le ratio d'une entreprise devrait être comparé uniquement avec ceux de ses exercices antérieurs ou avec les ratios d'autres entreprises du même secteur. En outre, un ratio élevé indique parfois qu'une entreprise néglige de moderniser ses immobilisations corporelles, ce qui peut restreindre sa capacité à rester compétitive dans l'avenir.

* Comme les dépenses en capital pour des immobilisations corporelles varient souvent d'une année à l'autre, on calcule généralement ce ratio sur des périodes de temps plus longues qu'une année, par exemple trois ans dans le cas présent.

ANALYSE FINANCIÈRE

Les flux de trésorerie disponibles

Les gestionnaires ainsi que les analystes calculent souvent les **flux de trésorerie disponibles** pour mesurer la capacité d'une entreprise à tirer parti des occasions d'investissement à long terme. Voici comment ils procèdent.

Flux de trésorerie disponibles
= Flux de trésorerie
  liés à l'exploitation
– Dividendes
– Dépenses en capital

$$\text{Flux de trésorerie disponibles} = \text{Flux de trésorerie liés à l'exploitation} - \text{Dividendes} - \text{Dépenses en capital}$$

Les flux de trésorerie disponibles (positifs) permettent d'effectuer des dépenses en capital supplémentaires, des investissements dans d'autres entreprises ainsi que des fusions et des acquisitions, et ce, sans recourir à du financement externe. Même si un flux de trésorerie disponible est considéré comme un signe de flexibilité financière, il peut aussi constituer un coût caché pour les actionnaires. En effet, certains dirigeants s'en servent pour faire des placements non rentables dans le seul but d'afficher une croissance, ou ils le dépensent sous forme d'avantages indirects destinés aux cadres (pour des bureaux de luxe ou des avions d'affaires), et ce, au détriment des actionnaires. Dans ces conditions, les actionnaires auraient avantage à ce que ces flux de trésorerie disponibles leur soient versés sous forme de dividendes supplémentaires ou soient utilisés pour racheter des actions de l'entreprise sur le marché libre.

La présentation et l'interprétation des flux de trésorerie liés aux activités de financement

La présentation des flux de trésorerie liés aux activités de financement

OBJECTIF D'APPRENTISSAGE **6**

Présenter et interpréter les flux de trésorerie liés aux activités de financement.

Les activités de financement sont associées à l'obtention de capital auprès des créanciers et des propriétaires et à son remboursement. Cette section porte sur les variations des effets à payer aux établissements financiers (souvent appelés des « dettes à court terme »), la tranche de la dette à long terme échéant dans moins d'un an ainsi que sur les variations dans les comptes des éléments de passif à long terme et des capitaux propres. Ces comptes du bilan se rapportent à l'émission et au remboursement (ou au rachat) de la dette et des actions, ainsi qu'au paiement des dividendes. Voici les relations qu'on observe le plus couramment.

Compte correspondant du bilan	Activités de financement	Effet sur les flux de trésorerie
Dette à court terme (emprunts, effets à payer, etc.)	Emprunts monétaires de la banque ou d'autres établissements financiers	Rentrée de fonds
	Remboursement du capital sur les emprunts ou les effets à payer	Sortie de fonds
Dette à long terme	Émission d'obligations en échange de liquidités	Rentrée de fonds
	Remboursement de capital sur les obligations	Sortie de fonds
Capital social	Émission d'actions en échange de liquidités	Rentrée de fonds
	Paiement en espèces pour le rachat (l'annulation) des actions	Sortie de fonds
Bénéfices non répartis	Versement des dividendes en espèces	Sortie de fonds

Il faut se rappeler les éléments suivants :

- Si la dette ou les actions sont émises pour des considérations autres que comptant, par exemple pour l'acquisition d'actif immobilisé financé par le fabricant, elles sont exclues de la section.
- Les remboursements en espèces du capital emprunté sont des sorties de fonds affectées aux activités de financement.
- Les paiements d'intérêts sont des flux monétaires liés aux activités d'exploitation. Puisque la charge d'intérêts figure à l'état des résultats, les flux de trésorerie qui y sont associés sont présentés dans la section des activités d'exploitation.
- Le paiement du dividende sont des flux monétaires liés aux activités de financement. Le dividende n'est pas présenté à l'état des résultats, car il représente une distribution du bénéfice aux propriétaires. On le présente donc dans la section des activités liées au financement.

Pour calculer les flux de trésorerie liés aux activités de financement, il faudrait examiner la variation de chacun des comptes de passif et de capitaux propres. Dans le cas de Loblaw, une analyse de la variation des postes du bilan (*voir le tableau 12.3 à la page 722*) indique que les comptes Dette bancaire, Effets commerciaux, Dette à long terme, Autres passifs, Actions ordinaires ainsi que Bénéfices non répartis ont varié au cours du troisième trimestre de 2005 (notés avec un « F »).

TABLEAU 12.7 | Tableau explicatif des flux de trésorerie liés aux activités de financement (en millions de dollars)

Éléments tirés du bilan et de l'analyse des comptes	Rentrées (sorties) de fonds	Explication
Dette bancaire	(36) $	Paiement en espèces de la dette bancaire
Effets commerciaux	(23)	Paiement en espèces d'effets commerciaux
Dette à long terme :		Somme reçue de l'émission d'une nouvelle dette à
Émission	23	long terme et paiement en espèces pour le rembour-
Remboursement	(12)	sement d'une partie de la dette à long terme; il s'agit d'une rentrée nette de 11 millions de dollars
Variation nette des autres passifs	54	Représente divers comptes; il s'agit d'une rentrée nette de fonds
Capital social :		Somme reçue de l'émission de nouvelles actions et
Émission d'actions	14	paiement en espèces pour le rachat d'anciennes ac-
Rachat d'actions	(16)	tions; il s'agit d'une sortie nette de 2 millions de dollars
Bénéfice non répartis	(73)	Paiement en espèces du dividende
Flux de trésorerie liés aux activités de financement	(69) $	Tel qu'ils sont présentés à l'état des flux de trésorerie

Coup d'œil sur

Les Compagnies Loblaw limitée

Les dettes à court et à long terme

Il s'agit des liquidités provenant d'emprunts de banques et d'autres établissements financiers ou de l'émission d'obligations vendues au public. Une dette contractée sans l'obtention de liquidités (par exemple le financement de l'achat de matériel par le fournisseur) n'entre pas dans cette catégorie. Les sorties de fonds associées à la dette comprennent le remboursement périodique du capital ainsi que le remboursement anticipé des sommes dues. Comme nous l'avons vu dans des chapitres précédents, le paiement de la plupart des dettes requiert des versements périodiques composés à la fois d'une partie du capital et des intérêts. La partie du versement en espèces relative au capital est enregistrée à titre de flux de trésorerie liés aux activités de financement. La partie relative aux intérêts constitue des flux de trésorerie liés à l'exploitation.

Pour Loblaw, la dette bancaire est passée de 84 millions de dollars au début de l'exercice à 48 millions de dollars à la fin de l'exercice. Cette variation de 36 millions de dollars représente une diminution des flux de trésorerie. Les effets commerciaux ont diminué de 23 millions de dollars et constituent donc une diminution des flux de trésorerie. La dette à long terme (la portion à court terme et à long terme) a subi une augmentation nette de 11 millions de dollars comme suit.

Dette à long terme (Pa) portion à court terme et à long terme (en millions de dollars)	
Solde au début (4 197 + 156)	4 353 $
+ Émission	23
− Remboursement	(12)
Solde à la fin (4 205 + 159)	4 364 $

Le capital social

L'émission d'actions comprend des montants en espèces reçus lors de la vente d'actions à des investisseurs. Les actions émises sans l'obtention de liquidités (par exemple des actions destinées à payer directement une partie du salaire d'un employé) n'entrent pas dans cette catégorie. Le rachat d'actions est une sortie de fonds qui comprend les paiements en espèces pour le rachat par l'entreprise de ses propres actions que détiennent des actionnaires. Pour Loblaw, il s'agit d'une sortie nette de fonds de 2 millions de dollars.

Actions ordinaires (CP) (en millions de dollars)	
Solde au début	1 194 $
+ Émission	14
− Rachat	(16)
Solde à la fin	1 192 $

Les bénéfices non répartis

Finalement, le compte des bénéfices non répartis doit être analysé. Ce compte augmente avec le montant du bénéfice net et diminue avec la déclaration des dividendes. Le montant des dividendes versés en espèces aux actionnaires au cours de l'exercice constitue une sortie de fonds. Certains étudiants se demandent pourquoi les versements en espèces faits aux créanciers (les intérêts) sont enregistrés à titre d'activité d'exploitation, alors qu'on classe les versements en espèces aux actionnaires (les dividendes) parmi les activités de financement. Il faut se rappeler que les intérêts sont comptabilisés à l'état des résultats et que, par conséquent, ils sont directement liés au processus de réalisation des bénéfices (c'est-à-dire aux activités d'exploitation). Par contre, les versements de dividendes n'apparaissent pas à l'état des résultats parce qu'ils constituent une répartition du bénéfice. Il est donc plus approprié de les inscrire dans la catégorie des activités de financement.

Dans les cas de Loblaw, ce compte a varié de la façon suivante :

Bénéfices non répartis (CP) (en millions de dollars)	
Solde au début	4 431 $
+ Bénéfice net	192
− Dividendes	(73)
Solde à la fin	4 550 $

L'interprétation des flux de trésorerie liés aux activités de financement

Le financement de la croissance à long terme d'une entreprise provient généralement de trois sources : les fonds générés de l'intérieur (les flux de trésorerie provenant de l'exploitation), l'émission d'actions et l'emprunt d'argent à long terme (ces deux derniers éléments constituent des fonds obtenus de l'extérieur). Comme nous l'avons vu aux chapitres 9 et 10, les entreprises ont le choix entre différentes structures financières (l'équilibre entre la dette et les capitaux propres). Les sources utilisées pour financer leur croissance auront des répercussions importantes en matière de risque et de rendement. L'état des flux de trésorerie permet de voir de quelles manières chaque direction d'entreprise choisit de financer cette croissance. Les analystes se servent des renseignements que ce document contient pour évaluer la structure financière et la capacité de croissance d'une entreprise.

TEST D'AUTOÉVALUATION

Parmi les éléments suivants, tirés de l'état des flux de trésorerie de Metro, indiquez lesquels devraient être enregistrés dans la section des activités d'investissement (I) ou dans celle des activités de financement (F), et s'il s'agit d'une rentrée de fonds (+) ou d'une sortie de fonds (−).

a) _____ L'achat en espèces de placements à court terme

b) _____ Le remboursement du capital sur la dette à long terme

c) _____ Le paiement du dividende en espèces

d) _____ Le produit de l'émission des actions

e) _____ Le produit de la vente d'actifs immobilisés

Vérifiez vos réponses à l'aide des solutions présentées en bas de page*.

Les autres éléments des flux de trésorerie

L'état des flux de trésorerie de Loblaw apparaît en bonne et due forme au tableau 12.1 (*voir la page 716*). Comme vous avez pu le constater, l'état s'établit à partir d'une analyse détaillée des comptes et des opérations de l'entité (*voir les tableaux 12.4, 12.5, 12.6 et 12.7 aux pages 725, 730, 740 et 743*). Pour une entreprise aussi vaste et complexe que Loblaw, l'établissement de l'état des flux de trésorerie pose évidemment plus de difficultés. Nous avons délibérément éliminé certaines difficultés très complexes qui sont abordées dans des cours de comptabilité plus avancés. Malgré tout, l'établissement de l'état pour toutes les entreprises se fonde sur la même démarche analytique qui vient d'être présentée. Les entreprises doivent aussi fournir deux autres informations pour compléter l'état.

OBJECTIF D'APPRENTISSAGE 7

Expliquer l'incidence d'autres éléments qui influent sur la trésorerie.

---

* a) I− ; b) F− ; c) F− ; d) F+ ; e) I+.

Les activités d'investissement et de financement hors trésorerie

Certaines opérations sont des activités d'investissement et de financement importantes, mais elles n'ont aucune incidence sur les flux de trésorerie. On les appelle des **activités « d'investissement »** et de **« financement hors trésorerie »** ou **« hors caisse »**. Par exemple, l'achat d'un immeuble valant 100 000 $ grâce à une hypothèque de 100 000 $ accordée par le propriétaire précédent ne produit ni rentrée ni sortie de fonds. Il en résulte que les activités hors trésorerie de ce type n'entrent pas dans les trois principales sections de l'état des flux de trésorerie. D'après les normes comptables de l'ICCA (chapitre 1540.46), ces transactions doivent être mentionnées ailleurs dans les états financiers, d'une manière qui permet de fournir toutes les informations pertinentes sur les activités d'investissement et de financement en cause. L'état des flux de trésorerie du premier trimestre de 2005 de Loblaw ainsi que ceux de 171 sociétés sur 200 sondées au Canada en 2004[12] ne mentionnent aucune activité d'investissement ni de financement hors trésorerie. Le tableau suivant, tiré du rapport annuel de Rogers Communications, montre la signification et la diversité de ce type d'opérations.

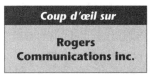

Coup d'œil sur

Rogers Communications inc.

RAPPORT ANNUEL

Rogers Communications inc. Opérations hors caisse* (note 10) pour l'exercice terminé le 31 décembre (en milliers de dollars)		
	2004	**2003**
Actions de catégorie B sans droit de vote émises lors de la conversion des actions privilégiées convertibles de série E	1 752	203
Actions de CCI échangées contre des actions de CI	(6 874)	–
Actions de CCI acquises en échange d'actions de CI	15 801	–
Actions ne comportant pas de droit de vote de catégorie B émises en échange des actions de Rogers sans fil	811 867	–
Options visant l'acquisition d'actions ne comportant pas de droit de vote de catégorie B émises en échange des options de Rogers sans fil	73 228	–
Actions ne comportant pas de droit de vote de catégorie B émises en contrepartie de l'acquisition d'actions de CCI	–	35 181

* La société rapporte d'autres transactions hors caisse à la note 13 a) du rapport annuel de 2004.

Les renseignements supplémentaires sur les flux de trésorerie

Les entreprises telle Loblaw qui utilisent la méthode indirecte de présentation des flux de trésorerie liés à l'exploitation doivent également fournir deux autres chiffres : le montant en espèces versé en intérêts et le montant en espèces payé en impôts. Ces montants apparaissent généralement au bas de l'état financier ou dans les notes complémentaires.

Épilogue

Notre analyse détaillée des flux monétaires du troisième trimestre de Loblaw explique l'écart entre le bénéfice net et les flux de trésorerie. Nous avons également examiné l'écart entre ces deux montants au premier trimestre qui semble alarmant à première vue. En somme, il s'agissait d'une conséquence normale des fluctuations saisonnières dans les

---

12. Clarence BYRD, Ida CHEN et Joshua SMITH, *op. cit.*, p. 113.

ventes, les achats et les frais d'exploitation. Notre analyse supplémentaire des activités d'investissement et de financement nous porte à conclure que les opérations sur une base annuelle de la société suffisent à engendrer des flux monétaires pour continuer son plan d'investissement futur.

ANALYSONS UN CAS

Au cours de l'exercice se terminant le 31 décembre 2010, la société Alimentation Harvey a enregistré un bénéfice net de 3 182 $ (tous les montants sont exprimés en milliers de dollars). La trésorerie se chiffrait à 472 $ au début de cet exercice. L'entreprise a également effectué les opérations suivantes :

a) Paiement de 18 752 $ sur le capital de sa dette.
b) Obtention de 46 202 $ en espèces pour l'émission d'actions ordinaires (premier appel public à l'épargne).
c) Paiement en espèces de 18 193 $ pour l'achat d'actifs immobilisés.
d) Augmentation des comptes clients de 881 $.
e) Emprunt de 16 789 $ à différents prêteurs.
f) Augmentation des dépôts perçus d'avance de 457 $.
g) Augmentation des stocks de 574 $.
h) Acomptes versés en espèces de 5 830 $ sur du matériel.
i) Diminution des impôts à recouvrer de 326 $.
j) Émission d'actions ordinaires aux employés dans le cadre d'un régime d'options d'achat d'actions pour un montant de 13 $ en espèces.
k) Diminution des comptes fournisseurs de 391 $.
l) Encaissement de 4 $ provenant d'autres activités d'investissement.
m) Augmentation des charges courues à payer de 241 $.
n) Augmentation des frais payés d'avance de 565 $.
o) Enregistrement d'un amortissement annuel de 1 324 $.
p) Paiement de 5 $ en espèces à l'occasion d'autres activités de financement.

Travail à faire

Servez-vous de ces renseignements pour dresser l'état des flux de trésorerie à l'aide de la méthode indirecte.

Solution suggérée

Alimentation Harvey	
État des flux de trésorerie	
pour l'exercice terminé le 31 décembre 2010	
(en milliers de dollars)	
Activités d'exploitation	
Bénéfice net	3 182 $
Éléments ne nécessitant pas de mouvement de fonds	
Amortissement	1 324
Variation des éléments du fonds de roulement hors caisse	
Comptes clients	(881)
Stocks	(574)
Impôts à recouvrer	326
Frais payés d'avance	(565)
Comptes fournisseurs	(391)
Charges courues à payer	241
Dépôts perçus d'avance	457
Flux de trésorerie nets liés aux activités d'exploitation	3 119

Activités d'investissement	
Achats d'actifs immobilisés	(18 193)
Acomptes sur le matériel	(5 830)
Autres	4
Flux de trésorerie nets liés aux activités d'investissement	(24 019)
Activités de financement	
Augmentation de la dette	16 789
Remboursement de la dette	(18 752)
Émission d'actions ordinaires	46 202
Émission d'actions ordinaires (régime d'options)	13
Autres	(5)
Flux de trésorerie nets liés aux activités de financement	44 247
Augmentation de la trésorerie	23 347
Trésorerie au début de l'exercice	472
Trésorerie à la fin de l'exercice	23 819 $

L'ajustement pour les gains et les pertes – la méthode indirecte

Comme on l'a vu précédemment, la section des activités d'exploitation de l'état des flux de trésorerie peut comprendre un ajustement pour les gains et les pertes enregistrés à l'état des résultats. On devrait classer les opérations qui entraînent des gains et des pertes à titre d'activités d'exploitation, d'investissement ou de financement dans l'état des flux de trésorerie en fonction de leurs principales caractéristiques. Par exemple, lorsque la vente d'un actif immobilisé (comme un camion de livraison) produit un gain, il faut le classer dans la catégorie des activités d'investissement.

On doit alors procéder à un ajustement dans la section des activités d'exploitation pour éviter de compter deux fois le montant de la perte ou du gain. On considère, par exemple, l'enregistrement de la cession d'un camion de livraison de Loblaw comme suit.

ÉQUATION COMPTABLE

Actif		=	Passif	+	Capitaux propres	
Caisse	+8 000				Gain réalisé	
Amortissement					sur cession	+2 000
cumulé	+4 000					
Immobilisations	−10 000					

ÉCRITURE DE JOURNAL

Caisse (A)...	8 000	
Amortissement cumulé (XA)	4 000	
Immobilisations (A)..		10 000
Gain réalisé sur cession (G).......................................		2 000

La rentrée de fonds se chiffrait à 8 000 $, mais seul le gain de 2 000 $ apparaît à l'état des résultats. Il faudrait inscrire cette transaction à l'état des flux de trésorerie à titre d'activité d'investissement avec une rentrée de fonds de 8 000 $. Comme le gain est déjà inclus dans le calcul du bénéfice, on doit le retrancher (soustraire 2 000 $) de la section des activités d'exploitation à l'état des flux de trésorerie pour éviter de le compter deux fois.

Lorsqu'une perte est enregistrée à l'état des résultats, on doit également l'éliminer lors de l'établissement de l'état des flux de trésorerie (exploitation). Examinez l'enregistrement suivant d'une vente d'actifs à perte.

ÉQUATION COMPTABLE

Actif		=	Passif	+	Capitaux propres	
Caisse	+41 000				Perte sur cession	−12 000
Amortissement cumulé	+15 000					
Immobilisation corporelle	−68 000					

ÉCRITURE DE JOURNAL

Caisse (A)..	41 000	
Amortissement cumulé (XA)	15 000	
Perte sur cession (Pe)..	12 000	
Immobilisation corporelle (A)...................................		68 000

À l'état des flux de trésorerie, la perte de 12 000 $ doit être enlevée (additionnée) dans le calcul des flux de trésorerie liés à l'exploitation et le montant total encaissé, soit 41 000 $, doit apparaître dans la section des activités d'investissement.

L'approche du chiffrier : l'état des flux de trésorerie – la méthode indirecte

Annexe 12-B

Lorsque la situation devient complexe, l'approche analytique que nous avons utilisée dans le chapitre pour préparer l'état des flux de trésorerie devient encombrante et inefficace. En pratique, plusieurs sociétés utilisent la méthode du chiffrier (à l'aide d'un tableur) pour préparer l'état des flux de trésorerie. Le chiffrier utilise la même logique que celle qui a été décrite précédemment. L'avantage premier d'un chiffrier est qu'il offre une façon plus systématique de compiler l'information. Vous pourriez même trouver cette méthode utile dans des situations très simples. Le tableau 12.8 à la page suivante présente le chiffrier de Loblaw, organisé de la façon suivante :

1. Quatre colonnes servent à enregistrer des montants. La première colonne est le solde du début des éléments du bilan ; les deux colonnes suivantes présentent les variations de ces éléments sous forme de débits et de crédits. La dernière colonne présente le solde de la fin de chaque compte du bilan.
2. Dans la partie supérieure gauche du chiffrier, on inscrit le nom de chaque compte du bilan.
3. Dans la partie inférieure gauche du chiffrier, on inscrit le nom des éléments qui paraîtront à l'état des flux de trésorerie.

Les Compagnies Loblaw limitée
Trimestre se terminant le 8 octobre 2005
(en millions de dollars)

	Solde au début de la période	Analyse des variations Débits		Analyse des variations Crédits		Solde à la fin de la période
Éléments du bilan						
Espèces et quasi-espèces*	1,034			(r)	149	885
Placements à court terme	4			(j)		4
Comptes clients	573			(d)	38	535
Stocks	1,903	(e)	84			1,987
Frais payés d'avance	174	(f)	49			223
Immobilisations, solde net	7,414	(i)	385	(b)	172	
				(c)	16	7,611
Écarts d'acquisition	1,627			(b)	40	1,587
Autres actifs	723	(k)	87			810
Dette bancaire	84	(l)	36			48
Effets commerciaux	715	(m)	23			692
Comptes fournisseurs	1,075	(g)	33			1,042
Frais courus à payer	1,100			(h)	100	1,200
Dette à long terme totale	4,353			(n)	11	4,364
Autres passifs	500			(o)	54	554
Actions ordinaires	1,194	(p)	2			1,192
Bénéfices non répartis	4,431	(q)	73	(a)	192	4,550

		Rentrées		Sorties		Sous-totaux
État des flux de trésorerie						
Flux de trésorerie des activités d'exploitation						
Bénéfice net		(a)	192			
Éléments sans mouvement de fonds						
Amortissement		(b)	172			
Dépréciation		(b)	40			
Variation des éléments hors caisse						
Comptes clients		(d)	38			
Stocks				(e)	84	
Frais payés d'avance				(f)	49	
Comptes fournisseurs				(g)	33	
Frais courus à payer		(h)	100			
						376
Flux de trésorerie des activités d'investissement						
Placements à court terme		(j)				
Acquisitions d'immobilisations				(i)	385	
Produits de vente d'immobilisations		(c)	16			
Variation nette des autres actifs				(k)	87	
						−456
Flux de trésorerie des activités de financement						
Dette bancaire				(l)	36	
Effets commerciaux				(m)	23	
Dette à long terme: émise		(n)	23			
Dette à long terme: remboursée				(n)	12	
Augmentation des autres passifs		(o)	54			
Actions ordinaires émises		(p)	14			
Actions ordinaires rachetées				(p)	16	
Dividendes				(q)	73	
						−69
Diminution nette des espèces et des quasi-espèces		(r)	149			
			1,570		1,570	−149

* Terme utilisé par l'entreprise. Il s'agit de la trésorerie.

Les **variations** des différents comptes de bilan sont analysées en ce qui concerne les débits et les crédits dans la partie supérieure du chiffrier ; la contrepartie de débits et de crédits est inscrite dans la partie inférieure du chiffrier comme incidence sur les flux de trésorerie. Chaque variation dans les postes du bilan hors trésorerie (ou hors caisse) explique une partie de la variation de la trésorerie (ou de la caisse). À titre d'illustration, examinons chaque entrée du chiffrier de Loblaw (*voir le tableau 12.8*). Vous noterez que les entrées suivent chaque élément que nous avons présenté aux tableaux 12.4, 12.6 et 12.7 (*voir les pages 725, 740 et 743*) pour préparer l'état des flux de trésorerie.

a) Cette entrée commence le rapprochement : le bénéfice net de 192 $ apparaît comme une entrée dans la section des activités d'exploitation qu'on doit redresser pour les éléments qui ne comprennent pas de mouvement de fonds. Le crédit aux bénéfices non répartis reflète son augmentation par le bénéfice net. Il s'agit du point de départ du rapprochement.

b) La charge d'amortissement de 172 $ est une charge que l'on constate au moyen de la régularisation. Il en est de même pour la dépréciation de l'écart d'acquisition de 40 $. On rajoute ces sommes au bénéfice net, car ce genre de charge ne cause pas de mouvement de fonds. Le crédit au compte d'amortissement cumulé relève les effets de l'entrée originale pour inscrire l'amortissement.

c) Cette entrée concerne le produit de la vente des actifs immobilisés faite au comptant.

d) L'entrée reflète la variation des comptes clients durant la période en relation avec le bénéfice net. Cette variation est ajoutée au bénéfice net, car les montants recouvrés des clients ont été supérieurs aux ventes.

e) Cette entrée réconcilie les achats de stocks avec le coût des marchandises vendues. Cette variation est soustraite du bénéfice net, car plus de stocks ont été achetés que vendus durant la période.

f) Cette entrée réconcilie le paiement à l'avance de dépenses avec leur constatation. La variation est soustraite du bénéfice net, car les paiements pour les nouveaux frais payés d'avance sont supérieurs aux montants constatés à l'état des résultats.

g) Cette entrée réconcilie les paiements aux fournisseurs avec le compte des achats. La variation est soustraite, car la société a fait plus de paiements que les crédits qu'elle a obtenus de ses fournisseurs durant la période.

h) Cette entrée réconcilie les frais courus à payer avec les paiements de ces frais. La variation est soustraite, car les paiements pour ces frais sont supérieurs aux nouveaux frais courus constatés.

i) Cette entrée inscrit les acquisitions d'immobilisations faites au comptant.

j) Les placements à court terme n'ont pas varié durant la période.

k) Cette entrée inscrit la variation d'autres actifs.

l) Cette entrée inscrit la diminution de la dette bancaire.

m) Cette entrée inscrit la diminution des effets à payer.

n) Cette entrée inscrit l'émission et le remboursement de la dette à long terme. Au bilan, la dette à long terme comprend la portion à court terme.

o) Cette entrée inscrit la variation des autres passifs.

p) Cette entrée inscrit le paiement pour le rachat d'actions ordinaires et le montant reçu pour l'émission d'actions ordinaires.

q) Cette entrée inscrit le paiement du dividende.

r) Cette entrée montre que l'augmentation ou la diminution nette inscrite à l'état des flux de trésorerie est la même que la variation du solde des espèces et des quasi-espèces au bilan durant la période.

Les entrées présentées ci-dessus terminent l'analyse à l'aide du chiffrier, car tous les montants sont réconciliés. On peut vérifier la justesse des enregistrements en additionnant les deux colonnes d'analyse pour s'assurer que les débits sont égaux aux crédits. À partir de ce chiffrier, on peut alors préparer l'état des flux de trésorerie en bonne et due forme.

L'approche analytique que vous venez d'apprendre en vue de préparer l'état des flux de trésorerie peut vous aider à régler d'autres problèmes complexes. Par exemple, ce type d'analyse est utile à la préparation des budgets de caisse d'une entreprise. Plusieurs petites entreprises qui jouissent d'une croissance rapide de leur chiffre d'affaires font face à de sérieuses difficultés financières lorsqu'elles n'ont pas fait de prévisions sur les effets des ventes à crédit et d'une augmentation importante des stocks sur les liquidités.

Points saillants du chapitre

1. **Classer les éléments de l'état des flux de trésorerie selon qu'il s'agit de flux de trésorerie liés aux activités d'exploitation, d'investissement ou de financement (*voir la page 715*).**

   L'état des flux de trésorerie comporte trois grandes sections : 1) les flux de trésorerie liés aux activités d'exploitation, qui sont rattachés à la réalisation du bénéfice grâce aux activités courantes d'une entreprise, 2) les flux de trésorerie liés aux activités d'investissement, qui sont en lien avec l'acquisition et la vente d'actifs productifs et de placements et 3) les flux de trésorerie liés aux activités de financement, qui sont en relation avec le financement externe de l'entreprise. Les rentrées ou les sorties nettes de fonds de l'exercice correspondent aux montants de l'augmentation ou de la diminution de la trésorerie au bilan de l'exercice. La trésorerie comprend la caisse, les dépôts à vue et les investissements très liquides dont l'échéance initiale est généralement inférieure à trois mois.

2 A. **Présenter et interpréter les flux de trésorerie liés aux activités d'exploitation en utilisant la méthode indirecte (*voir la page 723*).**

   La méthode indirecte de présentation des flux de trésorerie liés à l'exploitation consiste à convertir le bénéfice net en flux de trésorerie nets liés à l'exploitation. Une telle conversion comporte des additions et des soustractions que requièrent : 1) les charges constatées par régularisation (telle la charge d'amortissement) et les produits d'exploitation qui n'ont aucune incidence sur les actifs à court terme ni sur les passifs à court terme ; 2) les variations dans chacun des éléments d'actif à court terme (autres que la caisse et les placements à court terme) et dans les éléments de passif à court terme (autres que les dettes à court terme auprès d'établissements financiers et la tranche de la dette à long terme échéant dans moins d'un an, qui sont liées au financement). Ces variations reflètent les écarts entre le calcul du bénéfice net suivant la méthode de la comptabilité d'exercice et les flux de trésorerie.

2 B. **Présenter et interpréter les flux de trésorerie liés aux activités d'exploitation à l'aide de la méthode directe (*voir la page 730*).**

   La méthode directe de présentation des flux de trésorerie liés à l'exploitation cumule toutes les transactions qui ont augmenté ou diminué les éléments de la trésorerie sous différentes catégories. Les rentrées de fonds les plus récurrentes sont les montants recouvrés des clients ainsi que les intérêts et les dividendes sur les placements. Les sorties de fonds les plus récurrentes sont les paiements pour les achats de biens et de services destinés à la vente, les salaires, les impôts et les intérêts sur les dettes. On prépare cette section de l'état en convertissant à une comptabilité de caisse chaque élément de l'état des résultats dressé selon une comptabilité d'exercice.

3. **Analyser et interpréter le ratio de la qualité du bénéfice (*voir la page 737*).**

   Le ratio de la qualité du bénéfice (Flux de trésorerie liés à l'exploitation ÷ Bénéfice net) sert à mesurer la partie du bénéfice généré sous forme de liquidités. Plus ce ratio est élevé, plus grande est la capacité de l'entreprise à financer ses activités et ses autres besoins en liquidité à partir des rentrées de fonds provenant de l'exploitation. Un ratio élevé indique aussi une moindre probabilité que l'entreprise se serve de méthodes de constatation des produits agressives pour augmenter son bénéfice net.

4. **Présenter et interpréter les flux de trésorerie liés aux activités d'investissement (*voir la page 739*).**

   Les activités d'investissement enregistrées à l'état des flux de trésorerie comprennent les paiements en espèces pour l'acquisition d'actifs immobilisés et de placements à court et à long terme ainsi que les produits en espèces de la vente d'actifs immobilisés et de placements à court et à long terme.

5. **Analyser et interpréter le ratio d'acquisition de capitaux** (*voir la page 741*).

Le ratio d'acquisition de capitaux (Flux de trésorerie liés à l'exploitation ÷ Acquisition en espèces d'immobilisations corporelles) indique la proportion des achats d'immobilisations corporelles que l'entreprise finance grâce à ses activités d'exploitation sans recourir à une dette contractée à l'extérieur, à un financement par actions ou à la vente d'autres placements ou d'actifs immobilisés. Un ratio élevé constitue un avantage pour une entreprise parce qu'il indique qu'elle a la possibilité d'effectuer des acquisitions stratégiques.

6. **Présenter et interpréter les flux de trésorerie liés aux activités de financement** (*voir la page 742*).

Les rentrées de fonds provenant des activités de financement comprennent les encaissements à la suite de l'émission de dettes à court et à long terme et d'actions ordinaires. Par contre, les sorties de fonds incluent les remboursements en espèces de la dette à court et à long terme, les paiements en espèces pour le rachat d'actions de l'entreprise et les versements de dividendes en espèces. Les paiements en espèces relatifs aux intérêts constituent des flux de trésorerie liés à l'exploitation.

7. **Expliquer l'incidence d'autres éléments qui influent sur la trésorerie** (*voir la page 745*).

Les activités d'investissement et de financement hors trésorerie sont des activités qui ne nécessitent pas des mouvements de fonds. Il s'agit, entre autres, d'achats d'actifs immobilisés à l'aide de l'émission de dettes à long terme ou d'actions, d'échanges d'actifs immobilisés et de conversions de dettes en actions. Ces opérations sont mentionnées uniquement sous forme de supplément d'information à l'état des flux de trésorerie ou en complément d'information dans les notes afférentes aux états financiers, comme c'est également le cas des impôts et des intérêts versés comptant avec la méthode indirecte.

Tout au long des chapitres précédents, nous avons insisté sur les bases théoriques de la comptabilité. Il est important de comprendre la logique inhérente aux sciences comptables pour dresser des états financiers et s'en servir. Au chapitre 13, nous rassemblerons tous les éléments de notre étude concernant les principaux utilisateurs des états financiers et leur façon d'analyser et d'utiliser ces documents. Nous examinerons, à l'aide d'exemples, un grand nombre de techniques d'analyse couramment employées que nous avons décrites dans des chapitres précédents ainsi que d'autres techniques également utiles. À mesure que vous progresserez dans le chapitre 13, vous découvrirez que la compréhension des règles et des concepts de la comptabilité est indispensable pour analyser efficacement des états financiers.

RATIOS CLÉS

Le **ratio de la qualité du bénéfice** sert à déterminer la proportion du bénéfice généré sous forme de liquidités. On le calcule ainsi (*voir la page 737*) :

$$\text{Ratio de la qualité du bénéfice} = \frac{\text{Flux de trésorerie liés à l'exploitation}}{\text{Bénéfice net}}$$

Le **ratio d'acquisition de capitaux** sert à mesurer la capacité d'une entreprise à financer ses achats d'immobilisations corporelles à partir de ses activités d'exploitation. On le calcule ainsi (*voir la page 741*) :

$$\text{Ratio d'acquisition de capitaux} = \frac{\text{Flux de trésorerie liés à l'exploitation}}{\text{Acquisition en espèces d'immobilisations corporelles}}$$

BILAN

Variations dans les actifs, les passifs et les capitaux propres

ÉTAT DES RÉSULTATS

Bénéfice net et comptes de régularisation tel l'amortissement

ÉTAT DES FLUX DE TRÉSORERIE

Flux de trésorerie liés aux activités d'exploitation

Flux de trésorerie liés aux activités d'investissement

Flux de trésorerie liés aux activités de financement

Activités d'investissement ou de financement hors trésorerie

Paiement des intérêts et des impôts

NOTES COMPLÉMENTAIRES

Sous la rubrique Résumé des principales conventions comptables

Définition de trésorerie (équivalence de trésorerie)

Dans une note à part

S'ils n'apparaissent pas dans l'état flux de trésorerie :

Activités d'investissement et de financement hors trésorerie

Paiements des intérêts et des impôts

Mots clés

Questions

1. Comparez les objectifs de l'état des résultats, du bilan et de l'état des flux de trésorerie.

2. Parmi les renseignements fournis à l'état des flux de trésorerie, quels sont ceux qu'on ne trouve dans aucun autre état financier ? Comment les investisseurs et les créanciers se servent-ils de ces renseignements ?

3. Définissez la trésorerie. Comment présente-t-on les achats et les ventes de placements très liquides qui constituent la trésorerie à l'état des flux de trésorerie ?

4. Quelles sont les principales catégories d'activités des entreprises présentées à l'état des flux de trésorerie ? Définissez chacune de ces activités.

5. Quelles sont les rentrées de fonds typiques des activités d'exploitation ? Quelles sont les sorties de fonds typiques de l'exploitation ?

6. Selon la méthode indirecte, la charge d'amortissement est additionnée au bénéfice net dans la présentation des flux de trésorerie liés à l'exploitation. L'amortissement entraîne-t-il une rentrée de fonds ? Expliquez votre réponse.

7. Expliquez pourquoi les décaissements effectués au cours de l'exercice pour payer les achats et les salaires ne sont pas présentés de façon distincte, à titre de sorties de fonds, à l'état des flux de trésorerie établi selon la méthode indirecte.

8. Expliquez pourquoi on doit inclure une augmentation de 50 000 $ dans les stocks survenue au cours de l'exercice dans le calcul des flux de trésorerie liés à l'exploitation selon la méthode directe et la méthode indirecte.

9. Comparez les deux méthodes de présentation des flux de trésorerie liés à l'exploitation à l'état des flux de trésorerie.

10. Quelles sont les rentrées de fonds typiques des activités d'investissement? Quelles sont les sorties de fonds typiques de ces activités?

11. Quelles sont les rentrées de fonds typiques des activités de financement? Quelles sont les sorties de fonds typiques de ces activités?

12. Définissez les activités d'investissement et de financement hors trésorerie. Donnez deux exemples. Comment les présente-t-on à l'état des flux de trésorerie?

13. Comment présente-t-on la vente d'un actif immobilisé à l'état des flux de trésorerie lorsqu'on utilise la méthode indirecte de présentation?

Questions à choix multiples

1. La majorité des entreprises utilisent la méthode indirecte pour présenter la variation de la trésorerie des activités liées à l'exploitation pour la ou les raisons suivantes:
   a) L'ICCA préfère cette méthode.
   b) La préparation de l'état est moins onéreuse qu'avec la méthode directe.
   c) La méthode indirecte présente un flux de trésorerie plus élevé.
   d) Les choix a) et b) sont bons.

2. De haut en bas, dans quel ordre apparaissent normalement les trois sections de l'état des flux de trésorerie?
   a) Financement, Investissement, Exploitation.
   b) Investissement, Exploitation, Financement.
   c) Exploitation, Financement, Investissement.
   d) Exploitation, Investissement, Financement.

3. Dans la section de l'exploitation de l'état des flux de trésorerie, les rentrées de caisse doivent inclure lequel ou lesquels des éléments suivants:
   a) Les sommes reçues des clients au point de vente.
   b) Les sommes recouvrées des clients à partir des comptes clients.
   c) Les sommes reçues avant qu'un produit ne soit constaté (produit non gagné).
   d) Tous les éléments ci-dessus.

4. Si le solde des frais payés d'avance augmente durant la période, que doit-on faire à l'état des flux de trésorerie selon la méthode indirecte et pourquoi?
   a) La variation du solde du compte doit être soustraite du bénéfice net car, bien que l'augmentation nette des frais payés d'avance n'ait pas eu d'incidence sur le bénéfice net, une réduction de la caisse s'ensuit.
   b) La variation du solde du compte doit être ajoutée au bénéfice net car, bien que l'augmentation nette des frais payés d'avance n'ait pas eu d'incidence sur le bénéfice net, une augmentation de la caisse s'ensuit.
   c) La variation du solde du compte doit être soustraite du bénéfice net pour renverser l'effet de l'état des résultats qui n'a eu aucune incidence sur la caisse.
   d) La variation du solde du compte doit être ajoutée au bénéfice net pour renverser l'effet de l'état des résultats qui n'a eu aucune incidence sur la caisse.

5. Parmi les éléments suivants, lequel n'apparaît pas à la section des activités liées à l'investissement de l'état des flux de trésorerie?
   a) L'achat de marchandises.
   b) La vente d'équipement obsolète utilisé dans l'usine.
   c) L'achat d'un terrain pour un nouvel édifice à bureaux.
   d) Tous les éléments ci-dessus y figurent.

6. Parmi les éléments suivants, lequel n'apparaît pas à la section des activités liées au financement de l'état des flux de trésorerie?
   a) Le rachat des actions ordinaires de la société.
   b) L'encaissement de dividendes.
   c) Le remboursement de la dette.
   d) Le paiement en espèces de dividendes.

7. Parmi les éléments suivants, lequel n'est pas rajouté au bénéfice net lorsqu'on veut déterminer les flux de trésorerie liés aux activités d'exploitation selon la méthode indirecte ?
   a) L'augmentation nette des comptes fournisseurs.
   b) La diminution nette des comptes clients.
   c) La charge d'amortissement présentée à l'état des résultats.
   d) Tous les éléments ci-dessus.

8. Lorsque la société s'engage dans une transaction importante n'impliquant pas de mouvement de fonds, parmi les éléments suivants, lequel est requis ?
   a) La société doit inclure une explication narrative ou un tableau explicatif soit avec l'état des flux de trésorerie, soit dans une note afférente.
   b) Aucune divulgation n'est nécessaire.
   c) La société doit inclure une explication narrative ou un tableau explicatif soit avec le bilan, soit dans une note afférente.
   d) La société doit présenter l'information dans les sections des activités d'investissement et de financement de l'état des flux de trésorerie.

9. La variation de la trésorerie présentée à la section des activités d'exploitation de l'état des flux de trésorerie doit être égale à quel montant, parmi les montants suivants ?
   a) Le bénéfice net présenté à l'État des résultats.
   b) La variation des comptes clients.
   c) La variation des comptes fournisseurs.
   d) Aucun élément ci-dessus.

10. Complétez l'énoncé. La variation totale de la trésorerie présentée au bas de l'état des flux de trésorerie doit être égale :
    a) à la variation des bénéfices non répartis à l'examen du bilan comparatif ;
    b) au bénéfice net ou à la perte nette à l'état des résultats ;
    c) à la variation de la trésorerie à l'examen du bilan comparatif.
    d) Aucun élément ci-dessus.

Mini-exercices

□ OA1 **Alimentation ◆**
□ OA2 **Couche-Tard inc.**

M12-1 Le lien entre les éléments présentés et les catégories de l'état des flux de trésorerie (selon la méthode indirecte)

La société Alimentation Couche-Tard inc. est le chef de file de l'industrie canadienne de l'accommodation avec 4 845 magasins dont 1 990 au Canada. Elle se classe au deuxième rang en Amérique du Nord. Elle a commencé son exploitation en 1980 avec un seul magasin, puis elle a connu une croissance spectaculaire en 1998-1999 avec l'acquisition de Mac's et par suite de son association avec Pétrole Irving, et dernièrement avec l'achat de Dairy Mart et Circle Kay aux États-Unis. Elle est aussi propriétaire des restaurants Dunkin Donuts et Subway. Voici quelques éléments contenus dans un récent état des flux de trésorerie consolidé, dressé à l'aide de la méthode indirecte et accompagné de la note 9 aux états financiers. Indiquez dans quelle section de l'état – activités d'exploitation (E), activités d'investissement (I) ou activités de financement (F) – chacun de ces éléments apparaît ou inscrivez les lettres s.o. (pour « sans objet ») lorsque les éléments ne s'y trouvent pas. (Note : La formulation des comptes ci-dessous est la même que dans l'état actuel de la société.)

_____ 1. Encaissement de la vente d'immobilisations et d'autres actifs
_____ 2. Émission d'actions
_____ 3. Amortissement des immobilisations et des autres actifs
_____ 4. Créditeurs et charges à payer (augmentation)
_____ 5. Stocks (augmentation)
_____ 6. Remboursement d'emprunts à long terme

M12-2 **La détermination des effets de variation dans les comptes sur les flux de trésorerie liés à l'exploitation (selon la méthode indirecte)**

OA2A

Indiquez si chacun des éléments suivants est additionné (+) ou soustrait (−) dans le calcul des flux de trésorerie liés à l'exploitation suivant la méthode indirecte :

_____ 1. L'amortissement et la dépréciation

_____ 2. Les stocks (augmentation)

_____ 3. Les comptes fournisseurs (diminution)

_____ 4. Les comptes clients (diminution)

_____ 5. Les impôts à payer (augmentation)

M12-3 **Le lien entre les éléments présentés et les catégories de l'état des flux de trésorerie (méthode directe)**

◆ Lion Nathan   OA1
OA2B

Lion Nathan est le brasseur australien des marques XXXX, Toohey et autres noms de bières bien connus. Son chiffre d'affaires annuel atteint plus de 1 milliard de dollars australiens. Voici quelques éléments contenus dans un récent état des flux de trésorerie consolidé, dressé à l'aide de la méthode directe. Indiquez dans quelle section de l'état – activités d'exploitation (E), activités d'investissement (I) ou activités de financement (F) – chacun de ces éléments apparaît ou inscrivez les lettres s.o. (pour «sans objet») lorsque les éléments ne s'y trouvent pas. (Note : La formulation des comptes ci-dessous est la même que dans l'état actuel de la société, traduit de l'anglais.)

_____ 1. Remboursement des emprunts bancaires

_____ 2. Dividendes en espèces versés

_____ 3. Montants encaissés de la vente des terrains, des bâtisses et des équipements

_____ 4. Intérêts nets versés

_____ 5. Sommes encaissées des clients

_____ 6. Paiement pour le rachat d'actions

M12-4 **L'analyse du ratio de la qualité du bénéfice**

OA3

La société Larose-Després a enregistré un bénéfice net de 80 000 $, une charge d'amortissement de 3 000 $ et des flux de trésorerie liés à l'exploitation de 60 000 $. Calculez le ratio de la qualité du bénéfice. Qu'est-ce que ce ratio vous apprend concernant la capacité de l'entreprise à financer ses activités d'exploitation et ses autres besoins en espèces à partir de ses rentrées de fonds liées à l'exploitation ?

M12-5 **Le calcul des flux de trésorerie liés aux activités d'investissement**

OA4

En vous servant des renseignements ci-dessous, calculez les flux de trésorerie liés aux activités d'investissement.

Recouvrement de sommes dues par les clients	800 $
Vente de matériel d'occasion contre espèces	250
Charge d'amortissement	100
Acquisition de placements à court terme	300

M12-6 **Le calcul des flux de trésorerie liés aux activités de financement**

OA6

En vous servant des renseignements ci-dessous, calculez les flux de trésorerie liés aux activités de financement.

Acquisition de placements à court terme	250 $
Paiement de dividendes en espèces	800
Paiement d'intérêts	400
Emprunt supplémentaire à court terme à la banque	1 000

M12-7 **La présentation des activités d'investissement et de financement hors trésorerie**

OA7

Parmi les opérations suivantes, laquelle ou lesquelles se classent dans les activités d'investissement et de financement hors trésorerie ?

_____ Achat de matériel à l'aide de placements à court terme cédés au vendeur

_____ Paiement de dividendes en espèces

_____ Achat d'un immeuble à l'aide d'un emprunt hypothécaire du vendeur

_____ Emprunt bancaire supplémentaire à court terme

Exercices

OA1
OA2A

Reebok ◆

E12-1 **Le lien entre les éléments enregistrés et les catégories de l'état des flux de tréso-rerie (avec la méthode indirecte)**

Reebok International Ltd est une entreprise qui crée et fabrique du matériel de sport et d'activité physique, y compris des espadrilles, des vêtements et des accessoires. Voici quelques-uns des éléments contenus dans un récent état des flux de trésorerie conso-lidé annuel, établi à l'aide de la méthode indirecte.

Indiquez dans quelle section – activités d'exploitation (E), activités d'investissement (I) ou activités de financement (F) – chacun de ces éléments est présenté. Inscrivez les lettres s.o. (pour « sans objet ») lorsqu'il n'apparaît nulle part dans le document. (Note : La formulation est la traduction des termes utilisés dans l'état.)

_____ 1. Amortissement et dépréciation
_____ 2. Sommes recouvrées des clients
_____ 3. Dividendes versés en espèces
_____ 4. Variation dans les Stocks
_____ 5. Paiement pour l'acquisition de propriétés et d'équipements
_____ 6. Remboursement de la dette à long terme
_____ 7. Bénéfice net
_____ 8. Émission d'actions ordinaires aux employés contre espèces
_____ 9. Remboursement net des notes à payer à la banque
_____ 10. Variation dans les Fournisseurs et frais courus

OA1
OA2B

BHP Billiton ◆

E12-2 **Le lien entre les éléments enregistrés et les catégories de l'état des flux de trésore-rie (avec la méthode directe)**

La société australienne BHP Billiton est la plus grande entreprise minière du monde. Voici quelques-uns des éléments contenus dans un récent état des flux de trésorerie consolidé annuel, établi à l'aide de la méthode directe.

Indiquez dans quelle section – activités d'exploitation (E), activités d'investissement (I) ou activités de financement (F) – chacun de ces éléments est présenté. Inscrivez les lettres s.o. (pour « sans objet ») lorsqu'il n'apparaît nulle part dans le document. (Note : La formulation est la traduction des termes utilisés dans l'état.)

_____ 1. Dividendes versés en espèces
_____ 2. Impôts payés
_____ 3. Intérêts encaissés
_____ 4. Bénéfice net
_____ 5. Paiement pour l'acquisition de terrains, d'usines et d'équipements
_____ 6. Paiement en cours d'exploitation
_____ 7. Émission d'actions ordinaires contre espèces
_____ 8. Encaissements sur cession de terrains, d'usines et d'équipements
_____ 9. Sommes encaissées des clients
_____ 10. Remboursement des prêts

OA1

Danier Leather inc. ◆

E12-3 **La détermination des répercussions de certaines opérations sur l'état des flux de trésorerie**

La société Danier Leather inc. est le leader canadien dans la conception, la production et la vente au détail de vêtements-mode en cuir et en suède de haute qualité. Établie à Toronto, elle compte plus de 95 magasins à travers le Canada. Indiquez si chacune des opérations suivantes modifie les rentrées (ou les sorties) nettes de fonds liées aux activités d'exploitation (RSNE), aux activités d'investissement (RSNI) ou aux activités de financement (RSNF) et s'il s'agit d'une rentrée (+) ou d'une sortie (−). Inscrivez les lettres s.o. (pour « sans objet ») s'il n'y a aucun effet sur la trésorerie. (Conseil : Dé-terminez l'effet sur l'équation comptable ou l'écriture de journal qui a été passée pour chaque opération. Une opération influe sur les flux de trésorerie nets si et seulement si les postes de la trésorerie sont touchés – la caisse, les dépôts à vue, les placements à court terme très liquides.)

_____ 1. Paiement en espèces pour l'achat d'un nouvel équipement
_____ 2. Achat d'un stock de matières premières à crédit
_____ 3. Encaissement d'acomptes versés par des clients

	4.	Passation d'une écriture de régularisation pour constater une charge relative aux salaires courus
	5.	Enregistrement et paiement des intérêts sur la dette aux créanciers
	6.	Remboursement du capital sur une dette bancaire à court terme
	7.	Paiement anticipé du loyer pour l'exercice suivant
	8.	Vente d'immobilisation d'occasion à sa valeur comptable contre espèces
	9.	Paiements aux fournisseurs
	10.	Dividendes déclarés et payés en espèces aux actionnaires

E12-4 **La détermination de l'incidence de certaines opérations sur l'état des flux de trésorerie**

◆ Hewlett-Packard ■OA1

Hewlett-Packard est un chef de file dans le domaine de la fabrication d'équipements informatiques pour les entreprises et les consommateurs. Indiquez si chacune des opérations récentes ci-dessous modifie les rentrées (ou les sorties) nettes de fonds liées aux activités d'exploitation (RSNE), aux activités d'investissement (RSNI) ou aux activités de financement (RSNF) et s'il s'agit d'une rentrée (+) ou d'une sortie (−). Inscrivez les lettres s.o. (pour «sans objet») s'il n'y a aucun effet sur la caisse. (Conseil: Déterminez l'incidence sur l'équation comptable ou l'écriture de journal qui a été passée pour chaque opération. Une opération a une incidence sur les flux de trésorerie nets si et seulement si les comptes de la trésorerie sont touchés.)

	1.	Enregistrement et paiement des impôts au gouvernement fédéral
	2.	Vente d'équipement à sa valeur comptable contre espèces
	3.	Émission d'obligations contre espèces
	4.	Encaissement de montants dus par des clients
	5.	Achat de stock de matières premières à crédit
	6.	Achat en espèces de titres de placements
	7.	Achat d'un nouvel équipement contre la signature d'un billet de trois ans au vendeur
	8.	Émission d'actions ordinaires contre espèces
	9.	Paiement du loyer de la prochaine période
	10.	Passation d'une écriture de régularisation concernant le transfert d'une charge payée d'avance à une charge d'exploitation

E12-5 **La comparaison entre la méthode directe et la méthode indirecte**

■OA2A
■OA2B

Pour comparer la méthode directe avec la méthode indirecte de présentation des activités d'exploitation de l'état des flux de trésorerie, indiquez les éléments auxquels chaque méthode s'applique à l'aide de marques de pointage.

	État des flux de trésorerie	
	Méthode directe	Méthode indirecte
Flux de trésorerie (et variations afférentes)		
1. Sommes reçues des clients		
2. Augmentation ou diminution des comptes clients		
3. Paiements à des fournisseurs		
4. Augmentation ou diminution des stocks		
5. Augmentation ou diminution des comptes fournisseurs		
6. Salaires versés aux employés		
7. Augmentation ou diminution des salaires à payer		
8. Charge d'amortissement		
9. Bénéfice net		
10. Flux de trésorerie liés aux activités d'exploitation		
11. Flux de trésorerie liés aux activités d'investissement		
12. Flux de trésorerie liés aux activités de financement		
13. Augmentation ou diminution nette de la caisse au cours de l'exercice		

E12-6 **L'enregistrement des flux de trésorerie liés à l'exploitation (avec la méthode indirecte)**

Les renseignements suivants concernent la société Dahlia :

État des résultats		
Chiffre d'affaires		80 000 $
Charges		
Coût des marchandises vendues	50 000 $	
Amortissement	7 000	
Salaires	11 000	68 000
Bénéfice net		12 000 $
Bilans partiels comparatifs	**2009**	**2008**
Comptes clients	14 000 $	10 000 $
Stock de marchandises	7 000	15 000
Salaires à payer	1 500	1 000

Travail à faire

Établissez la section des activités d'exploitation à l'état des flux de trésorerie de la société Dahlia en appliquant la méthode de présentation indirecte.

E12-7 **La présentation et l'interprétation des flux de trésorerie liés à l'exploitation du point de vue des analystes (avec la méthode indirecte)**

En établissant son état des résultats et son bilan pour l'exercice 2009, la société Coquelicot a fourni les renseignements suivants :

État des résultats		
Chiffres d'affaires		52 000 $
Charges		
Salaires	42 000 $	
Amortissement des immobilisations	7 000	
Amortissement des droits d'auteur	300	
Autres charges	8 700	(58 000)
Perte nette		(6 000) $
Bilans partiels comparatifs	**2009**	**2008**
Clients	8 000 $	20 000 $
Salaires à payer	12 000	3 000
Frais courus à payer	1 000	5 000

De plus, Coquelicot a fait l'achat d'une petite machine distributrice pour 5 000 $ payés en espèces.

Travail à faire

1. Présentez la section des activités d'exploitation de l'état des flux de trésorerie de la société Coquelicot en appliquant la méthode indirecte.
2. Quelles sont les principales raisons pour lesquelles l'entreprise a pu enregistrer une perte nette, mais des flux de trésorerie liés à l'exploitation positifs ? Pourquoi les raisons d'une telle différence entre les flux de trésorerie liés à l'exploitation et le bénéfice net sont-elles importantes pour les analystes financiers ?

E12-8   La présentation et l'interprétation des flux de trésorerie liés à l'exploitation du point de vue des analystes (avec la méthode indirecte)

Rogers Communications inc. exploite notamment un important réseau de câble et de téléphone sans fil en Amérique du Nord ; la société est aussi propriétaire des Blue Jays de Toronto. Elle a récemment fait l'acquisition de Wireless (dont Fido) et Microcell Communications. Un rapport annuel récent de l'entreprise renferme les renseignements partiels suivants (en milliers de dollars).

Perte nette	(13 218) $
Amortissement	1 092 551
Dépréciation	88 328
Diminution des comptes clients	15 496
Augmentation des frais payés d'avance	89 300
Augmentation des fournisseurs et charges à payer	13 525
Diminution des produits comptabilisés d'avance	1 811
Encaissements de la vente de placements	7 816
Augmentation nette de la dette à long terme	2 848 910
Acquisition d'immobilisations	1 054 938
Acquisition de la société Wireless	1 772 840
Acquisition de la société Microcell Telecommunications	1 148 637

Travail à faire

1. D'après ces renseignements, calculez les flux de trésorerie liés à l'exploitation en appliquant la méthode indirecte.
2. Quelles sont les principales raisons pour lesquelles l'entreprise a pu enregistrer une perte nette, mais des flux de trésorerie liés à l'exploitation positifs ? Pourquoi les raisons d'une telle différence entre les flux de trésorerie liés à l'exploitation et le bénéfice net sont-elles importantes pour les analystes financiers ?

E12-9   La détermination des variations des postes du bilan d'après l'état des flux de trésorerie (avec la méthode indirecte)

Les renseignements suivants (en millions de dollars) sont tirés d'un état des flux de trésorerie de Colgate-Palmolive :

Activités d'exploitation	
Bénéfice net	477,0 $
Amortissement	192,5
Effet sur la trésorerie de variations dans les	
Comptes clients	(38,0)
Stocks	28,4
Autres actifs à court terme	10,6
Comptes fournisseurs	(10,0)
Autres	(117,8)
Flux de trésorerie provenant de l'exploitation	542,7 $

Travail à faire

À l'aide des renseignements fournis à l'état des flux de trésorerie de l'entreprise, déterminez si le solde des comptes suivants a augmenté ou diminué au cours de l'exercice : Comptes clients, Stocks, Autres actifs à court terme et Comptes fournisseurs.

E12-10   La détermination des variations des postes du bilan d'après des renseignements contenus à l'état des flux de trésorerie (avec la méthode indirecte)

Un état des flux de trésorerie de la société Apple Computer, inc. renferme les renseignements suivants (en milliers de dollars) :

Opération	
Bénéfice net	310 178 $
Amortissement	167 958
Variation des actifs et des passifs à court terme :	
Clients	(199 401)
Stock	418 204
Autres actifs à court terme	33 616
Fournisseurs	139 095
Impôts sur les bénéfices à payer	50 045
Autres passifs à court terme	39 991
Autres ajustements	(222 691)
Flux de trésorerie provenant de l'exploitation	736 995 $

Travail à faire

Pour chacun des comptes d'actif et de passif apparaissant à l'état des flux de trésorerie, indiquez si le solde a augmenté ou diminué au cours de l'exercice.

OA2B **E12-11 La présentation des flux de trésorerie liés à l'exploitation du point de vue des analystes (avec la méthode directe)**
Utilisez l'information présentée à l'exercice 12-6 pour la société Dahlia.

Travail à faire

Établissez la section des activités d'exploitation à l'état des flux de trésorerie de la société Dahlia en appliquant la méthode de présentation directe.

OA2B **E12-12 La présentation et l'interprétation des flux de trésorerie liés à l'exploitation du point de vue des analystes (avec la méthode directe)**
Utilisez l'information présentée à l'exercice 12-7 pour la société Coquelicot.

Travail à faire

1. Présentez la section des activités d'exploitation de l'état des flux de trésorerie de la société Coquelicot en appliquant la méthode directe. Posez l'hypothèse que les frais courus à payer font référence aux autres charges de l'état des résultats.
2. Quelles sont les principales raisons pour lesquelles l'entreprise a pu enregistrer une perte nette, mais des flux de trésorerie liés à l'exploitation positifs ? Pourquoi les raisons d'une telle différence entre les flux de trésorerie liés à l'exploitation et le bénéfice net sont-elles importantes pour les analystes financiers ?

OA2B  **E12-13 La présentation et l'interprétation des flux de trésorerie liés à l'exploitation du point de vue des analystes (avec la méthode directe)**
Utiliser les informations suivantes relatives à l'état des résultats (sommaire) et d'autres informations (simplifiées) qui ont été sélectionnées à partir des états financiers de Rogers Communication (en milliers de dollars).

État des résultats (sommaire)		Autres informations	
Chiffre d'affaires	5 608 249 $	Diminution des clients	15 496 $
Coûts des produits vendus	797 857	Augmentation des stocks*	30 000
Frais de vente	883 622	Augmentation des frais payés d'avance*	59 300
Charges d'exploitation	2 192 629	Augmentation des fournisseurs*	5 025
Amortissement	1 092 551	Augmentation des charges à payer*	8 500
Dépréciation	88 328	Diminution des produits comptabilisés d'avance	1 811
Autres charges	566 480*		
Perte nette de l'exercice	(13 218) $		

* Certains chiffres ont été remaniés pour simplifier la présentation et illustrer les principes abordés dans le chapitre.

Travail à faire

1. À l'aide des renseignements fournis, calculez les flux de trésorerie des activités d'exploitation en appliquant la méthode directe. Posez l'hypothèse que les frais payés d'avance et les charges à payer sont liés aux autres charges.
2. Quelles sont les principales raisons pour lesquelles Rogers Communications a pu enregistrer une perte nette, mais des flux de trésorerie liés à l'exploitation positifs? Pourquoi les raisons d'une telle différence entre les flux de trésorerie liés à l'exploitation et le bénéfice net sont-elles importantes pour les analystes financiers?

E12-14 L'analyse des flux de trésorerie liés à l'exploitation et l'interprétation du ratio de la qualité du bénéfice

◆ PepsiCo ■ OA2A ■ OA3

Voici des renseignements contenus dans un rapport annuel de PepsiCo pour l'exercice en cours (en millions de dollars).

Bénéfice net	1 587,9 $
Amortissement des immobilisations	1 444,2
Augmentation des comptes clients	161,0
Augmentation des stocks	89,5
Diminution des charges payées d'avance	3,3
Augmentation des comptes fournisseurs	143,2
Diminution des impôts exigibles	125,1
Diminution des autres passifs à court terme	96,7
Paiement de dividendes en espèces	461,6
Achat d'actions autodétenues	463,5

Travail à faire

1. Calculez les flux de trésorerie liés à l'exploitation de PepsiCo en appliquant la méthode indirecte.
2. Calculez le ratio de la qualité du bénéfice.
3. Quelles sont les principales raisons pour lesquelles le ratio de la qualité du bénéfice de l'entreprise n'est pas égal à 1,0?

E12-15 L'enregistrement des flux de trésorerie liés aux activités d'investissement et de financement

◆ Sears Canada inc. ■ OA4 ■ OA6

Sears Canada inc. est un important détaillant de marchandises et de services au Canada. Au cours d'un exercice passé, cette entreprise a enregistré les opérations suivantes (en millions de dollars):

Bénéfice net	94,1 $
Acquisition en espèces d'immobilisations	143,4
Émission d'actions contre espèces	2,1
Sommes en espèces reçues des clients	6 796,5
Remboursement d'obligations à long terme	110,6
Acquisition d'Eatons en espèces	23,5
Vente d'immobilisations contre espèces	17,7
Dividendes versés en espèces	25,6
Acquisition avec espèces de placements à long terme et autres	7,3
Paiement d'intérêts	56,6
Émission d'obligations à long terme contre espèces	200,0
Encaissement net des autres actifs à long terme	42,7

Travail à faire

À partir de ces renseignements, établissez les flux de trésorerie des sections des activités d'investissement et des activités de financement de l'état des flux de trésorerie de l'entreprise.

E12-16 **La présentation et l'interprétation des flux de trésorerie liés aux activités d'investissement et aux activités de financement et l'analyse de la stratégie de la direction**

La société Normiska Corporation est un fournisseur canadien d'articles d'horticulture. Elle est spécialisée dans la fabrication de sphaigne (mousse des tourbières) ainsi que dans la récolte et la transformation d'écorces. Elle exerce ses activités en Ontario, au Québec et aux États-Unis. Au cours d'un exercice passé, cette entreprise a enregistré les opérations suivantes (en milliers de dollars):

Paiements reçus de clients	8 932,2 $
Achat d'immobilisations corporelles en espèces	411,9
Augmentation de la dette bancaire	812,9
Achat en espèces de droits miniers	25,0
Émission d'actions ordinaires contre espèces	1 938,0
Intérêts versés	445,2
Remboursement de la dette à long terme	716,2
Émission d'un billet à payer contre espèces	50,0
Remboursement d'un billet à payer	75,0
Paiement anticipé de frais reportés à long terme	177,9
Remboursement d'obligations convertibles sans garantie	190,8
Paiements aux fournisseurs	9 964,9
Émission d'une dette à long terme contre espèces	273,8
Flux de trésorerie affectés aux activités d'exploitation	(1 477,9)

Travail à faire

1. En vous servant de ces renseignements, établissez les flux de trésorerie des sections des activités d'investissement et des activités de financement de l'état des flux de trésorerie.
2. Calculez le ratio d'acquisition des capitaux. Que vous dit le ratio à propos de la capacité de Normiska de financer les achats d'actifs immobilisés à même les flux de trésorerie provenant des activités d'exploitation?
3. À votre avis, quel était le plan de la direction de Normiska relativement à l'utilisation de la trésorerie engendrée grâce à l'émission d'actions ordinaires?

E12-17 **L'analyse et l'interprétation du ratio d'acquisition des capitaux**

Un rapport annuel passé de l'entreprise Alcan inc., société canadienne dans l'industrie de l'acier, renferme les données suivantes relatives à trois années passées consécutives (en millions de dollars):

	Année 3	Année 2	Année 1
Flux de trésorerie liés à l'exploitation	1 387 $	1 066 $	1 182 $
Flux de trésorerie liés aux activités d'investissement	(1 275)	(2 083)	(838)
Flux de trésorerie liés aux activités de financement	(247)	781	(629)
Acquisition de nouvelles immobilisations corporelles au comptant	1 110	1 491	1 169

Travail à faire

1. Calculez le ratio d'acquisition de capitaux pour cette période de trois ans.
2. Que mesure le ratio d'acquisition de capitaux. Quelle proportion des activités d'investissement de l'entreprise a été financée par des sources extérieures ou des soldes de trésorerie déjà existants au cours de cette période de trois ans?
3. Quelle est, à votre avis, l'explication plausible de la croissance des flux de trésorerie liés aux activités de financement à l'année 2?

E12-18 **La présentation des opérations hors trésorerie à l'état des flux de trésorerie et l'interprétation de leurs répercussions sur le ratio d'acquisition de capitaux** □ OA5
□ OA7

Une analyse des comptes d'actifs immobilisés de la société Laviolette fournit les renseignements suivants :

a) Acquisition d'une grosse machine au coût de 26 000 $ payée au vendeur au moyen d'un billet de 15 000 $ portant intérêt au taux de 12 % et venant à échéance dans deux ans, ainsi que de 500 actions ordinaires de l'entreprise ayant une valeur marchande de 22 $ chacune.

b) Acquisition d'une petite machine au coût de 8 700 $ payée intégralement grâce au transfert d'un terrain ayant une valeur comptable de 8 700 $ au vendeur.

Travail à faire

1. Montrez comment il faudrait présenter ces renseignements à l'état des flux de trésorerie.

2. Quel serait l'effet de ces opérations sur le ratio d'acquisition de capitaux ? Comment pourraient-elles fausser l'interprétation de ce ratio ?

E12-19 **La détermination des flux de trésorerie provenant de la vente d'actifs immobilisés (Annexe 12-A)**

Au cours des trois derniers exercices financiers, A. Klein inc. a vendu des immobilisations comme suit.

	Année 3	Année 2	Année 1
Immobilisations (au coût)	54 000 $	8 000 $	11 000 $
Amortissement cumulé – immobilisations	29 594	3 691	9 203
Encaissement de la vente	14 768	11 623	1 797

Travail à faire

1. Pour chacun des exercices, indiquez les flux de trésorerie provenant de la vente des immobilisations qu'on trouverait à la section des activités d'investissement à l'état des flux de trésorerie.

2. La société Klein utilise la méthode indirecte pour présenter les flux de trésorerie liés à l'exploitation à l'état des flux de trésorerie. Pour chacun des exercices, quel montant relatif à la vente des actifs immobilisés serait ajouté (soustrait) dans le calcul des flux de trésorerie liés à l'exploitation ?

E12-20 **La détermination des flux de trésorerie provenant de la vente de matériel (Annexe 12-A)**

Au cours de l'exercice, la société Primevère a vendu à perte du matériel superflu. Voici quelques renseignements tirés des registres comptables de l'entreprise.

Extrait de l'état des résultats	
Charge d'amortissement	700 $
Perte sur la vente de matériel	3 000
Extrait du bilan	
Solde du compte Matériel, au coût, au début de l'exercice	12 500
Solde du compte Matériel, au coût, à la fin de l'exercice	8 000
Solde du compte Amortissement cumulé au début de l'exercice	2 000
Solde du compte Amortissement cumulé à la fin de l'exercice	2 400

Aucun nouveau matériel n'a été acheté au cours de l'exercice.

Travail à faire

En considérant uniquement le matériel vendu, déterminez son coût initial, son amortissement cumulé et le montant reçu en contrepartie de la vente.

E12-21 **La préparation de l'état des flux de trésorerie selon la méthode indirecte à l'aide du chiffrier (Annexe 12-B)**

L'analyse des registres révèle ce qui suit.

a) Achat d'équipement pour 20 000 $ et émission d'actions ordinaires en guise de paiement au propriétaire.

b) Achat de placements à long terme pour un montant en espèces de 15 000 $.

c) Dividendes payés en espèces de 12 000 $.

d) Vente d'actifs utilisés dans la production pour un montant net en espèces de 6 000 $ (coût de 21 000 $, amortissement cumulé de 15 000 $).

e) Émission de 500 actions à 12 $ chacune, contre espèces.

État des résultats	
Ventes	140 000 $
Coût des marchandises vendues	59 000
Amortissement	3 000
Salaires	28 000
Intérêts	5 000
Autres charges	15 800
Impôts sur le bénéfice	9 000
Bénéfice net	20 200 $

	Solde au début de la période	Analyse des variatons		Solde à la fin de la période
		Débits	Crédits	
Éléments du bilan				
Trésorerie	20 500 $			19 200 $
Clients	22 000			22 000
Stocks	68 000			75 000
Placements à long terme				15 000
Équipements (solde net)	114 500			113 500
Total des débits	225 000 $			244 700 $
Amortissement cumulé	32 000 $			20 000 $
Fournisseurs	17 000			14 000
Salaires à payer	2 500			1 500
Impôts exigibles	3 000			4 500
Obligations à payer	54 000			54 000
Actions ordinaires	100 000			126 000
Bénéfices non répartis	16 500			24 700
Total des crédits	225 000 $			244 700 $
		Rentrées	**Sorties**	**Sous-totaux**

État des flux de trésorerie

Flux de trésorerie des activités d'exploitation

    Bénéfice net

    Éléments sans mouvement de fonds :

    Variation des éléments du fonds de

    roulement hors caisse

Flux de trésorerie des activités d'investissement

Flux de trésorerie des activités de financement

Variation de la trésorerie

Travail à faire

Référez-vous à l'annexe 12-B à la fin du chapitre pour remplir la partie inférieure du chiffrier afin de préparer l'état des flux de trésorerie. Servez-vous du logiciel Excel pour préparer ce chiffrier.

Problèmes

P12-1 **L'établissement de l'état des flux de trésorerie (avec la méthode indirecte) (PS12-1)**

◆ EXCEL ■ OA1 ■ OA2A ■ OA4 ■ OA6

Métro Vidéo inc. prépare ses états financiers pour l'exercice terminé en date du 31 décembre 2008. Les états financiers présentés sont complets à l'exception de l'état des flux de trésorerie. Les bilans comparatifs et l'état des résultats sont résumés comme suit.

	2008	2007
Bilan		
Trésorerie	68 000 $	65 000 $
Clients	15 000	22 000
Stocks	22 000	18 000
Immobilisations, au coût	210 000	150 000
Moins : Amortissement cumulé	(60 000)	(45 000)
Total de l'actif	255 000 $	210 000 $
Fournisseurs	8 000 $	19 000 $
Salaires à payer	2 000	1 000
Dette à long terme	60 000	70 000
Actions ordinaires	100 000	75 000
Bénéfices non répartis	85 000	45 000
Total du passif et des capitaux propres	255 000 $	210 000 $
États des résultats pour 2008		
Ventes	195 000 $	
Coût des marchandises vendues	90 000	
Amortissement	15 000	
Autres charges	45 000	
Bénéfice net	45 000 $	

Voici l'analyse de quelques soldes de comptes et d'opérations de l'exercice 2008.

a) Achat d'équipement en espèces pour 60 000 $.

b) Remboursement de 10 000 $ sur la dette à long terme.

c) Émission de nouvelles actions contre espèces de 25 000 $.

d) Déclaration et paiement en espèces d'un dividende de 5 000 $.

e) Les autres charges se rapportent uniquement aux salaires.

f) Les comptes fournisseurs proviennent uniquement des achats de stocks à crédit.

Travail à faire

1. Préparer l'état des flux de trésorerie pour l'exercice terminé le 31 décembre 2008 avec la méthode indirecte. Vous pouvez utiliser le chiffrier Excel pour accomplir cette tâche.

2. Interpréter l'état des flux de trésorerie.

P12-2 **L'établissement de l'état des flux de trésorerie (avec la méthode indirecte)**

◆ Rocky Mountain Chocolate Factory inc. EXCEL ■ OA1 ■ OA2A ■ OA4 ■ OA6

Rocky Mountain Chocolate Factory inc. fabrique des chocolats de luxe. Elle vend ses produits à ses franchisés et à ses propres magasins à travers les États-Unis. Son bilan du premier trimestre d'un exercice récent est présenté ci-dessous avec une analyse de comptes et de transactions sélectionnés.

Rocky Mountain Chocolate Factory inc.
Bilans

	Au 31 mai (non vérifiés)	Au 29 février
Actif		
ACTIF À COURT TERME		
Trésorerie	921 505 $	528 787 $
Clients, moins la provision pour créances douteuses de 43 196 $ au 31 mai et de 28 196 $ au 29 février	1 602 582	1 463 901
Stocks	2 748 788	2 504 908
Impôts futurs	59 219	59 219
Autres	581 508	224 001
Total des actifs à court terme	5 913 602	4 780 816
Immobilisations, au coût	14 010 796	12 929 675
Moins : Amortissement cumulé	(2 744 388)	(2 468 084)
	11 266 408	10 461 591
AUTRES ACTIFS		
Notes et comptes clients dus après un an	100 206	111 588
Écarts d'acquisition, nets d'une dépréciation de 259 641 $ au 31 mai et de 253 740 $ au 29 février	330 359	336 260
Autres	574 130	624 185
	1 004 695	1 072 033
Total des actifs	18 184 705 $	16 314 440 $
Passif et capitaux-propres		
PASSIF À COURT TERME		
Dette à court terme	0 $	1 000 000 $
Portion à court terme de la dette à long terme	429 562	134 538
Fournisseurs	1 279 455	998 520
Frais courus	714 473	550 386
Impôts à payer	11 198	54 229
Total des passifs à court terme	2 434 688	2 737 673
DETTE À LONG TERME, moins portion à court terme	4 193 290	2 183 877
IMPÔTS FUTURS	275 508	275 508
Capitaux propres		
Actions ordinaires	91 029	91 029
Surplus d'apport	9 703 985	9 703 985
Bénéfices non répartis	2 502 104	2 338 267
	12 297 118	12 133 281
Moins : Actions autodétenues	1 015 899	1 015 899
	11 281 219	11 117 382
Total du passif et des capitaux propres	18 184 705 $	16 314 440 $

Les notes font partie intégrante des états financiers.

Voici l'analyse de quelques soldes de comptes et de transactions :

a) Le bénéfice net a été de 163 837 $. Les notes et les comptes clients dus après un an ont trait aux opérations.

b) La charge d'amortissement et de dépréciation totalisait 282 205 $.

c) Aucun autre actif à long terme (lié aux activités d'investissement) n'a été acquis durant la période.

d) Aucun actif immobilisé n'a été vendu durant la période. Aucun écart d'acquisition n'a été acquis ou vendu.

e) L'encaissement sur l'émission de la dette à long terme a été de 4 659 466 $, et le remboursement du capital sur la dette a été de 2 355 029 $ (vous devez additionner les échéances à court terme avec la dette à long terme dans votre analyse).

f) Aucun dividende n'a été déclaré ou versé durant la période.

g) Ignorez les impôts futurs.

Travail à faire

1. Préparer l'état des flux de trésorerie pour la période terminée le 31 mai avec la méthode indirecte. Vous pouvez vous servir du chiffrier Excel pour accomplir cette tâche.

P12-3   La préparation de l'état des flux de trésorerie avec la méthode directe (PS12-2)
Servez-vous de l'information concernant Métro Vidéo inc. (*voir le problème P12-1*) afin d'effectuer le travail demandé.

☐ OA1
☐ OA2B
☐ OA4
☐ OA6

Travail à faire

1. Préparer l'état des flux de trésorerie pour la période terminée le 31 décembre 2008 avec la méthode directe.

2. Interpréter l'état des flux de trésorerie.

P12-4   La comparaison des flux de trésorerie liés aux activités d'exploitation (avec les méthodes directe et indirecte)
La société Beta présente l'information suivante pour l'exercice 2009, en milliers de dollars.

☐ OA2A
☐ OA2B

État des résultats		
Chiffre d'affaires		20 600 $
Charges		
Coût des marchandises vendues	9 000 $	
Amortissement	2 000	
Salaires	5 000	
Loyer	2 500	
Assurances	800	
Électricité et téléphone	700	
Intérêts sur obligations	600	
Perte sur vente d'équipement	400	(21 000)
Perte nette		(400) $

Éléments choisis du bilan		
	2008	2009
Stocks	60 $	82 $
Clients	450	380
Fournisseurs	210	240
Salaires à payer	20	29
Loyer à payer	6	2
Loyer payé d'avance	7	2
Assurances payées d'avance	5	14

Autre renseignement :
La société a émis une obligation de 20 000 $ portant intérêt au taux de 8 % au cours de l'exercice 2009.

Travail à faire

1. Préparez la section des activités d'exploitation à l'état des flux de trésorerie en appliquant la méthode directe.

2. Préparez cette même section en appliquant la méthode indirecte.

P12-5 **La préparation du chiffrier en vue de l'établissement de l'état des flux de trésorerie (avec la méthode indirecte) (Annexe 12-B)**

La société Hunter prépare ses états financiers pour l'exercice terminé en date du 31 décembre 2010. Les états financiers présentés sont complets à l'exception de l'état des flux de trésorerie. Les bilans comparatifs et l'état des résultats sont résumés comme suit.

	2010	2009
Bilan au 31 décembre		
Trésorerie	44 000 $	18 000 $
Clients	27 000	29 000
Stocks	30 000	36 000
Immobilisations, solde net	75 000	72 000
Total de l'actif	176 000 $	155 000 $
Fournisseurs	25 000 $	22 000 $
Salaires à payer	800	1 000
Dette à long terme	38 000	48 000
Capital-actions	80 000	60 000
Bénéfices non répartis	32 200	24 000
Total du passif et des capitaux propres	176 000 $	155 000 $
États des résultats pour 2010		
Ventes	100 000 $	
Coût des marchandises vendues	61 000	
Charges	27 000	
Bénéfice net	12 000 $	

Renseignements supplémentaires :
a) Achat d'immobilisations en espèces pour 9 000 $.
b) Remboursement de 10 000 $ sur la dette à long terme
c) Émission d'actions ordinaires contre espèces de 20 000 $.
d) Déclaration et paiement en espèces d'un dividende de 3 800 $.
e) Les charges comprennent l'amortissement de 6 000 $, les salaires de 10 000 $, les impôts de 3 000 $ et autres de 8 000 $.

Travail à faire
1. Préparez le chiffrier de l'état des flux de trésorerie pour l'exercice terminé le 31 décembre 2010 afin de présenter les flux de trésorerie liés aux activités d'exploitation en appliquant la méthode indirecte. Servez-vous du logiciel Excel.
2. Présentez l'état des flux de trésorerie.
3. Dressez un tableau des activités d'investissement et de financement hors trésorerie, si c'est nécessaire.

Problèmes supplémentaires

PS12-1 **L'établissement de l'état des flux de trésorerie (avec la méthode indirecte) (P12-1)**

L'entreprise de construction McPherson ltée prépare ses états financiers pour l'exercice terminé le 31 décembre 2009. Les états financiers présentés sont complets, à l'exception de l'état des flux de trésorerie. Les bilans comparatifs et l'état des résultats sont résumés comme suit.

	2009	2008
Bilan au 31 décembre		
Trésorerie	34 000 $	29 000 $
Clients	45 000	28 000
Stocks	31 000	38 000
Immobilisations, au coût	121 000	100 000
Moins : Amortissement cumulé	(30 000)	(25 000)
Total de l'actif	201 000 $	170 000 $
Fournisseurs	36 000 $	27 000 $
Salaires à payer	1 200	1 400
Dette à long terme	38 000	44 000
Capital-actions	88 600	72 600
Bénéfices non répartis	37 200	25 000
Total du passif et des capitaux propres	201 000 $	170 000 $
État des résultats pour 2009		
Ventes	130 000 $	
Coût des marchandises vendues	70 000	
Autres charges	37 800	
Bénéfice net	22 200 $	

Renseignements supplémentaires :

a) Achat d'immobilisations en espèces pour 21 000 $.

b) Remboursement de 6 000 $ sur la dette à long terme.

c) Émission d'actions ordinaires contre espèces de 16 000 $.

d) Déclaration et paiement en espèces d'un dividende de 10 000 $.

e) Les autres charges comprennent l'amortissement de 5 000 $, les salaires de 20 000 $, les impôts de 6 000 $ et autres de 6 800 $.

f) Les comptes fournisseurs ne comprennent que les achats de stocks faits à crédit. Comme il n'y a pas de comptes à payer relativement aux impôts et aux autres charges, posez l'hypothèse que ces charges ont été payées en espèces.

Travail à faire

1. Préparez l'état des flux de trésorerie pour l'exercice terminé le 31 décembre 2009 en appliquant la méthode indirecte.

2. Interprétez l'état des flux de trésorerie.

PS12-2 L'établissement de l'état des flux de trésorerie (avec la méthode directe) (P12-3)

Utilisez les informations concernant la société de construction McPherson (*voir le problème supplémentaire PS12-1*) et effectuez le travail demandé.

Travail à faire

1. Préparez l'état des flux de trésorerie pour l'exercice terminé le 31 décembre 2009 en appliquant la méthode directe.

2. Interprétez l'état des flux de trésorerie.

OA1
OA2B
OA4
OA6

Cas et projets

Cas – Rapports annuels

CP12-1 La recherche de l'information financière

Référez-vous aux états financiers de la société Reitmans (Canada) limitée (*voir l'annexe C à la fin de ce manuel*) ou consultez le service SEDAR ou le site Internet de la société à www.reitmans.ca. Pour chacune des questions, indiquez la page du rapport annuel où vous avez trouvé l'information, ou l'endroit où vous avez cherché.

Travail à faire

1. Quel a été le redressement le plus important effectué pour rapprocher le bénéfice net des flux de trésorerie liés à l'exploitation ? Quelle a été la plus grande variation des éléments hors caisse du fonds de roulement ? Expliquez l'effet (+ ou −) de chacun d'eux dans le rapprochement.

2. Examinez les sections d'investissement et de financement de l'état des flux de trésorerie. Énumérez les trois principaux usages de la trésorerie au cours des deux derniers exercices considérés. Quelles ont été les deux plus importantes sources de trésorerie pour ces activités ? Quels sont les plans de l'entreprise en matière de financement des dépenses à venir ? Comment le savez-vous ?

3. À combien se chiffraient les flux de trésorerie disponibles pour l'exercice le plus récent ? Qu'est-ce que ce montant indique concernant la flexibilité financière de l'entreprise ?

CP12-2 La recherche de l'information financière

Référez-vous aux états financiers de la société Le Château inc. (*voir l'annexe B à la fin de ce manuel*) ou consultez le service SEDAR. Pour chacune des questions, indiquez la page du rapport annuel où vous avez trouvé l'information, ou l'endroit où vous avez cherché.

Travail à faire

1. Laquelle des deux principales méthodes de communication de l'information financière relatives aux flux de trésorerie liés à l'exploitation l'entreprise a-t-elle adoptée ? À quoi le voyez-vous ?

2. Quel montant l'entreprise a-t-elle versé en impôts au cours de l'exercice considéré ?

3. Expliquez pourquoi on a réintégré les postes Radiation d'immobilisations et Amortissement dans le rapprochement entre le bénéfice net et les flux de trésorerie liés à l'exploitation.

4. À combien s'élevaient les flux de trésorerie disponibles pour l'exercice le plus récent ?

5. L'entreprise a-t-elle versé des dividendes en espèces au cours des deux derniers exercices considérés ? Comment le savez-vous ?

CP12-3 La comparaison d'entreprises dans un même secteur d'activité

Référez-vous aux états financiers de la société Reitmans (Canada) limitée, à ceux de la société Le Château inc. et à l'annexe D sur les ratios du secteur d'activité, présentés à la fin du manuel.

Travail à faire

1. Calculez le ratio de la qualité du bénéfice de chacune des deux entreprises pour les deux exercices présentés. Laquelle des entreprises présente le meilleur ratio de la qualité du bénéfice ?

2. Comparez le ratio de la qualité du bénéfice de l'exercice courant de chacune des deux entreprises à la moyenne de ce secteur d'activité. Ces entreprises produisent-elles plus ou moins de flux de trésorerie liés à l'exploitation par rapport à leur bénéfice net que la moyenne des entreprises de ce secteur ? La comparaison entre le taux de croissance du chiffre d'affaires de chacune de ces deux entreprises et la moyenne du secteur permet-elle de comprendre pourquoi leur ratio de la qualité du bénéfice est supérieur ou inférieur au taux moyen du secteur ? Expliquez votre

réponse. Note : Taux de croissance du chiffre d'affaires = (Chiffre d'affaires de l'exercice en cours – Chiffre d'affaires de l'exercice précédent) ÷ Chiffre d'affaires de l'exercice précédent.

3. Calculez le ratio d'acquisition de capitaux de chacune des deux entreprises pour les deux exercices présentés. Comparez les capacités de l'une et de l'autre à financer des achats d'immobilisations corporelles avec la trésorerie provenant de l'exploitation.

4. Comparez le ratio d'acquisition de capitaux de l'exercice courant des deux entreprises au ratio moyen de ce secteur d'activité. Comment la capacité de chacune d'elles à financer des achats d'immobilisations corporelles à l'aide de la trésorerie provenant de l'exploitation se compare-t-elle à celle du reste de ce secteur ?

Cas – Information financière

 ■OA2A

CP12-4 La prise de décision à titre d'analyste financier : l'analyse des flux de trésorerie d'une nouvelle entreprise

Fondée récemment, la société Golf Suprême conçoit une gamme de vêtements de golf pour hommes qu'elle met en marché. Elle s'engage par contrat à les fabriquer et à les mettre sur le marché. Voici un extrait de l'état des flux de trésorerie de cette entreprise.

	Année récente
Flux de trésorerie liés à l'exploitation	
Bénéfice net (Perte nette)	(460 089) $
Amortissement	3 554
Compensation autre qu'en espèces (sous forme d'actions)	254 464
Acomptes aux fournisseurs	(404 934)
Augmentation des frais payés d'avance	(42 260)
Augmentation des comptes fournisseurs	81 765
Augmentation des charges courues à payer	24 495
Flux de trésorerie affectés à l'exploitation	(543 005) $

La direction s'attend à une importante augmentation du chiffre d'affaires dans un avenir rapproché. Pour soutenir l'augmentation des ventes, elle projette d'accroître ses stocks d'une quantité équivalant à 2,2 millions de dollars. Toutefois, elle n'a pas divulgué ses prévisions de vente. À la fin de l'exercice, l'entreprise disposait de moins de 1 000 $ en banque. Il n'est pas rare de voir une nouvelle entreprise enregistrer une perte et des flux de trésorerie négatifs durant sa période de démarrage.

Travail à faire

Vous travaillez à titre d'analyste financier pour une importante banque d'affaires. Votre patron vous demande de rédiger un bref rapport dans lequel vous évaluerez les problèmes qui se posent chez Golf Suprême. Insistez sur les sources de financement typiques dont l'entreprise pourrait (ou non) tirer parti afin de soutenir sa croissance.

Cas – Analyse critique

CP12-5 Décision éthique : un exemple réel

Le 19 février 2004, la Security and Exchange Commission, aux États-Unis, (l'équivalent de l'Autorité des marchés financiers du Québec) a émis un communiqué de presse qui décrivait un nombre de transactions frauduleuses élaborées par les dirigeants d'Enron dans l'ultime effort pour atteindre les objectifs financiers de l'entreprise. L'une des astuces bien connues, nommée l'opération « Nigerian barge » (péniche nigérienne), est apparue au quatrième trimestre de 1999. Selon les documents de la Cour, Enron a organisé la vente de trois péniches, alimentées électriquement et amarrées près de la côte du Nigeria, à une très grande société d'investissement bien connue, Merrill Lynch. Bien que la société Enron ait inclus cette transaction dans son chiffre d'affaires à l'état des résultats, il s'avère que cette vente était hors de l'ordinaire. Merrill Lynch ne voulait pas de ces péniches et était consentante de les acheter seulement parce qu'Enron avait garanti, dans une entente secrète latérale, qu'elle organiserait le rachat des péniches de Merrill Lynch dans un délai de six mois après la transaction initiale. De plus, Enron avait promis de payer à Merrill Lynch un forfait très intéressant pour conclure l'entente. Dans une entrevue à la radio le 17 août 2002, le sénateur du Michigan Carl Levin déclarait : « la transaction des péniches nigériennes est, par définition, un prêt. »

Travail à faire

1. Discuter du fait que la transaction des péniches nigériennes aurait dû être traitée comme un prêt au lieu d'une vente. Dans votre discussion, répondez aux questions suivantes : Le paiement de Merrill Lynch à Enron, au moment de la transaction initiale, n'en fait-il pas une vente et non un prêt ? Quels sont les aspects de la transaction qui sont similaires à un prêt ? Quels aspects suggèrent que les quatre critères pour constater un produit (*voir la fin du chapitre 3 pour un sommaire*) ne sont pas satisfaits ?

2. L'inscription d'une vente plutôt qu'un prêt a une incidence très évidente sur l'état des résultats : Enron a pu augmenter son chiffre d'affaires et son bénéfice net. Toutefois, ce qui n'est pas aussi évident, mais aussi important, sont les effets sur l'état des flux de trésorerie. Décrivez comment l'enregistrement de cette opération comme une vente plutôt qu'un prêt peut changer l'état des flux de trésorerie.

3. Comment les deux états de flux de trésorerie (qui résultent des deux possibilités de présentation de la transaction) peuvent-ils influer sur les utilisateurs de l'information financière ?

Projets – Information financière

CP12-6 Un projet en équipe : l'analyse des flux de trésorerie

OA1
OA2
OA3
OA4
OA5
OA6

En équipe, choisissez un secteur d'activité à analyser. Vous en trouverez une liste sur le site de SEDAR. Cliquez sur « Sociétés ouvertes », puis choisissez un secteur. Chaque membre de l'équipe doit se procurer le rapport annuel d'une société ouverte de ce secteur, différente de celles que les autres membres ont choisies. Consultez par exemple le service SEDAR (www.sedar.com) ou le site Web des entreprises choisies.

Travail à faire

Individuellement, chacun doit rédiger un bref rapport répondant aux questions ci-après au sujet de l'entreprise choisie. Analysez toute répétition des mêmes caractéristiques que vous observez dans les entreprises choisies par les membres de l'équipe. Ensuite, rédigez ensemble un bref rapport dans lequel vous soulignerez les ressemblances et les différences entre ces entreprises d'après ces caractéristiques. Fournissez des explications possibles aux différences relevées.

1. Laquelle des deux méthodes de base de présentation de l'information concernant les flux de trésorerie liés à l'exploitation l'entreprise a-t-elle adoptée ?

2. Quel est le ratio de la qualité du bénéfice de l'exercice le plus récent ? Quelles sont les principales raisons des différences entre le bénéfice net et les flux de trésorerie liés à l'exploitation ?

3. Quel est le ratio d'acquisition de capitaux pour la période des trois dernières années ? Comment l'entreprise finance-t-elle ses acquisitions de capitaux ?

4. Pour l'exercice en cours, quelle proportion des flux de trésorerie liés à l'exploitation est versée aux actionnaires sous forme de dividendes ?

Objectifs d'apprentissage

Au terme de ce chapitre, l'étudiant sera en mesure:

1. d'expliquer comment la stratégie d'une entreprise a une incidence sur l'analyse financière (*voir la page 781*);

2. de discuter de la façon dont les analystes financiers utilisent les états financiers (*voir la page 783*);

3. de calculer et d'interpréter les états financiers dressés en pourcentages (*voir la page 785*);

4. de calculer et d'interpréter les ratios de rentabilité (*voir la page 789*);

5. de calculer et d'interpréter les ratios de trésorerie ou de liquidité (*voir la page 796*);

6. de calculer et d'interpréter les ratios de solvabilité et de structure financière (*voir la page 802*);

7. de calculer et d'interpréter les tests de marché (*voir la page 804*).

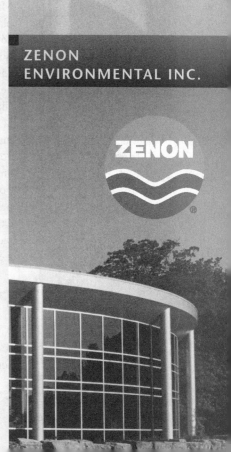

ZENON
ENVIRONMENTAL INC.

ZENON

Zenon Environmental inc.

Analyse financière
Rassemblons toutes les données

En mai 2000, sept citoyens de Walkerton, en Ontario, sont morts après avoir bu de l'eau contaminée par la bacille *Escherichia coli* (ou *E. coli*). Cet événement a suscité l'intérêt des consommateurs pour la qualité de leur eau. C'est précisément le domaine d'expertise de la société Zenon Environmental inc. (Zenon), fondée en 1980 et dont le siège social se situe à Oakville, en Ontario. Zenon a mis au point un procédé unique de filtration d'eau par membrane immergée. Dans un marché fort compétitif, cette technologie a gagné en popularité auprès des industries et des municipalités. Au cours des dernières années, la croissance de Zenon a été phénoménale. La société dessert actuellement des clients dans plus de 40 pays avec plus de 1000 installations et 1200 employés. La technologie ZeeWeed permet de purifier l'eau en y soutirant les contaminants au moyen de la succion, sans devoir hausser la pression ou utiliser des produits chimiques. La volonté actuelle étant de protéger l'environnement, Zenon est bien placée pour s'approprier un marché international grâce à la fabrication et à la vente de systèmes de filtration efficaces et écologiques. De fait, en 2003, Zenon a comptabilisé 183,6 millions de dollars de chiffre d'affaires et a réalisé une marge nette de 6,8 %. En 2004, les produits se sont élevés à 233,8 millions de dollars avec une marge nette de 7,3 %. Le titre est passé de 6 $ en 2000 à 25 $ en septembre 2005, une croissance assez extraordinaire. À l'heure actuelle, les analystes financiers du service d'information électronique Globe & Mail Investor recommandent de conserver le titre [septembre 2005]. Cela en fait-il un placement « sûr et sans risque » ? Pour prendre une décision rationnelle à ce sujet, il faut considérer d'autres facteurs que la croissance prévue à court terme et les recommandations des experts. Dans son rapport annuel 2004, Zenon énumère six raisons de choisir son titre : la démonstration d'une croissance à long terme ; la fabrication d'un produit de qualité et inusité (des membranes de filtration pures) ; la performance consistante et supérieure ; les innovations technologiques de pointe et en avance sur la compétition ; la position financière solide et la position de chef de file dans son marché. Les informations aux états financiers de Zenon et les outils analytiques étudiés dans ce chapitre vous donneront une bonne base pour vérifier ces dires. Vous pourrez poursuivre votre analyse de la société afin de prendre une décision éclairée d'investir ou non dans ses actions. En 2005, si vous possédiez des actions de la société, votre analyse aurait pu vous permettre de prendre la décision suivante : les conserver comme le recommandaient les experts ou les vendre et réaliser un profit. Quelques mois après la rédaction de ce chapitre, la société General Electric (GE) achetait Zenon. Par conséquent, le titre de Zenon a été retiré du marché boursier.

Parlons affaires

Au Canada, les entreprises consacrent des millions de dollars chaque année pour dresser, vérifier et publier leurs états financiers. Ces états sont acheminés aux investisseurs actuels et potentiels. Chaque année, Zenon envoie des milliers d'exemplaires de ses états financiers à ses actionnaires. La plupart des entreprises diffusent également leurs informations financières dans Internet. Zenon possède un site Web particulièrement intéressant. Celui-ci contient la description de leurs produits, les communiqués de presse ainsi qu'une grande variété d'informations pertinentes sur la société. On y retrouvait ses états financiers jusqu'à ce qu'elle soit achetée par la société GE.

La raison pour laquelle les sociétés consacrent tant d'argent pour fournir des informations aux investisseurs est simple: les états financiers aident les gens à prendre de meilleures décisions économiques. En fait, les états financiers publiés sont destinés à satisfaire les besoins des décideurs externes à l'entreprise, y compris les propriétaires actuels et potentiels, les analystes financiers et les créanciers.

TABLEAU 13.1 | États financiers (traduction libre)

Zenon Environmental inc.
Bilans consolidés au 31 décembre
(en milliers de dollars)

	2004	2003
ACTIF (note 7)		
Actif à court terme		
Caisse	38 631 $	25 049 $
Caisse réservée	161	191
Titres négociables (note 3)	76 736	–
Clients (note 17 [iii])	46 488	48 860
Client – financement public (note 14)	1 747	326
Produits non facturés (note 17 [iv])	40 816	27 957
Stocks (note 4)	21 863	19 784
Charges payées d'avance et dépôts	3 041	1 933
Impôts sur les bénéfices futurs (note 12)	3 975	3 463
Total de l'actif à court terme	233 458	127 563
Immobilisations, montant net (note 5)	104 306	88 553
Brevets et autres actifs (note 6)	21 176	12 133
Écart d'acquisition	4 506	4 506
Impôts sur les bénéfices futurs (note 12)	11 196	5 384
Total de l'actif	374 642 $	238 139 $
PASSIF ET CAPITAUX PROPRES		
Passif à court terme		
Fournisseurs et charges à payer (note 10 [ii])	52 536 $	46 460 $
Dépôts des clients	28 440	33 766
Tranche à court terme de la dette à long terme (note 8)	4 555	180
Total du passif à court terme	85 531	80 406
Dette à long terme (note 8)	2 401	526
Crédit technologique reporté (notes 14 et 17 [ii])	10 060	5 000
Total du passif	97 992	85 932
Engagements et éventualités (notes 10 et 14)		
Capitaux propres		
Capital social (note 9)	221 390	118 630
Surplus d'apport (note 9 [b] [iii])	420	260
Bénéfices non répartis	49 568	32 658
Rajustement de conversion cumulatif	5 272	659
Total des capitaux propres	276 650	152 207
Total du passif et des capitaux propres	374 642 $	238 139 $

Zenon Environmental inc.
État consolidé des résultats
pour les exercices terminés le 31 décembre
(en milliers de dollars, sauf le résultat par action)

	2004	2003
Chiffre d'affaires (note 11)	**233 795 $**	183 626 $
Coût des marchandises et des services vendus	**144 572**	111 418
Bénéfice brut	**89 223**	72 208
Charges		
Ventes générales et administratives (note 15)	**59 290**	46 181
Amortissement	**14 369**	12 799
Intérêts, montant net (note 8)	**(2 227)**	(237)
	71 432	58 743
Bénéfice d'exploitation avant impôts sur les bénéfices	**17 791**	13 465
Provision pour impôts sur les bénéfices (note 12)	**801**	977
Bénéfice net de l'exercice	**16 990 $**	12 488 $
Résultat par action (note 13)		
De base	**0,56 $**	0,45 $
Dilué	**0,55 $**	0,44 $

Zenon Environmental inc.
État consolidé des bénéfices non répartis
pour les exercices terminés le 31 décembre
(en milliers de dollars)

	2004	2003
Bénéfices non répartis au début de l'exercice	**32 658 $**	20 250 $
Bénéfice net de l'exercice	**16 990**	12 488
Dividendes sur les actions privilégiées (note 9 [a] [i])	**(80)**	(80)
Bénéfices non répartis à la fin de l'exercice	**49 568 $**	32 658 $

Voir les notes afférentes aux états financiers consolidés.

Zenon Environmental inc.
État consolidé des flux de trésorerie
pour les exercices terminés le 31 décembre
(en milliers de dollars)

	2004	2003
FLUX DE TRÉSORERIE LIÉS AUX ACTIVITÉS D'EXPLOITATION		
Bénéfice net de l'exercice	**16 990 $**	12 488 $
Éléments sans incidence sur les liquidités		
Gain sur disposition d'immobilisations	**(2)**	(181)
Charge sur options d'achat d'actions	**160**	260
Amortissement	**14 369**	12 799
Impôts futurs sur les bénéfices	**(3 416)**	(2 821)
	28 101	22 545
Variation nette des soldes hors caisse du fonds de roulement liés à l'exploitation	**(13 778)**	(1 338)
Flux de trésorerie liés aux activités d'exploitation	**14 323**	21 207
FLUX DE TRÉSORERIE LIÉS AUX ACTIVITÉS D'INVESTISSEMENT		
Augmentation des titres négociables	**(76 736)**	–
Achat d'immobilisations	**(24 665)**	(12 252)
Produit tiré de la vente d'immobilisations	**63**	386
Augmentation des brevets et d'autres actifs	**(12 239)**	(3 411)
Acquisition d'entreprise (note 19)	**(729)**	–
Diminution de la caisse réservée	**30**	497
Flux de trésorerie liés aux activités d'investissement	**(114 276)**	(14 780)
FLUX DE TRÉSORERIE LIÉS AUX ACTIVITÉS DE FINANCEMENT		
Émission d'actions de catégorie A sans droit de vote	**103 626**	–
Coûts de l'émission	**(4 657)**	–
Options d'achat d'actions exercées	**2 183**	2 583
Remboursement de la dette à long terme	**(153)**	(56)
Remboursement des contrats de location-acquisition	**(34)**	(105)
Produit tiré de la dette à long terme	**6 437**	312
Augmentation du crédit technologique différé	**5 060**	–
Prêt sur achat d'actions	**–**	770
Flux de trésorerie liés aux activités de financement	**112 462**	3 504
Incidence des fluctuations du taux de change sur les liquidités	**1 073**	(724)
Augmentation nette de la caisse durant l'exercice	**13 582**	9 207
Caisse au début de l'exercice	**25 049**	15 842
Caisse à la fin de l'exercice	**38 631 $**	25 049 $
Information supplémentaire sur les flux de trésorerie		
Impôts payés au comptant	**617 $**	2 154 $
Intérêts payés au comptant	**413**	180

Voir les notes afférentes aux états financiers consolidés.

Les décisions en matière d'investissement	La compréhension de la stratégie d'une entreprise	L'analyse des états financiers	L'analyse des ratios et des pourcentages	L'interprétation des ratios et autres considérations analytiques

- Les états dressés en pourcentages
- Les tests de rentabilité
  1. Le rendement des capitaux propres (RCP)
  2. Le rendement de l'actif (RA)
  3. Le pourcentage du levier financier
  4. Le résultat par action
  5. La qualité du bénéfice
  6. Les pourcentages de la marge bénéficiaire
     a) La marge bénéficiaire nette
     b) La marge bénéficiaire brute
  7. Les taux de rotation des actifs
     a) Les actifs immobilisés
     b) L'actif total

- Les tests de trésorerie ou de liquidité
  8. Le fonds de roulement
  9. La liquidité relative
  10. Le taux de rotation des comptes clients
  11. Le taux de rotation des stocks

- Les tests de solvabilité et de structure financière
  12. La couverture des intérêts
  13. Les capitaux empruntés sur les capitaux propres
- Les tests de marché
  14. Le ratio cours-bénéfice
  15. Le rendement par action

- Les autres informations financières
- L'information dans un marché efficient

Les décisions en matière d'investissement

Les investisseurs actuels et potentiels constituent sans doute le groupe le plus important d'utilisateurs d'états financiers. Souvent, ils se fient aux conseils des analystes financiers qui font des recommandations d'investissement dans les actions d'entreprises les plus connues. Ainsi, la majorité des investisseurs individuels utilisent les rapports des analystes et recherchent leurs recommandations (*voir le chapitre 5*). On se rappelle que les analystes financiers peuvent être en désaccord sur un même titre : certains recommandent de le conserver, d'autres de le vendre et d'autres encore de l'acheter. Ce genre de désaccord démontre que l'analyse financière est à la fois un art et une science.

Lorsque l'investisseur veut acheter des actions d'une entreprise, il doit évaluer son bénéfice futur et le potentiel de croissance en fonction de trois facteurs :

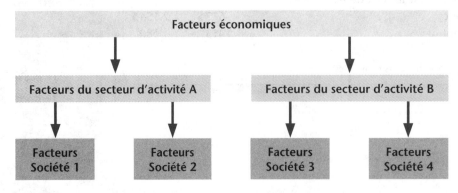

Les facteurs économiques

En général, la santé globale de l'économie a des conséquences directes sur le rendement d'une entreprise. Les investisseurs doivent considérer des données comme le taux de chômage, le taux d'inflation général et les variations du taux d'intérêt. Par exemple, les augmentations du taux d'intérêt font souvent ralentir la croissance économique puisque les consommateurs sont moins portés à acheter des biens à crédit quand les taux d'intérêt sont élevés.

Les facteurs relatifs aux secteurs d'activité

Certains événements ont une incidence importante sur les entreprises au sein d'un secteur d'activité particulier, mais ils influent peu sur d'autres entreprises. Par exemple, une importante sécheresse peut être dommageable pour le secteur de l'alimentation, mais elle peut n'avoir aucun effet sur le secteur de l'électronique.

Les facteurs liés à l'entreprise visée

Pour bien analyser une entreprise, il faut obtenir le plus de renseignements possible sur celle-ci. Les analystes chevronnés ne se fient pas uniquement aux informations contenues dans les états financiers. Ils visitent l'entreprise, s'informent sur ses produits et lisent tout ce qui la concerne dans la presse d'affaires écrite ou électronique. Si vous évaluez McDonald's, vous devez estimer la qualité de son bilan tout comme celle de son Big Mac.

Outre le fait de considérer ces facteurs, les investisseurs doivent comprendre la stratégie d'investissement de la société lorsqu'ils évaluent les états financiers. Avant de discuter des techniques d'analyse, nous expliquerons comment la stratégie d'affaire d'une entreprise peut influer sur les états financiers.

La compréhension de la stratégie d'une entreprise

L'analyse des états financiers ne se limite pas aux calculs mathématiques. Avant d'examiner les chiffres, il faut savoir ce qu'on cherche. Bien que les états financiers présentent des transactions qui ont déjà eu lieu, chacune de ces transactions reflète les décisions d'exploitation d'une entreprise en fonction de sa stratégie d'affaires.

OBJECTIF D'APPRENTISSAGE **1**

Expliquer comment la stratégie d'une entreprise a une incidence sur l'analyse financière.

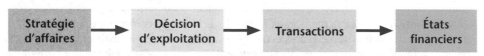

Le modèle décrit au chapitre 5 nous aide à comprendre que diverses stratégies d'affaire influent sur la rentabilité d'une entreprise. Le modèle se présente ainsi :

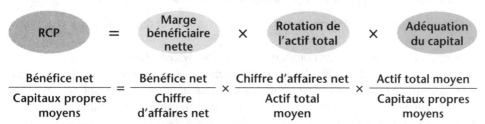

Toute entreprise a pour objectif d'obtenir un rendement élevé pour ses propriétaires (un taux de rendement des capitaux propres élevé). En examinant le modèle, on réalise que plusieurs stratégies potentielles entraînent un taux de rendement des capitaux propres (RCP) élevé. Deux stratégies fondamentales sont décrites ci-après.

La différenciation des produits

Lorsque les entreprises appliquent cette stratégie, elles mettent sur le marché des produits qui sont en quelque sorte uniques. Elles offrent notamment une qualité élevée, des fonctions ou des styles inhabituels, ce qui leur permet d'exiger des prix plus élevés. En général, de tels prix entraînent une marge bénéficiaire plus élevée, ce qui, selon le modèle du taux de rendement des capitaux propres, produit un rendement plus élevé.

L'avantage concurrentiel par les coûts

Lorsque les entreprises appliquent cette stratégie, elles tentent de gérer leurs activités plus efficacement que leurs compétiteurs. Cette capacité de rendement leur permet d'offrir des prix plus bas pour attirer les clients. L'usage efficace des ressources se traduit dans un taux de rotation de l'actif total plus élevé. Le modèle du taux de rendement des capitaux propres indique qu'une plus grande efficience permet aussi d'obtenir un rendement supérieur.

On sait que plusieurs entreprises ont adopté une de ces deux stratégies de base. En voici quelques exemples :

Différenciation sur la qualité	Différenciation sur les coûts
Autos :	**Autos :**
Cadillac	Ford Passion
Mercedes	Dodge Caliber
Lincoln	Toyota Yaris
Magasins de détail :	**Magasins de détail :**
Holt Renfrew	Wal-Mart
Brown	Zellers
Birks	Dollarama

Le meilleur point de départ d'une analyse consiste à acquérir une compréhension solide de la stratégie d'affaires d'une entreprise. Pour évaluer la santé d'une entreprise, il faut connaître ses objectifs. La lecture complète du rapport annuel, tout particulièrement le message du président aux actionnaires, permet d'obtenir de nombreuses informations concernant la stratégie de l'entreprise. Il est aussi utile de lire des articles sur l'entreprise publiés dans la presse d'affaires.

La stratégie d'affaires de Zenon est décrite par un journaliste du journal *Les Affaires* comme suit.

Dans l'actualité

Les Affaires

> ZENON tente d'imposer sa membrane à titre de technologie commune pour l'industrie de filtration de l'eau potable et des eaux usées, notamment en investissant 8 % de ses revenus annuels en recherche et développement. La société vise également à pénétrer le marché des systèmes de purification pour les résidences.
>
> Source : François RIVERIN (2002), *Les Affaires*, 27 avril, p. 79.

Yannick Clérouin[1] confirme cette stratégie en affirmant que Zenon « se veut l'Intel du traitement de l'eau ».

Cette stratégie a plusieurs conséquences sur l'analyse de Zenon :

1. L'importance de la recherche et développement. Zenon doit garder un avantage compétitif en restant à la fine pointe de la technologie et en trouvant des procédés de purification de l'eau moins coûteux pour pénétrer le marché résidentiel.
2. La société doit pouvoir produire un volume élevé de ventes pour couvrir les frais liés à l'exploitation.

---

1. Yannick CLÉROUIN (2003), « ZENON se veut l'Intel du traitement de l'eau », *Les Affaires*, Montréal, 24 mai, p. 59.

3. Le contrôle des coûts est un point critique. Zenon doit pouvoir réduire le coût de fabrication afin de garder son avantage compétitif et d'offrir les meilleurs prix. Ainsi, la société pourra accroître son marché industriel et municipal, et pénétrer le marché résidentiel.

En comprenant la stratégie de l'entreprise, on peut maintenant attacher plus d'importance à certaines informations contenues dans le rapport annuel de Zenon.

L'analyse des états financiers

OBJECTIF
D'APPRENTISSAGE 2

Discuter de la façon dont les analystes financiers utilisent les états financiers.

Il est impossible d'analyser les données financières sans avoir une base de comparaison. Par exemple, seriez-vous impressionné si une entreprise avait gagné 1 million de dollars l'année dernière ? Sans doute auriez-vous pensé que la réponse à cette question dépendait de certains facteurs. Des profits de 1 million de dollars pourraient être excellents dans le cas d'une entreprise qui a perdu de l'argent l'année précédente. Toutefois, ils pourraient ne pas l'être pour une entreprise qui a enregistré 500 millions de dollars de profits au cours de l'exercice précédent. Ce montant pourrait être intéressant si l'entreprise est petite, mais moins si elle est très grande. De même, ce montant pourrait être favorable si toutes les autres entreprises d'un même secteur avaient perdu de l'argent, mais ne pas l'être si elles avaient toutes rapporté des profits beaucoup plus élevés.

Comme on peut le constater à partir de cet exemple simple, on ne peut évaluer les états financiers sans tenir compte d'autres facteurs. Il convient de procéder aux comparaisons appropriées pour correctement analyser les données présentées dans les états financiers. La recherche d'une base de comparaison adéquate exige du jugement, et cette tâche n'est pas toujours facile. C'est pour cette raison que l'analyse des états financiers est un travail complexe plutôt qu'un processus mécanique.

On utilise principalement deux techniques de comparaison : l'analyse de la tendance dans le temps (l'analyse chronologique ou analyse horizontale) et la comparaison avec des entreprises similaires (les compétiteurs).

L'analyse chronologique

Dans ce type d'analyse, qu'on appelle parfois l'« analyse horizontale » ou l'« analyse de la tendance dans le temps », les données portant sur une seule entreprise sont comparées dans le temps. Par exemple, une entreprise peut avoir un ratio du fonds de roulement (Actif à court terme ÷ Passif à court terme) de 1,2. Si des données supplémentaires sont indisponibles, ce ratio n'est pas très révélateur. L'analyse chronologique peut indiquer que le ratio a décliné chaque année au cours des cinq dernières années, par rapport à un maximum de 2. Ces données chronologiques nous incitent à étudier les facteurs qui ont causé ce déclin régulier du ratio au cours des dernières années. Pour Zenon, le graphique suivant démontre une augmentation du chiffre des ventes depuis les trois dernières années.

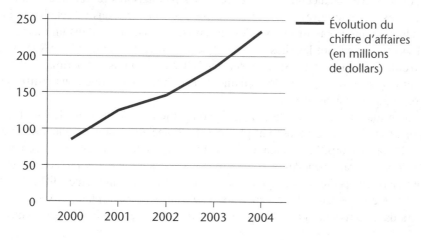

Zenon est considérée comme une société à fort potentiel de croissance. L'analyse chronologique permet de tracer un portrait positif de cette croissance lorsque les données sur les ventes sont présentées sous forme graphique.

La comparaison d'entreprises similaires (les compétiteurs)

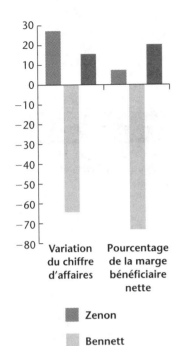

Variation du chiffre d'affaires | Pourcentage de la marge bénéficiaire nette

■ Zenon
■ Bennett
■ Newalta

Les facteurs économiques en général et ceux qui sont liés aux secteurs particuliers influent souvent sur les résultats financiers. En comparant une entreprise à une autre qui évolue dans le même secteur d'activité, les analystes peuvent obtenir un meilleur aperçu du rendement de l'entreprise. Le graphique en marge compare la croissance des ventes de 2003 à 2004 pour Zenon à celle de Bennett Environmental inc. (Bennett) et à celle de Newalta Income Fund (Newalta), des entreprises dans le secteur de l'environnement. Zenon se démarque par rapport à Bennett, et la croissance de Newalta n'est pas aussi importante que celle de Zenon. Par contre, Newalta est nettement en avant en ce qui concerne le pourcentage de la marge bénéficiaire nette.

Il est souvent difficile de trouver des entreprises comparables. Bombardier est une société bien connue qui exploite plusieurs domaines d'activité dont l'aéronautique, le matériel de transport sur rail, les services financiers et les services liés à ses produits et à son expertise. Aucune autre entreprise ne vend ce même ensemble de produits. Il faut être prudent lorsque l'on compare des entreprises, même si elles font partie du même secteur d'activité. Best Western, Sheraton, Hilton, Hôtel des Gouverneurs et Motel La Siesta évoluent tous dans le secteur de l'hôtellerie. Toutefois, ces sociétés ne sont pas toutes considérées comme des entreprises comparables aux fins d'une analyse financière. Ces hôtels offrent différents niveaux de qualité et répondent aux besoins de différents types de clients.

En 1980, le gouvernement fédéral canadien a établi un code de classification des activités économiques par type d'industrie (appelé en anglais SIC pour *Standard Industrial Classification*), qui diffère de celui des États-Unis. Ce code était utilisé pour présenter les données économiques que l'État produisait. Depuis 1997, le Canada et les États-Unis ont remplacé cette classification par le Système de classification des industries de l'Amérique du Nord (SCIAN) ou, en anglais, le *North American Industry Classification System* (NAICS) pour toutes les statistiques que les deux pays produisent. Le Mexique a également adopté cette classification. Les analystes utilisent souvent ces codes à six chiffres pour effectuer des comparaisons industrielles entre diverses entreprises. Les services d'informations financières fournissent des moyennes concernant bon nombre de ratios financiers courants pour différents secteurs d'activité. L'un de ces services est Dun & Bradstreet, qui utilise un code SIC pour classer les industries. En ce qui concerne Standard & Poor's et Morgan Stanley Capital International, un code GICS (*Global Industry Classification Standard*) est utilisé depuis 1999 ; la Bourse de Toronto utilise également ce code. En raison de la diversité des entreprises incluses dans chaque classement industriel et des différents classements qui existent, il faut utiliser ces données avec beaucoup de prudence. Certains analystes préfèrent comparer deux entreprises très similaires plutôt que de faire des comparaisons à l'échelle de l'industrie. On peut aussi obtenir le nom des entreprises canadiennes dans un même secteur d'activité en consultant les sites Internet de Globe Investors et de SEDAR (System for Electronic Document Analysis and Retrieval). Ces sites nous ont permis de distinguer des entreprises ouvertes dans le domaine de l'environnement que nous utiliserons aux fins de comparaison avec Zenon.

Sur le marché canadien, le plus gros compétiteur de Zenon est Trojan Technologies inc. Cette dernière ne produit plus d'états financiers depuis qu'une société américaine, Danaher Corp, l'a achetée en 2004. En ce qui concerne les autres compétiteurs directs (dans le traitement des eaux usées et potables), soulignons Seprotech Systems inc. (Seprotech), une petite société qui éprouve actuellement d'importantes difficultés financières. Les compétiteurs directs majeurs de Zenon se situent plutôt aux États-Unis et ailleurs dans le monde. Par ailleurs, dans le domaine de l'environnement, nous avons choisi les entreprises canadiennes suivantes (qui utilisent les mêmes principes comptables généralement reconnus) pour les comparer avec Zenon :

- Bennett Environmental inc. (Bennett), dont la principale activité est la décontamination des sols et d'autres produits ;
- Newalta Income Fund (Newalta), dont la principale activité est l'élimination et le recyclage de déchets industriels et des déchets du pétrole et du gaz ;
- Marsulex inc. (Marsulex), dont l'activité principale est d'assister les entreprises à se conformer aux normes environnementales ;
- Seprotech Systems inc. (Seprotech), dont l'activité principale est le traitement des eaux usées ou la purification d'eau qui posent problème.

Nous sommes conscients que l'analyse financière, à l'aide de ratios, de Zenon avec des compétiteurs directs situés aux États-Unis serait plus valable que la comparaison avec des compétiteurs indirects du marché canadien. Cependant, il faut considérer que les entreprises américaines présentent des états financiers dressés selon les principes comptables généralement reconnus (PCGR) aux États-Unis, qui diffèrent des PCGR canadiens. Comme la mesure du bénéfice net est importante pour bon nombre de ratios, l'analyse financière entre des sociétés américaines et canadiennes, sans tenir compte de ce fait, serait grandement faussée. De plus, tenir compte de ce fait en faisant l'analyse comparative avec une société américaine compliquerait l'analyse de la majorité des ratios présentés, ce qui dépasse largement les objectifs de cet ouvrage. De plus en plus de pays, y compris le Canada, prévoient l'adoption de PCGR internationaux d'ici 2011. Cette nouvelle est fort intéressante pour les personnes qui font de l'analyse financière. Entre-temps, nous nous contenterons d'une situation moins parfaite mais compréhensible pour illustrer nos propos.

L'analyse des ratios et des pourcentages

Tous les analystes financiers utilisent les ratios financiers ou des **pourcentages** pour évaluer les entreprises. Les **ratios financiers** expriment la relation proportionnelle qui existe entre différents montants. On calcule un ratio en divisant une quantité par une autre. Le résultat peut être un pourcentage ou une autre relation numérique et il nous permet de faire des comparaisons aisées. Par exemple, le fait qu'une entreprise ait réalisé un bénéfice net de 500 000 $ revêt plus d'importance lorsque l'on compare le bénéfice net à l'investissement de l'actionnaire dans l'entreprise. Si on suppose que les capitaux propres s'élèvent à 5 millions de dollars, la relation entre les bénéfices nets et l'investissement de l'actionnaire est de 500 000 $ ÷ 5 000 000 $ = 0,10 ou 10 %. Cette mesure indique un rendement qui serait différent si les capitaux propres s'étaient élevés à 250 millions de dollars. L'analyse au moyen de ratios aide les décideurs à déterminer les relations importantes et à comparer les entreprises de manière plus réaliste que s'ils analysaient de simples montants.

On peut calculer les ratios en utilisant les montants qui figurent à un seul état financier (comme l'état des résultats) ou à différents états (comme l'état des résultats et le bilan). Le ratio du fonds de roulement (Actif à court terme ÷ Passif à court terme) est basé sur les données provenant d'un seul état financier (le bilan), alors que le taux de rendement de l'actif (Bénéfice net ÷ Actif total moyen) se calcule à partir des données tirées de l'état des résultats et du bilan.

Les états dressés en pourcentages

Les **états dressés en pourcentages** (ou l'**analyse procentuelle,** ou l'**analyse en chiffres relatifs,** ou l'**analyse verticale**) expriment chacun des postes qui figurent à un état particulier sous forme de pourcentage d'un des éléments qui en fait partie. Cet élément sert d'indice de référence, c'est-à-dire de dénominateur du ratio. Par exemple, pour l'analyse procentuelle de l'état des résultats, le chiffre d'affaires net est utilisé comme

OBJECTIF D'APPRENTISSAGE 3

Calculer et interpréter les états financiers dressés en pourcentages.

Les **ratios financiers** sont des outils d'analyse obtenus à l'aide de calculs qui permettent de mesurer les relations proportionnelles existant entre divers montants qui figurent aux états financiers.

Les **états dressés en pourcentages** (ou l'**analyse procentuelle,** ou l'**analyse en chiffres relatifs,** ou l'**analyse verticale**) expriment chacun des postes figurant à un état financier particulier sous forme de pourcentage d'un montant de base unique.

indice de référence. Ainsi, chaque charge est exprimée sous forme de pourcentage du chiffre d'affaires net. Au bilan, l'indice de référence est normalement le total de l'actif; on trouve les pourcentages en divisant chacun des comptes du bilan par le total de l'actif.

TABLEAU 13.2 | États des résultats de Zenon dressés en pourcentages

États des résultats	Pourcentages 2004	Pourcentages 2003
Chiffre d'affaires net	100,0 %	100,0 %
Coût des marchandises et des services vendus	61,8	60,7
Bénéfice brut	38,2	39,3
Charges		
Charges de vente, générales et administratives	25,4	25,1
Amortissement	6,1	7,0
Intérêts, montant net	(0,9)	(0,1)
Charges totales	30,6	32,0
Bénéfice avant impôts sur les bénéfices	7,6	7,3
Provision pour impôts sur les bénéfices	0,3	0,5
Bénéfice net de l'exercice (marge bénéficiaire nette)	7,3	6,8

Il est difficile de déterminer les relations importantes et les tendances de l'état des résultats de Zenon (*voir le tableau 13.1 à la page 777*) si on ne dresse pas des états financiers en pourcentages. Le bénéfice net s'est accru de plus de 268 % entre 2001 (4 621 milliers de dollars) et 2004 (16 990 milliers de dollars), ce qui est excellent. Toutefois, un analyste peut difficilement évaluer l'efficacité d'exploitation de Zenon en fonction des chiffres présentés à l'état des résultats.

Le tableau 13.2 présente l'état des résultats de Zenon dressé en pourcentages du chiffre d'affaires. En analysant simplement les montants en dollars qui figurent à l'état des résultats, on serait sans doute inquiet à cause de plusieurs différences importantes. Par exemple, le coût des marchandises vendues a augmenté de plus de 33 millions de dollars de 2003 à 2004. L'analyse procentuelle permet de clarifier cette différence: le coût des marchandises vendues est passé de 60,7 % du chiffre d'affaires en 2003 à 61,8 % en 2004.

L'analyse procentuelle de l'état des résultats de Zenon (*voir le tableau 13.2*) soulève plusieurs questions supplémentaires importantes:

1. Le bénéfice net de Zenon s'est accru de 4,5 millions de dollars de 2003 à 2004. Une portion de cette augmentation peut être attribuée à l'accroissement du chiffre d'affaires et une autre à la diminution de la charge d'amortissement. On note que l'efficacité des activités d'exploitation a quelque peu diminué. Les frais d'exploitation et le coût des marchandises vendues (présentés sous forme de pourcentages des ventes) ont augmenté légèrement durant la période examinée.

2. Certaines variations en pourcentages peuvent sembler insignifiantes, mais elles représentent des sommes d'argent importantes. L'amélioration du ratio de la charge d'amortissement sous forme de pourcentage des ventes a ajouté plus de 2,1 millions de dollars au bénéfice avant impôts en 2004 (0,009 × 233 795 milliers de dollars).

3. Le coût des marchandises vendues sous forme de pourcentage des ventes a augmenté de 2003 à 2004, ce qui indique une légère réduction de l'efficacité de contrôle des coûts. Comme on l'a déjà mentionné, un élément clé de la stratégie de Zenon consiste à contrôler les coûts pour rester compétitive et augmenter son marché. Bien qu'elle ait appliqué cette stratégie, l'augmentation de la compétition et la

faiblesse du dollar des États-Unis ont quelque peu amorti les efforts de l'entreprise. Il faut noter que Zenon effectue 50 % de son chiffre d'affaires aux États-Unis et 35 % ailleurs dans le monde ; le marché canadien ne représente que 15 % de son chiffre d'affaires. La hausse du dollar canadien ne lui a donc pas été favorable. À partir de cette constatation, on peut étendre la période de comparaison pour vérifier la tendance. Sur une période de cinq ans, le pourcentage moyen du coût des marchandises vendues est de 63 % ; ce résultat confirme que le pourcentage en 2004 est meilleur que la moyenne des cinq dernières années.

4. Une importante stabilité dans toutes les relations de l'état des résultats indique que l'entreprise est bien gérée. Il peut en être ainsi pour une entreprise bien établie. En ce qui concerne Zenon, les produits fabriqués sont relativement nouveaux et le marché n'est pas encore stable. Le secteur subit aussi grandement l'influence de l'économie en général, d'incitatifs gouvernementaux ainsi que du développement de nouvelles technologies. Il n'est donc pas surprenant d'observer des variations dans les relations établies dans l'état des résultats.

5. Les analystes s'intéressent tout particulièrement aux activités normales de l'entreprise, puisqu'ils souhaitent prendre des décisions concernant les événements futurs. Il faut noter que l'état des résultats de 2004 n'a pas de poste exceptionnel, car tous les postes sont liés aux activités normales de l'entreprise. Pour l'exercice 2000, l'état des résultats inclut un poste appelé « Gain découlant d'une entente à l'amiable ». Ce gain concerne le règlement à l'amiable d'un conflit juridique, lequel n'est pas susceptible de se répéter. C'est un élément qu'il ne faut pas considérer pour prédire l'efficacité d'exploitation future de l'entreprise. Il en est de même pour les résultats d'activités non poursuivies ou abandonnées.

Plusieurs analystes utilisent des logiciels graphiques lorsqu'ils étudient les résultats financiers. La représentation graphique est très utile pour communiquer les résultats dans les réunions ou les publications. Un résumé graphique, présenté en marge, des principales données de 2004 de Zenon (*voir le tableau 13.2*) établit la comparaison avec les données de Newalta.

En plus de l'analyse procentuelle des états financiers, les analystes utilisent une grande quantité de ratios pour comparer les postes connexes des états financiers. On peut calculer bon nombre de ratios à partir d'un seul ensemble d'états financiers, mais seulement quelques-uns d'entre eux peuvent être utiles dans une situation donnée. Il n'est jamais pertinent de comparer le coût des marchandises vendues aux immobilisations corporelles, puisque ces postes n'ont aucune relation réelle entre eux. Une approche courante consiste à calculer certains ratios largement utilisés et ensuite à déterminer quels ratios supplémentaires permettraient de faciliter la prise de décision. Par exemple, les frais de recherche et développement sous forme de pourcentage des ventes ne constitue pas un ratio courant, mais il est utile dans certaines situations. On peut souhaiter examiner ce ratio si on doit évaluer une entreprise qui dépend de produits nouveaux, par exemple les fabricants de produits pharmaceutiques et informatiques. Zenon dépend aussi de produits nouveaux et exclusifs. Donc, elle peut perdre son avantage compétitif si elle ne reste pas à la fine pointe de la technologie. La recherche et développement est un secteur très important pour la viabilité à long terme de la société.

Dans le calcul des ratios, il ne faut pas oublier un fait de base concernant les états financiers. Les montants qui figurent au bilan concernent un moment précis dans le temps, et les montants à l'état des résultats sont plutôt liés à une période. Par conséquent, si on compare un compte de l'état des résultats à un montant qui figure au bilan, on devrait utiliser un montant moyen du bilan pour refléter les changements survenus durant l'exercice. Les montants présentés dans les bilans d'ouverture et de clôture sont utilisés pour obtenir la moyenne du chiffre sélectionné. Souvent, les analystes utilisent simplement les données du bilan de clôture. Cette approche est appropriée seulement lorsque le montant est relativement stable d'une année à l'autre. Par souci de cohérence, nous utilisons toujours des montants moyens dans cette situation.

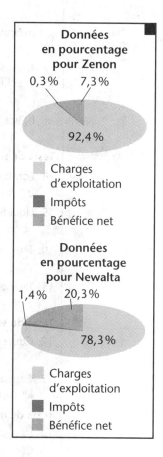

Données en pourcentage pour Zenon

0,3 %   7,3 %

92,4 %

■ Charges d'exploitation
■ Impôts
■ Bénéfice net

Données en pourcentage pour Newalta

1,4 %   20,3 %

78,3 %

■ Charges d'exploitation
■ Impôts
■ Bénéfice net

L'analyse des états financiers est un processus basé sur le jugement. Il n'est pas possible de déterminer un seul ratio qui serait approprié dans toutes les situations. En effet, chacune des situations analysées peut exiger le calcul de plusieurs ratios. Nous étudierons un bon nombre de ratios qui conviennent à plusieurs situations que nous avons regroupés en catégories (*voir le tableau 13.3*).

TABLEAU 13.3 | Ratios financiers largement utilisés

Ratio	Calcul
Tests de rentabilité	
1. Rendement des capitaux propres (RCP)	$\dfrac{\text{Bénéfice net}}{\text{Capitaux propres moyens}}$
2. Rendement de l'actif (RA)	$\dfrac{\text{Bénéfice net}}{\text{Actif total moyen}}$
3. Pourcentage du levier financier	RCP – RA
4. Résultat par action	$\dfrac{\text{Bénéfice net}}{\text{Moyenne pondérée des actions ordinaires en circulation}}$
5. Qualité du bénéfice	$\dfrac{\text{Flux de trésorerie liés à l'exploitation}}{\text{Bénéfice net}}$
6. Pourcentages de la marge bénéficiaire	
a) nette	a) $\dfrac{\text{Bénéfice net}}{\text{Chiffre d'affaires net}}$
b) brute	b) $\dfrac{\text{Bénéfice brut}}{\text{Chiffre d'affaires net}}$
7. Taux de rotation des actifs	
a) actifs immobilisés	a) $\dfrac{\text{Chiffre d'affaires net}}{\text{Actifs immobilisés moyens}}$
b) actif total	b) $\dfrac{\text{Chiffre d'affaires net}}{\text{Actif total moyen}}$
Tests de trésorerie (ou de liquidité)	
8. Fonds de roulement (ou liquidité générale)	$\dfrac{\text{Actif à court terme}}{\text{Passif à court terme}}$
9. Liquidité relative	$\dfrac{\text{Actifs disponibles et réalisables*}}{\text{Passif à court terme}}$
10. Taux de rotation des comptes clients	$\dfrac{\text{Chiffre d'affaires net à crédit}}{\text{Comptes clients nets moyens}}$
11. Taux de rotation des stocks	$\dfrac{\text{Coût des marchandises vendues}}{\text{Stocks moyens}}$
Tests de solvabilité et de structure financière	
12. Couverture des intérêts	$\dfrac{\text{Bénéfice net + Charge d'intérêts + Charge fiscale}}{\text{Charge d'intérêts}}$
13. Capitaux empruntés sur les capitaux propres	$\dfrac{\text{Passif total}}{\text{Capitaux propres}}$
Tests de marché	
14. Cours-bénéfice	$\dfrac{\text{Cours de l'action}}{\text{Résultat par action}}$
15. Rendement par action	$\dfrac{\text{Dividende par action}}{\text{Cours de l'action}}$

* Comprend la trésorerie, les placements à court terme et les comptes clients (montant net).

Les tests de rentabilité

La rentabilité est l'une des principales mesures permettant d'évaluer le succès global d'une entreprise. En effet, cette condition est essentielle à la survie de l'entreprise. Plusieurs **tests de rentabilité** mesurent si le bénéfice est suffisant en le comparant à divers éléments présentés aux états financiers. Le rendement des capitaux propres est un taux largement utilisé pour mesurer la rentabilité.

OBJECTIF D'APPRENTISSAGE 4

Calculer et interpréter les ratios de rentabilité.

Les **tests de rentabilité** permettent de comparer le bénéfice avec une ou plusieurs activités primaires.

1. Le rendement des capitaux propres (RCP)

Le rendement des capitaux propres (*return on equity* – ROE) est un ratio de rentabilité fondamental. Il établit le lien entre le bénéfice et l'investissement effectué par les propriétaires pour gagner des revenus. Il reflète le simple fait que les investisseurs s'attendent à gagner plus d'argent s'ils investissent davantage. Deux placements qui offrent un profit de 10 000 $ ne sont pas comparables si l'un exige un investissement de 100 000 $ et l'autre, un investissement de 250 000 $. Le rendement des capitaux propres se calcule ainsi[2] :

$$\text{Rendement des capitaux propres} = \frac{\text{Bénéfice net*}}{\text{Capitaux propres moyens}}$$

$$\text{Zenon 2004} = \frac{16\ 990\ \$}{214\ 429\ \$**} = 0{,}079 \text{ ou } 7{,}9\ \%$$

* Toutes les fois qu'on fait mention du bénéfice net, on doit normalement utiliser le bénéfice après impôts et avant éléments extraordinaires et activités abandonnées. Au Canada, les éléments extraordinaires sont assez rares, car les critères d'application sont très restrictifs. Il faut noter que le résultat par action doit être présenté pour chacun de ces éléments, ce qui permet d'évaluer leur incidence sur les bénéfices. Les chiffres sont présentés en milliers de dollars.

** Il est préférable d'utiliser la moyenne[3] des capitaux propres lorsque celle-ci est disponible. Pour Zenon, on la calcule ainsi : (276 650 $ + 152 207 $) ÷ 2 = 214 429 $.

En 2004, Zenon a réalisé un rendement de 7,9 % sur l'investissement fourni par les propriétaires. Ce rendement est-il élevé ou faible ? On peut répondre à cette question seulement en comparant ce taux à celui d'entreprises similaires. Le rendement des capitaux propres pour quatre autres entreprises du secteur est le suivant :

Analyse comparative		
Rendement des capitaux propres	**2004**	**2003**
Zenon	7,9 %	8,5 %
Bennett	−26,7	38,5
Newalta	17,2	14,8
Marsulex	4,9	7,3
Seprotech	−41,7	−6,0

On voit dans ce tableau que le rendement des capitaux propres de Zenon a diminué entre 2003 et 2004. Cependant, si on considère certaines entreprises du secteur, seule Newalta a accru son rendement des capitaux propres. Les autres entreprises ont diminué leur rendement de façon beaucoup plus significative que Zenon.

---

2. Les montants utilisés dans les exemples de calcul des ratios sont tirés des états financiers de la société Zenon (*voir le tableau 13.1 à la page 777*) et présentés en milliers de dollars. Les ratios comparatifs ont été calculés à partir des informations tirées des états financiers pour les années 2004, 2003 et 2002 de chacune des entreprises. Certains chiffres proviennent des notes aux états financiers qui ne sont pas présentées ici ; toutefois, elles sont disponibles dans les rapports annuels des entreprises.

3. Le bénéfice net comprend les activités d'une année complète. De ce fait, la moyenne des capitaux propres, qu'on veut comparer au bénéfice net, se calcule ainsi : on additionne le solde au début et le solde à la fin de l'exercice, puis on le divise par deux. Il s'agit d'une moyenne simple.

Lorsque l'on compare des entreprises entre elles, il faut être très vigilant. Même si Bennett exploite le secteur de l'environnement, il faut se rappeler que son activité principale consiste à traiter les sols contaminés. Newalta recycle des déchets industriels, et Marsulex aide les entreprises à se conformer aux normes environnementales. Les produits que ces entreprises exploitent sont donc très différents. En conséquence, la comparaison avec Zenon devient assez difficile. En somme, ce sont des compétiteurs indirects, mais leurs rendements démontrent la tendance du secteur de l'environnement qui, de façon similaire, subit l'influence de l'économie en général. Par contre, Seprotech invente, fabrique et vend des systèmes pour la purification de l'eau dans le secteur industriel. C'est un compétiteur direct. Son existence à long terme est actuellement remise en question, ce qui fait ressortir certaines difficultés du marché dans le domaine de la purification de l'eau. Bien que le rendement de Zenon soit positif et supérieur aux taux d'intérêt actuels sur les dépôts à terme, l'analyse révèle qu'il existe certains risques liés au secteur qui doivent être pris en considération pour prendre une décision d'investissement éclairée.

2. Le rendement de l'actif (RA)

Le concept du rendement du capital investi peut être examiné d'un autre œil si on établit la relation entre le bénéfice net et l'actif total (c'est-à-dire le total des investissements ou des ressources) utilisé pour produire des revenus. Plusieurs analystes considèrent le rendement de l'actif (également appelé le « rendement du capital investi » – RCI (*return on investment* – ROI) comme une meilleure mesure de la capacité de la direction d'utiliser ses actifs, car les méthodes de financement des actifs n'influent pas sur cette mesure. Par exemple, le rendement des capitaux propres pourrait être élevé pour une entreprise qui est lourdement endettée comparativement à une entreprise qui présente le même rendement pour un montant équivalent d'actif, mais qui est beaucoup moins endettée. Le rendement de l'actif se calcule ainsi :

$$\text{Rendement de l'actif} = \frac{\text{Bénéfice net}}{\text{Actif total moyen}}$$

$$\text{Zenon 2004} = \frac{16\,990\,\$}{306\,390\,\$^*} = 0,055 \text{ ou } 5,5\,\%$$

* On doit utiliser la moyenne du total de l'actif. Pour Zenon, cette moyenne est
(374 642 $ + 238 139 $) ÷ 2 = 306 390 $.

Analyse comparative		
Taux de rendement de l'actif	2004	2003
Zenon	5,5 %	5,6 %
Bennett	−22,3	28,3
Newalta	11,9	9,9
Marsulex	1,8	2,7
Seprotech	−19,3	−33,4

En 2004, Zenon a réalisé un rendement de 5,5 % (5,6 % en 2003) sur le total des ressources utilisées au cours de l'exercice. Comme on peut s'y attendre, le rendement de l'actif est habituellement plus faible que le rendement des capitaux propres, l'actif total représentant un montant plus élevé que les capitaux propres. On observe les mêmes relations entre les ratios que celles qui ont été constatées lors du calcul du rendement des capitaux propres, quoique celui de Seprotech se soit amélioré par rapport à sa situation déficitaire. L'analyse comparative nous montre encore une fois que Zenon utilise bien ses actifs et n'est surpassée que par Newalta.

Une autre formule qui est parfois utilisée consiste à additionner au numérateur la charge d'intérêts nette d'impôts ainsi :

$$\frac{\text{Bénéfice net + Charge d'intérêts (nette d'impôts)}}{\text{Actif total moyen}}$$

Selon cette notion du rendement de l'actif, l'investissement total provient des ressources que fournissent les propriétaires et les créanciers. Par conséquent, la mesure du rendement inclut à la fois le rendement des propriétaires et celui des créanciers. Pour calculer le rendement de l'actif, on ajoute la charge d'intérêts (déduction faite des impôts) au bénéfice, puisque les intérêts représentent le rendement des sommes investies par les créanciers. Il faut les ajouter, car les intérêts avaient été précédemment déduits pour calculer le bénéfice net. Après cette opération, le numérateur représente le rendement total disponible pour tous les fournisseurs de fonds, c'est-à-dire les propriétaires et les créanciers. On mesure la charge d'intérêts nette d'impôts. En effet, cette charge représente les frais nets que la société doit engager pour obtenir les fonds des créanciers. Le dénominateur représente le total des ressources fournies par les deux parties (les créanciers et les actionnaires). Pour Zenon, le rendement de l'actif pour 2004 ainsi calculé est de 5,6 %*, une différence de 0,1 %. Cette différence peut s'avérer plus grande pour des sociétés dont la charge d'intérêts est élevée. C'est le cas de Marsulex, qui passe de 1,8 % à 4,4 % de rendement de l'actif.

3. Le pourcentage du levier financier

Le pourcentage du levier financier (*percentage financial leverage*) est l'avantage ou le désavantage qui découle d'un rendement des capitaux propres différent du rendement de l'actif (c'est-à-dire le rendement des capitaux propres moins le rendement de l'actif).

Le ratio du **pourcentage de levier financier** décrit la relation qui existe entre le rendement sur les capitaux propres et le rendement de l'actif. Une entreprise a un levier positif lorsque son taux de rendement de l'actif est plus élevé que son taux d'intérêt moyen après impôts sur les fonds empruntés. Essentiellement, la société emprunte à un taux, et elle investit à un autre taux plus élevé. La plupart des entreprises ont des leviers positifs.

On peut mesurer le pourcentage du levier financier en comparant les deux rendements du capital investi ainsi :

$$\text{Pourcentage de levier financier} = \text{Rendement des capitaux propres} - \text{Rendement de l'actif}$$

Zenon 2004 = 7,9 % − 5,5 % = 2,4 % (levier positif) ; 2003 = 2,9 %

Lorsqu'une société est en mesure d'emprunter des fonds à un taux d'intérêt après impôts et de les investir pour gagner un taux de rendement après impôts plus élevé, la différence est inscrite au profit des propriétaires. La différence entre l'argent gagné par la société et le montant qu'elle paie en intérêts à ses créanciers est disponible pour les propriétaires de Zenon. La note 8 au rapport annuel 2004 de Zenon permet de calculer un taux moyen d'intérêt approximatif sur la dette à long terme de 2 % : 78 $ ÷ [(6 956 $ + 706 $) ÷ 2]. Zenon a investi ces sommes dans des actifs qui ont rapporté 5,5 %. La différence entre les revenus gagnés à partir des fonds empruntés et les intérêts payés aux créanciers est disponible pour les propriétaires de Zenon. Le levier financier est la principale raison pour laquelle la plupart des entreprises obtiennent une importante quantité de ressources de leurs créanciers plutôt qu'à partir de la vente de leurs actions. On peut améliorer les leviers financiers de deux façons : on investit de façon efficace (en obtenant un taux de rendement élevé sur les sommes investies) ou on emprunte de façon efficace (en payant un faible taux d'intérêt).

---

* Nous avons utilisé un taux d'impôts de 33 % pour effectuer les calculs.

En principe, un compétiteur qui affiche un meilleur pourcentage de levier financier utilise plus de dette dans sa structure de capital.

4. Le résultat par action

Le résultat par action (*earnings per share*) est basé sur le nombre d'actions en circulation plutôt que sur les montants en dollars inscrits au bilan. Dans le plus simple des cas[4], on calcule le résultat par action (RPA) ainsi :

$$\text{Résultat par action} = \frac{\text{Bénéfice net}}{\text{Moyenne pondérée du nombre d'actions ordinaires en circulation}}$$

$$\text{Zenon 2004} = \frac{16\,990\,\$}{30\,518^*} = 0,56\,\$ \text{ l'action}$$

* Cette information est obtenue dans la note 13 des états financiers.

Le résultat par action est sans doute le ratio le plus surveillé par les investisseurs et les analystes financiers. En général, les sociétés déclarent leur résultat par action chaque trimestre au cours de l'exercice en le publiant dans la presse d'affaires.

Dans l'actualité

Canada NewsWire

Les résultats du deuxième trimestre 2005 de ZENON Environmental inc. ont été décevants à cause des coûts juridiques exceptionnellement élevés et des délais de production qu'a occasionné le changement de technologie, qui est passé de la version 2 à la version 3 du ZeeWeed 1000. Ainsi, le bénéfice avant impôts du trimestre a été de 1,2 million de dollars (2004 : 5,3 millions de dollars) et le bénéfice net du trimestre a été de 918 000 $ ou 0,03 $ l'action (2004 : 4,5 millions de dollars, 0,15 $ par action). Pour le cumulatif de l'exercice à jour, le bénéfice net est de 2,6 millions de dollars ou 0,08 $ par action (2004 : 7,8 millions de dollars ou 0,27 $ par action). Nous prévoyons regagner cette perte de production au premier trimestre 2006.

Source : *Canada NewsWire,* [en ligne], www.canadanewswire.com, (page consultée le 16 septembre 2005). Traduction libre.

Analyse comparative		
Résultat par action	**2004**	**2003**
Zenon	0,56 $	0,45 $
Bennett	(1,01)	1,08
Newalta	1,33	1,14
Marsulex	0,15	0,22
Seprotech	(0,02)	(0,02)

On remarque la même consistance dans les résultats ci-dessus. Zenon s'est améliorée et elle n'est surpassée que par Newalta.

5. La qualité du bénéfice

Nombreux sont les analystes financiers qui s'inquiètent de la qualité des bénéfices d'une société, car certaines pratiques comptables qui génèrent des bénéfices plus élevés peuvent être adoptées. Par exemple, l'utilisation d'une durée de vie utile plus courte pour l'amortissement des actifs immobilisés rapporte un bénéfice net moins élevé que l'utilisation

---

4. La société doit présenter le résultat de *base* par action, le résultat *dilué* par action et tout résultat par action sur des éléments extraordinaires et des activités abandonnées. Par ailleurs, la présence d'actions privilégiées ou autres et une distribution de dividendes sur ces actions rendent le calcul du résultat par action plus difficile. Nous n'abordons pas ces calculs dans ce volume, car des notions avancées en comptabilité sont nécessaires à sa compréhension.

d'une durée de vie utile plus longue. Une mesure de la qualité du bénéfice (*quality of income*) d'une entreprise consiste à comparer le bénéfice net aux flux de trésoreries liés à l'exploitation de la manière suivante :

$$\text{Qualité du bénéfice} = \frac{\text{Flux de trésorerie liés à l'exploitation}}{\text{Bénéfice net}}$$

$$\text{Zenon 2004} = \frac{14\ 323\ \$}{16\ 990\ \$} = 0,84$$

On considère qu'un ratio supérieur à 1 indique des bénéfices de qualité plus élevée, puisque chaque dollar de bénéfice est soutenu par au moins 1 $ des flux de trésorerie. Un ratio inférieur à 1 représente des bénéfices de qualité inférieure.

Analyse comparative		
Qualité du bénéfice	**2004**	**2003**
Zenon	0,84	1,70
Bennett	−0,25	0,25
Newalta	1,51	1,49
Marsulex	5,14	4,30
Seprotech	−0,81	−0,89

Zenon a perdu beaucoup de terrain de 2003 à 2004. Marsulex est nettement en avant avec un ratio de 5,14, et Newalta présente un ratio acceptable à 1,51. Seprotech et Bennett n'ont pas généré des flux de trésorerie de leur exploitation, ce qui n'est pas bon signe. En effet, cela veut dire que ces sociétés doivent soit obtenir du financement, soit vendre des actifs pour soutenir leur exploitation.

6. Les pourcentages de la marge bénéficiaire

La marge bénéficiaire mesure le pourcentage de profit que génère chaque dollar de vente. On peut y calculer un pourcentage pour le bénéfice net (la marge bénéficiaire nette) et un pourcentage pour le bénéfice brut (la marge bénéficiaire brute).

a) La marge bénéficiaire nette

Le pourcentage de la marge bénéficiaire nette (*profit margin*) est basé sur deux montants qui figurent à l'état des résultats. On le calcule de la manière suivante :

$$\frac{\text{Pourcentage de la}}{\text{marge bénéficiaire nette}} = \frac{\text{Bénéfice net}}{\text{Chiffre d'affaires net}}$$

$$\text{Zenon 2004} = \frac{16\ 990\ \$}{233\ 795\ \$} = 0,0726 \text{ ou } 7,3\ \%$$

Cette mesure de la rentabilité représente le bénéfice net moyen (en pourcentage) réalisé pour chaque dollar de vente. Dans le cas de Zenon, chaque dollar de vente a produit 7,3 ¢ de profit en 2004 (6,8 ¢ en 2003), une amélioration sur l'année précédente.

Analyse comparative		
Pourcentage de la marge bénéficiaire nette	**2004**	**2003**
Zenon	7,3 %	6,8 %
Bennett	−73,2	26
Newalta	20,3	17,3
Marsulex	3,6	5,1
Seprotech	−12,2	−15,3

Si on compare Zenon avec Newalta, il y a place à l'amélioration. Cependant, la marge bénéficiaire nette de Zenon est nettement supérieure à celle des autres entreprises dans le domaine en 2004.

Il faut être prudent lorsqu'on analyse la marge bénéficiaire nette puisqu'elle ne tient pas compte du montant des ressources employées (par exemple le total des investissements ou l'actif total) afin de gagner des revenus. La comparaison des marges bénéficiaires pour des entreprises qui évoluent dans des secteurs différents est difficile. Par exemple, les marges bénéficiaires dans le secteur de l'alimentation sont faibles, tandis qu'elles sont élevées dans le secteur de la bijouterie. Ces deux types d'entreprises peuvent être très rentables, car un volume de ventes important peut compenser une marge bénéficiaire nette peu élevée. Les épiceries ont des marges faibles, mais elles produisent un volume de ventes élevé à partir de magasins sobres et de stocks relativement bon marché. Les bijouteries peuvent gagner des profits plus élevés pour chaque dollar de vente, mais elles doivent effectuer d'importants placements dans des boutiques luxueuses et des stocks très coûteux. On peut donc énoncer cette relation entre la marge bénéficiaire nette et le volume des ventes en termes très simples : préféreriez-vous gagner 5 % de 1 000 000 $ ou 10 % de 100 000 $? Comme vous pouvez le constater, un pourcentage élevé n'est pas toujours le meilleur choix.

b) La marge bénéficiaire brute

On emploie souvent le terme « marge bénéficiaire ». Ce terme laisse sous-entendre qu'on parle de la marge bénéficiaire nette et non de la marge bénéficiaire brute. Pour calculer le bénéfice brut, on soustrait le coût des marchandises vendues du chiffre d'affaires net. On calcule le pourcentage de cette marge ainsi :

$$\text{Pourcentage de la marge bénéficiaire brute} = \frac{\text{Bénéfice brut}}{\text{Chiffre d'affaires net}}$$

$$\text{Zenon 2004} = \frac{89\ 223\ \$}{233\ 795\ \$} = 0{,}3816 \text{ ou } 38{,}2\ \% \ (39{,}3\ \% \text{ en 2003 et 35 \% en 2002)}$$

Dans son rapport annuel 2004, la société dit avoir maintenu sa marge bénéficiaire brute malgré un marché compétitif et l'accroissement du dollar canadien. La société a mieux contrôlé ses dépenses, a fait appel à des techniques de couverture pour se protéger contre les fluctuations du taux de change et a développé une technologie de production plus efficace et moins chère. Il nous est impossible de faire des comparaisons avec les entreprises du secteur, car celles-ci ne présentent pas de chiffre de marge brute, comme la majorité des entreprises canadiennes. C'est une information fort utile pour les compétiteurs. Comme les normes canadiennes n'obligent pas sa divulgation, plusieurs entreprises s'en abstiennent.

7. Les taux de rotation des actifs

Un autre indicateur clé de l'efficacité de la direction est sa capacité d'utiliser efficacement les ressources dont elle dispose. Le taux de rotation des actifs immobilisés (*fixed asset turnover ratio*) et le taux de rotation de l'actif total (*total asset turnover ratio*) mesurent la capacité de la direction à réaliser des ventes à partir d'un niveau donné d'investissement dans les actifs. Le terme « actif immobilisé » est synonyme d'« immobilisation corporelle ». On calcule les taux de la manière suivante :

a)

$$\text{Le taux de rotation des actifs immobilisés} = \frac{\text{Chiffre d'affaires net}}{\text{Actifs immobilisés moyens}}$$

$$\text{Zenon 2004} = \frac{233\ 795\ \$}{96\ 430\ \$^*} = 2{,}42$$

* La moyenne des actifs immobilisés nette est (104 306 $ + 88 553 $) ÷ 2 = 96 430 $.

b)

$$\text{Le taux de rotation de l'actif total} = \frac{\text{Chiffre d'affaires net}}{\text{Actif total moyen}}$$

$$\text{Zenon 2004} = \frac{233\ 795\ \$}{306\ 390\ \$^*} = 0,76$$

* La moyenne de l'actif total est (374 642 $ + 238 139 $) ÷ 2 = 306 390 $.

Le taux de rotation des actifs immobilisés est largement utilisé pour analyser les sociétés très capitalisées (beaucoup d'actifs immobilisés) comme les compagnies aériennes et les services d'électricité. Le taux de rotation de l'actif total est utilisé pour les sociétés qui ont de plus grandes quantités de stocks et de comptes clients ou toute autre société.

Ainsi, Zenon n'étant pas une société hautement capitalisée, nous utiliserons le taux de rotation de l'actif total pour faire notre analyse.

Analyse comparative		
Qualité du bénéfice	**2004**	**2003**
Zenon	0,76	0,81
Bennett	0,31	1,09
Newalta	0,59	0,57
Marsulex	0,50	0,53
Seprotech	1,58	2,19

Le taux de rotation de l'actif total pour Zenon en 2004 est supérieur à celui de Newalta, de Bennett et de Marsulex. En termes simples, Zenon a un avantage concurrentiel sur ces trois entreprises à cause de sa capacité d'utiliser efficacement ses actifs (comptes clients, stocks, actifs immobilisés et autres) afin de produire des revenus. Pour chaque dollar que Zénon a investi dans son actif, elle est en mesure de gagner 0,76 $ de chiffre d'affaires. Newalta ne peut gagner que 0,59 $, Bennett 0,31 $ et Marsulex, 0,50 $. Cette comparaison est extrêmement importante, car elle révèle que la direction de Zenon est capable de gérer les activités de la société plus efficacement que les entreprises du secteur. Par ailleurs, Seprotech présente un taux de rotation de l'actif total nettement supérieur (1,58). Cela signifie-t-il que Seprotech utilise de manière plus efficace ses actifs ? Sans doute, mais on constate que Seprotech est en difficulté financière et qu'elle a vendu une bonne partie de ses actifs immobilisés consacrés aux activités de laboratoire environnemental, car celles-ci n'étaient pas rentables. Par conséquent, elle est beaucoup moins capitalisée que Zenon et les autres entreprises.

Certains analystes considèrent l'amélioration du taux de rotation de l'actif total dans le temps comme une indication de la qualité de la direction. Zenon est passée de 0,81 en 2003 à 0,76 en 2004, une diminution minime mais plus importante que celles de Marsulex et Newalta. Il y a donc place à l'amélioration.

TEST D'AUTOÉVALUATION

Donnez l'équation permettant de calculer les ratios suivants :
1. le taux de rendement des capitaux propres ;
2. le taux de rendement de l'actif total ;
3. la marge bénéficiaire nette.

Vérifiez vos réponses à l'aide des solutions présentées en bas de page*.

---

* 1. Bénéfice net ÷ Capitaux propres moyens

   2. Bénéfice net ÷ Actif total moyen

   3. Bénéfice net ÷ Chiffre d'affaires net

OBJECTIF
D'APPRENTISSAGE **5**

Calculer et interpréter les ratios de trésorerie ou de liquidité.

Les **tests de trésorerie** (ou **de liquidité**) mesurent la capacité d'une entreprise à respecter ses obligations lorsque celles-ci arrivent à échéance.

Les tests de trésorerie ou de liquidité

La trésorerie (ou la liquidité) indique la capacité d'une entreprise de rembourser ses dettes arrivées à échéance. Les **tests de trésorerie** (ou **de liquidité**) se concentrent sur la relation qui existe entre les actifs à court terme et les passifs à court terme. La capacité d'une entreprise de régler ses dettes à court terme constitue un important facteur pour évaluer ses forces financières à court terme. Par exemple, une société ne disposant pas de liquidité pour payer ses achats au moment convenu perdra ses escomptes de caisse. De plus, ses fournisseurs risquent de lui retirer son crédit. On utilise deux ratios pour mesurer la liquidité : le ratio du fonds de roulement (ou le ratio de liquidité générale) et le ratio de liquidité relative. Il ne faut pas oublier que le fonds de roulement *net* (*working capital*) n'est pas un ratio, car il représente la différence en dollars entre le total de l'actif à court terme et le total du passif à court terme. Le fonds de roulement *net* est différent du *ratio* du fonds de roulement (*current ratio*) que nous examinons ci-dessous.

8. Le fonds de roulement

Le ratio du **fonds de roulement** ou le ratio de **liquidité générale** (*current ratio*) mesure la relation qui existe entre le total de l'actif à court terme et le total du passif à court terme à une date précise.

On le calcule de la manière suivante :

$$\text{Ratio du fonds de roulement (ou liquidité générale)} = \frac{\text{Actif à court terme}}{\text{Passif à court terme}}$$

$$\text{Zenon 2004} = \frac{233\,458\,\$}{85\,531\,\$} = 2{,}73$$

Le ratio du fonds de roulement mesure les fonds préservés pour tenir compte de l'inégalité inévitable des flux monétaires liés aux postes du fonds de roulement. C'est la raison pour laquelle on appelle ce rapport, plus souvent qu'autrement, le « ratio du fonds de roulement » plutôt que le « ratio de liquidité générale ». À la fin de l'exercice, l'actif à court terme de Zenon représentait 2,73 fois le passif à court terme ou, pour 1 $ de passif à court terme, il y avait 2,73 $ d'actif à court terme.

Pour utiliser judicieusement le ratio du fonds de roulement, les analystes doivent comprendre la nature des affaires d'une entreprise. La plupart des entreprises ont élaboré un système complexe pour réduire la quantité de stocks qu'elles doivent détenir. Ce système s'appelle la **méthode juste-à-temps.** Cette dernière est conçue pour qu'un article arrive au moment où il est nécessaire. Ce système fonctionne bien dans les processus de fabrication, mais il n'est pas aussi approprié dans le secteur de la vente au détail. Les clients s'attendent à obtenir immédiatement les biens qu'ils souhaitent acheter, et le comportement des consommateurs est difficile à prévoir avec précision. En conséquence, la plupart des détaillants ont d'importantes quantités de stocks et leur ratio du fonds de roulement est donc élevé. Pour illustrer cette situation, Home Depot conserve plus de 50 000 différents produits en stock dans chaque magasin. Ses stocks représentent plus de 25 % de son actif (au 1er janvier 2005). Les stocks de Zenon ne représentent que 6 % de son actif à cette même date. Par contre, ses comptes clients sont élevés. Ils représentent près de 12 % de son actif total, ce qui n'est pas le cas de Home Depot avec un taux d'un peu moins de 4 %. Ainsi, le ratio acceptable est différent d'un secteur à l'autre.

En général, les analystes considèrent un ratio du fonds de roulement de 2 comme prudent. En fait, la plupart des entreprises ont des ratios du fonds de roulement inférieurs à 2. Le niveau optimal pour le ratio du fonds de roulement est fonction du milieu d'affaires dans lequel la société est exploitée. Si les flux de trésorerie sont prévisibles et stables (par exemple pour une entreprise de services publics), le ratio du fonds de roulement gravite autour de 1 et peut même être inférieur à 1. Pour une entreprise qui a des flux de trésorerie très variables, par exemple les compagnies aériennes, un ratio de liquidité générale plus près de 2 peut être souhaitable.

Analyse comparative		
Fonds de roulement (liquidité générale)	**2004**	**2003**
Zenon	2,73	1,59
Bennett	4,08	3,19
Newalta	1,68	2,35
Marsulex	2,02	2,10
Seprotech	0,46	0,83

La plupart des analystes estiment que le ratio de liquidité générale de Zenon est approprié, compte tenu de ses flux de trésorerie variables et de la nécessité d'accorder du crédit à ses clients pour obtenir des ventes. Le ratio a augmenté de 2003 à 2004, car une partie d'une rentrée importante de liquidités, à la suite de l'émission d'actions, a été investie temporairement dans des placements à court terme, sommes qui seront utilisées pour l'expansion de l'entreprise (l'amélioration des installations actuelles, l'achat de sociétés complémentaires selon la stratégie de l'entreprise, l'expansion de ses installations à travers le monde). On remarque que Bennett a un ratio très élevé, car le risque est plus élevé par suite de la perte importante en 2004. Puisque Seprotech n'a pas les liquidités nécessaires pour faire face à son passif à court terme et fonctionne à perte, son avenir est incertain.

Un ratio peut-il alors être trop élevé? Dans le cas d'une entreprise comme Home Depot, un ratio de 2,73 serait très élevé compte tenu de la capacité de l'entreprise à produire des liquidités. En effet, il est possible que le ratio de liquidité générale soit trop élevé. On considère généralement qu'il est inefficace d'immobiliser trop d'argent dans les stocks ou les comptes clients. Si un magasin de Home Depot vend 100 marteaux durant le mois, aucune raison ne justifie qu'il en conserve 1 000 en stock. Un ratio du fonds de roulement très élevé peut également indiquer des problèmes d'exploitation importants, comme c'est le cas de Bennett.

9. La liquidité relative

Le ratio de **liquidité relative** (*quick ratio*) est similaire au ratio du fonds de roulement (ou de liquidité générale), sauf qu'il constitue un ratio plus rigoureux des liquidités à court terme. La caisse, les placements à court terme ainsi que les comptes clients nets sont des actifs disponibles et réalisables, car ils sont rapidement convertibles en espèces. Les stocks sont habituellement omis parce que le moment de leur réalisation en espèces est incertain. Il n'est pas possible de savoir précisément quand les stocks seront vendus dans l'avenir. Les charges payées d'avance sont aussi exclues des actifs disponibles et réalisables ainsi que les actifs d'impôts futurs à court terme. On calcule ce ratio de la manière suivante:

$$\text{Liquidité relative} = \frac{\text{Actifs disponibles et réalisables}}{\text{Passif à court terme}}$$

$$\text{Zenon 2004} = \frac{38\ 631\ \$ + 161\ \$ + 76\ 736\ \$ + 46\ 488\ \$ + 1\ 747\ \$}{85\ 531\ \$} = 1,91$$

Analyse comparative		
Liquidité relative	**2004**	**2003**
Zenon	1,91	0,92
Bennett	3,46	3,01
Newalta	1,30	1,88
Marsulex	1,88	1,86
Seprotech	0,24	0,52

Le ratio de liquidité relative indique qu'à la fin de 2004, Zenon dispose de 1,91 $ en trésorerie et équivalences de trésorerie ainsi qu'en comptes clients pour chaque dollar de passif à court terme. Il s'agit d'une marge de sécurité plus qu'adéquate et ne constitue pas une source de préoccupation pour les analystes, d'autant plus que la société a produit des liquidités importantes à partir de ses activités d'exploitation. En comparaison, le ratio de liquidité relative de Seprotech semble très insuffisant et constitue un indice de plus aux difficultés qu'éprouve cette société.

Les analystes se préoccuperaient-ils d'un ratio plus faible de Zenon ? La réponse doit être nuancée. L'état des flux de trésorerie de Zenon montre que la société a produit une très grande quantité de liquidités à partir de ses activités d'exploitation durant l'exercice. Si Zenon peut continuer à produire des liquidités provenant de ses activités d'exploitation, elle ne sera pas obligée de conserver de grandes quantités d'espèces en réserve pour répondre à des besoins imprévus. Par ailleurs, la plupart des analystes croient que les entreprises doivent être prudentes pour ne pas avoir un ratio de liquidité immédiate trop élevé. En réalité, le fait de détenir des liquidités excédentaires est en général peu économique. Il est de loin préférable d'investir les liquidités dans les actifs productifs ou de réduire les dettes de l'entreprise.

Les liquidités à court terme ainsi que l'efficacité de la direction en matière d'exploitation peuvent se mesurer en fonction du taux de rotation de certains actifs à court terme. Deux ratios supplémentaires permettent de mesurer la rapidité de transformation des actifs en trésorerie. Il s'agit du taux de rotation des comptes clients et du taux de rotation des stocks.

10. Le taux de rotation des comptes clients

Les comptes clients sont liés de près à la trésorerie ainsi qu'à l'efficacité des opérations. Une société qui peut récupérer rapidement les sommes dues par les clients démontre une meilleure liquidité qu'une société qui éprouve des difficultés à récupérer les sommes dues. Les fonds de cette dernière sont ainsi retenus dans des actifs non productifs. Le taux de rotation des comptes clients (*receivable turnover*) se calcule de la manière suivante :

$$\text{Taux de rotation des comptes clients} = \frac{\text{Chiffre d'affaires net à crédit*}}{\text{Comptes clients nets moyens}}$$

$$\text{Zenon 2004} = \frac{233\ 795\ \$}{47\ 674\ \$**} = 4,9 \text{ fois}$$

* Lorsque le chiffre d'affaires net à *crédit* n'est pas disponible, on utilise le chiffre d'affaires net comme approximation.
** (46 488 $ + 48 860 $) ÷ 2 = 47 674 $

Un taux de rotation des comptes clients élevé laisse entendre que la société gère ses activités de crédit et de recouvrement avec efficacité. Lorsqu'une entreprise accorde du crédit à des clients dont le risque de crédit est élevé et qu'elle déploie des efforts de recouvrement inefficaces, ce ratio diminue. Un très faible ratio révèle de toute évidence des problèmes, mais un ratio très élevé peut aussi dévoiler des difficultés. En effet, lorsque le ratio est très élevé, cela signifie peut-être que l'entreprise adopte une ligne de conduite en matière de crédit trop sévère qui pourrait provoquer des pertes dans le cas des ventes et des profits.

Analyse comparative		
Taux de rotation des comptes clients	2004	2003
Zenon	4,9 fois	4,5 fois
Bennett	1,2 fois	3,4 fois
Newalta	5 fois	5,3 fois
Marsulex	6,6 fois	6 fois
Seprotech	10 fois	9,7 fois

Pour Zenon, le taux de rotation s'est légèrement amélioré de 2003 à 2004, et ce taux semble dans la norme de l'industrie (comparable à celui de Newalta et de Marsulex). Rappelons que Bennett a eu un exercice financier désastreux en 2004 et que sa gestion des comptes clients en souffre.

Le ratio de rotation des comptes clients est souvent converti en une base temporelle appelée le « **délai moyen de recouvrement des comptes clients** » (*average age of receivables*). On le calcule de la manière suivante :

$$\text{Délai moyen de recouvrement des comptes clients} = \frac{365}{\text{Rotation des comptes clients}}$$

$$\text{Zenon 2004} = \frac{365}{4,9} = 74,5 \text{ jours de crédit aux clients}$$

L'efficacité des activités de crédit et de recouvrement est parfois jugée à l'aide d'une règle générale. Selon cette règle, le délai moyen de recouvrement ne doit pas excéder une fois et demie les modalités de crédit. Par exemple, si les modalités de crédit exigent un paiement dans 30 jours, le délai de recouvrement des comptes clients ne doit pas dépasser 45 jours (autrement dit pas plus de 15 jours après la date d'exigibilité). Cette règle, comme toutes les règles générales, comporte de nombreuses exceptions.

Lorsque vous évaluez des états financiers, vous devez toujours réfléchir à l'aspect raisonnable des montants calculés. On a évalué que le délai moyen de recouvrement des comptes clients de Zenon atteignait 74,5 jours. Ce montant est-il raisonnable ? Il semble un peu élevé, mais il est probable que Zenon récupère les sommes dues de ses clients en moyenne en 74,5 jours. Le fait d'avoir utilisé le chiffre d'affaires total au lieu du chiffre d'affaires à crédit n'influe d'aucune façon sur le ratio de Zenon, car celle-ci effectue peu de ventes contre espèces. La situation est différente pour les magasins de vente au détail, où la majorité des ventes se font contre espèces ou avec une carte de crédit qu'on traite comme des espèces (il ne faut pas oublier qu'une vente faite avec une carte de crédit ne crée pas de comptes clients dans les livres du vendeur, mais plutôt dans les livres de la société émettrice de cartes de crédit). Ainsi, pour une entreprise comme Home Depot, le taux de rotation des comptes clients n'est pas significatif, car il comprend peu de comptes clients, ce qui n'est pas le cas de Zenon. Cette dernière vend des systèmes coûteux, et il est normal que les termes de crédit accordés à ses clients soient plus incitatifs à l'achat et comprennent des délais de recouvrement importants. Il faut aussi noter que plusieurs clients de Zenon sont des gouvernements (des municipalités et autres) et que le temps de recouvrement de ces comptes est en général plus long à cause de la procédure administrative. En revanche, ces comptes sont habituellement moins risqués. Il y a cependant place à l'amélioration, car les délais de recouvrement des comptes clients de deux des entreprises du secteur se situent entre 37 et 55 jours. Par contre, le délai de recouvrement des comptes clients de Zenon s'est amélioré par rapport à l'exercice 2003 alors qu'il s'élevait à 81 jours.

11. Le taux de rotation des stocks

Comme le taux de rotation des comptes clients, le taux de rotation des stocks (*inventory turnover*) est une mesure de liquidité et d'efficacité opérationnelle. Le ratio reflète la relation qui existe entre les stocks et le volume de marchandises vendues durant l'exercice. On le calcule de la manière suivante :

$$\text{Taux de rotation des stocks} = \frac{\text{Coût des marchandises vendues}}{\text{Stocks moyens}}$$

$$\text{Zenon 2004} = \frac{144\,572\,\$}{55\,210\,\$^*} = 2,6 \text{ fois}$$

* (62 679 $ + 47 741 $) ÷ 2 = 55 210 $. Les montants comprennent les stocks et les contrats en cours.

On remarque que pour Zenon, le coût des marchandises vendues inclut la vente de marchandises et de services. On n'a pas le détail de ces deux éléments et, par conséquent, le taux de rotation des stocks ne peut être calculé avec précision. Il faut aussi noter que l'entreprise a comptabilisé des produits non facturés de ses contrats en cours à l'actif à court terme. Pour établir une relation entre le numérateur et le dénominateur, il faut en tenir compte. Cela étant dit, les stocks de produits et les revenus non facturés des contrats en cours de Zenon ont connu une rotation de 2,6 fois au cours de l'exercice. Puisque des profits sont normalement enregistrés chaque fois que les stocks sont vendus ou les services rendus (ils ont alors effectué une rotation), une augmentation du ratio est en général favorable. Cependant, si ce ratio est trop élevé, il est possible que la société perde des ventes, car les articles ne sont plus en stock. Le coût d'une vente perdue est souvent plus élevé que le profit perdu. Lorsqu'une entreprise n'a pas la marchandise désirée par le consommateur, ce dernier se rendra chez le compétiteur pour se le procurer. Cette visite peut permettre au compétiteur d'établir un lien d'affaire avec le client. Ainsi, le coût lié au fait de manquer de stock peut se solder par une perte de profit futur à cause de la perte d'un client.

Le taux de rotation des stocks n'est pas important pour une entreprise comme Zenon, car elle produit généralement sur commande comme toutes les entreprises du secteur. Par contre, le taux de rotation des stocks est essentiel pour les entreprises de vente au détail lorsqu'elles veulent améliorer leur service, ce qui signifie répondre promptement à la demande des clients et offrir des prix inférieurs à ceux des compétiteurs. Si ces entreprises ne gèrent pas de manière efficace leur niveau de stocks, elles devront engager des frais supplémentaires que les clients devront assumer. Home Depot affiche un taux de rotation des stocks de 5,1 fois en 2004. Il est donc important pour cette entreprise de disposer de systèmes informatiques performants pour le transfert rapide des données, car cela peut faire en sorte de maintenir ou d'accroître le taux de rotation des stocks.

Il faut noter qu'au Canada, il est souvent impossible de calculer de façon précise le taux de rotation des stocks parce que plusieurs entreprises ne dévoilent pas le coût des marchandises vendues. Ce coût est souvent groupé avec les charges d'exploitation. La divulgation du coût des marchandises vendues est obligatoire aux États-Unis mais non au Canada. Parfois, on utilise le chiffre d'affaires comme numérateur au lieu du coût des marchandises vendues, ce qui donne une approximation du taux de rotation des stocks. Cette mesure est moins fiable pour comparer des entreprises d'un secteur à l'autre à cause des marges bénéficiaires qui sont incluses dans le chiffre d'affaires. Les taux de rotation des stocks varient considérablement selon le classement industriel. Les sociétés évoluant dans le secteur de l'alimentation (les épiceries et les restaurants) ont des taux de rotation des stocks élevés puisque leurs stocks subissent une détérioration rapide de la qualité. Les sociétés qui vendent des marchandises coûteuses (les concessionnaires et les créateurs de vêtements de haute couture) ont des taux beaucoup plus faibles, car les ventes de ces articles sont rares et les clients souhaitent pouvoir choisir parmi une gamme de produits lorsqu'ils font leurs achats.

Le taux de rotation des stocks est souvent converti sous une forme temporelle appelée le « **délai moyen d'écoulement des stocks** » (*average days supply in inventory*). Ce délai se calcule de la manière suivante :

$$\text{Délai moyen d'écoulement des stocks} = \frac{365}{\text{Rotation des stocks}}$$

$$\text{Zenon 2004} = \frac{365}{2,6} = 140 \text{ jours}$$

Pour Zenon, ce délai est probablement raisonnable si on tient compte que les clients commandent de gros systèmes de filtration fabriqués sur mesure. Ce délai serait inapproprié pour Home Depot.

L'utilisation des ratios pour analyser le cycle d'exploitation

Au chapitre 3, nous avons introduit la notion de cycle d'exploitation qui représente le temps qu'une société prend pour payer ses fournisseurs, vendre les biens à ses clients et récupérer les sommes dues de ses clients. Les analystes s'intéressent au cycle d'exploitation car, pour chaque entreprise, il permet d'évaluer ses besoins en liquidité et l'efficacité de ses administrateurs.

Le cycle d'exploitation de chaque entreprise comprend normalement trois phases distinctes : l'achat de stocks, la vente de stocks et l'encaissement de sommes dues par les clients. Voici quelques ratios utiles pour analyser le cycle d'exploitation d'une entreprise :

Ratios	Activités d'exploitation
Taux de rotation des comptes fournisseurs*	Achat de stocks
Taux de rotation des stocks	Vente de stocks
Taux de rotation des comptes clients	Recouvrement des sommes dues par les clients

* Voir le chapitre 9.

Chacun des ratios mesure le nombre de jours qu'il faut, en moyenne, pour compléter le cycle d'exploitation. Deux de ces ratios ont été calculés pour Zenon. Si on calcule à présent le taux de rotation des comptes fournisseurs, on peut analyser le cycle d'exploitation.

$$\text{Taux de rotation des comptes fournisseurs} = \frac{\text{Coût des marchandises vendues}}{\text{Comptes fournisseurs moyens}}$$

$$\text{Zenon 2004} = \frac{144\,572\,\$}{49\,498\,\$^*} = 2,9 \text{ fois}$$

* (52 536 \$ + 46 460 \$) ÷ 2 = 49 498 \$. Il s'agit ici des comptes fournisseurs et des frais courus ; les comptes fournisseurs ne sont pas divulgués séparément.

$$\text{Délai moyen de paiement des comptes fournisseurs} = \frac{365}{\text{Taux de rotation des comptes fournisseurs}}$$

$$\text{Zenon 2004} = \frac{365}{2,9} = 125,9 \text{ jours pour payer les fournisseurs}$$

La durée des composantes du cycle d'exploitation de Zenon se présente ainsi :

Ratios	Temps
Taux de rotation des comptes fournisseurs	125,9 jours
Taux de rotation des stocks	140 jours
Taux de rotation des comptes clients	74,5 jours

Les composantes du cycle d'exploitation aident à comprendre les besoins en liquidité de la société. Zenon paie en moyenne sa marchandise 126 jours après l'avoir reçue. Elle prend, en moyenne, 214,5 jours (140 + 74,5) pour vendre et récupérer les sommes dues de ses clients. Ainsi, Zenon doit investir des liquidités dans ses activités d'exploitation durant environ 88,6 jours entre le moment où elle paie ses fournisseurs et le moment où elle encaisse les sommes dues par les clients. Les sociétés préfèrent minimiser le temps entre le paiement aux fournisseurs et l'encaissement des sommes dues des clients, car les liquidités sont ainsi disponibles pour d'autres activités productives. Zenon pourrait diminuer ce temps en ralentissant le paiement à ses créanciers ou en augmentant son taux de rotation des stocks.

TEST D'AUTOÉVALUATION

Donnez l'équation permettant de calculer les ratios suivants :

1. la qualité du bénéfice ;
2. le ratio de liquidité relative ;
3. le taux de rotation des comptes clients.

Vérifiez vos réponses à l'aide des solutions présentées en bas de page*.

OBJECTIF D'APPRENTISSAGE 6

Calculer et interpréter les ratios de solvabilité et de structure financière.

Les **tests de solvabilité** comprennent des ratios qui permettent de mesurer la capacité d'une société de satisfaire à ses obligations à long terme.

Les tests de solvabilité et de structure financière

La solvabilité désigne la capacité d'une entreprise de satisfaire à ses obligations à long terme. Les **tests de solvabilité** permettent de mesurer la capacité d'une entreprise à respecter ses obligations à long terme. Ces mesures comprennent le ratio de couverture des intérêts et le ratio des capitaux empruntés sur les capitaux propres.

12. La couverture des intérêts

Les paiements d'intérêts sont des obligations fixes pour l'entreprise. À la suite d'un manquement aux paiements des intérêts requis, les créanciers peuvent acculer une entreprise à la faillite. En raison de l'importance des paiements d'intérêts, les analystes calculent souvent un ratio appelé le «ratio de couverture des intérêts» (*times interest earned*). Ce ratio se calcule de la manière suivante :

$$\text{Ratio de couverture des intérêts} = \frac{\text{Bénéfice net + Charge d'intérêts + Charge fiscale}}{\text{Charge d'intérêts}}$$

$$\text{Zenon 2004} = \frac{16\ 990\ \$ + 78\ \$^* + 801\ \$}{78\ \$} = 229\ \text{fois}$$

* De la note 8 aux états financiers.

Ce ratio permet de comparer le montant des bénéfices réalisés au cours de l'exercice aux intérêts engagés durant le même exercice. Il représente la marge de protection pour les créanciers. Zenon a engendré 229 $ de bénéfices pour chaque dollar de charge d'intérêts en 2004 comparativement à 1 925 $ en 2003.

Analyse comparative		
Ratio de couverture des intérêts	2004	2003
Zenon	229 fois	1925 fois
Bennett	−167 fois	506 fois
Newalta	28,1 fois	12,7 fois
Marsulex	1,2 fois	1,8 fois
Seprotech	−4,9 fois	−8,3 fois

Zenon est très peu endettée, ce qui signifie que le risque est plus faible pour les investisseurs. L'émission d'actions et les liquidités générées par l'exploitation suffisent à financer adéquatement l'entreprise pour le moment. Elle peut donc facilement s'endetter dans le futur pour financer une expansion plus grande.

---

* 1. Flux de trésorerie liés à l'exploitation ÷ Bénéfice net
2. Actifs disponibles et réalisables ÷ Passif à court terme
3. Chiffre d'affaires net à crédit ÷ Comptes clients nets moyens

Zenon est d'ailleurs dans une position plus favorable que les entreprises du secteur qui sont nettement plus endettées. Les ratios de Seprotech et de Bennett indiquent qu'elles présentent un risque important. Zenon occupe une position assez rassurante pour les créanciers. Certains analystes préfèrent calculer ce ratio en incluant tous les paiements requis selon les contrats. Ils englobent les paiements de capital sur les dettes ainsi que les obligations locatives en vertu des contrats de location.

D'autres analystes estiment que ce ratio est sans fondement parce que les frais d'intérêts de même que les autres obligations sont payés en espèces et non à partir du bénéfice net. Ils préfèrent calculer le **ratio de couverture des liquidités**, qui consiste à diviser les flux de trésorerie générés par l'exploitation avant charge d'intérêts et charge fiscale, par les intérêts payés. Pour Zenon, le calcul de ce ratio donne 36,8 fois ([14 323 $ + 78 $ + 801 $] ÷ 413 $), ce qui indique que la société a presque produit 37 $ en espèces pour chaque dollar d'intérêts versés. Il s'agit d'une excellente couverture. Il faut noter que le dénominateur du ratio représente les paiements d'intérêts divulgués à l'état des flux de trésorerie plutôt que la charge d'intérêts.

13. Les capitaux empruntés sur les capitaux propres

Ce ratio exprime la proportion entre les dettes et les capitaux propres. On le calcule de la manière suivante :

$$\frac{\text{Capitaux empruntés}}{\text{sur les capitaux propres}} = \frac{\text{Passif total}}{\text{Capitaux propres}}$$

$$\text{Zenon 2004} = \frac{97\,992\,\$}{276\,650\,\$} = 0,35 \text{ ou } 35\,\%$$

Ce ratio signifie que, pour chaque dollar de capitaux propres, il y a 0,35 $ de passif.

Les dettes sont risquées pour une société, car elles imposent des obligations contractuelles importantes : 1) des dates d'échéance précises pour le remboursement du capital et 2) des paiements d'intérêts fixes qui doivent être effectués. Les obligations découlant de la dette sont recouvrables ou exécutoires en vertu de la loi et ne sont pas fonction des bénéfices de l'entreprise. Par ailleurs, le versement d'un dividende aux actionnaires est toujours laissé à la discrétion de l'entreprise, et il n'est pas légalement exigible avant d'être déclaré par le conseil d'administration. Les capitaux propres constituent le capital « permanent », qui n'a pas de date d'échéance. Ainsi, les capitaux propres sont en général considérés comme beaucoup moins risqués que la dette pour une entreprise.

En dépit des risques liés à la dette, la plupart des entreprises obtiennent des quantités importantes de ressources de leurs créanciers en raison des avantages tirés du levier financier que nous avons abordé plus tôt dans ce chapitre. De plus, les intérêts représentent une charge déductible dans la déclaration de revenus. En choisissant une structure financière, une société doit tenter de trouver un équilibre entre les rendements plus élevés que lui offre le levier et les risques plus élevés rattachés à la dette. En raison de l'importance de la relation entre le risque et le rendement, la plupart des analystes estiment que les ratios d'endettement constituent une composante clé de l'évaluation d'une entreprise.

Analyse comparative des capitaux empruntés sur les capitaux propres		
	2004	2003
Zenon	0,35	0,57
Bennett	0,12	0,29
Newalta	0,54	0,36
Marsulex	1,68	1,79
Seprotech	0,95	1,38

Dans ce tableau comparatif, on voit que Zenon a diminué son niveau d'endettement entre 2003 et 2004, ce qui est conforme aux entreprises du secteur à l'exception de Newalta. On se rappelle que Zenon a fait une émission importante d'actions en 2004. La société est en pleine expansion. Avec cette structure financière, elle peut facilement obtenir du crédit au besoin. Par ailleurs, on peut aussi affirmer qu'elle aurait avantage à utiliser davantage la dette pour bénéficier du levier financier. Bennett a également effectué une importante émission d'actions en 2004, ce qui explique son faible niveau d'endettement. Marsulex est la société la plus endettée et, par conséquent, elle présente un certain risque. Elle génère des flux de trésorerie de l'exploitation, mais on se rappelle que son taux de couverture des intérêts est assez faible à 1,2 fois en 2004 et qu'il s'est détérioré comparativement à 2003 alors qu'il se situait à 1,8 fois.

La comparaison des ratios nous permet également de voir comment une structure financière peut changer rapidement, soit avec une émission d'actions ou une augmentation de la dette à long terme, soit avec un remboursement important de la dette lorsque les flux de trésorerie générés par l'exploitation le permettent.

Les tests de marché

Plusieurs ratios souvent désignés comme **tests de marché** établissent un lien entre le cours actuel d'une action et un indicateur de rendement qui pourrait revenir à l'investisseur. Les analystes et les investisseurs préfèrent ces ratios, car ces derniers sont basés sur la valeur actuelle de l'investissement des propriétaires dans l'entreprise.

14. Le ratio cours-bénéfice

Le ratio cours-bénéfice (*price/earnings ratio*) permet de mesurer la relation qui existe entre la valeur marchande des actions (la valeur à la Bourse) et le résultat par action. Le prix d'une action ordinaire de Zenon était de 25 $ au 16 septembre 2005, et le résultat par action à cette date était de 0,36 $. Le ratio cours-bénéfice pour Zenon se calcule de la manière suivante :

$$\text{Ratio cours-bénéfice} = \frac{\text{Cours de l'action}}{\text{Résultats par action}}$$

$$\text{Zenon septembre 2005} = \frac{25\,\$}{0,36\,\$} = 69,4$$

ZENON ENVIRONMENTAL INC.

TELENIUM Canada's Financial Host			Time CT	Last Trade	Change	Trend	Bid/ Size	Ask/ Size	Open	High	Low	Volume	Trades
ZEN,T			09/16/05 16:40	25	−0.2	–	24.94	25	25.19	25.2	24.94	44963	110
			Previous Day	25.2	−0.48	–	10	20	25.5	25.67	25.15	27699	95
52-High	**52-Low**	**E/S**	**P/E**	**Annual Div**		**Yield**	**Div Amt**		**Payable Date**		**Record Date**		**Ex Date**
27.48	20.1	0.36	69.4444	0		0	0		–		–		–

Source : *Telenium,* [en ligne], www.telenium.ca, (page consultée le 16 septembre 2005).

Au 16 septembre 2005, les actions de Zenon se vendaient 69,4 fois le résultat par action. Ce ratio reflète l'évaluation du marché boursier du rendement futur d'une société. Un ratio cours-bénéfice élevé indique que le marché s'attend à ce que les bénéfices croissent rapidement. En 2002, le ratio pour Zenon était de 73,4. Ainsi, Zenon présente toujours une bonne croissance future. Au 16 septembre 2005, les analystes financiers recommandaient de conserver le titre (par rapport à un achat ou à une vente), selon le site www.globeinvestors.com. Le graphique ci-dessous montre une croissance constante du cours boursier des actions depuis les 100 dernières semaines.

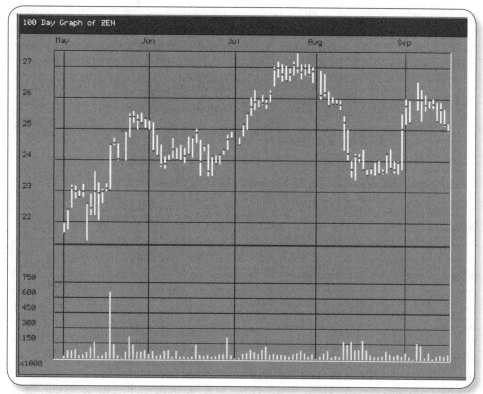

Source: *Telenium,* [en ligne], www.telenium.ca, (page consultée le 16 septembre 2005).

Du point de vue économique, la valeur des actions est liée à la valeur actualisée de ses bénéfices futurs. Une société qui s'attend à accroître ses bénéfices dans l'avenir vaut davantage qu'une société qui ne peut les faire croître (tous les autres facteurs étant les mêmes). Bien qu'une entreprise présente un ratio cours-bénéfice élevé et qu'on s'attende à une croissance future, elle comporte des risques[5]. Lorsqu'une société qui affiche un ratio cours-bénéfice élevé n'atteint pas le niveau de bénéfice attendu du marché, l'incidence négative sur le cours de son action peut être dramatique.

Le ratio cours-bénéfice est-il dépassé?
Par Daniel Altman, *New York Times*

S'il y a un ratio financier très utilisé par les investisseurs, c'est bien celui du cours/bénéfice. Mais dernièrement, une avalanche de réévaluations des déclarations de bénéfices a transformé le dénominateur du ratio, soit les bénéfices, en un indicateur peu fiable de la rentabilité réelle d'un nombre croissant des plus grandes entreprises américaines. Cela a passablement terni le célèbre ratio.

Pas étonnant dans ces conditions que certains gestionnaires de fonds communs de placement y pensent à deux fois avant d'utiliser le ratio cours/bénéfice, même à titre de première étape de choix d'actions.

Source: *La Presse,* lundi le 5 août 2002, p. D4.

15. Le rendement par action

Lorsque les investisseurs achètent des actions, ils s'attendent à ce que leurs rendements proviennent de deux sources: l'appréciation du cours des actions et les produits tirés des dividendes. Le rendement par action (*dividend yield ratio*) permet de mesurer la relation qui existe entre le dividende par action et le cours de l'action. Zenon n'a pas versé de dividende sur ses actions ordinaires, car elle est en pleine croissance et réinvestit ses

---

5. Le ratio cours-bénéfice, même s'il est bien utilisé, n'est pas une panacée. Quelques précautions s'imposent, comme le rapporte un article de journal présenté dans la presse d'affaires ci-dessus.

bénéfices dans l'entreprise. Il en est de même des entreprises dans le secteur de l'environnement que nous avons choisies aux fins de comparaison. Si on examine une autre société dans un secteur moins jeune et moins instable, par exemple Power Corporation, le rendement par action se calcule de la manière suivante :

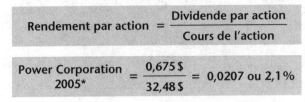

$$\text{Rendement par action} = \frac{\text{Dividende par action}}{\text{Cours de l'action}}$$

$$\text{Power Corporation} \atop 2005^* = \frac{0,675\,\$}{32,48\,\$} = 0,0207 \text{ ou } 2,1\%$$

* *Telenium*, [en ligne], www.telenium.ca, (page consultée le 16 septembre 2005).

Il peut sembler surprenant que le rendement par action de Power Corporation soit si bas, étant donné qu'un investisseur pourrait gagner un pourcentage plus élevé en investissant dans des obligations peu risquées. Pour la plupart des actions, le rendement n'est pas très élevé par rapport à d'autres possibilités d'investissement. Les investisseurs sont prêts à accepter des taux de rendement faibles lorsqu'ils s'attendent à ce que le cours des actions augmente pendant qu'ils détiennent les actions de l'entreprise. De toute évidence, les investisseurs qui achètent les actions de Power Corporation le font en prévoyant une hausse du cours de l'action, ce qui a été le cas au cours de la dernière année avec une hausse de 8,3 % du cours du titre. Le dividende courant représente sans doute un faible facteur dans leur décision. Les actions présentant un faible potentiel de croissance offrent en général des taux de rendement beaucoup plus élevés que les actions affichant des taux de croissance élevés. Ces actions attirent les investisseurs qui sont à la retraite et qui ont besoin d'un revenu immédiat plutôt que d'un potentiel de croissance futur. Le tableau en marge présente certains exemples des taux de rendement par action en date du 16 septembre 2005.

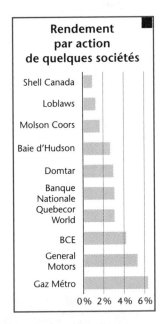

Rendement par action de quelques sociétés

Shell Canada
Loblaws
Molson Coors
Baie d'Hudson
Domtar
Banque Nationale Quebecor World
BCE
General Motors
Gaz Métro

0% 2% 4% 6%

TEST D'AUTOÉVALUATION

Donnez l'équation permettant de calculer les ratios suivants :

1. le ratio de la couverture des intérêts ;
2. le taux de rotation des stocks ;
3. le ratio cours-bénéfice.

Vérifiez vos réponses à l'aide des solutions présentées en bas de page*.

L'interprétation des ratios et autres considérations analytiques

À l'exception du ratio cours-bénéfice, le calcul d'un ratio en particulier n'est pas normalisé. Ni la profession comptable ni les analystes financiers n'ont prescrit la façon de calculer un ratio. Par conséquent, les utilisateurs des états financiers peuvent calculer divers ratios en fonction de leurs objectifs décisionnels. Avant d'utiliser les ratios publiés par certains organismes, les analystes examinent la formule utilisée pour effectuer le calcul.

Comme nous l'avons vu, pour interpréter un ratio, il faut le comparer à un autre ratio ou avec une norme qui représente une valeur optimale ou souhaitable. Certains ratios, à cause de leurs caractéristiques, sont défavorables s'ils sont trop élevés ou trop faibles.

* 1. Bénéfice net + Charge d'intérêts + Charge fiscale ÷ Charge d'intérêts
2. Coût des marchandises vendues ÷ Stocks moyens
3. Cours de l'action ÷ Résultat par action

Par exemple, l'analyse peut révéler qu'un ratio du fonds de roulement très bas indique un risque d'incapacité de régler les dettes arrivant à échéance. Un ratio très élevé peut révéler que des fonds excédentaires demeurent dans la caisse plutôt que d'être utilisés de façon profitable. De plus, un ratio optimal pour une entreprise n'est souvent pas optimal pour une autre. Les comparaisons des ratios pour plusieurs entreprises ne sont appropriées que si les entreprises sont effectivement comparables. Les différences valables dans le secteur d'activité, la nature des activités, la taille et les conventions comptables peuvent rendre douteuse la valeur de bon nombre de comparaisons.

La plupart des ratios utilisent des chiffres regroupés. Par conséquent, ils peuvent obscurcir les facteurs sous-jacents qui sont susceptibles d'intéresser les analystes. Pour illustrer ce cas, un ratio du fonds de roulement considéré comme optimal dans un secteur donné peut camoufler un problème de liquidité à court terme. C'est le cas lorsque la société dispose d'une très grande quantité de stocks et d'une somme minimale de liquidités pour régler les dettes quand celles-ci arrivent à échéance. Une analyse prudente peut permettre de découvrir des problèmes de liquidité.

Dans d'autres cas, une analyse prudente ne peut parvenir à faire ressortir des problèmes camouflés. Par exemple, les états financiers consolidés incluent des informations financières sur la société mère et ses filiales. La société mère peut avoir un ratio du fonds de roulement élevé et une filiale un ratio faible. Cependant, lorsque les états sont consolidés, le ratio du fonds de roulement présente une moyenne et, par conséquent, la situation peut sembler acceptable. Cependant, le fait que la filiale est peut-être aux prises avec de sérieux problèmes de liquidités demeure caché.

En dépit de ces limites, l'analyse au moyen de ratios constitue un outil efficace. Les ratios financiers peuvent permettre de prédire les faillites. Le tableau 13.4 présente le ratio de liquidité générale ainsi que le ratio des capitaux empruntés sur les capitaux propres pour Braniff International Corporation (une compagnie aérienne américaine) pour chaque année avant qu'elle ne déclare faillite. Il faut noter le déclin de ces ratios d'année en année. Les analystes qui ont étudié les ratios financiers n'ont sans doute pas été surpris par la faillite de Braniff. Après avoir vendu bon nombre de ses actifs et avoir subi une restructuration financière complète, Braniff a été en mesure de poursuivre des activités de vol réduites. Toutefois, la société a dû déclarer faillite une deuxième fois après avoir de nouveau éprouvé des difficultés financières.

| TABLEAU 13.4 | Ratios financiers sélectionnés pour Braniff International |

	Années avant la faillite				
	5	4	3	2	1
Liquidité générale	1,20	0,91	0,74	0,60	0,49
Capitaux empruntés sur les capitaux propres	2,03	2,45	4,88	15,67	s.o.*

* Au cours de l'exercice précédant la faillite, Braniff a déclaré des capitaux propres négatifs par suite d'une importante perte nette qui a résulté en un solde négatif dans les bénéfices non répartis (un déficit). Les dettes aux créanciers excédaient le total des capitaux propres.

Les états financiers représentent une source d'information pour tous les investisseurs, que ces derniers soient avertis ou non. Cependant, les utilisateurs qui possèdent des notions de base en comptabilité peuvent analyser plus efficacement l'information contenue dans les états financiers. L'étude de ce manuel vous aura permis d'acquérir une meilleure connaissance du vocabulaire de la comptabilité. Cette connaissance est essentielle à la compréhension des états financiers.

La connaissance parfaite des concepts sous-jacents de la comptabilité est aussi primordiale pour l'analyse appropriée des états financiers. Certains utilisateurs peu renseignés ne comprennent pas le principe de la valeur d'acquisition. Ils croient que les actifs au bilan sont comptabilisés à leur juste valeur marchande. Nous avons mis l'accent sur les principes comptables tout au long de ce manuel parce qu'il est impossible d'interpréter les chiffres comptables sans maîtriser les concepts utilisés pour les calculer.

Lors de la comparaison de sociétés, vous découvrirez que celles-ci observent rarement exactement les mêmes conventions comptables. Pour rendre les comparaisons valables, l'analyste doit comprendre l'incidence du choix des méthodes comptables fait par les entreprises. Une société peut avoir recours à des méthodes prudentes, telles que l'amortissement accéléré et la méthode du coût moyen, alors qu'une autre peut utiliser des méthodes lui permettant d'accroître au maximum ses bénéfices, telles que la méthode de l'amortissement linéaire et la méthode PEPS. Les utilisateurs qui ne saisissent pas les conséquences de l'utilisation des différentes méthodes comptables sont susceptibles d'interpréter les résultats financiers de façon erronée. La tâche la plus importante au début de l'analyse des états financiers consiste sans doute à examiner les conventions comptables adoptées par la société. Cette information est divulguée dans une note afférente aux états financiers.

Les autres informations financières

Les ratios abordés jusqu'à maintenant sont des ratios d'usage général. Ils ont leur utilité dans la plupart des analyses financières. Toutefois, chaque entreprise étant différente, votre évaluation doit faire preuve d'un jugement professionnel.

Pour illustrer cette situation, examinons certains facteurs particuliers qui pourraient influer sur l'analyse de Zenon.

La croissance future

La croissance à court et à long terme de l'entreprise dépend de plusieurs facteurs dont l'investissement dans la recherche et le développement. L'entreprise doit maintenir son avantage compétitif en améliorant son produit et en étant la première à découvrir une nouvelle technologie qui pourrait s'avérer moins coûteuse et plus simple. La réduction des coûts permet aussi de rendre sa technologie plus accessible et, par le fait même, de capter de nouveaux marchés tel celui des résidences. Ainsi, le pourcentage de recherche et développement en relation avec le chiffre d'affaires constitue un bon indicateur.

$$\frac{\text{Recherche et développement}}{\text{Chiffre d'affaires net}}$$

$$\text{Zenon 2004} = \frac{12\,200\,\$}{233\,795\,\$} = 0,052 \text{ ou } 5,2\%$$

Les ratios en 2003 et en 2002 étaient respectivement de 4,5 % et de 5,6 %. Zenon divulgue les montants engagés pour la recherche et développement (R et D) dans une note aux états financiers. On peut remarquer qu'elle investit une bonne partie de son chiffre d'affaires dans l'activité de recherche et développement. Le montant est presque aussi élevé que le bénéfice net (16 990 $). En 2004, 8,4 % de son personnel (6 % en 2003) est affecté à cette activité ; depuis les 10 dernières années, ce taux a oscillé entre 4,2 % et 9,8 %. Les autres entreprises du secteur ne divulguent pas les montants engagés dans la recherche et développement. Ce type d'investissement est très important pour les entreprises dans le domaine des technologies. Par exemple, Microsoft a investi près de 8 milliards de dollars en R et D en 2004, ce qui représente 21 % de son chiffre d'affaires ou 95 % de son bénéfice net.

Zenon affirme l'importance de la recherche et développement :

> La recherche et le développement demeurent toujours essentiels si Zenon veut demeurer le chef de file dans la technologie des membranes. Depuis sa fondation, Zenon a relevé les défis liés à une croissance rapide. La direction accorde une importance primordiale à la recherche et au développement pour assurer une croissance à long terme, la performance financière et le retour sur investissement aux actionnaires.
>
> (Traduction libre)

Une expansion coûteuse

Pour faire face à la demande grandissante de ses produits à travers le globe, Zenon doit implanter des usines dans d'autres pays comme elle l'a déjà fait en Italie, en Allemagne, en Pologne, en Hongrie et des bureaux régionaux comme celui de San Diego, aux États-Unis (en septembre 2005). Elle doit aussi pouvoir augmenter la capacité productive de ses usines actuelles comme elle l'a fait en Ontario. Cette expansion est coûteuse et nécessite du financement. Ainsi, la structure financière de l'entreprise se transforme. Bien que les ratios d'endettement donnent une bonne indication de la structure financière de l'entreprise, on peut analyser d'autres données financières qui permettraient de mieux évaluer le risque.

a) Le premier ratio se calcule de la manière suivante :

$$\text{Zenon 2004} = \frac{\text{Dettes à long terme}}{\text{Capitaux propres}} = \frac{12\ 461\ \$^*}{276\ 650\ \$} = 0,045 \text{ ou } 4,5\ \%$$

* Nous avons inclus les crédits technologiques reportés dans le numérateur de l'équation. Ces crédits proviennent d'un programme spécial du gouvernement canadien qui permet à l'entreprise de recevoir des fonds pour la recherche et le développement technologique. Ces sommes sont remboursables lorsqu'un produit rentable résulte de la recherche.

En 2003 et en 2002, ce ratio était respectivement de 3,6 % et de 3,8 % alors qu'en 2001, il était de 18,3 %. Depuis 2001, l'entreprise semble donc se financer moins avec la dette à long terme. La diminution et le faible taux de la dette à long terme viennent du fait que l'entreprise peut se financer à même son exploitation (les flux de trésorerie liés à l'exploitation) et qu'elle a aussi fait appel aux actionnaires à l'occasion d'une nouvelle émission importante d'actions en 2004. Ce faible taux d'endettement comprend une faible charge d'intérêts et donc un faible risque. Cependant, l'émission d'actions visant à se financer est plus coûteuse pour une entreprise que l'émission d'une dette à long terme qui bénéficie du levier financier.

b) Le deuxième ratio se calcule de la manière suivante :

$$\text{Zenon 2004} = \frac{\text{Actifs immobilisés}}{\text{Capitaux propres}} = \frac{104\ 306\ \$}{276\ 650\ \$} = 0,377 \text{ ou } 37,7\ \%$$

En 2003 et en 2002, ce taux se situait respectivement à 58,2 % et à 64,7 %. Entre 2003 et 2004, les actifs immobilisés ont augmenté de 18 %, et le capital social s'est accru de 87 %. Les actifs immobilisés représentent donc une moins grande partie des capitaux propres. L'analyse des compétiteurs révèle qu'ils financent davantage les actifs immobilisés avec le capital social que Zenon.

Dans l'extrait qui suit, la direction de Zenon fait état de l'importance des dépenses de nature capitale pour satisfaire ses besoins futurs.

En 2004, le niveau des dépenses de nature capitale démontre l'engagement de la société à assurer la croissance. Une partie des sommes obtenues de l'émission d'actions de juin 2004 a permis d'augmenter la capacité de production des membranes. En outre, nous avons achevé notre expansion des usines de Hongrie et à Burlington, et nous avons acheté l'équipement nécessaire à leur fonctionnement. Nous avons procédé à des agrandissements à Oakville pour accueillir les employés additionnels et soutenir les activités d'entraînement afin d'assurer la croissance de l'entreprise[6].

Les facteurs subjectifs

Il est important de ne pas oublier que certaines données essentielles sur une entreprise ne sont pas contenues dans le rapport annuel. L'un des objectifs de Zenon consiste « à offrir à sa clientèle des membranes et des systèmes de membranes qui sont fiables et à des coûts raisonnables[7] ». Elle prévoit atteindre cet objectif en employant et en formant les personnes les plus compétentes dans l'industrie et en améliorant de façon constante chaque aspect de ses opérations, notamment le service à la clientèle et les profits. À défaut de devenir nous-mêmes des clients (puisqu'il s'agit de systèmes industriels et non de Big Mac), il est possible de vérifier cette stratégie en s'adressant à quelques-uns de ses clients. On pourrait ainsi déterminer leur niveau de satisfaction. La visite d'une usine pourrait aussi s'avérer très informative. D'ailleurs, Zenon a prévu elle-même l'examen de son produit par d'éventuels clients. On se rappelle que l'usine de New York prévoit la visite de ses installations par des clients potentiels, en l'occurrence des municipalités qui considèrent la construction d'une usine de filtration de l'eau signée Zenon.

Les données sur son personnel ont également avantage à être vérifiées. Dans le rapport annuel, on constate que le personnel augmente et que la société attribue son succès au dévouement de celui-ci. Par ailleurs, les droits exercés sur les options d'achat d'actions indiquent certains avantages donnés aux employés. L'information additionnelle sur le personnel pourrait être obtenue au cours d'une visite ou dans la presse d'affaires. L'annonce récente de l'acquisition de deux entreprises allemandes permettant d'améliorer les procédés de fabrication et de réduire les coûts de production[8] est un exemple des mesures prises pour exécuter le plan stratégique de la société. D'autres articles donnent aussi de l'information sur l'entreprise comme en fait foi l'extrait de la presse d'affaires qui suit.

ZENON Environmental a été choisie comme la meilleure société-citoyenne au Canada (Corporate Citizen) par la revue *Corporate Knights,* une publication d'affaires qui s'intéresse à la responsabilité sociale des entreprises. *Corporate Knights* a engagé la firme Michael Jantzi Research Associates inc. pour évaluer les 300 plus grandes entreprises ouvertes. L'évaluation comprenait six rubriques : la communauté ; la diversité des employés et les relations avec ces derniers ; l'environnement ; la sécurité du produit et les pratiques d'affaires ; l'aspect international ; la rentabilité.

Source : *Canada NewsWire,* [en ligne], www.canadanewswire.com, (page consultée le 22 août 2002). Traduction libre.

Plus récemment, la Burlington Chamber of Commerce choisissait la société Zenon comme la société manufacturière de l'année (2004)[9].

Comme l'illustrent ces exemples, aucune approche unique ne peut être employée pour analyser toutes les entreprises. De plus, une analyse efficace ne peut couvrir uniquement les données contenues dans un rapport annuel.

---

6. Zenon Environmental inc., *Rapport annuel 2004,* p. 25 et 27. Traduction libre.
7. Zenon Environmental inc., *Rapport annuel 2004,* p. 15. Traduction libre.
8 *Canada NewsWire,* [en ligne], www.canadanewswire.com, 28 février 2005, (page consultée le 16 septembre 2005).
9. *Canada NewsWire,* [en ligne], www.canadanewswire.com, 16 mai 2005, (page consultée le 16 septembre 2005).

Les informations privilégiées

Les états financiers constituent une importante source d'information pour les investisseurs. La déclaration d'une augmentation ou d'une diminution imprévue des bénéfices peut provoquer un important mouvement dans le cours de l'action d'une entreprise.

Les comptables d'une entreprise peuvent être au courant d'informations financières importantes avant qu'elles ne soient communiquées au grand public. Ce genre de données s'appellent des «informations privilégiées». Il peut être tentant pour certaines personnes d'acheter ou de vendre des actions en fonction d'informations privilégiées, mais un tel geste constitue un grave délit. L'Autorité des marchés financiers a intenté plusieurs poursuites contre des personnes qui effectuaient des opérations d'initié, ce qui a mené à d'importantes amendes et à des peines d'emprisonnement. Le film *Wall Street*, de Twentieth Century Fox, mettant en vedette Michael Douglas et Charlie Sheen, illustre très bien ce genre de situation.

Dans certains cas, il peut être difficile de déterminer si certaines données constituent ou non des informations privilégiées. Une personne pourrait simplement entendre un commentaire émis entre deux cadres dans l'ascenseur de l'entreprise. Un placeur très respecté de Wall Street a donné un bon conseil: «Si vous n'êtes pas certain de la moralité d'un acte, appliquez le test de la une des journaux. Demandez-vous quelle serait votre réaction si votre famille et vos amis apprenaient ce que vous avez fait par les journaux.» Chose intéressante, bon nombre des personnes emprisonnées et ayant perdu beaucoup d'argent parce qu'elles ont été reconnues coupables de délit d'initié estiment que la partie la plus difficile a été de l'annoncer à leur famille.

Pour respecter des normes d'éthique professionnelle très élevées, de nombreux cabinets d'experts-comptables imposent des règles aux membres de leur équipe professionnelle. Ces règles les empêchent d'investir dans des entreprises vérifiées par ces mêmes cabinets. Lesdites règles sont conçues pour s'assurer que les vérificateurs ne seront pas tentés d'effectuer des opérations d'initié.

L'information dans un marché efficient

Plusieurs recherches ont été menées sur la façon dont les marchés boursiers réagissent aux nouvelles informations. Elles ont démontré que, en grande partie, les marchés réagissent très rapidement aux nouvelles informations d'une manière non biaisée (le marché ne réagit pas systématiquement de façon extrême aux nouvelles informations). Un marché qui réagit ainsi à l'information est appelé un «**marché efficient**». Dans un tel marché, le cours d'un titre reflète de manière complète toutes les informations disponibles.

Il n'est pas surprenant que les marchés boursiers réagissent rapidement aux nouvelles informations. De nombreux investisseurs professionnels gèrent les portefeuilles d'actions évalués à des centaines de millions de dollars. Ces investisseurs sont très motivés financièrement à trouver de nouvelles informations pertinentes sur une entreprise et à négocier rapidement les actions à partir de ces informations.

Les recherches effectuées sur les marchés efficients ont des conséquences importantes sur l'analyse financière. Il n'est sans doute pas avantageux d'étudier d'anciennes informations (par exemple un rapport annuel qui a été publié six mois plus tôt) pour déceler une sous-évaluation de l'action par le marché. Dans un marché efficient, le prix de l'action reflète toutes les informations contenues dans le rapport peu de temps après sa diffusion. Dans un tel marché, une entreprise ne devrait pas pouvoir manipuler le prix de ses actions en modifiant ses conventions comptables. Le marché doit être en mesure de faire la distinction entre une entreprise dont les revenus augmentent à cause d'une productivité accrue et une entreprise dont les revenus augmentent parce qu'elle passe de conventions comptables prudentes à des conventions plus agressives. Rappelons que les modifications dans les conventions comptables doivent être divulguées par voie de notes aux états financiers.

Les **marchés efficients** sont les marchés des valeurs mobilières dans lesquels les prix reflètent entièrement les informations disponibles.

L'efficience des marchés boursiers repose sur la confiance des investisseurs. Lorsque cette confiance est ébranlée, comme on le constate actuellement avec les nombreuses fraudes et les pratiques comptables douteuses de certaines entreprises, les investisseurs se retirent en masse du marché boursier. Il en résulte des comportements irrationnels qui perturbent l'efficience des marchés.

Points saillants du chapitre

1. **Expliquer comment la stratégie d'une entreprise a une incidence sur l'analyse financière** (*voir la page 781*).

   En termes simples, l'entreprise adopte une stratégie d'affaire dans le but d'atteindre les objectifs qu'elle s'est fixés. La meilleure mesure de performance s'obtient en comparant les résultats financiers aux objectifs que l'entreprise visait au départ. Comprendre la stratégie d'une société fournit également le contexte pour mener à bien l'analyse des états financiers.

2. **Discuter de la façon dont les analystes financiers utilisent les états financiers** (*voir la page 783*).

   Les analystes utilisent les états financiers pour comprendre les conditions actuelles et le rendement passé de l'entreprise et pour prédire son rendement futur. Les états financiers procurent d'importantes informations qui aident les utilisateurs à saisir et à évaluer la stratégie d'une entreprise. On peut utiliser les données publiées dans les états financiers pour effectuer des analyses chronologiques ou verticales (l'évaluation d'une entreprise au fil du temps) ou pour faire des comparaisons avec des entreprises similaires à un moment précis dans le temps (l'analyse des compétiteurs). La plupart des analystes calculent des pourcentages et des ratios lorsqu'ils utilisent des états financiers.

3. **Calculer et interpréter les états financiers dressés en pourcentages** (*voir la page 785*).

   Pour calculer le pourcentage des composantes de l'état des résultats, le chiffre d'affaires net est le montant de référence. Chacune des charges est exprimée sous forme de pourcentage du chiffre d'affaires net. L'actif total est le montant de référence du bilan; chaque élément du bilan est divisé par l'actif total. La comparaison des états financiers dressés en pourcentages se fait au moyen de l'analyse chronologique et de l'analyse comparative.

4. **Calculer et interpréter les ratios de rentabilité** (*voir la page 789*).

   Plusieurs tests de rendement mesurent si le bénéfice est suffisant en le comparant à d'autres éléments des états financiers. Le tableau 13.3 (*voir la page 788*) présente ces ratios et montre comment les calculer. Les ratios de rentabilité sont analysés de façon chronologique et comparative.

5. **Calculer et interpréter les ratios de trésorerie ou de liquidité** (*voir la page 796*).

   Les tests de liquidité mesurent la capacité d'une entreprise à rembourser ses dettes à leur échéance (*voir le tableau 13.3 à la page 788*). Les ratios de trésorerie sont analysés de façon chronologique et comparative.

6. **Calculer et interpréter les ratios de solvabilité et de structure financière** (*voir la page 802*).

   Les ratios de solvabilité mesurent la capacité d'une entreprise à satisfaire ses obligations à long terme à leur échéance (*voir le tableau 13.3*). Les ratios de solvabilité et de structure financière sont analysés de façon chronologique et comparative.

7. **Calculer et interpréter les tests de marché** (*voir la page 804*).

   Les tests de marché établissent un lien entre le cours d'une action et un indicateur de rendement qui pourrait revenir à l'investisseur (*voir le tableau 13.3*). Les tests de marché sont analysés de façon chronologique et comparative.

BILAN

Les ratios ne sont pas présentés au bilan, mais les analystes utilisent l'information de cet état financier pour calculer de nombreux ratios. La plupart des analystes font une moyenne des montants d'ouverture et de clôture des comptes du bilan quand ils comparent ces comptes à ceux de l'état des résultats.

ÉTAT DES FLUX DE TRÉSORERIE

Les ratios ne sont pas présentés dans cet état, mais il faut utiliser certains montants de cet état pour calculer des ratios.

Pour trouver
L'INFORMATION FINANCIÈRE

ÉTAT DES RÉSULTATS

Le résultat par action est le seul ratio qui doit être présenté aux états financiers. On le trouve généralement inscrit au bas de l'état des résultats. Plusieurs montants de cet état servent à calculer d'autres ratios.

ÉTAT DES BÉNÉFICES NON RÉPARTIS

Les ratios ne sont pas présentés dans cet état, mais il faut utiliser certains montants de cet état pour calculer des ratios.

NOTES COMPLÉMENTAIRES

Une note sur les principales conventions comptables
Cette note ne contient pas d'informations portant directement sur les ratios, mais il est important de comprendre les différences comptables au moment de comparer deux entreprises.

Une note sur les modifications des conventions comptables
Les informations contenues dans cette note permettent de déterminer les incidences sur les chiffres présentés dans les états financiers.

Dans une note distincte
Plusieurs entreprises incluent un résumé financier sur 10 ans dans une note distincte. Ces résumés englobent des données sur les principaux comptes, quelques ratios financiers et des données non comptables. Certains montants dans les notes complémentaires sont utilisés pour calculer des ratios.

Mots clés

Questions

1. Quels sont les principaux éléments des états financiers qui intéressent particulièrement les créanciers ?

2. Expliquez la raison pour laquelle les notes afférentes aux états financiers sont importantes pour les preneurs de décisions.

3. Quel est le but premier des états financiers comparatifs ?

4. Pourquoi les utilisateurs des états financiers s'intéressent-ils aux résumés financiers portant sur plusieurs années ? Quelle est la principale limite des résumés à long terme ?

5. Expliquez ce qu'est l'analyse au moyen de ratios. Pourquoi est-elle utile ?

6. Expliquez ce qu'est l'analyse procentuelle. Pourquoi est-elle utile ?

7. Expliquez les deux concepts faisant partie du rendement du capital investi.

8. Qu'est-ce qu'un pourcentage de levier financier ? Comment le mesure-t-on ?

9. Le pourcentage de la marge bénéficiaire nette est-elle une mesure de rentabilité utile ? Expliquez votre réponse.

10. Comparez le ratio de liquidité générale (le ratio du fonds de roulement) au ratio de liquidité relative.

11. Que reflète le ratio des capitaux empruntés sur les capitaux propres ?

12. Expliquez ce que sont les tests de marché.

13. Nommez deux facteurs qui limitent l'efficacité de l'analyse financière.

Questions à choix multiples

1. Parmi les ratios suivants, lequel *n'est pas* utilisé dans l'analyse de rentabilité ?
   a) La qualité du bénéfice.   c) La liquidité relative.
   b) Le rendement de l'actif.   d) Le rendement des capitaux propres.

2. Pour une entreprise au détail, lequel des éléments suivants n'aurait aucune incidence sur le taux de rotation des comptes clients ?
   a) L'augmentation du prix au détail des stocks.
   b) L'augmentation du coût d'acquisition des stocks.
   c) Le changement dans la politique de crédit.
   d) Aucun des éléments ci-dessus.

3. Lequel des ratios suivants est utilisé pour l'analyse de la trésorerie ?
   a) Le résultat par action.   c) Le fonds de roulement.
   b) Les capitaux empruntés sur les capitaux propres.   d) a) et c) à la fois.

4. Un levier financier positif indique :
   a) un influx monétaire positif des activités de financement ;
   b) un ratio des capitaux empruntés sur les capitaux propres plus élevé que 1 ;
   c) un rendement de l'actif qui dépasse le taux d'intérêt sur la dette ;
   d) une marge bénéficiaire nette d'un exercice supérieur à celle de l'exercice précédent.

5. Supposez qu'un investisseur potentiel analyse trois entreprises du même secteur et désire investir seulement dans l'une d'elles. Parmi les ratios suivants, lequel est le moins susceptible d'influer sur sa décision ?
   a) La liquidité relative.   c) Le rendement par action.
   b) Le cours-bénéfice.   d) Le résultat par action.

6. Les analystes financiers utilisent les ratios pour :
   a) comparer plusieurs entreprises d'un même secteur ;
   b) suivre la performance chronologique d'une entreprise ;
   c) comparer la performance d'une entreprise à la moyenne du secteur ;
   d) Tous les éléments ci-dessus.

7. Parmi les ratios suivants, lequel utilise les flux de trésorerie des activités d'exploitation ?
   a) Le taux de rotation des stocks.   c) La qualité du bénéfice.
   b) Le résultat par action.   d) Tous les ratios ci-dessus.

8. Voici les ratios de quatre entreprises. À l'aide de cette information, déterminez l'entreprise qui est la moins susceptible d'éprouver des difficultés à rembourser ses dettes à court terme.

	Liquidité relative	Taux de rotation des comptes clients
a)	1,2	58
b)	1,2	45
c)	1,0	55
d)	0,5	60

9. Parmi les ratios suivants, lequel subirait l'influence d'une diminution des charges de vente et d'administration ?
   a) Le taux de rotation des actifs immobilisés.   c) La couverture des intérêts.
   b) Les capitaux empruntés sur les capitaux propres.   d) Le fonds de roulement.

10. Supposez qu'un créancier analyse une société qui a des emprunts à long terme. Parmi les ratios suivants, lequel est le moins susceptible de lui être utile ?
    a) La liquidité relative.
    b) Les capitaux empruntés sur les capitaux propres.
    c) La couverture des intérêts.
    d) La marge bénéficiaire nette.

M13-1 **La recherche d'informations financières au moyen du calcul des pourcentages** □ OA3
Un important détaillant a déclaré un chiffre d'affaires de 1 680 145 000 $. Le pourcentage de la marge bénéficiaire brute de l'entreprise était de 55,9 %. Quel montant l'entreprise a-t-elle comptabilisé au coût des marchandises vendues ?

M13-2 **La recherche d'informations financières au moyen du calcul des pourcentages** □ OA3
Une entreprise de biens de consommation a déclaré une augmentation de 6,8 % de son chiffre d'affaires de 2009 à 2010. Les ventes en 2009 se sont élevées à 20 917 $. En 2010, l'entreprise a inscrit un coût des marchandises vendues de 9 330 $. Quel était le pourcentage de la marge bénéficiaire brute en 2010 ?

M13-3 **Le calcul du taux de rendement des capitaux propres** □ OA4
À partir des données suivantes, calculez le taux de rendement des capitaux propres pour 2009.

	2009	2008
Bénéfice net	185 000 $	160 000 $
Capitaux propres	1 000 000	1 200 000
Total de l'actif	2 400 000	2 600 000
Charge d'intérêts	40 000	30 000

M13-4 **La recherche d'informations financières** □ OA4
À partir des données suivantes, calculez le pourcentage du levier financier pour 2009.

	2009	2008
Rendement des capitaux propres	22 %	24 %
Rendement de l'actif	8	6
Pourcentage de la marge bénéficiaire nette	12	10

M13-5 **L'analyse du taux de rotation des stocks** □ OA5
Un fabricant a déclaré un taux de rotation des stocks de 8,6 en 2009. En 2010, la direction a introduit un nouveau système de contrôle des stocks qui était supposé réduire le niveau moyen des stocks de 25 % sans influer sur le volume des ventes. En tenant compte de ce qui précède, le taux de rotation des stocks devrait-il augmenter ou diminuer en 2010 ? Expliquez votre réponse.

M13-6 **La recherche d'informations financières au moyen d'un ratio** □ OA5
La société Leblanc a déclaré un total de l'actif de 1 200 000 $ et de l'actif à long terme de 480 000 $. L'entreprise a aussi inscrit un ratio du fonds de roulement de 1,6. Quel montant de passif à court terme l'entreprise a-t-elle présenté ?

M13-7 **L'analyse de relations financières** □ OA4
□ OA5
La société Doritos a préparé un projet de résultats financiers que les comptables examinent actuellement. Vous avez remarqué que le pourcentage du levier financier est négatif. Vous avez également constaté que le ratio du fonds de roulement est de 2,4 et le ratio de liquidité relative, de 3,7. Or, vous savez que ce genre de rapport est inhabituel. Une erreur a-t-elle nécessairement été commise ? Expliquez votre réponse.

M13-8 **La recherche d'informations financières au moyen d'un ratio** □ OA7
En 2007, la société Drago a déclaré un résultat par action de 8,50 $ alors que son action se vendait 212,50 $. En 2008, son bénéfice net a augmenté de 20 %. Si toutes les autres relations demeurent constantes, quel est le prix de l'action ? Expliquez votre réponse.

M13-9 **La recherche d'informations financières au moyen d'un ratio** □ OA7
Une société Internet a gagné 5 $ l'action et a versé des dividendes de 2 $ l'action. L'entreprise a annoncé un rendement par action de 5 %. Quel était le prix de l'action ?

M13-10 L'analyse de l'incidence des méthodes comptables

La société Lexis envisage de passer de la méthode de comptabilisation des stocks PEPS à la méthode du coût moyen. Elle voudrait évaluer l'incidence de ce changement sur certains ratios. D'une façon générale, quelle serait l'incidence sur les éléments suivants : le pourcentage de la marge bénéficiaire nette, le taux de rotation des actifs immobilisés, le ratio du fonds de roulement et le ratio de liquidité relative ? Posez l'hypothèse que les prix des produits de Lexis sont toujours à la hausse.

Exercices

E13-1 L'utilisation des informations financières pour trouver des entreprises mystères

Les données financières suivantes concernent quatre sociétés inconnues :

	Société			
	1	2	3	4
Données du bilan (en pourcentages)				
Caisse	3,5	4,7	8,2	11,7
Clients (montant net)	16,9	28,9	16,8	51,9
Stocks	46,8	35,6	57,3	4,8
Immobilisations corporelles	18,3	21,7	7,6	18,7
Données de l'état des résultats (en pourcentages)				
Marge bénéficiaire brute	22,0	22,5	44,8	s.o.*
Bénéfice avant impôts	2,1	0,7	1,2	3,2
Ratios sélectionnés				
Liquidité générale	1,3	1,5	1,6	1,2
Taux de rotation des stocks	3,6	9,8	1,5	s. o.
Capitaux empruntés sur les capitaux propres	2,6	2,6	3,2	3,2
* s.o. : sans objet.				

Ces informations concernent les entreprises suivantes :

a) un magasin de vente de fourrures au détail ;

b) une agence de publicité ;

c) un fabricant de confiseries en gros ;

d) un fabricant d'automobiles.

Travail à faire

Associez chacune des entreprises aux informations qui lui conviennent le mieux.

E13-2 L'utilisation des informations financières pour trouver des entreprises mystères

Les données financières suivantes concernent quatre sociétés inconnues.

	Société			
	1	2	3	4
Données du bilan (en pourcentages)				
Caisse	7,3	21,6	6,1	11,3
Clients (montant net)	28,2	39,7	3,2	22,9
Stocks	21,6	0,6	1,8	27,5
Immobilisations corporelles	32,1	18,0	74,6	25,1
Données de l'état des résultats (en pourcentages)				
Marge bénéficiaire brute	15,3	s.o.*	s.o.	43,4
Bénéfice avant impôts	1,7	3,2	2,4	6,9
Ratios sélectionnés				
Liquidité générale	1,5	1,2	0,6	1,9
Taux de rotation des stocks	27,4	s.o.	s.o.	3,3
Capitaux empruntés sur les capitaux propres	1,7	2,2	5,7	1,3
* s.o. : sans objet.				

Ces informations concernent les entreprises suivantes :

a) une agence de voyage ;
b) un hôtel ;
c) une société d'emballage de viandes ;
d) une société pharmaceutique.

Travail à faire

Associez chacune des entreprises aux informations qui lui conviennent le mieux.

E13-3 **L'utilisation des informations financières pour trouver des entreprises mystères**

Les données financières suivantes concernent quatre sociétés inconnues :

OA1
OA2
OA3
OA5
OA6

	Société			
	1	2	3	4
Données du bilan (en pourcentages)				
Caisse	5,1	8,8	6,3	10,4
Clients (montant net)	13,1	41,5	13,8	4,9
Stocks	4,6	3,6	65,1	35,8
Immobilisations corporelles	53,1	23,0	8,8	35,7
Données de l'état des résultats (en pourcentages)				
Marge bénéficiaire brute	s.o.*	s.o.	45,2	22,5
Bénéfice avant impôts	0,3	16,0	3,9	1,5
Ratios sélectionnés				
Fonds de roulement	0,7	2,2	1,9	1,4
Taux de rotation des stocks	s.o.	s.o.	1,4	15,5
Capitaux empruntés sur les capitaux propres	2,5	0,9	1,7	2,3

* s. o. : sans objet.

Ces informations concernent les entreprises suivantes :

a) un câblodistributeur ;
b) une épicerie ;
c) un cabinet d'experts-comptables ;
d) une bijouterie.

Travail à faire

Associez chacune des entreprises aux informations qui lui conviennent le mieux.

E13-4 **L'utilisation des informations financières pour trouver des entreprises mystères**

Les données financières suivantes concernent quatre sociétés inconnues :

OA1
OA2
OA3
OA5
OA6

	Société			
	1	2	3	4
Données du bilan (en pourcentages)				
Caisse	11,6	6,6	5,4	7,1
Clients (montant net)	4,6	18,9	8,8	35,6
Stocks	7,0	45,8	65,7	26,0
Immobilisations corporelles	56,0	20,3	10,1	21,9
Données de l'état des résultats (en pourcentages)				
Marge bénéficiaire brute	56,7	36,4	14,1	15,8
Bénéfice avant impôts	2,7	1,4	1,1	0,9
Ratios sélectionnés				
Fonds de roulement	0,7	2,1	1,2	1,3
Taux de rotation des stocks	30,0	3,5	5,6	16,7
Capitaux empruntés sur les capitaux propres	3,3	1,8	3,8	3,1

Ces informations concernent les entreprises suivantes :

a) un magasin à rayons ;

b) un grossiste en poissons ;

c) un concessionnaire d'automobiles (voitures neuves et d'occasion) ;

d) un restaurant.

Travail à faire

Associez chacune des entreprises aux informations qui lui conviennent le mieux.

■ OA3
■ OA4
■ OA5
■ OA6
■ OA7

E13-5 **L'association de chaque ratio à une formule permettant de le calculer**

Associez chaque ratio ou pourcentage à une formule en inscrivant la bonne lettre dans l'espace réservé à cet effet.

Titre du ratio	Définition (formule de calcul)
_____ 1. Pourcentage de la marge bénéficiaire nette	A. Bénéfice net ÷ Chiffre d'affaires net
_____ 2. Taux de rotation des stocks	B. 365 ÷ Taux de rotation des comptes clients
_____ 3. Délai de recouvrement des comptes clients	C. Bénéfice net ÷ Capitaux propres moyens
_____ 4. Taux de rotation des actifs immobilisés	D. Bénéfice net ÷ Moyenne pondérée des actions ordinaires en circulation
_____ 5. Rendement par action	E. Rendement des capitaux propres − Rendement de l'actif
_____ 6. Rendement des capitaux propres	F. Actifs disponibles et réalisables ÷ Passif à court terme
_____ 7. Fonds de roulement (liquidité générale)	G. Actif à court terme ÷ Passif à court terme
_____ 8. Capitaux empruntés sur les capitaux propres	H. Coût des marchandises vendues ÷ Stocks moyens
_____ 9. Cours-bénéfice	I. Chiffre d'affaires net à crédit ÷ Comptes clients nets moyens
_____ 10. Pourcentage du levier financier	J. (Bénéfice net + Charge d'intérêts + Charge fiscale) ÷ Charge d'intérêts
_____ 11. Taux de rotation des comptes clients	K. 365 ÷ Taux de rotation des stocks
_____ 12. Délai moyen d'écoulement des stocks	L. Passif total ÷ Capitaux propres
_____ 13. Couverture des intérêts	M. Dividendes par action ÷ Cours de l'action
_____ 14. Résultat par action	N. Chiffre d'affaires net ÷ Actifs immobilisés moyens
_____ 15. Rendement de l'actif	O. Cours de l'action ÷ Résultat par action
_____ 16. Liquidité relative	P. Bénéfice net ÷ Actif total moyen

■ OA3

Le Groupe Jean Coutu ◆
(PJC) inc.

E13-6 **L'utilisation des pourcentages des composantes dans l'élaboration d'un tableau**

Jean Coutu est un détaillant qui connaît l'une des croissances les plus rapides au Canada. L'entreprise s'affiche comme étant le quatrième plus grand réseau de pharmacies en Amérique du Nord avec plus de 9,4 milliards de dollars de chiffre d'affaires en 2005. Voici un extrait de son rapport annuel 2005.

Le Groupe Jean Coutu inc. État des résultats (en milliers de dollars des États-Unis, sauf les montants relatifs aux actions)		
Exercices terminés le	**28 mai**	**31 mai**
	2005	**2004**
Chiffre d'affaires	9 448 343 $	2 893 088 $
Autres produits* (note 3)	169 020	149 879
	9 617 363	3 042 967
Coût des marchandises vendues	7 289 872	2 343 998
Frais généraux et d'exploitation	1 878 296	452 284
Amortissement (note 4)	195 308	38 396
	9 363 476	2 834 678
Intérêts sur la dette à long terme	152 731	11 752
Perte de change non réalisée sur éléments monétaires	7 767	–
Autres frais financiers	1 594	2 783
	162 092	14 535
Bénéfice avant impôts sur les bénéfices	91 795	193 754
Impôts sur les bénéfices (recouvrement) (note 5)	(12 583)	61 071
Bénéfice net	104 378 $	132 683 $
Résultat par action (note 6)		
De base et dilué	0,41 $	0,58 $
Moyenne pondérée des actions en circulation	255 659 552 actions	226 812 864 actions

* Comprennent les redevances, les loyers, la publicité et autres. Ces revenus sont récurrents.

Travail à faire

Dressez l'état des résultats en pourcentage et analysez les résultats.

E13-7 L'analyse de l'incidence des opérations sélectionnées sur le ratio du fonds de roulement

L'actif à court terme se chiffrait à 54 000 $ et le ratio du fonds de roulement, à 1,8. Supposez que les opérations suivantes ont été effectuées : 1) l'achat de marchandises pour 6 000 $ à crédit à court terme et 2) l'achat d'un camion de livraison de 10 000 $ avec un versement de 1 000 $ au comptant et la signature d'un billet portant intérêt sur deux ans pour le solde.

Travail à faire

Calculez le ratio du fonds de roulement cumulatif après chaque opération.

E13-8 L'analyse de l'incidence des opérations sélectionnées sur le ratio de liquidité générale

La société Sunbeam était un concepteur, un fabricant et un marchand de pointe de produits de consommation de marque. Elle englobait Mr. Coffee, Osterizer, First Alert et le matériel de camping Coleman. Il y a quelques années, la société s'est mise en faillite à la suite de difficultés financières importantes. La société avait aussi fait l'objet de quelques poursuites judiciaires mettant en cause des rapports inexacts dans ses états financiers. Ces derniers indiquaient que les poursuites en instance contre l'entreprise pouvaient «avoir des répercussions défavorables importantes sur la situation financière de la société».

Dans le dernier état financier avant la faillite, Sunbeam avait comptabilisé un actif à court terme de 1 090 068 000 $ et un passif à court terme de 602 246 000 $.

Travail à faire

Déterminez l'incidence de chacune des opérations suivantes sur le ratio du fonds de roulement cumulatif de la société Sunbeam :

1) la vente d'actifs à long terme qui représentaient une capacité excédentaire ;
2) une indemnité de cessation d'emploi et des avantages sociaux à payer aux employés qui seront licenciés ;
3) la réduction de la valeur comptable de certains articles en stock qui ont été déclarés désuets ;
4) l'acquisition de nouveaux stocks – le fournisseur n'ayant pas voulu accorder les modalités de crédit normales, un billet portant intérêt sur 18 mois a été signé.

■ OA5 George Weston limitée ◆

E13-9 L'analyse de l'incidence des opérations sélectionnées sur les comptes clients et la rotation des stocks

La société George Weston est une grande entreprise canadienne qui prépare et vend de nombreux produits alimentaires de consommation courante. En 2004, le chiffre d'affaires de la société s'élevait à 29 798 $ (tous les montants sont présentés en millions de dollars). Le rapport annuel ne dévoilant pas le montant des ventes à crédit, on suppose que 30 % des ventes étaient à crédit. Il en est de même du pourcentage de la marge bénéficiaire brute qu'on suppose être de 20 % sur le chiffre d'affaires. À la fin de 2004, les soldes des comptes étaient les suivants :

	Ouverture	Clôture
Comptes clients (montant net)	861 $	920 $
Stocks	1 914	1 979

Travail à faire

Calculez le taux rotation des comptes clients et le taux de rotation des stocks ainsi que le délai moyen de recouvrement des comptes clients et le délai moyen d'écoulement des stocks.

■ OA4 Corporation Intrawest ◆

E13-10 Le calcul du pourcentage du levier financier

Intrawest est un chef de file de l'aménagement et de l'exploitation de centres de villégiature. La société exploite des régions de l'Amérique du Nord, par exemple Mont-Tremblant au Québec. Ses états financiers inscrivaient ce qui suit en fin d'exercice (en milliers de dollars).

	2005	2004
Total de l'actif	2 644 294 $	2 255 750 $
Total du passif (moyenne d'intérêts de 6,7 %)	1 794 181	1 468 441
Total des capitaux propres	850 113	787 309
Bénéfice net (taux d'imposition moyen de 12 %)	32 614	59 949

Travail à faire

Calculez le pourcentage du levier financier. Est-il positif ou négatif ?

■ OA5

E13-11 L'analyse de l'incidence des opérations sélectionnées sur le ratio du fonds de roulement

L'actif à court terme se chiffrait à 100 000 $, et le ratio du fonds de roulement s'élevait à 1,5. Supposez que les opérations suivantes ont été effectuées : 1) le paiement de 6 000 $ pour des marchandises achetées à crédit à court terme ; 2) l'achat d'un camion de livraison pour 10 000 $ au comptant ; 3) l'élimination d'un compte client irrécouvrable de 2 000 $; 4) le paiement de dividendes précédemment déclarés pour 25 000 $.

Travail à faire

Calculez le ratio du fonds de roulement cumulatif après chaque opération.

E13-12 La déduction des informations financières

◇ Danier Leather inc. ■OA3
■OA5

La société Danier Leather est une entreprise canadienne qui fabrique et vend des vêtements mode en cuir et en suède. Avec ses 95 magasins, elle se dit le plus important détaillant spécialisé dans les vêtements et les accessoires en cuir. Au cours d'un exercice récent, la société a présenté un stock moyen de 29 257 000 $ et un taux de rotation des stocks de 2,83. Les actifs immobilisés moyens étaient de 27 102 500 $, et le taux de rotation des actifs immobilisés s'élevait à 6,14.

Travail à faire

Déterminez le bénéfice brut et le pourcentage de la marge bénéficiaire brute de la société Danier Leather.

E13-13 Le calcul des ratios

■OA5

Le chiffre d'affaires net pour l'exercice s'est élevé à 900 000 $ dont 80 % étaient à crédit. La marge bénéficiaire brute atteignait 40 % du chiffre d'affaires net. Les soldes des comptes sont les suivants :

	Ouverture	Clôture
Comptes clients (montant net)	80 000 $	60 000 $
Stocks	50 000	90 000

Travail à faire

Calculez le taux de rotation des comptes clients et le taux de rotation des stocks, le délai moyen de recouvrement des comptes clients ainsi que le délai moyen d'écoulement des stocks.

E13-14 L'analyse de l'incidence des opérations sélectionnées sur le ratio de liquidité générale

■OA5

L'actif à court terme se chiffrait à 500 000 $, et le ratio de liquidité générale s'élevait à 2,0. De plus, la société utilise la méthode de l'inventaire périodique. Supposez que les opérations suivantes ont été effectuées : 1) la vente de 12 000 $ de marchandises à crédit à court terme ; 2) la déclaration de dividendes de 50 000 $, encore impayés ; 3) le paiement anticipé du loyer de 12 000 $ (le loyer payé d'avance) ; 4) le paiement des dividendes précédemment déclarés de 50 000 $; 5) le recouvrement d'un compte client de 12 000 $; 6) le reclassement de 40 000 $ de dettes à long terme à titre de passif à court terme.

Travail à faire

Calculez le ratio de liquidité générale cumulatif après chaque opération.

E13-15 Le calcul des ratios de liquidité

◇ Cintas ■OA5

Cintas conçoit, fabrique, vend et loue des uniformes pour les entreprises partout aux États-Unis et au Canada. Les actions de la société sont négociées à la NASDAQ et ont offert aux investisseurs des rendements importants au cours des dernières années. Quelques données du bilan de la société sont présentées ci-dessous. La société a inscrit des ventes de 3 067 283 milliers de dollars et un coût des marchandises vendues de 1 295 992 milliers de dollars.

Cintas		
	2005	2004
Bilan partiel (en milliers de dollars)		
Caisse	43 196 $	87 357 $
Titres négociables	266 232	166 964
Clients (montant net)	326 896	285 592
Stocks	216 412	188 688
Charges payées d'avance	8 358	7 395
Fournisseurs	69 296	53 451
Rémunérations à payer	38 710	31 804
Autres frais courus à payer	166 428	146 226
Dette à long terme échéant dans un an	7 300	10 523

Calculez le ratio du fonds de roulement, le ratio de liquidité relative, le taux de rotation des stocks et le taux de rotation des comptes clients (en supposant que 60 % des ventes sont faites à crédit).

Problèmes

P13-1 **L'analyse d'un investissement basée sur la comparaison de certains ratios (PS13-1)**
Vous avez l'occasion d'investir 10 000 $ dans l'une ou l'autre de deux sociétés faisant partie du même secteur d'activité. L'information présentée ici est la seule dont vous disposez. Le terme «élevé» fait référence aux sociétés classées dans le premier tiers du secteur, le terme «moyen» à celles dans le deuxième tiers et «bas», à celles dans le dernier tiers. Quelle société choisiriez-vous ? Rédigez un court exposé appuyant vos recommandations.

Ratio	Société A	Société B
Liquidité générale	Élevé	Moyen
Liquidité relative	Bas	Moyen
Capitaux empruntés sur les capitaux propres	Élevé	Moyen
Taux de rotation des stocks	Bas	Moyen
Cours-bénéfice	Bas	Moyen
Rendement par action	Élevé	Moyen

P13-2 **L'analyse d'un investissement basée sur la comparaison de certains ratios (PS13-2)**
Vous avez l'occasion d'investir 10 000 $ dans l'une ou l'autre de deux sociétés faisant partie du même secteur d'activité. L'information présentée ici est la seule dont vous disposez. Le terme «élevé» fait référence aux entreprises dans le premier tiers du secteur, le terme «moyen» à celles dans le deuxième tiers et «bas», à celles dans le dernier tiers. Quelle société choisiriez-vous ? Rédigez un court exposé appuyant vos recommandations.

Ratio	Société A	Société B
Liquidité générale	Bas	Moyen
Liquidité relative	Moyen	Moyen
Capitaux empruntés sur les capitaux propres	Bas	Moyen
Taux de rotation des stocks	Élevé	Moyen
Cours-bénéfice	Élevé	Moyen
Rendement par action	Bas	Moyen

P13-3 **La détermination d'entreprises en fonction du ratio cours-bénéfice**
Le ratio cours-bénéfice fournit des informations importantes concernant l'évaluation du marché boursier pour ce qui est du potentiel de croissance d'une entreprise. Voici les ratios cours-bénéfice de certaines entreprises au 29 septembre 2005, tels qu'ils sont présentés sur le site Internet de Telenium. Faites correspondre l'entreprise avec son ratio, puis expliquez comment vous avez fait vos choix. Si vous ne connaissez pas l'entreprise, visitez son site Web.

Entreprise		Ratio cours-bénéfice
1. Banque de Montréal	A.	67
2. Van Houtte	B.	54
3. Nortel	C.	−122
4. Zenon	D.	13
5. BCE	E.	24
6. Abitibi Consolidated	F.	−54
7. Alcan	G.	19
8. Rogers Communication	H.	21
9. Axcan Pharma	I.	−2329

P13-4   L'analyse des ratios (PS13-3)

Sears et La Baie sont deux géants du secteur de la vente au détail. Les deux sociétés offrent des lignes complètes de marchandises à prix modérés. Les ventes annuelles de Sears ont totalisé 6,2 milliards de dollars en 2004. Avec l'acquisition de Zellers, La Baie a dépassé la taille de Sears, enregistrant 7,1 milliards de dollars de ventes pour le même exercice. En vous basant sur les ratios ci-dessous, calculés à partir des états financiers de 2004, comparez les deux sociétés à titre de placement potentiel.

◇ Sears Canada inc.
et Compagnie de
la Baie d'Hudson

■OA1
■OA2
■OA3
■OA4
■OA5
■OA6
■OA7

Ratio	Sears	La Baie
Cours-bénéfice	26,2*	19,3*
Marge bénéficiaire nette	2,1 %	0,8 %
Liquidité relative	1,2	0,7
Liquidité générale	2,0	2,1
Capitaux empruntés sur les capitaux propres	1,3	0,8
Rendement des capitaux propres	7,0 %	2,7 %
Rendement de l'actif	3,1 %	1,5 %
Rendement par action	0,7 %	2,7 %

* Source : *Telenium*, [en ligne], www.telenium.com, (page consultée le 29 septembre 2005).

P13-5   La comparaison d'occasions d'investissement (PS13-4)

■OA3
■OA4
■OA5
■OA6
■OA7

Voici un résumé des états des résultats des sociétés Armand et Bélanger en 2008.

	Armand	Bélanger
Bilan		
Caisse	35 000 $	22 000 $
Clients (montant net)	40 000	30 000
Stocks	100 000	40 000
Actifs immobilisés (montant net)	140 000	400 000
Autres actifs	85 000	308 000
Total de l'actif	400 000 $	800 000 $
Fournisseurs	100 000 $	50 000 $
Dette à long terme (10 %)	60 000	70 000
Actions ordinaires (valeur nominale de 10 $)	150 000	500 000
Surplus d'apport	30 000	110 000
Bénéfices non répartis	60 000	70 000
Total du passif et des capitaux propres	400 000 $	800 000 $
État des résultats		
Chiffre d'affaires net (un tiers à crédit)	450 000 $	810 000 $
Coût des marchandises vendues	(245 000)	(405 000)
Charges (y compris les intérêts et les impôts)	(160 000)	(315 000)
Bénéfice net	45 000 $	90 000 $
Données tirées des états de 2007		
Clients (montant net)	20 000 $	38 000 $
Stocks	92 000	45 000
Dette à long terme	60 000	70 000
Autres données		
Cours de l'action à la fin (prix de l'offre)	18 $	15 $
Taux d'imposition moyen	30 %	30 %
Dividendes déclarés et payés	36 000 $	150 000 $

Les sociétés exploitent le même secteur d'activité, et elles sont en compétition directe dans une grande région métropolitaine. Toutes deux sont en affaires depuis environ 10 ans et ont affiché un taux de croissance régulier. La direction de chacune d'elles prône un mode de gestion différent à certains égards. La société Bélanger est beaucoup plus prudente et, comme le dit son président : « Nous évitons de prendre des risques injustifiés. » Aucune des deux sociétés ne fait publiquement appel à l'épargne. La société Armand procède annuellement à une vérification effectuée par un comptable agréé, mais ce n'est pas le cas de la société Bélanger.

Travail à faire

1. Dressez un tableau comparatif montrant une analyse basée sur les ratios de chaque société. Calculez les ratios dont il a été question au tableau 13.3 dans ce chapitre (*voir la page 788*).

2. Un de vos clients a l'occasion d'acquérir 10 % des actions de l'une ou l'autre des sociétés au prix par action donné ci-dessus. Il a décidé d'investir dans l'une des deux sociétés. En vous basant sur les données disponibles, préparez une évaluation comparative écrite de votre analyse financière effectuée au moyen de ratios (et de toute autre information dont vous disposez). Ensuite, proposez des recommandations avec des explications à l'appui.

■ OA3

P13-6 **L'analyse des états financiers comparatifs au moyen de pourcentages (PS13-5)**

Les états financiers comparatifs dressés au 31 décembre 2008 pour la société Poisson rouge présentent les données récapitulatives suivantes :

	2008	2007
État des résultats		
Chiffre d'affaires	180 000 $*	165 000 $
Coût des marchandises vendues	110 000	100 000
Bénéfice brut	70 000	65 000
Frais d'exploitation et charge d'intérêts	56 000	53 000
Bénéfice avant impôts	14 000	12 000
Impôts	4 000	3 000
Bénéfice net	10 000 $	9 000 $
Bilan		
Caisse	4 000 $	8 000 $
Clients (montant net)	14 000	18 000
Stocks	40 000	35 000
Actifs immobilisés (solde net)	45 000	38 000
	103 000 $	99 000 $
Fournisseurs	16 000 $	19 000 $
Passif à long terme (10 % d'intérêts)	45 000	45 000
Actions ordinaires	30 000	30 000
Bénéfices non répartis**	12 000	5 000
	103 000 $	99 000 $

 * Le tiers des opérations concernaient des ventes à crédit.
** Durant 2008, un dividende en espèces totalisant 3 000 $ a été déclaré et versé ;
   6 000 actions étaient en circulation.

Travail à faire

1. Remplissez les colonnes suivantes pour chaque poste des états financiers comparatifs présentés.

Augmentation (diminution)	
2008 par rapport à 2007	
Montant	Pourcentage

2. Quel est le montant des encaissements tirés du chiffre d'affaires pour 2008 ? Calculez le montant de la variation du fonds de roulement net entre 2007 et 2008.

P13-7 **L'utilisation de ratios et de pourcentages dans l'analyse des états financiers comparatifs (PS13-6)**

Utilisez les données du problème P13-6 concernant la société Poisson rouge.

Travail à faire

1. Présentez les chiffres de 2008 en pourcentages.
2. Répondez aux questions suivantes pour 2008.
   a) Quelle est la marge bénéficiaire brute ?
   b) Quel est le taux d'imposition moyen ?
   c) Calculez le pourcentage de la marge bénéficiaire nette. Constitue-t-elle un bon ou un mauvais indicateur du rendement ? Expliquez votre réponse.
   d) Quel pourcentage du total des ressources a été investi dans les actifs immobilisés ?
   e) Calculez le ratio des capitaux empruntés sur les capitaux propres. Est-il favorable ou non ? Expliquez votre réponse.
   f) Quel est le rendement des capitaux propres ?
   g) Quel est le rendement de l'actif total ?
   h) Calculez le pourcentage du levier financier. Est-il positif ou négatif ? Expliquez votre réponse.

P13-8 **L'analyse des états financiers au moyen de ratios**

Utilisez les données du problème P13-6 concernant la société Poisson rouge. Supposez que le prix de l'action est de 28 $. Calculez les ratios appropriés en 2008 en consultant le tableau 13.3 (*voir la page 788*) et expliquez la signification de chacun.

P13-9 **L'analyse des états financiers au moyen de ratios**

La société Tremblay vient de terminer ses états financiers comparatifs pour l'exercice terminé le 31 décembre 2009. À cette date, certains processus analytiques et interprétatifs doivent être entrepris. Les données sommaires des états financiers sont les suivantes :

	2009	2008
État des résultats		
Chiffre d'affaires (dont 40 % à crédit)	450 000 $	420 000 $
Coût des marchandises vendues	250 000	230 000
Bénéfice brut	200 000	190 000
Frais d'exploitation (y compris les intérêts sur les obligations)	167 000	168 000
Bénéfice avant impôts	33 000	22 000
Impôts	10 000	6 000
Bénéfice net	23 000 $	16 000 $
Bilan		
Caisse	6 800 $	3 900 $
Clients (montant net)	42 000	28 000
Stocks	25 000	20 000
Charges payées d'avance	200	100
Actifs immobilisés (montant net)	130 000	120 000
	204 000 $	172 000 $
Fournisseurs	17 000 $	18 000 $
Impôts à payer	1 000	2 000
Emprunts obligataires (taux d'intérêt de 10 %)	70 000*	50 000
Actions ordinaires	100 000**	100 000
Bénéfices non répartis	16 000***	2 000
	204 000 $	172 000 $

* Le 1er février 2009, 20 000 $ d'emprunts obligataires ont été émis.

** Le cours de l'action à la fin de l'exercice 2009 s'élevait à 18 $, et 20 000 actions étaient en circulation.

*** Durant l'exercice 2009, un dividende en espèces totalisant 9 000 $ a été déclaré et versé.

Travail à faire

1. Calculez les ratios décrits au tableau 13.3 (*voir la page 788*) pour 2009. Expliquez la signification de chacun.

2. Répondez aux questions suivantes pour l'exercice 2009 :
   a) Évaluez le levier financier. Expliquez sa signification en utilisant les montants calculés.
   b) Évaluez la marge bénéficiaire nette et expliquez comment un actionnaire pourrait l'utiliser.
   c) Expliquez à un actionnaire la raison pour laquelle le ratio de liquidité générale et le ratio de liquidité relative sont différents. Observez-vous des problèmes de liquidité ? Expliquez votre réponse.
   d) Supposez que les modalités de crédit sont de 1/10, n/30. Croyez-vous que la situation est défavorable pour la société en ce qui concerne les ventes à crédit ? Expliquez votre réponse.

P13-10 L'analyse de l'incidence de méthodes d'évaluation des stocks sur des ratios

La société A utilise la méthode PEPS et la société B, la méthode DEPS. Les deux sociétés sont des sociétés états-uniennes et sont semblables, sauf en ce qui a trait à leur méthode d'évaluation des stocks. Le coût des articles en stock a augmenté progressivement au cours des dernières années, et les deux sociétés ont vu leurs stocks s'accroître tous les ans. Chaque société a payé ses impôts sur le bénéfice pour l'année en cours (et pour toutes les années précédentes). De plus, elles utilisent les mêmes méthodes comptables pour présenter leurs rapports et leurs déclarations d'impôts sur les revenus.

Travail à faire

Déterminez quelle société inscrira le montant le plus élevé pour chacun des ratios suivants (si c'est impossible, expliquez pourquoi) :
1) la liquidité générale ;
2) la liquidité relative ;
3) les capitaux empruntés sur les capitaux propres ;
4) le rendement des capitaux propres ;
5) le résultat par action ;
6) la qualité du bénéfice.

P13-11 L'analyse des états financiers au moyen des ratios appropriés (PS13-7)

Hershey's est un nom familier lorsqu'il s'agit de collations. Il y a de fortes chances que vous ayez consommé l'un de leurs produits récemment. La société fabrique des produits de confiserie dans des emballages différents, et leur mise en marché se fait sous plus de 50 marques. Voici quelques-uns de leurs produits : les barres de chocolat Hershey's, KitKat, OhHenry !, Eat-More, Skor, les moules au beurre d'arachide Reese, Glosette, les menthes et la gomme Ice Breakers.

L'information suivante a été inscrite dans un rapport annuel. Pour l'exercice le plus récent, calculez les ratios présentés au tableau 13.3 dans ce chapitre (*voir la page 788*). Si vous croyez que l'information est insuffisante, écrivez ce qui manque et expliquez comment vous procéderiez.

The Hershey Company (NY) (en milliers de dollars, sauf pour les données par action)			
pour l'exercice terminé le 31 décembre	**2003**	**2002**	**2001**
Ventes nettes	4 172 551 $	4 120 317 $	4 137 217 $
Coût et charges :			
Coût des ventes	2 544 726	2 561 052	2668 530
Ventes et administration	816 442	833 426	846 976
Restructuration et dévaluation des actifs, net	23 357	27 552	228 314
Gains sur vente d'entreprise	(8 330)	–	(19 237)
Total des coûts et des charges	3 376 195	3 422 030	3 724 583

Bénéfice avant intérêts et impôts	796 356 $	698 287 $	412 634 $
Intérêts (montant net)	63 529	60 722	69 093
Bénéfice avant impôts	732 827	637 565	343 541
Provision pour impôts	267 875	233 987	136 385
Bénéfice avant l'effet cumulatif d'une modification comptable	464 952	403 578	207 156
Effet cumulatif d'une modification comptable, net d'un avantage fiscal de 4 933 $	7 368	–	–
Bénéfice net	457 584 $	403 578 $	207 156 $
Résultat de base par action avant la modification comptable	3,54 $	2,96 $	1,52 $
Effet cumulatif de la modification comptable, net d'un avantage fiscal de 0,04 $	0,06		
Résultat par action	3,48 $	2,96 $	1,52 $
Dividende en espèces par action payé			
Actions ordinaires	1,445 $	1,260 $	1,165 $
Actions ordinaires classe B	1,305	1,135	1,050

Les notes aux états financiers font partie intégrante de ces états.

Bilan consolidé (en milliers de dollars)		
au 31 décembre	**2003**	**2002**
ACTIF		
Actif à court terme :		
Caisse	114 793 $	297 743 $
Clients (montant net)	407 612	370 976
Stocks	492 859	503 291
Impôts futurs	13 285	–
Charges payées d'avance et autres	103 020	91 608
Total de l'actif à court terme	1 131 569	1 263 618
Immobilisations corporelles (montant net)	1 661 939	1 486 055
Écart d'acquisition	388 960	378 453
Autres actifs incorporels	38 511	39 898
Autres actifs	361 561	312 527
Total de l'actif	3 582 540 $	3 480 551 $
PASSIF ET CAPITAUX PROPRES		
Passif à court terme :		
Fournisseurs	132 222 $	124 507 $
Charges courues à payer	416 181	356 716
Impôts exigibles à payer	24 898	12 731
Impôts futurs	–	24 768
Emprunts à court terme	12 032	11 135
Portion à court terme de la dette à long terme	477	16 989
Total du passif à court terme	585 810	546 846
Dette à long terme	968 499	851 800
Autres passifs à long terme	370 776	362 162
Impôts futurs	377 589	348 040
Total du passif	2 302 674 $	2 108 848 $

Capitaux propres		
Actions ordinaires, 149 528 776 actions émises en 2003 et 149 528 564 en 2002	149 528 $	149 528 $
Actions ordinaires de classe B, 30 422 096 actions émises en 2003 et 30 422 308 en 2002	30 422	30 422
Surplus d'apport	(9 580)	(12 774)
Rémunération reportée	3 263 988	2 991 090
Bénéfices non répartis:		
Actions autodétenues: respectivement 50 421 139 et 45 730 735 actions	(2 147 441)	(1 808 227)
Résultats étendus accumulés	(11 085)	21 071
Total des capitaux propres	1 279 866	1 371 703
Total du passif et des capitaux propres	2 302 674 $	2 108 848 $

Problèmes supplémentaires

PS13-1 L'analyse d'un investissement basée sur la comparaison de ratios (P13-1)

Vous avez l'occasion d'investir 10 000 $ dans l'une ou l'autre de deux sociétés faisant partie du même secteur d'activité. L'information présentée ici est la seule dont vous disposez. Le terme « élevé » fait référence aux sociétés dans le premier tiers du secteur, le terme « moyen » à celles dans le deuxième tiers et « bas », à celles dans le dernier tiers. Quelle société choisiriez-vous ? Rédigez un court exposé appuyant vos recommandations.

Ratio	Société A	Société B
Résultat par action	Élevé	Bas
Rendement de l'actif	Bas	Élevé
Capitaux empruntés sur les capitaux propres	Élevé	Moyen
Liquidité générale	Bas	Moyen
Cours-bénéfice	Bas	Élevé
Rendement par action	Élevé	Moyen

PS13-2 L'analyse d'un investissement basée sur la comparaison de certains ratios (P13-2)

Vous avez l'occasion d'investir 10 000 $ dans l'une ou l'autre de deux sociétés faisant partie du même secteur d'activité. L'information présentée ici est la seule dont vous disposez. Le terme « élevé » fait référence aux entreprises dans le premier tiers du secteur, le terme « moyen » à celles dans le deuxième tiers et « bas », à celles dans le dernier tiers. Quelle société choisiriez-vous ? Rédigez un court exposé appuyant vos recommandations.

Ratio	Société A	Société B
Rendement de l'actif	Élevé	Moyen
Pourcentage de la marge bénéficiaire nette	Élevé	Bas
Pourcentage du levier financier	Élevé	Bas
Liquidité générale	Bas	Élevé
Cours-bénéfice	Élevé	Moyen
Capitaux empruntés sur les capitaux propres	Élevé	Bas

PS13-3 L'analyse de ratios (P13-4)

◆ Coca-Cola et PepsiCo ■ OA3 ■ OA4 ■ OA5 ■ OA6 ■ OA7

Coke et Pepsi sont des marques reconnues mondialement. Coca-Cola vend pour plus de 22 milliards de dollars des États-Unis de boissons gazeuses chaque année, alors que les ventes annuelles de Pepsi dépassent les 29 milliards de dollars des États-Unis. En vous basant sur les ratios ci-dessous, calculés à partir des états financiers de 2004, comparez les deux sociétés à titre d'investissement potentiel.

Ratio	Coca-Cola	PepsiCo
Cours-bénéfice*	21,4	21,8
Pourcentage de la marge bénéficiaire brute	65,2 %	54,2 %
Pourcentage de la marge bénéficiaire nette	22,1 %	14,4 %
Liquidité relative	0,8	0,95
Liquidité générale	1,1	1,3
Capitaux empruntés sur les capitaux propres	1,0	1,1
Taux de rotation des stocks	5,7	9,1
Rendement des capitaux propres	32,3 %	33,1 %
Rendement de l'actif	16,5 %	15,8 %
Rendement par action	2,1 %	1,9 %

* Source : *Yahoo ! Finances,* [en ligne], http://finances.yahoo.com, (page consultée le 29 septembre 2005).

PS13-4 La comparaison des demandes de prêts de deux sociétés basée sur plusieurs ratios (P13-5)

■ OA3 ■ OA4 ■ OA5 ■ OA6 ■ OA7

Voici quelques comptes sommaires des états financiers de 2008 des sociétés Renard et Tania.

		Renard		Tania
Bilan				
Caisse		25 000 $		45 000 $
Clients (montant net)		55 000		5 000
Stocks		110 000		25 000
Actifs immobilisés (montant net)		550 000		160 000
Autres actifs		140 000		57 000
Total de l'actif		880 000 $		292 000 $
Passif à court terme		120 000 $		15 000 $
Dette à long terme (taux d'intérêt de 12 %)		190 000		55 000
Actions ordinaires, valeur nominale de 20 $		480 000		210 000
Surplus d'apport		50 000		4 000
Bénéfices non répartis		40 000		8 000
Total du passif et des capitaux propres		880 000 $		292 000 $
États des résultats				
Chiffre d'affaires (à crédit)	(½)	800 000 $	(¼)	280 000 $
Coût des marchandises vendues		(480 000)		(150 000)
Charges (y compris les intérêts)		(205 700)		(80 000)
Impôts		(34,3)		(15 000)
Bénéfice net		80 000 $		35 000 $
Données provenant des états de 2007				
Clients (montant net)		47 000 $		11 000 $
Dette à long terme (taux d'intérêt de 12 %)		190 000		55 000
Stocks		95 000		38 000
Autres données				
Cours de l'action à la fin de 2008		14,00 $		11,00 $
Taux moyen d'imposition		30 %		30 %
Dividendes déclarés et payés en 2008		20 000 $		9 000 $

Ces deux sociétés font partie du même secteur d'activité, mais elles sont situées dans deux villes différentes. Chaque société est en affaires depuis environ 10 ans. Un cabinet d'experts-comptables national effectue la vérification de la société Renard, et un cabinet de la région s'occupe de la vérification de la société Tania. Les deux vérificateurs externes ont émis une opinion sans réserve (ils n'ont rien trouvé d'anormal) concernant les états financiers. La société Renard veut emprunter 75 000 $ en espèces, et la société Tania a besoin de 30 000 $. Les prêts s'échelonneront sur une période de deux ans, et les montants seront utilisés comme fonds de roulement.

Travail à faire

1. Dressez un tableau montrant votre analyse des sociétés à l'aide des ratios financiers. Calculez les ratios présentés au tableau 13.3 (*voir la page 788*).
2. Supposez que vous travaillez au service de prêts d'une banque de la région. On vous a demandé d'analyser la situation et de déterminer le prêt que vous recommanderiez. En vous basant sur les données précédentes, l'analyse établie en 1 et toute autre information, précisez et expliquez votre choix.

■OA3
■OA4
■OA5
■OA6
■OA7

PS13-5 L'analyse d'un état financier basée sur les ratios et les variations en pourcentages (P13-6)

La société Taber vient tout juste de dresser les états financiers annuels comparatifs qui suivent pour 2008.

Société Taber
États des résultats comparatifs
pour les exercices terminés le 31 décembre

	2008	2007
Chiffre d'affaires (la moitié à crédit)	110 000 $	99 000 $
Coût des marchandises vendues	52 000	48 000
Bénéfice brut	58 000	51 000
Charges (y compris 4 000 $ d'intérêts par année)	40 000	37 000
Bénéfice avant impôts	18 000	14 000
Impôts sur l'exploitation (30 %)	5 400	4 200
Bénéfice avant éléments extraordinaires	12 600	9 800
Perte extraordinaire 2 000 $, nette d'impôts de 600 $	1 400	–
Gain extraordinaire de 3 000 $, net d'impôts de 900 $	–	2 100 $
Bénéfice net	11 200 $	11 900 $

Société Taber
Bilans comparatifs au 31 décembre

	2008	2007
Actif		
Caisse	49 500 $	18 000 $
Clients (montant net, modalités 1/10, n/30)	37 000	32 000
Stocks	25 000	38 000
Actifs immobilisés (montant net)	95 000	105 000
Total de l'actif	206 500 $	193 000 $
Passif		
Fournisseurs	42 000 $	35 000 $
Impôts à payer	1 000	500
Effets à payer, à long terme	40 000	40 000
Capitaux propres		
Actions ordinaires, 9 000 actions émises et en circulation	90 000	90 000
Bénéfices non répartis	33 500	27 500
Total du passif et des capitaux propres	206 500 $	193 000 $

Travail à faire (arrondissez les pourcentages et les ratios à deux décimales près)

1. Pour 2008, calculez les ratios suivants : a) de rentabilité, b) de trésorerie, c) de solvabilité et d) du marché (*voir le tableau 13.3 à la page 788*). Supposez que la cote boursière moyenne de l'action est de 23 $ en 2008. Les dividendes déclarés et payés en 2008 sont de 5 200 $, et les flux de trésoreries générés par l'exploitation s'élèvent à 37 800 $.

2. a) Pour 2008, calculez les variations (en pourcentage) des éléments suivants : le chiffre d'affaires, le bénéfice avant éléments extraordinaires, le bénéfice net, la caisse, les stocks et le passif.

   b) Quel semble être le taux d'intérêt avant impôts sur les effets à payer ?

3. Nommez au moins deux problèmes auxquels la société doit faire face et que vous avez découverts dans vos réponses aux questions 1 et 2.

PS13-6 L'utilisation de ratios dans l'analyse de données financières réparties sur plusieurs exercices (P13-7)

Supposez que l'information qui suit se retrouve dans les états financiers annuels de la société Des Pins. Celle-ci a commencé son exploitation le 1ᵉʳ janvier 2006. Supposez aussi qu'à cette date, il n'y avait que des soldes pour les comptes Caisse et Actions ordinaires. Tous les montants sont présentés en milliers de dollars.

	2006	2007	2008	2009
Clients (montant net, modalités n/30)	11 $	12 $	18 $	24 $
Stock de marchandises	12	14	20	30
Chiffre d'affaires net (trois quarts à crédit)	44	66	80	100
Coût des marchandises vendues	28	40	55	62
Bénéfice net (perte nette)	(8)	5	12	11

Travail à faire (présentez vos calculs et arrondissez à deux décimales près)

1. Remplissez le tableau suivant

Élément	2006	2007	2008	2009
a) Pourcentage de la marge bénéficiaire nette				
b) Pourcentage de la marge bénéficiaire brute				
c) Charges (hormis le coût des marchandises vendues) sous forme de pourcentage des ventes				
d) Taux de rotation des stocks				
e) Délai moyen d'écoulement des stocks				
f) Taux de rotation des comptes clients				
g) Délai moyen de recouvrement des comptes clients				

2. Évaluez les résultats des ratios qui sont reliés en a), en b) et en c), puis déterminez les facteurs qui sont favorables ou non. Formulez vos recommandations pour améliorer l'exploitation de l'entreprise.

3. Évaluez les résultats des quatre derniers ratios d), e), f) et g), puis déterminez les facteurs qui sont favorables ou non. Formulez vos recommandations pour améliorer l'exploitation de l'entreprise.

PS13-7 L'analyse des états financiers basée sur les ratios appropriés (P13-11)

Future Shop est un détaillant bien connu qui vend des produits électroniques avec 110 magasins au Canada et un site électronique commercial. Future Shop est la filiale de Best Buy Canada ltée qui est elle même une filiale de Best Buy Corporation (BBY), une entreprise américaine. Les produits annuels de Best Buy atteignent plus de 27 milliards de dollars des États-Unis. L'information qui suit est un extrait des états financiers récents de la société. Calculez les ratios présentés au tableau 13.3 (*voir la page 788*). S'il n'y a pas suffisamment d'information, décrivez ce qui manque et expliquez ce que vous feriez.

États des résultats consolidés
pour l'exercice terminé le 26 février 2005 et le 28 février 2004
(en millions de dollars des États-Unis, sauf pour les données par action)

	2005	2004
Chiffre d'affaires net	27 433 $	24 548 $
Coût des marchandises vendues	20 938	18 677
Frais de vente, d'administration et généraux	5 053	4 567
Produit (charge) d'intérêts	1	(8)
Bénéfice des opérations poursuivies avant impôts	1 443	1296
Charge d'impôts	509	496
Bénéfice des opérations poursuivies	934	800
Gain (perte) des opérations abandonnées	50	(95)
Bénéfice net	984 $	705 $

Bilans consolidés
(en millions de dollars des États-Unis)

	26 février 2005	28 février 2004
Actif		
Actif à court terme :		
Caisse	470 $	245 $
Placement à court terme	2 878	2 355
Clients (montant net)	375	343
Stock de marchandises	2 851	2 607
Autres actifs à court terme	329	174
Total de l'actif à court terme	6 903	5 724
Immobilisations corporelles, au coût		
Terrain et bâtisses	506	484
Améliorations locatives	1 139	861
Mobilier et équipement	2 458	2 151
Actif en location-acquisition	89	78
Moins amortissement accumulé	(1 728)	(1 330)
Total des immobilisations corporelles	2 464	2 244
Autres actifs	927	684
Total de l'actif	10 294 $	8 652 $
Passif et capitaux propres		
Passif à court terme :		
Fournisseurs	2 824 $	2 460 $
Charges courues à payer	1 653	1 373
Autres passifs à court terme	410	300
Portion à court terme de la dette à long terme	72	368
Total du passif à court terme	4 959	4 501
Passif à long terme	358	247
Dette à long terme	528	482
Total du passif	5 845	5 230
Capital social	33	32
Surplus d'apport	952	836
Bénéfices non répartis	3 315	2 468
Autre	149	86
Total des capitaux propres	4 449	3 422
Total du passif et des capitaux propres	10 294 $	8 652 $

Cas et projets

Cas – Rapports annuels

CP13-1 L'analyse d'états financiers

Reportez-vous aux états financiers de la société Reitmans (Canada) limitée (*voir l'an-nexe C à la fin de ce manuel*). À partir de la liste de ratios énumérés dans ce chapitre (*voir le tableau 13.3 à la page 788*), choisissez et calculez les ratios qui vous permet-tront d'évaluer de façon chronologique l'exploitation de la société.

Voici quelques données de l'exercice 2004 qui pourront servir à vos calculs :

Comptes clients	3 962 $
Stocks	60 223
Actifs à court terme	173 626
Actifs immobilisés	177 508
Actif total	469 865
Passifs à court terme	90 942
Passifs à long terme	102 521
Capitaux propres	276 402

CP13-2 L'analyse d'états financiers

Reportez-vous aux états financiers de la société Le Château (*voir l'annexe B à la fin de ce manuel*). À partir de la liste de ratios énumérés dans ce chapitre (*voir le tableau 13.3 à la page 788*), choisissez et calculez les ratios qui vous permettront d'évaluer de façon chronologique l'exploitation de la société.

Voici quelques données de l'exercice 2004 qui pourront servir à vos calculs :

Comptes clients	1 394 $
Stocks	26 075
Actifs à court terme	50 102
Actifs immobilisés	44 444
Actif total	94 546
Passifs à court terme	25 115
Passifs à long terme	8 269
Capitaux propres	61 162

CP13-3 La comparaison de sociétés du même secteur d'activité

Reportez-vous aux états financiers des sociétés Reitmans et Le Château (*voir les an-nexes B et C à la fin de ce manuel*). À partir de la liste de ratios énumérés dans ce chapitre (*voir le tableau 13.3 à la page 788*), choisissez et calculez les ratios de l'exer-cice financier le plus récent et pour lesquels vous disposez des données financières (certaines données peuvent être dans les notes aux états financiers). Comparez les ratios de chaque société aux ratios moyens du secteur d'activité présentés à l'annexe D et faites-en l'analyse.

CP13-4 La recherche d'informations à partir du modèle du taux de rendement des capi-taux propres

Dans ce chapitre, nous avons abordé le modèle du rendement des capitaux propres. À l'aide de ce modèle, trouvez le montant manquant dans chacun des cas ci-dessous.

Cas 1: Le taux de rendement des capitaux propres : 10 % ; le bénéfice net : 200 000 $; le taux de rotation de l'actif : 5 ; le chiffre d'affaires net : 1 000 000 $. Quels sont les capitaux propres moyens ?

Cas 2: Le bénéfice net : 1 500 000 $; le chiffre d'affaires net : 8 000 000 $; les ca-pitaux propres moyens : 12 000 000 $; le taux de rendement des capitaux propres : 22 % ; le taux de rotation de l'actif : 8. Quel est l'actif total moyen ?

Cas 3 : Le taux de rendement des capitaux propres : 15 % ; le pourcentage de la marge bénéficiaire nette : 10 % ; le taux de rotation de l'actif : 5 ; l'actif total moyen : 1 000 000 $. Quels sont les capitaux propres moyens ?

Cas 4 : Le bénéfice net : 500 000 $; le rendement des capitaux propres : 15 % ; le taux de rotation de l'actif total : 5 ; le chiffre d'affaires net : 1 000 000 $; le taux d'adéquation du capital : 2 %. Quel est l'actif total moyen ?

CP13-5 L'interprétation de résultats financiers en fonction de la stratégie d'entreprise

Dans ce chapitre, nous avons souligné l'importance de comprendre la stratégie d'affaires d'une société afin d'analyser ses résultats financiers. En utilisant le modèle du rendement des capitaux propres, nous avons illustré de quelle façon diverses stratégies peuvent produire des rendements élevés pour les investisseurs. Supposez que deux sociétés exploitent le même secteur d'activité, et qu'elles optent pour des stratégies d'entreprise fondamentalement différentes. L'une produit des appareils électroniques de grande qualité, destinés aux consommateurs. Ses produits sont fabriqués grâce à une technologie de pointe, et l'entreprise offre un service en magasin et après vente hors pair. La seconde entreprise mise plutôt sur un produit de coût moindre et de bonne qualité. Ses produits sont fabriqués au moyen d'une technologie éprouvée, mais ils ne sont jamais novateurs. Ils sont vendus dans des entrepôts à grande surface en libre-service, et les clients doivent faire eux-mêmes l'installation en se fiant aux instructions. Quels ratios, discutés dans ce chapitre, pourraient différer d'une entreprise à l'autre compte tenu du fait qu'elles prônent des stratégies d'affaires différentes ?

OA1
OA4
OA5
OA6
OA7

Nordstrom et JCPenney ◆

CP13-6 L'interprétation de résultats financiers en fonction de la stratégie d'entreprise

Dans ce chapitre, nous avons souligné l'importance de comprendre la stratégie d'affaires d'une société afin d'analyser ses résultats financiers. En utilisant le modèle du rendement des capitaux propres, nous avons illustré de quelle façon diverses stratégies peuvent produire des rendements élevés pour les investisseurs. Les sociétés Nordstrom et JCPenney exploitent le secteur de la vente au détail aux États-Unis. Nordstrom, un détaillant de vêtements spécialisés, est présent dans 23 États du pays. Ses produits annuels dépassent les 5 milliards de dollars. Ces magasins ont la réputation d'offrir des vêtements de grande qualité et un excellent service à la clientèle. D'un autre côté, JCPenney est un détaillant de gamme étendue qui attire les consommateurs à revenu moyen. La société offre de la marchandise à prix modéré, mais son service à la clientèle n'est pas aussi avantageux. Vous trouverez ci-dessous divers ratios pour chaque entreprise.

Ratio	Société A	Société B
Pourcentage de la marge bénéficiaire brute	34,4 %	23,1 %
Pourcentage de la marge bénéficiaire nette	4,0 %	1,7 %
Liquidité générale	1,8	1,6
Capitaux empruntés sur les capitaux propres	0,8	1,4
Rendement des capitaux propres	15,9 %	7,5 %
Rendement de l'actif	6,5 %	2,3 %
Cours-bénéfice	15,3	9,3

Travail à faire

1. Déterminez quelle société (A ou B) est Nordstrom et quelle société est JCPenney.
2. Selon vous, les différentes stratégies influeront sur quels ratios ?

OA3
OA4
OA5
OA6
OA7

Home Depot ◆

CP13-7 L'interprétation de publications financières

Les rapports des analystes publiés par la plupart des plus importantes sociétés d'investissement constituent une source d'information précieuse pour les investisseurs. Vous pouvez consulter un rapport d'analyste professionnel (Reuters Limited) rédigé pour la société Home Depot sur le site www.cheneliere.ca. Après avoir consulté ce document, faites un résumé traitant de l'utilisation d'informations financières présentées dans ce rapport.

Cas – Analyse critique

CP13-8 L'évaluation d'un problème d'éthique

OA5

La société Quasi Faillie a sollicité un prêt assez considérable auprès de la Banque Nationale dans le but d'acquérir un vaste terrain pour une expansion future. La société a déclaré un actif à court terme de 1 900 000 $ (dont 430 000 $ dans la caisse) et un passif à court terme de 1 075 000 $. La Banque a refusé d'accorder le prêt pour plusieurs raisons, l'une d'elles étant que le ratio de liquidité générale était inférieur à 2 : 1. Lorsque Quasi Faillie a appris que le prêt était refusé, le contrôleur de la société a immédiatement versé aux fournisseurs un montant de 420 000 $ qu'elle leur devait. Le contrôleur a ensuite demandé à la Banque Nationale d'étudier la demande une seconde fois. En vous basant sur ce résumé des faits, seriez-vous d'accord pour que la Banque approuve la demande ? Expliquez votre réponse. Le contrôleur a-t-il respecté l'éthique ?

Projets – Information financière

CP13-9 Un travail en équipe – l'étude d'un rapport annuel

OA3
OA4
OA5
OA6
OA7

En équipe, choisissez le secteur d'activité que vous voulez analyser. Chaque membre de l'équipe doit se procurer le rapport annuel d'une société ouverte de ce secteur, et chacun doit choisir une société différente (la bibliothèque, le service SEDAR ou le site Internet de la société choisie sont de bonnes sources de référence).

Travail à faire

1. Chaque membre doit rédiger individuellement un bref rapport où il analyse la société choisie à l'aide des ratios abordés dans ce chapitre (*voir le tableau 13.3 à la page 788*). Vous trouverez l'information pertinente dans les états financiers, les notes qui s'y rapportent, le sommaire de l'information financière et l'analyse de la direction.

2. En équipe, discutez de certains aspects communs de ces sociétés que vous avez relevés.

3. Toujours en équipe, rédigez un bref énoncé comparant et différenciant les sociétés choisies.

4. Donnez des explications possibles qui expliquent les différences observées, s'il y a lieu.

Annexe A

Table A.1
Valeur actualisée de 1 $

Périodes	2%	3%	3,75%	4%	4,25%	5%	6%	7%	8%
1	0,9804	0,9709	0,9639	0,9615	0,9592	0,9524	0,9434	0,9346	0,9259
2	0,9612	0,9426	0,9290	0,9246	0,9201	0,9070	0,8900	0,8734	0,8573
3	0,9423	0,9151	0,8954	0,8890	0,8826	0,8638	0,8396	0,8163	0,7938
4	0,9238	0,8885	0,8631	0,8548	0,8466	0,8227	0,7921	0,7629	0,7350
5	0,9057	0,8626	0,8319	0,8219	0,8121	0,7835	0,7473	0,7130	0,6806
6	0,8880	0,8375	0,8018	0,7903	0,7790	0,7462	0,7050	0,6663	0,6302
7	0,8706	0,8131	0,7728	0,7599	0,7473	0,7107	0,6651	0,6227	0,5835
8	0,8535	0,7894	0,7449	0,7307	0,7168	0,6768	0,6274	0,5820	0,5403
9	0,8368	0,7664	0,7180	0,7026	0,6876	0,6446	0,5919	0,5439	0,5002
10	0,8203	0,7441	0,6920	0,6756	0,6595	0,6139	0,5584	0,5083	0,4632
20	0,6730	0,5537	0,4789	0,4564	0,4350	0,3769	0,3118	0,2584	0,2145

Périodes	9%	10%	11%	12%	13%	14%	15%	20%	25%
1	0,9174	0,9091	0,9009	0,8929	0,8850	0,8772	0,8696	0,8333	0,8000
2	0,8417	0,8264	0,8116	0,7972	0,7831	0,7695	0,7561	0,6944	0,6400
3	0,7722	0,7513	0,7312	0,7118	0,6931	0,6750	0,6575	0,5787	0,5120
4	0,7084	0,6830	0,6587	0,6355	0,6133	0,5921	0,5718	0,4823	0,4096
5	0,6499	0,6209	0,5935	0,5674	0,5428	0,5194	0,4972	0,4019	0,3277
6	0,5963	0,5645	0,5346	0,5066	0,4803	0,4556	0,4323	0,3349	0,2621
7	0,5470	0,5132	0,4817	0,4523	0,4251	0,3996	0,3759	0,2791	0,2097
8	0,5019	0,4665	0,4339	0,4039	0,3762	0,3506	0,3269	0,2326	0,1678
9	0,4604	0,4241	0,3909	0,3606	0,3329	0,3075	0,2843	0,1938	0,1342
10	0,4224	0,3855	0,3522	0,3220	0,2946	0,2697	0,2472	0,1615	0,1074
20	0,1784	0,1486	0,1240	0,1037	0,0868	0,0728	0,0611	0,0261	0,0115

Table A.2
Valeur actualisée de versements périodiques égaux de 1 $

Périodes*	2%	3%	3,75%	4%	4,25%	5%	6%	7%	8%
1	0,9804	0,9709	0,9639	0,9615	0,9592	0,9524	0,9434	0,9346	0,9259
2	1,9416	1,9135	1,8929	1,8861	1,8794	1,8594	1,8334	1,8080	1,7833
3	2,8839	2,8286	2,7883	2,7751	2,7620	2,7232	2,6730	2,6243	2,5771
4	3,8077	3,7171	3,6514	3,6299	3,6086	3,5460	3,4651	3,3872	3,3121
5	4,7135	4,5797	4,4833	4,4518	4,4207	4,3295	4,2124	4,1002	3,9927
6	5,6014	5,4172	5,2851	5,2421	5,1997	5,0757	4,9173	4,7665	4,6229
7	6,4720	6,2303	6,0579	6,0021	5,9470	5,7864	5,5824	5,3893	5,2064
8	7,3255	7,0197	6,8028	6,7327	6,6638	6,4632	6,2098	5,9713	5,7466
9	8,1622	7,7861	7,5208	7,4353	7,3513	7,1078	6,8017	6,5152	6,2469
10	8,9826	8,5302	8,2128	8,1109	8,0109	7,7217	7,3601	7,0236	6,7101
20	16,3514	14,8775	13,8962	13,5903	13,2944	12,4622	11,4699	10,5940	9,8181

Périodes*	9%	10%	11%	12%	13%	14%	15%	20%	25%
1	0,9174	0,9091	0,9009	0,8929	0,8550	0,8772	0,8696	0,8333	0,8000
2	1,7591	1,7355	1,7125	1,6901	1,6681	1,6467	1,6257	1,5278	1,4400
3	2,5313	2,4869	2,4437	2,4018	2,3612	2,3216	2,2832	2,1065	1,9520
4	3,2397	3,1699	3,1024	3,0373	2,9745	2,9137	2,8550	2,5887	2,3616
5	3,8897	3,7908	3,6959	3,6048	3,5172	3,4331	3,3522	2,9906	2,6893
6	4,4859	4,3553	4,2305	4,1114	3,9975	3,8887	3,7845	3,3255	2,9514
7	5,0330	4,8684	4,7122	4,5638	4,4226	4,2883	4,1604	3,6046	3,1611
8	5,5348	5,3349	5,1461	4,9676	4,7988	4,6389	4,4873	3,8372	3,3289
9	5,9952	5,7590	5,5370	5,3282	4,1317	4,9464	4,7716	4,0310	3,4631
10	6,4177	6,1446	5,8892	5,6502	5,4262	5,2161	5,0188	4,1925	3,5705
20	9,1285	8,5136	7,9633	7,4694	7,0248	6,6231	6,2593	4,8696	3,9539

* Il n'y a qu'un seul paiement à chaque période.

Table A.3

Valeur capitalisée de 1 $

Périodes	2%	3%	3,75%	4%	4,25%	5%	6%	7%	8%
0	1	1	1	1	1	1	1	1	1
1	1,02	1,03	1,0375	1,04	1,0425	1,05	1,06	1,07	1,08
2	1,0404	1,0609	1,0764	1,0816	1,0868	1,1025	1,1236	1,1449	1,1664
3	1,0612	1,0927	1,1168	1,1249	1,1330	1,1576	1,1910	1,2250	1,2597
4	1,0824	1,1255	1,1587	1,1699	1,1811	1,2155	1,2625	1,3108	1,3605
5	1,1041	1,1593	1,2021	1,2167	1,2313	1,2763	1,3382	1,4026	1,4693
6	1,1262	1,1941	1,2472	1,2653	1,2837	1,3401	1,4185	1,5007	1,5869
7	1,1487	1,2299	1,2939	1,3159	1,3382	1,4071	1,5036	1,6058	1,7138
8	1,1717	1,2668	1,3425	1,3686	1,3951	1,4775	1,5938	1,7182	1,8509
9	1,1951	1,3048	1,3928	1,4233	1,4544	1,5513	1,6895	1,8385	1,9990
10	1,2190	1,3439	1,4450	1,4802	1,5162	1,6289	1,7908	1,9672	2,1589
20	1,4859	1,8061	2,0882	2,1911	2,2989	2,6533	3,2071	3,8697	4,6610

Périodes	9%	10%	11%	12%	13%	14%	15%	20%	25%
0	1	1	1	1	1	1	1	1	1
1	1,09	1,10	1,11	1,12	1,13	1,14	1,15	1,20	1,25
2	1,1881	1,2100	1,2321	1,2544	1,2769	1,2996	1,3225	1,4400	1,5625
3	1,2950	1,3310	1,3676	1,4049	1,4429	1,4815	1,5209	1,7280	1,9531
4	1,4116	1,4641	1,5181	1,5735	1,6305	1,6890	1,7490	2,0736	2,4414
5	1,5386	1,6105	1,6851	1,7623	1,8424	1,9254	2,0114	2,4883	3,0518
6	1,6771	1,7716	1,8704	1,9738	2,0820	2,1950	2,3131	2,9860	3,8147
7	1,8280	1,9487	2,0762	2,2107	2,3526	2,5023	2,6600	3,5832	4,7684
8	1,9926	2,1436	2,3045	2,4760	2,6584	2,8526	3,0590	4,2998	5,9605
9	2,1719	2,3579	2,5580	2,7731	3,0040	3,2519	3,5179	5,1598	7,4506
10	2,3674	2,5937	2,8394	3,1058	3,3946	3,7072	4,0456	6,1917	9,3132
20	5,6044	6,7275	8,0623	9,6463	11,5231	13,7435	16,3665	38,3376	86,7362

Table A.4

Valeur capitalisée de versements périodiques égaux de 1 $

Périodes*	2%	3%	3,75%	4%	4,25%	5%	6%	7%	8%
1	1	1	1	1	1	1	1	1	1
2	2,02	2,03	2,0375	2,04	2,0425	2,05	2,06	2,07	2,08
3	3,0604	3,0909	3,1139	3,1216	3,1293	3,1525	3,1836	3,2149	3,2464
4	4,1216	4,1836	4,2307	4,2465	4,2623	4,3101	4,3746	4,4399	4,5061
5	5,2040	5,3091	5,3893	5,4163	5,4434	5,5256	5,6371	5,7507	5,8666
6	6,3081	6,4684	6,5914	6,6330	6,6748	6,8019	6,9753	7,1533	7,3359
7	7,4343	7,6625	7,8386	7,8983	7,9585	8,1420	8,3938	8,6540	8,9228
8	8,5830	8,8923	9,1326	9,2142	9,2967	9,5491	9,8975	10,2598	10,6366
9	9,7546	10,1591	10,4750	10,5828	10,6918	11,0266	11,4913	11,9780	12,4876
10	10,9497	11,4639	11,8678	12,0061	12,1462	12,5779	13,1808	13,8164	14,4866
20	24,2974	26,8704	29,0174	29,7781	30,5625	33,0660	36,7856	40,9955	45,7620

Périodes*	9%	10%	11%	12%	13%	14%	15%	20%	25%
1	1	1	1	1	1	1	1	1	1
2	2,09	2,10	2,11	2,12	2,13	2,14	2,15	2,20	2,25
3	3,2781	3,3100	3,3421	3,3744	3,4069	3,4396	3,4725	3,6400	3,8125
4	4,5731	4,6410	4,7097	4,7793	4,8498	4,9211	4,9934	5,3680	5,7656
5	5,9847	6,1051	6,2278	6,3528	6,4803	6,6101	6,7424	7,4416	8,2070
6	7,5233	7,7156	7,9129	8,1152	8,3227	8,5355	8,7537	9,9299	11,2588
7	9,2004	9,4872	9,7833	10,0890	10,4047	10,7305	11,0668	12,9159	15,0735
8	11,0285	11,4359	11,8594	12,2997	12,7573	13,2328	13,7268	16,4991	19,8419
9	13,0210	13,5975	14,1640	14,7757	15,4157	16,0853	16,7858	20,7989	25,8023
10	15,1929	15,9374	16,7220	17,5487	18,4197	19,3373	20,3037	25,9587	33,2529
20	51,1601	57,2750	64,2028	72,0524	80,9468	91,0249	102,4436	186,6880	342,9447

* Il n'y a qu'un seul paiement à chaque période.

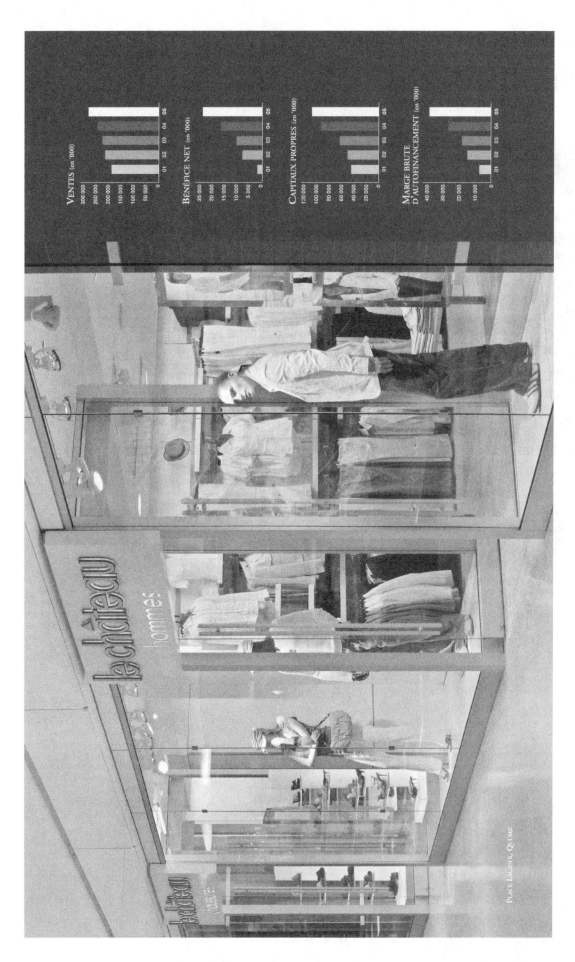

VENTES (en '000)

300 000
250 000
200 000
150 000
100 000
50 000
0
01 02 03 04 05

BÉNÉFICE NET (en '000)

25 000
20 000
15 000
10 000
5 000
0
01 02 03 04 05

CAPITAUX PROPRES (en '000)

120 000
100 000
80 000
60 000
40 000
20 000
0
01 02 03 04 05

MARGE BRUTE
D'AUTOFINANCEMENT (en '000)

40 000
30 000
20 000
10 000
0
01 02 03 04 05

PLACE LAURIER, QUÉBEC

FAITS SAILLANTS (en milliers de dollars sauf les données par action et les ratios)

Exercices terminés les	28 JANVIER 2006	29 JANVIER 2005	31 JANVIER 2004 (53 SEMAINES)	25 JANVIER 2003	26 JANVIER 2002
RÉSULTATS					
Ventes	279 064	241 131	226 766	217 660	187 540
Bénéfice avant impôts sur les bénéfices	35 963	24 336	17 123	12 375	4 010
Bénéfice net	23 513	15 886	10 648	7 562	1 852
• Par action	3,95	2,96	2,07	1,52	0,38
Dividendes par action	0,80	0,625	0,40	0,40	0,40
Nombre moyen d'actions en circulation ('000)	5 953	5 362	5 134	4 980	4 936
SITUATION FINANCIÈRE					
Fonds de roulement	60 491	47 781	24 987	18 443	14 621
Capitaux propres	105 245	85 244	61 162	51 492	45 694
Total de l'actif	166 236	128 198	94 546	80 519	69 915
RATIOS FINANCIERS					
Ratio du fonds de roulement	2,52:1	2,61:1	1,99:1	1,79:1	1,80:1
Ratio de liquidités immédiates	1,63:1	1,62:1	0,96:1	0,70:1	0,63:1
Ratio d'endettement [1]	0,20:1	0,16:1	0,11:1	0,08:1	0,10:1
AUTRES STATISTIQUES (unités comme précisé)					
Marge brute d'autofinancement ('000 $)	38 756	26 583	18 792	14 585	8 748
Dépenses en immobilisations ('000 $)	27 655	16 491	14 438	9 019	5 025
Nombre de magasins en fin d'exercice	185	174	165	161	160
Superficie en pi²	762 093	686 830	645 362	593 815	586 078
Ventes au pi² [2]	416	394	386	391	338

RENSEIGNEMENTS SUR LE TITRE

Symbole : **CTU.SV.A**

Inscription boursière : **TSX**

Nombre d'actions participantes en circulation au 12 mai 2006 :

3 986 601 actions subalternes de catégorie A avec droit de vote

2 040 000 actions de catégorie B

Nombre d'actions en circulation dans le public : [3]

3 502 971 actions de catégorie A

Au 12 mai 2006 :

Haut/bas du cours de l'action de catégorie A 12 mois terminés le 12 mai 2006 :

59,40 $ / 29,10 $

Cours récent : **56,36 $**

Rendement des actions : **1,8 %**

Ratio cours / bénéfice : **14,3 X**

Ratio cours / valeur comptable : **3,2 X**

Bénéfice par action : [4] **3,95 $**

Valeur comptable de l'action : [5] **17,46 $**

[1] Incluant les obligations locatives et la tranche à court terme de la dette, excluant les avantages incitatifs reportés.

[2] Excluant les magasins-entrepôts Le Château.

[3] Excluant les actions détenues par les membres du conseil d'administration et les dirigeants.

[4] Exercice terminé le 28 janvier 2006.

[5] Au 28 janvier 2006.

LE CHÂTEAU RAPPORT ANNUEL 2005 1

MESSAGE AUX ACTIONNAIRES

NOUS AVONS LE TRÈS GRAND PLAISIR DE FAIRE ÉTAT DES RÉSULTATS DU DERNIER EXERCICE. EN 2005, LE CHÂTEAU A CONNU UNE AUTRE ANNÉE RECORD, AVEC UN BÉNÉFICE NET AVANT IMPÔTS DE 12,9 % ET UNE MARGE DE BÉNÉFICE AVANT INTÉRÊTS, IMPÔTS ET AMORTISSEMENTS DE 17,3 %. DE PLUS, NOTRE DIVIDENDE S'EST HAUSSÉ À UN DOLLAR PAR ACTION.

DERRIÈRE SES RÉSULTATS FINANCIERS SOLIDES SE TROUVENT DE NOMBREUX FACTEURS DE SUCCÈS. TOUT D'ABORD, NOUS SOMMES RESTÉS EN BONNE POSITION DANS L'ÉVENTAIL DES COMMERCES DE DÉTAIL. ALORS QUE LES MAGASINS DE LUXE ONT PROSPÉRÉ, LES GRANDES SURFACES, À L'AUTRE EXTRÉMITÉ, ONT GRUGÉ UNE PART DU MARCHÉ DANS NOTRE SECTEUR DES PRIX MOYENS, MAIS PRINCIPALEMENT CELLE DES GRANDS MAGASINS. LE CHÂTEAU A MAINTENU ET RENFORCÉ SA POSITION AU CENTRE, EN CONTINUANT À OFFRIR DES PRODUITS INNOVATEURS AU DESIGN UNIQUE ET À DES PRIX ABORDABLES.

GRÂCE À UN BILAN SOLIDE QUI NOUS PERMET DE FINANCER LA CROISSANCE, LA SUPERFICIE MOYENNE DE NOS MAGASINS EST EN EXPANSION. AU COURS DES TROIS DERNIÈRES ANNÉES, NOUS AVONS AGRANDI NOTRE SURFACE DE 28 %. NOUS VISONS À CONTINUER DE SAISIR LES POSSIBILITÉS DE CROISSANCE À LA DISPOSITION DE LA SOCIÉTÉ EN AGRANDISSANT NOS DIVISIONS D'ACCESSOIRES, DE VÊTEMENTS POUR HOMMES ET DE CHAUSSURES. (AVEC L'ÉLIMINATION DE LA DIVISION DE VÊTEMENTS JUNIOR GIRL, DONT LES RÉSULTATS ÉTAIENT DÉCEVANTS, NOUS LIBÉRONS ENCORE PLUS D'ESPACE ACTUELLEMENT POUR DES CATÉGORIES DONT LES MARGES DE PROFITS SONT PLUS ÉLEVÉES ET EN PLEINE CROISSANCE.)

DORÉNAVANT, AFIN DE SOULIGNER EXPRESSÉMENT CE QUE LE CHÂTEAU EST DEVENU, L'EXTÉRIEUR DE NOS MAGASINS ARBORERA UN NOUVEL ÉLÉMENT DYNAMIQUE. DE PLUS EN PLUS, LES MAGASINS AURONT TROIS (ET PEUT-ÊTRE QUATRE) ENTRÉES DISTINCTES, UNE POUR CHAQUE CATÉGORIE, ALORS QUE LA DISPOSITION À L'INTÉRIEUR DEMEURERA UN TOUT HOMOGÈNE.

DE MÊME, DE NOMBREUX AUTRES FACTEURS CONTRIBUENT À LA CROISSANCE DE LE CHÂTEAU. PAR EXEMPLE, L'ATTRAIT GRANDISSANT EXERCÉ PAR NOTRE MARQUE AUPRÈS DE DIVERSES GÉNÉRATIONS. IL Y A TROIS ANS, MOINS DU TIERS DE NOS CLIENTS ÉTAIENT ÂGÉS DE PLUS DE 25 ANS. AUJOURD'HUI, PRÈS DES DEUX TIERS SONT ÂGÉS DE PLUS DE 25 ANS. PAR AILLEURS, LA CROISSANCE PROVIENT AUSSI DE NOTRE EXPANSION DANS LES MARCHÉS SECONDAIRES. EN EFFET, LES CLIENTS DE RED DEER OU DE CHARLOTTETOWN SONT TOUT AUSSI SÉDUITS PAR LA MODE TENDANCE DE LE CHÂTEAU QUE LES CLIENTS DE QUEEN STREET À TORONTO OU DE LA RUE SAINTE-CATHERINE À MONTRÉAL.

AU COURS DES CINQ DERNIÈRES ANNÉES, NOUS AVONS VU L'APPARITION AU CANADA DE PLUSIEURS CHAÎNES ÉTRANGÈRES BIEN CONNUES S'ADRESSANT À NOTRE MARCHÉ. MAIS NOUS CROYONS QUE LEUR PRÉSENCE S'EST EN FAIT AVÉRÉE CONSTRUCTIVE POUR LE CHÂTEAU. EN EFFET, LEUR ENTRÉE A AUGMENTÉ L'ACHALANDAGE DANS LES CENTRES COMMERCIAUX, AINSI QUE LA NOTORIÉTÉ DE L'ENSEMBLE DE NOTRE CATÉGORIE DE MARCHÉ. IL S'AGIT D'UN AVANTAGE POUR NOUS, PUISQU'IL EST DIFFICILE POUR UN CONCURRENT DONT LE SIÈGE SOCIAL SE TROUVE À L'EXTÉRIEUR DU CANADA D'ÉGALER NOTRE TEMPS DE RÉACTION AU MARCHÉ. LORSQUE NOS LOGICIELS MAISON IDENTIFIENT UNE TENDANCE OU UN ARTICLE QUI SE VEND PARTICULIÈREMENT BIEN EN MAGASIN, NOUS SOMMES EN MESURE D'Y RÉPONDRE RAPIDEMENT GRÂCE À NOTRE CAPACITÉ DE PRODUCTION AU CANADA. NOUS POUVONS TRANSFORMER LES MATIÈRES PREMIÈRES EN PRODUITS EN QUELQUES SEMAINES. AVEC 42 % DE NOS VÊTEMENTS CONFECTIONNÉS AU PAYS, NOTRE DÉLAI D'APPROVISIONNEMENT EST PLUS COURT QUE CELUI DE LA CONCURRENCE, ET NOUS POUVONS AINSI RÉAGIR OU PROCÉDER AU RÉAPPROVISIONNEMENT PLUS RAPIDEMENT.

L'APPROVISIONNEMENT DE LE CHÂTEAU SUR LE MARCHÉ INTERNATIONAL S'EST AUSSI AMÉLIORÉ GRÂCE À L'OUVERTURE DE NOTRE BUREAU EN CHINE. EN OUTRE, AU COURS DE LA PROCHAINE ANNÉE, NOUS NOUS RAPPROCHERONS ENCORE DAVANTAGE DE NOS FOURNISSEURS DE MATIÈRES PREMIÈRES ET DE VÊTEMENTS IMPORTÉS PAR L'OUVERTURE D'AUTRES BUREAUX EN EUROPE ET EN INDE.

ALORS QUE NOUS IMPORTONS DÉJÀ PLUS DE LA MOITIÉ DE NOS MARCHANDISES, NOUS AVONS AUSSI COMMENCÉ À EXPORTER LA MARQUE ET L'EXPERTISE DE LE CHÂTEAU. UN POTENTIEL D'EXPANSION CONSIDÉRABLE REPOSE DANS LE DOMAINE DES FRANCHISES, OÙ DES PARTENAIRES ÉTRANGERS EXPLOITENT SOUS LICENCE NOTRE MARQUE SOLIDE EN L'ADAPTANT À LEUR PAYS. LE PREMIER LE CHÂTEAU DU GENRE À L'ÉTRANGER DOIT OUVRIR SOUS PEU EN ARABIE SAOUDITE, ET D'AUTRES OUVERTURES SUIVRONT PEU APRÈS DANS CE PAYS, AINSI QU'AUX ÉMIRATS ARABES UNIS. SANS AUCUN NOUVEL INVESTISSEMENT REQUIS, LES LICENCES TERRITORIALES À L'ÉTRANGER REPRÉSENTENT UNE NOUVELLE SOURCE DE REVENUS IMPORTANTE.

EN 2005, NOUS AVONS ENTREPRIS UN EXERCICE DE RÉVISION STRATÉGIQUE D'UNE ANNÉE, QUI NOUS A APPRIS BEAUCOUP DE CHOSES SUR NOUS-MÊMES. DE NOTRE EXAMEN EN PROFONDEUR A RÉSULTÉ UNE RÉORIENTATION RENOUVELANT NOTRE ENGAGEMENT À L'ENDROIT D'UN LEADERSHIP DANS L'INDUSTRIE DE LA MODE REPOSANT SUR LES PLUS RÉCENTES TECHNIQUES DE GESTION PROFESSIONNELLE. EN OUTRE, CET EXAMEN A AMENÉ LA SOCIÉTÉ À RETENIR LES SERVICES DE MARCHÉS DE CAPITAUX GENUITY, CONSEILLER FINANCIER CHEF DE FILE AUPRÈS DES ENTREPRISES, DANS LE CADRE DE L'ÉVALUATION

ET DE L'EXAMEN DE TOUTES LES OPTIONS AFIN DE PRÉSERVER
OU D'ACCROÎTRE LA VALEUR DES ACTIONS. LES DIVERSES
OPTIONS STRATÉGIQUES COMPRENNENT NOTAMMENT LA
VENTE DE LA SOCIÉTÉ, UN REGROUPEMENT D'ENTREPRISES
OU LA RESTRUCTURATION DE SON CAPITAL. IL EST AUSSI
POSSIBLE QU'AUCUNE OPÉRATION NE SOIT RÉALISÉE ET
QUE NOUS POURSUIVIONS NOTRE CROISSANCE SUR LES
FONDEMENTS DE NOTRE RÉUSSITE.

ENTRE TEMPS, SUR DES BASES QUI POURRAIENT DIFFICILEMENT
ÊTRE PLUS SOLIDES, NOUS POURSUIVONS NOS ACTIVITÉS
NORMALEMENT. AFIN DE CONSERVER NOTRE POSITION EN
TANT QUE SOCIÉTÉ INNOVATRICE SUR LE MARCHÉ, NOUS
GARDONS CONTINUELLEMENT L'ÉQUILIBRE ENTRE LA LIBERTÉ
DE NOS CRÉATIONS ET LA PRUDENCE D'UNE GESTION
PROFESSIONNELLE, NOUS ASSURANT AINSI DE PRÉSERVER
NOTRE STATUT DE PREMIER PLAN DANS L'INDUSTRIE
DE LA MODE.

ENFIN, NOUS AIMERIONS PROFITER DE L'OCCASION POUR
EXPRIMER NOTRE GRATITUDE À L'ENDROIT DE CHACUN DES
MEMBRES DE L'ÉQUIPE DE LE CHÂTEAU, POUR LEUR RÔLE
DANS LE SUCCÈS DE LA SOCIÉTÉ. AU COURS DE CETTE ANNÉE
DE RÉUSSITE, L'ÉQUIPE DE LE CHÂTEAU A RÉALISÉ UNE FOIS
DE PLUS DES RÉSULTATS EXCEPTIONNELS, TOUT EN TRAÇANT
LA VOIE À UN RENOUVEAU STIMULANT. SON ENGAGEMENT
INDÉFECTIBLE CONSTITUE LE MEILLEUR REMERCIEMENT
QUE NOUS PUISSIONS OFFRIR À NOS ACTIONNAIRES.

HERSCHEL H. SEGAL
PRÉSIDENT DU CONSEIL ET
CHEF DE LA DIRECTION

JANE SILVERSTONE, B.A.LLL
VICE-PRÉSIDENTE DU CONSEIL

RAPPORT DE GESTION

Le 24 avril 2006

Les exercices financiers 2005 et 2004 désignent, dans tous les cas, la période de 52 semaines terminée le 28 janvier 2006 et le 29 janvier 2005 respectivement. L'exercice 2003 désigne quant à lui la période de 53 semaines terminée le 31 janvier 2004. Le Rapport de gestion doit être lu conjointement aux états financiers consolidés vérifiés et aux notes afférentes aux états financiers consolidés de l'exercice financier 2005 de Le Château Inc.

INFORMATION ANNUELLE CHOISIE

(en milliers de dollars, sauf les montants par action)	2005 $	2004 $	2003 $ (53 SEMAINES)
Ventes	279 064	241 131	226 766
Bénéfice avant impôts	35 963	24 336	17 123
Bénéfice net	23 513	15 886	10 648
Bénéfice net par action			
De base	3,95	2,96	2,07
Dilué	3,82	2,84	1,98
Total de l'actif	166 236	128 198	94 546
Dette à long terme [1]	14 665	9 086	4 580
Dividendes par action	0,80	0,63	0,40
Marge brute d'autofinancement	38 756	26 583	18 792
Augmentation des ventes des magasins comparables (%)	11,2 %	4,9 %	0,6 %
Superficie totale en pieds carrés à la fin de l'exercice	762 093	686 830	645 362
Ventes au pied carré, excluant les magasins-entrepôts (en dollars)	416	394	386

[1] Incluant les obligations locatives; excluant la tranche de la dette à court terme et les avantages incitatifs reportés.

VENTES

Les ventes ont connu une hausse de 15,7 % durant l'exercice 2005, pour atteindre un chiffre d'affaires record de 279,1 millions de dollars, comparativement à 241,1 millions de dollars pour l'exercice précédent. Les magasins comparables ont connu une augmentation des ventes de 11,2 % au cours de l'exercice. En excluant les magasins-entrepôts, les ventes au pied carré ont connu une hausse, passant de 394 $ en 2004, à 416 $ en 2005.

L'optimisation des profits a continué d'être un facteur clé de nos stratégies commerciales. Nous avons poursuivi nos efforts visant à l'élargissement de notre clientèle et à la différenciation de notre marque en offrant continuellement et au bon moment les tendances les plus innovatrices dans des vêtements de qualité à prix abordable. De plus, notre approche d'intégration verticale de la vente au détail nous permet de minimiser les risques inhérents à la commercialisation des produits et d'accélérer le cycle de production.

En 2005, nous avons poursuivi le déploiement de notre nouveau concept de magasins, un programme de remodelage mis en place dans environ soixante pour cent de nos magasins à ce jour. Ce concept de design de magasins reflète nos efforts visant à rehausser la qualité de notre marque et à élargir notre clientèle. Par le biais d'un design épuré et d'une présentation visuelle clairement définie, cet environnement en magasin fait en sorte que chaque division puisse devenir une destination distincte, avec plus de visibilité.

Au cours du troisième trimestre, Le Château a adhéré à un projet pilote de contrat de licence avec un promoteur spécialisé dans les commerces de détail au Moyen-Orient concernant l'ouverture de magasins de marque Le Château dans la région. Des travaux sont en cours pour la construction d'un petit nombre de magasins tests, qui devraient ouvrir au cours des prochains mois.

VENTES TOTALES PAR DIVISION

(en milliers de dollars)	2005 $	2004 $	2003 $	VARIATION EN % 2005-2004	2004-2003
Vêtements pour femmes	153 362	141 149	138 047	8,7 %	2,2 %
Vêtements pour hommes	38 019	30 452	26 707	24,8 %	14,0 %
Vêtements *JUNIOR GIRL*	10 995	13 892	17 363	(20,9) %	(20,0) %
Chaussures	25 128	18 063	16 700	39,1 %	8,2 %
Accessoires	51 560	37 575	27 949	37,2 %	34,4 %
	279 064	241 131	226 766	15,7 %	6,3 %

La division des vêtements pour femmes a enregistré une hausse de 8,7 % de ses ventes en 2005 et demeure la division de la Société qui génère le plus de ventes, comptant pour 55,0 % de son chiffre d'affaires. Nos efforts visant l'élargissement de notre clientèle, une plus grande sélection de tailles de vêtements et un flux ininterrompu de produits uniques et de qualité ont contribué à l'expansion de notre part de marché.

La division des chaussures a enregistré la plus importante augmentation du pourcentage de ventes en 2005, avec une hausse de 39,1 %, comptant pour 9,0 % des ventes totales, comparativement à 7,5 % l'année précédente. Nous reconnaissons l'important potentiel de croissance de cette division et planifions renforcer davantage notre gamme de produits afin d'attirer une plus grande part du marché. Au cours du premier trimestre 2006, nous avons inauguré notre première boutique concept entièrement consacrée aux chaussures, à la Place Laurier, notre magasin phare de Québec. La Société prévoit l'ouverture de dix autres boutiques concept de chaussures au cours des 12 à 24 prochains mois.

Les ventes de la division des accessoires ont connu une croissance de 37,2 % en 2005, représentant 18,5 % des ventes totales. Les ventes de cette division ont plus que doublé au cours des trois dernières années, et nous continuons d'élargir notre offre de produits.

En 2005, les revenus générés par la division pour hommes ont connu une hausse de 24,8 %. Au cours de l'année, les rayons pour hommes de 13 autres magasins existants ont été agrandis par des locaux adjacents.

En 2005, nous avons poursuivi la réorganisation de l'espace immobilier existant de manière à maximiser notre rentabilité en assignant une partie de l'espace dévolu à la division de vêtements JUNIOR GIRL, à d'autres divisions plus rentables. Cette stratégie d'optimisation des profits a débuté il y a deux ans. Au 28 janvier 2006, la division JUNIOR GIRL était exploitée dans environ 40 magasins, en regard de 60 au 29 janvier 2005. La Société prévoit l'abandon graduel de la division au cours des prochains mois. L'espace immobilier ainsi dégagé bénéficiera principalement aux divisions pour hommes et chaussures.

VENTES TOTALES PAR RÉGION

(en milliers de dollars)	2005 $	2004 $	2003 $	VARIATION EN % 2005-2004	2004-2003
Ontario	98 127	85 134	78 991	15,3 %	7,8 %
Québec	75 833	65 107	63 556	16,5 %	2,4 %
Prairies	47 746	41 821	39 322	14,2 %	6,4 %
Colombie-Britannique	36 371	30 044	27 530	21,1 %	9,1 %
Atlantique	13 271	11 302	9 776	17,4 %	15,6 %
États-Unis	7 716	7 723	7 591	(0,1) %	1,7 %
	279 064	241 131	226 766	15,7 %	6,3 %

En 2005, toutes les régions ont connu une amélioration de leur chiffre d'affaires. La Colombie-Britannique a enregistré la plus forte croissance au chapitre des ventes, avec des augmentations de 21,1 % des ventes totales et de 16,0 % des ventes des magasins comparables. Les magasins comparables des Prairies ont connu une hausse de leurs ventes de 15,0 %, alors que les ventes des magasins comparables de l'Ontario et des provinces de l'Atlantique enregistraient une croissance de 11,7 %. Au Québec, les ventes totales ont connu une hausse de 16,5 %, alors que les ventes des magasins comparables ont connu une hausse de 8,1%.

Les ventes (en $ US) pour les cinq magasins de la Société situés aux États-Unis, tous dans la région de New York, ont connu une croissance de 7,3 %, alors que les ventes des magasins comparables sont demeurées stables. La Société a ouvert un nouveau magasin au New Jersey à la fin du troisième trimestre.

Durant l'année, Le Château a ouvert 13 nouveaux magasins, a fermé 2 magasins et a rénové 27 magasins existants. Au 28 janvier 2006, la Société exploitait 185 magasins (dont 14 magasins-entrepôts) comparativement à 174 (dont 11 magasins-entrepôts) à la fin de l'exercice précédent. La superficie totale des magasins à la fin de l'exercice s'élevait à 762 000 pieds carrés, en regard de 687 000 pieds carrés à la fin de l'exercice précédent, soit une augmentation de 75 000 pieds carrés ou 11,0 %. Des 75 000 pieds carrés ajoutés au cours de l'exercice, 43 000 étaient attribuables aux ouvertures de nouveaux magasins, une fois soustraite la superficie des magasins fermés, et 32 000 pieds carrés à l'expansion de magasins existants.

PLACE LAURIER, QUÉBEC

CHARGES D'EXPLOITATION

Pour l'exercice 2005, le coût des ventes, et les charges de vente et d'administration totalisaient 230,9 millions de dollars, ou 82,7 % du chiffre d'affaires, comparativement à 206,3 millions de dollars ou 85,5 % du chiffre d'affaires en 2004. Cette baisse est attribuable aux améliorations constamment apportées à la gestion des stocks, qui ont entraîné une marge bénéficiaire brute accrue. Les charges d'exploitation de 2005 comprennent aussi une somme de 458 000 $ (2004 – néant) occasionnée par l'émission d'options sur actions au cours de l'exercice.

Les intérêts débiteurs sont passés de 674 000 $ en 2004 à 803 000 $ en 2005, en raison du financement additionnel de 13,0 millions de dollars de la dette à long terme obtenu au cours de l'exercice.

Les frais d'amortissement ont enregistré une hausse, passant de 9,1 millions de dollars en 2004 à 11,2 millions de dollars en 2005, cette hausse étant attribuable à des investissements additionnels dans les immobilisations.

La provision pour impôts de 12,5 millions de dollars en 2005 représente un taux d'imposition effectif de 34,6 %, comparativement à un taux de 34,7 % l'année précédente.

BÉNÉFICE

Le bénéfice net a atteint un résultat record de 23,5 millions de dollars ou 3,95 $ par action (de base) en 2005, comparativement à 15,9 millions de dollars ou 2,96 $ par action en 2004.

Le bénéfice net de la Société attribuable à ses opérations au Canada totalisait 24,4 millions de dollars ou 4,10 $ par action (de base), alors qu'elle a enregistré une perte nette de ses opérations aux États-Unis de 893 000 $ CA ou (0,15) $ CA par action.

LIQUIDITÉS ET RESSOURCES EN CAPITAL

La Société possède des liquidités importantes, largement suffisantes pour soutenir ses activités d'exploitation, ainsi qu'une situation financière solide. Ces liquidités suivent une courbe saisonnière en fonction du calendrier des achats de stocks et des dépenses en immobilisations; les liquidités sont à leur sommet à la fin de l'exercice, et à leur plus bas niveau à la fin du second trimestre.

La situation de trésorerie de la Société s'établissait à 61,1 millions de dollars ou 10,13 $ par action en 2005, en hausse par rapport à 46,0 millions de dollars ou 7,84 $ par action en 2004. La marge brute d'autofinancement (excluant la variation nette des soldes hors caisse du fonds de roulement) a augmenté à 38,8 millions de dollars en 2005, en regard de 26,6 millions de dollars l'année précédente, cette augmentation étant attribuable principalement à un bénéfice net plus élevé. Les rentrées nettes liées aux activités d'exploitation (incluant la variation nette des soldes hors caisse du fonds de roulement) ont augmenté à 38,1 millions de dollars, comparativement à 24,7 millions de dollars en 2004.

Les rentrées nettes liées aux activités d'exploitation et de financement ont servi aux activités de financement et d'investissement suivantes :

• Des dépenses en immobilisations de 27,7 millions de dollars, dont une tranche de 26,7 millions de dollars est liée aux opérations canadiennes et une tranche de 1,0 million de dollars aux activités américaines, réparties ainsi :

DÉPENSES EN IMMOBILISATIONS

(en milliers de dollars)	2005 $	2004 $	2003 $
Ouverture de magasins (13 magasins; 2004 – 10 magasins; 2003 – 6 magasins)	5 943	2 828	1 434
Rénovation de magasins (27 magasins; 2004 – 20 magasins; 2003 – 18 magasins)	16 768	9 856	7 336
Systèmes informatiques	2 213	2 647	4 447
Autres	2 731	1 160	1 221
	27 655	16 491	14 438

- Le versement de dividendes totalisant 4,3 millions de dollars.
- Le remboursement des obligations locatives et de la dette à long terme totalisant 4,9 millions de dollars.

Le tableau suivant indique l'échéancier des sommes des obligations contractuelles arrivant à échéance après le 28 janvier 2006.

OBLIGATIONS CONTRACTUELLES

(en milliers de dollars)	TOTAL $	MOINS D'UNE ANNÉE $	1 À 3 ANNÉES $	4 À 5 ANNÉES $	APRÈS 5 ANNÉES $
Dette à long terme	14 538	4 212	8 220	2 106	—
Obligations locatives	6 973	2 634	3 331	1 008	—
Contrats de location-exploitation [1]	155 126	26 483	48 234	34 472	45 937
	176 637	33 329	59 785	37 586	45 937

[1] Les loyers minimums à verser en vertu de contrats de location-exploitation à long terme, excluant les loyers supplémentaires fondés sur les ventes en magasin.

BRAMALEA CITY CENTRE, TORONTO

Pour l'exercice 2006, les dépenses en immobilisations prévues se chiffrent à environ 27,0 millions de dollars, dont 23,0 millions de dollars devraient être consacrés à l'ouverture de 8 à 12 nouveaux magasins et à la rénovation de 25 à 30 magasins existants, et 4,0 millions de dollars seront investis dans la technologie informatique et l'infrastructure.

La direction prévoit être en mesure de continuer à financer l'exploitation de la Société et ses dépenses en immobilisations à même la marge brute d'autofinancement. Au besoin, elle pourrait également puiser dans ses ressources financières qui, à la fin de l'exercice, consistaient en une trésorerie et des équivalents de trésorerie (comprenant des placements à court terme) de 61,1 millions de dollars et une marge de crédit rotative de 16,0 millions de dollars qu'elle détient auprès de son institution bancaire.

De plus, la Société dispose jusqu'au 31 décembre 2006 d'une facilité de crédit totalisant 15 millions de dollars afin de financer les rénovations et le réagencement de divers magasins partout au Canada. Les prélèvements en vertu de cette facilité sont remboursables sur une période de 48 mois et portent intérêt à un taux fixe (taux calculé en fonction des obligations du gouvernement du Canada de trois ans). La facilité est garantie par les agencements et le matériel des magasins financés. Au 24 avril 2006, aucun montant n'avait été prélevé en vertu de cette facilité de crédit.

La Société ne dispose d'aucun arrangement de financement sans effet hors bilan.

SITUATION FINANCIÈRE

Le fonds de roulement se chiffrait à 60,5 millions de dollars à la fin de l'exercice, comparativement à 47,8 millions de dollars à la fin de 2004.

Les stocks ont augmenté à 35,4 millions de dollars par rapport à 29,4 millions de dollars un an auparavant, cette hausse étant principalement attribuable à l'augmentation de 75 000 pieds de la superficie totale des magasins au cours de l'année, ainsi qu'à l'arrivée anticipée de la collection de printemps.

Le total de la dette à long terme et des obligations locatives, y compris les tranches à court terme, s'est haussé à 21,5 millions de dollars par rapport à 13,4 millions de dollars en 2004, après le financement additionnel de 13,0 millions de dollars de la dette à long terme et le remboursement de 4,9 millions de dollars effectués au cours de l'exercice. Le ratio d'endettement à long terme est demeuré sain à 0,20 :1, comparativement à 0,16 :1 l'année précédente.

L'avoir des actionnaires a connu une hausse pour se chiffrer à 105,2 millions de dollars à la fin de l'exercice, déduction faite des 4,8 millions de dollars versés en dividendes. La valeur comptable par action a augmenté à 17,46 $ à la fin de l'exercice, en regard de 14,53 $ au 29 janvier 2005, et comprenait 10,13 $ par action en trésorerie et équivalents de trésorerie (comprenant des placements à court terme).

Le 21 septembre 2005, un actionnaire a converti 480 000 actions de catégorie B en un capital versé de 169 000 $ d'actions de catégorie A.

Le 22 décembre 2004, la Société a émis par voie de placement privé 500 000 actions de catégorie A avec droit de vote subalterne pour un produit au comptant de 22,75 $ par action. Le produit brut s'élevait à 11 375 000 $. Le produit net, déduction faite des frais de l'émission d'actions de 382 970 $ (déduction faite des impôts sur les bénéfices futurs de 195 000 $), s'est établi à 10 992 030 $. Simultanément, un actionnaire a converti 500 000 actions de catégorie B en actions de catégorie A. Le produit net du placement privé sera affecté principalement à la rénovation de magasins, à l'amélioration de l'infrastructure et aux fins générales du fonds de roulement.

INFORMATIONS SUR LES DIVIDENDES ET LES ACTIONS EN CIRCULATION

En 2005, Le Château a maintenu, pour la douzième année consécutive, sa politique de versement de dividendes trimestriels sur les actions de catégorie A avec droit de vote subalterne et les actions de catégorie B avec droit de vote. Le total des dividendes par action de catégories A et B versés en 2005 s'élevait à 0,80 $, comparativement à 0,625 $ l'année précédente.

Le 9 septembre 2005, le Conseil d'administration de la Société a approuvé une augmentation de 14 % de son dividende trimestriel, qui est passé de 0,175 $ à 0,20 $ par action, payable le 28 octobre 2005 aux actionnaires inscrits en date du 7 octobre 2005 à la fermeture des bureaux.

Le 6 décembre 2005, le Conseil d'administration a approuvé une nouvelle augmentation du dividende trimestriel, qui est passé de 0,20 $ à 0,25 $ par action, soit une hausse de 25 %, payable le 6 février 2006 aux actionnaires inscrits en date du 13 janvier 2006. Le rendement des actions – basé sur le cours de clôture de 57,20 $ par action enregistré le 24 avril 2006 – était de 1,7 %.

Un nombre de 3 986 601 actions de catégorie A avec droit de vote subalterne et de 2 040 000 actions de catégorie B avec droit de vote étaient en circulation au 24 avril 2006. De plus, un nombre de 486 890 options sur actions, dont les prix d'exercice vont de 6,01 $ à 46,99 $, étaient en circulation. De ces options en circulation, 95 190 ont pu être exercées.

Au cours de l'exercice, les actionnaires de la Société ont approuvé une modification au régime d'options sur actions [le « régime »] en vue de changer le maximum d'actions de catégorie A avec droit de vote subalterne à émettre de temps à autre en vertu du régime d'un maximum fixe de 1 500 000 actions de catégorie A avec droit de vote subalterne à un pourcentage fixe de 12 % du nombre total d'actions de catégorie A avec droit de vote subalterne et d'actions de catégorie B émises et en circulation de temps à autre.

NORMES COMPTABLES MISES EN ŒUVRE EN 2005

CONSOLIDATION DES ENTITÉS À DÉTENTEURS DE DROITS VARIABLES

Le 30 janvier 2005, la Société a adopté les recommandations concernant la consolidation des entités à détenteurs de droits variables (« EDDV ») de l'ICCA. Ces recommandations procurent un nouveau cadre pour l'identification des EDDV et la détermination du moment où une société devrait présenter les actifs, les passifs et les résultats d'exploitation des EDDV dans ses états financiers consolidés. La direction a conclu que la Société n'avait aucune EDDV pour l'exercice terminé le 28 janvier 2006.

NORMES COMPTABLES RÉCEMMENT ÉMISES

En 2005, l'ICCA a publié deux nouveaux chapitres du Manuel dans le cadre de son projet sur les instruments financiers : le chapitre 3855, intitulé « Instruments financiers – comptabilisation et évaluation », et le chapitre 3865, intitulé « Couvertures ».

Le chapitre 3855 établit des exigences générales de constatation et de mesure des instruments financiers. Une entité doit constater un actif financier ou un passif financier seulement lorsque l'entité devient partie à des obligations contractuelles liées à l'instrument financier. Les actifs financiers et les passifs financiers doivent, sauf dans le cas de certaines exceptions, être évalués initialement à leur juste valeur. Pour les actifs et les passifs financiers non classés comme étant détenus à des fins de transaction, la valeur initiale constatée doit être incluse dans les frais de transaction directement attribuables à l'acquisition ou à l'émission d'actifs ou de passifs financiers. Après la constatation initiale, l'évaluation des actifs financiers dépendra de la catégorie d'actifs : actifs financiers détenus à des fins de transaction, placements détenus jusqu'à leur échéance, prêts et créances ou actifs financiers disponibles à la vente.

Le chapitre 3865 établit des exigences de comptabilité de couverture. Les exigences relatives à la désignation des relations de couverture, comprises auparavant dans la note d'orientation concernant la comptabilité 13 publiée par l'ICCA, intitulée *Relations de couverture* (la « NOC-13 »), sont maintenant intégrées à ce nouveau chapitre. Cependant, certaines relations de couverture ne sont plus admissibles à la comptabilité spéciale de couverture même si elles l'étaient en vertu de la NOC-13.

Même si la Société examine actuellement les chapitres 3855 et 3865 du *Manuel de l'ICCA*, l'incidence de la note d'orientation, le cas échéant, sur les états financiers consolidés de la Société n'a pas été déterminée. La Société adoptera ces nouveaux chapitres à compter du 28 janvier 2007.

ÉVALUATION DES PROCÉDURES ET CONTRÔLES DE COMMUNICATION DE L'INFORMATION

Au 28 janvier 2006, la direction a procédé à l'évaluation de l'efficacité des contrôles et procédures de communication de l'information (au sens où l'entendent les règles adoptées par les autorités canadiennes en valeurs mobilières). Le chef de la direction et le chef des finances ont tous deux participé à l'évaluation et surveillé le déroulement de celle-ci. Selon les résultats de l'évaluation, le chef de la direction et le chef des finances en sont venus à la conclusion que, au 31 décembre 2005, nos contrôles et procédures de communication de l'information étaient efficaces de façon à permettre que l'information ayant trait à la Société que nous avons l'obligation de communiquer dans les rapports ou devons transmettre aux autorités en valeurs mobilières soit a) comptabilisée, traitée, résumée et présentée dans les délais prévus par les lois sur les valeurs mobilières applicables, et b) rassemblée et communiquée à notre direction, y compris au chef de la direction et au chef des finances afin de leur permettre de prendre des décisions en temps opportun à l'égard de la communication de cette information.

ESTIMATIONS COMPTABLES CRITIQUES

La préparation des états financiers exige de la Société qu'elle estime l'incidence de divers éléments qui sont intrinsèquement incertains en date des états financiers. Chacune des estimations requises varie selon le degré de jugement utilisé et son incidence potentielle sur les résultats financiers présentés de la Société. Les estimations sont jugées déterminantes lorsqu'une estimation différente aurait pu être utilisée ou lorsque des changements dans l'estimation sont vraisemblablement susceptibles de survenir d'un exercice à un autre et qu'ils auraient une incidence importante sur la situation financière de la Société, sur l'évolution de sa situation financière ou sur les résultats de son exploitation. Les principales conventions comptables de la Société sont présentées à la note 1 des « Notes afférentes aux états financiers consolidés », et les estimations comptables déterminantes inhérentes à ces conventions comptables sont présentées dans les paragraphes suivants.

ÉVALUATION DES STOCKS

La Société inscrit une provision pour refléter la meilleure estimation de la direction à l'égard de la valeur de réalisation nette, incluant une marge bénéficiaire normale sur ses stocks. En outre, une provision au titre de la diminution et de la désuétude des stocks est calculée en fonction des résultats passés. La direction revoit continuellement la totalité de la provision afin de déterminer, en fonction de la conjoncture économique et de l'évaluation des tendances de ventes passées, si cette dernière est adéquate.

DÉPRÉCIATION DES IMMOBILISATIONS

La direction procède à une évaluation de la valeur courante des actifs associés aux magasins de détail. Une réduction de valeur est comptabilisée si les fonds autogénérés anticipés non actualisés devant être générés par les actifs associés aux magasins de détail s'avèrent inférieurs à la valeur comptable.

PLACE LAURIER, QUÉBEC

RÉMUNÉRATIONS À BASE D'ACTIONS

Une charge de rémunération liée à l'attribution d'options d'achat d'actions est calculée selon la méthode fondée sur la juste valeur à l'aide du modèle d'évaluation Black et Scholes et est constatée pour toutes les options attribuées depuis le 25 janvier 2003. Nous utilisons des estimations et des hypothèses concernant le taux d'intérêt sans risque, la durée prévue, la volatilité prévue et le taux de dividende prévu de manière à établir la juste valeur des options. L'utilisation d'hypothèses différentes pourrait générer des valeurs comptables différentes pour la charge de rémunération.

RISQUES ET INCERTITUDES

CONCURRENCE ET CONJONCTURE ÉCONOMIQUE

La mode est une industrie hautement concurrentielle et d'envergure internationale qui se doit de suivre l'évolution rapide de la demande des consommateurs. De plus, plusieurs facteurs extérieurs, indépendants de notre volonté, influencent le climat économique et la confiance des consommateurs.

Cet environnement accentue l'importance d'une différenciation en magasin, d'un service à la clientèle de qualité et du dépassement continuel des attentes des clients, afin de leur offrir une expérience globale exceptionnelle en magasin.

Dans cette optique, Le Château croit que son caractère distinctif en matière de mode, la mise en marché et le design novateurs de ses magasins, sa situation financière solide, ainsi que son équipe gagnante d'employés dynamiques se consacrant à offrir la meilleure expérience en magasin qui soit, contribueront au succès continu de son entreprise.

BAUX

Tous les magasins de la Société sont assujettis à des contrats de location à long terme, à l'exception du magasin de la rue Saint-Jean, à Québec, dont la Société est propriétaire. Toute augmentation des taux de location aurait des conséquences négatives pour la Société.

RISQUE DE CHANGE

Le risque de change auquel la Société est exposée se limite aux fluctuations des cours entre le dollar canadien et le dollar américain. La Société a recours à des contrats à terme pour fixer le taux de change sur ses besoins prévus en dollars américains.

La Société est partie à des contrats de change utilisés pour gérer les risques liés aux taux de change. Les gains et pertes matérialisés sur les contrats de change conclus afin de couvrir des opérations futures sont inclus dans la mesure de l'opération de change connexe. Au 28 janvier 2006, la Société avait des contrats en cours d'une valeur de 8,2 millions de dollars pour l'achat de devises américaines.

La Société conclut des contrats de change à terme en vertu desquels elle est tenue d'acheter des montants spécifiques de devises à des dates ultérieures établies et à des taux de change à terme fixés d'avance. Les contrats sont appariés avec les achats de devises prévus aux États-Unis. La Société conclut des contrats de change à terme pour se protéger contre les risques de pertes découlant d'une baisse éventuelle de la valeur du dollar canadien par rapport aux devises. Afin de minimiser les risques, la Société ne conclut des contrats de change à terme qu'avec des banques à charte canadiennes.

CARACTÈRE SAISONNIER

Le Château offre de nombreux produits à caractère saisonnier. La Société a prévu dans son budget les niveaux des stocks et les activités promotionnelles de façon qu'ils s'harmonisent avec ses initiatives stratégiques et les variations anticipées des dépenses des consommateurs. Les activités qui génèrent des produits tirés de la vente de marchandises saisonnières sont assujetties aux variations du comportement d'achat des consommateurs découlant du mauvais temps.

ÉVALUATION DES OPTIONS STRATÉGIQUES

Bien que la Société ait annoncé qu'elle évaluait diverses options stratégiques, notamment la vente de la société, un regroupement d'entreprises ou la restructuration de son capital, rien ne garantit qu'une opération ou une autre option sera réalisée. En outre, la Société pourrait devoir consacrer des ressources importantes en lien avec ce processus.

RÉSULTATS TRIMESTRIELS
(en milliers de dollars, sauf les montants par action)

1er TRIMESTRE

	2005 $	2004 $
Ventes	60 601	50 677
Bénéfice avant impôts	7 218	3 543
Bénéfice net	4 638	2 188
Bénéfice net par action		
De base	0,79	0,42
Dilué	0,76	0,40

2e TRIMESTRE

	2005 $	2004 $
Ventes	69 007	56 528
Bénéfice avant impôts	9 660	5 895
Bénéfice net	6 240	3 780
Bénéfice net par action		
De base	1,05	0,71
Dilué	1,01	0,68

3e TRIMESTRE

	2005 $	2004 $
Ventes	69 231	61 776
Bénéfice avant impôts	9 505	7 515
Bénéfice net	6 143	4 905
Bénéfice net par action		
De base	1,03	0,92
Dilué	0,99	0,88

4e TRIMESTRE

	2005 $	2004 $
Ventes	80 225	72 150
Bénéfice avant impôts	9 580	7 383
Bénéfice net	6 492	5 013
Bénéfice net par action		
De base	1,08	0,91
Dilué	1,06	0,88

TOTAL

	2005 $	2004 $
Ventes	279 064	241 131
Bénéfice avant impôts	35 963	24 336
Bénéfice net	23 513	15 886
Bénéfice net par action		
De base	3,95	2,96
Dilué	3,82	2,84

Le chiffre d'affaires de la Société suit habituellement une courbe saisonnière; en effet, les ventes au détail sont plus élevées au cours des troisième et quatrième trimestres, résultats attribuables respectivement à la période de la rentrée des classes et à la période des Fêtes. En outre, les résultats de bénéfice du quatrième trimestre sont habituellement affaiblis par les soldes suivant la période des Fêtes.

RÉSULTATS DU QUATRIÈME TRIMESTRE
La Société a enregistré une augmentation des ventes de 11,2 % pour atteindre 80,2 millions de dollars pour la période de 13 semaines qui a pris fin le 28 janvier 2006, comparativement à des ventes de 72,2 millions de dollars pour la même période l'année précédente. Les ventes des magasins comparables ont augmenté de 6,8 % en regard de la même période l'an dernier. Les résultats du quatrième trimestre sont en continuité avec la tendance amorcée au cours des trimestres précédents.

Pour le quatrième trimestre, le bénéfice net a connu une hausse de 29,5 %, pour atteindre 6,5 millions de dollars ou 1,08 $ par action, en regard de 5,0 millions de dollars ou 0,91 $ par action l'année précédente.

PERSPECTIVES

Comme la Société anticipe la stabilité de l'économie et du milieu de la vente au détail, Le Château prévoit que la croissance stable des ventes et du bénéfice se poursuivra pour l'exercice 2006. En rehaussant ses normes de service et en présentant des produits innovateurs, la Société désire continuer à améliorer l'expérience de sa clientèle. De plus, elle poursuivra ses efforts visant à améliorer tous les aspects de l'entreprise par une consolidation constante de sa marque, une meilleure gestion des stocks, ainsi qu'un contrôle plus sévère des coûts et des investissements dans la recherche, la conception et le développement, les rénovations et les nouvelles technologies.

Le 14 mars 2006, soit après la fin de l'exercice, la Société a signé une lettre de mission avec Marché de Capitaux Genuity [«Genuity»], qui agira à titre de conseiller financier de la Société afin d'évaluer les options stratégiques, notamment une vente de la Société, un regroupement d'entreprises ou une restructuration de son capital. Conformément à l'entente, Genuity recevra des honoraires de base plus des honoraires fondés sur un pourcentage des opérations conclues.

Toute information additionnelle au sujet de la Société, y compris la Notice annuelle de la Société, est accessible en ligne à www.sedar.com.

ÉNONCÉS PROSPECTIFS

Ce « Rapport de gestion », de même que le rapport annuel, contiennent des énoncés prévisionnels portant sur la Société ou sur l'environnement dans lequel elle œuvre qui sont fondés sur des attentes, des suppositions et des prévisions de la Société. Ces énoncés ne constituent pas des garanties de rendement futur et comportent des risques et des incertitudes difficiles à prévoir et indépendants de la volonté de la Société. De fait, un certain nombre de facteurs peuvent intervenir et faire en sorte que les résultats soient différents sur le plan matériel de ceux qui sont exprimés dans ce communiqué, facteurs qui sont évoqués dans d'autres documents publics de la Société. Donc, les lecteurs sont avisés de ne pas accorder une confiance exagérée aux énoncés prévisionnels. De plus, ces derniers ne font état que de la situation au jour où ils ont été écrits et la Société nie toute intention ou obligation de mettre à jour ou de revoir de tels énoncés à la suite de quelque événement ou circonstance que ce soit.

Les facteurs qui pourraient faire en sorte qu'il y ait un écart important entre les résultats ou les événements réels et les prévisions actuelles incluent notamment : la capacité de la Société à mettre en œuvre avec succès ses initiatives stratégiques et la mesure dans laquelle ces initiatives seront aussi fructueuses que prévu; les conditions de concurrence dans le secteur dans lequel évolue la Société; la variation des dépenses de consommation; les conditions économiques générales et les incertitudes habituelles liées aux affaires; les préférences des consommateurs à l'égard de la gamme de produits; les conditions météorologiques saisonnières; la variation des taux de change; les changements dans les relations qu'entretient la Société avec ses fournisseurs; les fluctuations des taux d'intérêt et les autres variations des frais d'emprunt; et les modifications des lois, règles et réglementations applicables à la Société.

ÉTATS FINANCIERS
CONSOLIDÉS

RESPONSABILITÉ DE LA DIRECTION

À L'ÉGARD DE L'INFORMATION FINANCIÈRE

Les états financiers consolidés ci-joints de **Le Château Inc.** et toute l'information contenue dans le présent rapport annuel sont la responsabilité de la direction.

Les états financiers ont été dressés par la direction conformément aux principes comptables généralement reconnus au Canada. Lorsqu'il était possible d'appliquer d'autres méthodes comptables, la direction a choisi celles qu'elle a jugées les plus appropriées dans les circonstances. Les états financiers ne sont pas précis, puisqu'ils renferment certains montants fondés sur l'utilisation d'estimations et de jugements. La direction a établi ces montants de manière raisonnable afin d'assurer que les états financiers soient présentés fidèlement, à tous égards importants. La direction a également préparé l'information présentée ailleurs dans le rapport annuel et s'est assurée de sa concordance avec les états financiers.

La Société maintient des systèmes de contrôles internes comptables et administratifs de qualité supérieure, moyennant un coût raisonnable. Ces systèmes ont pour objet de fournir un degré raisonnable de certitude que l'information financière est pertinente, fiable et exacte et que l'actif de la Société est correctement comptabilisé et bien protégé.

Le conseil d'administration est chargé d'assurer que la direction assume ses responsabilités à l'égard de la présentation de l'information financière et il est l'ultime responsable de l'examen et de l'approbation des états financiers. Le conseil s'acquitte de cette responsabilité principalement par l'entremise de son comité de vérification, qui se compose de trois administrateurs externes nommés par le conseil d'administration. À chaque trimestre, le comité rencontre la direction ainsi que les vérificateurs externes indépendants, afin de discuter des contrôles internes exercés sur le processus de présentation de l'information financière, ainsi que des questions de vérification et de présentation de l'information financière. Le comité examine également les états financiers consolidés et le rapport des vérificateurs externes, et fait part de ses constatations au conseil d'administration lorsque ce dernier approuve la publication des états financiers à l'intention des actionnaires. De plus, le comité étudie, dans le but de soumettre à l'examen du conseil d'administration et à l'approbation des actionnaires, la nomination des vérificateurs externes ou le renouvellement de leur mandat. Les vérificateurs externes ont librement et pleinement accès au comité de vérification.

Les états financiers ont été vérifiés, au nom des actionnaires, par les vérificateurs externes Ernst & Young s.r.l., conformément aux normes de vérification généralement reconnues au Canada.

Herschel H. Segal
Président du Conseil et
chef de la direction

Emilia Di Raddo, CA
Présidente et
secretaire générale

RAPPORT DES VÉRIFICATEURS

AUX ACTIONNAIRES DE LE CHÂTEAU INC.

Nous avons vérifié les bilans consolidés de **Le Château Inc.** aux 28 janvier 2006 et 29 janvier 2005 et les états consolidés des bénéfices non répartis, des résultats et des flux de trésorerie des exercices terminés à ces dates. La responsabilité de ces états financiers incombe à la direction de la Société. Notre responsabilité consiste à exprimer une opinion sur ces états financiers en nous fondant sur nos vérifications.

Nos vérifications ont été effectuées conformément aux normes de vérification généralement reconnues du Canada. Ces normes exigent que la vérification soit planifiée et exécutée de manière à fournir l'assurance raisonnable que les états financiers sont exempts d'inexactitudes importantes. La vérification comprend le contrôle par sondages des éléments probants à l'appui des montants et des autres éléments d'information fournis dans les états financiers. Elle comprend également l'évaluation des principes comptables suivis et des estimations importantes faites par la direction, ainsi qu'une appréciation de la présentation d'ensemble des états financiers.

À notre avis, ces états financiers consolidés donnent, à tous les égards importants, une image fidèle de la situation financière de la Société aux 28 janvier 2006 et 29 janvier 2005 ainsi que des résultats de son exploitation et de ses flux de trésorerie pour les exercices terminés à ces dates selon les principes comptables généralement reconnus du Canada.

Ernst & Young s.r.l./S.E.N.C.R.L.

Montréal, Canada
le 24 mars 2006   Comptables agréés

Le Château Inc. Constituée en vertu de la *Loi canadienne sur les sociétés par actions*

BILANS CONSOLIDÉS
Au 28 janvier 2006 [chiffres correspondants au 29 janvier 2005] [en milliers de dollars]

	2006 $	2005 $
ACTIF [note 2]		
Actif à court terme		
Trésorerie et équivalents de trésorerie [note 3]	17 979	45 985
Placements à court terme [note 4]	43 083	—
Débiteurs et charges payées d'avance	3 746	2 089
Stocks [note 5]	35 444	29 393
Total de l'actif à court terme	100 252	77 467
Immobilisations [notes 6, 7 et 8]	65 984	50 731
	166 236	128 198
PASSIF ET CAPITAUX PROPRES		
Passif à court terme		
Créditeurs et charges à payer [note 12]	27 668	22 397
Dividendes à payer	1 507	1 027
Impôts sur les bénéfices à payer	3 740	1 923
Tranche échéant à moins d'un an des obligations locatives [note 7]	2 634	1 399
Tranche échéant à moins d'un an de la dette à long terme [note 8]	4 212	2 940
Total du passif à court terme	39 761	29 686
Obligations locatives [note 7]	4 339	2 329
Dette à long terme [note 8]	10 326	6 757
Impôts futurs [note 10]	2 365	1 695
Avantages incitatifs reportés	4 200	2 487
Total du passif	60 991	42 954
Capitaux propres		
Capital social [note 9]	27 210	26 393
Surplus d'apport [note 9]	458	—
Bénéfices non répartis	77 577	58 851
Total des capitaux propres	105 245	85 244
	166 236	128 198

Engagements, éventualités et garanties [notes 12 et 16]

Voir les notes afférentes aux états financiers consolidés

Au nom du conseil,

Herschel H. Segal
Administrateur

Jane Silverstone, B.A.LLL
Administratrice

ÉTATS DES BÉNÉFICES NON RÉPARTIS CONSOLIDÉS

Exercice terminé le 28 janvier 2006 [chiffres correspondants pour l'exercice terminé le 29 janvier 2005] [en milliers de dollars]

	2006 $	2005 $
Solde au début de l'exercice	58 851	46 388
Bénéfice net	23 513	15 886
	82 364	62 274
Dividendes	4 787	3 423
Solde à la fin de l'exercice	77 577	58 851

Voir les notes afférentes aux états financiers consolidés

ÉTATS DES RÉSULTATS CONSOLIDÉS

Exercice terminé le 28 janvier 2006 [chiffres correspondants pour l'exercice terminé le 29 janvier 2005]
[en milliers de dollars, sauf les données relatives aux actions]

	2006 $	2005 $
Chiffre d'affaires	279 064	241 131
Coût des ventes et charges		
Coût des ventes et charges de vente et d'administration	230 872	206 286
Amortissement	11 238	9 062
Radiation d'immobilisations	1 164	1 142
Intérêts sur la dette à long terme et les obligations locatives	803	674
Intérêts créditeurs	(976)	(369)
	243 101	216 795
Bénéfice avant impôts sur les bénéfices	35 963	24 336
Charge d'impôts sur les bénéfices [note 10]	12 450	8 450
Bénéfice net	23 513	15 886
Résultat net par action [note 11]		
De base	3,95	2,96
Dilué	3,82	2,84
Nombre moyen pondéré d'actions en circulation	5 952 567	5 361 858

Voir les notes afférentes aux états financiers consolidés

ÉTATS DES FLUX DE TRÉSORERIE CONSOLIDÉS

Exercice terminé le 28 janvier 2006 [chiffres correspondants pour l'exercice terminé le 29 janvier 2005] [en milliers de dollars]

	2006 $	2005 $
ACTIVITÉS D'EXPLOITATION		
Bénéfice net	23 513	15 886
Rajustement pour déterminer les flux de trésorerie d'exploitation		
Amortissement	11 238	9 062
Radiation d'immobilisations	1 164	1 142
Amortissement des avantages incitatifs reportés	(732)	(736)
Impôts sur les bénéfices futurs	670	(63)
Avantages incitatifs reportés	2 445	1 292
Rémunération à base d'actions	458	—
	38 756	26 583
Variation nette des éléments hors caisse du fonds de roulement liée à l'exploitation [note 14]	(620)	(1 844)
Flux de trésorerie d'exploitation	38 136	24 739
ACTIVITÉS DE FINANCEMENT		
Remboursement d'un prêt à un administrateur	—	566
Produits des contrats de location-acquisition	4 943	—
Remboursement des obligations locatives	(1 698)	(1 525)
Produit de la dette à long terme	8 081	9 991
Remboursement de la dette à long terme	(3 240)	(2 060)
Émission de capital social	817	11 619
Dividendes versés	(4 307)	(2 921)
Flux de trésorerie de financement	4 596	15 670
ACTIVITÉS D'INVESTISSEMENT		
Augmentation des placements à court terme	(43 083)	—
Acquisitions d'immobilisations	(27 655)	(16 491)
Flux de trésorerie d'investissement	(70 738)	(16 491)
Augmentation (diminution) de la trésorerie et des équivalents de trésorerie	(28 006)	23 918
Trésorerie et équivalents de trésorerie au début de l'exercice	45 985	22 067
Trésorerie et équivalents de trésorerie à la fin de l'exercice	17 979	45 985
Information supplémentaire :		
Intérêts payés pendant l'exercice	803	674
Impôts sur les bénéfices payés pendant l'exercice, montant net	9 930	8 312

Voir les notes afférentes aux états financiers consolidés

NOTES AFFÉRENTES AUX ÉTATS FINANCIERS CONSOLIDÉS

28 janvier 2006 et 29 janvier 2005 [Les montants des tableaux sont en milliers de dollars, sauf les montants par action et sauf indication contraire.]

1. PRINCIPALES CONVENTIONS COMPTABLES

UTILISATION D'ESTIMATIONS

Les états financiers consolidés de Le Château Inc. [«la Société»] ont été dressés par la direction selon les principes comptables généralement reconnus du Canada. La préparation des états financiers selon les principes comptables généralement reconnus nécessite l'utilisation par la direction d'estimations et d'hypothèses qui ont une incidence sur les montants constatés dans les états financiers et les notes y afférentes. Les résultats réels pourraient être différents des montants estimés. De l'avis de la direction, les états financiers ont été dressés de façon appropriée selon les limites raisonnables de l'importance relative et dans le cadre des conventions comptables résumées ci-après.

PÉRIMÈTRE DE CONSOLIDATION

Les états financiers consolidés comprennent les comptes de la Société et de sa filiale en propriété exclusive.

CONVERSION DES DEVISES

Les opérations libellées en monnaie étrangère et les établissements étrangers intégrés utilisent la méthode temporelle. Les actifs et passifs monétaires sont convertis en dollars canadiens aux taux en vigueur à la date du bilan. Les autres actifs et passifs sont convertis aux taux en vigueur aux dates des opérations. Les produits et les charges sont convertis aux taux de change moyens en vigueur au cours de l'exercice, à l'exception du coût des stocks utilisés et de l'amortissement, lesquels sont convertis aux taux de change en vigueur au moment de l'acquisition des actifs connexes. Les résultats font état des gains et pertes de change découlant des variations du taux de change.

CONSTATATION DES PRODUITS

Les produits tirés des ventes de marchandises sont présentés déduction faite des retours et des rabais estimatifs; ils excluent les taxes de vente et ils sont comptabilisés au moment de la livraison au client.

TRÉSORERIE ET ÉQUIVALENTS DE TRÉSORERIE

La trésorerie se compose des fonds en caisse et des soldes auprès d'institutions bancaires. Les équivalents de trésorerie se limitent aux placements qui peuvent être facilement convertibles en un montant connu de liquidités, en plus d'être assujettis à un risque de variation minimal de leur valeur et d'être assortis d'une échéance initiale de trois mois ou moins. Les équivalents de trésorerie sont comptabilisés au coût, qui se rapproche de la valeur marchande.

PLACEMENTS À COURT TERME

Les placements à court terme comprennent les placements dont les durées originales sont de 90 jours ou plus. Les placements à court terme sont comptabilisés au coût ou à la valeur marchande, selon le moins élevé des deux montants. Tous les placements à court terme sont libellés en dollars canadiens.

1. PRINCIPALES CONVENTIONS COMPTABLES (suite)

STOCKS

Les matières premières et les produits en cours sont évalués au moindre du coût moyen et de la valeur de réalisation nette. Les produits finis sont évalués, selon la méthode de l'inventaire au prix de détail, au moindre du coût et de la valeur de réalisation nette moins la marge bénéficiaire normale.

IMMOBILISATIONS ET AMORTISSEMENT

Toutes les immobilisations sont comptabilisées au coût. L'amortissement est imputé aux résultats comme suit :

Bâtiment	10 %, amortissement dégressif
Mobilier et matériel	5 à 10 ans, amortissement linéaire
Automobiles	30 %, amortissement dégressif

Les améliorations locatives sont amorties selon la méthode de l'amortissement linéaire sur la durée initiale des baux, plus une période de renouvellement, ne pouvant dépasser dix ans.

DÉPRÉCIATION D'ACTIFS À LONG TERME

Les actifs à long terme sont soumis à un test de dépréciation si des événements ou des changements de situation indiquent que la valeur comptable peut ne pas être recouvrée. La dépréciation est évaluée en comparant la valeur comptable d'un actif avec les flux de trésorerie nets futurs non actualisés prévus à l'utilisation avec sa valeur résiduelle [valeur recouvrable nette]. Si l'on considère que la valeur des actifs a subi une dépréciation, le montant de la dépréciation à comptabiliser correspond à l'excédent de la valeur comptable des actifs sur leur juste valeur généralement déterminée d'après la valeur actualisée des flux de trésorerie prévus. Toute dépréciation entraîne une réduction de valeur des actifs et est imputée aux résultats pendant l'exercice.

AVANTAGES INCITATIFS REPORTÉS

Les avantages incitatifs reportés sont amortis selon la méthode de l'amortissement linéaire sur la durée initiale des baux, plus une période de renouvellement, ne pouvant dépasser dix ans.

RÉMUNÉRATION À BASE D'ACTIONS

Toutes les options attribuées ou modifiées après le 25 janvier 2003 sont comptabilisées selon la méthode de la juste valeur. Selon cette méthode, la valeur de la rémunération est mesurée à la date d'attribution selon le modèle d'évaluation des options. La valeur de la charge de rémunération est comptabilisée au cours de la période d'acquisition des droits des options sur actions à titre de charge comprise dans le coût des ventes et les charges de vente et d'administration, et un montant correspondant est ajouté au surplus d'apport dans les capitaux propres.

Toutes les options attribuées ou modifiées avant le 26 janvier 2003 sont comptabilisées à titre d'opérations sur capitaux propres. Aucune charge de rémunération pour ces options n'est constatée dans les états financiers consolidés. Si la Société avait utilisé la méthode de la juste valeur, il n'y aurait pas eu d'incidence importante sur les résultats.

Toute contrepartie payée par les participants au régime au moment de l'exercice des options sur actions attribuées est portée au crédit du capital social.

FRAIS D'OUVERTURE DE MAGASINS

Les frais d'ouverture de magasins sont passés en charges dès qu'ils sont engagés.

IMPÔTS SUR LES BÉNÉFICES

La Société utilise la méthode du report variable pour la comptabilisation des impôts sur les bénéfices, laquelle exige que le calcul des actifs et des passifs d'impôts futurs soit fait selon les taux d'imposition en vigueur ou pratiquement en vigueur, pour tenir compte de tout écart temporaire causé par la différence entre la valeur fiscale des actifs et des passifs et leur valeur comptable. Une provision pour moins-value est constatée dans la mesure où il est plus probable qu'improbable que les actifs d'impôts futurs ne se matérialiseront pas.

RÉSULTAT PAR ACTION

Le résultat de base par action est calculé d'après le nombre moyen pondéré d'actions en circulation pendant l'exercice.

Le résultat dilué par action est calculé au moyen de la méthode du rachat d'actions. Selon cette méthode, le nombre moyen pondéré d'actions en circulation après dilution est calculé comme si la totalité des options ayant un effet dilutif avaient été exercées au début de la période considérée ou à la date d'émission, si elle est postérieure, et le produit de l'exercice de ces options est utilisé pour racheter des actions ordinaires à leur cours moyen pendant la période.

1. PRINCIPALES CONVENTIONS COMPTABLES (suite)

INSTRUMENTS FINANCIERS DÉRIVÉS

La Société a recours aux instruments financiers dérivés pour gérer son risque de change. Les instruments financiers dérivés se composent de contrats de change à terme. La Société n'utilise pas les instruments financiers dérivés à des fins de négociation ou de spéculation.

Contrats de change à terme – La Société a recours à des contrats de change à terme afin de gérer son risque de change découlant des flux de trésorerie en devises prévus.

Les gains ou pertes latents sur les contrats de change à terme désignés et jugés efficaces pour couvrir les flux de trésorerie en devises prévus ne sont pas comptabilisés dans les états financiers consolidés jusqu'à ce que les opérations prévues aient lieu.

Les gains et les pertes associés aux instruments financiers dérivés, qui ont été réglés avant l'échéance, sont reportés et inclus dans les autres actifs ou les créditeurs et charges à payer aux bilans consolidés. S'il est toujours probable que les flux de trésorerie en devises prévus sous-jacents seront enregistrés, ces gains et pertes sont constatés comme un rajustement des produits ou coûts correspondants, au cours de la période où l'élément couvert connexe est comptabilisé. Autrement, ces gains et pertes sont constatés immédiatement aux résultats.

Comptabilité de couverture – La désignation comme une couverture n'est permise que si, à la création de la couverture et au cours de la période de couverture, les variations de la juste valeur ou des flux de trésorerie de l'instrument dérivé sont censées compenser largement les variations de la juste valeur ou des flux de trésorerie de l'élément couvert.

La Société documente officiellement toutes les relations entre les instruments de couverture et les éléments couverts, de même que ses objectifs et sa stratégie de gestion des risques pour l'exécution d'opérations de couverture. Ce processus comprend l'établissement de liens entre tous les instruments dérivés et les flux de trésorerie en devises prévus. Également, la Société documente et évalue officiellement, à la fois à la création et de manière régulière, si les instruments financiers dérivés qui sont utilisés dans les opérations de couverture sont très efficaces pour contrebalancer les variations des justes valeurs ou des flux de trésorerie des éléments couverts.

Une relation de couverture prend fin lorsque la couverture cesse d'être efficace et que tout gain ou perte latent sur cet instrument financier dérivé est constaté aux résultats immédiatement et que les instruments financiers dérivés sont comptabilisés à leur juste valeur, les variations subséquentes de la juste valeur étant constatées aux résultats.

CONTRATS DE LOCATION

Un contrat de location, qui transfère essentiellement tous les avantages et les risques liés à la propriété, est classé à titre de contrat de location-acquisition et donne lieu à la comptabilisation d'un actif et d'une obligation. Tous les autres contrats de location sont comptabilisés à titre de contrats de location-exploitation en vertu desquels les loyers à payer sont passés en charges à mesure qu'ils sont engagés.

FIN DE L'EXERCICE

L'exercice de la Société se termine le dernier samedi de janvier. Les exercices terminés le 28 janvier 2006 et le 29 janvier 2005 portent sur une période de 52 semaines.

CONSOLIDATION DES ENTITÉS À DÉTENTEURS DE DROITS VARIABLES

Le 30 janvier 2005, la Société a adopté les recommandations concernant la consolidation des entités à détenteurs de droits variables («EDDV») de l'ICCA. Ces recommandations procurent un nouveau cadre pour l'identification des EDDV et la détermination du moment où une société devrait présenter les actifs, les passifs et les résultats d'exploitation des EDDV dans ses états financiers consolidés. La direction a conclu que la Société n'avait aucune EDDV pour l'exercice terminé le 28 janvier 2006.

2. FACILITÉS DE CRÉDIT

La Société dispose d'une facilité de crédit d'exploitation d'un total de 16 millions de dollars qui est garantie par les débiteurs et les stocks de la Société, les actions de sa filiale et une hypothèque mobile qui prévoit une charge sur les actifs de la Société. Cette convention de crédit est renouvelable annuellement. Les montants prélevés sur cette facilité de crédit sont remboursables à vue et portent intérêt aux taux établis d'après le taux bancaire préférentiel pour les emprunts libellés en dollars canadiens, d'après le taux de base aux États-Unis pour les emprunts libellés en dollars américains et d'après le taux des acceptations bancaires majoré de 1,25 % pour les acceptations bancaires en dollars canadiens. En outre, les modalités de la convention bancaire exigent que la Société respecte certaines clauses restrictives non financières.

De plus, la Société dispose jusqu'au 31 décembre 2006 d'une facilité de crédit de 15 millions de dollars afin de financer les rénovations et le réagencement de divers magasins partout au Canada. Les prélèvements en vertu de la facilité sont remboursables sur une période de 48 mois et porteront intérêt à un taux fixe fondé sur le taux des obligations du gouvernement du Canada de trois ans. La facilité est garantie par les agencements et le matériel des magasins financés.

3. TRÉSORERIE ET ÉQUIVALENTS DE TRÉSORERIE

La trésorerie et les équivalents de trésorerie comprennent un prêt garanti par une banque à charte canadienne d'un total de 10 millions de dollars. Le prêt porte intérêt à un taux de 3,26 % et a été remboursé le 1er février 2006.

Au 29 janvier 2005, la trésorerie et les équivalents de trésorerie comprenaient deux prêts garantis par une banque à charte canadienne d'un total de respectivement 25 millions de dollars et 18 millions de dollars. Les prêts portent respectivement intérêt à des taux de 2,46 % et 2,50 % et ont été remboursés le 1er février 2005 et le 25 février 2005.

4. PLACEMENTS À COURT TERME

Au 28 janvier 2006, la juste valeur des placements à court terme de la Société était de 43 211 000 $ et le taux d'intérêt réel moyen était de 3,36 % et les dates d'échéance se situent au cours de la période se terminant le 26 juillet 2006.

5. STOCKS

	28 JANVIER 2006 $	29 JANVIER 2005 $
Matières premières	5 620	5 353
Produits en cours	1 094	1 062
Produits finis	28 730	22 978
	35 444	29 393

6. IMMOBILISATIONS

	COÛT $	AMORTISSEMENT CUMULÉ $	VALEUR COMPTABLE NETTE $
28 janvier 2006			
Terrain et bâtiment	1 056	597	459
Améliorations locatives	34 721	11 912	22 809
Caisses enregistreuses aux points de vente et matériel informatique	14 299	5 822	8 477
Autres mobilier et agencements	50 702	16 522	34 180
Automobiles	163	104	59
	100 941	34 957	65 984
29 janvier 2005			
Terrain et bâtiment	989	560	429
Améliorations locatives	28 264	11 415	16 849
Caisses enregistreuses aux points de vente et matériel informatique	12 794	4 124	8 670
Autres mobilier et agencements	39 762	15 014	24 748
Automobiles	126	91	35
	81 935	31 204	50 731

Des immobilisations de 10 595 000 $ [5 651 000 $ en 2005] sont détenues en vertu de contrats de location-acquisition. L'amortissement cumulé à l'égard de ces immobilisations totalise 1 949 000 $ [998 000 $ en 2005].

7. OBLIGATIONS LOCATIVES

Les loyers minimums futurs à payer en vertu des contrats de location-acquisition sont comme suit :

	$
2007	2 970
2008	2 234
2009	1 376
2010	1 032
Total des loyers minimums à payer	7 612
Montant représentant l'intérêt à des taux se situant entre 5,6 % et 6,4 %	639
	6 973
Moins la tranche échéant à moins d'un an	2 634
	4 339

La juste valeur des contrats de location-acquisition à taux fixe est fondée sur les flux de trésorerie futurs estimatifs actualisés au taux courant du marché pour les dettes ayant la même durée jusqu'à l'échéance. La juste valeur de ces contrats de location-acquisition se rapproche de leur valeur comptable.

8. DETTE À LONG TERME

	28 Janvier 2006 $	29 Janvier 2005 $
Prêts portant intérêt à des taux variant entre 5,09 % et 5,96 % et échéant entre juillet 2008 et juillet 2009	6 689	8 845
Convention de sécurité garantie de 6,05 %, échéant en novembre 2009	7 781	—
Divers	68	852
	14 538	9 697
Moins la tranche échéant à moins d'un an	4 212	2 940
	10 326	6 757

Les prêts sont garantis par les immobilisations acquises avec le produit de la dette à long terme.

Les remboursements du capital sont payables au cours des exercices suivants :

	$
2007	4 212
2008	4 392
2009	3 828
2010	2 106
	14 538

La juste valeur des emprunts décrits ci-dessus se rapproche de leur valeur comptable.

9. CAPITAL SOCIAL

AUTORISÉ

Un nombre illimité d'actions privilégiées de premier, deuxième et troisième rangs, sans droit de vote et pouvant être émises en série.

Un nombre illimité d'actions de catégorie A avec droit de vote subalterne.

Un nombre illimité d'actions de catégorie B avec droit de vote.

ÉMIS

		28 JANVIER 2006 $	29 JANVIER 2005 $
3 986 201	actions de catégorie A [3 347 301 en 2005]	26 491	25 505
2 040 000	actions de catégorie B [2 520 000 en 2005]	719	888
		27 210	26 393

Le 21 septembre 2005, un actionnaire a converti 480 000 actions de catégorie B en un capital versé de 169 000 $ d'actions de catégorie A.

De plus, au cours de l'exercice terminé le 28 janvier 2006, la Société a émis 158 900 actions de catégorie A avec droit de vote subalterne [121 260 en 2005] en vertu du régime d'options sur actions pour un produit au comptant de 817 000 $ [627 000 $ en 2005].

Le 22 décembre 2004, la Société a émis 500 000 actions de catégorie A avec droit de vote subalterne pour un produit au comptant de 22,75 $ par action. Le produit brut s'élevait à 11 375 000 $. Le produit net, déduction faite des frais d'émission d'actions de 382 970 $ [déduction faite des impôts futurs de 195 000 $], s'est établi à 10 992 030 $. Simultanément, un actionnaire a converti 500 000 actions de catégorie B en actions de catégorie A.

CARACTÉRISTIQUES PRINCIPALES

[a] En ce qui a trait au versement de dividendes et au rendement du capital, les actions prennent rang comme suit :
Privilégiées de premier rang
Privilégiées de deuxième rang
Privilégiées de troisième rang
Catégorie A et catégorie B

[b] Sous réserve des droits des actionnaires privilégiés, les porteurs d'actions de catégorie A avec droit de vote subalterne ont droit à un dividende privilégié non cumulatif de 0,05 $ par action, après quoi les porteurs d'actions de catégorie B ont droit à un dividende non cumulatif de 0,05 $ par action. Tout autre dividende déclaré au cours d'un exercice doit être déclaré et versé en montants égaux par action pour toutes les actions de catégorie A et de catégorie B alors en circulation, sans privilège ni distinction.

[c] Sous réserve de ce qui précède, les actions de catégorie A et les actions de catégorie B ont égalité de rang, action pour action, quant aux bénéfices.

[d] Les actions de catégorie A avec droit de vote subalterne confèrent un vote par action et les actions de catégorie B, dix votes par action.

[e] Les actions de catégorie A avec droit de vote subalterne sont convertibles en actions de catégorie B à raison d'une action pour une action si la société mère cesse de contrôler la Société ou si une offre est acceptée quant à la vente de plus de 20 % des actions de catégorie B alors en circulation à un prix supérieur à 115 % de leur cours à la cote. Les actions de catégorie B sont convertibles en actions de catégorie A avec droit de vote subalterne en tout temps, à raison d'une action pour une action.

9. CAPITAL SOCIAL (suite)

RÉGIME D'OPTIONS SUR ACTIONS

En vertu des dispositions du régime d'options sur actions, la Société peut attribuer des options à des employés clés, des administrateurs et des consultants pour acheter des actions de catégorie A avec droit de vote subalterne. Au cours de l'exercice, les actionnaires de la Société ont approuvé une modification au régime d'options sur actions [le «régime»] en vue de changer le maximum d'actions de catégorie A avec droit de vote subalterne à émettre de temps à autre en vertu du régime d'un maximum fixe de 1 500 000 actions de catégorie A avec droit de vote subalterne à un pourcentage fixe de 12 % du nombre total d'actions de catégorie A avec droit de vote subalterne et d'actions de catégorie B émises et en circulation de temps à autre. Le prix de l'option ne peut être inférieur au cours de clôture des actions de catégorie A avec droit de vote subalterne à la Bourse de Toronto le dernier jour ouvrable avant la date à laquelle l'option est attribuée. Les options sur actions peuvent être exercées progressivement par le porteur sur une période de cinq ans débutant à la date d'attribution. Dans certaines circonstances, la période d'acquisition des droits peut être devancée.

Le tableau ci-dessous présente un sommaire de la situation du régime d'options sur actions de la Société aux 28 janvier 2006 et 29 janvier 2005 et des variations pendant les exercices terminés à ces dates :

	28 JANVIER 2006		29 JANVIER 2005	
	ACTIONS	PRIX D'EXERCICE MOYEN PONDÉRÉ $	ACTIONS	PRIX D'EXERCICE MOYEN PONDÉRÉ $
En circulation au début de l'exercice	307 790	5,70	429 150	5,55
Attribuées	339 500	36,99	—	—
Exercées	(158 900)	5,14	(121 260)	5,17
Annulées/échues	(1 100)	7,00	(100)	6,30
En circulation à la fin de l'exercice	487 290	27,68	307 790	5,70
Options exerçables à la fin de l'exercice	75 590	7,00	118 190	5,30

Le tableau suivant résume l'information relative aux options sur actions en cours au 28 janvier 2006.

FOURCHETTE DE PRIX D'EXERCICE $	NOMBRE EN COURS AU 28 JANVIER 2006	DURÉE DE VIE RESTANTE MOYENNE PONDÉRÉE	PRIX D'EXERCICE MOYEN PONDÉRÉ $	NOMBRE D'OPTIONS EXERÇABLES AU 28 JANVIER 2006	PRIX D'EXERCICE MOYEN PONDÉRÉ $
3,75 à 6,99	14 090	1,2 an	5,95	14 090	5,95
7,00 à 7,25	138 700	1,2 an	7,18	61 500	7,24
7,26 à 30,49	198 500	4,3 ans	30,31	—	—
30,50 à 46,99	136 000	4,9 ans	46,99	—	—
3,75 à 46,99	487 290	3,5 ans	27,68	75 590	7,00

9. CAPITAL SOCIAL (suite)

CHARGE DE RÉMUNÉRATION À BASE D'ACTIONS

La juste valeur moyenne pondérée à la date d'attribution des options sur actions attribuées au cours de 2006 était de 8,20 $ l'option et la charge constatée dans l'état des résultats consolidés était de 458 000 $. Une augmentation correspondante du surplus d'apport a été comptabilisée dans le bilan consolidé. Au cours de l'exercice terminé le 29 janvier 2005, aucune option sur actions n'a été attribuée. Par conséquent, aucune charge de rémunération n'a été constatée pour l'exercice. La juste valeur de chaque option attribuée a été établie à l'aide d'un modèle d'évaluation des options et des hypothèses moyennes pondérées suivantes :

	HYPOTHÈSES
Taux d'intérêt sans risque	3,22 %
Durée prévue	3,3 ans
Volatilité prévue de la valeur marchande des actions	35,7 %
Rendement de l'action prévu	2,2 %

RÉGIME D'ACHAT D'ACTIONS

En vertu des dispositions du régime d'achat d'actions, la Société peut accorder à ses employés clés des droits de souscription visant des actions de catégorie A. Le régime, qui a été modifié le 28 mai 1997, prévoit qu'un maximum de 10 000 actions de catégorie A peut être émis à compter du 28 mai 1997 et que le prix de souscription ne peut être inférieur au cours de clôture des actions de catégorie A à la Bourse de Toronto le dernier jour ouvrable avant la date à laquelle le droit de souscription a été accordé. Depuis le 28 mai 1997, aucune action n'a été émise en vertu du régime d'achat d'actions.

10. IMPÔTS SUR LES BÉNÉFICES

Au 29 janvier 2005, une filiale américaine avait des pertes accumulées de 8,3 millions de dollars [7,2 millions de dollars US] venant à échéance de 2007 à 2026. Une provision pour moins-value a été constituée à l'égard des actifs d'impôts futurs correspondants et, par conséquent, les économies fiscales relatives aux reports prospectifs de ces pertes n'ont pas été comptabilisées dans les états financiers.

Les pertes fiscales américaines viennent à échéance comme suit :

	$
2007	2 366
2008	442
2009	87
2010	219
2011	473
2012 – 2026	4 720
	8 307

10. IMPÔTS SUR LES BÉNÉFICES (suite)

Voici un rapprochement du taux d'imposition moyen prévu par la loi et du taux d'imposition réel :

	2006 %	2005 %
Taux d'imposition moyen prévu par la loi	33,6	33,7
Augmentation (diminution) du taux d'imposition découlant de ce qui suit :		
Pertes fiscales américaines non déductibles	0,8	(0,3)
Éléments non déductibles	0,2	1,1
Divers	—	0,2
Taux d'imposition réel	**34,6**	**34,7**

Les détails de la charge d'impôts sur les bénéfices sont comme suit :

	2006 $	2005 $
Impôts exigibles	11 780	8 513
Impôts futurs	670	(63)
Charges d'impôts sur les bénéfices	**12 450**	**8 450**

L'incidence fiscale des écarts temporaires et des pertes d'exploitation nettes qui donnent lieu à des actifs et passifs d'impôts futurs est comme suit:

	2006 $	2005 $
Passifs d'impôts futurs		
Valeur comptable des immobilisations en sus de la valeur fiscale	6 328	3 944
Total des passifs d'impôts futurs	6 328	3 944
Actifs d'impôts futurs		
Contrats de location-exploitation	2 409	1 258
Avantages incitatifs reportés	1 434	816
Frais d'émission d'actions	120	175
Pertes fiscales américaines	3 625	4 670
Provision pour moins-value	(3 625)	(4 670)
Total des actifs d'impôts futurs	3 963	2 249
Impôts futurs nets	**2 365**	**1 695**

11. RÉSULTAT PAR ACTION

Le tableau qui suit présente un rapprochement des numérateurs et des dénominateurs utilisés dans le calcul du résultat de base par action et du résultat dilué par action.

	2006 $	2005 $
Résultat net (numérateur)	23 513	15 886
Nombre moyen pondéré d'actions en circulation (dénominateur)		
Nombre moyen pondéré d'actions en circulation – de base	5 953	5 362
Effet dilutif des options sur actions	207	241
Nombre moyen pondéré d'actions en circulation – dilué	6 160	5 603

12. ENGAGEMENTS ET ÉVENTUALITÉS

La Société dispose de lettres de crédit d'un montant de 7 810 000 $ dont 2 767 000 $ ont été acceptés à la fin de l'exercice. Les lettres de crédit représentent des garanties de paiement d'achats auprès de fournisseurs étrangers et leur juste valeur se rapproche de leur valeur comptable. Les lettres de crédit disponibles réduisent les lignes de crédit d'exploitation disponibles décrites à la note 2.

Les loyers minimums à verser en vertu de contrats de location-exploitation à long terme se présentent comme suit :

	$
2007	26 483
2008	25 435
2009	22 799
2010	19 037
2011	15 435
2012 et par la suite	45 937
	155 126

Certains des contrats de location-exploitation prévoient des loyers annuels supplémentaires fondés sur les ventes en magasin ainsi que des augmentations annuelles des charges d'exploitation du propriétaire.

La Société est partie à diverses actions en justice qui sont normales dans le cadre de ses activités. De l'avis de la Société, les passifs éventuels qui peuvent découler de ces actions ne devraient pas avoir d'incidence défavorable importante sur sa situation financière ou ses résultats d'exploitation.

13. INFORMATION SECTORIELLE

Le seul secteur d'exploitation de la Société est la vente au détail de vêtements, d'accessoires et de chaussures pour hommes, femmes et enfants dynamiques et sensibles à la mode.

L'information sectorielle est attribuée aux secteurs géographiques selon l'emplacement des magasins de la Société. Voici un résumé des résultats et des actifs de la Société, par région géographique :

	28 Janvier 2006 $	29 Janvier 2005 $
Ventes aux clients :		
Canada	271 348	233 408
États-Unis	7 716	7 723
	279 064	241 131
Amortissement :		
Canada	10 642	8 585
États-Unis	596	477
	11 238	9 062
Bénéfice net (perte nette) :		
Canada	24 406	16 432
États-Unis	(893)	(546)
	23 513	15 886
Résultat net de base par action :		
Canada	4,10	3,06
États-Unis	(0,15)	(0,10)
	3,95	2,96
Actifs sectoriels :		
Canada	161 217	124 009
États-Unis	5 019	4 189
	166 236	128 198
Dépenses en immobilisations :		
Canada	26 645	15 959
États-Unis	1 010	532
	27 655	16 491
Immobilisations :		
Canada	62 511	47 747
États-Unis	3 473	2 984
	65 984	50 731

13. INFORMATION SECTORIELLE (suite)

Le tableau suivant présente le chiffre d'affaires de la Société par division :

	28 Janvier 2006 $	29 Janvier 2005 $
Vêtements pour femmes	153 362	141 149
Vêtements pour hommes	38 019	30 452
Vêtements *JUNIOR GIRL*	10 995	13 892
Chaussures	25 128	18 063
Accessoires	51 560	37 575
	279 064	241 131

14. VARIATIONS DU FONDS DE ROULEMENT HORS CAISSE

Les flux de trésorerie liés au fonds de roulement hors caisse sont composés des variations liées à l'exploitation des comptes suivants :

	2006 $	2005 $
Débiteurs et charges payées d'avance	(1 657)	(695)
Stocks	(6 051)	(3 318)
Créditeurs et charges à payer	5 271	2 249
Impôts sur les bénéfices à payer	1 817	(80)
Variation nette des éléments hors caisse du fonds de roulement liée à l'exploitation	(620)	(1 844)

15. INSTRUMENTS FINANCIERS

RISQUE DE TAUX D'INTÉRÊT

Le principal risque de la Société par rapport aux fluctuations des taux d'intérêt est lié à ses lignes de crédit d'exploitation, lesquelles portent intérêt à des taux variables. Les contrats de location-acquisition et la dette à long terme de la Société portent intérêt à taux fixe et ne sont donc pas exposés au risque de taux d'intérêt.

RISQUE DE CRÉDIT

La direction est d'avis que le risque de crédit lié à ses équivalents de trésorerie et à ses placements à court terme est faible parce que ce sont des instruments de première qualité à court terme.

JUSTES VALEURS

Les justes valeurs estimatives des instruments financiers aux 28 janvier 2006 et 29 janvier 2005 sont fondées sur les prix du marché pertinents et l'information disponible à ces dates. Les estimations de la juste valeur ne sont pas représentatives des montants que la Société pourrait recevoir ou payer dans le cadre d'opérations réelles sur le marché.

15. INSTRUMENTS FINANCIERS (suite)

ACTIFS ET PASSIFS FINANCIERS À COURT TERME

Les valeurs comptables des actifs et passifs financiers à court terme sont des estimations raisonnables de leur juste valeur en raison de leur nature à court terme. Les actifs financiers à court terme se composent de la trésorerie et des équivalents de trésorerie et des débiteurs, tandis que les passifs financiers à court terme se composent de créditeurs et charges à payer et de dividendes à payer.

CONTRATS DE CHANGE À TERME

La Société conclut des contrats de change à terme en vertu desquels elle est tenue d'acheter des montants spécifiques de devises à des dates ultérieures établies et à des taux de change à terme fixés d'avance. Les contrats sont appariés avec les achats de devises prévus aux États-Unis. La Société conclut des contrats de change à terme pour se protéger contre les risques de pertes découlant d'une baisse éventuelle de la valeur du dollar canadien par rapport aux devises.

Le montant des achats futurs prévus en devises fait l'objet de projections en fonction de la conjoncture actuelle des marchés de la Société et des résultats qu'elle a obtenus par le passé dans des situations similaires.

Certains contrats de change à terme qui sont admissibles à titre de couvertures ont eu un effet favorable sur la Société depuis leur conclusion et constituent donc des actifs financiers. Par contre, d'autres contrats ont eu un effet défavorable et constituent donc des passifs financiers. Ces contrats en cours doivent être réglés au cours du prochain exercice. Leur valeur nominale et leur valeur contractuelle sont présentées ci-dessous :

	TAUX DE CHANGE CONTRACTUEL MOYEN	VALEUR NOMINALE EN DEVISES (en milliers de dollars)	VALEUR CONTRACTUELLE (en milliers de dollars)
Contrats d'achat :			
Dollar US	1,1496	8 155	9 375

Ces contrats viennent à échéance du 3 février 2006 au 19 juillet 2006. Au 28 janvier 2006, la perte de change latente était de 133 000 $.

16. GARANTIES

De façon générale, la Société n'émet pas de garanties à des membres du groupe non contrôlés ou à des tiers, avec quelques exceptions.

Un grand nombre d'ententes de la Société comportent des clauses d'indemnisation pouvant obliger la Société à effectuer des paiements à un vendeur ou à un acheteur pour violation de modalités fondamentales des conventions, telles une déclaration ou une garantie, se rapportant à des questions comme le statut de la société, le titre des actifs, les questions environnementales, le consentement aux cessions, le traitement des employés, les litiges, les impôts à payer et d'autres responsabilités importantes potentielles. Le montant maximal des paiements futurs que la Société pourrait être tenue de verser en vertu des clauses d'indemnisation n'est pas quantifiable raisonnablement puisque certaines indemnisations ne sont pas assujetties à une limite pécuniaire. Au 28 janvier 2006, la direction est d'avis que ces clauses d'indemnisation n'entraîneraient pas de paiements au comptant importants de la part de la Société.

La Société indemnise ses administrateurs et dirigeants à l'égard de toute réclamation subie raisonnablement dans l'exercice de leurs fonctions au sein de la Société et maintient une assurance de responsabilité civile couvrant ses administrateurs et dirigeants.

17. CHIFFRES CORRESPONDANTS

Certains chiffres correspondants ont été reclassés pour être conformes à la présentation adoptée pour l'exercice écoulé.

18. ÉVÉNEMENT POSTÉRIEUR

Le 14 mars 2006, la Société a signé une lettre de mission avec Marché de Capitaux Genuity [«Genuity»], qui agira à titre de conseiller financier de la Société afin d'évaluer les options stratégiques, notamment une vente de la Société, un regroupement d'entreprises ou une restructuration de son capital. Conformément à l'entente, Genuity recevra des honoraires de base plus des honoraires fondés sur un pourcentage des opérations conclues.

RENSEIGNEMENTS
SUR LA SOCIÉTÉ

CONSEIL D'ADMINISTRATION

HERSCHEL H. SEGAL
PRÉSIDENT DU CONSEIL
ET CHEF DE LA DIRECTION
DE LA SOCIÉTÉ

JANE SILVERSTONE, B.A.LLL
VICE-PRÉSIDENTE DU CONSEIL

EMILIA DI RADDO, CA
PRÉSIDENTE ET
SECRÉTAIRE GÉNÉRALE

A.H.A OSBORN
CHEF DE LA DIRECTION
ALEXON GROUP PLC

HERBERT E. SIBLIN, CM, FCA*
PRÉSIDENT
SIBLIN & ASSOCIÉS LTÉE

DAVID MARTZ*
CONSEILLER EN GESTION

MAURICE TOUSSON*
PRÉSIDENT ET
CHEF DE LA DIRECTION DE
CDREM GROUP INC.

RICHARD CHERNEY
COASSOCIÉ DIRECTEUR DE
DAVIES WARD PHILLIPS &
VINEBERG S.R.L.

*MEMBRE DU COMITÉ DE VÉRIFICATION

DIRIGEANTS

HERSCHEL H. SEGAL
PRÉSIDENT DU CONSEIL
ET CHEF DE LA DIRECTION
DE LA SOCIÉTÉ

JANE SILVERSTONE, B.A.LLL
VICE-PRÉSIDENTE DU CONSEIL

EMILIA DI RADDO, CA
PRÉSIDENTE ET
SECRÉTAIRE GÉNÉRALE

BETTY BERLINER
VICE-PRÉSIDENTE PRINCIPALE,
ACHATS ET MISE EN MARCHÉ

FRANCO ROCCHI
VICE-PRÉSIDENT PRINCIPAL,
VENTES ET OPÉRATIONS

FRANK NIRO
VICE-PRÉSIDENT PRINCIPAL,
CHAUSSURES

JOHNNY DEL CIANCIO, CA
VICE-PRÉSIDENT,
FINANCES

ENZA ALLEGRO
VICE-PRÉSIDENTE,
FABRICATION LOCALE ET
APPROVISIONNEMENT
INTERNATIONAL

VÉRIFICATEURS
ERNST & YOUNG S.R.L.
COMPTABLES AGRÉÉS

**RÉGISTRAIRE ET AGENTS
DE TRANSFERTS**
SERVICES AUX INVESTISSEURS
COMPUTERSHARE INC.

CONSEILLERS JURIDIQUES
DAVIES WARD PHILLIPS &
VINEBERG S.R.L.

BANQUIERS
BANQUE ROYALE DU CANADA

**ASSEMBLÉE ANNUELLE
DES ACTIONNAIRES**
LE MERCREDI 28 JUIN 2006
À 10 H AU SIÈGE SOCIAL
DE LA SOCIÉTÉ

RÉALISATION :
MAISONBRISON INC.

SIÈGE SOCIAL

5695, RUE FERRIER
VILLE MONT ROYAL
(QUÉBEC) H4P 1N1
TÉL. : 514.738.7000
WWW.LECHATEAU.COM

Annexe C
Rapport annuel 2006 – Reitman's

RAPPORT ANNUEL **200**

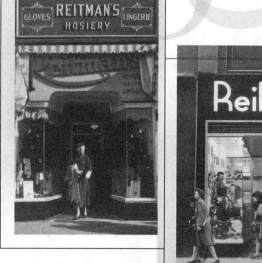

AU SERVICE DES CANADIENNES **DEPUIS 80 ANS**

Reitmans est le chef de file des détaillants spécialisés au Canada. Nous mettons l'accent sur la clientèle et la valeur et nous visons l'excellence. En encourageant l'innovation, la croissance, le développement et le travail d'équipe, nous cherchons à offrir à notre clientèle ce qu'il y a de mieux sur le marché en termes de qualité et de valeur.

Force prééminente du marché du détail depuis 80 ans, Reitmans est passé d'une bannière unique de boutiques de mode, **« le magasin de la femme élégante »**, à une entreprise de 887 magasins à plusieurs bannières où toutes les femmes magasinent.

Le premier magasin Reitman's, boul. Saint-Laurent, Montréal - 1926

Avenue du Parc, Montréal - 1952

1926-2006

CÉLÉBRONS 80 ANNÉES D'EXISTENCE

Alors que nous fêtons notre 80e anniversaire, Reitmans (Canada) Limitée n'a cessé de croître, atteignant des niveaux records de ventes et de rentabilité.

La société est le plus grand et le plus rentable détaillant de vêtements pour dames au Canada; elle possède 887 magasins qui lui ont permis d'atteindre un chiffre d'affaires record de 969 258 000 $, un BAIIA de 155 610 000 $ et un bénéfice net de 84 889 000 $. À la fin de l'exercice, nous avions une encaisse et des placements totalisant 195 531 000 $.

La société exploite six bannières dans des marchés hautement concurrentiels. Nos bannières ont connu une croissance importante de leur marge brute et de leur marge d'exploitation nette en raison de l'appréciation du dollar canadien, des mesures efficaces de compression des coûts dans les magasins et au siège social et des améliorations marquées de l'efficience de la chaîne d'approvisionnement. Au cours de l'exercice 2006, nous avons ouvert 46 nouveaux magasins, rénové 45 magasins et en avons fermé 26. À l'exercice 2007, nous prévoyons ouvrir 60 magasins (y compris 10 nouveaux magasins Cassis) et en rénover 42 autres.

Nous veillons à l'expansion de tous les aspects de notre entreprise. Nos magasins ne cessent de croître en nombre, en superficie, en ventes et en rentabilité. Les dividendes versés se sont accrus de presque 300 % au cours des trois dernières années. Nous continuons d'investir dans les magasins, la technologie et notre personnel. Nos ressources de trésorerie et notre infrastructure nous permettent de repérer de nouvelles occasions d'affaires au moyen de l'acquisition et du développement.

Votre société traverse une période très stimulante. Nous sommes fiers des réussites des 80 dernières années et confiants face à l'avenir. Nous sommes convaincus que nous avons les meilleurs actifs de détail de spécialité au Canada. Nos activités sont menées par des professionnels hautement motivés et extrêmement compétents. J'aimerais transmettre mes remerciements et ma gratitude les plus sincères à tous nos associés, fournisseurs, actionnaires et clients, car ces personnes sont responsables du succès des années passées, et nous comptons sur elles pour nous maintenir sur le chemin de la croissance.

Au nom du conseil d'administration,
Le président,

(signé)

Jeremy H. Reitman
Montréal, le 13 avril 2006

PAGE COUVERTURE:
Rue McGill, Montréal - 1931
Rue Ste-Catherine ouest, Montréal - 1946
Les Galeries d'Anjou, Montréal - 2006

2006

UNE CROISSANCE SOUTENUE

969 258 000 $	**CHIFFRE D'AFFAIRES**	**+ 6 %**
155 610 000 $	**BAIIA**	**+ 26 %**
125 011 000 $	**BÉNÉFICE AVANT IMPÔTS**	**+ 30 %**
84 889 000 $	**BÉNÉFICE NET**	**+ 27 %**
1,22 $	**BÉNÉFICE PAR ACTION**	**+ 26 %**
195 531 000 $	**ENCAISSE ET PLACEMENTS**	**+ 16 %**
887	**MAGASINS**	**+ 2 %**

FAITS SAILLANTS

Pour les exercices terminés :
(en milliers, sauf les montants par action)
(non vérifié)

	2006	2005	2004	2003	2002
CHIFFRE D'AFFAIRES					
1er trimestre	213 732 $	193 420 $	177 750 $	126 028 $	116 256 $
2e trimestre	261 785	246 002	233 225	201 730	142 816
3e trimestre	238 613	236 281	215 683	207 323	143 513
4e trimestre	255 128	236 770	224 976	217 413	163 435
Total	969 258 $	912 473 $	851 634 $	752 494 $	566 020 $
BÉNÉFICE D'EXPLOITATION (PERTE)					
1er trimestre	25 014 $	14 547 $	4 709 $	4 896 $	3 365 $
2e trimestre	42 066	33 048	24 217	21 156	9 543
3e trimestre	27 200	24 118	17 252	11 678	9 153
4e trimestre	22 766	16 801	4 720	(6 554)	11 362
Total	117 046 $	88 514 $	50 898 $	31 176 $	33 423 $
BÉNÉFICE (PERTE)					
1er trimestre	19 667 $	13 038 $	4 105 $	5 127 $	4 250 $
2e trimestre	29 224	23 868	17 296	13 590	7 964
3e trimestre	19 238	17 638	12 654	8 213	7 488
4e trimestre	16 760	12 363	5 980	(2 395)	7 232
Total	84 889 $	66 907 $	40 035 $	24 535 $	26 934 $
BÉNÉFICE DE BASE (PERTE) PAR ACTION[1]					
1er trimestre	0,28 $	0,19 $	0,06 $	0,08 $	0,06 $
2e trimestre	0,42	0,35	0,25	0,20	0,12
3e trimestre	0,28	0,25	0,19	0,12	0,12
4e trimestre	0,24	0,18	0,09	(0,04)	0,10
Total	1,22 $	0,97 $	0,59 $	0,36 $	0,40 $
BÉNÉFICE NET	84 889 $	66 907 $	40 035 $	24 535 $	26 934 $
PAR ACTION[1]	1,22 $	0,97 $	0,59 $	0,36 $	0,40 $
CAPITAUX PROPRES	390 257 $	331 524 $	276 402 $	243 521 $	225 579 $
PAR ACTION[1]	5,56 $	4,77 $	4,02 $	3,54 $	3,29 $
NOMBRE DE MAGASINS	887	867	845	820	623
DIVIDENDES VERSÉS	29 345 $	14 171 $	7 573 $	6 876 $	6 749 $
PRIX DES ACTIONS À LA FIN DE L'EXERCICE[1]					
CATÉGORIE A SANS DROIT DE VOTE	17,90 $	13,75 $	6,18 $	4,88 $	3,19 $
ORDINAIRES	18,70 $	14,00 $	6,25 $	4,75 $	3,16 $

[1] Rajusté pour tenir compte des dividendes en actions de 100 % payés en octobre 2002, en avril 2004 et en avril 2005

quatre-vingts ans

2

Yonge Street, Toronto - 1947

quatre-vingts ans

3

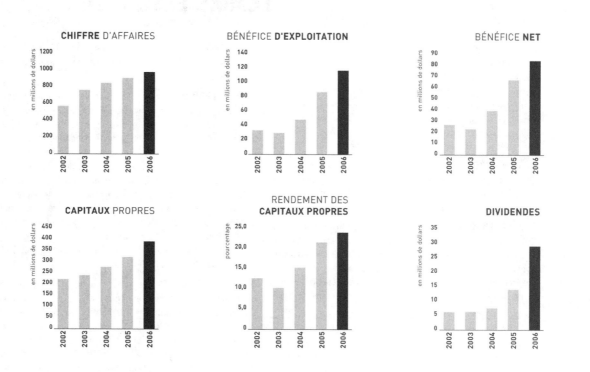

ANNEXE C RAPPORT ANNUEL 2006 – REITMAN'S 879

« LE MAGASIN DE LA FEMME ÉLÉGANTE »

Années 1920 L'ouverture du « Reitman's Dry Goods General Store » (magasin général de tissus et d'articles de mercerie) du boul. Saint-Laurent, à Montréal, a lieu en 1926 sous la direction de Herman et de Sarah Reitman, qui sont aidés de leurs quatre fils, Louis, Sam, John et Jack. Un deuxième magasin du simple nom de « Reitman's », spécialisé dans la bonneterie, la lingerie et les gants, ouvre peu de temps après. En 1929, la famille exploite quatre magasins à Montréal, dont le chiffre d'affaires totalise 323 000 $.

Années 1930 1936 marque l'ouverture du premier magasin à Ottawa et 1939, du premier magasin à Toronto. À ce moment, la chaîne compte 22 magasins qui génèrent un chiffre d'affaires annuel de 936 000 $ et un bénéfice net de 9 000 $.

Années 1940 En avril 1947, avec un chiffre d'affaires de 2 173 821 $, un bénéfice de 57 000 $ et 23 magasins en exploitation, la société s'inscrit à la Bourse de Montréal et procède à un appel public à l'épargne. Dans son premier rapport annuel pour l'exercice terminé le 31 décembre 1947, la société présente un chiffre d'affaires de 3 833 469 $ et un bénéfice net de 119 532 $.

Années 1950 En 1950, Reitman's exploite 35 magasins – 15 au Québec et 20 en Ontario – et son chiffre d'affaires annuel atteint 6 000 000 $. En juillet 1951, le siège social et le centre de distribution sont déménagés dans un immeuble, d'une superficie de 25 000 pi², sis au 3510, boul. Saint-Laurent, au centre-ville de Montréal, en face du premier magasin. Au cours des années 1950, l'aménagement de centres commerciaux à ciel ouvert dans les grandes villes du Canada donne lieu à une formidable expansion de la société. Dans l'ouest canadien, le premier magasin ouvre ses portes en 1958, au North Hills Shopping Centre de Calgary, en Alberta. Dans l'est du Canada, le premier magasin est inauguré en 1959 au Dartmouth Plaza de Halifax,

en Nouvelle-Écosse. Au 31 janvier 1959, avec 104 magasins en exploitation, le chiffre d'affaires atteint 17 329 000 $ et le bénéfice net, 721 000 $.

Années 1960 Les années 1960 marquent l'évolution vers les centres commerciaux couverts, synonymes de confort et de commodité à longueur d'année, et plus de 100 magasins ouvrent leurs portes au cours de la décennie, y compris en Colombie-Britannique et à Terre-Neuve. En 1965, la société déménage ses bureaux et son centre de distribution dans un immeuble de trois étages, d'une superficie de 165 000 pi², situé au 250, rue Sauvé ouest, dans l'arrondissement Ahuntsic, au nord de Montréal. Elle porte la superficie du centre de distribution de la rue Sauvé à 205 000 pi² en y ajoutant un quatrième étage de 40 000 pi² en 1967. Au 31 janvier 1969, les 222 magasins en exploitation génèrent un chiffre d'affaires de 42 737 000 $ et un bénéfice net de 1 389 000 $.

Années 1970 En 1970, la société ouvre deux magasins plus petits d'une superficie d'environ 1 000 pi² sous la bannière Smart Set, une formule petites boutiques spécialisées dans les vêtements sport. En 1972, après la construction d'un cinquième étage de 40 000 pi², le centre de distribution de la rue Sauvé atteint une superficie de 245 000 pi². En 1975, la société fait l'acquisition de la chaîne Sweet Sixteen qui compte 81 magasins en Colombie-Britannique et en Alberta. En 1976, Reitmans porte la superficie du centre de distribution de la rue Sauvé à 385 000 pi², par l'ajout de 140 000 pi². En 1979, la société acquiert les magasins Worth's de St-Louis, au Missouri, une chaîne de 42 magasins du Midwest américain. Au 31 janvier 1980, les 589 magasins en exploitation dégagent un chiffre d'affaires de 213 867 000 $ et un bénéfice net de 10 579 000 $.

Années 1980 Les boutiques Smart Set et Sweet Sixteen fusionnent. De nouvelles formules de boutiques, dont Chablis, Un-Deux-Trois et Kookaï, voient le jour et sont par la suite converties en boutiques Smart Set. En 1983, la société ouvre un bureau d'approvisionnement à Séoul, en Corée du Sud. Au 31 janvier 1990, 579 magasins sont en exploitation au Canada et 177 magasins Worths sont en exploitation aux États-Unis. Le chiffre d'affaires consolidé totalise 368 261 000 $ et le bénéfice net se chiffre à 6 976 000 $.

Années 1990 En 1992, Worths est vendue et la société ouvre un bureau d'approvisionnement à Hong Kong et ferme son bureau de Séoul un an plus tard. L'année 1995 marque l'acquisition de Penningtons – une chaîne de 29 magasins situés dans des malls linéaires et de 10 magasins situés dans des centres commerciaux qui offrent des vêtements de grandes tailles pour dames. En 1995, la société fait l'acquisition d'une participation de 21 % dans NetStar Communications Inc. qui détient les canaux The Sports Network (« TSN »), Le Réseau des Sports (« RDS ») et The Discovery Channel Canada. En 1996, la société acquiert Dalmys (Canada) Limitée qui compte 79 magasins, dont 28 magasins Dalmys, 37 magasins Antels et 14 magasins Cactus. En 1999, la société lance RW & CO., qui propose des vêtements et accessoires pour le sport, les loisirs et la vie de tous les jours aux jeunes femmes et jeunes hommes (18 à 30 ans). En 1999, la société vend sa participation dans NetStar. Au 29 janvier 2000, le chiffre d'affaires des 588 magasins en exploitation atteint 477 730 000 $ et le bénéfice net s'élève à 15 407 000 $, exclusion faite du gain non récurrent de 36 300 000 $ réalisé à la vente de NetStar.

ANNÉE **2000** ET AU-DELÀ

En juin 2001, la construction du centre de distribution Henri-Bourassa débute à Ville Saint-Laurent, en périphérie de Montréal, au Québec. En juin 2002, Reitmans fait l'acquisition de Modes Shirmax Ltée, qui exploite 175 magasins dont 69 sont situés dans des centres commerciaux et exploités sous les bannières Addition-Elle, A/E Sport & Co. et Lingerie Addition-Elle, 40 magasins Addition-Elle Entrepôt et 66 magasins Thyme Maternité. Pour l'exercice terminé le 1er février 2003, Reitmans (Canada) Limitée, qui compte 820 magasins en exploitation, présente un chiffre d'affaires de 752 494 000 $ et un bénéfice net de 24 535 000 $. L'ouverture officielle du centre de distribution Henri-Bourassa, qui dessert actuellement toutes les bannières et dont l'aire de travail compte 566 000 pi², a lieu en août 2003. En septembre 2005, la société ouvre un bureau d'approvisionnement à Shanghai, en Chine. En janvier 2006, la société fait l'acquisition de l'immeuble de la rue Sauvé. Les 887 magasins en exploitation au cours de l'exercice terminé le 28 janvier 2006 génèrent un chiffre d'affaires de 969 258 000 $ et un bénéfice net de 84 889 000 $. Le lancement de Cassis, une nouvelle bannière qui vise la génération du baby-boom, aura lieu en août 2006.

quatre-vingts ans

6

Dundas Street, London - 1949

	REITMANS	SMART SET	RW & CO.	THYME	PENNINGTONS	ADDITION ELLE	TOTAL
TERRE-NEUVE	14	3	-	1	3	2	23
ÎLE-DU-PRINCE-ÉDOUARD	3	3	-	-	2	-	8
NOUVELLE-ÉCOSSE	20	5	1	1	8	2	37
NOUVEAU-BRUNSWICK	17	6	1	1	4	3	32
QUÉBEC	85	34	8	17	24	35	203
ONTARIO	112	69	12	26	56	43	318
MANITOBA	11	6	-	2	5	5	29
SASKATCHEWAN	9	3	-	2	7	3	24
ALBERTA	47	19	3	11	19	13	112
COLOMBIE-BRITANNIQUE	35	14	7	8	22	13	99
TERRITOIRES DU NORD-OUEST	1	-	-	-	-	-	1
YUKON	1	-	-	-	-	-	1
	355	162	32	69	150	119	887

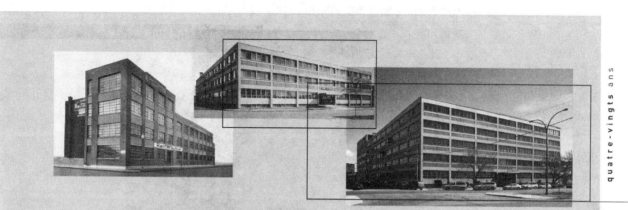

quatre-vingts ans

7

L'ouverture du siège social et du centre de distribution de Reitman's dans un immeuble d'une superficie de 25 000 pi², sis au 3510, boul. Saint-Laurent, au centre-ville de Montréal, en face de son premier magasin, remonte à juillet 1951. En 1965, la société déménage ses bureaux et son centre de distribution dans un immeuble de trois étages, d'une superficie de 165 000 pi², situé au 250, rue Sauvé ouest, dans l'arrondissement Ahuntsic, au nord de Montréal. Elle porte la superficie de cet immeuble à 205 000 pi² en y ajoutant un quatrième étage de 40 000 pi² en 1967. En 1972, après la construction d'un cinquième étage de 40 000 pi², l'immeuble atteint une superficie de 245 000 pi². En 1976, Reitmans porte la superficie de l'immeuble à 385 000 pi², par l'ajout de 140 000 pi² qu'elle convertit en bureaux. L'ouverture officielle du centre de distribution Henri-Bourassa, qui dessert actuellement toutes les bannières et dont l'aire de travail compte 566 000 pi², a lieu en août 2003.

Le centre de distribution de Reitmans, situé à Ville St-Laurent, Québec, en périphérie de Montréal, compte une superficie de 566 000 pi² servant les six bannières. Situé sur un terrain de 1 100 000 pi² carrés, le centre compte plus de 40 quais d'expédition et de déchargement et sa configuration lui permet de traiter plus de 55 000 000 d'unités de marchandise par année. Pouvant desservir plus de 1 100 magasins, le centre de distribution est doté d'un équipement de triage informatisé pour vêtements suspendus et articles plats.

566 000 PI² D'ESPACE DE DISTRIBUTION

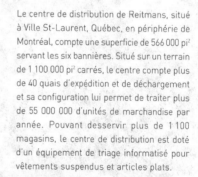

Reitmans

CONTRAST JEANS

ENCORE

PETITES

reitmans.com

355 MAGASINS

Reitmans, qui exploite 355 magasins d'une superficie moyenne de 4 400 pi², est la plus grande chaîne spécialisée de vêtements pour dames au Canada. Reitmans offre aux Canadiennes des vêtements mode pratiques et abordables, conçus pour la « vraie vie », de toutes tailles, ordinaire, plus et petite. Grâce à des stratégies de marchandisage d'une grande efficacité, à un service à la clientèle hors pair et à de rigoureux programmes de commercialisation, la marque Reitmans est devenue synonyme de relations solides et durables avec la clientèle et a permis d'accroître de façon soutenue sa clientèle féminine qui se situe dans la tranche des 25 à 45 ans.

SMART SET

quatre-vingts ans

smart-set.com

9

La bannière Smart Set, qui compte 162 magasins d'une superficie moyenne de 3 100 pi², constitue une destination mode très prisée de la clientèle junior, offrant aux jeunes femmes âgées de 18 à 30 ans une gamme coordonnée complète de vêtements et d'accessoires mode à prix abordable alliant qualité, prix et valeur. Tous les vêtements et accessoires Smart Set sont conçus et fabriqués spécialement pour la chaîne et portent l'étiquette Smart Set.

162 MAGASINS

RW&CO.

Un environnement unique et décontracté, une attention authentique apportée à la clientèle et un marketing exceptionnel, tels sont les éléments sur lesquels repose la marque RW & CO. Regroupant 32 magasins d'une superficie moyenne de 4 100 pi², situés dans des centres commerciaux importants, RW & CO. répond aux besoins d'une clientèle formée de jeunes hommes et de jeunes femmes (18 à 30 ans) en leur proposant des tenues de ville et des vêtements décontractés originaux, à la mode et à prix raisonnables.

rw-co.com

32 MAGASINS

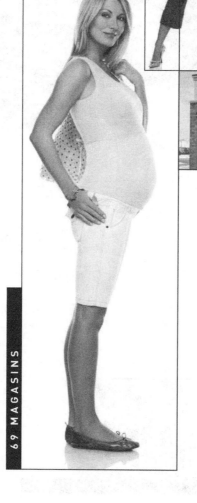

69 MAGASINS

Thyme Maternité est le plus important détaillant spécialisé dans la vente de vêtements de maternité au Canada. Il compte 69 magasins d'une superficie moyenne de 2 200 pi², situés dans des centres commerciaux régionaux et dans de vastes complexes commerciaux. Thyme Maternité vend des vêtements et des accessoires conçus pour répondre aux besoins des futures mamans qui souhaitent être à la mode. Il propose à ces dernières des vêtements pour le travail, les loisirs et les occasions spéciales, de la lingerie et d'autres vêtements conçus pour l'allaitement, tout ceci à prix abordables.

thymematernity.com

penningtons

penningtons.com

12

Penningtons, qui compte 150 magasins à l'échelle du pays, est un magasin de destination. Ces magasins, d'une superficie moyenne de 6 200 pi² et situés dans des mails linéaires ou de grands complexes commerciaux, offrent un vaste choix de vêtements pour le travail et les loisirs, de lingerie et d'accessoires destinés aux femmes de taille plus de tous les âges, à prix concurrentiels. La marque Penningtons est synonyme de mode classique, de service chaleureux, de qualité et de valeur. Nous avons élargi la gamme de produits tailles plus pour jeunes dames connue sous le nom MXM, qui répond aux besoins d'une clientèle jeune recherchant des produits tailles plus très tendance, à prix avantageux; ces vêtements sont offerts dans tous les magasins Penningtons.

150 MAGASINS

m x m . b z

ADDITION ELLE

Avec 119 magasins, Addition Elle est le chef de file au Canada de la mode pour dames de taille plus, offrant à sa clientèle une collection contemporaine de vêtements pour le travail et les loisirs, de la lingerie et des accessoires à prix abordables. D'une superficie moyenne de 5 800 pi², nos magasins sont situés dans des galeries marchandes et de vastes centres commerciaux partout au Canada. La gamme de produits MXM pour jeunes est offerte dans 98 magasins Addition Elle.

addition-elle.com

119 MAGASINS

cassis

cassis.ca

Ciblant une clientèle de baby boomers de 45 à 60 ans, les magasins Cassis d'une superficie moyenne de 4 500 pi², seront situés dans des centres commerciaux régionaux et offriront une combinaison unique de vêtements à la mode et classiques. Ce nouveau concept de détail sera axé sur la coupe, la qualité, l'ambiance et le service à la clientèle. Les premiers magasins ouvriront en Ontario et au Québec en août 2006.

Le présent rapport de gestion sur la situation financière et les résultats d'exploitation (le « rapport de gestion ») de Reitmans (Canada) Limitée (« Reitmans » ou la « société ») doit être lu à la lumière des états financiers vérifiés consolidés de Reitmans de l'exercice terminé le 28 janvier 2006 ainsi que des notes y afférentes qui sont disponibles sur le site www.sedar.com. Le présent rapport de gestion est daté du 21 mars 2006.

Le présent rapport se veut une mise à jour des renseignements présentés dans le rapport de gestion contenu dans le rapport annuel 2005 de Reitmans et dans le rapport de gestion contenu dans le rapport intermédiaire pour les trois mois terminés le 29 octobre 2005. Reitmans suppose que le lecteur du présent rapport a accès aux documents précités et qu'il les a lus. Le rapport annuel 2005 et le rapport intermédiaire pour la période de trois mois terminée le 29 octobre 2005 de Reitmans peuvent être téléchargés du site Web de la société à l'adresse suivante : www.reitmans.ca.

À l'exception des déclarations de fait, lesquelles sont vérifiables indépendamment à la date ci-contre, toutes les déclarations contenues dans ce communiqué sont prospectives. Toutes les déclarations, formulées d'après les attentes actuelles de la direction, comportent de nombreux risques et incertitudes, connus ou non, un nombre important desquels sont hors du contrôle de la société. Parmi les risques connus, citons, sans limitation : l'impact de la conjoncture économique en général, la conjoncture générale de l'industrie de vente au détail, la saisonnalité, les conditions météorologiques et les autres risques qui sont inclus dans les documents publics de la société. En conséquence, les résultats réels peuvent s'avérer considérablement différents des résultats prévus contenus dans les déclarations prospectives. Les lecteurs sont avisés de ne pas accorder une confiance exagérée aux déclarations prospectives ci-incluses. Ces déclarations parlent seulement de la situation au jour où elles ont été exprimées et la société nie toutes intentions ou obligations de mettre à jour ou de revoir de telles déclarations à la suite de quelques événements ou circonstances que ce soit.

PRINCIPAUX RENSEIGNEMENTS FINANCIERS

(en milliers, sauf les montants par action)

	2006	2005	2004
Chiffre d'affaires	969 258 $	912 473 $	851 634 $
Bénéfice avant les impôts sur les bénéfices	125 011	96 234	55 690
Bénéfice net	84 889	66 907	40 035
Bénéfice net par action [1]			
De base	1,22	0,97	0,59
Dilué	1,19	0,95	0,58
Total de l'actif	523 233	467 059	469 865
Dette à long terme [2]	16 173	17 183	85 082
Dividendes par action [1]	0,420	0,205	0,110

[1] Rajusté pour tenir compte des dividendes versés entièrement en actions en avril 2004 et en avril 2005.
[2] Tient compte des obligations liées aux contrats de location-acquisition. Compte non tenu de la tranche de la dette à long terme échéant à moins de un an et des crédits reportés au titre des contrats de location.

Pour de plus amples renseignements sur le chiffre d'affaires, le bénéfice d'exploitation, le bénéfice net et le bénéfice par action des exercices passés et leurs composantes trimestrielles pertinentes, il y a lieu de consulter la rubrique « Faits saillants » à la page 2 du présent rapport annuel de la société.

APERÇU DE LA SITUATION FINANCIÈRE ET DES RÉSULTATS D'EXPLOITATION CONSOLIDÉS POUR L'EXERCICE TERMINÉ LE 28 JANVIER 2006 (l'« exercice 2006 ») ET COMPARAISON AVEC LA SITUATION FINANCIÈRE ET LES RÉSULTATS D'EXPLOITATION CONSOLIDÉS POUR LA PÉRIODE COMPARABLE TERMINÉE LE 29 JANVIER 2005 (l'« exercice 2005 »)

Les états financiers consolidés de l'exercice terminé le 28 janvier 2006 reflètent les activités consolidées de Reitmans.

Le chiffre d'affaires de l'exercice 2006 s'est accru de 6,2 % pour s'élever à 969 258 000 $ comparativement à 912 473 000 $ pour l'exercice terminé le 29 janvier 2005. Cette hausse du chiffre d'affaires est principalement attribuable à l'ajout net de 20 magasins au cours de l'exercice et à une augmentation des ventes de 2,9 % de la part des magasins comparables.

Le bénéfice d'exploitation de l'exercice 2006 a augmenté de 32,2 % pour s'établir à 117 046 000 $ comparativement à 88 514 000 $ au cours de l'exercice précédent. Le bénéfice net après les impôts a augmenté de 26,9 % pour se chiffrer à 84 889 000 $ ou 1,22 $ par action (1,19 $ par action sur une base diluée) contre 66 907 000 $ ou 0,97 $ par action (0,95 $ par action sur une base diluée) à l'exercice précédent. Les facteurs qui ont contribué à de telles hausses comprennent notamment l'amélioration notable des marges brutes, grâce à la hausse de la valeur du dollar canadien, à des mesures efficaces de compression des coûts dans les magasins et au siège social et aux améliorations marquées de l'efficience de la chaîne d'approvisionnement de la société.

La société doit, dans le cours normal de ses activités, faire face à de longs délais d'approvisionnement pour une portion importante de ses achats de marchandises, certains pouvant aller jusqu'à huit mois. Bon nombre de ces achats doivent être réglés en dollars US. Au cours de l'exercice 2006, ces achats ont excédé 150 000 000 $ US. La société utilise diverses stratégies défensives pour fixer le coût de ses engagements à long terme en dollars US au plus bas coût possible tout en se ménageant l'occasion de tirer profit d'une hausse de la valeur du dollar canadien par rapport à celle du dollar américain. Pour l'exercice à l'étude, ces stratégies ont permis d'améliorer la marge brute alors que la valeur du dollar canadien s'est renforcée au cours de l'exercice.

Au cours de l'exercice 2006, la société a ouvert 46 magasins comprenant 16 Reitmans, 3 Smart Set, 2 RW & CO., 4 Thyme Maternité, 11 Penningtons et 10 Addition Elle; il y a eu 26 fermetures de magasins. Par conséquent, au 28 janvier 2006, nous exploitions 887 magasins, soit 355 Reitmans, 162 Smart Set, 32 RW & CO., 69 Thyme Maternité, 150 Penningtons et 119 Addition Elle.

APERÇU DE LA SITUATION FINANCIÈRE ET DES RÉSULTATS D'EXPLOITATION CONSOLIDÉS POUR LA PÉRIODE DE TROIS MOIS TERMINÉE LE 28 JANVIER 2006 (le « quatrième trimestre ») ET COMPARAISON AVEC LA SITUATION FINANCIÈRE ET LES RÉSULTATS D'EXPLOITATION CONSOLIDÉS POUR LA PÉRIODE COMPARABLE TERMINÉE LE 29 JANVIER 2005

Le chiffre d'affaires du quatrième trimestre a augmenté de 7,8 % pour se chiffrer à 255 128 000 $ contre 236 770 000 $ pour la période de trois mois terminée le 29 janvier 2005. Le chiffre d'affaires des magasins comparables a augmenté de 5,1 %.

Le bénéfice d'exploitation du quatrième trimestre a augmenté de 35,5 % pour s'établir à 22 766 000 $ contre 16 801 000 $ pour la période correspondante un an plus tôt. Cette hausse reflète un solide chiffre d'affaires pour l'ensemble du quatrième trimestre et plus particulièrement durant la période des Fêtes, ce qui a donné lieu à moins de démarques lors des soldes après-Noël; la hausse reflète également l'amélioration importante des marges brutes, amélioration qui a bénéficié de la hausse de la valeur du dollar canadien et des mesures de compression des coûts efficientes dans l'ensemble des activités de la société. Le bénéfice net après les impôts a augmenté de 35,6 % pour se chiffrer à 16 760 000 $ ou 0,24 $ par action (0,23 $ sur une base diluée), contre 12 363 000 $ ou 0,18 $ par action (0,18 $ sur une base diluée) pour la période correspondante un an plus tôt.

Au cours du quatrième trimestre, la société a ouvert 19 nouveaux magasins et en a fermé huit.

Les espèces et quasi-espèces s'élèvent à 135 399 000 $, représentant une hausse de 32,8 % par rapport aux 101 939 000 $ constatés à l'exercice précédent, ce qui reflète les flux de trésorerie positifs très importants générés par les activités de détail de la société. Au cours de l'exercice 2005, la société a remboursé sa dette à long terme résiduelle de 74 000 000 $ liée à l'acquisition de Shirmax Fashions Ltée en 2002 au cours du premier trimestre, soit quelque 14 mois avant l'échéance prévue aux termes de la convention d'emprunt (se reporter aux états consolidés des flux de trésorerie compris dans le rapport de la société). Cette année, les stocks de marchandises s'élèvent à 66 445 000 $, soit 7 282 000 $ de plus que ceux de l'an dernier. Cette augmentation reflète le nombre d'ouvertures de magasins, l'accumulation prévue de marchandise saisonnière et le nombre de magasins dont l'ouverture est prévue au cours du premier trimestre du nouvel exercice. Les débiteurs s'élèvent à 3 135 000 $, soit 721 000 $ de plus qu'à l'exercice précédent. Les débiteurs de la société sont composés essentiellement des ventes réglées par cartes de débit ou cartes de crédit le dernier jour de l'exercice. Les charges payées d'avance se sont élevées à 7 471 000 $, soit environ 774 000 $ de plus que celles de l'an dernier.

Le total du passif à court terme a diminué de 2 316 000 $ par rapport à celui de la même période un an plus tôt. Cette diminution est principalement attribuable à une diminution nette des impôts sur les bénéfices exigibles d'environ 2 489 000 $.

À la fin de l'exercice 2006, la société était toujours responsable du loyer et de l'entretien des bureaux maintenant vacants et du centre de distribution de la rue Jarry, dont elle a pris charge à l'acquisition de Shirmax. Au cours du premier trimestre de l'exercice 2005, la direction croyait avoir conclu une entente finale avec le propriétaire des installations de la rue Jarry à l'égard de la résiliation du bail au 31 mai 2004. Les frais connexes associés à la résiliation du bail ont donc été accumulés et passés en charges dans les comptes de la société au 31 janvier 2004, tel qu'il est exigé aux termes des règles comptables canadiennes actuelles. Postérieurement à la fin du premier trimestre de l'exercice 2005, l'entente susmentionnée n'a pas été signée. Par conséquent, le loyer mensuel et les frais d'entretien connexes découlant des obligations de la société aux termes de ce bail ont continué d'être imputés aux activités courantes jusqu'en novembre 2005. Depuis, le montant précédemment accumulé au titre des frais de résiliation du bail a été contrepassé sur une base mensuelle au prorata dans les états consolidés des résultats de la société, et a donné lieu à une réduction correspondante du passif dans le bilan de la société. Le bail arrive à échéance en décembre 2006 et, par conséquent, cette charge à payer (1 185 000 $) sera éliminée au cours de l'exercice en cours se terminant le 3 février 2007.

La société a annoncé qu'elle lancerait un nouveau concept de vente au détail de vêtements pour dames, sous la bannière Cassis. Cette nouvelle bannière sera la septième de la société; elle comptera d'abord des magasins d'environ 4 500 pi² dans des centres commerciaux. Ces magasins cibleront une clientèle féminine de 45 à 60 ans, sensible à la mode et offrira des vêtements de carrière, des tenues de sport, décontractées et de détente. La société prévoit actuellement ouvrir 10 magasins Cassis à l'automne 2006, dont 6 en Ontario et 4 au Québec. La société est d'avis qu'il y a un marché pour environ 80 magasins Cassis au Canada.

Au cours du quatrième trimestre, le conseil a autorisé la société à créer un régime de retraite complémentaire pour cadres dirigeants. Le régime a été lancé le 1er janvier 2006 et couvre certains hauts dirigeants. Aux fins de la présentation des états financiers, un calcul actuariel a été effectué pour déterminer la charge estimative que la société a engagée relativement aux provisions du régime pour le mois de janvier 2006. La charge estimative a été imputée aux activités courantes. La direction estime que la charge annuelle s'élèvera à 1 356 000 $ pour l'exercice 2007. Le régime est sans capitalisation et les paiements sont effectués lorsque les obligations se présentent. Les montants imputés à l'exercice seront accumulés à titre de passif dans le bilan de la société. Lorsqu'un passif est constaté relativement au paiement à effectuer aux termes du régime (c'est-à-dire, lorsqu'un membre admissible du régime prend sa retraite et commence à recevoir des paiements aux termes du régime), les paiements sont portés en diminution du montant accumulé, au fur et à mesure que les paiements sont effectués. La direction ne prévoit aucun paiement aux termes de ce régime au cours de l'exercice 2007.

LIQUIDITÉS, FLUX DE TRÉSORERIE ET RESSOURCES EN CAPITAL

Au 28 janvier 2006, les capitaux propres s'élevaient à 390 257 000 $ ou 5,56 $ par action, comparativement à 331 524 000 $ ou 4,77 $ par action à la fin de l'exercice précédent. La société continue de jouir d'une solide situation financière. Au 28 janvier 2006, les principales sources de liquidités de la société étaient constituées de l'encaisse et de placements dans des titres négociables de 195 531 000 $ (valeur marchande de 201 745 000 $), contre 168 134 000 $ (valeur marchande de 175 907 000 $) au 29 janvier 2005. La société a également négocié des marges de crédit d'exploitation auprès de deux grandes banques à charte canadiennes, marges qui sont utilisées principalement pour garantir des lettres de crédit émises à des fournisseurs non canadiens. Au cours de l'exercice 2006, ces marges n'ont été utilisées à aucune autre fin.

Au quatrième trimestre, les principales activités de financement comprennent le remboursement d'une tranche de 270 000 $ de la dette à long terme, pour l'emprunt hypothécaire sur le centre de distribution. La société a également versé un dividende au comptant de 0,12 $ par action, pour une somme totale de 8 396 000 $, et elle a émis 300 250 actions de catégorie A sans droit de vote aux termes de son régime d'options sur actions des employés, pour une contrepartie totale de 1 147 000 $.

Au cours du quatrième trimestre, tel qu'il est permis en fonction des modalités de son offre publique de rachat en cours normal d'activité en vigueur, la société a racheté aux fins d'annulation 91 600 actions de catégorie A sans droit de vote pour 1 401 000 $, soit un prix moyen par action de 15,2987 $.

Le 25 janvier 2006, la société a fait l'acquisition de locaux de 385 000 pi² qu'elle louait auparavant, au 250 rue Sauvé ouest, à Montréal, pour une contrepartie de 8 169 000 $.

Au cours du quatrième trimestre, la société a investi 6 419 000 $ dans des nouveaux magasins et des magasins rénovés, 660 000 $ dans l'amélioration de son centre de distribution et 2 698 000 $ dans la rénovation et l'aménagement de ses bureaux de la rue Sauvé. Au cours de l'exercice 2006, la société a consacré un total de 58 669 000 $ dans de nouveaux magasins, dans des magasins rénovés, dans le centre de distribution et dans les bureaux de la rue Sauvé. La société s'est engagée à investir 2 000 000 $ dans la mise à niveau de certains équipements au centre de distribution et dans l'achèvement des travaux de rénovation de ses bureaux de la rue Sauvé. Ces dépenses, en plus de la construction en cours de magasins et des programmes de rénovation, du paiement de dividendes au comptant et des remboursements trimestriels liés à la facilité bancaire de la société et à ses autres obligations à l'égard de la dette à long terme, devraient être financées à l'aide des ressources financières actuelles de la société et des fonds provenant de son exploitation.

La tranche de la dette à long terme échéant à moins de un an, telle qu'elle paraît au bilan, représente les remboursements de capital sur l'emprunt hypothécaire sur le centre de distribution devant être effectués au cours des douze prochains mois et le solde de la dette à long terme est lié à cet emprunt hypothécaire.

Le 30 mai 2003, la société a conclu une opération de cession-bail avec une institution financière d'une valeur de 10 000 000 $ relativement à son équipement de manutention de marchandises. Le bail comporte 48 paiements mensuels de 193 175 $, après quoi la société pourra choisir de prolonger le bail ou de racheter l'équipement à la valeur marchande.

CRÉDITS REPORTÉS AU TITRE DES CONTRATS DE LOCATION
Avant l'exercice 2005, les montants reçus des locateurs à titre d'incitatifs à la location étaient déduits, aux fins de l'amortissement, du coût en capital pertinent des biens à bail

de la société autrement acquis à l'aide de tels incitatifs. La société a traité tous les frais de location comme des frais non incorporables et elle a amorti les biens à bail sur leur durée de vie utile prévue ou sur la durée du contrat de location pertinent, selon la plus courte des deux. Cette méthode comptable a été utilisée pendant plusieurs années et la direction est d'avis que cette méthode était conforme à celle qui était appliquée dans le secteur où elle œuvre.

Le 7 février 2005, la Securities and Exchange Commission des États-Unis a précisé les principes comptables généralement reconnus applicables aux contrats de location de magasins de détail et aux améliorations locatives. La société, comme plusieurs autres détaillants nord-américains, a revu, à l'interne, ses pratiques comptables et, après avoir consulté son comité de vérification et ses vérificateurs externes, elle a déterminé que les incitatifs à la location, traités auparavant à titre de réduction des immobilisations au bilan et amortis sur la durée des contrats de location connexes à titre de réduction de l'amortissement dans les états des résultats, devaient être reclassés. La société a donc reclassé ces montants dans ses états financiers de 2005 à titre de « crédits reportés au titre des contrats de location » dans le bilan, et l'amortissement des crédits, à titre de réduction des frais de location.

ENGAGEMENTS FINANCIERS

Obligations contractuelles	Total	D'ici un an	Paiements à effectuer	
			Dans deux à quatre ans	Dans cinq ans et plus
Dette à long terme	17 183 000 $	1 010 000 $	3 442 000 $	12 731 000 $

Obligations contractuelles	Total	D'ici un an	Paiements à effectuer	
			Dans deux à quatre ans	Dans cinq ans et plus
Baux et équipement des magasin	362 720 000 $	82 901 000 $	190 233 000 $	89 586 000 $

INSTRUMENTS FINANCIERS
À la fin de l'exercice, la société n'avait pas d'engagements financiers relativement à des achats futurs de dollars US. Après la fin de l'exercice, la société a conclu une série d'options de vente et d'options d'achat pour atténuer son exposition aux risques liés à l'achat de 20 000 000 $ US à des taux d'au moins 1,12 $ et d'au plus 1,15 $ CA par rapport au dollar US.

OPÉRATIONS ENTRE APPARENTÉS
La société loue deux magasins de détail qui appartiennent à un apparenté. Les baux de ces locaux ont été conclus selon des modalités commerciales semblables à celles des baux qui ont

été conclus avec des tiers pour des établissements semblables. Le loyer annuel payable aux termes de ces baux s'élève, au total, à environ 177 000 $.

PLACEMENTS
Les placements se composent de titres négociables, principalement des actions privilégiées et des fonds de titres à revenu fixe de grande qualité. Au 28 janvier 2006, les titres négociables totalisaient 60 132 000 $ (valeur marchande de 66 346 000 $) comparativement à 66 195 000 $ (valeur marchande de 73 968 000 $) à la fin de l'exercice précédent. Le revenu de placement pour l'exercice 2006 se chiffre à 9 097 000 $, y compris

des gains en capital nets de 2 287 000 $, comparativement à 9 639 000 $ et à des gains en capital nets de 3 651 000 $, pour l'exercice précédent.

CONTRÔLES ET PROCÉDURES DE COMMUNICATION DE L'INFORMATION

La société a créé un comité de communication de l'information, mis en oeuvre une politique de communication de l'information et engagé un directeur de la conformité. Sous la supervision du directeur de la conformité, la société a parachevé la documentation de ses procédures de communication de l'information et a entrepris la documentation de ses contrôles internes à cet effet.

Les contrôles et procédures de communication de l'information sont élaborés de façon à fournir un degré raisonnable de certitude que toute l'information pertinente est recueillie et communiquée à la haute direction, notamment au chef de la direction et au chef des finances, en temps opportun, afin que des décisions adéquates soient prises relativement à la divulgation de l'information.

Une évaluation de l'efficacité de la conception et de la mise en place des contrôles et procédures de communication de l'information de la société a été effectuée le 28 janvier 2006 par la direction de la société et sous son autorité, nommément par le chef de la direction, le chef des finances et le directeur de la conformité. Aux termes de cette évaluation, le chef de la direction et le chef des finances ont conclu que les contrôles et procédures de communication de l'information de la société sont efficaces et visent à assurer que l'information qui doit être déposée ou soumise par la société en vertu des lois sur les valeurs mobilières du Canada est comptabilisée, traitée, résumée et présentée en fonction des délais prescrits dans les règlements et formes.

TENDANCES, INCERTITUDES ET GESTION DU RISQUE

La vente de vêtements pour dames constitue la principale activité de la société dans 887 points de vente loués et exploités sous six bannières différentes dans l'ensemble du Canada. Les activités de la société sont de nature saisonnière et elles sont assujetties à divers facteurs qui ont une incidence directe sur les ventes au détail de vêtements, facteurs sur lesquels la société n'a aucun contrôle, notamment les conditions météorologiques, le niveau de confiance des consommateurs, les habitudes d'achat et la possibilité de changements rapides dans les tendances de la mode. De plus, il n'existe pas de barrière efficace pour empêcher l'entrée sur le marché de détail canadien du vêtement par un concurrent éventuel, étranger ou canadien.

Pour atténuer ces risques, chaque bannière cible un créneau particulier du marché du vêtement de la femme au Canada. La quasi-totalité de la marchandise de la société est vendue sous sa marque maison. Au cours de l'exercice 2006, aucun fournisseur ne représentait plus de 7 % des achats de la société (en dollars et/ou en unités), et il existe une panoplie de sources (tant au pays qu'à l'étranger) pour presque toute sa marchandise. Lorsque la marchandise est acquise à l'étranger et qu'elle doit être payée en dollars US, la société utilise diverses stratégies défensives pour fixer le coût en dollars US afin de se protéger contre les fluctuations importantes de la valeur du dollar canadien entre le moment de la commande de la marchandise et son paiement.

D'un point de vue géographique, l'emplacement des magasins est généralement choisi en fonction de la population féminine canadienne. Environ 30 % de la marchandise des magasins RW & CO. est constituée de vêtements pour jeunes hommes. Les ventes de vêtements pour hommes représentent moins de 2 % du total des marchandises vendues par la société.

La société entretient de bonnes relations avec ses locateurs et fournisseurs et elle n'a aucune raison de croire qu'elle est exposée à des risques importants qui l'empêcheraient de faire l'acquisition, la distribution et/ou la vente de marchandises et ce, sur une base permanente.

Au cours de l'exercice 2006, alors que le chiffre d'affaires et les marges d'exploitation de la société se sont considérablement améliorés, la société met le lecteur en garde du fait que le rendement financier passé n'est pas nécessairement représentatif des résultats futurs.

RENSEIGNEMENTS SUR LES ACTIONS EN CIRCULATION

Le 18 avril 2005, la société a versé un dividende sur les actions ordinaires de la société payé au moyen de l'émission d'une action ordinaire pour chaque action ordinaire détenue; elle a également versé un dividende sur les actions de catégorie A sans droit de vote de la société payé au moyen de l'émission d'une action de catégorie A sans droit de vote pour chaque action de catégorie A sans droit de vote détenue. Ces dividendes en actions ont été versés aux porteurs respectifs inscrits le 7 avril 2005. Au 28 janvier 2006, un total de 13 440 000 actions ordinaires et de 56 746 906 actions de catégorie A sans droit de vote de la société étaient émises et en circulation. Chaque action ordinaire donne à son porteur une voix lors des assemblées des actionnaires de la société.

PERSPECTIVES

La société est d'avis qu'elle est bien placée pour faire face à ses concurrents du marché des vêtements spécialisés au Canada par le biais de ses différentes bannières. Reitmans a continué d'accroître et de consolider ses capacités d'approvisionnement en Asie, principalement par l'entremise de son bureau de Hong Kong. Ce bureau compte maintenant plus de 100 employés affectés à la sélection des fournisseurs, au contrôle de la qualité, au transport et à la logistique. La société a ouvert un bureau à Shanghai, en Chine, qui effectue les mêmes activités.

Reitmans jouit d'une excellente situation financière. Elle entretient de bonnes relations avec ses représentants et ses fournisseurs, tant au Canada qu'à l'échelle internationale, et elle a investi dans la technologie et dans ses employés. Reitmans est toujours optimiste quant à ses perspectives d'avenir.

RESPONSABILITÉ DE LA DIRECTION
EN CE QUI CONCERNE LES ÉTATS FINANCIERS

La direction est responsable des états financiers consolidés ci-joints et de tous les renseignements présentés dans le présent rapport annuel. Ces états financiers consolidés et renseignements ont été approuvés par le conseil d'administration de Reitmans (Canada) Limitée.

Les états financiers consolidés ont été dressés par la direction conformément aux principes comptables généralement reconnus du Canada et comprennent des montants qui exigent le recours au jugement et à des estimations. Les renseignements financiers présentés ailleurs dans ce rapport annuel sont conformes à l'information présentée dans les états financiers consolidés.

La direction de la société maintient des systèmes de contrôles internes conçus de manière à fournir un degré raisonnable de certitude quant à la fiabilité des livres et registres comptables aux fins de la préparation des états financiers consolidés et quant au contrôle et à la protection de l'actif de la société.

Le conseil d'administration s'acquitte de ses responsabilités en ce qui concerne les états financiers consolidés présentés dans ce rapport annuel par l'intermédiaire de son comité de vérification, dont tous les membres sont des administrateurs de l'extérieur. Le comité de vérification passe en revue les états financiers consolidés annuels de la société et recommande au conseil d'administration de les approuver. Les vérificateurs nommés par les actionnaires ont librement accès au comité de vérification et peuvent rencontrer ses membres en présence ou en l'absence de la direction.

Les vérificateurs nommés par les actionnaires, KPMG s.r.l./S.E.N.C.R.L., comptables agréés, ont examiné ces états financiers consolidés et ont produit leur rapport sur ces états, lequel est présenté ci-dessous.

(signé)

Jeremy H. REITMAN
Président

Le 10 mars 2006

(signé)

Eric WILLIAMS, CA
Vice-président – Trésorier

RAPPORT DES VÉRIFICATEURS

Aux actionnaires de Reitmans (Canada) Limitée

Nous avons vérifié les bilans consolidés de Reitmans (Canada) Limitée au 28 janvier 2006 et au 29 janvier 2005 et les états consolidés des résultats, des bénéfices non répartis et des flux de trésorerie des exercices terminés à ces dates. La responsabilité de ces états financiers incombe à la direction de la société. Notre responsabilité consiste à exprimer une opinion sur ces états financiers en nous fondant sur nos vérifications.

Nos vérifications ont été effectuées conformément aux normes de vérification généralement reconnues du Canada. Ces normes exigent que la vérification soit planifiée et exécutée de manière à fournir l'assurance raisonnable que les états financiers sont exempts d'inexactitudes importantes. La vérification comprend le contrôle par sondages des éléments probants à l'appui des montants et des autres éléments d'information fournis dans les états financiers. Elle comprend également l'évaluation des principes comptables suivis et des estimations importantes faites par la direction, ainsi qu'une appréciation de la présentation d'ensemble des états financiers.

À notre avis, ces états financiers consolidés donnent, à tous les égards importants, une image fidèle de la situation financière de la société au 28 janvier 2006 et au 29 janvier 2005, ainsi que des résultats de son exploitation et de ses flux de trésorerie pour les exercices terminés à ces dates selon les principes comptables généralement reconnus du Canada.

KPMG s.r.l./S.E.N.C.R.L.

Comptables agréés

Montréal, Canada
Le 10 mars 2006

Reitmans (Canada) Limitée

	2006	2005
ACTIF		
ACTIF À COURT TERME		
Espèces et quasi-espèces	135 399 $	101 939 $
Débiteurs	3 135	2 414
Stocks de marchandises	66 445	59 163
Charges payées d'avance	7 471	6 697
Total de l'actif à court terme	212 450	170 213
PLACEMENTS (note 2)	60 132	66 195
IMMOBILISATIONS (note 3)	206 184	185 673
ÉCARTS D'ACQUISITION	42 426	42 426
IMPÔTS FUTURS (note 6)	1 536	1 183
ACTIF AU TITRE DES PRESTATIONS CONSTITUÉES (note 4)	505	1 369
	523 233 $	467 059 $
PASSIF ET CAPITAUX PROPRES		
PASSIF À COURT TERME		
Créditeurs et charges à payer	81 784 $	81 497 $
Impôts sur les bénéfices exigibles	14 645	17 134
Tranche de la dette à long terme échéant à moins de un an (note 5)	1 010	1 124
Total du passif à court terme	97 439	99 755
REVENU REPORTÉ TIRÉ DE LA CONCESSION DE LICENCES	-	167
CRÉDITS REPORTÉS AU TITRE DES CONTRATS DE LOCATION	19 025	17 736
DETTE À LONG TERME (note 5)	16 173	17 183
IMPÔTS FUTURS (note 6)	339	694
CAPITAUX PROPRES		
Capital-actions (note 7)	17 374	14 712
Surplus d'apport	2 523	621
Bénéfices non répartis	370 360	316 191
Total des capitaux propres	390 257	331 524
	523 233 $	467 059 $

21

Les notes afférentes aux états financiers consolidés font partie intégrante de ces états.

Au nom du conseil,

(signé)

JEREMY H. REITMAN
Administrateur

(signé)

STEPHEN J. KAUSER
Administrateur

ÉTATS CONSOLIDÉS DES RÉSULTATS

Pour les exercices terminés le 28 janvier 2006 et le 29 janvier 2005
(en milliers sauf les montants par action)

22

	2006	2005
Chiffre d'affaires	969 258 $	912 473 $
Coût des marchandises vendues, frais de vente et frais généraux et administratifs	813 648	788 876
	155 610	123 597
Amortissement	38 564	35 083
Bénéfice d'exploitation avant les éléments ci-dessous	117 046	88 514
Revenu de placement	9 097	9 639
Intérêts sur la dette à long terme	1 132	1 919
Bénéfice avant les impôts sur les bénéfices	125 011	96 234
Impôts sur les bénéfices (note 6)	40 122	29 327
Bénéfice net	84 889 $	66 907 $
Bénéfice par action (note 8)		
De base	1,22 $	0,97 $
Dilué	1,19	0,95

ÉTATS CONSOLIDÉS DES BÉNÉFICES NON RÉPARTIS

Pour les exercices terminés le 28 janvier 2006 et le 29 janvier 2005
(en milliers)

	2006	2005
Solde au début de l'exercice	316 191 $	263 455 $
Bénéfice net	84 889	66 907
	401 080	330 362
Déduire		
Dividendes (note 7)	29 345	14 171
Prime sur l'achat d'actions de catégorie A sans droit de vote (note 7)	1 375	-
Solde à la fin de l'exercice	370 360 $	316 191 $

Les notes afférentes aux états financiers consolidés font partie intégrante de ces états.

	2006	2005
FLUX DE TRÉSORERIE LIÉS AUX ACTIVITÉS D'EXPLOITATION		
Bénéfice net	84 889 $	66 907 $
Rajustements au titre de ce qui suit :		
Amortissement	38 564	35 083
Impôts futurs	(708)	(453)
Rémunération à base d'actions	2 100	524
Amortissement du revenu reporté tiré de la concession de licences	(167)	(200)
Amortissement des crédits reportés au titre des contrats de location	(3 652)	(3 041)
Crédits reportés au titre des contrats de location	4 941	4 379
Charge de retraite	997	54
Cotisations à un régime de retraite	(133)	-
Amortissement des frais de financement reportés	-	292
Revenu de placement	(9 097)	(9 639)
Variations des éléments hors caisse du fonds de roulement	(11 385)	23 198
	106 349	117 104
FLUX DE TRÉSORERIE LIÉS AUX ACTIVITÉS D'INVESTISSEMENT		
Achats de titres négociables	(12 632)	(30 872)
Produit de la vente de titres négociables	20 982	42 208
Acquisition d'immobilisations	(58 669)	(45 503)
Revenu de placement, excluant le gain sur la vente de titres négociables de 2 287 $ (3 651 $ en 2005)	6 810	5 988
	(43 509)	(28 179)
FLUX DE TRÉSORERIE LIÉS AUX ACTIVITÉS DE FINANCEMENT		
Dividendes versés	(29 345)	(14 171)
Achat d'actions de catégorie A sans droit de vote aux fins d'annulation	(1 401)	-
Remboursement de la dette à long terme	(1 124)	(76 514)
Émission de capital-actions	2 490	1 862
	(29 380)	(88 823)
AUGMENTATION NETTE DE L'ENCAISSE	33 460	102
ESPÈCES ET QUASI-ESPÈCES AU DÉBUT DE L'EXERCICE	101 939	101 837
ESPÈCES ET QUASI-ESPÈCES À LA FIN DE L'EXERCICE	135 399 $	101 939 $

Reitmans (Canada) Limitée

23

Les espèces et quasi-espèces se composent des soldes d'encaisse bancaires et des placements dans des dépôts à court terme.

Les notes afférentes aux états financiers consolidés font partie intégrante de ces états.

NOTES AFFÉRENTES AUX ÉTATS FINANCIERS CONSOLIDÉS

Pour les exercices terminés le 28 janvier 2006 et le 29 janvier 2005
(en milliers sauf les montants par action)

Reitmans (Canada) Limitée la « société » a été constituée en vertu de la *Loi canadienne sur les sociétés par actions* et sa principale activité est la vente au détail de vêtements pour dames.

1

SOMMAIRE DES PRINCIPALES CONVENTIONS COMPTABLES

a) Les états financiers et les notes y afférentes ont été préparés sur une base consolidée et reflètent la situation financière consolidée de la société et de ses filiales en propriété exclusive. Les soldes et opérations intersociétés ont été éliminés de ces états financiers.

b) Les espèces et quasi-espèces se composent de l'encaisse et des dépôts à court terme dont l'échéance est d'au plus trois mois.

c) Les stocks de marchandises sont évalués au prix coûtant, principalement déterminé d'après une moyenne selon la méthode de l'inventaire au prix de détail, ou à la valeur de réalisation nette, selon le moins élevé des deux.

d) Les titres négociables sont inscrits au prix coûtant. Le revenu est constaté selon la méthode de la comptabilité d'exercice.

e) Les immobilisations sont comptabilisées au prix coûtant et sont amorties aux taux annuels suivants appliqués à leur prix coûtant à compter de l'année d'acquisition :

Bâtiments	4 %
Agencements et matériel	10 % à 33 $\frac{1}{3}$ %
Intérêts à bail	15 %
Éléments d'actif loués aux termes de contrats de location-acquisition	10 % à 20 %

Les améliorations locatives sont amorties selon la durée de vie utile estimative de l'actif ou la durée du contrat de location selon la moindre des deux. Les incitatifs à la location pour locataires sont constatés à titre de crédits reportés au titre des contrats de location et amortis comme une réduction des frais de location sur la durée des contrats de location connexes.

Les dépenses relatives à l'ouverture de nouveaux magasins, autres que pour les agencements, le matériel et les améliorations locatives, sont passées en charges à mesure qu'elles sont engagées.

La société exerce ses activités dans des locaux loués aux termes de contrats de location comportant des modalités diverses, qui sont comptabilisés comme contrats de location-exploitation.

La dotation aux amortissements comprend les gains et les pertes sur les ventes d'immobilisations.

f) Les écarts d'acquisition ne sont pas amortis mais ils font l'objet d'un test de dépréciation annuellement, ou plus fréquemment si des événements ou des changements de situation indiquent que les éléments d'actif pourraient avoir subi une baisse de valeur. Le test de dépréciation s'effectue en deux étapes. À la première étape, la valeur comptable de l'unité d'exploitation est comparée à sa juste valeur. Lorsque la juste valeur excède la valeur comptable, les écarts d'acquisition de l'unité d'exploitation sont considérés comme n'ayant pas subi de baisse de valeur, et dans ce cas, la deuxième étape du test de dépréciation est superflue. Cette deuxième étape s'impose lorsque la valeur comptable d'une unité d'exploitation excède sa juste valeur. Dans ce cas, la juste valeur implicite des écarts d'acquisition liés à l'unité d'exploitation est comparée à sa valeur comptable afin de mesurer la baisse de valeur, le cas échéant.

Reitmans (Canada) Limitée

25

La société a effectué son test de dépréciation annuel le 28 janvier 2006 et elle a conclu que la valeur comptable des écarts d'acquisition n'avait subi aucune baisse de valeur.

g) La société a recours à la méthode axée sur le bilan pour comptabiliser ses impôts sur les bénéfices. Selon cette méthode, des impôts futurs sont constatés pour tenir compte des incidences fiscales futures des écarts entre les valeurs comptables des actifs et passifs présentés aux états financiers et leurs valeurs fiscales respectives (écarts temporaires). Les actifs et passifs d'impôts futurs sont calculés selon les taux d'imposition en vigueur qui devraient s'appliquer au bénéfice imposable des exercices au cours desquels il est prévu que les écarts temporaires seront résorbés ou réglés. L'incidence d'une modification des taux d'imposition sur les actifs et passifs d'impôts futurs est prise en compte dans les résultats de la période au cours de laquelle la modification entre en vigueur.

h) La société offre un régime de retraite contributif à prestations déterminées, le Régime de retraite de la haute direction de Reitmans. Le régime prévoit le versement de prestations de retraite en fonction du nombre d'années de service et des gains moyens des cinq années consécutives les plus favorables.

Le coût découlant du régime de retraite est établi périodiquement par des actuaires indépendants. La charge (le revenu) de retraite est prise en compte tous les ans dans les résultats.

La société inscrit le coût de ses prestations de retraite d'après les conventions suivantes :

- Le coût des prestations de retraite est calculé sur une base actuarielle selon la méthode de répartition des prestations au prorata des services.

- Aux fins du calcul du taux de rendement prévu des actifs du régime, l'évaluation de ces actifs est fondée sur des valeurs axées sur des valeurs marchandes.

- Les coûts des services passés découlant des modifications apportées au régime sont amortis selon la méthode linéaire sur la durée résiduelle moyenne d'activité des salariés actifs à la date des modifications.

- Les écarts entre résultats et prévisions découlant des obligations au titre des prestations constituées et des actifs du régime sont constatés dans la période au cours de laquelle ces écarts surviennent.

La différence entre les montants cumulatifs passés en charges et les cotisations nécessaires à la capitalisation du régime est inscrite au bilan soit comme un actif ou un passif au titre des prestations constituées, selon le cas.

i) La société comptabilise la rémunération et les autres paiements à base d'actions à l'aide d'une méthode fondée sur la juste valeur.

j) Le bénéfice de base par action est calculé selon le nombre moyen pondéré d'actions de catégorie A sans droit de vote et d'actions ordinaires en circulation au cours de l'exercice. La norme exige le recours à la méthode du rachat d'actions pour calculer le bénéfice dilué par action. Aux fins du calcul du bénéfice dilué par action, le nombre moyen pondéré d'actions en circulation est majoré pour tenir compte du nombre d'actions supplémentaires découlant de l'exercice présumé des options, si elles ont un effet dilutif. Le nombre d'actions supplémentaires est calculé en présumant que le produit découlant de l'exercice des options sert à racheter des actions de catégorie A sans droit de vote et des actions ordinaires au prix moyen du marché au cours de l'exercice.

k) Le revenu reporté tiré de la concession de licences est amorti selon la méthode linéaire sur la durée des ententes.

l) Les éléments d'actif et de passif monétaires libellés en monnaie étrangère sont convertis en dollars canadiens au taux de change en vigueur à la fin de l'exercice. Les produits et les charges sont convertis en dollars canadiens au taux de change moyen de l'exercice. Les gains ou pertes de change sont pris en compte dans le calcul du bénéfice net.

m) La préparation des états financiers de la société exige que la direction fasse des estimations et pose des hypothèses qui ont une incidence sur les montants déclarés des actifs et des passifs, sur la présentation des actifs et des passifs éventuels à la date des états financiers ainsi que sur les montants déclarés des produits et des charges durant l'exercice. Les résultats réels peuvent différer de ces estimations.

Reitmans (Canada) Limitée

2

PLACEMENTS

Le portefeuille des titres négociables de la société comprend surtout des actions privilégiées de sociétés ouvertes canadiennes. Le revenu tiré des titres négociables et des dépôts à court terme est inclus dans le revenu de placement. La valeur marchande du portefeuille au 28 janvier 2006 était de 66 346 $ (73 968 $ en 2005).

3

IMMOBILISATIONS

	2006			2005
	Prix coûtant	Amortissement cumulé	Valeur comptable nette	Valeur comptable nette
Terrains	4 615 $	- $	4 615 $	4 115 $
Bâtiments	42 147	5 364	36 783	19 948
Agencements et matériel	157 372	66 823	90 549	81 711
Améliorations locatives	132 155	58 365	73 790	79 798
Intérêts à bail	621	174	447	101
	336 910 $	130 726 $	206 184 $	185 673 $

4

ACTIF DE LA CAISSE DE RETRAITE

Le régime de retraite à prestations déterminées de la société a fait l'objet d'une évaluation actuarielle au 31 décembre 2004 et les obligations au titre des prestations constituées projetées ont été déterminées jusqu'au 31 décembre 2005. La prochaine évaluation actuarielle est prévue pour décembre 2007.

Élaborées à partir des données disponibles au 31 décembre 2005, les hypothèses utilisées dans le calcul de la charge nette (du revenu net) de retraite et des obligations au titre des prestations projetées sont les suivantes :

	2006	2005
Taux d'actualisation	4,94 %	5,80 %
Taux d'augmentation des salaires	3,00 %	3,00 %
Taux de rendement prévu à long terme des actifs des régimes	7,50 %	7,50 %

En outre, la société parraine un régime de retraite complémentaire pour cadres dirigeants couvrant certains membres du régime de retraite. Ce plan spécial fait l'objet des mêmes évaluations et méthodes actuarielles que le régime de retraite de la haute direction de Reitmans.

26

Les tableaux suivants présentent des rapprochements des obligations en matière de prestations, des actifs des régimes et de la situation de capitalisation des régimes de retraite :

	2006	2005
Obligations au titre des prestations constituées		
Obligations au titre des prestations constituées au début de l'exercice	8 326 $	7 845 $
Cotisations des salariés	95	-
Coût des services rendus au cours de l'exercice	208	199
Intérêts débiteurs	488	473
Prestations versées	(421)	(440)
Modifications aux régimes	8 496	-
Pertes actuarielles	1 420	249
Obligations au titre des prestations constituées à la fin de l'exercice	18 612 $	8 326 $
Actifs du régime		
Valeur marchande des actifs du régime au début de l'exercice	9 695 $	9 268 $
Cotisations patronales	133	-
Cotisations des salariés	95	-
Rendement réel des actifs du régime	1 175	867
Prestations versées	(421)	(440)
Valeur marchande des actifs du régime à la fin de l'exercice	10 677 $	9 695 $
(Déficit) surplus des régimes	(7 935)	1 369
Coût des prestations au titre des services passés non amortis	8 440	-
Actif au titre des prestations constituées		
Actif au titre des prestations constituées à la fin de l'exercice	505 $	1 369 $

La charge nette annuelle de retraite de la société se compose des éléments suivants :

	2006	2005
Coût des services rendus au cours de l'exercice	208 $	199 $
Coût des prestations au titre des services passés	56	-
Intérêts débiteurs	488	473
Rendement réel des actifs du régime	(1 175)	(867)
Pertes actuarielles	1 420	249
Charge nette de retraite	997 $	54 $

Au 31 décembre 2005, la répartition d'actifs des principales catégories d'actifs est ventilée comme suit :

Catégories d'actifs	Répartition
Titres de participation	65 %
Titres d'emprunt	33 %
Liquidités	2 %
	100 %

Reitmans (Canada) Limitée

27

Reitmans (Canada) Limitée

28

5

DETTE À LONG TERME

	2006	2005
Emprunt hypothécaire portant intérêt à un taux de 6,40 %, remboursable en versements mensuels de capital et d'intérêts de 172 $, venant à échéance en novembre 2017 et garanti par le centre de distribution de la société.	17 183 $	18 131 $
Obligations découlant de contrats de location-acquisition, arrivées à échéance en décembre 2005, portant intérêts à divers taux.	–	176
	17 183	18 307
Moins la tranche à court terme	1 010	1 124
	16 173 $	17 183 $

Les remboursements de capital sur la dette à long terme s'établissent comme suit :

Exercices se terminant en	
2007	1 010 $
2008	1 076
2009	1 146
2010	1 220
2011	1 299
Exercices subséquents	11 432

6

IMPÔTS SUR LES BÉNÉFICES

a) Les impôts futurs tiennent compte de l'incidence nette des écarts temporaires entre les valeurs comptables des actifs et des passifs aux fins de la présentation des états financiers et les valeurs utilisées aux fins fiscales. Les principales composantes de l'actif (du passif) d'impôts futurs de la société sont les suivantes :

	2006	2005
Actif à long terme		
Immobilisations	1 217 $	740 $
Charges reportées aux fins fiscales	108	267
Autres	211	176
	1 536 $	1 183 $
Passif à long terme		
Titres négociables	(162) $	(227) $
Actif du régime	(177)	(467)
	(339) $	(694) $

b) La provision pour les impôts sur les bénéfices de la société est constituée comme suit :

	2006	2005
Provision pour les impôts sur les bénéfices selon le taux combiné prévu par la loi de 32,07 % (31,77 % en 2005)	40 092 $	30 574 $
Changement dans la provision résultant de ce qui suit :		
Revenu de placement exempt d'impôt	(1 162)	(1 504)
Utilisation de la perte non constatée	-	(202)
Rémunération à base d'actions	717	172
Impôt des grandes sociétés	34	19
Écarts entre les taux d'imposition	87	-
Écarts permanents et autres	354	268
Impôts sur les bénéfices	40 122 $	29 327 $
Constitués de ce qui suit :		
Impôts exigibles	40 830 $	29 780 $
Impôts futurs	(708)	(453)
	40 122 $	29 327 $

7

CAPITAL-ACTIONS

a) Les actions de catégorie A sans droit de vote et les actions ordinaires de la société ont égalité de rang quant au droit qu'elles confèrent de recevoir des dividendes ou de participer à la distribution d'éléments d'actif de la société. Toutefois, dans le cas d'un dividende en actions, les porteurs d'actions de catégorie A sans droit de vote auront le droit de recevoir des actions de catégorie A sans droit de vote et les porteurs d'actions ordinaires auront le droit de recevoir des actions ordinaires.

b) Le nombre d'actions utilisé pour calculer le bénéfice par action a été rajusté pour refléter le dividende versé entièrement en actions le 18 avril 2005 sur les actions de catégorie A sans droit de vote et les actions ordinaires. Le nombre comparatif d'actions a été rajusté pour refléter ce dividende.

c)

	2006	2005
Actions de catégorie A sans droit de vote (autorisées - nombre illimité) - émises : 56 746 906 (56 108 256 en 2005)	16 892 $	14 230 $
Actions ordinaires (autorisées - nombre illimité) - émises : 13 440 000	482	482
	17 374 $	14 712 $

Les dividendes versés sur les actions de catégorie A sans droit de vote et sur les actions ordinaires ont été respectivement de 23 700 $ (11 416 $ en 2005) et de 5 645 $ (2 755 $ en 2005).

Reitmans (Canada) Limitée

30

d) La société a réservé 5 520 000 actions de catégorie A sans droit de vote en vue de leur émission dans le cadre de son régime d'options sur actions, et une tranche de 2 858 000 options est en vigueur. L'attribution des options et le délai d'acquisition des droits liés à ces options sont à la discrétion du conseil d'administration, la durée maximale des options étant de 10 ans.

La société a attribué 80 000 options sur actions en 2006; ces options seront passées en charges sur leur période d'acquisition en fonction de leur juste valeur estimative à la date d'attribution, valeur qui est déterminée à l'aide du modèle d'établissement du prix des options Black et Scholes.

Les frais de rémunération liés aux attributions d'options sur actions effectuées au cours de l'exercice ont été calculés en fonction de la juste valeur à l'aide des hypothèses suivantes :

Durée prévue des options	4,8 ans
Taux d'intérêt sans risque	3,35 %
Volatilité prévue du cours des actions	30,29 %
Taux moyen de rendement des actions	2,50 %
Juste valeur moyenne pondérée des options attribuées	4,64 $

Un sommaire de la situation du régime d'options sur actions de la société au 28 janvier 2006 et au 29 janvier 2005 et des variations survenues au cours des exercices terminés à ces dates est présenté ci-dessous :

	2006		2005	
	Options	Prix d'exercice moyen pondéré	Options	Prix d'exercice moyen pondéré
En vigueur au début de l'exercice	3 528 000	7,09 $	2 648 000	3,09 $
Attribuées	80 000	19,23	1 530 000	12,23
Exercées	(730 000)	3,41	(650 000)	2,87
Confisquées	(20 000)	12,23	-	-
En vigueur à la fin de l'exercice	2 858 000	8,33	3 528 000	7,09
Options pouvant être exercées à la fin de l'exercice	894 000		862 000	

Le tableau suivant résume l'information relative aux options sur actions en vigueur au 28 janvier 2006 :

	Options en vigueur			Options pouvant être exercées	
Fourchette des prix d'exercice	Nombre d'options en vigueur au 28-01-2006	Durée contractuelle moyenne pondérée qui reste à courir	Prix d'exercice moyen pondéré	Nombre d'options pouvant être exercées au 28-01-2006	Prix d'exercice moyen pondéré
2,38 $ - 2,79 $	939 000	1,00	2,77 $	587 000	2,76 $
4,25 $ - 5,68 $	356 000	4,00	4,34	32 000	4,25
12,23 $	1 483 000	6,00	12,23	275 000	12,23
19,23 $	80 000	6,00	19,23	-	19,23
	2 858 000	4,11	8,33 $	894 000	5,72 $

Pour l'exercice terminé le 28 janvier 2006, la société a constaté des frais de rémunération de 2 100 $ (524 $ en 2005) et un crédit compensatoire au surplus d'apport.

Les montants crédités au capital-actions pour l'exercice des options sur actions au cours de l'exercice comprennent une contrepartie en espèces de 2 490 $ (1 862 $ en 2005) et de 198 $ (52 $ en 2005) du surplus d'apport.

e) La société a racheté, aux fins d'annulation, 91 600 actions de catégorie A sans droit de vote aux taux courants du marché aux termes de son programme de rachat d'actions, et ce, pour une contrepartie totale en espèces de 1 401 $. L'excédent de 1 375 $ sur la valeur attribuée des actions a été imputé aux bénéfices non répartis.

8

RÉSULTAT PAR ACTION

Le nombre comparatif d'actions pour 2005 a été rajusté pour refléter le dividende en actions.

Le nombre d'actions utilisé dans le calcul du résultat par action se présente comme suit :

	2006	2005
Nombre moyen pondéré d'actions utilisé pour calculer le résultat de base par action	69 801 356	69 088 360
Effet dilutif des options en circulation	1 544 210	1 436 880
Nombre moyen pondéré d'actions utilisé pour calculer le résultat dilué par action	71 345 566	70 525 240

9

ENGAGEMENTS

Les montants minimums des loyers à payer aux termes des contrats de location-exploitation pour les magasins, le centre de distribution, les automobiles et le matériel, à l'exclusion des montants supplémentaires établis d'après le chiffre d'affaires, les taxes et autres frais, se chiffrent comme suit :

Exercices se terminant en	
2007	82 901 $
2008	75 213
2009	63 759
2010	51 261
2011	35 160
Exercices subséquents	54 426
	362 720 $

10

ÉTATS DES FLUX DE TRÉSORERIE

Information supplémentaire :

	2006	2005
Soldes bancaires	(2 971) $	471 $
Dépôts à court terme	138 370	101 468
	135 399 $	101 939 $
Sommes au comptant versées au cours de l'exercice au titre de ce qui suit :		
Impôts sur les bénéfices	44 834 $	21 316 $
Intérêts	1 262	1 426
Opérations sans effet sur la trésorerie		
Acquisitions d'immobilisations comprises dans les créditeurs	1 060	654

11

INSTRUMENTS FINANCIERS

Présentation de la juste valeur

Les estimations de la juste valeur sont faites à un moment déterminé, selon l'information disponible concernant l'instrument financier. Ces estimations sont de nature subjective et ne peuvent souvent être déterminées avec précision.

La société a déterminé que la valeur comptable de ses éléments d'actif et de passif financiers à court terme se rapprochait de leur juste valeur aux dates de fin d'exercice, étant donné l'échéance à court terme de ces instruments. La juste valeur des titres négociables est fondée sur les cours publiés sur le marché à la fin de l'exercice.

La juste valeur de la dette à long terme ne s'écarte pas de sa valeur comptable de façon importante.

La juste valeur de la dette à long terme de la société portant intérêt à taux fixe a été calculée selon la valeur actuelle des versements futurs de capital et d'intérêts, actualisés aux taux d'intérêt en vigueur sur le marché pour des titres de créances identiques ou semblables comportant une durée résiduelle identique.

32

NOS FONDATEURS

HERMAN REITMAN
1870 - 1941

LOUIS REITMAN
1900 - 1968

SAM REITMAN
1903 - 1982

JOHN REITMAN
1906 - 1975

JACK REITMAN
1910 - 1996

INFORMATION CORPORATIVE

ADMINISTRATEURS

H. Jonathan Birks
Stephen J. Kauser
Max Konigsberg

Samuel Minzberg
Cyril Reitman
Jeremy H. Reitman

Stephen F. Reitman
Howard Stotland
Robert S. Vineberg

MEMBRES DE LA DIRECTION

Jeremy H. Reitman
Président

Stephen F. Reitman
Vice-président directeur

Douglas M. Deruchie, CA
Vice-président - Finance

Geneviève Fortier, CRHA
Vice-présidente - Ressources humaines

Claude Martineau
Vice-président - Technologies de l'information

Cyril Reitman
Vice-président

Allen F. Rubin
Vice-président - Opérations

Allan Salomon
Vice-président - Biens immobiliers

Saul Schipper
Vice-président - Secrétaire

Richard Wait, CGA
Vice-président - Contrôleur

Jay Weiss
Vice-président - Distribution et logistique

Eric Williams, CA
Vice-président - Trésorier

Henry Fiederer
Président - Reitmans

Stephanie Bleau
Vice-présidente - Reitmans

Nadia Cerantola
Vice-présidente - Reitmans

Donna Flynn
Vice-présidente - Reitmans

Stefanie Ravenda
Vice-présidente - Reitmans

Kimberly Schumpert
Vice-présidente - Reitmans

Isabelle Taschereau
Présidente - Smart Set

Sylvain Forest
Vice-président - Smart Set

Nicole Lapointe
Vice-présidente - Smart Set

Stéphane Renauld
Vice-président - Smart Set

Danielle Vallières
Vice-présidente - Smart Set

Suzana Vovko
Présidente - RW & CO.

Cathryn Adeluca
Vice-présidente - RW & CO.

Lesya McQueen
Présidente - Thyme Maternité

William Penney
Vice-président - Thyme Maternité

Kerry Mitchell
Présidente - Penningtons / Addition Elle

Trudy Crane
Vice-présidente - Penningtons / Addition Elle

Doug Edwards
Vice-président - Penningtons / Addition Elle

Jonathan Plens
Vice-président - Penningtons / Addition Elle

Sally Firth
Vice-présidente - Penningtons

Rhonda Sandler
Vice-présidente - Addition Elle

Leah Daley
Vice-présidente - Cassis

REITMANS (CANADA) LIMITÉE

250, rue Sauvé ouest, Montréal, QC H3L 1Z2

Téléphone : **(514) 384-1140**
Télécopieur : **(514) 385-2669**
Courrier électronique : **info@reitmans.com**
Site Web corporatif : **www.reitmans.ca**

ADRESSE ENREGISTRÉE :

1 Yorkdale Road, Suite 412, Yorkdale Mall, Toronto, ON M6A 3A1

AGENT DES TRANSFERTS ET PRÉPOSÉ AUX REGISTRES

Société de fiducie Computershare du Canada
Montréal, Toronto, Calgary, Vancouver

SYMBOLES À LA BOURSE
LA BOURSE DE TORONTO

Actions ordinaires	RET
Actions de catégorie A sans droit de vote	RET. A

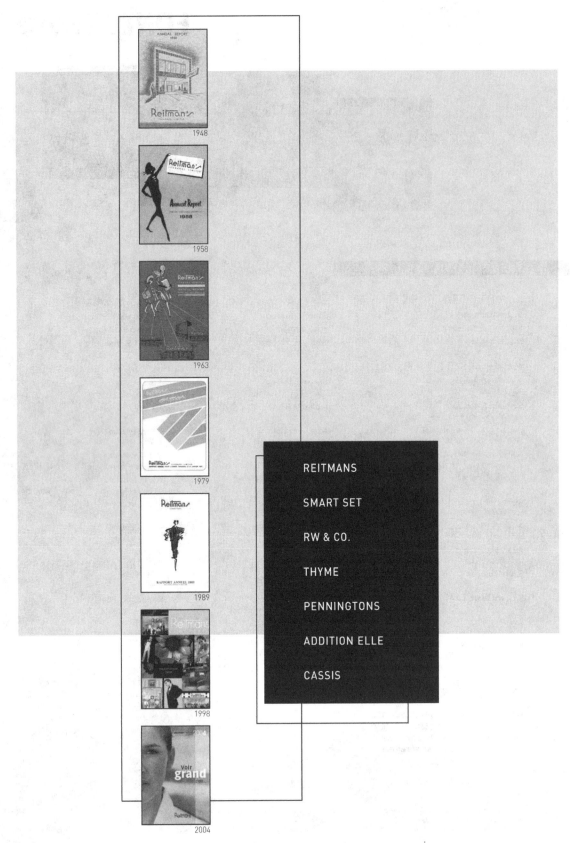

REITMANS

SMART SET

RW & CO.

THYME

PENNINGTONS

ADDITION ELLE

CASSIS

DESIGN ET PRODUCTION :
COMMUNICATIONS MARILYN GELFAND INC.

Annexe D

Rapport sur les ratios industriels
Vente de vêtements au détail pour la famille

Ratios de liquidité

Fonds de roulement (liquidité générale)	2,32
Liquidité relative	0,88

Ratios de rentabilité

Pourcentage de la marge bénéficiaire brute	36,42 %
Pourcentage de la marge bénéficiaire d'exploitation	7,72 %
Pourcentage de la marge bénéficiaire nette	4,52 %
Rendement des capitaux propres	14,77 %
Rendement de l'actif	8,91 %
Qualité du bénéfice	2,28

Taux de rotation

Rotation des stocks	4,46
Délai moyen d'écoulement des stocks	80,72 jours
Rotation des comptes clients	104,66
Délai moyen de recouvrement des comptes clients	3,44 jours
Rotation des actifs immobilisés	7,44
Rotation de l'actif total	2,03
Rotation des comptes fournisseurs	12,75

Ratios de solvabilité et structure financière

Couverture des intérêts	19,40
Capitaux empruntés sur les capitaux propres	0,61
Adéquation du capital	1,61

Ratios du marché

Rendement par action	0,33 %
Cours-bénéfice	18,02

Autres ratios

Publicité sur les ventes	3,03 %
Croissance du chiffre d'affaires	16,32 %
Taux d'acquisition de capitaux	2,72

Glossaire

Plusieurs définitions du glossaire sont tirés du *Manuel de l'ICCA* et du *Dictionnaire de la comptabilité et de la gestion financière* de Louis Ménard, Toronto, ICCA, 2004.

Achat à un prix global (achat en bloc) Acquisition de façon simultanée de deux ou plusieurs immobilisations à un prix forfaitaire.

Actif à court terme Ensemble des éléments normalement réalisables dans l'exercice qui suit la date du bilan.

Actifs Ressources économiques sur lesquelles l'entité exerce un contrôle par suite d'opérations ou de faits passés et qui sont susceptibles de lui procurer des avantages économiques futurs.

Actifs incorporels Biens qui n'ont pas d'existence physique, mais qui confèrent des droits particuliers.

Actions autodétenues Actions déjà émises qu'une société rachète sur le marché en vue de les annuler ou de les revendre.

Actions autorisées Nombre maximal d'actions qu'une société peut émettre en vertu de sa charte pour chacune des catégories d'actions décrites.

Actions émises Nombre total d'actions vendues.

Actions en circulation Nombre total d'actions que possèdent les actionnaires à une date particulière.

Actions ordinaires Actions de base avec droit de vote émises par les sociétés de capitaux.

Actions privilégiées (préférentielles) Actions qui confèrent des droits précis par rapport aux actions ordinaires, c'est-à-dire une priorité pour le paiement des dividendes et en cas de liquidation des actifs.

Actions privilégiées convertibles Actions privilégiées que le porteur peut convertir en actions ordinaires à son gré.

Actions sans valeur nominale Actions dont la valeur nominale n'est pas précisée dans la charte de la société.

Activités abandonnées Abandon ou cession-vente d'une partie des activités de l'entreprise ; elles sont présentées à l'état des résultats déduction faite des impôts s'y rapportant.

Activités d'investissement et de financement hors trésorerie (hors caisse) Opérations qui n'ont aucun effet direct sur les flux de trésorerie. On les présente comme un supplément d'information à l'état des flux de trésorerie sous forme de texte ou de tableau complémentaire.

Ajustement sur exercices antérieurs Montant qu'on affecte directement aux bénéfices non répartis pour corriger une erreur comptable commise dans un exercice précédent ou pour illustrer l'effet d'une modification de convention comptable sur les exercices antérieurs.

Améliorations, ajouts et agrandissements Coûts engagés pour accroître l'utilité économique des immobilisations.

Amortissement Répartition logique et systématique du coût des immobilisations corporelles (à l'exception des terrains) sur leur durée de vie ou leur durée de vie utile prévue.

Amortissement accéléré Méthodes d'amortissement qui ont pour effet de produire des charges d'amortissement plus élevées au cours des premiers exercices d'utilisation.

Amortissement dégressif à taux constant Méthode d'amortissement qui consiste à répartir le coût d'une immobilisation sur plusieurs exercices grâce à l'application d'un taux sur la valeur comptable de l'actif.

Amortissement linéaire Méthode d'amortissement qui consiste à répartir le coût amortissable d'une immobilisation en des montants périodiques égaux d'un exercice à l'autre

Amortissement proportionnel à l'utilisation (proportionnel au rendement) Méthode d'amortissement consistant à répartir le coût amortissable d'une immobilisation pendant sa durée de vie utile en fonction de son utilisation.

Analyse des opérations Étude d'une opération en vue de déterminer son effet économique sur l'entreprise et l'équation comptable.

Arriéré de dividendes Dividendes sur les actions privilégiées cumulatives qui n'ont pas été versés au cours des exercices précédents.

Balance de vérification Liste de tous les comptes du grand livre avec leur solde débiteur ou créditeur. Elle permet de vérifier l'égalité des débits et des crédits.

Balance de vérification après clôture Liste des comptes du grand livre établie après avoir procédé à la clôture des comptes afin de vérifier que les crédits sont égaux aux débits et que tous les comptes temporaires ont un solde à zéro.

Bénéfice avant impôts Produits d'exploitation dont on soustrait toutes les charges à l'exception des impôts sur les bénéfices.

Bénéfice brut (marge bénéficiaire brute) Chiffre d'affaires dont on soustrait le coût des marchandises vendues.

Bénéfice d'exploitation (résultat d'exploitation) Chiffre d'affaires dont on soustrait le coût des marchandises vendues et les autres charges d'exploitation.

Bénéfices non répartis Bénéfices cumulatifs qui ne sont pas distribués aux actionnaires et qui sont réinvestis dans l'entreprise.

Bilan État financier exposant à une date donnée la situation financière et le patrimoine d'une entité, et dans lequel figurent la liste des actifs et des passifs ainsi que la différence qui correspond aux capitaux propres.

Brevet Titre accordé par le gouvernement pour une invention. Il s'agit d'un droit exclusif qui permet à son détenteur d'utiliser, de fabriquer ou de vendre l'objet de ce brevet.

Capital d'une obligation Montant remboursable à l'échéance de l'obligation et sur lequel on calcule les paiements d'intérêts périodiques en espèces.

Capitalisation des intérêts Méthode comptable selon laquelle on inclut les intérêts engagés au cours de la période de construction dans le coût des immobilisations lorsque l'entreprise construit pour son propre compte.

Capital social (capital-actions) Capital investi (argent ou autres actifs) par les actionnaires dans l'entreprise.

Capitaux propres (avoir des actionnaires) Fonds provenant des propriétaires et des activités de l'entreprise.

Certificat d'obligation Document remis à chaque obligataire.

Charges Diminutions des ressources économiques (diminution de l'actif ou augmentation du passif) qui résultent des activités courantes de l'entité, menées en vue de générer des produits.

Charges constatées par régularisation Charges qui font l'objet d'une écriture de régularisation en fin de période pour constater la charge engagée et le décaissement futur.

Charges reportées Sommes versées et comptabilisées dans un compte d'actif à titre d'avantages futurs pour l'entreprise jusqu'à ce qu'elles soient utilisées.

Communiqué Annonce publique écrite, émise par l'entreprise et généralement distribuée aux principaux services de nouvelles.

Comptabilité Système d'information permettant de rassembler et de communiquer des informations à caractère essentiellement financier, le plus souvent chiffrées en unités monétaires, concernant l'activité économique des entreprises et des organismes. Ces informations sont destinées à aider les personnes intéressées à prendre des décisions économiques, notamment en matière de répartition des ressources.

Compte Tableau normalisé que les entreprises utilisent pour accumuler les effets monétaires des opérations sur chacun des éléments des états financiers.

Compte de sens contraire Compte dans lequel on inscrit les sommes à défalquer (à soustraire) du solde d'un compte.

Compte en T Mode simplifié de présentation d'un compte prenant la forme de la lettre T et comportant l'intitulé du compte au-dessus de la ligne horizontale.

Comptes clients (Clients) Comptes de bilan où figurent les sommes à recouvrer des clients à la suite d'une vente de marchandises ou d'une prestation de services.

Comptes de bilan Comptes d'actif, de passif et de capitaux propres. Leur solde est reporté d'un exercice à l'autre.

Comptes de résultats (comptes temporaires) Comptes servant à l'enregistrement des produits, des charges, des pertes et des gains d'un exercice. Ces comptes sont soldés à la fin de chaque exercice.

Concession Droit contractuel de vendre certains produits ou services, d'utiliser certaines marques de commerce ou d'effectuer certaines activités dans une région géographique donnée.

Contrat bilatéral Contrat lié à l'émission d'obligations et qui précise les clauses légales.

Contrôle interne Ensemble des politiques et des procédures définies et maintenues par la direction en vue d'assurer la protection des actifs de l'entité, la fiabilité de l'information financière, l'efficience ou l'utilisation optimale des ressources, la prévention et la détection des erreurs et des fraudes, et le respect des politiques établies.

Coût d'acquisition Montant de la contrepartie donnée pour acquérir un actif.

Coût de remplacement Prix d'achat qu'il faudrait payer aujourd'hui afin de se procurer des articles identiques à ceux en stock.

Créances douteuses Charges associées aux comptes clients estimés irrécouvrables.

Crédit Côté droit d'un compte.

Cycle comptable Processus que l'entreprise suit pour analyser et comptabiliser les opérations, régulariser les comptes en fin de période, dresser les états financiers et préparer les comptes pour la prochaine période.

Cycle d'exploitation (cycle commercial) Période qui s'écoule entre l'achat de matières premières ou de marchandises et le recouvrement du prix des produits ou des marchandises vendues.

Date d'inscription Date à laquelle la société dresse la liste des actionnaires actuels en fonction du registre des actionnaires. Le dividende sera distribué aux personnes qui possèdent des actions à cette date.

Date de déclaration Date à laquelle le conseil d'administration approuve la distribution d'un dividende.

Date de paiement Date à laquelle la société verse un dividende aux actionnaires inscrits.

Débenture (obligation non garantie, obligation sans recours) Obligation non garantie, c'est-à-dire

qu'aucun actif n'est précisément donné en gage pour garantir un remboursement.

Débit Côté gauche d'un compte.

Dépense d'exploitation Dépense procurant des avantages pendant l'exercice en cours seulement, de sorte qu'il convient de la passer immédiatement en charges.

Dépense en capital (dépense en immobilisation) Dépense effectuée en vue d'accroître le potentiel de service d'une immobilisation. Elle procure des avantages au cours d'un certain nombre d'exercices et est inscrite à l'actif.

Dividende cumulatif Dividende portant sur les actions privilégiées qu'une société doit verser aux actionnaires privilégiés. Il est calculé à un taux annuel fixe. En cas de non-versement, les dividendes arriérés se cumulent et devront être versés en priorité aux actionnaires privilégiés lors du versement futur de dividendes.

Dividende en actions Distribution d'actions supplémentaires à partir du propre capital social d'une entreprise.

Droits d'auteur Droits exclusifs de publier, d'utiliser et de vendre une œuvre littéraire, musicale ou artistique.

Droits prioritaires sur les dividendes courants Caractéristique des actions privilégiées qui accordent la priorité au versement des dividendes aux actionnaires privilégiés sur les dividendes aux actionnaires ordinaires.

Durée de vie Période de temps totale pendant laquelle un actif peut rendre des services.

Durée de vie utile Période de temps pendant laquelle on prévoit qu'un actif contribue aux flux de trésorerie futurs de l'entreprise.

Écart d'acquisition (survaleur, fonds commercial, achalandage) Excédent du coût d'une entreprise acquise sur la juste valeur de ses actifs et de ses passifs.

Écarts temporaires Différences de temps (des décalages dans le temps) entraînant un passif (un actif) d'impôts qui va se résorber ou disparaître progressivement dans l'avenir.

Écriture de journal Méthode comptable qui permet d'enregistrer une opération dans les comptes de l'entreprise sous la forme « débit égale crédit ».

Écritures de clôture Écritures journalisées (enregistrées dans un journal) à la fin de l'exercice afin de virer les soldes des comptes de produits et de charges au compte Sommaire des résultats et, de là, au compte Bénéfices non répartis ou Capital.

Écritures de régularisation Écritures qu'il faut passer à la fin de l'exercice pour bien mesurer tous les produits et les charges de la période.

Effets à recevoir Promesses écrites dans lesquelles une partie s'engage à payer ce qu'elle doit à une entreprise en respectant des conditions précises (le montant, l'échéance et les intérêts).

Éléments extraordinaires Gains ou pertes caractérisés à la fois par leur nature inhabituelle, leur non-fréquence et l'absence de contrôle par la direction ou les actionnaires.

Éléments non fréquents et non typiques Gains ou pertes découlant d'opérations qui ne sont pas susceptibles de se répéter fréquemment et qui ne sont pas typiques des activités normales de l'entreprise.

Entité comptable Unité comptable ou ensemble d'unités comptables formant un tout aux fins de la publication des états financiers.

Épuisement Répartition logique et systématique du coût d'une ressource naturelle sur sa période d'exploitation.

Équation du coût des marchandises vendues Équation s'énonçant ainsi : Stocks au début (SD) + Achats (A) − Stocks à la fin (SF) = Coût des marchandises vendues (CMV).

Équilibre avantages-coûts Concept stipulant que les avantages que sont censées procurer les informations contenues dans les états financiers doivent être supérieurs au coût de celles-ci.

Équivalents de trésorerie Placements très liquides, facilement convertibles à court terme en un montant de liquidités dont la valeur ne risque pas de changer de façon significative.

Escompte d'émission d'obligation Différence entre le prix de vente et la valeur nominale lorsque les obligations sont vendues pour un montant inférieur à cette valeur.

Escompte sur achats Réduction du montant à payer, obtenu grâce au paiement rapide d'un compte.

Escompte sur cartes de crédit Frais réclamés par la société émettrice de la carte pour ses services.

Escompte sur ventes (escompte de caisse) Escompte en argent offert aux acheteurs pour encourager un paiement rapide des comptes clients.

État des capitaux propres État financier présentant les changements survenus dans chacun des éléments des capitaux propres de la société au cours de la période.

État des flux de trésorerie État financier présentant les encaissements et les décaissements survenus au cours de l'exercice qui sont attribuables aux activités d'exploitation, d'investissement et de financement.

État des résultats (Résultats) État financier où figurent les produits et les profits ainsi que les charges et les pertes d'une période ; il fait ressortir, par différence, le résultat net (le bénéfice ou la perte) de la période.

États dressés en pourcentages (analyse procentuelle, analyse en chiffres relatifs, analyse verticale) État financier où chacun des postes qui y figure est exprimé sous forme de pourcentage d'un montant de base unique.

États financiers consolidés États combinés de deux ou de plusieurs entreprises (société mère et filiales) en un seul ensemble d'états financiers, comme si les sociétés n'en constituaient qu'une seule.

Exercice financier Période, généralement d'une durée d'un an, au terme de laquelle l'entité procède à la clôture de ses comptes et à l'établissement de ses états financiers.

Fiduciaire Personne indépendante désignée pour représenter les obligataires.

Filiale Société dont la majorité des titres comportant des droits de vote est détenue par la société mère.

Flux de trésorerie disponibles Flux de trésoreries liés à l'exploitation auxquels on soustrait les dividendes et les dépenses en capital.

Flux de trésorerie liés aux activités d'exploitation (flux de trésorerie liés à l'exploitation) Rentrées et sorties de fonds directement liées aux principales activités de l'entreprise qui engendrent des produits.

Flux de trésorerie liés aux activités d'investissement Rentrées et sorties de fonds liées à l'acquisition ou à la cession d'actifs à long terme et placements qui ne sont pas inclus dans les équivalences de trésorerie.

Flux de trésorerie liés aux activités de financement Rentrées et sorties de fonds liées aux « activités qui entraînent des changements quant à l'ampleur et à la composition des capitaux propres et des capitaux empruntés de l'entreprise ».

Fonds de roulement net Différence, en dollars, entre l'actif à court terme et le passif à court terme.

Fractionnement d'actions Augmentation du nombre total d'actions en circulation selon un ratio prédéterminé. Il ne fait pas diminuer le montant des bénéfices non répartis.

Frais courus Dépenses qui ont été engagées, mais qui n'ont pas encore été payées à la fin de l'exercice.

Frais généraux de fabrication Coûts de fabrication qui ne sont pas des matières premières ou des coûts de main-d'œuvre directe.

Fusion Société qui achète tout l'actif net d'une autre entreprise qui est dissoute par la suite.

Gains Augmentations des ressources économiques qui résultent des activités périphériques de l'entité.

Gains ou pertes latents (non réalisés) sur les placements Montants associés à la variation de la juste valeur des titres disponibles à la vente que détient l'entreprise. Ces gains ou pertes ne sont pas réalisés (ils sont latents).

Immobilisations (actifs immobilisés) Éléments d'actifs corporels et incorporels que l'entreprise détient, qu'elle utilise de façon durable dans le contexte de ses activités, et qui ne sont pas destinées à être vendues.

Immobilisations corporelles Biens qui ont une existence tangible et physique.

Importance relative Concept faisant référence aux éléments ou montants assez importants pour influer sur la prise de décision des utilisateurs.

Impôts futurs Éléments existant à cause des différences temporaires provenant de la présentation des produits et des charges à l'état des résultats selon les PCGR et la préparation des déclarations d'impôts selon les lois fiscales.

Influence notable Influence présente lorsque la société participante peut influencer les décisions stratégiques de la société émettrice.

Information comparable Information permettant d'établir un parallèle entre les états financiers de deux entités distinctes ou entre les états financiers d'une même entité ayant trait à des exercices différents.

Information compréhensible Information utile aux utilisateurs.

Information fiable Information exacte (fidèle à la réalité), neutre et vérifiable. Elle est basée sur des estimations prudentes.

Information pertinente Information pouvant influer sur les décisions économiques que les utilisateurs sont appelés à prendre ; elle est fonction de sa valeur prédictive ou rétrospective et de la rapidité de sa publication.

Investisseurs institutionnels Gestionnaires de caisses de retraite, de fonds communs de placements, de fondations privées ou publiques et d'autres sociétés de gestion de portefeuille qui investissent pour le compte d'autres personnes.

Investisseurs privés Personnes qui achètent et vendent des actions de sociétés.

Juste valeur Montant pour lequel un actif pourrait être échangé, ou un passif réglé, entre des parties bien informées et consentantes dans des conditions normales de concurrence.

Liquidités Fonds disponibles pour payer les passifs à court terme.

Location-acquisition Contrat qui respecte au moins un des quatre critères établis par les PCGR et, par conséquent, qui nécessite l'inscription d'un actif et d'un passif.

Location-exploitation Contrat qui ne respecte pas les quatre critères établis par les PCGR et qui ne nécessite pas l'enregistrement d'un actif et d'un passif.

Main-d'œuvre directe Salaire des employés qui travaillent directement au processus de transformation des produits.

Marchandises destinées à la vente Coût des stocks au début de la période plus les achats (les éléments transférés aux produits finis) de la période.

Marchés efficients Marchés des valeurs mobilières dans lesquels les prix reflètent entièrement les informations disponibles.

Marque de commerce Droit juridique exclusif d'utiliser un signe distinctif (un nom, une image, un slogan, un sigle, etc.).

Méthode à la valeur de consolidation (mise en équivalence) Méthode utilisée lorsque la société participante peut exercer une influence notable sur la société émettrice (satellite) : cette méthode permet d'inscrire comme produits de placement, la quote-part de la société participante dans le bénéfice net de la société émettrice.

Méthode d'estimation fondée sur le chiffre d'affaires Estimation des créances douteuses d'après l'analyse du chiffre d'affaires ou des ventes à crédit réalisées au cours des exercices antérieurs et qui se sont ultérieurement révélées comme étant des créances irrécouvrables.

Méthode d'estimation fondée sur le classement chronologique des comptes clients Estimation des créances irrécouvrables d'après l'âge de chacun des comptes clients.

Méthode d'imputation par provision Méthode établissant le montant des créances douteuses à l'aide d'une estimation de celles-ci.

Méthode de l'acquisition Méthode qui exige que les actifs et les passifs acquis lors d'une fusion ou d'une acquisition soient comptabilisés à leur juste valeur.

Méthode de l'épuisement à rebours (méthode du Dernier Entré, Premier Sorti – DEPS) Méthode de détermination du coût des stocks selon l'hypothèse que les articles achetés en dernier (derniers entrés) sont vendus en premier (premiers sortis).

Méthode de l'épuisement successif (méthode du Premier Entré, Premier Sorti – PEPS) Méthode de détermination du coût des stocks selon l'hypothèse que les premiers biens achetés (premiers entrés) sont les premiers biens vendus (premiers sortis).

Méthode de la comptabilité d'exercice Comptabilisation des produits quand ils sont gagnés et les charges quand elles sont engagées, sans considération du moment où les opérations sont réglées par un encaissement ou un décaissement.

Méthode de la comptabilité de caisse Comptabilisation des produits au moment où ces derniers sont encaissés et des charges au moment où celles-ci sont payées.

Méthode de la valeur du marché Méthode qui présente les placements à leur juste valeur à une date donnée.

Méthode directe Méthode de présentation de la section des activités d'exploitation de l'état des flux de trésorerie qui consiste à présenter « les montants bruts des principales catégories de rentrées et de sorties de fonds ».

Méthode du coût amorti Méthode qui présente les placements dans les obligations détenus jusqu'à l'échéance à leur coût ajusté en tenant compte de toute prime ou de tout escompte.

Méthode du coût distinct Méthode permettant d'évaluer le coût précis de chacun des articles en stock qui ont été vendus.

Méthode du coût moyen Méthode de détermination du coût des stocks qui utilise le coût unitaire moyen pondéré des marchandises destinées à la vente afin de déterminer à la fois le coût des marchandises vendues et le stock à la fin.

Méthode indirecte Méthode de présentation de la section des activités d'exploitation de l'état des flux de trésorerie qui consiste à effectuer, sur le résultat net, les ajustements nécessaires au calcul des flux de trésorerie provenant de l'exploitation.

Moindre du coût et de la juste valeur Méthode d'évaluation qui diffère du principe du coût historique. Elle sert à constater une perte lorsque le coût de remplacement (la valeur de réalisation nette) devient inférieur au coût d'origine.

Notes afférentes aux états financiers (notes complémentaires) Informations supplémentaires sur la situation financière d'une société. Sans ces notes, il ne serait pas possible de comprendre entièrement les états financiers.

Objectif des états financiers Communication des informations économiques utiles sur l'entreprise pour aider les utilisateurs externes à prendre des décisions financières éclairées.

Obligation convertible Obligation pouvant se convertir en un autre titre de l'émetteur (normalement des actions ordinaires).

Obligation remboursable par anticipation Obligation pouvant être remboursée avant l'échéance, au gré de l'émetteur.

Opération Échange entre une entreprise et une ou plusieurs tierces parties ou événement interne mesurable comme l'utilisation des actifs dans les activités d'exploitation.

Opinion (certification, attestation) sans réserve Déclaration des vérificateurs énonçant, sans aucune restriction, que les états financiers donnent une image fidèle de la situation financière et des résultats de l'entreprise conformément aux principes comptables généralement reconnus.

Passif Composante du bilan décrivant les obligations qui incombent à l'entité par suite d'opérations ou de faits passés, et dont le règlement pourra nécessiter le transfert ou l'utilisation d'actifs, la prestation de services ou encore toute autre cession d'avantages économiques.

Passif à court terme Ensemble des obligations dont l'entité devra s'acquitter dans l'année qui suit la date du bilan ou au cours du cycle normal d'exploitation s'il excède un an.

Passif à long terme (dette à long terme, obligation à long terme) Ensemble des obligations d'une entité qui ne sont pas classées dans la catégorie des éléments de passif à court terme.

Passif éventuel Obligation potentielle résultant d'événements passés et dont l'existence ne sera confirmée que par la survenance ou la non-survenance d'un ou plusieurs événements futurs incertains qui échappent en partie au contrôle de l'entité.

Passif financier Obligation contractuelle qui implique de céder à l'autre partie soit de la trésorerie, soit un autre actif financier.

Passif financier assumé à des fins de transactions Passif utilisé pour financer des activités de transaction et désigné comme tel par la direction.

Pertes Diminutions de l'actif ou augmentations du passif découlant des activités périphériques de l'entité.

Placements dans des sociétés satellites (affiliées, associées) Placements à long terme dans les actions d'une société, détenues dans le but d'exercer une influence sur ses stratégies d'exploitation, d'investissement et de financement. La société émettrice porte souvent le nom de « société satellite ».

Placements dans des titres détenus à des fins de transaction Titres qu'on acquiert et qu'on détient principalement dans le but de réaliser une plus-value pour les revendre ensuite dans un délai relativement court.

Placements dans des titres disponibles à la vente Placements non stratégiques autres que des placements dans des titres détenus à des fins de transaction. Ils peuvent être classés comme étant à court ou à long terme.

Placements détenus jusqu'à l'échéance Placements dans des obligations que l'entreprise a l'intention et la capacité de conserver jusqu'à leur échéance.

Placements non stratégiques Placements dans des titres de sociétés qui ne permettent pas d'exercer une influence ou un contrôle sur les politiques stratégiques d'une entreprise.

Postulat de l'indépendance des exercices Concept supposant que l'activité économique d'une entité peut être découpée en périodes égales et arbitraires qu'on appelle « exercices ».

Postulat de l'unité monétaire Concept selon lequel il faut mesurer et présenter les informations comptables dans une seule unité monétaire.

Postulat de la continuité de l'exploitation Concept présumant que l'entité poursuivra ses activités dans un avenir prévisible.

Postulat de la personnalité de l'entité Concept stipulant que les activités de l'entreprise sont séparées et distinctes de celles de ses propriétaires.

Prêteurs (créanciers) Fournisseurs et établissements financiers qui prêtent de l'argent aux entreprises.

Prévision de résultats Détermination, par anticipation, des résultats d'exploitation les plus probables pour les exercices futurs.

Prime d'émission d'obligation Différence entre le prix de vente et la valeur nominale lorsque les obligations sont vendues pour un montant supérieur à cette valeur.

Principe de bonne information Principe incitant les entreprises à fournir dans les états financiers toutes les informations financières susceptibles d'influer sur les décisions économiques d'un utilisateur.

Principe de constatation des produits (principe de réalisation) Comptabilisation d'un produit ou d'un profit lorsqu'il est réalisé, c'est-à-dire dans l'exercice où a été achevée l'exécution du travail nécessaire pour le gagner et lorsque la mesure et le recouvrement de la contrepartie sont raisonnablement sûrs.

Principe de la valeur d'acquisition Principe exigeant que les actifs soient enregistrés sur la base du coût historique, qui représente les liquidités versées à la date de l'opération d'échange additionnées de la juste valeur de toute autre contrepartie également comprise dans l'échange.

Principe du rapprochement des produits et des charges Principe qui aide à déterminer le moment où les coûts doivent être passés en charges et rapprochés des produits qu'ils ont contribué à créer.

Principes comptables généralement reconnus (PCGR) Normes et règles qu'on utilise pour élaborer les informations qui figurent aux états financiers.

Produits Augmentations des ressources économiques qui résultent des activités courantes de l'entité et proviennent habituellement de la vente de biens ou de la prestation de services.

Produits constatés par régularisation Produits qui ont été gagnés avant la fin de l'exercice en cours, mais qui seront recouvrés dans un exercice futur.

Produits perçus d'avance Produits qui ont été encaissés mais non réalisés. Ils constituent des éléments de passif jusqu'à ce que les marchandises ou les services soient fournis. Ils sont aussi appelés « revenus différés » ou « revenus reportés ».

Produits reportés Produits encaissés qui figurent au passif et qui doivent être régularisés à la fin de l'exercice pour refléter les produits gagnés.

Provision pour créances douteuses (provision pour créances irrécouvrables) Compte de sens contraire dans lequel on classe les comptes clients que la société estime ne pas pouvoir recouvrer.

Prudence Concept selon lequel il faut choisir les méthodes comptables qui risquent le moins de surévaluer l'actif et les produits d'exploitation ou de sous-évaluer le passif et les charges.

Rapport de la direction Rapport faisant état de la responsabilité première de la direction à l'égard des états financiers et des autres informations financières contenues dans le rapport annuel, ainsi que du processus pour assurer la fiabilité de ces informations.

Rapport du vérificateur Rapport contenant essentiellement l'opinion du vérificateur quant à la fidélité des déclarations figurant aux états financiers et une description sommaire du travail effectué pour soutenir cette opinion.

Rapprochement bancaire Processus qui consiste à vérifier l'exactitude du relevé bancaire et des comptes de caisse d'une entreprise.

Ratios financiers Outils d'analyse obtenus à l'aide de calculs qui permettent de mesurer les relations proportionnelles existant entre divers montants qui figurent aux états financiers.

Relevé bancaire Rapport mensuel émis par les banques indiquant les dépôts enregistrés, les chèques compensés ainsi que d'autres retraits ou dépôts, et le solde en banque à la fin de la période couverte par le relevé.

Rendus et rabais sur ventes Réduction du chiffre d'affaires due aux retours ou aux rabais consentis sur des marchandises pour diverses raisons.

Réparations et entretien Coûts engagés pour l'entretien normal des immobilisations.

Ressources naturelles Actifs qu'on trouve dans la nature, par exemple les forêts, les gisements de pétrole, de gaz naturel ou de minerai, les ressources hydroélectriques.

Résultat étendu Résultat net plus tous les autres éléments de même nature qui ont contribué à l'augmentation ou à la diminution des capitaux propres. Toutefois, ces éléments

sont exclus de l'état des résultats et désignés comme « autres éléments du résultat étendu ».

Retours et rabais sur achats Réduction du coût d'achat due à des marchandises non acceptables.

Société émettrice Société qui a émis les actions détenues par une autre société.

Société englobée Société qui disparaît à la suite d'une fusion.

Société mère Société qui détient le contrôle d'une autre société : la filiale.

Société participante Société qui détient des actions avec droit de vote d'une autre société.

Sommaire des résultats Compte du grand livre où sont virés les soldes des comptes de produits, de gains, de charges et de pertes à la fin d'un exercice en vue de déterminer le résultat net de l'exercice.

Stock de marchandises Ensemble des biens achetés et détenus en vue de la revente dans le cours normal des affaires.

Stock de matières premières Éléments achetés à des fins de transformation en produits finis.

Stock de produits en cours Produits qui sont en cours de transformation dans le processus de fabrication.

Stock de produits finis Produits fabriqués dont la transformation est terminée et qui sont prêts à être vendus.

Stocks Articles qu'une entreprise détient en vue de les vendre dans le cours normal des affaires ou qu'elle utilise pour produire des biens ou des services destinés à la vente.

Surplus d'apport Compte de capitaux propres qui proviennent d'opérations relatives au capital. Chaque source doit faire l'objet d'un compte distinct.

Système d'inventaire périodique Méthode par laquelle on prévoit un dénombrement des stocks afin de déterminer les stocks de clôture et

le coût des marchandises vendues à la fin de l'exercice financier.

Système d'inventaire permanent Système où l'on tient un registre d'inventaire détaillé dans lequel sont inscrits, au cours de l'exercice financier, chacun des achats et chacune des ventes de stocks.

Taux d'intérêt contractuel (coupon) Taux d'intérêt périodique en espèces inscrit dans le contrat d'emprunt ou acte de fiducie.

Taux d'intérêt effectif (taux de rendement, taux du marché) Taux d'intérêt actuel sur une dette au moment où elle est engagée ; on parle aussi de « taux d'intérêt réel ».

Taux d'intérêt nominal (taux d'intérêt contractuel, coupon) Taux d'intérêt contractuel inscrit sur les obligations. Dans les journaux, on utilise le terme « coupon ».

Technologie Actif incluant les coûts de développement des logiciels et des sites Web.

Test de dépréciation Test qui consiste à comparer la juste valeur de l'écart d'acquisition avec sa valeur comptable pour constater une perte de valeur s'il y a lieu.

Tests de marché Tests qui comprennent les ratios qui permettent de mesurer la valeur marchande des actions.

Tests de rentabilité Tests qui permettent de comparer le bénéfice avec une ou plusieurs activités primaires.

Tests de solvabilité Tests comprenant des ratios qui permettent de mesurer la capacité d'une société de satisfaire à ses obligations à long terme.

Tests de trésorerie (de liquidité) Tests qui mesurent la capacité d'une entreprise à respecter ses obligations lorsque celles-ci arrivent à échéance.

Trésorerie (espèces et quasi-espèces, trésorerie et équivalences de trésorerie) Ensemble des actifs liquides dont peut aisément disposer l'entité, comprenant les fonds en caisse et les dépôts à vue auxquels s'ajoutent certains placements à court terme très liquides (les équivalences de trésorerie). Ces placements sont détenus dans le but de faire face aux engagements de trésorerie à court terme, et non à des fins de placements ou à d'autres fins.

Valeur actualisée (valeur présente) Valeur actuelle d'un montant qu'on recevra dans le futur ; ce montant futur est actualisé en tenant compte des intérêts composés.

Valeur boursière Valeur du marché d'une action établie par les Bourses. Cette valeur fluctue en fonction des transactions journalières du titre.

Valeur capitalisée (valeur future) Somme que représente un montant investi lorsqu'on y additionne les intérêts composés qu'il rapportera.

Valeur comptable nette Partie du coût d'acquisition d'un bien non encore passée en charges à titre d'amortissement ou de perte.

Valeur de réalisation nette Prix de vente prévu dont on soustrait les frais d'achèvement ou de mise en vente (par exemple les frais de réparation et de mise au rebut).

Valeur de récupération Valeur d'une immobilisation corporelle à la fin de sa durée de vie. La valeur de récupération est souvent nulle ou négligeable.

Valeur nominale (valeur au pair) Autre façon de désigner le capital d'une obligation ou le montant que représente cette obligation à sa date d'échéance.

Valeur nominale (valeur au pair) Valeur par action précisée dans la charte de la société, le cas échéant.

Valeur résiduelle Valeur que prévoit récupérer l'entreprise à la fin de la durée de vie utile d'un actif immobilisé.

Valeur temporelle de l'argent Notion exprimant la relation économique entre le temps et l'argent.

Vérification Examen des rapports financiers pour s'assurer qu'ils reflètent fidèlement la situation financière de l'entreprise et ses résultats, et qu'ils sont conformes aux principes comptables généralement reconnus.

Versements périodiques (annuités) Série d'encaissements ou de paiements périodiques de montants égaux à chaque période d'intérêt.

Index

Les caractères **gras** indiquent les pages où les termes sont définis.